Hauptgruppe 2: Umformen (DIN 8582)

Druckumformen DIN 8583-1

Walzen
DIN 8583-2
Teil III Kap. 3.4

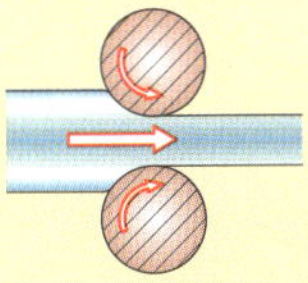

Freiformen
DIN 8583-3
Lernfeld 1 u. 2
Kap. 2.2

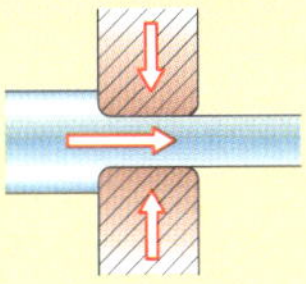

Gesenkformen
DIN 8583-4
Lernfeld 1 und 2
Kap. 2.2

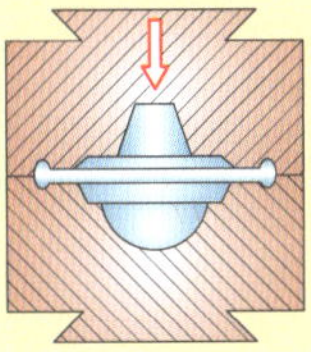

Eindrücken
DIN 8583-5

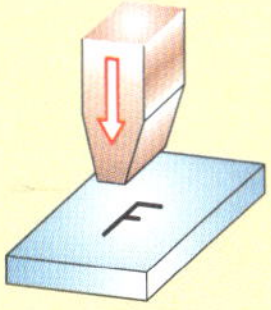

Durchdrücken
DIN 8583-6
Teil III Kap. 3.4

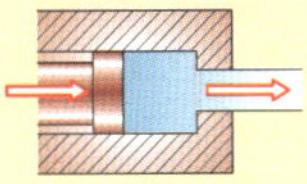

Zugdruckumformen DIN 8584-1

Durchziehen
DIN 8584-2
Teil III Kap. 3.4

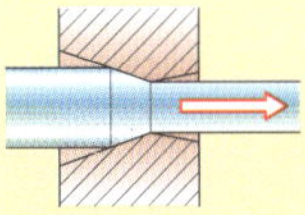

Tiefziehen
DIN 8584-3

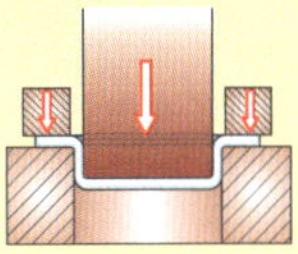

Drücken
DIN 8584-4

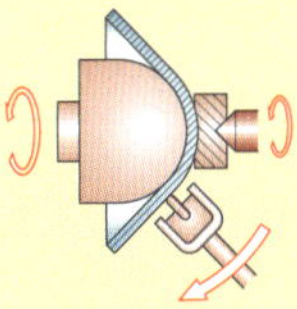

Kragenziehen
DIN 8583-5

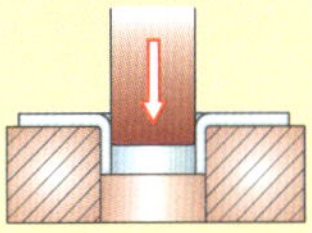

Knickbauchen
DIN 8584-6

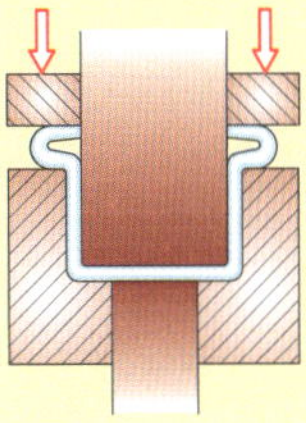

Zugumformen DIN 8585-1

Längen
DIN 8585-2

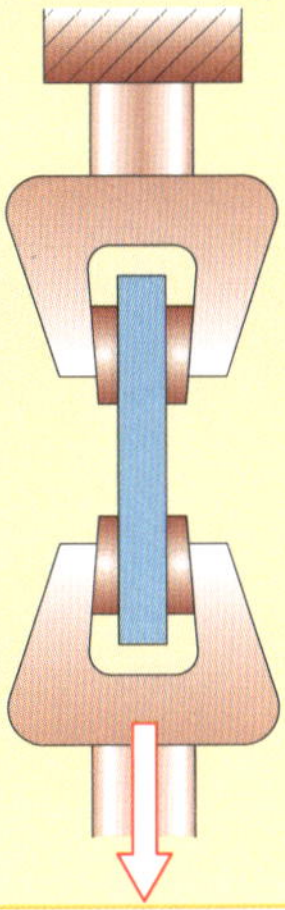

Weiten
DIN 8585-3

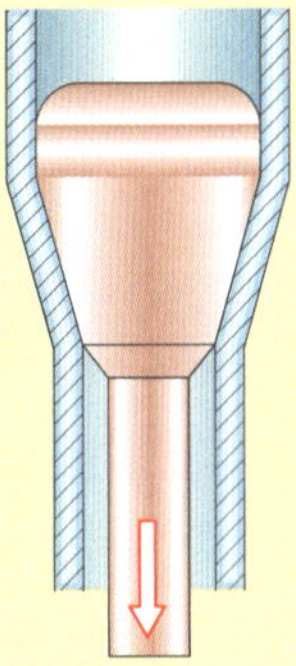

Tiefen
DIN 8585-4

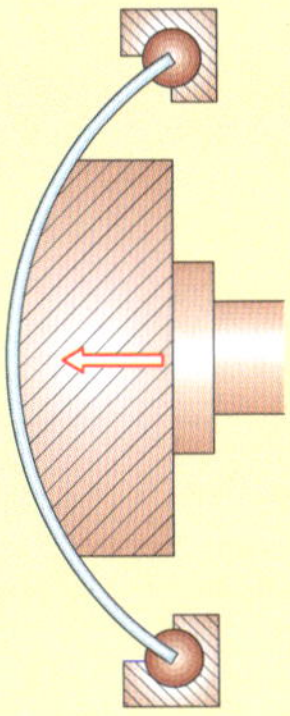

Biegeumformen DIN 8586

Biegeumformen mit geradliniger Werkzeugbewegung
DIN 8586

Gesenkbiegen
Lernfeld 1 und 2
Kap. 2.1

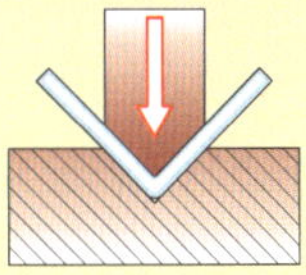

Rollbiegen

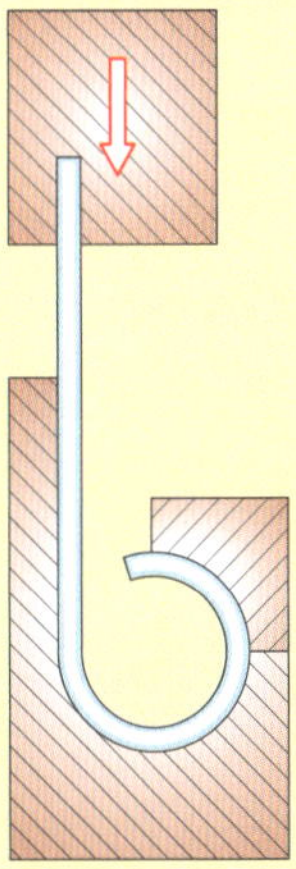

Biegeumformen mit drehender Werkzeugbewegung
DIN 8586

Walzrunden
Lernfeld 1 und 2
Kap. 2.1

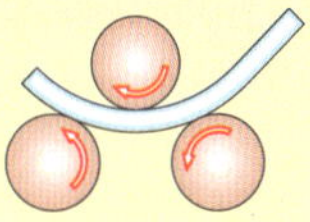

Schwenkbiegen
Lernfeld 1 und 2
Kap. 2.1

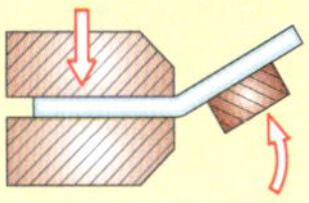

Schubumformen DIN 8587

Verschieben (Schubumformen) mit geradliniger Werkzeugbewegung
DIN 8587

Verschieben

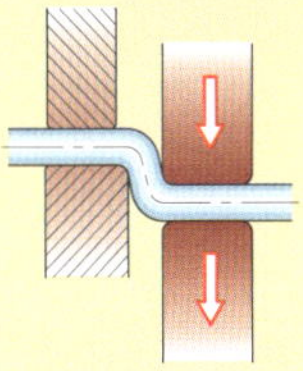

Durchsetzen

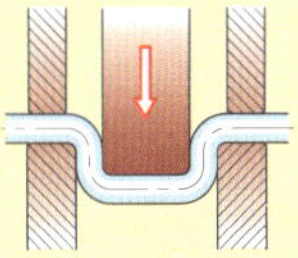

Verschieben (Schubumformen) mit drehender Werkzeugbewegung
DIN 8587

Verdrehen

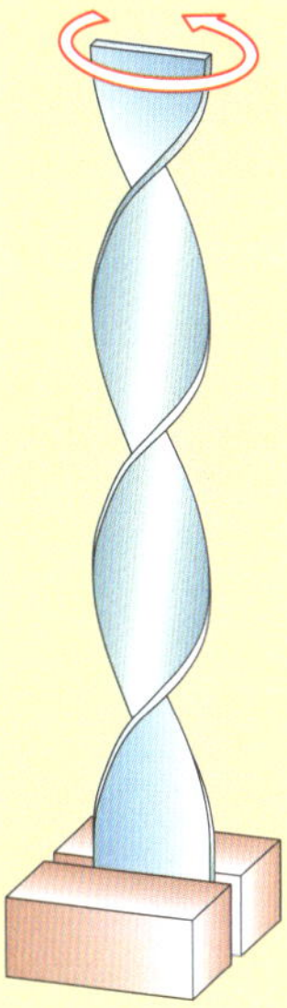

Grundkenntnisse Industrielle Metallberufe

Lernfelder 1–4

von
Reiner Haffer
Angelika Becker-Kavan
Gregor van den Boom
Finn Brandt
Christof Braun
Volker Lindner
Monika Reusmann
Elisabeth Schulz
Jochen Timm

unter Mitarbeit
von
Jeffrey Lloyd

9., völlig überarbeitete Auflage

B3010.090

Bitte auf **ht-alex.de** registrieren und folgenden Code eingeben:

HT

Q2UPJRZ8GB2EK56HAD8F

Handwerk und Technik – Hamburg

Erklärung der am Seitenrand verwendeten Symbole

AH GK S. 1 – Verweis auf Seite im passenden **Arbeitsheft Grundkenntnisse Industrielle Metallberufe – Lernfelder 1–4** (Bestellnummer 30105), auf der dieser Stoff bearbeitet wird.

Downloadmaterial verfügbar (PDF, EXCEL)

Videoclip oder Animation verfügbar (MP4)

Interaktive Simulation verfügbar (html)

Die Zusatzmaterialien sind entweder über die eingedruckten QR-Codes oder über den untenstehenden Link abrufbar. Geben Sie in Ihrem Browserfenster folgenden Weblink ein:
handwerk-technik.de/links/3010

Anschließend wählen Sie das gewünschte Zusatzmaterial aus.

Wir danken den folgenden Firmen und Institutionen für die Genehmigung, mithilfe der QR-Codes auf Ihre Videos etc. verlinken zu dürfen:

BASF SE, Ludwigshafen: S. 245/1 – **Ardalan Bayat, Hochschule für Angewandte Wissenschaften Hamburg (HAW Hamburg)**, Hamburg: S. 312/1 – **EVN AG**, www.young.evn.at, A-Maria Enzersdorf: S. 229/1 – **Fraunhofer-Institut für Fertigungstechnik und Angewandte Materialforschung IFAM**, Bremen: S. 116/1 – **GMC Maschinen Gmbh**, Essen, www.bokatools.de: S. 255/1 – **Hans-Peter Habelitz**: S. 269/1 – **HAZET-WERK Hermann Zerver GmbH & Co. KG**, Remscheid: S. 110/1 – **HDB Industriehandel GmbH**, Biertal: S. 125/1 – **HEINRICH KIPP WERK GmbH & Co. KG**, Sulz am Neckar: S. 111/1 Bild 10, 11 – **Hochschule für Technik und Wirtschaft Berlin HTW Berlin, Anja Pfennig, Jörg MaierRothe, Angie Schatte et al.**, Berlin: S. 313/1 – **HONSEL Distribution GmbH & Co. KG**, Neumünster: S. 115/1 – **Kay MacKenneth / Classic-Car.TV**, München: S. 55/2 – **Landefeld Druckluft und Hydraulik GmbH**, Kassel: S. 147/1; 157/1; 194/1 – **learnchannel-tv.com**: S. 169/1 – **Volker Lindner**, Recklinghausen: S. 111/1 Bild 2, 3, 5, 6, 8 – **Realschule Bopfingen**, Bopfingen: S. 25/1 – **SAEILO GmbH**, Wetzlar-Blasbach: S. 41/1, 2, 3, 5; 47/1 – **Mathias Schubert**, Uelsen, www.Der-Elektriker.org: S. 225/1, 2 – **Sekretariat der Kultusministerkonferenz (KMK)**, Bonn: S. 2/1, 2; 3/1, 2; 4/1, 2, 3, 4 – **simpleclub GmbH**, Grünwald: S. 116/2 – **Staatliche Berufsschule Kempten**, 87435 Kempten (Allgäu): S. 154/2 – **Manuel Styrsky**, München: S. 14/1, 2; 15/1 – **UnternehmerTUM MakerSpace GmbH, Garching und Henkel AG & Co. KGaA, General Manufacturing & Maintenance**: S. 118/1 – **Gregor van den Boom**, Alpen: S. 151/1, 2, 3; 154/1, 3; 155/1; 159/1, 2, 3; 160/1; 162/1; 163/1; 164/1, 2; 167/1; 168/1 – **Jens Wulff**, Hollersgraben, www.mathe-ist-chillig.de: S. 115/2

Die Illustrationen auf den Seiten 14 und 15 wurden ausgeführt von:
Claude Bernard Gay, Hamburg
Die technischen und grafischen Zeichnungen wurden nach Vorlagen ausgeführt von:
Dipl.-Ing. Manfred Appel, Kattendorf, Artbox Grafik & Satz GmbH, Bremen und Michele Di Gaspare Render3dx, Bergheim
Die interaktiven Simulationen wurden ausgeführt durch: Michele Di Gaspare Render3dx, Bergheim
Umschlagmotive:
1 – Reiner Haffer, Dautphetal   2 – Reiner Haffer, Dautphetal   3 – stock.adobe.com (©lichtmeister)

Die Normblattangaben werden wiedergegeben mit Erlaubnis des DIN Deutsches Institut für Normung e. V. Maßgebend für das Anwenden der Norm ist deren Fassung mit dem neuesten Ausgabedatum, die bei der DIN Media GmbH, Burggrafenstraße 6, 10787 Berlin, erhältlich ist.

ISBN 978-3-582-75707-4   Best.-Nr. 3010

Verlag Handwerk und Technik GmbH,
Lademannbogen 135, 22339 Hamburg; Postfach 63 05 00, 22331 Hamburg – 2025
E-Mail: info@handwerk-technik.de – Internet: www.handwerk-technik.de

Satz und Layout: Reemers Publishing Services GmbH, 47799 Krefeld
Druck: Mohn Media Mohndruck GmbH, 33311 Gütersloh

Vorwort

Das vorliegende Werk wendet sich in erster Linie an Auszubildende der Metallindustrie im ersten Ausbildungsjahr: Industrie-, Werkzeug- und Zerspanungsmechaniker sowie an Feinwerkmechaniker im Handwerk. Grundsätzlich kann es jedoch z. B. in gemischten Klassen auch als Grundlagenband auf der gesamten Breite des Berufsfeldes Metall eingesetzt werden.
Sehr großer Wert wurde auf eine gute und fachgerechte Visualisierung in Form von Fotos, mehrfarbigen dreidimensionalen Abbildungen und verschiedenfarbigen Texten gelegt, um das Verständnis der dargebotenen Zusammenhänge zu erleichtern.
Anliegen von Autoren und Verlag bei der Erstellung des Buches war es, Lehrern und Schülern ein Unterrichts- und Nachschlagewerk zu bieten, das als Leitmedium für einen Lernfeldunterricht dienen kann. Es bleibt jedoch genügend Freiraum für eine dem jeweiligen Unterricht und damit dem regionalen Umfeld angemessene Auswahl der Lernsituationen. Inhalte, die mehr oder weniger Bestandteil aller Lernfelder sind, wurden in einem Lernfeld übergreifenden Teil des Buches dargestellt.
Bei Bedarf können diese Inhalte nachgeschlagen oder in eine fachsystematische Unterrichtssequenz einbezogen werden.
Aus diesem Grund gliedert sich das Buch in drei Teile:

Teil I Einführung in den Beruf
Teil II Lernfeld bezogene Inhalte
Teil III Lernfeldübergreifende Inhalte

Das **Farb-Leitsystem** mit den verschiedenfarbigen Darstellungen auf der oberen äußeren Ecke der Seite ermöglicht eine rasche Orientierung innerhalb des Buches. Zahlreiche **Querverweise** am unteren Seitenrand teilen mit, wo im Buch weitere Informationen zu den dargestellten Themen zu finden sind.

Im **Teil I** lernen die Auszubildenden die Betriebsstrukturen, das duale Ausbildungssystem, Gefahren im Betrieb und Unfallverhütungsvorschriften kennen. In gleicher Weise gehört hierzu aber auch die Kundenorientierung des Betriebes mit Einblick in Geschäftsprozesse, Qualitätsmanagement und Konfliktlösungsstrategien.

Teil II ist nach Lernfeldern gegliedert:

Lernfelder 1 und 2
Fertigen von Bauelementen

Lernfeld 3
Herstellen einfacher Baugruppen

Lernfeld 4
Warten technischer Systeme

Fachliche Zusammenhänge werden – meist ausgehend von Fertigungsbeispielen – anschaulich dargestellt. Wo sinnvoll, werden hierbei die mathematischen Zusammenhänge technologischer Fragestellungen erarbeitet. Der in sich fachsystematische Aufbau der einzelnen Kapitel erleichtert das Nachschlagen und somit das Bearbeiten der jeweiligen Lernsituation. Am Ende der Kapitel stehen Übungsaufgaben mit Projektvorschlägen, die als Lernsituation für einen Lernfeld orientierten Unterricht dienen können. Übungsaufgaben zur Mathematik wurden im Teil III „Lernfeld übergreifende Inhalte" im Kapitel „Mathematische Grundlagen und Anwendungen" zusammengefasst.
Die Lernfelder 1 und 2 wurden zusammengefasst, da die technologischen Grundlagen weitgehend identisch sind und es äußerst selten sein dürfte, dass Bauteile ausschließlich mit handgeführten Werkzeugen gefertigt werden.
Im Lernfeld 3 stehen die Montagetechnik mit den einzelnen Fügeverfahren sowie die Handhabung der erforderlichen Werkzeuge im Vordergrund.
Das Lernfeld 4 widmet sich dem Warten technischer und steuerungstechnischer Systeme und liefert die Grundlagen der Elektrotechnik.

Teil III liefert die Lernfeld übergreifenden Inhalte und gliedert sich in:

Arbeitsmethoden und Präsentationstechniken
Technische Kommunikation
Werkstofftechnik
Mathematische Grundlagen und Anwendungen

In die Rahmenlehrpläne wurden Ziele und Inhalte des **technischen Englisch** übernommen. In diesem Band werden die sich daraus ergebenden Anforderungen in mehrfacher Hinsicht umgesetzt: Gängige oder wichtige Fachbegriffe wurden in den deutschen Text integriert *(blaue kursive Schrift)*. *Am Ende der Kapitel wurde jeweils eine Seite* **Work With Words** *eingefügt, zudem erscheinen an geeigneter Stelle Seiten mit Fachinhalten in englischer Sprache. Am Ende des Buches befindet sich eine englisch-deutsche Vokabelliste.*

Am Seitenrand weisen die QR-Codes auf Simulationen, Animationen, Videos, Ergänzungen und Aufgaben in den Arbeitsblättern (z. B. AH GK S.1) hin, die die dargestellten Themen vertiefen, erweitern und anwenden. Für die Bereitstellung von Manuskriptteilen sei herzlich gedankt: Hans Meier, Rainer Möller, Siegfried Pietrass, Erich Zeh.

Für Anregungen und kritische Hinweise sei bereits im Voraus herzlich gedankt.

Autoren und Verlag

Bildquellen

Autoren und Verlag danken den genannten Firmen und Institutionen für die Überlassung von Vorlagen bzw. Abdruckgenehmigungen folgender Abbildungen:

123RF GmbH, Nidderau: S. 321/1 (jarous) – **ABB AG**, Mannheim: S. 144/2 – **ABB STRIEBEL & JOHN GmbH**, Sasbach: S. 225/1, 4 – **Air Liquide Deutschland GmbH**, Düsseldorf: S. 125/1a+b, 3a; 126/3; 127/2 – **Akzo Nobel Deco GmbH**, Köln: S. 211/2 – **Alexander Binzel Schweisstechnik GmbH & Co. KG**, Buseck: S. 130/4 – **Alfred Kärcher Vertriebs-GmbH**, Winnenden: S. 184/3 – **ALPEN-MAYKESTAG GmbH**, A-Puch: S. 48/4 – **Alzmetall GmbH & Co.**, Altenmarkt: S. 35/2a; 199/1 – **AMF Andreas Maier GmbH & Co. KG**, Fellbach: S. 110/3 – **Archäologische Landesmuseum Schloss Gottorf**, Schleswig: S. 1/1, 2 – **ARCONIC Power and Propulsion TITAL GmbH**, Bestwig: S. 321/5 – **Arnz FLOTT GmbH**, Remscheid: S. 35/2b; 72/6; 206/2 – **Balluff GmbH**, Neuhausen: S. 152/1 – **BBT Blei Bau Technik GmbH**, Henstedt-Ulzburg: S. 321/3 – **BC Extrusion Holding GmbH**, Bad Oeynhausen: S. 191/1 – **Bessey Tool GmbH & Co.KG**, Bietigheim-Bissingen: S. 55/4b; 56/2a+b, 3a-f, 4a-f – **BOGE KOMPRESSOREN Otto Boge GmbH & Co. KG**, Bielefeld: S. 148/1 – **BÖGRA Technologie GmbH**, Solingen: S. 320/3b – **BORBET GmbH**, Hallenberg-Hesborn www.borbet.de: S. 319/3b – **Finn Brandt**, Wolmersdorf: S. 223/1 – **Christof Braun**, Dortmund: S. 113/1; 314/1a+b; 316/1 – **Bremer & Leguil GmbH**, Duisburg: S. 179/2; 187/1; 188/1 – **Brockhaus Heuer GmbH**, Plettenberg: S. 131/4b – **Bug-Alutechnik GmbH**, Vogt: S. 326/2b – **Buschjost GmbH (IMI Precision Engineering)**, Bad Oeyenhausen: S. 175/3 – **C. & E. Fein GmbH**, Schwäbisch Gmünd-Bargau: S. 110/5 – **ContiTech AG**, Hannover: S. 99/4 – **CRC Industries Deutschland**: S. 211/1 – **Dethloff Diagnostik & Consulting Maschinendiagnose, Mess- und Sensortechnik GmbH**, Rostock: S. 204/2 – **Deutsches Kupferinstitut Berufsverband e.V.**, Düsseldorf: S. 119/2; 320/2 – **Diehl Metall Stiftung & Co.**, Röthenbach a.d. Pegnitz: S. 320/3c – **DMG MORI Global Marketing GmbH**, München: S. 50/2 – **dpa-Picture-Alliance GmbH, Globus Infografik**, Frankfurt a.M.: S. 7/1, 2 – **EATON Industries GmbH**, Bonn: S. 161/3a; 178/1; 225/3 – **EFAFLEX GmbH & Co. KG**, Bruckberg: S. 162/3+4; 163/1 – **Manfred Einloft**, Dautphetal: S. 115/4 – **ELMAG Entwicklungs- und Handels-GmbH**, A-Ried im Innkreis: S. 128/a, b, d – **EMCO GmbH**, A-Hallein: S. 72/2, 3, 4; 99/2; 197/1; 200/1; 209/3; 212/1; 213/1; 217/1; 229/1 – **Emil Lux GmbH & Co. KG**, Wermelskirchen: S. 27/1c; 61/1; 70/1-6; 71/1, 2; 132/1e – **Festo AG & Co. KG**, Esslingen: S. 147/2, 3; 149/3a+b; 151/2a, 3a; 152/6; 160/3b; 320/1 – **Frank Wojtinowski Metallbearbeitung**, Kirchanschöring: S. 3/3 – **Fraunhofer-Institut für Werkzeugmaschinen und Umformtechnik IWU**, Chemnitz: S. 321/4 – **Friedrich Küpper GmbH**, Berlingen: S. 131/4a – **GCE GmbH**, Fulda: S. 125/3b – **Georgsmarienhütte GmbH**, Georgsmarienhütte: S. 326/1b – **GESIPA Blindniettechnik GmbH**, Mörfelden-Walldorf: S. 115/2 – **Getriebebau Nord GmbH & Co. KG**, Bargteheide: S. 137/2; 315/2 – **GRASS GmbH**, A-Höchst: S. 18/2 – **GRESSEL AG**, CH-Aadorf: S. 71/4 – **GST-Gesellschaft für Schleiftechnik GmbH**, A-Sierndorf: S. 179/3 – **Günter Bechtold GmbH Gerätebau-Blechbearbeitung-Laserschneiden**, Weilheim: S. 96/3 – **Haberstroh GmbH & Co. KG**, Knittlingen: S. 72/1 – **Reiner Haffer**, Dautphetal: S. 3/1; 18/3; 20/2, 3; 72/5, 7, 8; 75/1, 3, 4, 6, 9; 79/3; 81/4; 87/2a-c; 88/3; 89/1a+b, 3, 4a+b – **Werner Hayen**, Wilhelmshaven: S. 74/2; 75/2, 5, 10 – **HAZET-WERK, Hermann Zerver GmbH & Co. KG**, Remscheid: S. 110/4; 114/1a, 2, 3 – **HELIOS-PREISSER GmbH**, Gammertingen: S. 88/1b – **Hodt Korrosionsschutz GmbH**, Wentorf: S. 209/1 – **Hoesch Schwerter Profile GmbH**, Schwerte: S. 326/4b – **Hommel Hercules Werkzeughandel GmbH & Co. KG**, Viernheim: S. 49/1; 189/3 – **Hürlimann Stahlhandel GmbH & Co. KG**, Andernach: S. 327/4 – **Hydro / Thomas Ernsting**: S. 319/1 – **IMI Precision Engineering (Norgren GmbH)**, Alpen: S. 150/1, 2a+b, 3; 152/2, 3, 4, 5, 7; 158/1; 160/2; 165; 173 – **IproTech GmbH**, Iserlohn: S. 185/1 – **iStockphoto**, Berlin: S. 96/2 (tarasov_vl) – **ITV Sintermetalle GmbH**, CH-Lachen: S. 323/3 – **Jacobi Eloxal GmbH**, Altlußheim: S. 209/2 – **Jakob Maul GmbH**, Bad Koenig-Zell: S. 238/3 – **Jochen Timm**, Hamburg: S. 192/2; 193/2; 234/1, 2; 249/1; 300/1a; 312/1; 315/3; 325/1; 341/1 – **Joh. Hermann Picard GmbH & Co. KG**, Wuppertal: S. 114/1b; 132/1c – **JUDO.eu**: S. 207/5 – **JUTEC Biegesysteme GmbH**, Limburg www.jutec.de: S. 64/2a+b – **Wolfgang Kaiser**, Schleswig: S. 180/2; 184/1, 2; 185/2, 3, 4, 5, 6; 186/1, 2; 189/4; 190/2, 3; 191/2, 4; 207/1, 3; 209/4; 210/3; 220/1a+b; 228/1 – **Wilhelm Kaufmann**, Norderstedt: S. 211/5 – **KASTO Maschinenbau GmbH & Co. KG**, Achern-Gamshurst: S. 27/3; 28/1, 2 – **K N I P E X – Werk C. Gustav Putsch KG**, Wuppertal: S. 131/1a-e, 3 – **Kolb+Baumann GmbH & Co. KG**, Aschaffenburg: S. 75/8, 11; 90/1 – **KUKA Roboter GmbH**, Augsburg: S. 1/3 – **KUNZMANN Maschinenbau GmbH**, Remchingen: S. 49/3 – **Volker Lindner**, Recklinghausen: S. 82/4; 96/1; 97/1, 2, 3; 98/1; 109/2, 4; 132/1b+d; 133/1; 134/1; 135/1-6; 136/7a+b, 8a-c, 9, 10; 137/11; 192/1; 235/1; 236/1, 2a-d, 3, 4; 314/2a – **Lloyd Werft Bremerhaven GmbH**, Bremerhaven: S. 3/5 – **Mahr GmbH**, Göttingen: S. 85/1 – **MAP Emil Prinzing + Söhne GmbH + Co. KG**, Gingen: S. 4/1 – **MAS Industrieservice GmbH**, Kassel: S. 2/2 – **Maschinenfabrik Berthold Hermle AG**, Gosheim www.hermle.de: S. 143/1 – **Mäule und Beck GmbH & Co.KG**, Stuttgart: S. 4/3 – **Metabowerke GmbH**, Nürtingen: S. 3/4; 27/2a+b; 71/5, 6; 106/2; 183/1a; 189/1, 2; 190/1; 194/1; 195/1; 368/2; 394/10 – **Michael Weinig AG**, Tauber-Bischofsheim: S. 18/1 – **©microsoft.com**: S. 245/1, 3 – **Mitutoyo Deutschland GmbH**, Neuss: S. 81/3; 84/2 – **Nemak**, Frankfurt/Main: S. 319/3a – **Uwe Niggemeier**, Bochum: S. 318/3a – **Gunter Offterdinger**, Niefern-Öschelbronn: S. 219/1; 220/2a+b; 221/4; 222/1, 2 – **Paul Ferdinand Peddinghaus GmbH**, Gevelsberg: S. 58/1b – **Pepperl+Fuchs GmbH**, Mannheim: S. 149/4b – **Perkeo-Werk GmbH + Co. KG**, Schwieberdingen: S. 122/1, 2 – **Peter Czarnetzki Elektroinstallationen**, Bergheim: S. 224/2, 3 – **Siegfried Pietrass**, Eislingen: S. 207/4 – **PRESSOL Schmiergeräte GmbH**, Nürnberg: S. 191/3 – **PRIMO Profile GmbH**, Groß Kientiz: S. 326/3b – **PROXXON S.A.**, L-Wecker: S. 109/3a-c; 110/2a-d – **RB-Messwerkzeuge GmbH**, Albstadt: S. 75/7; 83/4 – **REMS GmbH & Co KG**, Waiblingen: S. 27/2c – **Robert Bosch Power Tools GmbH**, Leinfelden-Echterdingen: S. 111/1; 229/2 – **Röhm GmbH**, Sontheim: S. 39/4 – **ROTHENBERGER AG**, Kelkheim: S. 63/4; 365/4 – **SAB Berschneider GmbH**, München: S. 211/4b – **Sandvik Tooling Deutschland GmbH GB Coromant**, Düsseldorf: S. 32/1; 48/1; 323/2, 4 – **Schling GmbH & Co. KG, Pressen und Maschinen**, Espelkamp: S. 147/1; 164/3 – **Schröder-Fasti Technologie GmbH**, Wermelskirchen: S. 57/1, 6; 65/2a, 3a – **SCHWEISSTECHNIK LAMBACH GmbH**, A-Edt/Lambach: S. 128/c – **Shutterstock Images LLC**, New York, USA: S. 20/1 (dotshock); 99/1 (visdia); 99/3 (3Dsculptor); 119/1 (VitoriusT); 175/1 (Just Life); 201/1 (SatawatK); 221/1 (Visionsi); 244/1 (Unknown Guy); 244/2 (Unknown Guy); 244/3 (Gorodenkoff); 245/2 (Gorodenkoff); 248/1 (fizkes); 275/4 (urfin); 322/3aa (skydie); 322/3ab (AlexLMX); 322/3ac (terekhov igor); 322/3ad (vdimage); 322/3b (Evan Lorne); 395/13 (VitoriusT) – **Siba GmbH**, Lünen: S. 225/2 – **Siemens AG**, München www.siemens.com/presse: S. 160/3a; 166/1; 327/2 – **SMS group GmbH**, Düsseldorf: S. 318/2a, 4 – **Stahleisen GmbH**, Düsseldorf Copyright 1999 Verlag Stahleisen GmbH, Düsseldorf: S. 234/3 – **STAHLWILLE Eduard Wille GmbH & Co. KG**, Wuppertal: S. 75/12; 88/1a – **Stierli Bieger AG**, CH-Sursee: S. 64/2c – **stock.adobe.com**: S. 1/4 (Ingo Bartussek); 17/1 (pressmaster); 25/1 (auremar); 45/3 (Ingo Bartussek); 74/1 (pholidito); 79/2b (Björn Wylezich); 79/2c (Alexandr Steblovskiy); 100/1a (sorapolujjin); 104/1 (Stillfx); 319/2 (Martin Schlecht); 321/2 (laboko); 322/3ca (Rob hyrons); 322/3cb (hutpaza); 322/3cc (kolesnikovserg); 322/3cd (koosen) – **Supress Redaktion Ilona Kruchen**, Düsseldorf: S. 208/3 – **SYMACON GmbH**, Barleben: S. 2/3 – **System Standex A/S**, DK-Odense: S. 178/3 – **TESA Technology Deutschland, Hexagon Manufacturing Intelligence**, Ingersheim: S. 81/1, 2; 83/5; 85/2 – **Theo Förch GmbH & Co. KG**, Neuenstadt: S. 211/4a – **Thomas Schreiber**, Duisburg: S. 210/2 – **thyssenkrupp Steel Europe AG**, Duisburg: S. 318/1a – **TOX® PRESSOTECHNIK GmbH & Co.KG**, Weingarten: S. 112/2 – **Steffi Treppesch/ Fa. FKT Formenbau und Kunststofftechnik GmbH**: S. 3/2 – **TRUMPF Grüsch AG**, CH-Grüsch: S. 18/4; 58/2a+b – **TRUMPF Werkzeugmaschinen GmbH + Co. KG**, Ditzingen: S. 58/2c; 61/3a+b – **Gregor van den Boom**, Alpen: S. 166/2; 169/1a+b; 171/3; 201/2 – **Weiler Werkzeugmaschinen GmbH**, Emskirchen: S. 45/1; 100/1b-d – **WEKAL Maschinenbau GmbH**, Fritzlar: S. 175/2 – **Wieland-Werke AG**, Ulm: S. 319/4; 320/3a+d – **Wiha Werkzeuge GmbH**, Schonach: S. 114/1c – **Witt-Gasetechnik GmbH & Co KG**, Witten: S. 122/4a+b; 125/2a-c – **Harro Wolter**, Hamburg: S. 226/1; 227/1; 309/1, 2 – **x-technik**, Wilhering: S. 131/2 – **Zentralverband Sanitär Heizung Klima**, Sankt Augustin: S. 4/4 – **ZINSER GmbH**, Albershausen: S. 126/2 – **Zopf Biegemaschinen GmbH**, Haldenwang: S. 64/3 – **ZPS-FRÉZOVACÍ NÁSTROJE a.s.**, CZ-Zlin: S. 48/2a-c – **ZwickRoell GmbH & Co. KG**, Ulm: S. 312/2

Inhalt

II Lernfeld 4: Warten technischer Systeme 175

Einführung in den Beruf

1 Auszubildende in ihrem neuen Umfeld

1 Bronzezeit: Dolch aus Kosel

2 Eisenzeit: Grabbeigaben, Bordesholm

Die Berufe in der Metallverarbeitung *(metal working)* können auf eine jahrtausendealte Tradition zurückblicken. Zeitalter wurden nach der Metallart benannt, die in ihnen hauptsächlich verarbeitet wurde. Die **Bronzezeit** (Bild 1) begann in Mitteleuropa im zweiten Jahrtausend vor Christi. Waffen, Werkzeuge und Gegenstände für den täglichen Gebrauch wurden aus Kupfer-Zinn-Legierungen hergestellt. Im achten Jahrhundert vor Christi begann in unserem Raum die Verarbeitung von Eisen: die **Eisenzeit** (Bild 2). In ihrer langen Entwicklungsgeschichte mussten sich die Tätigkeiten und Berufe in der Metallherstellung *(manufacture of metals)* und -verarbeitung an den Anforderungen ausrichten, die das jeweilige Umfeld an sie stellte (Bild 3).

Mit dem Start der Berufsausbildung *(industrial training)* in einem Metall verarbeitenden Beruf beginnt für Sie ein neuer Lebensabschnitt. Zwangsläufig ergeben sich daraus neue Fragestellungen (Bild 4), auf die dieses Kapitel eingeht. Daher ist das erste Kapitel keinem Lernfeld zugeordnet, sondern hier erhalten Sie einen Überblick über

- Metallberufe, an die sich dieses Buch wendet
- Betriebsstrukturen
- Duales System und Prüfungen
- Gefahren im Betrieb und Unfallverhütung
- Kundenorientierung und Geschäftsprozesse
- Ihre Position im Qualitätsmanagement des Betriebes
- Konflikte und Konfliktlösungsmöglichkeiten

3 Heute: Industrieroboter in der Metallverarbeitung

4 Fragen zur Ausbildung im Metallberuf

1.1 Berufe in der Metall verarbeitenden Industrie und im Metallhandwerk

In den Metallberufen werden ca. 10 % aller Ausbildungsverhältnisse *(apprenticeships)* abgeschlossen. Die Facharbeiter in der Metall verarbeitenden Industrie beschäftigen sich mit dem

- Herstellen von Werkstücken
- Montieren von Baugruppen
- Warten und Instandhalten von technischen Systemen
- Automatisieren von Produktionsprozessen

Die Metallbranche *(metal industry)* ist einer unserer wichtigsten Wirtschaftsbereiche. Viele Güter, die dieser Bereich herstellt, werden ins Ausland exportiert und tragen dazu bei, dass wir international konkurrenzfähig bleiben. Wegen unterschiedlichster Aufgaben, die im Metallbereich zu erfüllen sind, erfolgt die Ausbildung in verschiedenen Berufen, von denen einige vorgestellt werden:

1.1.1 Metall verarbeitende Industrie

In der Metall verarbeitenden Industrie *(metal working industry)* werden fünf Berufe ausgebildet (Bild 1). Im ersten Ausbildungsjahr *(year of training)* sind für alle fünf Berufe die Ausbildungsinhalte gleich. Später erfolgt innerhalb eines Berufes eine Spezialisierung im jeweiligen Einsatzgebiet.

RLP
IM

Industriemechaniker und Industriemechanikerin
Industriemechaniker und Industriemechanikerinnen *(fitters)* stellen Produktionsanlagen und Maschinen her, halten diese instand oder steuern und überwachen Fertigungsanlagen.
In der **Instandhaltung** (Bild 2) inspizieren und warten sie industrielle Maschinen und Anlagen. Hierbei demontieren und montieren sie Teile und Baugruppen, grenzen Fehler ein und beheben Störungen.
Im **Maschinen- und Anlagenbau** (Bild 3) montieren sie anhand von Arbeitsunterlagen Bauteile zu Baugruppen und diese zu Maschinen.
In der **Produktionstechnik** richten sie Fertigungsanlagen und Werkzeuge ein. Sie erstellen Programme zur Bearbeitung von Werkstücken und zur Steuerung von Produktionsprozessen.
Im **Feingerätebau** fertigen sie kleine Bauteile aus Metall und Kunststoff. Sie montieren die zum größten Teil selbst gefertigten Bauteile auf Grund von Plänen und Zeichnungen zu kleinen und sehr präzise funktionierenden Geräten.

RLP
WZM

Werkzeugmechaniker und Werkzeugmechanikerin
Werkzeugmechaniker und Werkzeugmechanikerinnen *(toolmakers)* verarbeiten Metall, aber auch Kunststoff, zu maßgenauen Formen und Werkzeugen. Mit diesen werden die verschiedensten Teile aus Metall und Kunststoff hergestellt.
In der **Stanztechnik** (Seite 3 Bild 1) fertigen und bearbeiten sie maschinell oder manuell Werkzeuge, die zum Trennen und Umformen von Blechteilen genutzt werden.

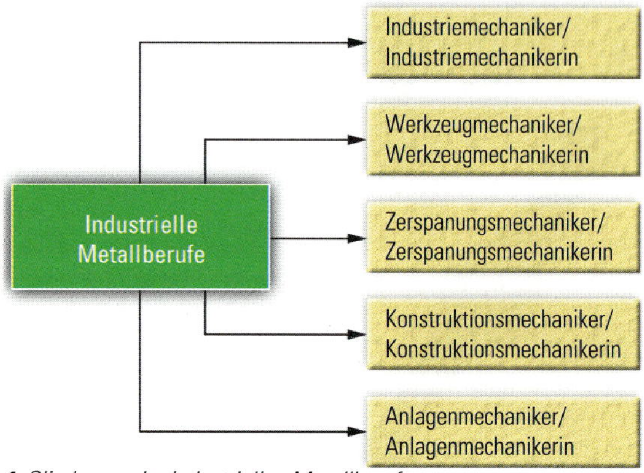

1 *Gliederung der industriellen Metallberufe*

2 *Überprüfen eines Hydraulikventils*

3 *In der Montagehalle*

In der **Formentechnik** (Seite 3 Bild 2) fertigen sie aus Stahllegierungen Formen für die Metall oder Kunststoff verarbeitende Industrie.
In der **Instrumententechnik** stellen sie medizinische, kosmetische und haushaltstechnische Instrumente her. Manuell oder maschinell bringen sie die Instrumente in die gewünschte Form.
In der **Vorrichtungstechnik** stellen sie Vorrichtungen manuell und maschinell her, die zum Spannen, Spanen oder Prüfen von Werkstücken in der Serienfertigung dienen.

1 Überprüfen der Werkzeugkontur

2 Zusammenbau einer Form

Zerspanungsmechaniker und Zerspanungsmechanikerin

Zerspanungsmechaniker und Zerspanungsmechanikerinnen *(lathe operators)* stellen Werkstücke durch Drehen, Fräsen und Schleifen her.

An **Drehmaschinensystemen** (Bild 3) stellen sie Werkstücke für Maschinen, Geräte und Anlagen durch Dreh- und Bohroperationen an konventionellen oder computergesteuerten Werkzeugmaschinen her.

An **Fräsmaschinensystemen** bearbeiten sie Werkstücke in Einzel- und Serienfertigung an konventionellen oder computergesteuerten Fräsmaschinen.

An **Schleifmaschinensystemen** bearbeiten sie Werkstücke durch Rund- und Planschleifen an konventionellen oder computergesteuerten Schleifmaschinen.

3 Programmieren einer CNC-Drehmaschine

RLP
ZM

Konstruktionsmechaniker und Konstruktionsmechanikerin

Konstruktionsmechaniker und Konstruktionsmechanikerinnen *(i. e. ironworker or sheet metal worker)* sind zuständig für die Herstellung, den Umbau oder die Instandhaltung von Konstruktionen aus Stahl oder anderen Metallen (Bild 4), die im Schiffbau (Bild 5), dem Aufzug-, Anlagen-, Geräte-, Behälter- oder dem Brückenbau benötigt werden. Mit den unterschiedlichsten Schweißverfahren werden die Einzelteile verbunden.

5 Auf der Werft

RLP
KM

4 Bearbeiten von Stahlprofilen

RLP AM

Anlagenmechaniker und Anlagenmechanikerin

Anlagenmechaniker und Anlagenmechanikerinnen *(plant mechanics)* stellen Einzelteile und Baugruppen her. Sie montieren die Baugruppen zu technischen Anlagen, Apparaten und Versorgungssystemen, überprüfen und warten die Systeme. Sie fertigen Kessel und Behälter für industrielle Anlagen. Meist handelt es sich um größere Anlagenteile, die im Werk vormontiert und auf der Baustelle zu fertigen Anlagen zusammengesetzt werden (Bild 1).

1 *Schweißen von Anlagenteilen*

1.1.2 Metallhandwerk

Im Metallhandwerk gibt es drei Ausbildungsberufe (Bild 2):

RLP FWM

Feinwerkmechaniker und Feinwerkmechanikerin

Feinwerkmechaniker und Feinwerkmechanikerinnen *(precision mechanics)* werden im Handwerk in folgenden Schwerpunkten ausgebildet:

- Maschinenbau
- Feinmechanik
- Werkzeugbau

Im Maschinenbau erfüllen sie ähnliche Aufgaben wie die Industriemechaniker.

Im Werkzeugbau und in der Feinmechanik ist ihre Tätigkeit mit der des Werkzeugmechanikers vergleichbar.

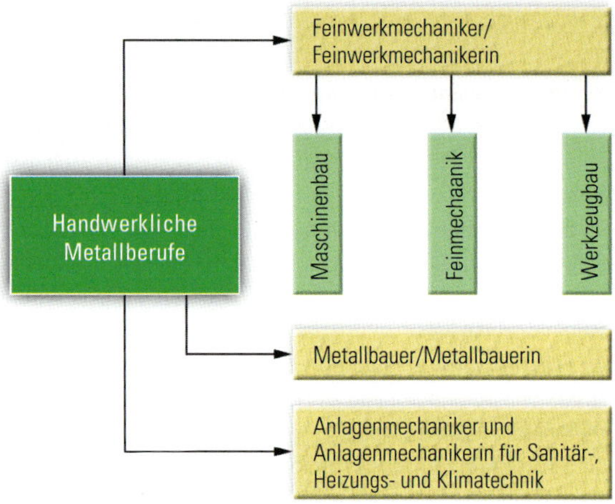

2 *Gliederung der handwerklichen Metallerufe*

RLP MB

Metallbauer und Metallbauerin

Metallbauer und Metallbauerinnen *(metal workers)* fertigen und montieren Ausbauelemente wie Fenster und Türen aus Stahl oder Aluminium, Treppen und Geländer, Garten- und Hoftore, Gitter und Umwehrungen und Kleineisenwaren wie Riegel oder Sonderbeschläge (Bild 3). Die Erzeugnisse werden meist aus Stabstahl durch Schweißen oder aus Systemprofilen durch Verschrauben gefertigt. Notwendige Beschläge, Schlösser, Antriebe und Kleinmaterial werden fertig bezogen und montiert.

3 *Arbeiten in einer Metallbauerwerkstatt*

RLP SHK

Anlagenmechaniker und Anlagenmechanikerin für Sanitär-, Heizung- und Klimatechnik

Anlagenmechaniker und Anlagenmechanikerinnen für Sanitär-, Heizungs- und Klimatechnik *(plumbers)* erstellen Heizungs- und Belüftungsanlagen (Bild 4). Sie installieren und warten Ver- und

4 *Fehlersuche an einem Steuergerät*

Entsorgungsanlagen für Frisch- und Abwasser. Die Montage und Wartung von Sanitär- und Solaranlagen sowie von Heizkesseln und Rohrleitungen gehören ebenso zu ihrem Aufgabenbereich.

Anlagenmechaniker und Anlagenmechanikerinnen für Sanitär-, Heizung- und Klimatechnik arbeiten vornehmlich auf Baustellen, in Wohn- und Betriebsgebäuden sowie in Werkstätten. Sie haben oft direkten Kontakt zum Endkunden, sodass der richtige Umgang mit Kunden zu einem Schwerpunkt ihrer Tätigkeit gehört.

1.2 Betriebsstrukturen

Mittlere bis große Metall verarbeitende Betriebe sind in verschiedene Abteilungen gegliedert (Bild 1). Jede Abteilung übernimmt Teilaufgaben im Betrieb.

Die **Einkaufsabteilung** *(purchasing department)* sorgt dafür, dass alle zur Produktion erforderlichen Materialien, Werkzeuge und Maschinen zum richtigen Zeitpunkt zur Verfügung stehen.

Die **Konstruktionsabteilung** *(engineering department)* entwirft die Produkte. Sie erstellt Gesamt- und Einzelzeichnungen, wählt die Werkstoffe für die Produkte aus und erstellt Stücklisten.

Die **Versuchsabteilung** *(test department)* baut die neuen Produkte erstmals. Hier erfolgen der Test und die Optimierung der Produkte, bevor sie in Serie gefertigt werden.

Die **Arbeitsvorbereitung** *(planning department)* plant die Serienfertigung. Sie legt fest, wo und wie die Einzelteile gefertigt und montiert werden.

In der **Einzelteilfertigung** *(production area)* werden die Bauteile von Hand oder mit Maschinen hergestellt. Dazu stehen die verschiedensten Fertigungs- und Prüfverfahren zur Verfügung, die Sie in Ihrer Ausbildung kennenlernen.

Die Einzelteile werden in der **Montageabteilung** *(assembly department)* zu Baugruppen und Fertigprodukten zusammengebaut. Die erforderlichen Montagetechniken werden Sie während der Ausbildung erlernen.

Die **Verkaufsabteilung** *(sales department)* sorgt für den Absatz der Produkte. Oft steht sie in direktem Kontakt mit dem Endkunden.

Die **Versandabteilung** *(packing department)* verpackt die Produkte und sorgt dafür, dass diese unbeschädigt und zur richtigen Zeit dem Kunden ausgeliefert werden.

Die **Instandhaltung** *(service and maintenance)* wartet und repariert die Maschinen und Anlagen, damit sie langfristig funktionsfähig bleiben. Während der Ausbildung werden Sie Strategien und Arbeitsweisen der Wartung und Instandhaltung entwickeln.

Die Abteilung für die **Datenverarbeitung** *(department for data processing)* gewährleistet, dass Hard- und Software ihre Aufgaben erfüllen. Sie ist für die Vernetzung der Computeranlagen und ihre Kommunikation zuständig.

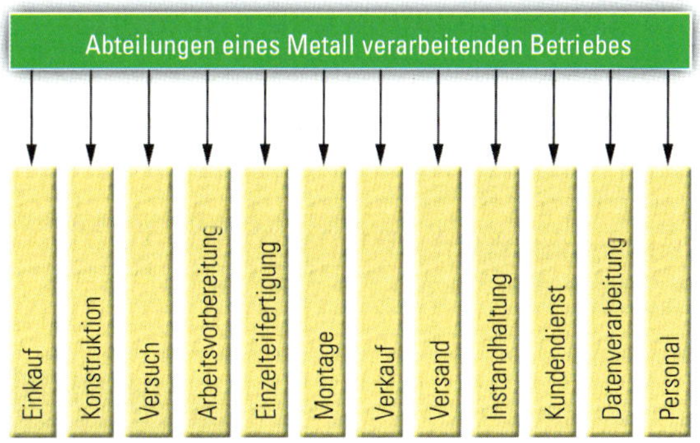

1 *Beispiel für Abteilungen eines Metall verarbeitenden Betriebes*

Der Kundendienst *(customer service department)* nimmt die Produkte beim Kunden in Betrieb. Er wartet und repariert die Produkte im Kundenauftrag. Das kann vor Ort oder im eigenen Betrieb erfolgen.

Die **Personalabteilung** *(staff department)* stellt Mitarbeiter ein und entlässt sie. Die Lohn- und Gehaltsabrechnungen werden von ihr durchgeführt.

Während der Ausbildung in einem Metall verarbeitenden Beruf werden Sie in mehreren der aufgeführten Abteilungen arbeiten. Dort werden Sie unter Produktionsbedingungen neue Kenntnisse und Fertigkeiten erwerben. Erfahrene Fachkräfte werden Sie dabei unterstützen.

Der Anfang der Ausbildung erfolgt oft in einer betrieblichen oder einer überbetrieblichen Ausbildungswerkstatt. Hier erwerben Sie gemeinsam mit anderen Auszubildenden grundlegende Kenntnisse und Fertigkeiten (Bild 2).

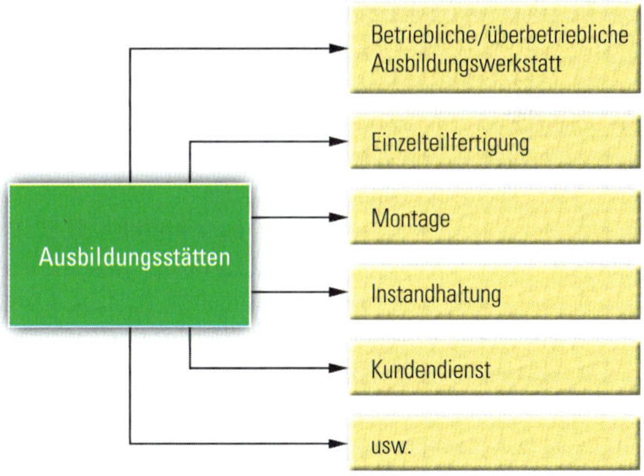

2 *Mögliche Stationen während der Ausbildung*

Merke

Zeigen Sie durch Ihr Verhalten und Ihre Tätigkeiten, dass Sie Interesse am gewählten Beruf haben. Wenn Sie Fragen stellen, erhalten Sie nicht nur Informationen, sondern Sie bekunden den Ausbildern in den Ausbildungswerkstätten und den Fachkräften in den Betriebsabteilungen, dass Sie interessiert und motiviert sind. Interesse und Motivation können neben Ihren Leistungen über Ihre Weiterbeschäftigung im Betrieb entscheiden.

1.3 Duales System und Prüfungen

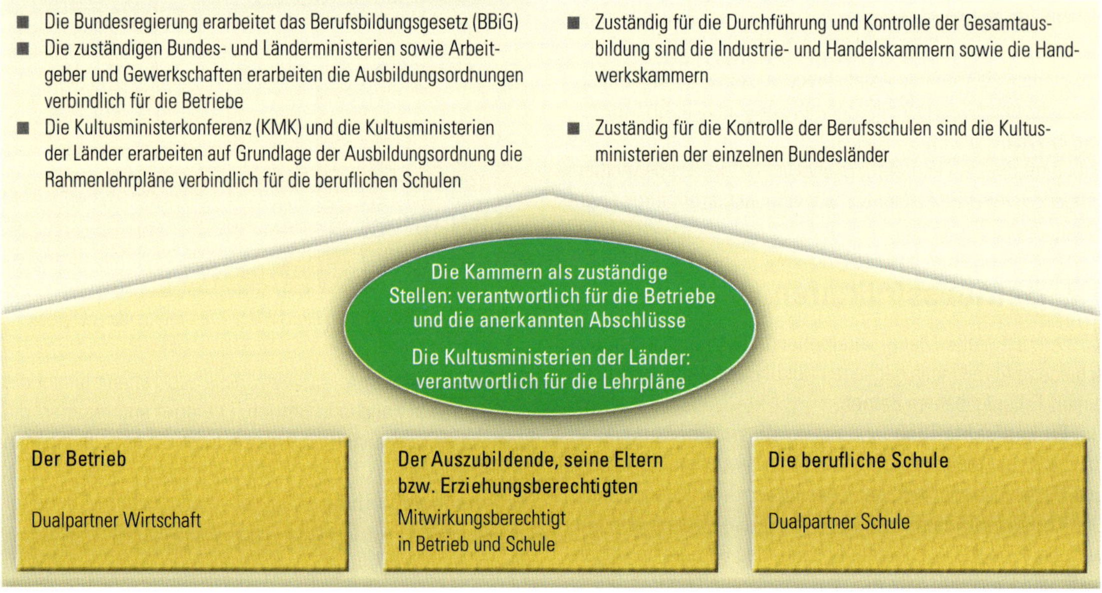

AH GK S. 1

1 *Beteiligte im Dualen System*

Wie bei den meisten Ausbildungsberufen *(apprenticed professions)* erfolgt auch die Ausbildung in den Metall verarbeitenden Berufen an zwei Lernorten: im **Ausbildungsbetrieb** *(training centre)* und in der **Berufsschule** *(vocational school)*. Dies wird als **duales System** *(dual system)* der Berufsausbildung bezeichnet. Betrieb und Berufsschule sind eigenständige Lernorte und arbeiten bei der Berufsausbildung als Partner zusammen.

Der **Berufsschulunterricht** *(off-the-job training)* fördert und ergänzt die betriebliche Ausbildung fachtheoretisch durch berufsbezogenen Unterricht und erweitert die Allgemeinbildung der Jugendlichen. Der Schwerpunkt der schulischen Ausbildung liegt mit rund zwei Dritteln beim Fachunterricht, etwa ein Drittel nimmt der allgemeinbildende Unterricht ein.

In größeren Unternehmen erfolgt die **betriebliche Ausbildung** *(on-the-job training)* in eigenen Lehrwerkstätten und am Arbeitsplatz. In kleineren Betrieben findet die Ausbildung direkt am Arbeitsplatz statt. Sind die Betriebe zu sehr spezialisiert, um alle notwendigen Kenntnisse vermitteln zu können, werden sie von überbetrieblichen Berufsbildungsstätten unterstützt.

Die Ausbildungsordnungen für die Berufe im dualen System werden in enger Zusammenarbeit von Bund, Ländern und Sozialpartnern festgelegt. Die Inhalte der Ausbildungsordnungen orientieren sich an den Anforderungen des Arbeitsmarkts und sichern durch eine umfassende fachtheoretische und fachpraktische Qualifizierung die berufliche Mobilität der Jugendlichen.

Die Ausbildung in den Metall verarbeitenden Berufen dauert normalerweise dreieinhalb Jahre. Der Ausbildungsbetrieb zahlt den Auszubildenden *(trainee)* eine Vergütung *(training allowance)*. Finanziert wird das duale System von den Betrieben (Ausbildungsvergütung) und vom Staat (Kosten für die Berufsschule).

Die Industrie- und Handelskammern sowie die Handwerkskammern kontrollieren als **„Zuständige Stellen"** die Umsetzung der Ausbildungsordnungen in Industrie bzw. Handwerk (Bild 1). Sie regeln die Abschlüsse der Ausbildungsverträge zwischen Ausbildungsbetrieb, Auszubildenden und Eltern. Sie erstellen und organisieren die Prüfungen und stellen die Facharbeiter- bzw. Gesellenbriefe *(certificates of apprenticeship)* aus.
Der Auszubildende kann eine Verkürzung der Ausbildung bei der zuständigen Stelle beantragen, wenn der Ausbildungsbetrieb zustimmt und der Notendurchschnitt besser als 2,5 ist.

Die Leistungen der Auszubildenden werden während und am Ende der Ausbildung durch Bewertungen und Prüfungen beurteilt. Die Abschlussprüfung *(final examination)* (Bild 2) besteht aus zwei Teilen (Teil 1 und Teil 2), die zu unterschiedlichen Zeiten durchgeführt werden. Beide Teile bilden eine Einheit und ergeben ein Gesamtergebnis – auch wenn die Prüfungsleistungen an unterschiedlichen Terminen erbracht werden.

Abschlussprüfung

■ Teil 1

Zeit:	Nach 18 Monaten
Inhalte:	Fachliche Grundqualifikationen
Anteil:	30 % bis 40 %

■ Teil 2

Zeit:	Am Ende der Berufsausbildung
Inhalte:	Handlungsorientierte Prozesse und ganzheitliche Qualifikation
Anteil:	60 % bis 70 %

2 *Struktur der Abschlussprüfung*

In den Metall verarbeitenden Berufen der Industrie wird Teil 1 nach 18 Ausbildungsmonaten durchgeführt. Er geht zu 40 % in das Gesamtergebnis ein. Beim Handwerk sind es 30 %. Teil 1 der Abschlussprüfung prüft alle fachlichen Grundqualifikationen. Die weitere Ausbildung kann sich dann auf handlungsorientierte Prozesse und ganzheitliche Qualifikationen konzentrieren.
Am Ende der Ausbildungszeit *(period of training)* müssen die Auszubildenden den Teil 2 absolvieren, der mit 60 % (Industrie) oder 70 % (Handwerk) in das Gesamtergebnis eingeht. Das Prüfungsergebnis wird nach Beendigung von Teil 2 festgestellt. Die zuständige Stelle teilt dem Prüfling unverzüglich mit, ob er die Prüfung bestanden hat. Auf Wunsch des Prüflings können die Berufsschulnoten in das Prüfungszeugnis der zuständigen Stelle übernommen werden.

1.4 Gefahren im Betrieb

Der Auszubildende lernt mit dem Beginn der Ausbildung ein neues Umfeld kennen: den Ausbildungsbetrieb mit seinen verschiedenen Abteilungen *(departments)*. Wie im Straßenverkehr gibt es auch im Betrieb Gefahren, die zu Unfällen oder Krankheiten führen können.
In Deutschland geschehen jährlich ca. 870 000 **Arbeitsunfälle** (ca. 740 tödlich, Stand 2018) mit erheblichen Kosten für Betriebe, Versicherungen und für die Betroffenen (Bild 1). Unfälle im privaten Bereich erreichen ebenfalls hohe Zahlen. Mit diesen Zahlen bleiben entscheidende Belastungen unberücksichtigt wie z. B.:

- persönliches Leid durch bleibende Gesundheitsschäden
- Verlust der Arbeit, weil der gelernte Beruf nicht mehr ausgeübt werden kann
- falls möglich, aufwendige Umschulungs- und Wiedereingliederungsmaßnahmen
- Belastungen des persönlichen Umfeldes (Familie, Freundes- und Bekanntenkreis)
- psychische Belastungen, je nach Schwere des Arbeitsunfalls
- erhebliche Kosten für die Familie, den Arbeitgeber, die Versicherungen etc.; letztlich für die Gesellschaft

Nicht nur Arbeitsunfälle führen zu gesundheitlichen Schäden. Belastungen am Arbeitsplatz können **Berufskrankheiten** (Bild 2) auslösen, die erst später auftreten. Längerfristigere Belastungen wie z. B. durch chemische Flüssigkeiten und Dämpfe, Lärm, Staub und hohe körperliche Beanspruchung können Ursachen für Berufskrankheiten sein.

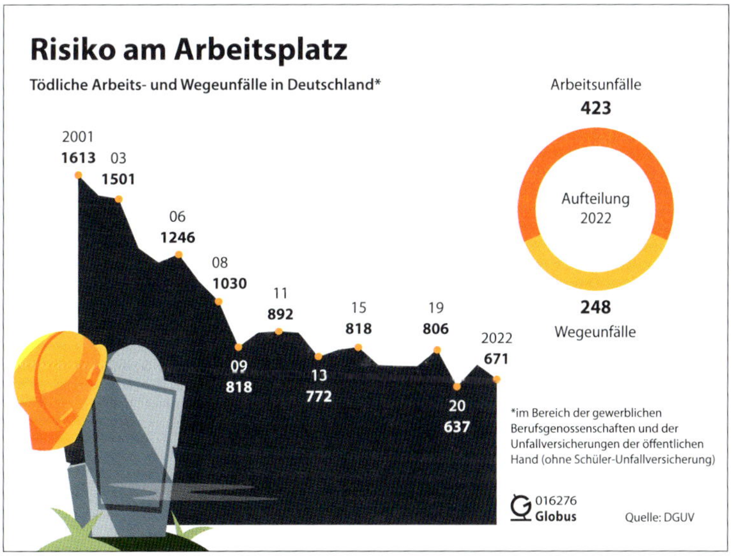

1 Entwicklung der Arbeitsunfälle

Beschreibung: Im Jahr 2020 haben die Unfallversicherungsträger in Deutschland 18 959 Fälle von Infektionskrankheiten als Berufskrankheit anerkannt. Damit landeten die Infektionskrankheiten auf dem ersten Platz der häufigsten Berufskrankheiten.

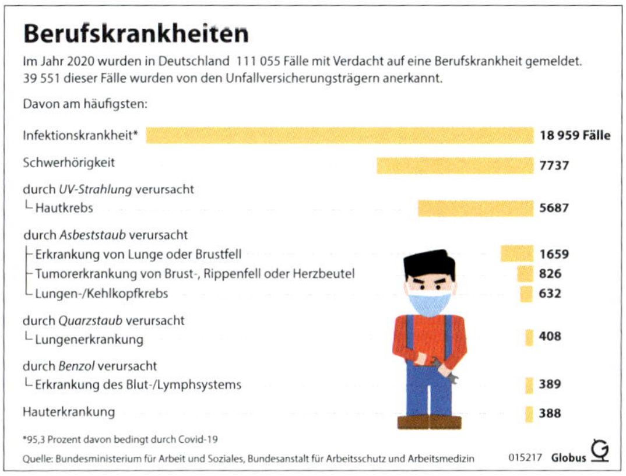

2 Berufskrankheiten

Merke

Die Zahl der Betriebsunfälle und Berufserkrankungen kann nur gering gehalten bzw. gesenkt werden, wenn sich alle
- der Gefahren bewusst sind und
- sich und andere vor den Gefahren schützen.

Um dies zu gewährleisten sind
- Schutzausrüstungen zu nutzen und
- die Vorschriften zur Unfallverhütung zu beachten.

1.4.1 Persönliche Schutzausrüstung (PSA)

Gefährdete Körperteile	Schutzausrüstung	Einsatzbeispiele
Kopf		
■ Schädel	Arbeitshelm, Haarschutz	Spanende Bearbeitung, Montage
■ Gehör	Gehörschutz	Stanzerei, Gießerei
■ Augen	Schutzbrille	E-Schweißen, Schleifen
■ Atemwege	Atemschutz, Absaugvorrichtung	Schweißen, Löten, Kunststoffverarbeitung
■ Gesicht	Schutzschild	Spanende Bearbeitung
Obere und untere Gliedmaße		
■ Hand	Handschuhe	Blechbearbeitung, Schweißen
■ Arm	Lange Handschuhe	Schweißen
■ Bein	Knieschoner	Kniende Tätigkeit
■ Fuß	Sicherheitsschuhe	Montage
Verschiedenes		
■ Haut	Schutzcremes, Salben	Auf Kühlschmiermittel achten (Cremes etc.)
■ Rumpf	Jacken und Schürzen, Röntgenschürzen	
■ ganzer Körper	Schutz gegen Absturz	Leitern sichern, Schutz durch Sicherungsgurte
	Schutzkleidung gegen aggressive Substanzen, Hitze, Staub usw.	Strahlungseinwirkung beim E-Schweißen abwenden

***1** Persönliche Schutzausrüstung*

AH GK S. 2

Augenschutz tragen | Schutzhelm tragen | Gehörschutz tragen | Atemschutz tragen | Schutzschuhe tragen | Schutzhandschuhe tragen

***2** Auswahl von Gebotszeichen*

Da nicht jeder Arbeitsplatz so gestaltet werden kann, dass keine Unfälle passieren können, gibt es für die Fachkraft **persönliche Schutzausrüstungen** *(personal protective equipment)*. Sie werden den Mitarbeitern vom Arbeitgeber zur Verfügung gestellt. Die Fachkräfte sind verpflichtet, sie zu nutzen. PSA sollen verhindern, dass Mitarbeiter gesundheitliche Schäden erfahren. Die Tabelle (Bild 1) gibt eine grobe Übersicht über gefährdete Körperteile und eine kleine Auswahl von Schutzausrüstungen.

Gebotszeichen *(mandatory signs)* weisen das Personal auf die Verwendung von persönlichen Schutzeinrichtungen hin (Bild 2).

Überlegen Sie

Welche Situationen aus Ihrem Betrieb kennen Sie, in denen einzelne Körperteile besonderen Gefahren ausgesetzt sind und nennen Sie dafür geeignete Schutzausrüstungen.

1.4.2 Vorschriften zur Arbeitsplatzgestaltung

Gesetzgeber, Berufsgenossenschaften, Arbeitgeber und Fachkräfte haben ein gemeinsames Ziel: die Arbeitsplätze sicher und möglichst wenig gesundheitsschädlich zu gestalten. Dieser Anspruch gilt natürlich für alle weiteren Lebensbereiche wie z. B. Haushalt, Schule, Freizeiteinrichtungen, Straßenverkehr. Viele der entsprechenden gesetzlichen Vorschriften gelten bereits verbindlich für die Europäische Union (EU).
So sind z. B. die Fachkräfte (und besonders die Auszubildenden) über Sicherheit und Gesundheitsschutz bei ihrer Arbeit zu informieren. Eine Unterweisung in die **Unfallverhütungsvorschriften (UVV)** *(accident prevention regulations)* für den jeweiligen Arbeitsplatz bzw. die Maschinenbedienung und die damit verbundenen Gefährdungen ist vor Beginn der Tätigkeit gesetzlich vorgeschrieben. **Berufsgenossenschaftliche Vorschriften (BGV)** beschreiben die UVV für verschiedene Tätigkeiten. Betriebsanweisungen erläutern detailliert das Ausführen von bestimmten Tätigkeiten (Seite 9 Bild 1).

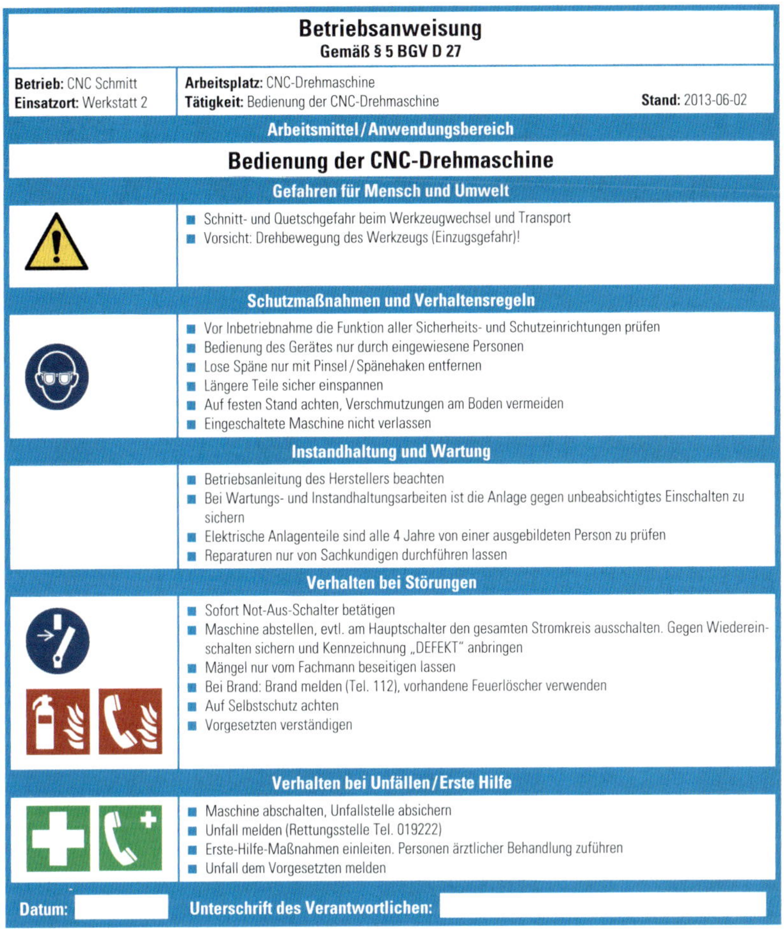

Betriebsanweisung
Gemäß § 5 BGV D 27

Betrieb: CNC Schmitt
Einsatzort: Werkstatt 2
Arbeitsplatz: CNC-Drehmaschine
Tätigkeit: Bedienung der CNC-Drehmaschine
Stand: 2013-06-02

Arbeitsmittel / Anwendungsbereich

Bedienung der CNC-Drehmaschine

Gefahren für Mensch und Umwelt

- Schnitt- und Quetschgefahr beim Werkzeugwechsel und Transport
- Vorsicht: Drehbewegung des Werkzeugs (Einzugsgefahr)!

Schutzmaßnahmen und Verhaltensregeln

- Vor Inbetriebnahme die Funktion aller Sicherheits- und Schutzeinrichtungen prüfen
- Bedienung des Gerätes nur durch eingewiesene Personen
- Lose Späne nur mit Pinsel / Spänehaken entfernen
- Längere Teile sicher einspannen
- Auf festen Stand achten, Verschmutzungen am Boden vermeiden
- Eingeschaltete Maschine nicht verlassen

Instandhaltung und Wartung

- Betriebsanleitung des Herstellers beachten
- Bei Wartungs- und Instandhaltungsarbeiten ist die Anlage gegen unbeabsichtigtes Einschalten zu sichern
- Elektrische Anlagenteile sind alle 4 Jahre von einer ausgebildeten Person zu prüfen
- Reparaturen nur von Sachkundigen durchführen lassen

Verhalten bei Störungen

- Sofort Not-Aus-Schalter betätigen
- Maschine abstellen, evtl. am Hauptschalter den gesamten Stromkreis ausschalten. Gegen Wiedereinschalten sichern und Kennzeichnung „DEFEKT" anbringen
- Mängel nur vom Fachmann beseitigen lassen
- Bei Brand: Brand melden (Tel. 112), vorhandene Feuerlöscher verwenden
- Auf Selbstschutz achten
- Vorgesetzten verständigen

Verhalten bei Unfällen / Erste Hilfe

- Maschine abschalten, Unfallstelle absichern
- Unfall melden (Rettungsstelle Tel. 019222)
- Erste-Hilfe-Maßnahmen einleiten. Personen ärztlicher Behandlung zuführen
- Unfall dem Vorgesetzten melden

Datum: **Unterschrift des Verantwortlichen:**

1 *Beispiel für eine Betriebsanweisung*

Merke

Die Mitarbeiter haben alle Maßnahmen zu unterstützen, die der Arbeitssicherheit dienen. Sie sind verpflichtet, Weisungen zum Zwecke der Unfallverhütung zu befolgen.

Doch alle Maßnahmen und Vorschriften helfen wenig, wenn diese nicht verantwortlich und sachgerecht genutzt werden. Nur dann erfüllen sie ihre Funktion.

Erst wenn alle am Arbeitsprozess Beteiligten sich im Sinne der Unfallverhütungsvorschriften verhalten, ist ein weiterer Rückgang der Unfallzahlen zu erwarten. Dazu müssen allerdings diese Vorschriften sowie die entsprechenden Hinweisschilder bekannt sein. Eine erste Auswahl wichtiger Hinweisschilder zeigen die Bilder 2 auf Seite 8 und 1 auf Seite 10.

Ebenso wichtig wie die Schutzmaßnahmen *(precautions)* ist die Einstellung der Arbeitskräfte gegenüber den Gefahren im Arbeitsprozess. Sie müssen sich bei allen Tätigkeiten ihrer Verantwortung für sich und ihre Kollegen bewusst sein. Hierzu zählen z. B.:

- Sie sollen alle Maschinen, Werkzeuge und Geräte gemäß den fachlichen Vorschriften einsetzen (z. B. Schweißflamme richtig zünden, umlaufende Teile sichern).
- Sie dürfen nur Tätigkeiten ausführen, die Ihrer Ausbildung entsprechen bzw. wozu Sie dienstlich befugt sind.
- Fehlerhafte Maschinen, Werkzeuge und Geräte dürfen Sie nicht einsetzen. Sie sollten auf Beschädigungen gut sichtbar hinweisen und die Instandsetzung einleiten bzw. die Information an die verantwortliche Stelle weiterleiten.
- Sie dürfen nie physisch überfordert oder psychisch unausgeglichen eine verantwortliche Arbeit ausführen wie z. B. übermüdet eine Maschine bedienen oder im alkoholisierten Zustand Werkzeugmaschinen o. Ä. bedienen.
- Grundsätzlich sollten Sie sich für alle Mitarbeiter mitverantwortlich fühlen. Auf Bedienfehler sollten Sie aufmerksam machen, Verstöße gegen Sicherheitsvorschriften sollten Sie ansprechen.

Überlegen Sie

1. Nennen Sie Beispiele für Betriebsanweisungen in Ihrem Ausbildungsbetrieb.
2. Informieren Sie Sich im Internet über eine Berufsgenossenschaftliche Vorschrift (z. B. über den Hautschutz in Metallbetrieben) und leiten Sie daraus Maßnahmen für sich an Ihrem Arbeitsplatz ab.
3. Suchen Sie für die oben genannten Hinweise weitere Beispiele aus Ihrem Berufsfeld oder dem Ausbildungsbetrieb.
4. Schildern Sie Verstöße gegen Schutzmaßnahmen und die daraus entstehenden Gefahren für sich und andere.
5. An welchen Orten in Ihrem Ausbildungsbetrieb sind diese Hinweisschilder (Verbots-, Gebots-, Warn- und Rettungszeichen) angebracht und welche Bedeutung haben diese für Sie?
6. Kennen Sie weitere Hinweisschilder und welche Aufgabe erfüllen diese bzw. worauf weisen sie hin?
7. Wie sind in Ihrem Betrieb die Transportwege markiert?

Verbotszeichen

Rauchen verboten

Keine offene Flamme; Feuer, offene Zündquelle und Rauchen verboten

Für Fußgänger verboten

Mit Wasser löschen verboten

Kein Trinkwasser

Für Flurförderzeuge verboten

Warnzeichen

Warnung vor feuergefährlichen Stoffen

Warnung vor giftigen Stoffen

Warnung vor ätzenden Stoffen

Warnung vor schwebender Last

Warnung vor Flurförderzeugen

Warnung vor elektrischer Spannung

Rettungszeichen

Sammelstelle

Erste Hilfe

Notausgang links

Arzt

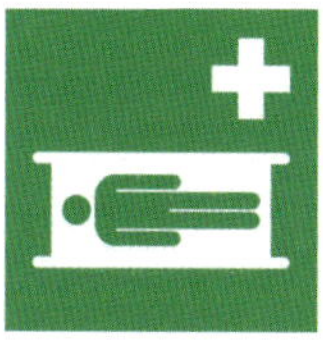

Krankentrage

***1** Auswahl von Verbots-, Warn- und Rettungszeichen*[1)]

Durch das Einatmen verunreinigter Luft können kurz- und langfristig Berufskrankheiten entstehen. Der Gesetzgeber hat aus diesem Grund Maximalwerte für die in der Luft enthaltenen Stoffe festgelegt. Diese **Arbeitsplatzgrenzwerte (AGW)** geben an, bis zu welcher Konzentration eines Stoffes in der Luft **keine** schädlichen Auswirkungen auf die Gesundheit des Menschen zu erwarten sind. Die Arbeitsplatzgrenzwerte werden in „Technische Regeln für Gefahrstoffe" vom Bundesministerium für Arbeit und Sozialordnung, aufgrund der wissenschaftlichen Erkenntnis, fortlaufend aktualisiert. Bild 2 zeigt eine kleine Auswahl aus einer umfangreichen Tabelle.

Dabei wird davon ausgegangen, dass die Mitarbeiter während ihres Erwerbslebens täglich acht Stunden an fünf Tagen pro Woche den Bedingungen ausgesetzt sind. Für kurzzeitige Belastungen geben Faktoren das zulässige Mehrfache der normalen Arbeitsplatzgrenzwerte an.

Kennzeichnung der Stoffe:

H: gelangen über die Haut in den Körper

Y: Fruchtschädigung bei Schwangerschaft ist **nicht** zu erwarten

Z: Fruchtschädigung bei Schwangerschaft ist **nicht** ausgeschlossen

Stoff	Arbeitsplatzgrenzwert		Spitzenbegrenzung	Bemerkungen
	ml/m³	mg/m³		
Aceton	500	1200	2	
Acrylsäure	10	30	1	Y
Chlormethan	50	100	2	H, Z
Kohlenstoffmonoxid	30	35	1	Z
Methanol	200	270	4	H, Y

***2** Ausgewählte Arbeitsplatzgrenzwerte*

1) Weitere Gebots-, Verbots- und Warnzeichen zur Kennzeichnung elektrischer Gefahrenbereiche finden Sie im Lernfeld 4: Warten technischer Systeme in den Kapiteln 1.2.1 Wartung und 2.5.3 Kennzeichnung elektrischer Gefahrenbereiche.

1.5 Kundenorientierung

Zielsetzung des Unternehmens, in dem Sie Ihre Ausbildung begonnen haben, muss die Erfüllung der **Kundenerwartung** *(customer expectation)* sein. Das ist nur erreichbar, wenn alle Mitarbeiter und Mitarbeiterinnen – auch die Auszubildenden – auf dieses Ziel hinarbeiten. Ihr Verhalten im direkten Umgang mit dem Kunden, aber auch die Ergebnisse, die Sie täglich am Arbeitsplatz erzielen, können positiv zur **Kundenorientierung** *(customer orientation)* des Unternehmens beitragen.

Geschäftserfolg *(success in business)* ist für ein Unternehmen die Voraussetzung, um am Wirtschaftsmarkt bestehen zu können und hängt stark von der Zufriedenheit der Kunden ab. Da Sie in die Geschäftsprozesse (vgl. Kap. 1.5.1) eines Unternehmens eingebunden sind und folglich darauf Einfluss haben, tragen auch Sie durch Ihr Verhalten eine **Mitverantwortung** *(share of the responsibility)* für den Geschäftserfolg Ihres Unternehmens. Die Aufgabe der Firmenleitung ist es, dafür zu sorgen, dass die Produkte den Anforderungen der Kunden entsprechen. Sie lässt sicherstellen, dass interne Prozesse verbessert werden und entwickelt Strategien zur Erhöhung der Kundenzufriedenheit. Die Kundenorientierung ist daher die Basis des **Qualitätsmanagements** *(quality management)* (vgl. Kap. 1.5.2).

Überlegen Sie

Welche Abhängigkeit besteht zwischen der Kundenzufriedenheit und dem Qualitätsmanagement eines Unternehmens?

1.5.1 Geschäftsprozesse

Ein Geschäftsprozess *(business process)* ergibt sich aus der Abfolge bestimmter Arbeitsschritte, die notwendig sind, um eine gestellte Aufgabe zu erledigen. Jeder Ihrer Arbeitsschritte ist somit Teil eines Geschäftsprozesses. Dies beginnt, indem Sie einen Auftrag erhalten, diesen erledigen und dann das Ergebnis (z. B. ein fertiges Bauteil) abliefern. Bezogen auf die gesamte **Firma** *(company)* arbeiten nicht nur Sie z. B. in der **Fertigung** *(manufacturing)* an einem Produkt, sondern es sind auch andere **Firmenbereiche** *(divisions of company)* bei der Erledigung eines **Kundenauftrags** *(customer order)* beteiligt. Hierbei werden mehrere Geschäftsprozesse in Folge durchlaufen (Bild 1). Eine solche Tätigkeitsfolge wird als **Prozesskette** *(process chain)* bezeichnet.

Beispiele von Geschäftsprozessen:

- Erstellen eines **Angebots** *(offer)*
- Beschaffung von **Material** *(material)*
- Fertigen eines **Bauteils** *(part)*
- Abwicklung des **Zahlungsverkehrs** *(payment transaction)*

Geschäftsprozesse können sich aber auch über mehrere Firmen erstrecken (Bild 2).

Überlegen Sie

1. Worin unterscheidet sich ein Geschäftsbereich von einem Geschäftsprozess?
2. Beschreiben Sie zwei Geschäftsprozesse aus Ihrem Arbeitsalltag.

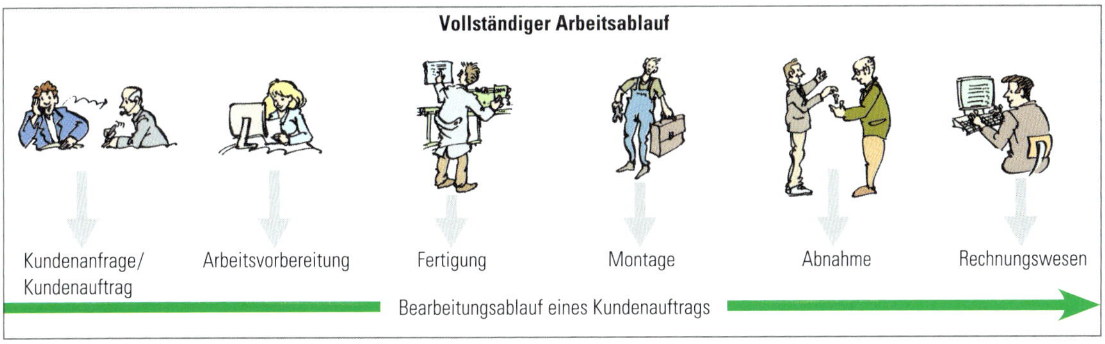

***1** Geschäftsprozesse in Folge*

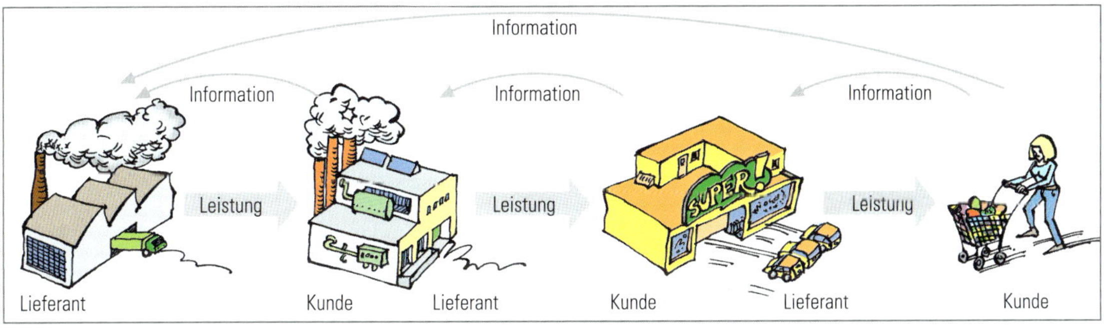

***2** Geschäftsprozesse über mehrere Unternehmen*

1.5.2 Qualitätsmanagement

Die Erfüllung der **Kundenerwartung** *(customer expectation)* und die **Kundenzufriedenheit** *(customer satisfaction)* sind unternehmerische Ziele. Um diese Ziele zu erreichen, muss sich das gesamte Personal für die Qualität verantwortlich fühlen. Der **Qualitätskreis** (Bild 1) beschreibt alle Stationen von der Planung bis zur Entsorgung des Produkts.

In der **Realisierungsphase** *(phase of realisation)* stellt die Fertigung auf Grund der technischen Unterlagen das Produkt her, wobei sie Materialien und Teile verwendet, die von Lieferanten zugekauft wurden. Während der Fertigung werden Einzelteile und Baugruppen geprüft, bevor die Endprüfung des Produkts erfolgt. Mit dem Versand oder der Inbetriebnahme des Produkts beim Kunden ist die Realisierungsphase abgeschlossen.

Sollte in der **Nutzungsphase** *(phase of use)* (Zeit, in der das Produkt beim Kunden genutzt wird) eine Reklamation vom Kunden vorliegen, erwartet dieser eine schnelle Klärung. In dieser Phase hat der Kunde Gelegenheit, sich über die Qualität des Produkts und des Services ein vollständiges Bild zu machen. Ein weiteres Qualitätsmerkmal des Produkts besteht darin, dass es umweltschonend und kostengünstig zu entsorgen ist.

AH GK S. 3

Neben den unmittelbar am Qualitätsgeschehen beteiligten Abteilungen nehmen andere indirekt Einfluss auf die Produktqualität. Die Finanzabteilung, die die Mittel für Qualität erhaltende und verbessernde Investitionen zur Verfügung stellen muss, die Personalabteilung, die Weiterbildungsmaßnahmen initiiert und durchführt, die Instandhaltung, die Maschinen und Anlagen vorbeugend wartet, die Informatik, die für die Sicherheit der Softund Hardware sorgt.

Merke

Wenn alle Mitarbeiter ihr Handeln an der Qualitätsverbesserung des Produkts ausrichten, dürfte die Qualität des Produkts so überzeugend sein, dass nicht das Produkt, sondern der Kunde zurückkommt.

Der Erfolg eines Unternehmens wird im Wesentlichen bestimmt durch (Bild 2)

- die Qualität des Produkts,
- den Preis des Produkts und
- die Einhaltung des Liefertermins für das Produkt.

Qualität *(quality)* ist die Eigenschaft eines Produkts oder einer Dienstleistung, festgelegte und vorausgesetzte Erfordernisse zu erfüllen. Qualität zu liefern heißt somit, Anforderungen zu erfüllen, die einzig und allein vom Kunden bestimmt werden.

Merke

- Gute Qualität ist die Erfüllung von Anforderungen.
- Über die Erfüllung entscheidet der Kunde.
- Die Anforderungen werden immer höher.

Um die gewünschte Qualität mit möglichst niedrigen Herstellungskosten bei gleichzeitiger Einhaltung des Liefertermins zu gewährleisten, müssen die im Unternehmen ablaufenden Prozesse zielgerichtet gesteuert werden. Dies ist Aufgabe und Ziel des **Qualitätsmanagements** *(quality management)* (Seite 13 Bild 1).

Dabei ist es äußerst wichtig, dass das gesamte Unternehmen mit allen Geschäftsbereichen und **allen Mitarbeitern** einschließlich der Auszubildenden in den Prozess der Qualitätsverbesserung einbezogen wird. Dies gilt ausdrücklich auch für die Bereiche, die nicht direkt an der Fertigung beteiligt sind.

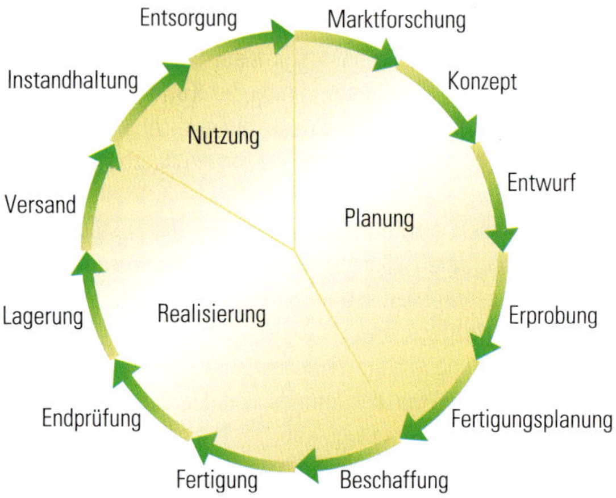

1 *Qualitätskreis*

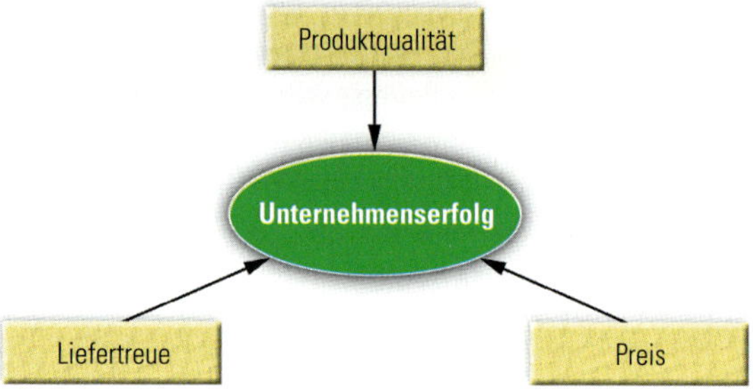

2 *Was bestimmt den Unternehmenserfolg?*

Das Qualitätsmanagement besteht aus zwei großen Bereichen:

- Einstellungen und Verhaltensweisen der Mitarbeiter positiv verändern
- Methoden und Verfahren zur Fehlererfassung und Qualitätssteigerung anwenden

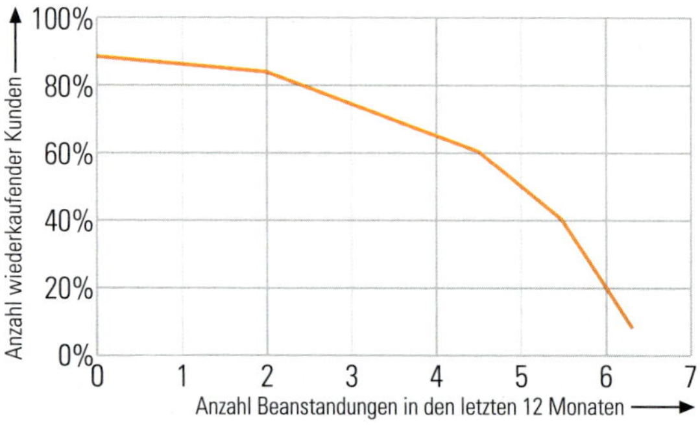

3 *Reklamationen und Kundenbindung beim Autokauf*

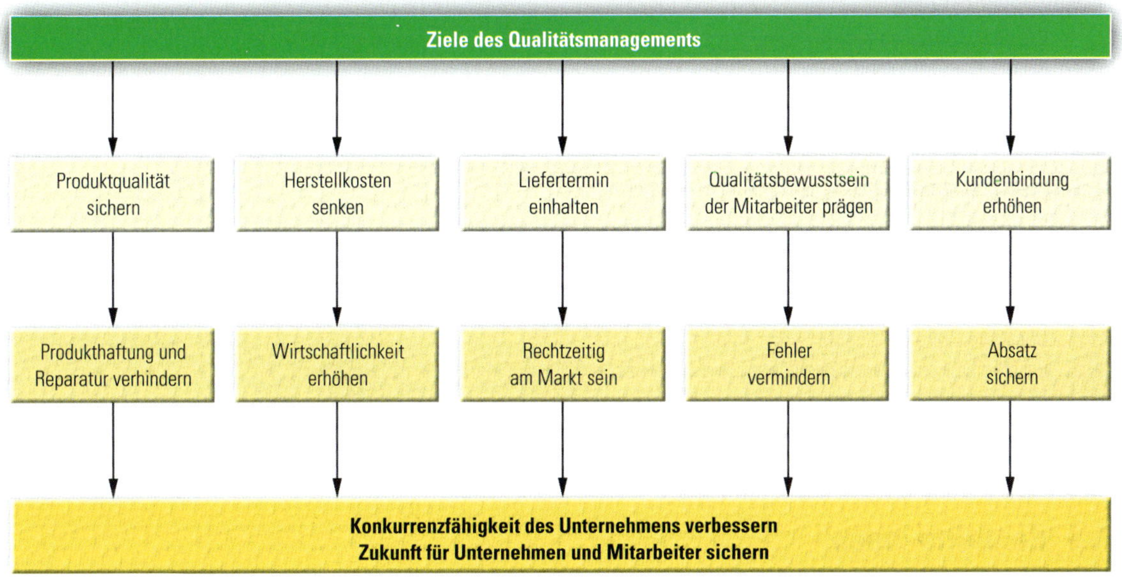

1 *Ziele des Qualitätsmanagements*

Wenn der Mitarbeiter weiß, welchen Einfluss **Reklamationen** *(complaints)* auf die Kundenbindung haben, sollten sich daraus Rückwirkungen auf sein Verhalten ergeben (Seite 12 Bild 3). Dabei ist jedoch festzustellen, dass nur etwa ein Drittel der Reklamationen auf mangelnde Produkteigenschaften zurückzuführen sind, während zwei Drittel der Reklamationen andere Gründe haben (Bild 2).

Merke

Die Beschränkung der Qualitätssicherung auf das Produkt spart die überwiegende Anzahl der Reklamationen aus.

Somit ist es die Aufgabe des Qualitätsmanagements, die Qualität der Produkte und Dienstleistungen sowie die der Verhaltensweisen zu verbessern (Bild 3).

Um **Fehler** zu **vermeiden**, sind drei Verhaltensweisen zu ändern:

Merke

- Fehler sind nicht „normal", sondern als finanzieller Verlust zu betrachten.
- Fehlerursachen suchen statt „Schuldige" zu bestrafen.
- Fehler aufzeigen statt zu „vertuschen".

Betriebe, die ihre Qualitätsmanagementsysteme nach DIN ISO 9000 bis 9004 durch unabhängige Institutionen zertifizieren lassen, besitzen ein **Qualitätsmanagementhandbuch** *(manual of quality management)*. Das Handbuch enthält Durchführungsbestimmungen für die im Betrieb durchzuführenden Tätigkeiten und Abläufe.

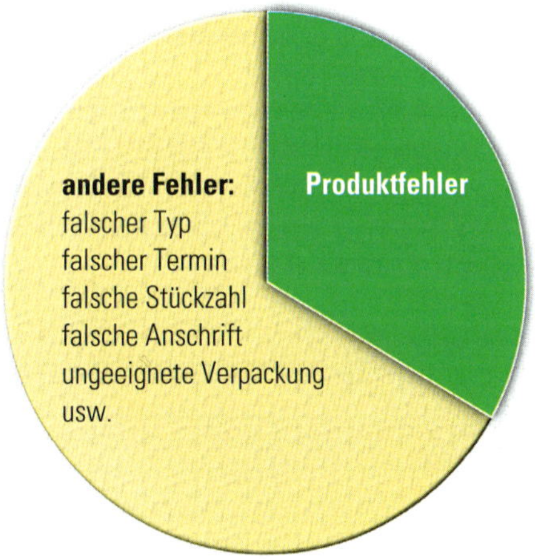

2 *Ursachen für Reklamationen*

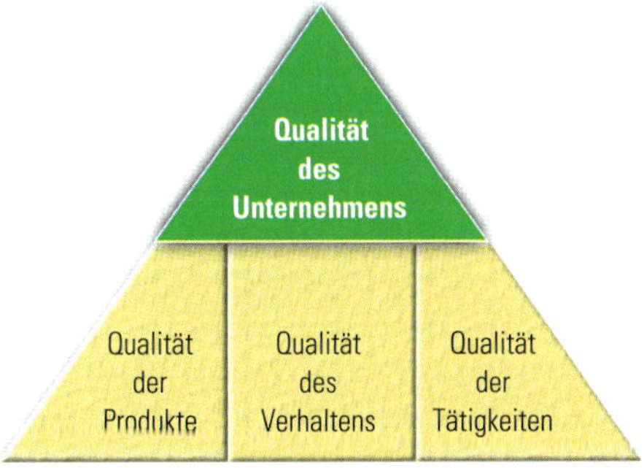

3 *Qualität umfasst alle Firmenbereiche*

Überlegen Sie!

1. Wo und wie können Sie zur Steigerung der Qualität in Ihrem Unternehmen beitragen?
2. Haben nach Ihrer Meinung persönliche Eigenschaften wie z. B. „Pünktlichkeit" und „Gewissenhaftigkeit" Einfluss auf die Produktqualität?
3. Welche Auswirkungen hat das Einhalten der Vorschriften der Qualitätssicherung auf die Sicherheit Ihres Arbeitsplatzes?
4. Welche Faktoren bestimmen nach Ihrer Meinung den Erfolg eines Unternehmens?
5. Durch wen wird die Qualität eines Produkts bestimmt?
6. Beschreiben Sie den Zusammenhang zwischen Reklamationen und Kundenbindung.
7. Wie sollten Sie sich verhalten, wenn Sie einen Fehler machen bzw. entdecken?

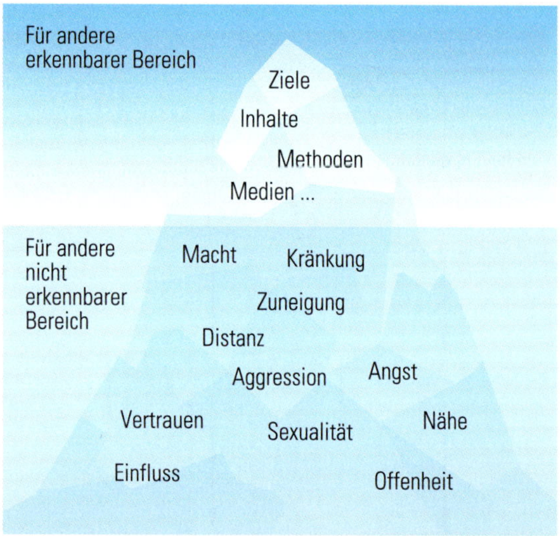

1 Eisbergmodell

1.6 Konflikte lösen

Konfliktursachen

Eskalationsstufen

AH GK S. 4

Unser Leben ist oft voller Konflikte *(conflicts)*. Im Arbeitsleben, zu Hause, im Supermarkt, in der Disco – überall können wir mit Menschen aneinander geraten. Im Grunde streben die meisten von uns eigentlich nach einem harmonischen Miteinander. Aber Harmonie ist eben nicht immer Realität.

Unter dem Begriff Konflikt verstehen wir gewöhnlich, wenn die Beteiligten unterschiedliche Ziele anstreben. Haben wir Schwierigkeiten, unsere Ziele, Wünsche, Bedürfnisse durchzusetzen, so entwickeln wir mehr oder weniger geeignete Verhaltensweisen, um doch noch ans Ziel zu gelangen.

- Wir ziehen uns zurück,
- ignorieren die Sache oder
- wollen unbedingt gewinnen, auch auf Kosten des anderen.

Die Ziele, Wünsche und Bedürfnisse ergeben sich aus Einflüssen, die sich beobachten lassen und Bereichen, die von anderen nicht erkennbar sind. Man kann es sich ähnlich wie bei einem schwimmenden Eisberg vorstellen. Er befindet sich nur zu einem kleinen Teil über Wasser. Dieser Bereich ist vergleichbar mit dem, was wir sehen können. Das Volumen unter Wasser, das viel größer ist, entspricht dem, was wir an anderen Personen nicht erkennen. Wir sehen z. B. nicht, ob ein Kollege vor dem Chef Angst hat oder ob er Schwierigkeiten zu Hause hat, solche Dinge bleiben für uns verborgen (Bild 1).

Wo immer es zu einem Konflikt kommt, besteht zunächst Klärungsbedarf. Erst wenn wir die Sichtweisen des Gegenübers kennen, besteht die Chance zur Lösung des Konflikts. Wenn es zu Streitigkeiten und Auseinandersetzungen kommt, treffen unterschiedliche Interessen aufeinander. Geraten wir mit jemandem aneinander, können wir viel über uns und auch über andere lernen. Dies erfordert jedoch eine gewisse Grundoffenheit, bei der wir andere nicht gleich verurteilen, sondern zunächst einfach nur die jeweiligen Unterschiede wahrnehmen. Dann können wir gemeinsam versuchen, Lösungen zu entwickeln, die beiden dienen. Das ist allemal besser als ein fauler Kompromiss oder gar in eine Situation zu kommen, in der Kommunikation vollkommen unmöglich wird.

1.6.1 Konflikte und Lösungsansätze

Im Folgenden ist ein Modell aufgeführt, das die grundsätzlichen Verhaltensmuster zeigt, wie wir vorgehen, um nach Lösung des Konflikts zu suchen.

Konsens

Kompromiss

Delegation

Unterordnung

Konflikt-lösung

Vernichtung

Flucht

Oft ergeben sich Konfliktsituationen daraus, dass wir uns von einer anderen Person angegriffen fühlen. Im Beruf können das z. B. Kundenbeschwerden sein oder Ausbrüche von Kollegen oder dem Vorgesetzten. Es ist hilfreich, sich einmal klarzumachen, welche Verhaltensweisen Konflikte eher verstärken und wie solchen Auseinandersetzungen eher konstruktiv begegnet werden kann.

1.6.2 Umgang mit Konflikten

Ein aufgebrachter Mensch ist meist weder ruhig noch fair noch sachlich. Er oder sie versucht vielmehr, den negativen Gefühlen Ausdruck zu verleihen. Manchmal suchen solche Leute auch nur einen Ansprech- oder einen Sparringspartner. Wütende Leute sind oft vernünftigen Argumenten gegenüber nicht zugänglich.

Immer mit der Ruhe!
Lassen Sie Ihrem Gegenüber ruhig etwas Zeit zum Abreagieren. Nehmen Sie das Geschimpfe dabei nicht persönlich. Fordern Sie nach einem sachlichen Gesprächston, damit Sie gemeinsam weiter kommen.

Wir sind gleichwertige Partner.
Versuchen Sie Ihr Gegenüber immer mit Respekt zu behandeln. Der Respekt, den Sie Ihrem Gegenüber zollen, ist der Respekt, den Sie auch selbst fordern können. Aus dieser Position heraus sind Sie stark. Signalisieren Sie Ihrem Gegenüber Verhandlungsbereitschaft.

Was wollen wir?
Das eigentliche Ziel bei jeder Auseinandersetzung sollte sein, dass Sie sich irgendwie mit der Person arrangieren. Versuchen Sie deshalb, Ihrem Gegenüber zu zeigen, dass Sie bereit sind, sich auf seine Sichtweise einzulassen – natürlich ohne, dass Sie diese auch teilen müssen.

Wer hat den Streit begonnen?
Verbeißen Sie sich nicht in die Frage, wer Schuld an dem Konflikt hat. Meist sind beide beteiligt und damit sind auch Sie „schuld". Versuchen Sie gemeinsam herauszufinden, wo die Ursachen für Ihre Auseinandersetzung liegen und wie Sie in Zukunft besser miteinander klarkommen. Ursachenforschung hat nichts mit der Schuldfrage zu tun, auch wenn es auf den ersten Blick so aussieht. Deshalb ist es wichtig, die Frage nach den Ursachen möglichst sachlich und ruhig zu führen.

Wer hat Recht?
Beharren Sie in Angriffs- oder Konfliktsituationen nicht stur auf Ihrer Meinung. Mit dieser Grundhaltung kommen Sie keinen Schritt weiter. Beschäftigen Sie sich auch mit der Meinung Ihres Gegenübers. Versuchen Sie diese zu verstehen. Fragen Sie nach, wenn Sie den anderen nicht verstehen. Versuchen Sie sich in Ihren Gesprächspartner hineinzudenken. Dann wird es viel leichter, eine gemeinsame Lösung zu finden.

Wie können wir uns verständigen?

Versuchen Sie Ihr Gegenüber zu verstehen. Meist gibt es tatsächlich einen Anlass oder einen Grund für den Konflikt. Es ist daher oft sinnvoll, sich verständnisvoll und offen für die Beschwerden oder Angriffe zu zeigen. Somit nimmt man dem Gegenüber den Wind aus den Segeln. Auf diese Weise zeigen Sie Ihrem Gesprächspartner, dass Sie bereit sind, das Problem aus seiner Sicht zu sehen. Er braucht weniger für sein Anliegen kämpfen und sieht, dass er für seine Beschwerde oder bei seinem Angriff Gehör findet. Um eine Basis für Gemeinsamkeiten zu finden, müssen Sie Ihrem Gegenüber aufmerksam zuhören. Immer wenn wir reden, sagen wir auch etwas über uns selbst aus. Damit bekommen Sie Anknüpfungspunkte für Gemeinsamkeiten. Diese Botschaften zu hören, bedarf einiger Übung, vor allem, wenn es sich um fremde Personen handelt. Trainieren Sie dies in allen möglichen Gesprächssituationen. Dann fällt es Ihnen im Bedarfsfall leichter.

1.6.3 Verhaltensmöglichkeiten im Konflikt mit Kunden

- **Nehmen Sie sich des Problems Ihres Gegenübers an.**
  Wenn Sie auf der Arbeit ein Kunde angreift, so geht es nicht um Ihr persönliches Empfinden. Sie sind für diesen Kunden Ansprechpartner und er erwartet zu Recht, dass Sie sich seiner annehmen. Fragen Sie z. B. nach weiteren Informationen zu dem Problem und lassen Sie sich die Beschwerde genau erläutern. Hören Sie aufmerksam zu, machen Sie sich Notizen und fragen Sie bei Verständnisproblemen nach. Geben Sie dem Kunden zu verstehen, dass Sie sich seines Problems annehmen und informieren Sie ihn über die weiteren Schritte.

- **Verneinen Sie nicht die Zuständigkeit.**
  Nehmen wir an, bei der Arbeit beschwert sich ein Kunde über eines der Produkte Ihrer Firma. Hier ist es nicht sinnvoll darauf zu bestehen, dass Sie ja gar nichts dafür können. Dadurch, dass Sie als Repräsentant Ihrer Firma Ihre Zuständigkeit verneinen, werden Sie den Zorn Ihres Gegenübers eher verstärken.

- **Bedanken Sie sich.**
  Stellen Sie sich einmal vor, Sie sind in Ihrem Unternehmen. Eine Person kommt wutentbrannt auf Sie zu und beschimpft Sie fürchterlich, dass in dieser Firma mangelhafte Waren verkauft werden. Was wäre, wenn Sie nun mit ruhiger, sachlicher Stimme entgegnen könnten: „Das ist wirklich gut, dass Sie mir das sagen. Das wusste ich bisher nicht. Könnten Sie uns bitte genau sagen, was Sie zu bemängeln haben, damit wir etwas dagegen tun können?" – Was würde die Person dann wohl sagen?

Konflikte sind immer Chancen

Auch in vielen anderen Konfliktsituationen könnten Sie z. B. sagen: „Ich habe das so noch nicht gesehen. Vielleicht können wir das Problem gemeinsam lösen?" Eine Garantie für die Lösung eines Konflikts gibt es jedoch nicht. Es ist Ihre Entscheidung, wie Sie sich verhalten wollen.

Überlegen Sie

1. Welche Reaktionen/Verhaltensweisen können in Konfliktsituationen auftreten?
2. Stellen Sie sich vor, ein Kollege ist darüber verärgert, dass Sie z. B. eine Lohnerhöhung erhalten haben und er nicht. Er beschimpft Sie dabei wüst. Wie können Sie reagieren, um die Situation zu entspannen?

2 Welcome To Technical English

A lot of companies operate worldwide or have contacts with firms abroad. That means, nearly every employee or worker comes into contact with technical English some day. Everybody working on machines, computers or using the internet has to know special English terms.

1 *Companies operate worldwide*

2.1 What About Your Job?

How important is technical English for **your** job in the following situations – today or later on?

reading technical drawings

working on the computer

telephoning

reading an English manual

talking to customers from abroad

using British or American technical papers

to speak to foreign colleagues

using an English catalogue

working in a firm abroad

Assignments:

1. Read the statements and translate the terms.
2. Draw a chart and mark how important it is to you:

statements	very important	quite important	not important
reading an English manual			
to speak to a foreign colleague			

3. **Discuss** your result with the other trainees by using the information below

I think that reading an English manual is ______ *for my job.*

Using British or American technical papers is ______.

In my company it is ______ *to speak to foreign colleagues.*

I agree if you say working on the computer is ______.

Telephoning is absolutely ______.

Reading technical drawings can be ______.

2.2 Describing Jobs

What kind of work do you have to do? Here you can find some examples, but you are also allowed to write more about your job, or, to talk about it.

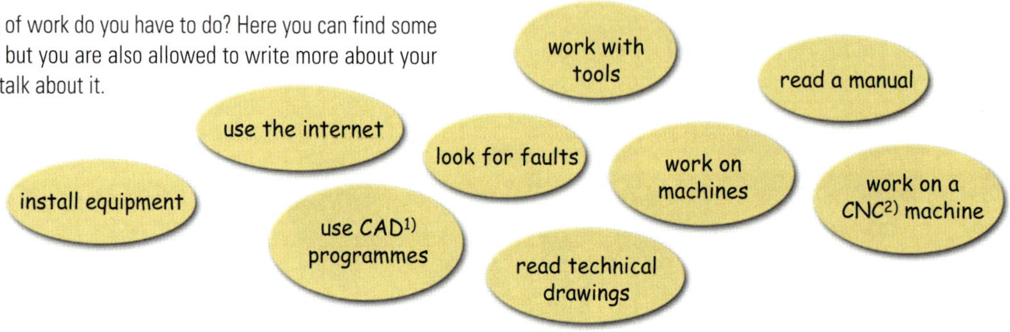

example: *Every day I have to work with tools.*

2.3 What About You?

1 Fitter

2 Toolmaker

3 Lathe operator

4 Sheet metal worker

1. On your course there are other apprentices or trainees like yourself.
   If you want to know more about your partner ask him or her:
   What's your name?
   Where do you come from?
   How old are you?
   What's the name of your company?
   In which department do you work?
   (**for example:** *in a workshop, in a training centre, in an office, on a site*)
   What kind of training or apprenticeship do you serve?
   (**for example:** *I serve a training as*)
   Which hobbies do you have?

2. You also could get the chance to meet trainees from abroad, if you take part in an exchange programme.
   - Read the statements in the word snake below.
   - Write as much as you can about your training.
   - Now form questions and ask your partner for the answers.

   (**for example:** *How long is your period of training?*
   In which year of training are you?)

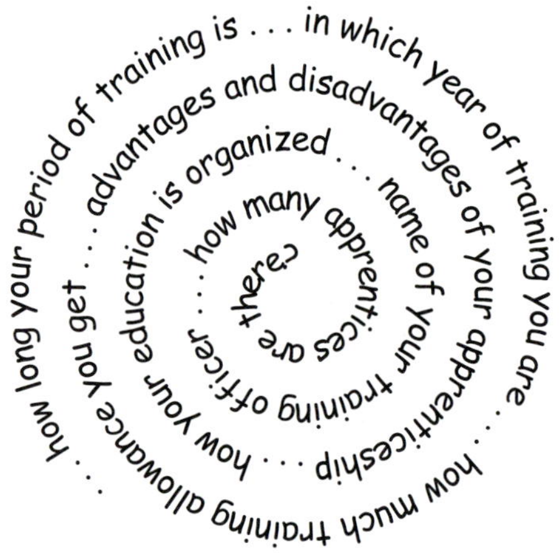

1) CAD: Computer Aided Design
2) CNC: Computer Numerical Control

2.4 Work With Words

In future you may have to talk, listen or read technical English. Very often it will happen that you either **do not understand** a word or **do not know the translation**.

In this case here is some help for you!

Below you will find a few possibilities to describe or explain a word you don't know or use synonyms[1] or opposites[2]. Write the results into your exercise book.

1. Add as many examples to the following terms as you can find for different departments or professions.

department:	packing department assembly department ……	*profession:*	toolmaker plant mechanic ……

2 Explain the two terms in the box:
Use the words below to form correct sentences. Be careful the range is mixed!

trainee:	in order to learn the skills needed for that job/He or she is someone who is employed at a junior level/ in a particular job	*training allowance:*	by the training centre/to a trainee/ it is money that is given regularly

3. Find the opposites[2]:

on-the-job training:	……	*engineering department:*	……
purchasing department:	……	*vocational school:*	……

4. Find synonyms[1]:
You can find two synonyms to each term in the box below.

company:	……	*department:*	……
offer:	……	*conflict:*	……
suggest/concern/propose/firm		branch/quarrel/area/disagreement	

5. In each group there is a word which is the **odd man**[3]. Which one is it?

metal industry, metal working, precaution, manufacture of metals	quality management, material, customer expectation, customer satisfaction

6. Please translate the information below. Use your English-German Vocabulary List if necessary.

> Technical papers are documents containing information which is intended for technical purposes.

1) synonyme: Synonym, ähnliches Wort, Ergänzung
2) opposite: Gegenteil
3) odd man: Außenseiter, überzähliges Wort, fünftes Rad am Wagen

Lernfelder 1 und 2: Fertigen von Bauelementen

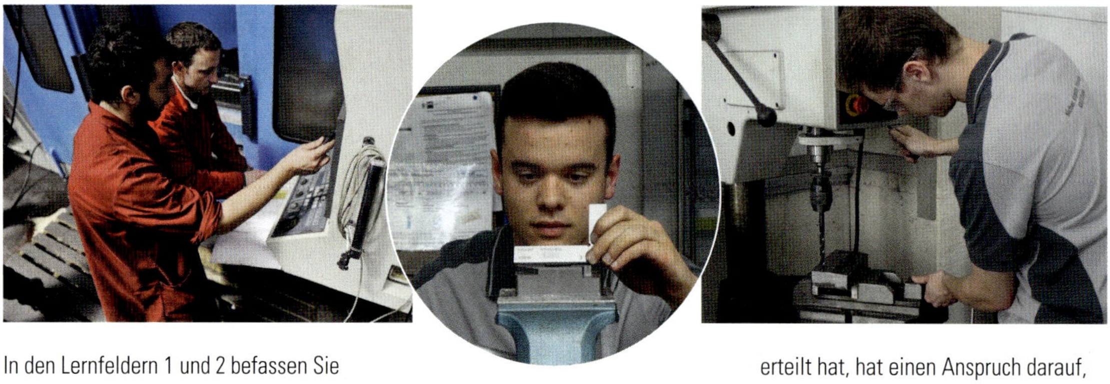

In den Lernfeldern 1 und 2 befassen Sie sich mit der Fertigung von Bauelementen *(manufacturing of components)*, d. h., Sie lernen, einfache Werkstücke herzustellen. Sie werden dabei verschiedene Fertigungsverfahren kennenlernen, z. B. **spanabhebende Verfahren** *(chip removing operations)* wie Sägen, Feilen, Bohren, Drehen, Fräsen oder **zerteilende Verfahren** *(cutting operations)* wie Scherschneiden. In vielen Fällen werden Sie aber auch **umformende Verfahren** *(forming operations)* wie z. B. Biegen oder Schmieden einsetzen. Für all diese Fertigungsverfahren benötigen Sie entsprechende Werkzeuge. Diese können entweder von Hand geführt werden oder Sie verwenden Maschinen.
Beim Einsatz **handgeführter Werkzeuge** *(hand tools)* hängt das Ergebnis Ihrer Arbeit sehr stark von Ihrem Geschick ab und einen großen Teil der erforderlichen Kräfte müssen Sie selbst durch Ihre Muskelkraft aufbringen. Die Genauigkeit, die Sie mit diesen Werkzeugen erreichen können, ist begrenzt. Eine große Erleichterung bieten hier bereits z. B. **handgeführte Elektrowerkzeuge**, die eine deutliche Zeitersparnis bewirken und einen erheblichen Anteil der Muskelkraft durch Motorkraft ersetzen. Die Fertigung mit diesen Werkzeugen lernen Sie im Lernfeld 1 kennen.
Im Lernfeld 2 verwenden Sie für Ihre Fertigungsaufgaben stationäre **Maschinen** *(engines)*, mit denen Sie wesentlich höhere Genauigkeiten und wesentlich geringere Fertigungszeiten erreichen. Hier besteht Ihre Aufgabe in entscheidendem Maße darin, z. B. an einer Drehmaschine die entsprechenden Schnittdaten auszuwählen und einzustellen.
Am Ende jeder Fertigung steht die **Kontrolle** *(inspection)*. Sie müssen sich deshalb mit den erforderlichen Prüfverfahren und Prüfgeräten vertraut machen. Ihr „Kunde", d. h. derjenige, der Ihnen den Auftrag zur Fertigung eines Werkstücks erteilt hat, hat einen Anspruch darauf, dass Sie Ihre Arbeit sorgfältig verrichten und ein brauchbares Produkt abliefern. Kurz gesagt: Sie sind für die **Qualität** *(quality)* Ihrer Arbeit verantwortlich.
Grundlage Ihres Arbeitsauftrages ist in vielen Fällen eine Fertigungszeichnung, der Sie z. B. das Aussehen, die Abmessungen, Oberflächengüten usw. des fertigen Werkstücks entnehmen können. Die Technische Zeichnung ist ein wichtiges Verständigungsmittel in Ihrem Beruf. Die hierfür erforderlichen Kenntnisse finden Sie in diesem Buch im Teil „**Lernfeldübergreifende Inhalte**" im Kapitel „**Technische Kommunikation**". In diesem Teil des Buches finden Sie an zentraler Stelle weitere Informationen zu Themen wie z. B. „**Werkstofftechnik**" oder „**Mathematische Grundlagen und Anwendungen**".
Die folgende Mind-Map stellt die Entscheidungen dar, die beim Fertigen von Bauteilen zu treffen sind.

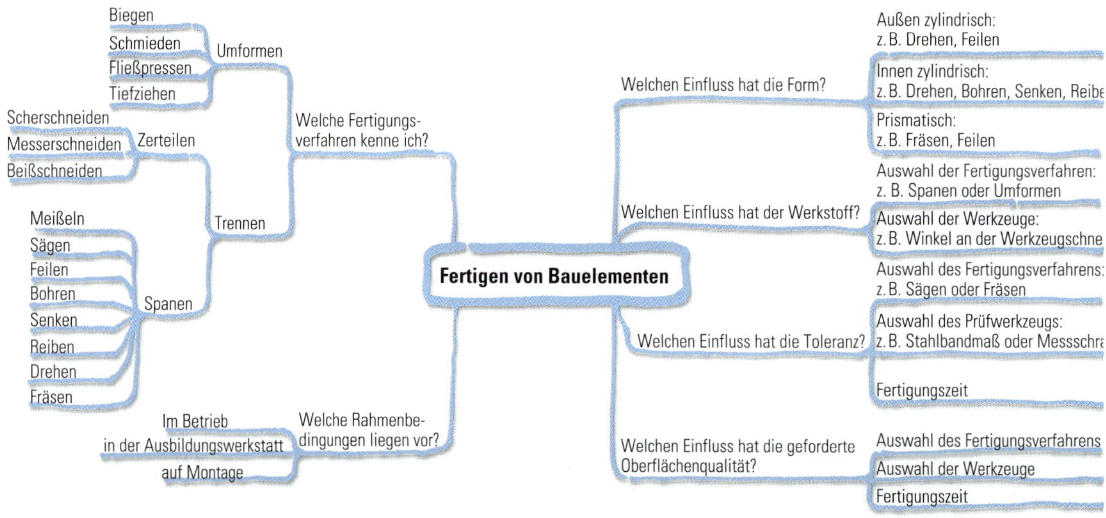

1 Trennen

1.1 Keilförmige Werkzeugschneide

Für die verschiedenen Fertigungsverfahren stehen eine Vielzahl von Werkzeugen zur Verfügung (Meißel, Sägeblatt, Spiralbohrer, Fräser, Handschere usw.). Alle besitzen eine keilförmige Werkzeugschneide *(wedge-shaped cutting edge)* (Bild 1).

AH GK S. 5

Merke

Die **Grundform** *(basic shape)* der Schneide bei trennenden Werkzeugen ist ein **Keil** *(wedge)*.

Keilförmige Werkzeugschneiden müssen nach längerem Gebrauch nachgeschliffen werden. Der Schneidkeil wird durch die aufgebrachten Kräfte stumpf. Er kann bei großen Kräften beschädigt oder zerstört werden.

Am Beispiel des **Zerteilens mit einem Meißel** *(cutting with a chisel)* werden im Folgenden die Kräfteverhältnisse erläutert. Mit einem Hammer wird im Werkzeug eine senkrecht nach unten wirkende Kraft erzeugt. Das Werkstück wird jedoch durch Kräfte zerteilt (vgl. Teil III, Kap. 4.8.4), die senkrecht zu den Flächen des Schneidkeils wirken. Mithilfe eines Parallelogramms lässt sich die Zerlegung der Hammerkraft in die einzelnen Kräfte darstellen (Bild 2). Die im Werkzeug wirkenden Kräfte erzeugen entsprechende Gegenkräfte im Werkstück. Dadurch wird Werkstoff verdrängt. Durch diese Beanspruchung wird der Schneidkeil stumpf. Die Erfahrung zeigt, dass Schneiden mit großem Keilwinkel β Beanspruchungen besser aufnehmen. Damit ist für die Stabilität der Schneide ein großer Keilwinkel hier vorteilhaft.

Die Kräftezerlegung mithilfe eines Parallelogramms bei unterschiedlichen Keilwinkeln zeigt, dass bei kleinerem Keilwinkel günstigere Bedingungen entstehen. Die senkrecht zu den Flächen des Schneidkeils wirkenden Kräfte sind größer. Da diese das Werkstück zerteilen, ist ein kleiner Keilwinkel hier vorteilhaft (Bild 3).

Merke

Schneiden mit **großem Keilwinkel** β *(large wedge angle)* besitzen eine hohe Stabilität.

Schneiden mit **kleinem Keilwinkel** β *(small wedge angle)* erleichtern das Trennen.

Überlegen Sie

1. Skizzieren Sie einen Meißel mit einem Keilwinkel von 20° und einen mit 60°. Zerlegen Sie eine frei gewählte, aber gleich große Hammerkraft jeweils mithilfe eines Parallelogramms.
2. Erläutern Sie den Zusammenhang zwischen Keilwinkel und den am Schneidkeil wirkenden Kräften (Je... desto...).

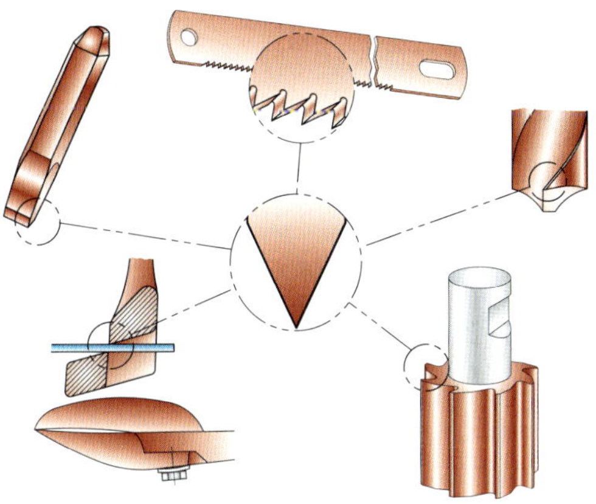

***1** Keilförmige Werkzeugschneiden*

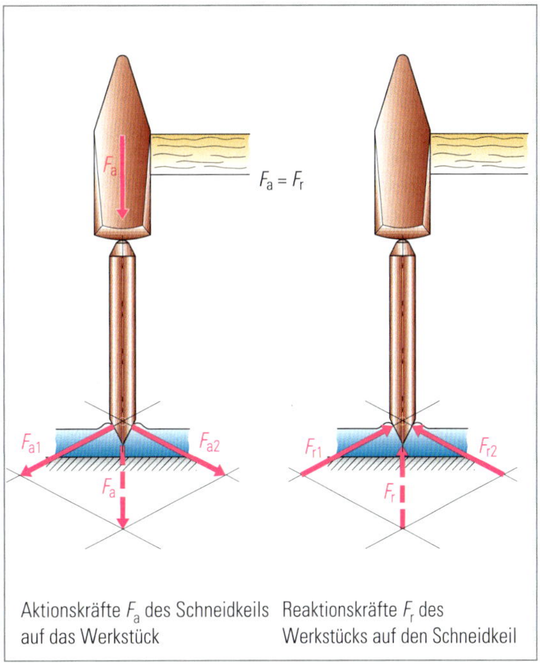

***2** Kräftezerlegung an keilförmiger Werkzeugschneide*

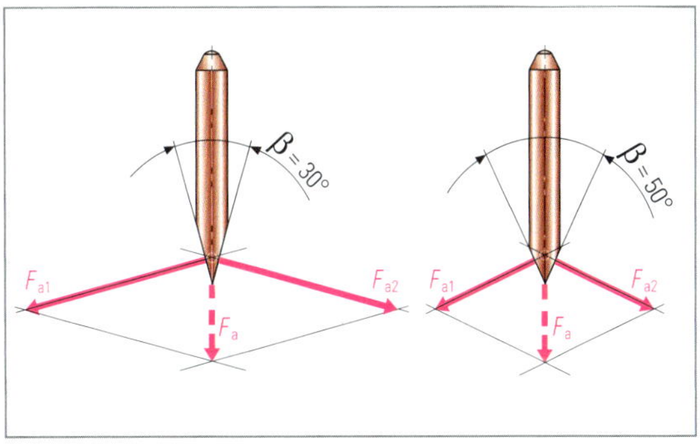

***3** Kräftezerlegung bei unterschiedlichen Keilwinkeln*

AH GK S. 6

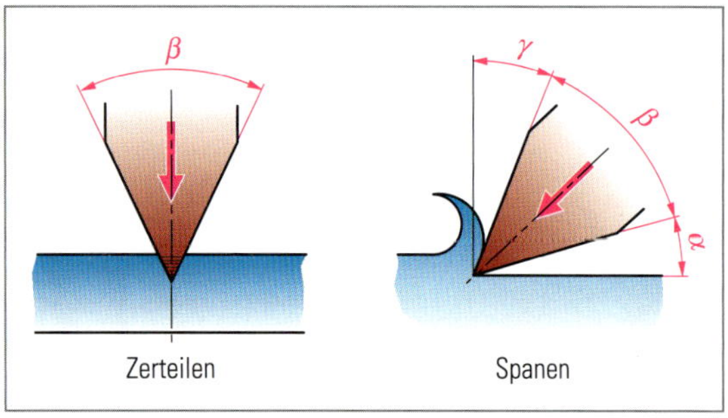

1 Keilförmige Werkzeugschneide zum Zerteilen und Spanen

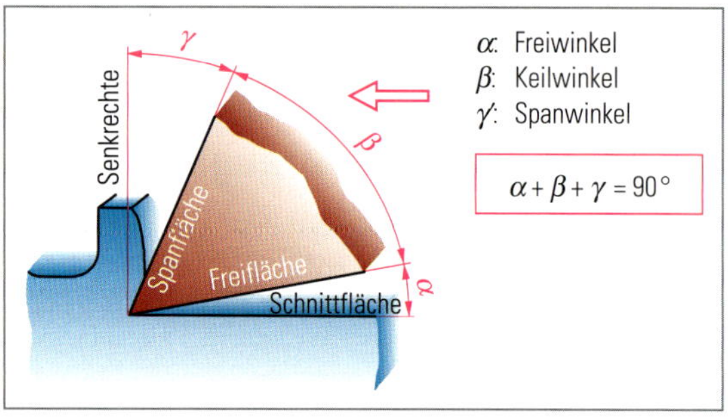

2 Werkzeugwinkel an keilförmiger Werkzeugschneide

Bei der Auswahl eines bestimmten Keilwinkels ist es nicht möglich, sowohl hohe Stabilität der Schneide als auch günstige Bedingungen zum Trennen **gleichzeitig** zu erzielen. Da weder auf eine angemessene Stabilität der Schneide noch auf möglichst günstige Bedingungen zum Trennen verzichtet werden kann, ist stets der geeignete **Kompromiss** zu finden.

- Ein Werkstoff mit vergleichsweise geringerer Härte und Festigkeit (z. B. Kupfer im Vergleich zu Stahl) setzt dem Trennen und der Spanabnahme einen geringeren Widerstand entgegen. Da hier die erforderliche Kraft zum Trennen klein ist, wird die Schneide weniger beansprucht. Der **Keilwinkel** kann **klein** gewählt werden. Es ergeben sich günstige Bedingungen zum Trennen.
- Bei härteren Werkstoffen ist für eine angemessene Stabilität der Schneide ein entsprechend **großer Keilwinkel erforderlich**. Die ungünstigeren Bedingungen zum Trennen müssen hingenommen werden.

Merke

Bei **weichen** Werkstoffen kann ein **kleiner Keilwinkel** β genutzt werden.
Bei **harten** Werkstoffen ist ein **großer Keilwinkel** β erforderlich.

Um die Zusammenhänge am Keilwinkel zu erklären, wurde eine Kraft senkrecht nach unten aufgebracht. Bei diesen Bedingungen wird der Werkstoff zerteilt (siehe Kap. 1.4 Zerteilen). Wird der Meißel jedoch schräg gestellt, kann ein Span abgetrennt werden (Bild 1). Um die keilförmige Werkzeugschneide beim Spanen eindeutig zu beschreiben, wird ein rechtwinkliges Koordinatensystem genutzt (Bild 2). Die Spitze des Schneidkeils bestimmt den Ursprung des Koordinatensystems. Die Werkstückoberfläche (Schnittfläche) legt eine Achse des Koordinatensystems fest. Die zweite steht senkrecht auf dieser. Form und Lage der keilförmigen Werkzeugschneide ist nun durch folgende Werkzeugwinkel definiert:

- **Freiwinkel** *(clearance angle)*
  α (alpha), begrenzt durch Schnitt- und Freifläche.
- **Keilwinkel** *(wedge angle)*
  β (beta), begrenzt durch Frei- und Spanfläche.
- **Spanwinkel** *(rake angle)*
  γ (gamma), begrenzt durch Spanfläche und Senkrechte auf die Schnittfläche.

Merke

Die Winkelsumme am Schneidkeil beträgt stets 90°.
Es gilt: $\alpha + \beta + \gamma = 90°$.

Überlegen Sie

Benennen und berechnen Sie die markierten Winkel.

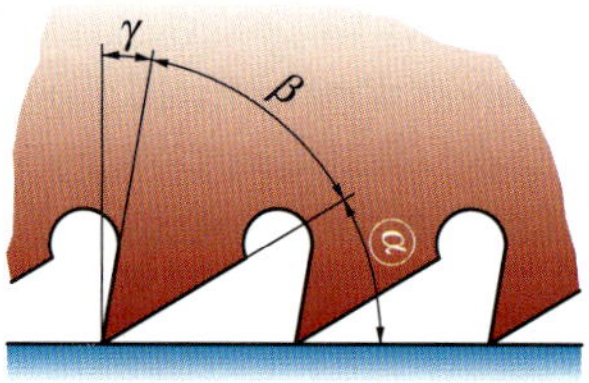

Maschinensägeblatt
$\beta = 50°$
$\gamma = 10°$
$\alpha = ?$

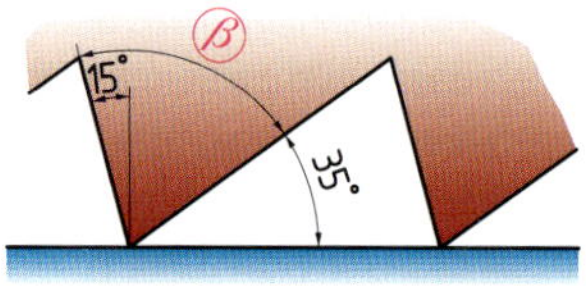

Gehauene Feile
$\beta = ?$

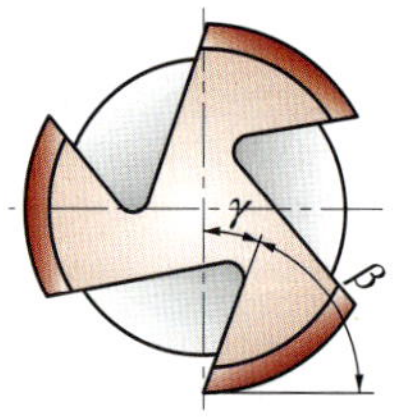

Gewindebohrer für Aluminium
$\alpha = ?$

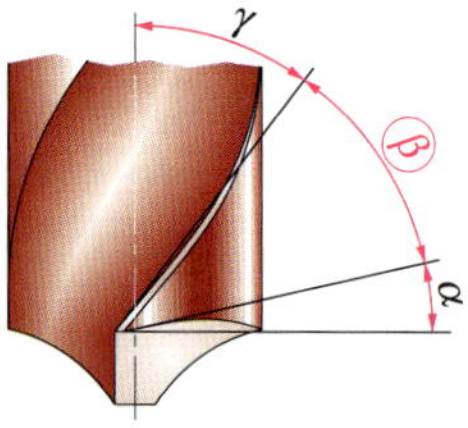

Spiralbohrer für Stahl
$\alpha = 7°$
$\gamma = 23°$
$\beta = ?$

Form und Lage der keilförmigen Werkzeugschneide beeinflussen die **Spanabnahme** (Bild 1):

- **Stauchen** *(compressing)*: Der Schneidkeil dringt in den Werkstoff ein. Dieser wird zuerst zusammengedrängt und dabei elastisch und plastisch verformt.
- **Trennen** *(cutting)*: Mit zunehmender Belastung bildet sich ein Riss und Werkstoff wird abgetrennt.
- **Spanen** *(chipping)*: Der abgetrennte Werkstoff wird an der Spanfläche nach oben weggeschoben. Es bildet sich ein Span. Je stärker ein Werkstoff umgelenkt wird, desto mehr Kraft ist zur Spanabnahme erforderlich.

Die Größe des Spanwinkels beeinflusst die Spanabnahme (Bild 2):

- Große, **positive Spanwinkel** *(positive rake angle)* γ erleichtern die Spanbildung. Es liegen dann günstige Bedingungen zum Trennen vor. Schneidkeile mit einem positiven Spanwinkel wirken **schneidend** *(cutting)*.
- Größere Keilwinkel erhöhen die Stabilität der Schneide. Wenn die Summe von Freiwinkel α und Keilwinkel β größer als 90° ist, ergibt sich aus der Winkelsumme am Schneidkeil ($\alpha + \beta + \gamma = 90°$) ein **negativer Spanwinkel** *(negative rake angle)* γ. Es lassen sich nur kleine Späne abtrennen. Schneidkeile mit einem negativen Spanwinkel wirken **schabend** *(scraping)*.

Merke

Ein großer Spanwinkel γ erleichtert die Spanabnahme.

Bei der Spanbildung entstehen bei der Bearbeitung von Stahl unterschiedliche Spanarten (Bild 3):

- Bei einem kleinen Spanwinkel wird der Werkstoff stärker umgeformt, sodass der Spanwerkstoff reißt. Es bildet sich ein **Reißspan** *(tearing chip)*.
- Bei größeren Spanwinkeln kann der Spanwerkstoff so fließen, dass sich ein zusammenhängender Span ergibt. Es bildet sich ein **Fließspan** *(flowing chip)*.
- In den Zwischenstufen sind einzelne Spanteile mehr oder weniger stark miteinander verschweißt. Es bildet sich ein **Scherspan** *(continuous chip)*.

Nach der Spanabnahme federt der Werkstoff an der Werkstückoberfläche (Schnittfläche) aufgrund seines elastischen Verhaltens etwas zurück (siehe Teil „Lernfeldübergreifende Inhalte" Kap. 3.2.2 Werkstoffverhalten bei Belastung durch äußere Kräfte). Es besteht die Gefahr, dass die Freifläche des Schneidkeils auf der Schnittfläche reibt. Der **Freiwinkel** α ist so groß zu wählen, dass die Reibung zwischen Frei- und Schnittfläche möglichst gering wird. Er liegt meistens zwischen 6° und 12°.

Merke

Der Freiwinkel α vermindert Reibung und damit eine Beschädigung von Frei- oder Schnittfläche.

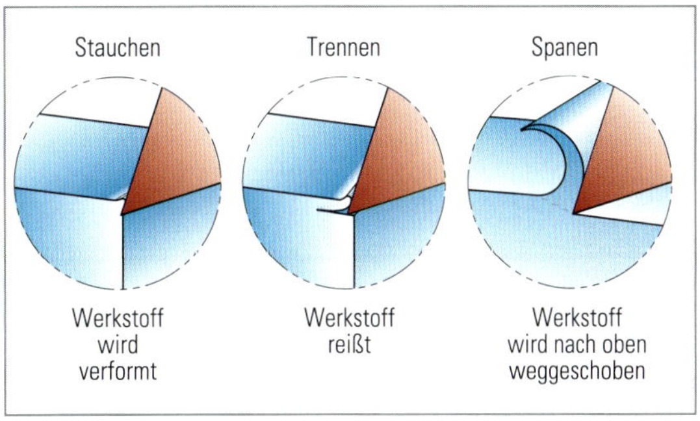

1 *Spanabnahme an keilförmiger Werkzeugschneide*

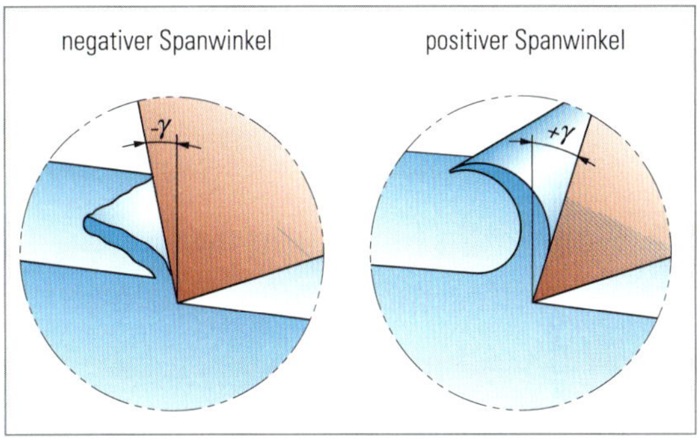

2 *Spanabnahme bei unterschiedlichen Spanwinkeln*

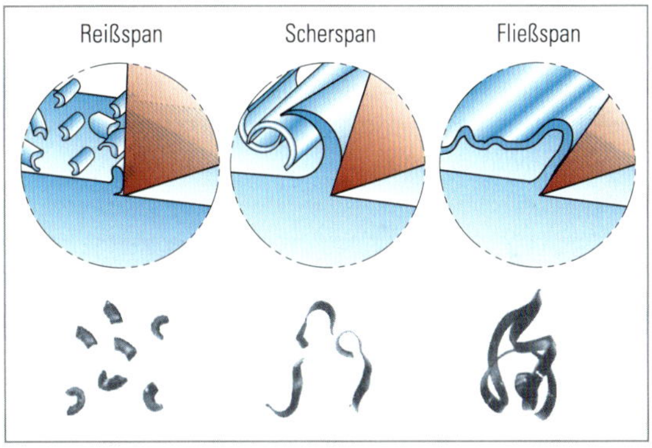

3 *Spanarten*

Freiwinkel α	**Keilwinkel** β	**Spanwinkel** γ	**für**
12°	53°	25°	weiche Werkstoffe wie z.B. Al-Legierungen
10°	70°	10°	feste Werkstoffe wie z.B. Stahl
8°	97°	–15°	harte und spröde Werkstoffe wie z.B. Hartguss

4 *Werkzeugwinkel bei unterschiedlichen Werkstoffen*

ÜBUNGEN

1. Erläutern Sie die Wahl des Keilwinkels in Abhängigkeit von Standzeit und Werkstofffestigkeit.
2. Mit der Gestaltung der Schneidkeile werden höchste Standzeit und optimale Zerspanung angestrebt. Erklären Sie anhand der Werkzeugwinkel, dass diese Ziele nicht gemeinsam erreicht werden können.
3. Warum vermindert ein Freiwinkel ein zu schnelles Abstumpfen der Schneide?
4. Erklären Sie den Einfluss des Spanwinkels auf die Spanabnahme.
5. Beschreiben Sie anhand der Spanabnahme die schabende Wirkung durch einen negativen Spanwinkel.
6. Welchen Einfluss haben die Winkel an der Werkzeugschneide auf die Spanbildung?
7. Erweitern und vervollständigen Sie die Mind-Map.

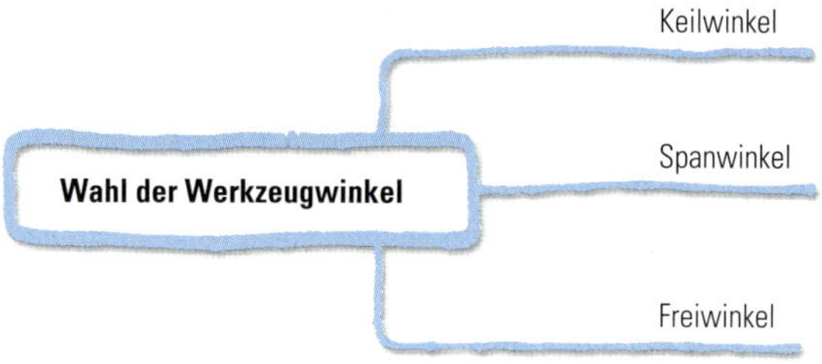

1.2 Spanende Fertigung von Bauteilen mit handgeführten Werkzeugen

1.2.1 Meißeln

AH GK S. 7

Beim Flachmeißel ist der Keil als Grundform der Schneide deutlich zu erkennen (Bild 1). Damit der Schneidkeil nicht zu schnell abstumpft, muss der Werkstoff des Meißels härter sein als der Werkstoff des zu bearbeitenden Werkstücks. Meißel *(chisel)* werden deshalb meist aus legierten Werkzeugstählen gefertigt. Der **Keilwinkel** β liegt zwischen 30° und 85° und ist dem zu bearbeitenden Werkstoff anzupassen.

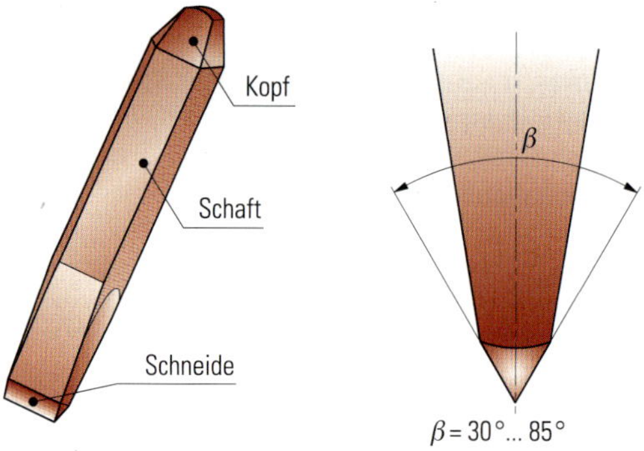

1 *Keilförmige Werkzeugschneide am Meißel*

Meißelart	Beschreibung	Meißelarbeit
Flachmeißel 	Der Flachmeißel hat eine gerade und breite Schneide. Er eignet sich zum Abscheren und zur Flächenbearbeitung und wird deshalb auch zum Entgraten und Verputzen von Gussstücken und Schweißnähten verwendet.	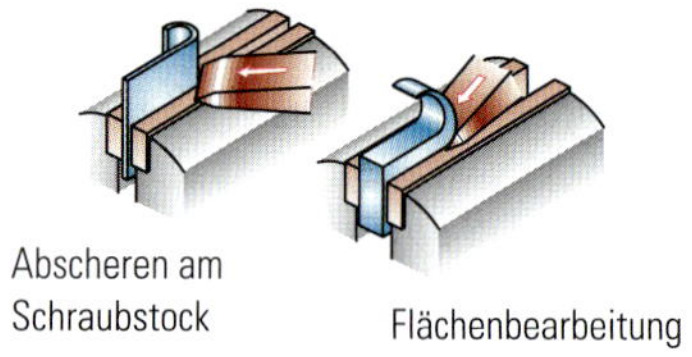 Abscheren am Schraubstock; Flächenbearbeitung
Kreuzmeißel 	Beim Kreuzmeißel bilden Schneide und Schaft ein Kreuz. Diese Anordnung eignet sich zum Aushauen von Nuten.	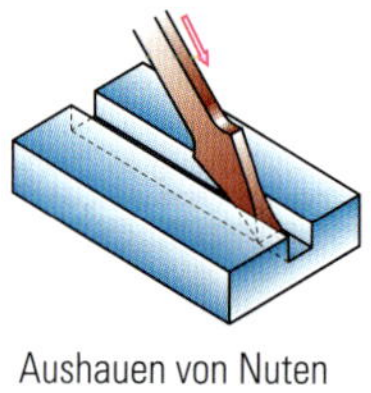 Aushauen von Nuten
Nutenmeißel 	Der Nutenmeißel hat eine gebogene Schneide. Hiermit können Schmiernuten in Lagerschalen gefertigt werden.	
Trennstemmer 	Der Trennstemmer hat keine keilförmige Werkzeugschneide. Er dient zum Durchtrennen der Stege zwischen Bohrlöchern.	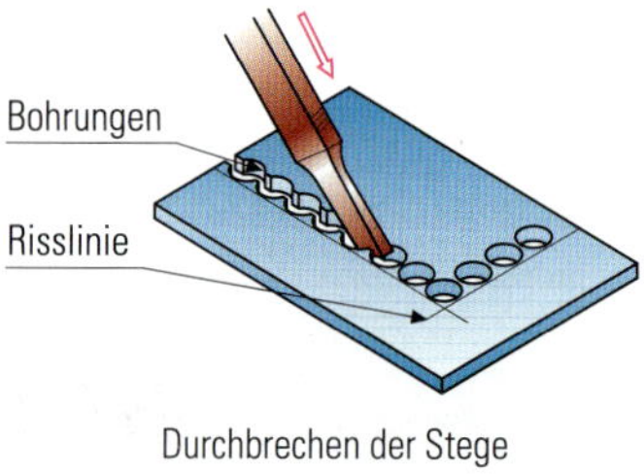 Bohrungen; Risslinie; Durchbrechen der Stege

- Für weiche Aluminium-Legierungen liegt β zwischen 30° und 40°.
- Für Kupfer und seine Legierungen liegt β zwischen 50° und 60°.
- Für unlegierten Stahl liegt β zwischen 65° und 70°.
- Für legierten Stahl liegt β zwischen 75° und 85°.

Maßnahmen zur Unfallverhütung *(prevention of accidents)*:
- Abgetrennte Späne gefährden Sie und ihre Umgebung. Deshalb sind Schutzbrille *(protective goggles)* und Schutzschirme zu verwenden.
- Am Meißelkopf bildet sich ein Grat *(burr)*. Er ist rechtzeitig abzuschleifen.
- Schadhafte Hammerstiele *(hammer shafts)* sind zu erneuern.

1.2.2 Sägen

Das Sägeblatt *(saw blade)* (Bild 1) besteht aus vielen Schneidkeilen. Form und Lage der keilförmigen Werkzeugschneiden werden durch die **Werkzeugwinkel** bestimmt:
Der **Keilwinkel** bei Sägeblättern (Bilder 2 und 3) beträgt meistens 50°. Er gibt dem Schneidkeil ausreichende Stabilität. Der **Spanwinkel** beim Maschinensägeblatt ist mit 10° deutlich größer als beim Handsägeblatt mit 2°. Ein großer Spanwinkel erleichtert die Spanabnahme. Der Schneidkeil dringt deshalb tief in den Werkstoff ein. Es entsteht ein dicker Span. Um diesen abzutrennen, ist eine große Kraft erforderlich. Von Hand kann jedoch nur eine begrenzte Kraft aufgebracht werden. Somit ist bei Handsägeblättern ein kleiner Spanwinkel zu wählen (Bild 3).

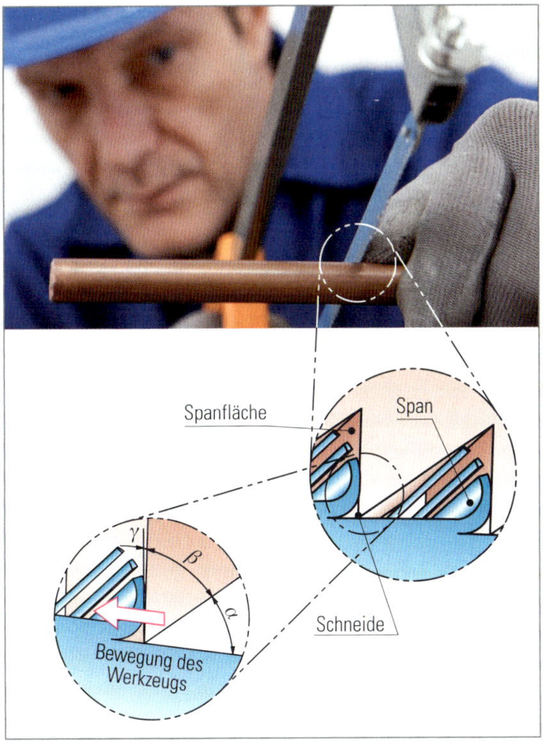

1 Spanabnahme beim Sägen

ÜBUNGEN

1. Welche Meißelarbeiten können mit dem Flachmeißel durchgeführt werden?
2. Mit welchen Meißelarten können Nuten gefertigt werden?
3. Skizzieren Sie einen Meißel mit einem Keilwinkel von 60° in zwei unterschiedlichen Schrägstellungen. Bestimmen Sie jeweils Frei- und Spanwinkel. Welche Wirkung ergibt sich für die Spanbildung?
4. Skizzieren Sie einen Flachmeißel beim Trennen.
   a) Bestimmen Sie mithilfe eines Parallelogramms die Trennkräfte senkrecht zu den Schneidflächen. Die Hammerkraft ist selbst zu wählen und dann ein Kräftemaßstab zu bestimmen (siehe „Lernfeldübergreifende Inhalte" Kap. 4.8.4 Kräftezerlegung).
   b) In welchem Zusammenhang steht die Hammerkraft zu den zeichnerisch ermittelten Trennkräften?
   c) Wie lässt sich dieses Verhältnis zugunsten der Trennkräfte verändern?
5. Erstellen Sie eine Mind-Map, die die Unfallgefahren darstellt, die beim Meißeln von Werkzeug, Werkstück, Hammer und Mensch ausgehen.

AH GK S. 8

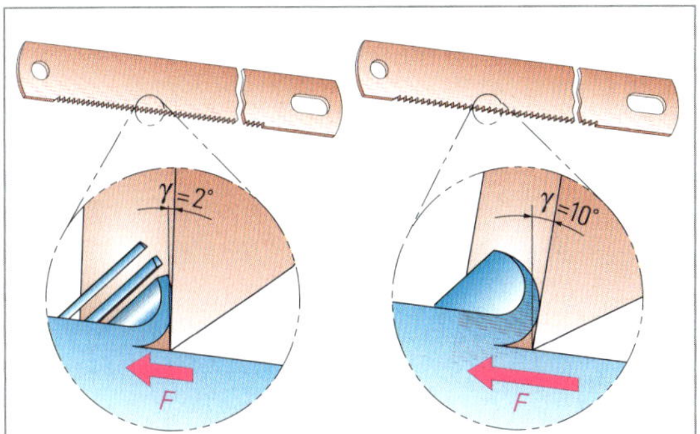

2 Spanabnahme bei unterschiedlichen Spanwinkeln

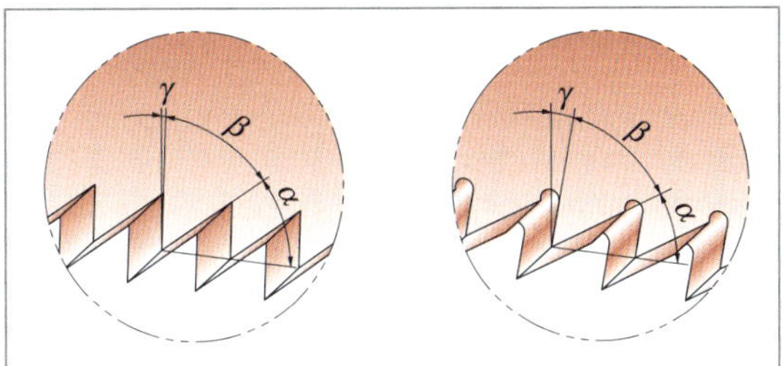

3 Werkzeugwinkel bei unterschiedlichen Sägeblättern

Sägen

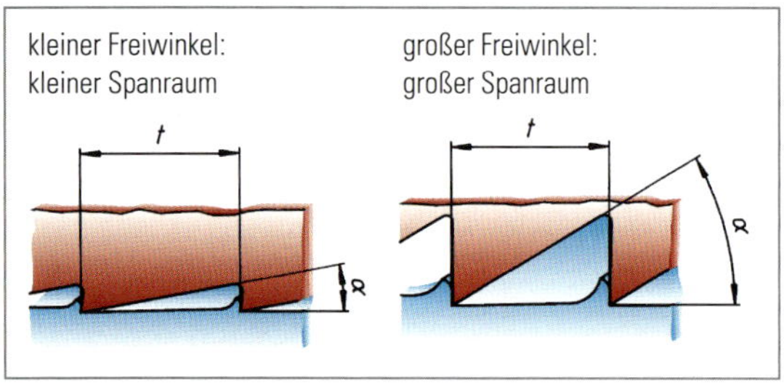

***1** Freiwinkel und Spanraum*

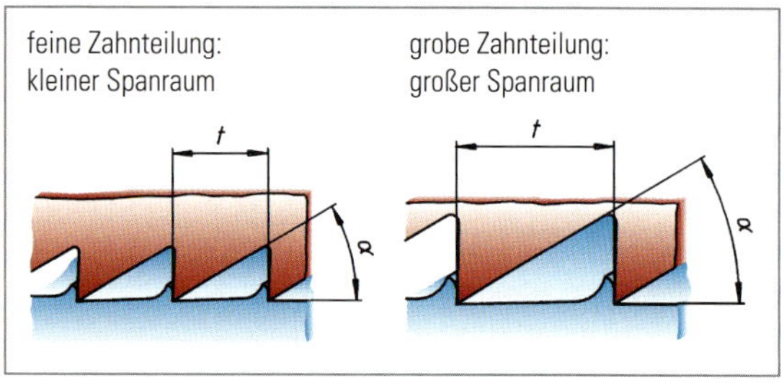

***2** Zahnteilung und Spanraum*

Der **Freiwinkel** ist bei Hand- und Maschinensägeblättern mit 38° bzw. 30° ungewöhnlich groß. Hierdurch ergibt sich ein großer Spanraum. Die Zahnlücken können somit während des Sägens die Späne besser aufnehmen und aus der Schnittfuge führen (Bild 1).

Merke

Schneidkeile von Sägeblättern haben einen kleinen Spanwinkel und einen großen Freiwinkel.

Ein Kennzeichen von Sägeblättern ist ihre **Zahnteilung** *(spacing)* *t* (Bild 2). Neben dem Freiwinkel bestimmt sie die Größe des Spanraums.

Wenn bei weichem Material ein großes Spanvolumen pro Hub abgenommen werden soll, ist ein großer Spanraum erforderlich. Hierfür ist eine **grobe Zahnteilung** *(rough spacing)* wie z. B. 16 Zähne pro inch (1 inch = 25,4 mm) zu wählen.

Aber nur, wenn mehrere Zähne gleichzeitig im Eingriff sind, kann die Säge ruhig und gleichmäßig geführt werden. Dies ist erforderlich, damit das Sägeblatt nicht verhakt und keine Zähne ausbrechen. Je kürzer die Schnittlänge, desto feiner muss die Zahnteilung sein. Zum Sägen von Rohren und Profilen muss somit selbst bei weichen Werkstoffen eine **feine Zahnteilung** *(fine spacing)* gewählt werden (Bild 3).

Merke

Aufgrund des größeren Spanraums eignet sich eine **grobe Zahnteilung** für weiche Werkstoffe und lange Schnittfugen.

Eine **feine Zahnteilung** ist bei harten Werkstoffen und kurzen Schnittfugen erforderlich.

Damit das Sägeblatt nicht festklemmt, muss die Sägefuge breiter als die Dicke des Sägeblatts werden. Hierzu werden Sägeblätter z. B. geschränkt oder gewellt. Handsägeblätter zur Metallverarbeitung sind meist gewellt (Bild 4).

Merke

Sägeblätter schneiden frei, wenn die Sägefugenbreite größer ist als die Sägeblattdicke.

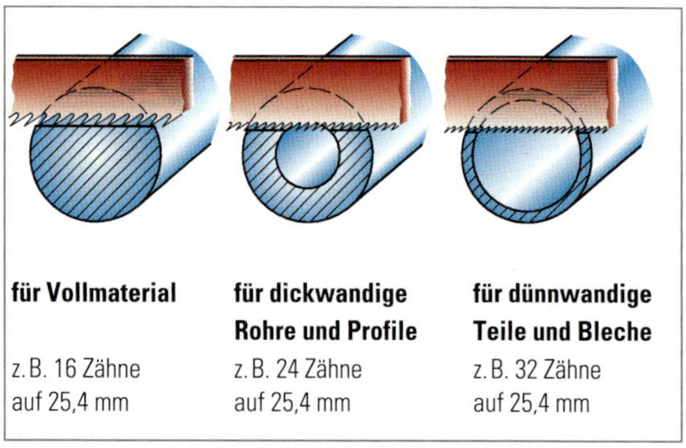

***3** Zahnteilung bei unterschiedlichen Werkstücken*

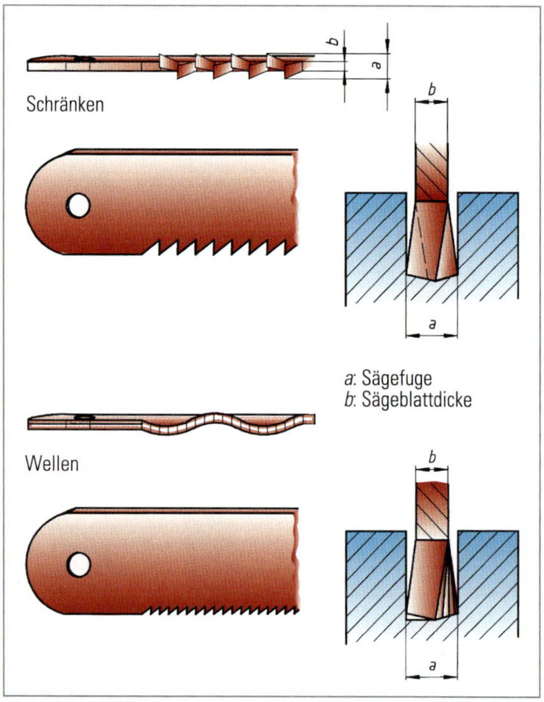

***4** Freischneiden eines Sägeblatts*

Überlegen Sie

Für elektrische betriebene Handsägen und Maschinensägen werden oft Sägeblätter mit Zähnen aus Hartmetall verwendet.

1. Welchen Vorteil bietet hier Hartmetall gegenüber Werkzeugstahl?
2. Warum wird nicht das gesamte Sägeblatt aus Hartmetall gefertigt?
3. Wie wird sichergestellt, dass die Sägeblätter frei schneiden?

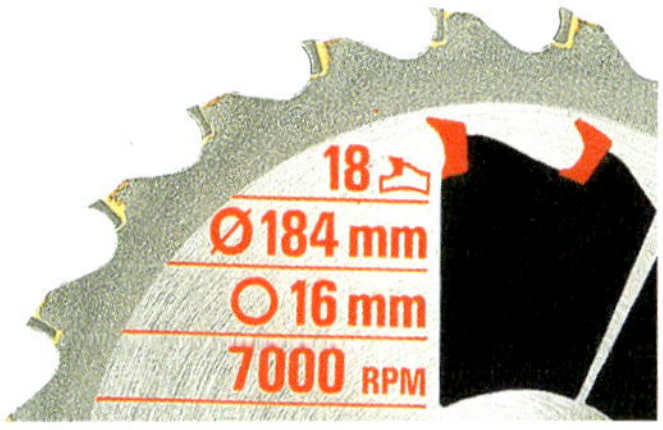

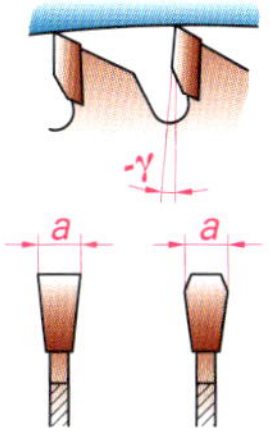

Zum Sägen von Hand wird oft die **Handbügelsäge** *(hand hacksaw)* (Bild 1) verwendet. Es ist darauf zu achten, dass das Sägeblatt richtig eingespannt wird. Die Sägezähne müssen in Schnittrichtung zeigen. Über die Spannmutter ist das Sägeblatt so zu spannen, dass es nur noch wenig federt.
Nach Möglichkeit werden Sägen verwendet, bei denen das Sägeblatt über einen **Elektromotor** angetrieben wird. Es kann schneller und genauer gesägt werden. Bild 2 zeigt eine Auswahl von elektrisch betriebenen Handsägen.

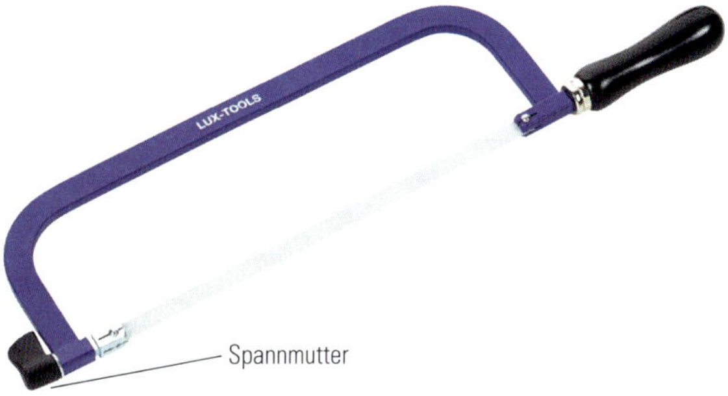

***1** Handbügelsäge*

Stichsäge

Kapp- und Gehrungssäge (Kreissäge)

Rohrsäge

***2** Elektrisch betriebene Handsägen*

Sägemaschinen

Die Antriebe von Sägemaschinen *(sawing machines)* erbringen große Kräfte. Ein gleichmäßiger Bewegungsablauf ist sichergestellt. Hub-, Band- und Kreissägemaschinen unterscheiden sich in der Schnittbewegung.

- **Hubsägemaschine** *(stroke sawing machine)* (Bild 3): Das Werkzeug führt eine geradlinige Schnittbewegung durch. Am Ende jeden Arbeitshubes wird die Bewegung abgebremst und erfolgt dann in Gegenrichtung als Leerhub. Im Leerhub werden keine Späne abgenommen.
- **Bandsägemaschine** *(bandsaw machine)* (Seite 28 Bild 1): Ein Sägeband läuft über zwei Scheiben. Die Zerspanung erfolgt mit einer ständigen, geradlinigen Schnittbewegung. Es können auch Durchbrüche ausgesägt werden.
- **Kreissägemaschine** *(circular sawing machine)* (Seite 28 Bild 2): Das Sägeblatt führt eine kreisförmige Schnittbewegung durch. Maschine und Werkzeug sind sehr robust gebaut. Kreissägemaschinen eignen sich besonders für das Ablängen großer Querschnitte und bei Massenfertigung.

***3** Hubsägemaschine*

1 Bandsägemaschine

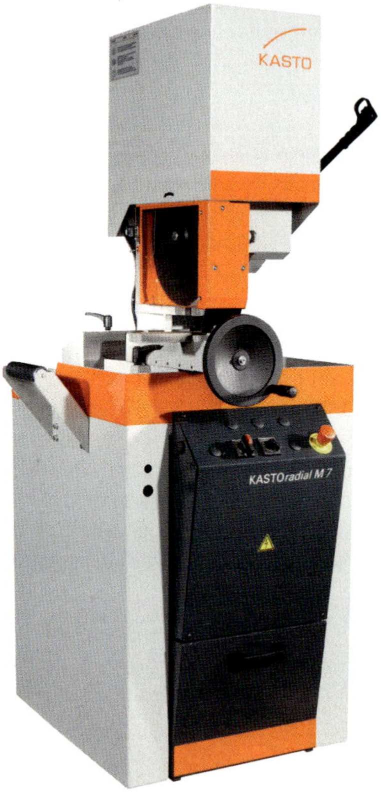

2 Kreissägemaschine

ÜBUNGEN

1. Welchen Einfluss haben Zahnteilung und Freiwinkel auf den Spanraum eines Sägeblatts?
2. Weshalb haben die Schneidkeile an Sägeblättern einen verhältnismäßig großen Freiwinkel?
3. Bestimmen Sie die Zahnteilung eines Sägeblatts für ein dünnes und ein weiches Blech. Begründen Sie Ihre Entscheidung.
4. Erläutern Sie den Vorteil von z. B. geschränkten oder gewellten Sägeblättern.
5. Wie unterscheiden sich Hub-, Band- und Kreissägemaschine in ihren Bewegungsabläufen?
6. Warum ist der Spanwinkel eines Maschinensägeblatts größer als der eines Handsägeblatts?
7. Erklären Sie Ihrem Tischnachbarn, der Gruppe oder der Klasse die Mind-Map und erweitern Sie sie bei Bedarf.

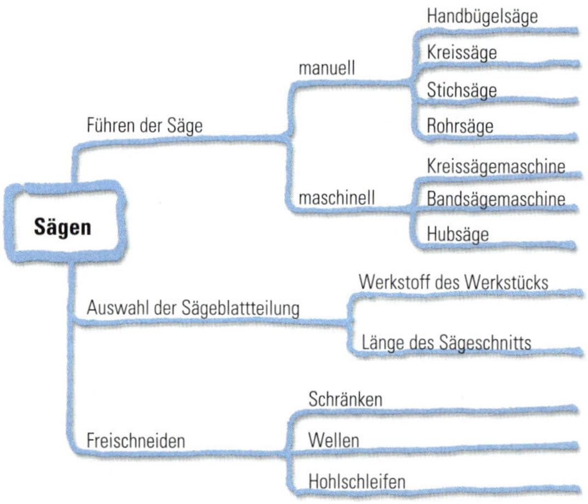

1.2.3 Feilen

Das Feilen *(filing)* hat durch den Einsatz moderner Fertigungsverfahren an Bedeutung verloren. Dennoch kann in der Einzelfertigung und bei Reparaturarbeiten darauf nicht verzichtet werden. Anwendungsfälle sind immer noch Pass-, Entgrat- und Verputzarbeiten.

Bei der **Spanabnahme** *(chip removal)* dringen die Schneidkeile in den Werkstoff ein und heben Späne ab. Diese sammeln sich in den Zahnlücken und werden über die Werkstückkanten abgeführt (Bild 1).

Die **Schneidkeile** von Feilen unterscheiden sich in Form und Lage. Bei **gehauenen Feilen** ergibt sich nach Bild 2 ein **negativer Spanwinkel** γ. Somit lassen sich nur kleine Späne abtrennen. Die gehauene Feile wirkt also schabend. Sie eignet sich deshalb für harte Werkstoffe wie z. B. Stahl und Grauguss. **Gefräste Feilen** haben einen **positiven Spanwinkel** γ und damit schneidende Wirkung. Sie können vorteilhaft bei weichen Werkstoffen wie z. B. Aluminium, Kupfer, Zinn, Blei und Kunststoffen eingesetzt werden.

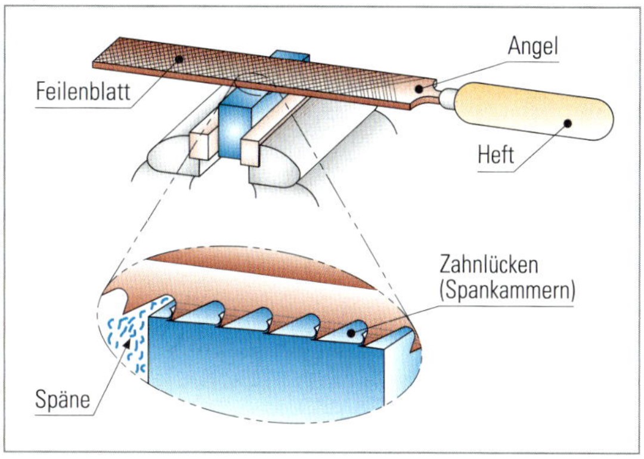

1 *Spanabnahme durch Feilen*

AH GK S. 9

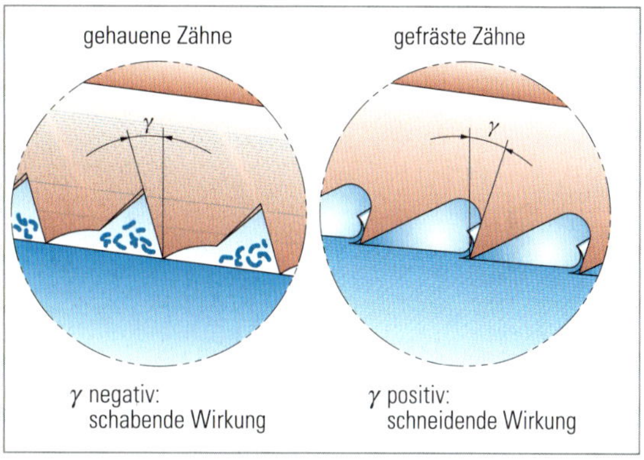

2 *Spanwinkel bei unterschiedlichen Feilen*

Merke

Ein negativer Spanwinkel am Schneidkeil einer gehauenen Feile ergibt eine schabende Wirkung, ein positiver Spanwinkel am Schneidkeil einer gefrästen Feile ergibt eine schneidende Wirkung.

Ein Feilenblatt (Bild 3) besteht aus hinter- und nebeneinander liegenden Schneidkeilen. Eine Schneidenreihe bezeichnet man als **Hieb** *(cut)*.

Bei **einhiebigen Feilen** verläuft die Schneidenreihe zur besseren Spanabfuhr schräg oder bogenförmig. Spanteiler bewirken, dass nur schmale Späne entstehen. Die Anwendung einhiebiger Feilen ist auf weiche Werkstoffe wie z. B. Aluminium, begrenzt. **Kreuzhiebfeilen** besitzen kreuzweise verlaufende Ober- und Unterhiebe. Dadurch entstehen viele kleine Schneidkeile. Somit bilden sich auch kleine Späne. Kreuzhiebfeilen eignen sich z. B. für Stahl und Grauguss.

Raspeln *(rasps)* haben einzelne, zahnartige Erhöhungen. Kunststoff, Holz, Leder und Kork können hiermit bearbeitet werden.

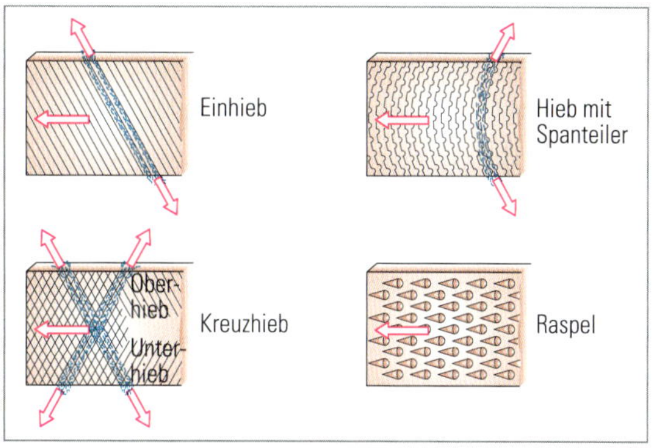

3 *Spanabfuhr bei unterschiedlichen Hiebarten*

Überlegen Sie

1. Welche Nachteile könnten sich ergeben, wenn sich in den Zahnlücken zu viele Späne sammeln?
2. Wie könnte dies verhindert oder zumindest vermindert werden?
3. Welcher Keilwinkel ergibt sich bei einem negativen bzw. positiven Spanwinkel? Erläutern Sie dies an einem Rechenbeispiel.

Der Abstand zwischen hintereinander liegenden Feilenzähnen wird als **Hiebteilung** bezeichnet. Die **Hiebzahl** gibt die Anzahl der Hiebe (Einkerbungen) je cm Feilenlänge an (Bild 4). Ein kleiner Abstand zwischen Feilenzähnen bedeutet eine große Anzahl von Hieben je cm Feilenlänge.

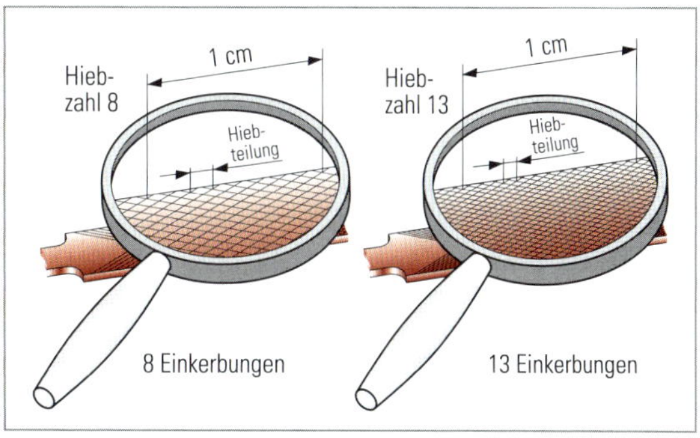

4 *Hiebteilung und Hiebzahl*

Eine hohe Oberflächenqualität wird durch **Schlichten** *(smoothing)* erzielt. Hierbei sind möglichst viele Zähne im Eingriff und es wird wenig Spanvolumen abgenommen. Wenn mit meist hohem Kraftaufwand eine große Spanabnahme erfolgt, spricht man von **Schruppen** *(rough-working)*.
Entsprechend der Hiebzahl werden deshalb folgende Feilen unterschieden:

- **Feinschlichtfeilen**: Hiebzahl von 35 ... 70
  (ultrasmooth files)
- **Schlichtfeilen**: Hiebzahl von 15 ... 35
  (smooth files)
- **Schruppfeilen**: Hiebzahl von 5 ... 15
  (roughing files)

Zum Fertigen unterschiedlicher Werkstückgeometrien müssen die Feilenquerschnitte entsprechend gestaltet werden (Bild 1). Ecken können mit Dreikant und Halbrundfeilen hergestellt werden. Für die Nacharbeit an Flächen bieten sich flachstumpfe und flachspitze Feilen an.

***1** Feilenquerschnitte*

Merke

Bei der Wahl einer Feile sind die geeignete Hiebart und Hiebzahl sowie der richtige Feilenquerschnitt festzulegen.

Werkstücke werden meist im Schraubstock gefeilt. Zum Spannen der Werkstücke stehen für die unterschiedlichsten Aufgaben entsprechende Hilfsmittel zur Verfügung. Schutzbacken[1)] (Bild 2) sind ein Beispiel dafür. Sie vermeiden, dass das Werkstück beim Spannen beschädigt wird (vgl. Seite 131).

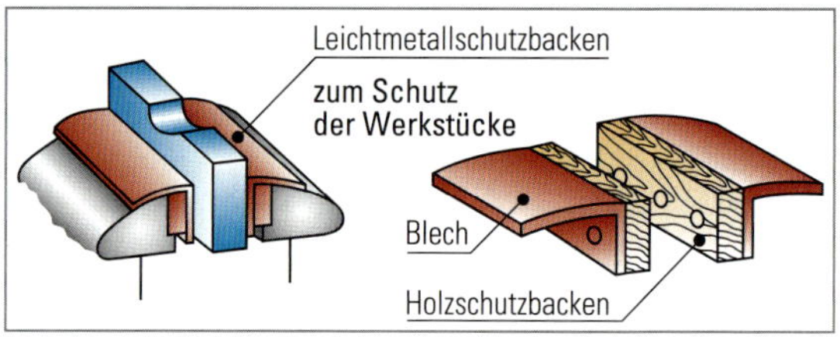

***2** Schutzbacken zum Spannen im Schraubstock*

AH GK S. 10

ÜBUNGEN

1. Unterscheiden Sie den Zerspanvorgang mit gehauenen und gefrästen Feilen.
2. Nennen Sie die Einsatzgebiete von einhiebigen Feilen, Kreuzhiebfeilen und Raspeln.
3. Welchen Einfluss hat die Hiebzahl auf die Spanabnahme?
4. Unterscheiden Sie Hiebteilung und Hiebzahl.
   Welcher Zusammenhang besteht dabei?
5. Benennen Sie vier Feilen nach ihrer Querschnittsform.
6. **Fertigungsplanung**
   Bei einer Reparaturarbeit müssen Sie den nebenstehenden Schieber aus einem Rohling von 30 mm × 20 mm × 92 mm aus S235JR herstellen. Zur Fertigung stehen Ihnen lediglich manuelle Werkzeuge zur Verfügung. Alle Flächen sind zu schlichten, die Allgemeintoleranzen nach DIN 2769-b sind einzuhalten.

Planen Sie die Fertigung mithilfe einer Tabelle nach folgendem Muster.

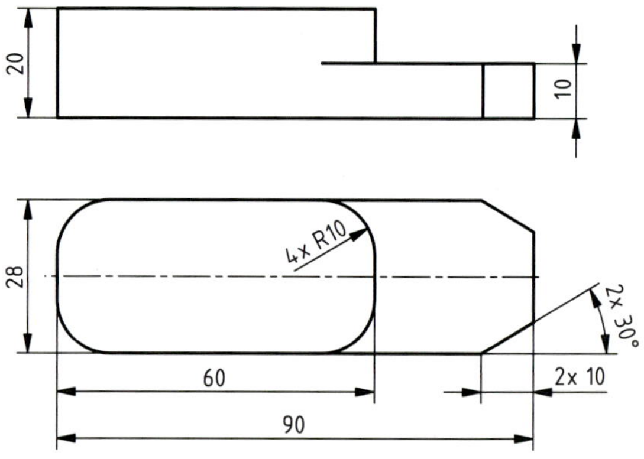

Schieber

Lfd. Nr.	Arbeitsgang	Werkzeuge	Hilfsstoffe
1	Rohmaße prüfen	Bandmaß	
2	Grundfläche eben feilen	Flachstumpffeile (Schruppen und Schlichten)	
3			

1.3 Spanende Fertigung von Bauteilen mit Maschinen

1.3.1 Bewegungen an spanenden Werkzeugmaschinen

AH GK S. 35

Gebräuchliche maschinelle Fertigungsverfahren sind Drehen, Fräsen und Bohren. Mit einer keilförmigen Werkzeugschneide wird ein Span abgetrennt. Das entstehende **Spanvolumen** *(volume of chips)* ist durch drei Dimensionen bestimmt:

- Länge des Spans (**Spanungslänge**)
- Breite des Spans (**Spanungsbreite**) und
- Dicke des Spans (**Spanungsdicke**)

Damit diese drei geometrischen Größen entstehen, muss eine Werkzeugmaschine grundsätzlich drei Bewegungen (Bilder 1 bis 3) ausführen:

- Die Spanungslänge entsteht durch die **Schnittbewegung** *(cutting motion)*
- Die Spanungsbreite entsteht durch die **Zustellbewegung** *(infeed motion)*
- Die Spanungsdicke entsteht durch die **Vorschubbewegung** *(feed motion)*

Merke

Die zur Spanbildung erforderlichen Kräfte werden von der Werkzeugmaschine bereitgestellt. Sie führt folgende drei Bewegungen aus: Schnittbewegung, Vorschubbewegung und Zustellbewegung.

Die **Schnittbewegung** verläuft bei allen drei Fertigungsverfahren kreisförmig. Dies ist vorteilhaft, da sich hierdurch fortlaufend ein Span bildet. Beim Drehen wird die kreisförmige Schnittbewegung vom Werkstück, beim Fräsen und Bohren vom Werkzeug ausgeführt.

Die **Vorschubbewegung** verläuft bei allen drei Fertigungsverfahren geradlinig. Beim Drehen und Bohren wird die geradlinige Vorschubbewegung vom Werkzeug, beim Fräsen vom Werkstück oder vom Werkzeug ausgeführt.

Die **Zustellbewegung** verläuft beim Drehen und Fräsen geradlinig und senkrecht zum Vorschub. Beim Drehen wird diese vom Werkzeug und beim Fräsen vom Werkstück oder vom Werkzeug ausgeführt. Beim Bohren erfolgt keine Zustellbewegung. Der Bohrer legt mit seinem Durchmesser die Spanungsbreite fest.

Merke

Bei der Analyse von Bewegungen an Werkzeugmaschinen sind stets zwei Fragen zu beantworten:

- Verläuft die Bewegung kreisförmig oder geradlinig?
- Führt das Werkzeug oder das Werkstück die Bewegung aus?

Da eine Werkzeugmaschine drei Bewegungen ausführt, müssen an der Maschine auch drei bzw. zwei Größen eingestellt werden:

- Für die Schnittbewegung die **Schnittgeschwindigkeit** *(cutting speed)* v_c. Sie wird im Allgemeinen in m/min gemessen.

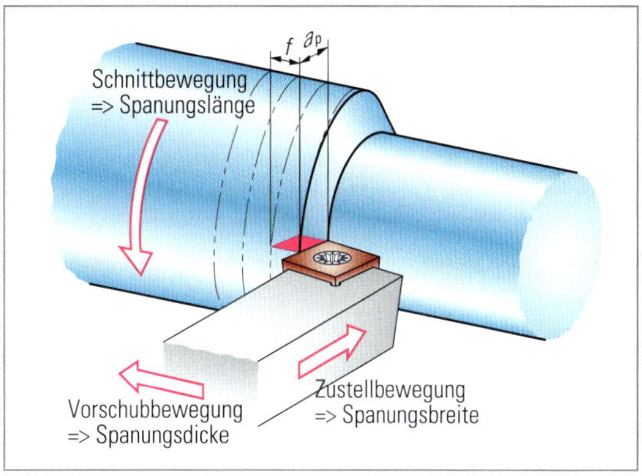

1 *Bewegungen beim Drehen*

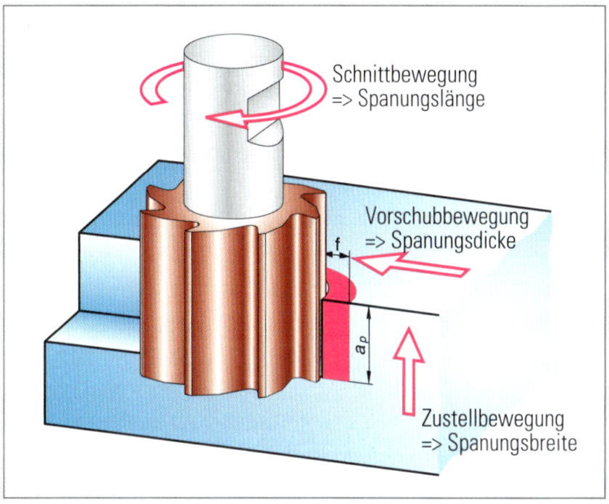

2 *Bewegungen beim Fräsen*

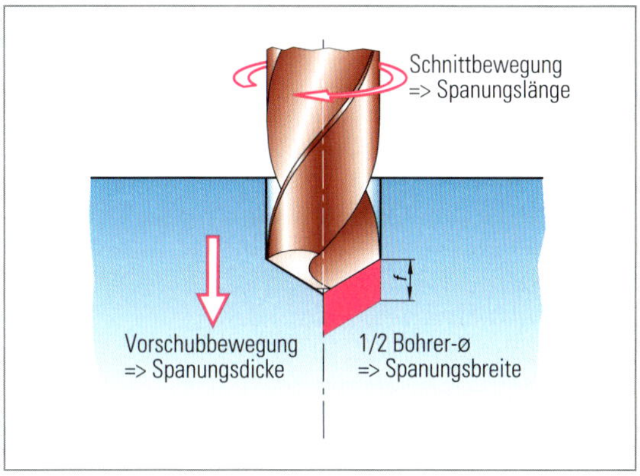

3 *Bewegungen beim Bohren*

- Für die Vorschubbewegung der **Vorschub** *(feed)* f. Er wird in mm/Umdrehung gemessen oder als **Vorschubgeschwindigkeit** *(feed speed)* v_f in mm/min angegeben.
- Für die Zustellbewegung die **Zustellung** *(infeed)* a_p. Sie wird in mm gemessen.

Die Werte hierfür sind aus Tabellen der Werkzeughersteller oder aus dem Tabellenbuch zu ermitteln. In diesen werden meist Bereiche angegeben, aus denen je nach Anforderung die

Schnittdaten ausgewählt werden. Hierzu gelten u.a. folgende Kriterien:

- Gehört der **Werkstoff** *(material)* innerhalb der Gruppe zu den festeren, werden untere Bereichswerte gewählt.
- Für eine gute **Oberfläche** *(surface)* (geringe Rautiefe) ergibt eine hohe Schnittgeschwindigkeit bei kleinem Vorschub gute Zerspanungsbedingungen.
- Soll das Werkzeug lange ohne Nachschliff arbeiten (hohe **Standzeit**) *(endurance)*, ist ein unterer Bereichswert angebracht.
- Bei geringer **Kühlschmierung** *(cooling lubricant)* müssen niedrige Werte eingestellt werden.

1.3.2 Kühlschmierstoffe

Aufgaben der Kühlschmierstoffe

AH GK S. 36

Beim Zerspanen entsteht Wärmeenergie. Kühlschmierstoffe transportieren die Wärme von der Wirkstelle (Bild 1). Die **Kühlung** *(cooling)* soll verhindern, dass das Werkzeug zu heiß und damit zu schnell stumpf wird. Gleichzeitig wird auch das Werkstück weniger stark erwärmt.

Die Reibung (Bild 2), die zwischen Span und Werkzeug sowie zwischen Werkstück und Werkzeug entsteht, kann durch **Schmierung** *(lubrication)* vermindert werden. Sie reduziert den Verschleiß und erhöht die Standzeit des Werkzeugs.

Ob die Schmier- oder Kühlwirkung im Vordergrund steht, hängt von der jeweiligen Zerspanungsart ab. Bei niedrigen Schnittgeschwindigkeiten (z. B. Gewindeschneiden) sind die entstehenden Temperaturen relativ gering. Deshalb ist hier besonders die **Schmierwirkung** *(lubrication effect)* gefragt. Die **Kühlwirkung** *(cooling effect)* ist besonders wichtig, wenn die Schnittgeschwindigkeit hoch ist und die Werkzeuge keinen hohen Temperaturen standhalten (z. B. Bohrer aus HSS).

Merke

Kühlschmierstoffe sollen vorrangig:

- die Wärme *(heat)* von der Wirkstelle transportieren (Kühlen),
- die Reibung *(friction)* auf Span- und Freifläche vermindern (Schmieren),
- den Werkzeugverschleiß *(tool wear)* reduzieren (Schmieren),
- die Oberflächenqualität *(surface quality)* des Werkstücks verbessern (Schmieren).

Kühlschmierstoffarten

Eine Einteilung der **Kühlschmierstoffe** *(solid cooling lubrications)* zeigt Bild 3.

- **Wassermischbare Kühlschmierstoffe**
  Bei dieser Gruppe handelt es sich um Konzentrate, die mit Wasser gemischt werden. Dabei kann der Wasseranteil bis zu 98 % betragen. Die Konzentrate haben die Aufgabe, die Schmier- und Benetzungsfähigkeit der Mischung zu verbessern und die Korrosion zu verhindern. Gleichzeitig können sie Haut und Atemwege gefährden. Der hohe Wasseranteil garantiert eine gute Kühlwirkung. Die wassermischbaren Kühlschmierstoffe werden bei Zerspanungsaufgaben eingesetzt, bei denen Kühlung wichtiger als Schmierung ist.
- **Nicht wassermischbare Kühlschmierstoffe**
  Es sind Mineralöle, die entsprechende Zusätze zur Verbesserung der Schmierfähigkeit, des Korrosionsschutzes beinhalten. Im Vergleich zu den wassermischbaren Kühlschmierstoffen zeichnen sich diese „Schneidöle" durch **besseres Schmierverhalten** aus.

1 Kühlschmierung beim Drehen

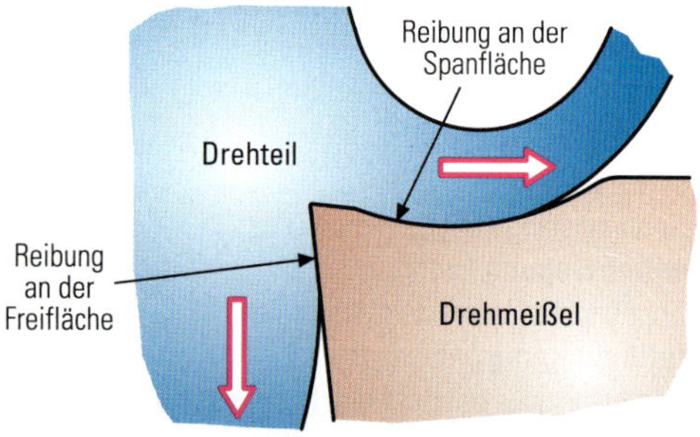

2 Reibung an Frei-, und Spanfläche beim Drehen

Merke

Wassermischbare Kühlschmierstoffe haben eine wesentlich größere Kühlwirkung aber eine geringere Schmierfähigkeit als nicht wassermischbare Kühlschmierstoffe.

Umgang mit Kühlschmierstoffen

Kühlschmierstoffe bergen Gefahren für Haut und Atemwege. Um diese zu verringern

- müssen die Kühlschmierstoffe in regelmäßigen Abständen auf ihre Zusammensetzung kontrolliert werden
- muss gewissenhafte Hautpflege und -reinigung vor und nach Kühlschmiermittelkontakt erfolgen

3 Einteilung der Kühlschmierstoffe

Weitere Informationen zum Thema „Kühlschmierstoffe" und „Verschleiß" finden Sie im Teil „Lernfeld 4: Warten technischer Systeme" sowie im Teil „Lernfeld übergreifende Inhalte" im Unterkapitel 3.3.3 Fertigungshilfsstoffe des Kapitel 3 „Werkstoffe".

1.3.3 Bohren, Senken, Reiben und Gewindeschneiden

Bei der Gelenklasche (Bild 1) müssen noch die Bohrungen und Gewinde angebracht werden.

Bohren *(drilling)*
Der Bohrungsmittelpunkt wird **angerissen** *(marked out)* und **gekörnt** *(punched)* (Bild 2), damit die Bohrposition bestimmt ist und der **Bohrer** *(drill)* sich zentrieren kann. Um Unfälle zu vermeiden, ist das Werkstück sicher zu spannen. Meist erfolgt dies im Maschinenschraubstock. Wenn hohe Kräfte auftreten, wird dieser auf dem Bohrmaschinentisch befestigt. Die Bohrer sind auszuwählen.
Es werden meist Spiralbohrer (Bild 3) verwendet. Sie haben zwei Werkzeugschneiden, an denen die Spanabnahme erfolgt. Die erforderlichen Bewegungen werden vom Werkzeug ausgeführt. Durch die kreisförmige Schnittbewegung und eine geradlinige Vorschubbewegung dringen die Hauptschneiden stetig in den Werkstoff ein und trennen Späne ab. Diese werden über die wendelförmige Nut abgeführt. Der Bohrer wird an den Fasen im Bohrloch geführt. Diese sind schmal, um die Reibung an der Bohrlochwandung gering zu halten.
Der **Spanwinkel** γ ist durch die Steigung der Wendelnut im Spiralbohrer (Drallwinkel) vorgegeben (Seite 34 Bild 1).
Der **Freiwinkel** α von ca. 7° entsteht durch Anschleifen der Freifläche. Über die Winkelsumme kann der **Keilwinkel** $\beta = 90° - \gamma - \alpha$ berechnet werden.
Für verschiedene Werkstoffe stehen unterschiedliche **Bohrertypen** (Seite 34 Bild 1) zur Verfügung:

- z. B. $\beta = 90° - 7° - 10° = 73°$ bei **Bohrertyp** *(type of drill)* **H** für harte Werkstoffe wie z. B. Schichtpressstoffe, Hartgummi, Marmor
- z. B. $\beta = 90° - 7° - 19° = 64°$ bei **Bohrertyp N** für normale Werkstoffe wie z. B. Stahl, harte Aluminiumlegierungen
- z. B. $\beta = 90° - 7° - 37° = 46°$ bei **Bohrertyp W** für weiche Stoffe wie z. B. Kupfer, weiche Aluminiumlegierungen

Bei Bohrern mit gleichen Durchmessern legt der **Spitzenwinkel** *(point angle)* σ die Länge der Hauptschneide fest. Er beeinflusst z. B. die Stabilität des Bohrers und die Wärmeabfuhr.

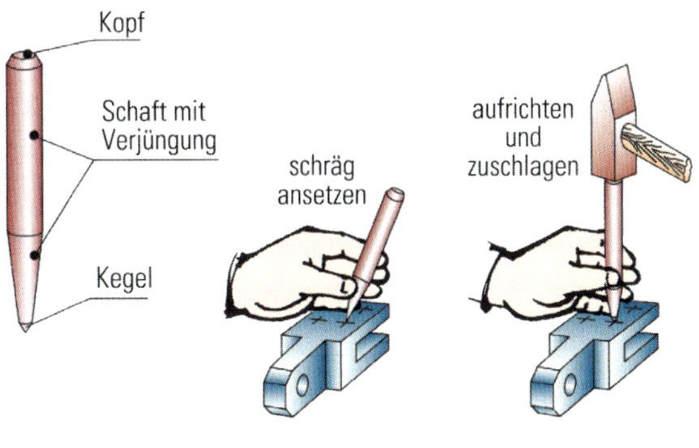

2 *Bohrungsmittelpunkt ankörnen*

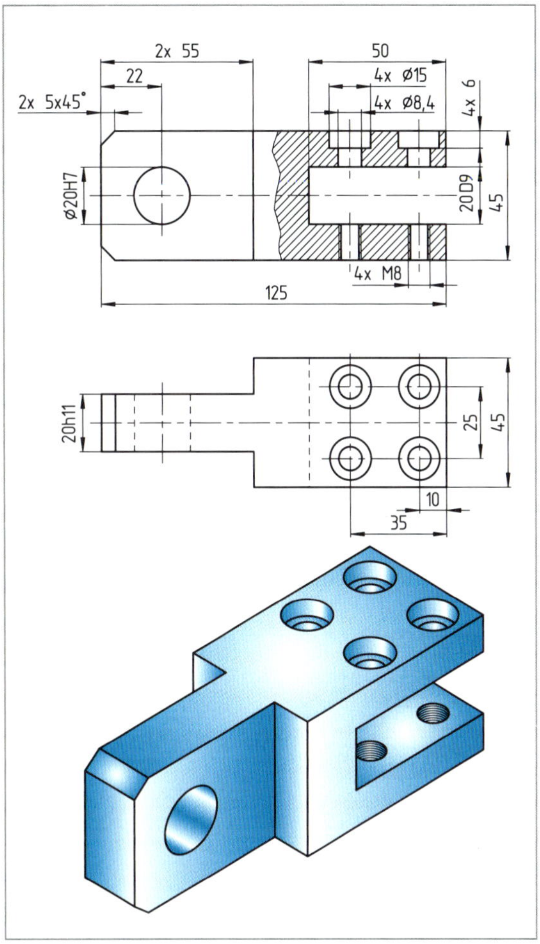

1 *Gelenklasche*

AH GK S. 41

Zeichnung Gelenklasche

Merke
Aufgrund von Versuchen hat sich für Stahl ein Spitzenwinkel σ von 118° als günstig erwiesen.

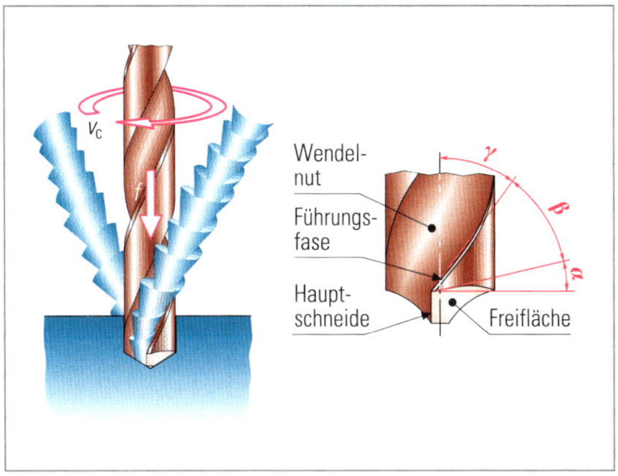

3 *Bewegungen und keilförmige Schneide des Spiralbohrers*

Bohrertyp	H	N	W

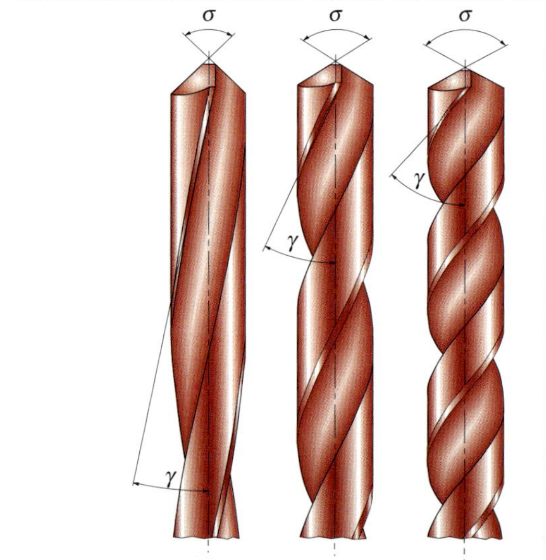

Spanwinkel γ	10°...13°	16°...30°	35°...40°
Spitzenwinkel σ z. B.	80°	118°	125°

1 *Spiralbohrertypen für verschiedene Werkstoffe*

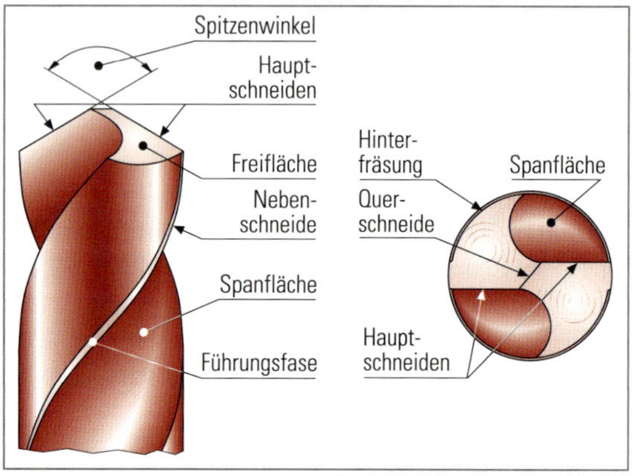

2 *Bezeichnungen am Spiralbohrer*

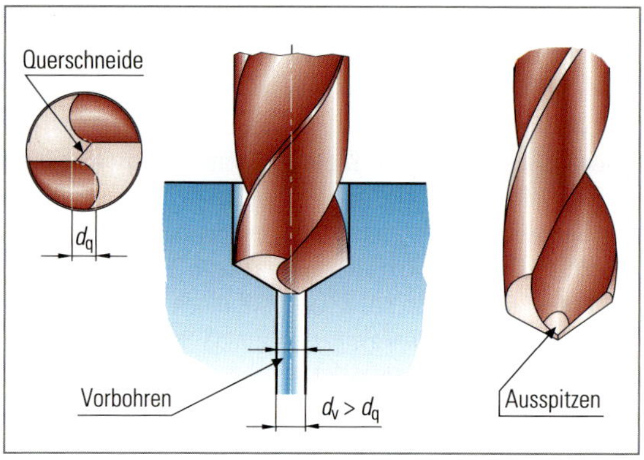

3 *Vorbohren oder Ausspitzen der Querschneide zur Verringerung der Vorschubkraft*

Überlegen Sie

Welche Bohrertypen wählen Sie aus, wenn Sie folgende Werkstoffe zu bohren haben:

- C45E
- EN AW-3103 [AlMn1]

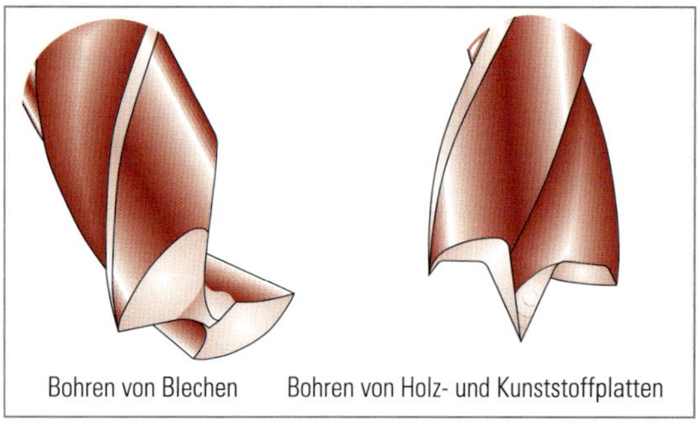

4 *Zentrumsanschliff für spezielle Anwendungen*

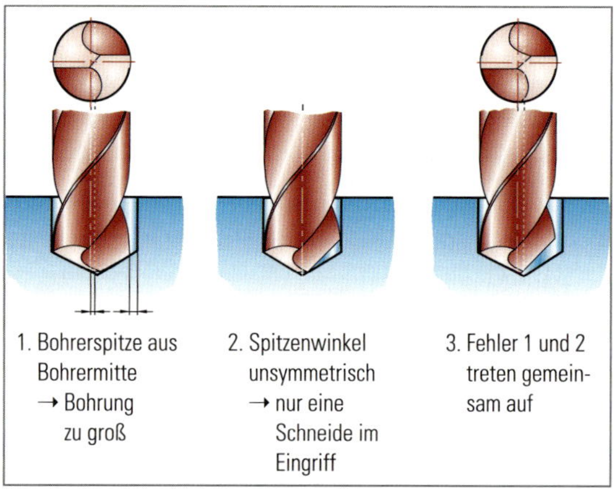

5 *Auswirkungen von fehlerhaften Bohreranschliffen*

Beim Anschleifen der Bohrerspitze entsteht eine **Querschneide** *(chisel edge angle)*. Sie ist bei einem Spitzenwinkel von 118° um 55° gegen die Hauptschneide verdreht. Die Querschneide hat eine schabende Wirkung und erhöht die erforderliche Vorschubkraft. Durch Ausspitzen des Spiralbohrers oder durch Vorbohren (Bild 3) wird diese Wirkung verringert.

Damit genaue Bohrungsdurchmesser entstehen und beide Schneiden gleich beansprucht werden, muss die Bohrerspitze symmetrisch geschliffen sein. Bild 5 zeigt Auswirkungen vom **fehlerhaften Anschleifen** der Bohrer. Um Schleiffehler zu vermeiden, sollte ein Anschliff mit Schleiflehren geprüft werden (siehe Prüftechnik Kap. 4.5.1).

Merke

Für spezielle Anwendungsfälle werden Spiralbohrer besonders angeschliffen.

Zum **Bohren von Blechen** *(drilling of sheet metals)* wird ein Zentrumsanschliff (Bild 4) verwendet. Der Spiralbohrer dringt nicht mehr so leicht in das Blech ein. Unrunde Bohrungen mit Grat werden so vermieden. Gleiche Ergebnisse werden auch

mit Schälbohrern erzielt (Bild 1). Zum Bohren von **Holz- und Kunststoffplatten** *(drilling of wood and plastic plates)* wird ebenfalls ein Zentrumsanschliff verwendet und zudem werden die Schneidenecken hervorgehoben. Diese beteiligen sich daher sofort am Spanen. Beim Bohren z. B. von Sperrholz entsteht damit nur ein kleiner Grat, der leicht zu entfernen ist.
Schleifeinrichtungen *(grinding devices)* liefern einen genauen Anschliff für spezielle Anwendungsfälle.

***1** Blechschälbohrer*

Überlegen Sie

1. Erläutern Sie den Zusammenhang zwischen Querschneide und Vorschubkraft.
2. Welche Aufgaben haben Schleiflehren und Schleifeinrichtungen?

Bohrmaschinen *(drilling machines)* (Bild 2) mit leistungsfähigen Antrieben erbringen hohe Drehmomente (vgl. Seite 364) und ermöglichen einen gleichmäßigen Bewegungsablauf während des Zerspanvorgangs. Die Wirtschaftlichkeit und die Produktqualität sind beim Bohren gewährleistet, wenn die den Prozess beeinflussenden Größen (Schnittgeschwindigkeit und Vorschub) richtig gewählt werden.
Die zu wählende **Schnittgeschwindigkeit** *(cutting speed)* v_c ist vorrangig abhängig vom:
- Werkstoff des Werkzeugs (Schneidstoff)
- Werkstoff des Werkstücks
- vorhandener bzw. nicht vorhandener Kühlschmierung

Der **Vorschub** *(feed)* richtet sich beim Bohren nach
- dem Durchmesser des Bohrers
- dem Werkstoff des Werkstücks
- dem Werkstoff des Werkzeugs

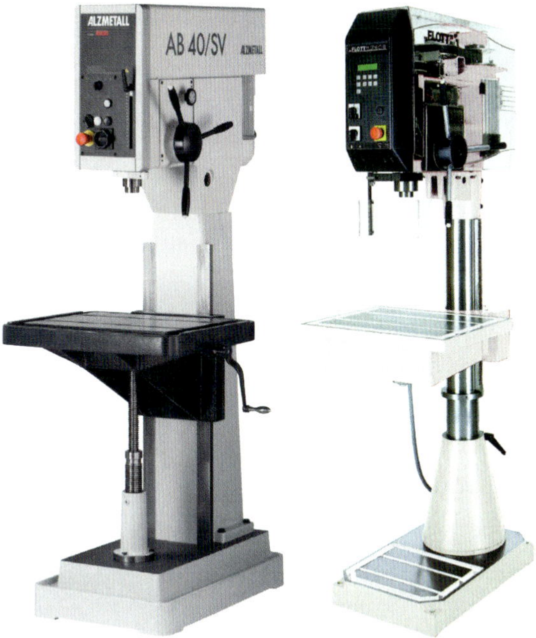

Ständerbohrmaschine Säulenbohrmaschine

***2** Bohrmaschinen*

Merke

Die Schnittdaten sind Tabellen zu entnehmen. Die Tabellenwerte beruhen auf den Erfahrungen der Werkzeughersteller, die sie aus Zerspanungsversuchen bei unterschiedlichsten Bedingungen ermittelten.

Überlegen Sie

1. Formulieren Sie zu jeder der Einflussgrößen auf die Schnittgeschwindigkeit eine Aussage mit „je ... desto“.
2. Welche Auswirkungen auf die Auswahl des Vorschubs beim Bohren haben kleinere Bohrerdurchmesser und festere Werkstückwerkstoffe?

Maßnahmen zur Unfallverhütung

- Vor der Arbeit an einer Maschine ist der Mitarbeiter ausreichend in Funktion und Bedienung einzuweisen.
- Bei der Arbeit in der Nähe bewegter Teile ist eng anliegende Kleidung zu tragen. Lange Haare sind durch Mütze oder Haarnetz zu schützen.
- Werkstück und Werkzeug sind sicher zu spannen.
- Abgetrennte Späne gefährden Sie und ihre Umgebung. Deshalb sind Schutzbrille und Schutzschilde zu verwenden
- Keine Schutzhandschuhe beim Bohren tragen, weil sie sich samt Finger bei Berührung um den drehenden Bohrer wickeln können.
- Lärm führt zu Gehörschäden. Deshalb ist ein Gehörschutz zu verwenden.
- Zum Messen, Reinigen und Schmieren muss die Maschine abgeschaltet werden. Es ist unbedingt der Stillstand der Maschine abzuwarten.

Merke

Maßnahmen zur Unfallverhütung sind in Vorschriften der Berufsgenossenschaft geregelt.

In die Gelenklasche aus C45E sind Schraubendurchgangslöcher ∅ 8,4 mm zu bohren. Es wird ein Bohrer aus HSS[1] (Hochleistungs-Schnellarbeitsstahl, ein hochlegierter Werkzeugstahl) verwendet und mit einem wassermischbaren Kühlschmierstoff gearbeitet.
Aufgrund der geschilderten Bedingungen wurden die folgenden Daten aus Tabellen entnommen: AH GK S. 43
v_c = 30 m/min und f = 0,1 mm.

1) Informationen zur Bezeichnung von Stählen finden Sie im Teil „Lernfeldübergreifende Inhalte“ im Kapitel 3 „Werkstofftechnik“.

Während der Facharbeiter an der Bohrmaschine den geeigneten **Vorschub** *(feed)* f in mm pro Umdrehung direkt einstellen kann, ist das für die **Schnittgeschwindigkeit** *(cutting speed)* v_c in m/min nicht möglich. Es ist die erforderliche **Umdrehungsfrequenz** *(rotational frequency)* n in Umdrehungen pro min einzustellen, damit die optimale Schnittgeschwindigkeit erreicht wird.

AH GK S. 42

Schnittgeschwindigkeit und Umdrehungsfrequenz

Auch für die Schnittgeschwindigkeit v_c gilt:

$$\text{Geschwindigkeit} = \frac{\text{Weg}}{\text{Zeit}} \Rightarrow v_c = \frac{s}{t}$$

Bei **einer** Umdrehung ist der zurückgelegte Weg s an der äußersten Bohrerschneide:

$s = \text{Bohrerdurchmesser} \cdot \pi$

$s = d \cdot \pi$

Bei einer Anzahl N von z. B. **100 Umdrehungen** beträgt s:

$s = d \cdot \pi \cdot N$

$s = d \cdot \pi \cdot 100$

Das ergibt für die Schnittgeschwindigkeit v_c:

$$v_c = \frac{s}{t}$$

$$v_c = \frac{d \cdot \pi \cdot N}{t}$$

Für die **Umdrehungsfrequenz** n gilt:

$$\text{Umdrehungsfrequenz} = \frac{\text{Anzahl der Umdehungen}}{\text{Zeit}}$$

$$n = \frac{N}{t}$$

Somit ergibt sich für die Schnittgeschwindigkeit v_c:

$$v_c = d \cdot \pi \cdot n$$

v_c in $\frac{\text{m}}{\text{min}}$

d in mm

n in $\frac{1}{\text{min}}$ oder min^{-1}

Zur Berechnung der Umdrehungsfrequenz wird die Formel nach n umgestellt. Dabei ist darauf zu achten, dass die Einheiten berücksichtigt werden.

$$n = \frac{v_c}{d \cdot \pi}$$

$$n = \frac{30\ \text{m}}{\text{min} \cdot 8{,}4\ \text{mm} \cdot \pi} \cdot \frac{1\,000\ \text{mm}}{1\ \text{m}}$$

$$n = \frac{1\,137}{\text{min}}$$

Übungen zur Berechnung von Schnittgeschwindigkeiten und Umdrehungsfrequenzen siehe Teil III, Kapitel 4.7.2.

Berechnungen zum Bohren

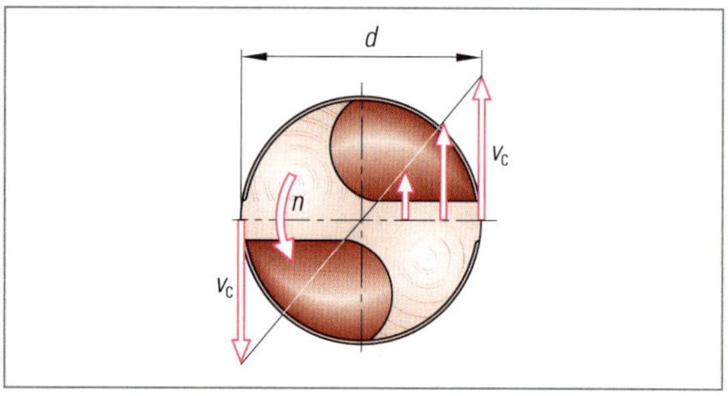

1 *Schnittgeschwindigkeit, Umdrehungsfrequenz und Durchmesser beim Bohrer*

Die Umdrehungsfrequenz kann nun an der Bohrmaschine eingestellt werden. Ist keine stufenlos einstellbare Bohrmaschine vorhanden, ist die Entscheidung für eine einstellbare Umdrehungsfrequenz zu treffen (weitere Übungen siehe Kap. 4.7.2).

Überlegen Sie

Welche Auswirkung auf die Schnittgeschwindigkeit hat es, wenn Sie
a) die höher liegende
b) die niedriger liegende Umdrehungsfrequenz als die berechnete einstellen?

Oft sind an Bohrmaschinen Nomogramme vorhanden, die eine schnelle Bestimmung der Umdrehungsfrequenz ohne Berechnung ermöglichen (Seite 37 Bild 1).
Zur Bestimmung der Umdrehungsfrequenz mithilfe des Nomogramms sind folgende Lösungsschritte erforderlich:

- Durchmesser 8,4 mm aufsuchen und senkrecht nach oben gehen.
- Schnittgeschwindigkeit 30 m/min suchen und eine waagerechte Linie ziehen.
- Mithilfe des Schnittpunktes A die Umdrehungsfrequenz festlegen.

Bei Montagearbeiten werden meist **Handbohrmaschinen** *(hand drill)* verwendet. Sind Löcher in Beton und Stein zu bohren, eignen sich **Schlagbohrmaschinen** *(hammer drill)*.

Überlegen Sie

Ergänzen Sie die Mind-Map um weitere Unterverzweigungen, um sie präsentieren zu können.

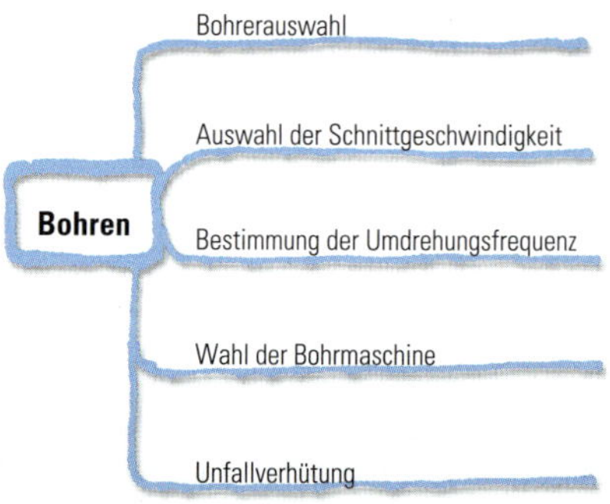

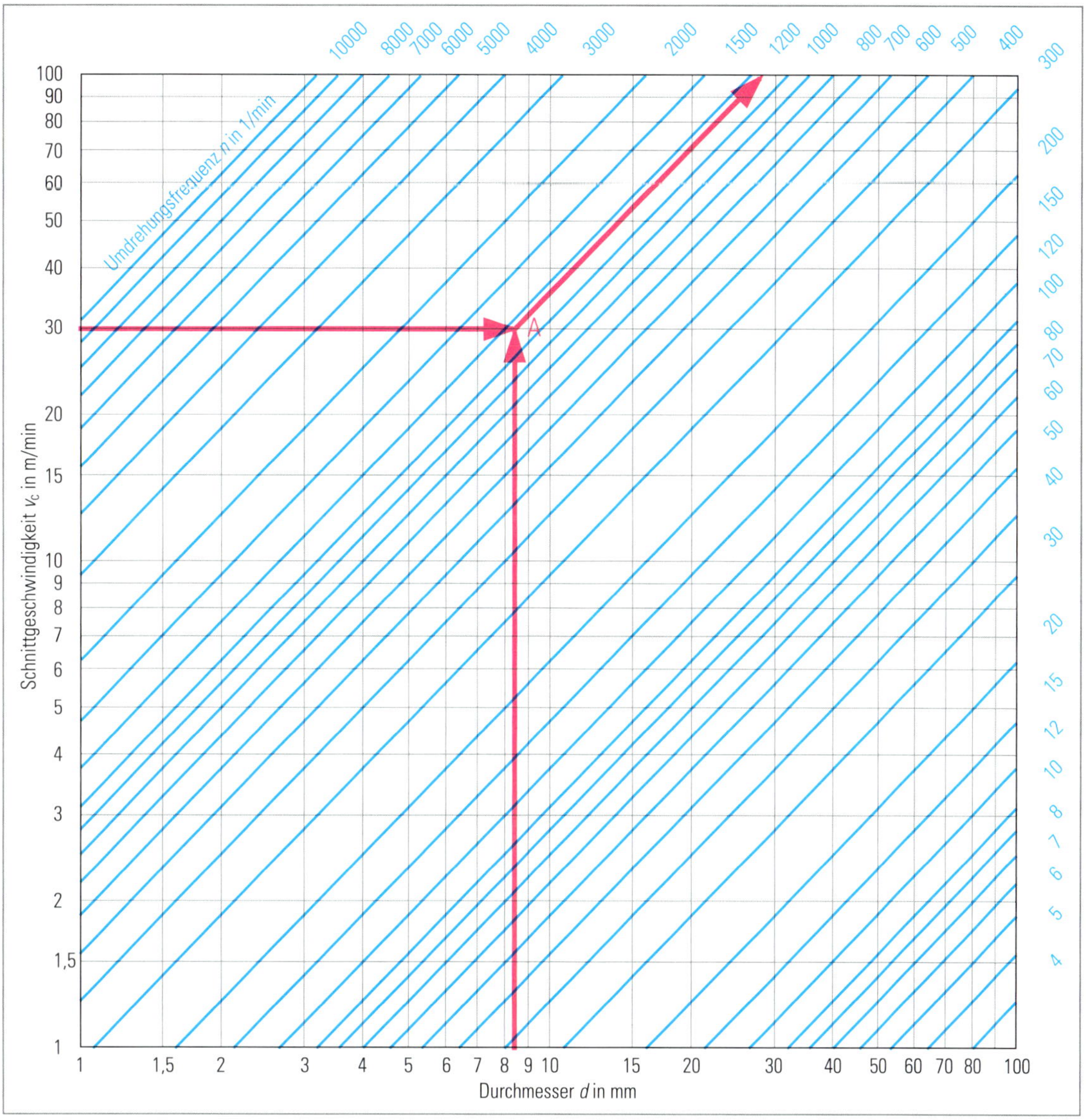

1 *v_c-d-Nomogramm*

Senken *(counterboring, countersinking)*
Nach dem Bohren wird gesenkt (entgratet, *deburred*), damit scharfe Kanten an Bohrungen keine Verletzungsgefahr darstellen und nachfolgende Bearbeitungen problemlos erfolgen können. Senker *(countersinks, counterbores)* sind ein- oder mehrschneidige Werkzeuge (Seite 38 Bild 1). Kegelsenker mit einem Spitzenwinkel von 90° werden zum Entgraten und für Senkungen für Senkkopfschrauben verwendet. Senkungen für Senkniete erfordern 75°-Kegelsenker. Flachsenker (oft auch als Zapfensenker bezeichnet) erzeugen zylindrische Senkungen wie z. B. für Zylinderschrauben mit Innensechskant.[1)]

Im Allgemeinen wird die Schnittgeschwindigkeit beim Senken ca. halb so groß wie beim Bohren gewählt. Das verhindert Rattermarken (Kerben in der Oberfläche). Der Vorschub wird gegenüber dem Bohren vergrößert, weil nur eine Ringfläche zu bearbeiten ist.

AH GK S. 43

Maßnahme zur Unfallverhütung:

- Um Verletzungen an scharfkantigen Bohrungen zu vermeiden, werden Bohrungen stets gesenkt.
- Beim Arbeiten mit dem Flachsenker ist besonders auf das sichere Spannen des Werkstücks zu achten.

1) Siehe Lernfeld 3 „Herstellen von einfachen Baugruppen, Kap. 2.2.1.1 „Schraubenverbindungen".

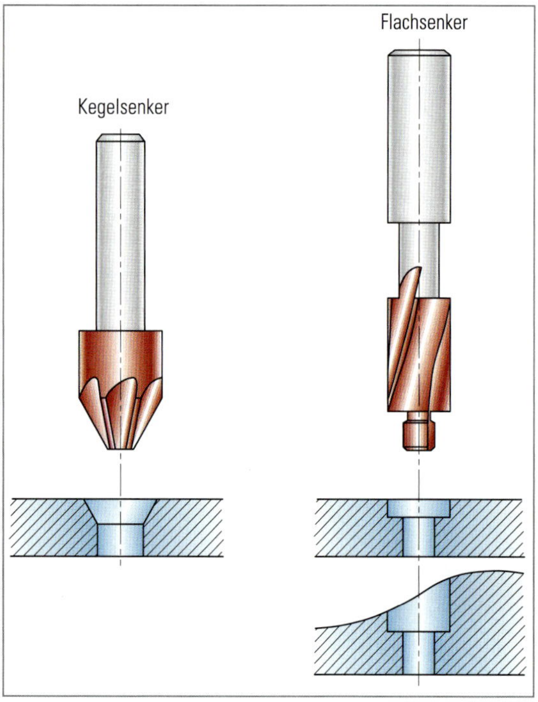

1 Senker für verschiedene Anwendungen

Reiben *(reaming)*
Werden höhere Anforderungen an eine Bohrung (z. B. ∅ 20 + 0,021 in der Gelenklasche in Bild 1 auf Seite 33) gestellt, so ist diese noch zu reiben (Bild 2).

AH GK S. 44

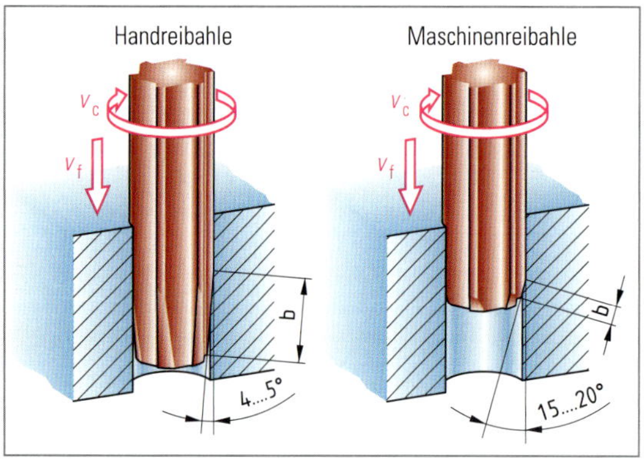

2 Reiben mit Hand- und Maschinenreibahlen

Merke
Das Reiben erhöht
- Maßgenauigkeit
- Zylinderform und
- Oberflächenqualität einer Bohrung

Eine **Reibahle** *(reamer)* besitzt Schneiden mit negativem Spanwinkel *(negative rake angle)*. Die Schneidkeile wirken somit schabend (Bild 3) und es entstehen kleine Späne. Die Reibzugabe (0,1 mm bis 0,5 mm) verteilt sich auf mehrere Schneiden (zwischen 6 und 12). Das Spanvolumen pro Schneide *(cutting edge)* ist somit gering. Es entsteht eine geschlichtete Oberfläche (Bild 4). Die gerade Anzahl von Schneiden ermöglicht das einfache Messen des Reibahlendurchmessers. Hätte die Reibahle gleiche Teilung, würden die Späne voraussichtlich immer an der gleichen Stelle und an allen Schneiden gleichzeitig abbrechen. In die Vertiefungen könnten die Zähne einhaken und Rattermarken erzeugen. Eine ungleiche Teilung der Schneidkeile verhindert das Entstehen von Rattermarken.

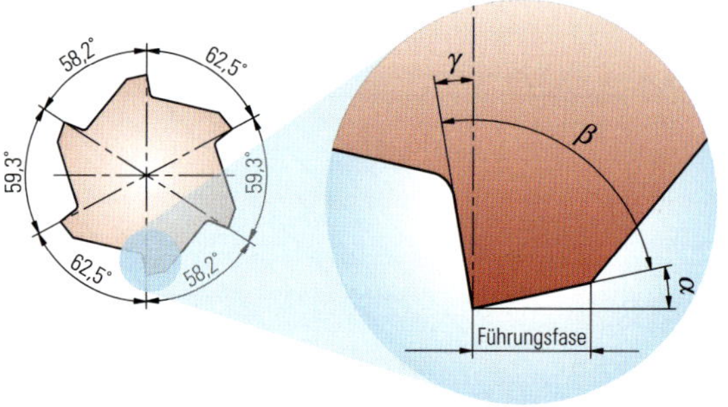

3 Teilungen und Winkel an der Reibahle

Handreibahlen besitzen gegenüber Maschinenreibahlen einen längeren Anschnitt, der das Einführen in die Bohrung erleichtert. An ihrem Ende haben sie ein Vierkant, das im Windeisen eingespannt wird. Maschinenreibahlen verfügen über einen zylindrischen oder kegeligen Schaft. Beim Rückhub ist die Drehrichtung der Schnittbewegung beizubehalten, damit keine Späne eingeklemmt werden, es nicht zum Schneidenbruch kommt und die Oberflächenqualität erhalten bleibt.

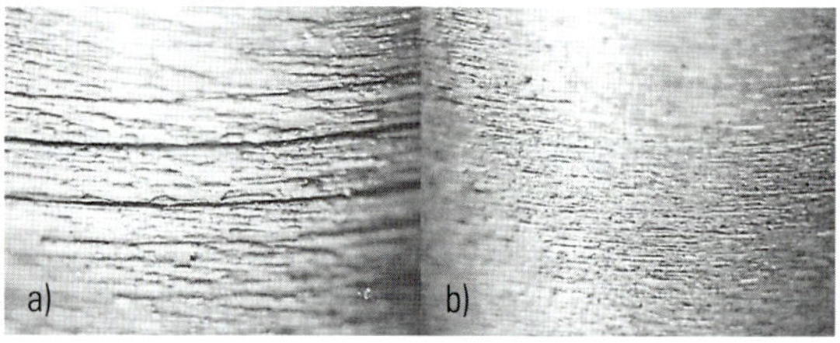

4 Bohrungsoberfläche vor und nach dem Reiben
a) gebohrte Oberfläche b) geriebene Oberfläche

Werkstoff	Reiben	Flachsenken	Bohren
unlegierter Stahl	4...12	6...14	25...32
legierter Stahl	4...10	8...10	16...20
CuZn-Legierung	10...20	25...30	32...40
Al-Legierung	8...20	20...25	40...50

5 Richtwerte für Schnittgeschwindigkeiten in m/min für HSS-Werkzeuge

Beim Reiben ist die Schnittgeschwindigkeit niedrig (Bild 5) und der Vorschub groß zu wählen. Zu große Schnittgeschwindigkeit, zu kleiner Vorschub und mangelnde Schmierung können dazu führen, dass der Bohrungsdurchmesser zu groß und die Oberflächenqualität zu schlecht wird.

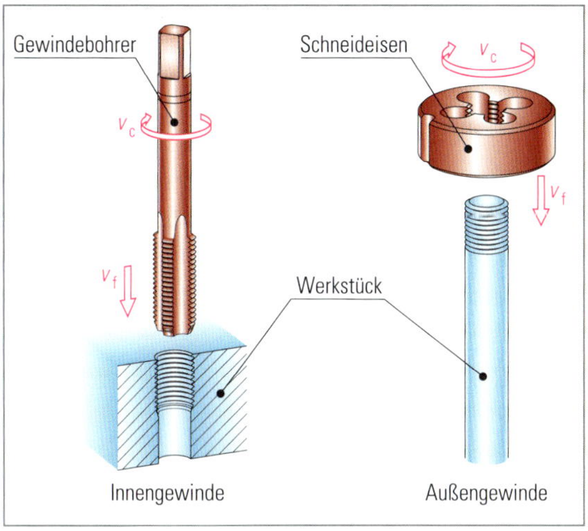

1 Schneiden von Innen- und Außengewinde von Hand

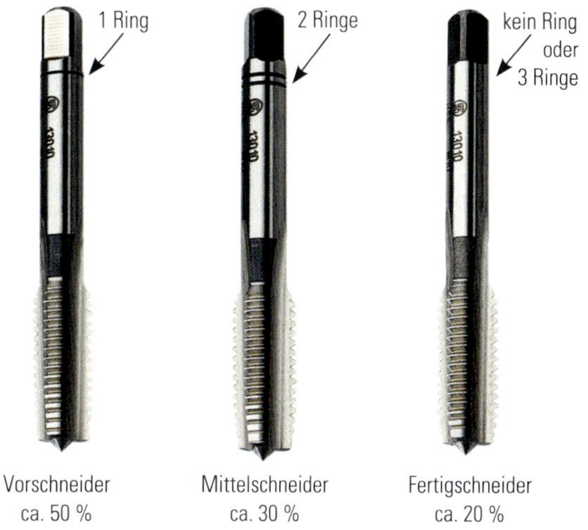

2 Handgewindebohrersatz

Gewindeschneiden *(thread cutting)*

In der Einzelfertigung und bei Montagearbeiten werden Gewinde häufig von Hand geschnitten (Bild 1). In der Serien- und Massenfertigung erfolgt dies maschinell.

Beim Innengewindeschneiden von Hand *(cutting internal threads manually)* ist, ebenso wie beim Reiben von Hand, ein langer Anschnitt erforderlich. Um die Zerspankraft zu verringern, wird die Zerspanarbeit auf drei Gewindebohrer verteilt (Gewindebohrersatz Bild 2). Die Winkel am Schneidkeil *(angles at the wedge)* (Bild 3) richten sich nach dem zu bearbeitenden Werkstoff. Für weiche Werkstoffe erhält der Schneidkeil zur besseren Spanabnahme einen größeren Spanwinkel. Die Anzahl der Schneiden wird verringert und der Spanraum vergrößert.

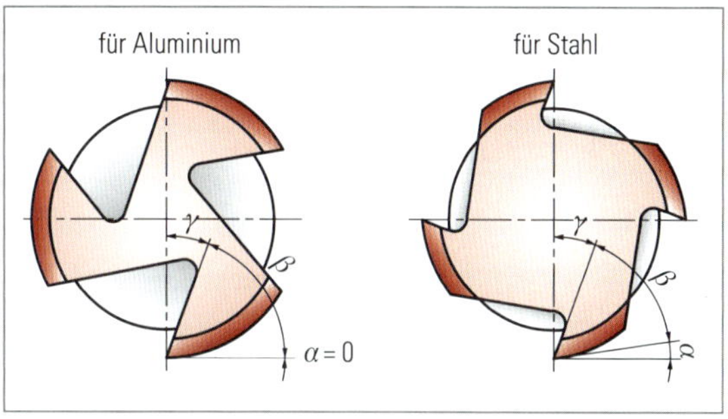

3 Winkel an Gewindebohrern für harte und weiche Werkstoffe

AH GK S. 44

Innengewinde *(internal threads)* werden meist mit der Bohrmaschine geschnitten. Hierzu ersetzt ein Gewindeschneidapparat (Bild 4) das Bohrfutter. Der Rücklauf mit umgekehrter Drehrichtung erfolgt automatisch. Maschinengewindebohrer (Bild 5) haben einen kurzen Anschnitt und schneiden das Gewinde in einem Arbeitsgang. Man unterscheidet:

4 Gewindeschneid apparat

- Eine Rechts-Spirale führt die Späne wie bei einem Spiralbohrer nach oben heraus. Dies ist z. B. bei einem Grundloch erforderlich.
- Bei einem Durchgangsloch können die Späne in Schneidrichtung abgeführt werden. Dies ist vorteilhaft, da das geschnittene Gewinde nicht beschädigt wird.

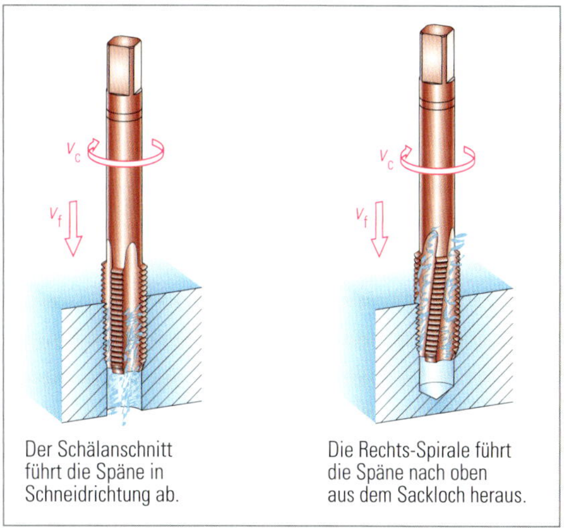

5 Spanabfuhr bei unterschiedlichen Gewindebohrern

Beim Außengewindeschneiden von Hand wird das vollständige Gewinde mit einem Schneideisen (Bild 6) in einem Arbeitsgang gefertigt. Die ersten beiden Gewindegänge werden kegelförmig ausgeführt und übernehmen die Zerspanung. Die weiteren Gewindegänge glätten das Gewinde. Maschinell werden in der Einzel- und Serienfertigung **Außengewinde** *(external threads)* häufig auf Drehmaschinen gefertigt.

6 Schneideisen mit Halter

Überlegen Sie

1. Vergleichen Sie die keilförmige Werkzeugschneide am Gewindebohrer mit der an der Reibahle.
2. Erstellen Sie den Arbeitsplan zum Schneiden eines Innengewindes M8.
3. Erstellen Sie den Arbeitsplan zum Schneiden eines Außengewindes M10.
4. Erstellen Sie einen Arbeitsplan in tabellarischer Form für das Erstellen der Bohrungen und Gewinde in die Gelenklasche aus C45E (Bild 1 auf Seite 33), wobei alle Werkzeuge und technologischen Angaben (z. B. Schnittgeschwindigkeit, Umdrehungsfrequenz und Vorschub) anzugeben sind.

Fertigungsplanung

Der zweiteilige Schlauchhalter ist an einem Rohr befestigt und führt zwei Schläuche. An einer Maschine werden vier Schlauchhalter aus AlMn1 benötigt. Daher bekommen Sie den Fertigungsauftrag, aus vier Rohlingen von 35 mm × 15 mm × 90 mm die benötigten Schlauchhalter herzustellen. Neben den manuellen Werkzeugen stehen Ihnen eine Bohrmaschine und eine Bandsäge zur Verfügung.

Planen Sie die Fertigung mithilfe einer Tabelle nach folgendem Muster.

AH GK S. 45

Zeichnung Schlauchhalter

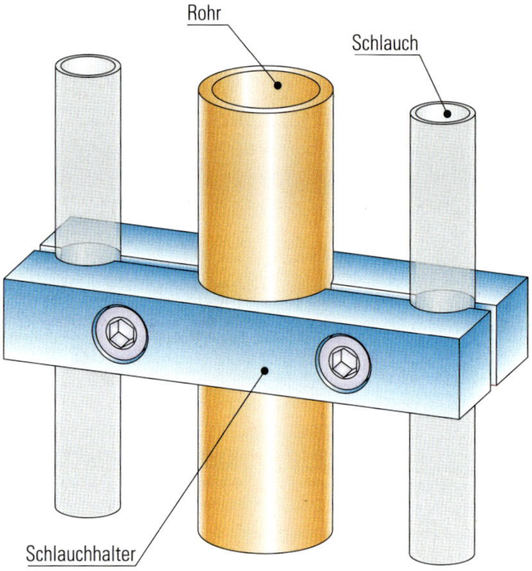

Schlauchhalter mit Rohr und zwei Schläuchen

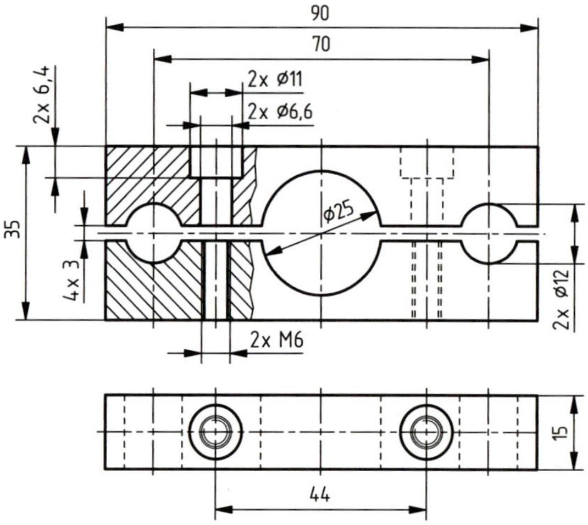

Schlauchhalter

Lfd. Nr.	Arbeitsgang	Werkzeuge	Technologische Daten	Hilfsstoffe
1	Rohmaße prüfen	Bandmaß		
2	Anreißen	Parallelreißer		Anreißfarbe
3	Körnen	Körner, Hammer		
4				

Muster zur Fertigungsplanung

1.3.4 Drehen

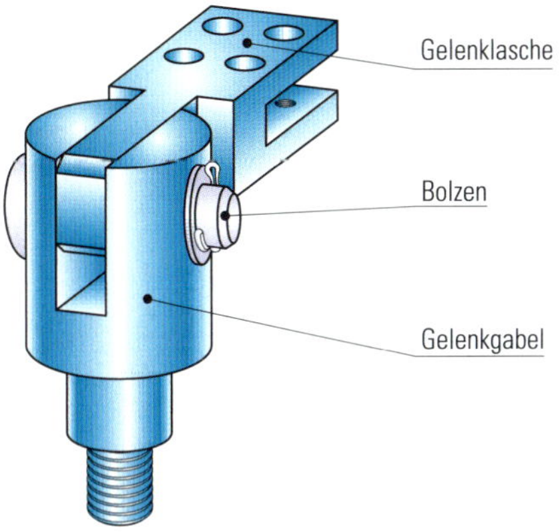

1 Stahlgelenk

Die Gelenkgabel (Bild 2) ist Teil des Stahlgelenks (Bild 1). Aus einem blank gezogenen Rundstahl (∅45 × 135) wird ihre Grundform (Bild 3) durch Drehen *(turning)* hergestellt. Dabei sind folgende Arbeiten durchzuführen:

1. Den Rohling auf Länge (130 mm) drehen
2. Werkstückabsätze (∅30 mm und ∅24 mm) drehen
3. Gewinde (M24) drehen

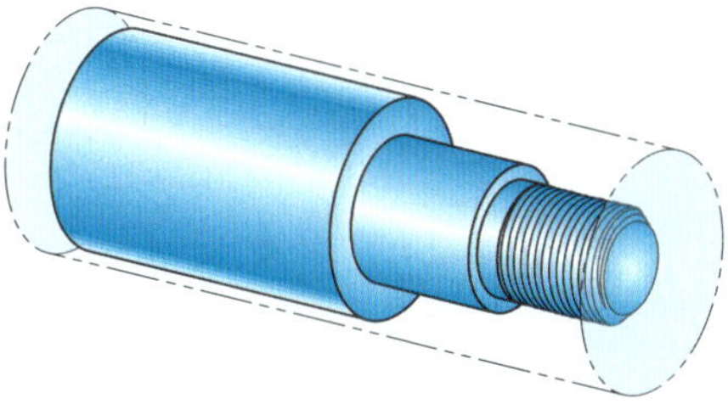

3 Grundform der Gelenkgabel ist ein Drehteil

Die unterschiedlichen Arbeiten erfordern verschiedene Bewegungsabläufe (Bild 4) während der Zerspanung. Beim Drehen wird die kreisförmige Schnittbewegung *(circular cutting motion)* vom Werkstück ausgeführt. Die geradlinigen Vorschub- und Zustellbewegungen *(rectilinear feed motion and infeed motion)* erfolgen durch den Drehmeißel.

Querplandrehen *(transverse facing)*

Der abgesägte Rundstahl wird eingespannt und eine **Stirnseite** abgedreht (Seite 42 Bild 1a). Hierzu erfolgt die Zustellbewegung längs der Werkstückachse (axial). So wird vor der Spanbildung die Schnitttiefe a_p festgelegt (Bild 5, rechts). Die Vorschubbewegung verläuft quer zur Werkstückachse (radial). So wird eine ebene Fläche erzeugt. Die Stirnseite wird plan gedreht.

Merke

Ebene Flächen werden durch Querplandrehen erzeugt.

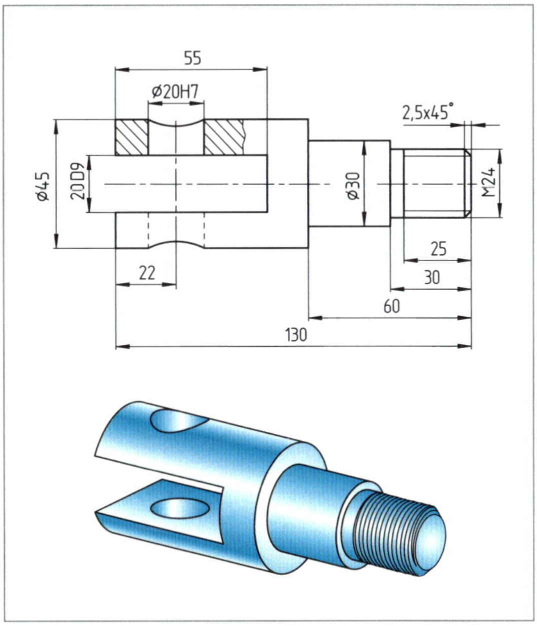

2 Gelenkgabel

Danach wird der Rundstahl umgespannt und die zweite Stirnseite plan gedreht. Die Länge wird abgemessen, die erforderliche Schnitttiefe zugestellt und nun auf die geforderte Länge abgedreht.

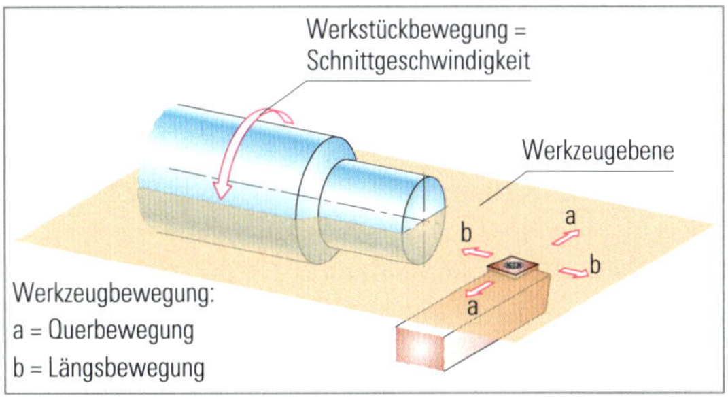

4 Bewegungen beim Drehen

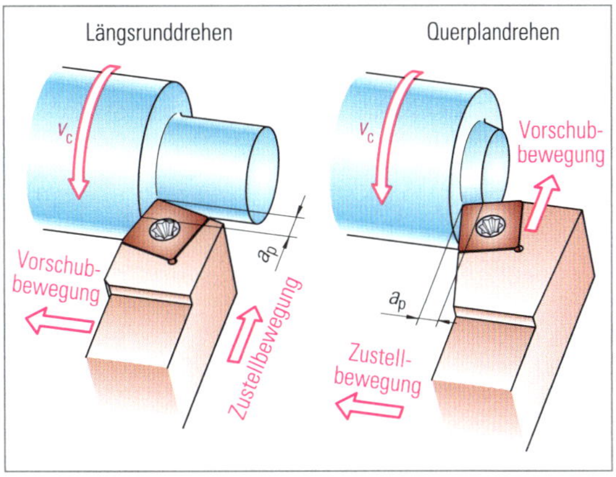

5 Längsrund- und Querplandrehen

Video Drehen 1

Video Drehen 2

Video Drehen 3

AH GK S. 47

Zeichnung Gelenkgabel

Video Drehmaschine

Längsrunddrehen *(longitudinal cylinder turning)*
Um den Durchmesser zu verkleinern, wird der auf Länge abgedrehte Rundstahl am **Umfang** bearbeitet (Bilder 1b und c). Hierzu erfolgt die Zustellbewegung quer zur Werkstückachse (radial). So wird vor der Spanbildung die Schnitttiefe a_p festgelegt (Seite 41 Bild 5 links). Die Vorschubbewegung verläuft längs zur Werkstückachse (axial). Auf diese Weise wird eine zylindrische Form erzeugt. Der Umfang wird längsrund gedreht.

Merke
Zylindrische Formen werden durch Längsrunddrehen erzeugt.

Beim Drehen der Absätze wird aus Kostengründen zunächst in möglichst kurzer Zeit ein großes Spanvolumen abgenommen (Bild 1b). Dabei kommt es nicht auf Maßhaltigkeit, Oberflächenqualität und Formgenauigkeit an. Es wird **geschruppt**.

Merke
Beim Schruppen *(roughing)* wird ein großes Spanvolumen mit großer Schnitttiefe und großem Vorschub erreicht.

Nach dem Schruppen müssen Maßhaltigkeit, Oberflächenqualität und Formgenauigkeit erzielt werden. Das Werkstück wird **geschlichtet** (Bild 1c).

Merke
Das Schlichten *(finishing)* geschieht mit kleinerer Schnitttiefe, kleinerem Vorschub und höherer Schnittgeschwindigkeit als das Schruppen.

Sowohl der Werkstoff des Werkstücks als auch der Werkstoff des Werkzeugs (Schneidstoff), Bearbeitungsart (Schruppen/Schlichten) sowie Kühlung bzw. Schmierung bestimmen im Wesentlichen die **technologischen Daten** der Zerspanung (Schnittgeschwindigkeit, Zustellung und Vorschub).

Merke
Die technologischen Daten sind den Angaben der Schneidstoffhersteller oder dem Tabellenbuch zu entnehmen.

Da bei konventionellen Drehmaschinen nicht die Schnittgeschwindigkeit, sondern die Umdrehungsfrequenz einzustellen ist, muss diese nach der Formel[1)]

$$n = \frac{v_c}{d \cdot \pi}$$

n: Umdrehungsfrequenz

d: Durchmesser in mm

v_c: Schnittgeschwindigkeit

berechnet werden.

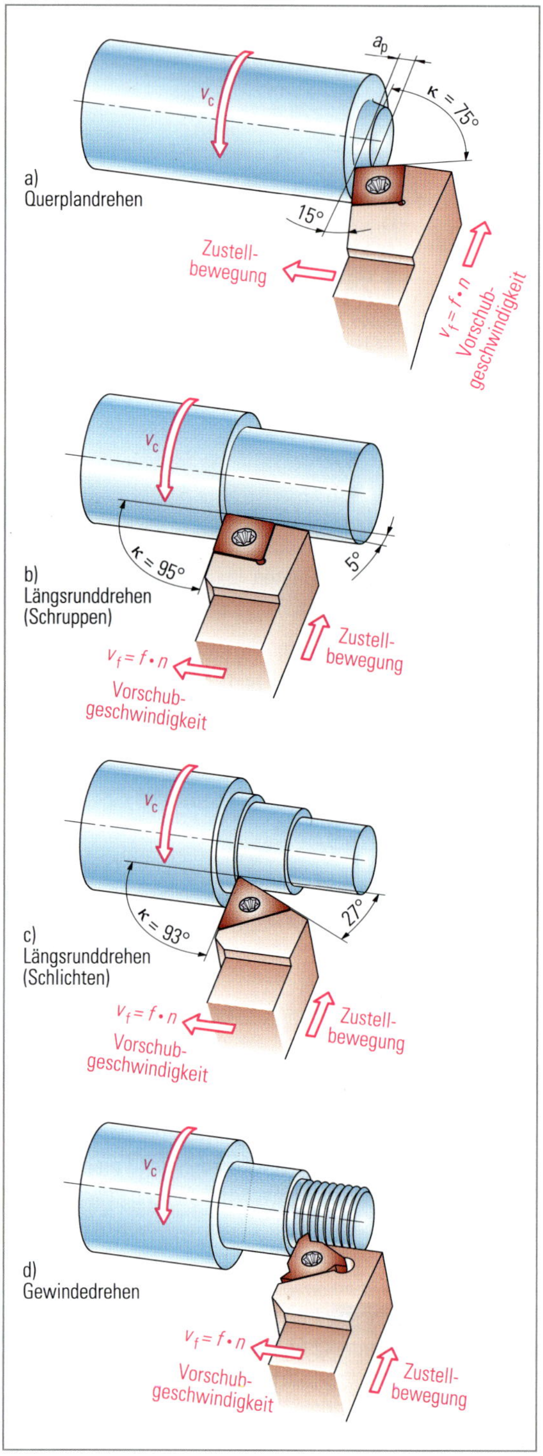

1 *Arbeitsschritte beim Drehen der Grundform für die Gelenkgabel*

1) Siehe Seite 36 und „Lernfeldübergreifende Inhalte" Kap. 4.7.2 „Bewegungen an Wekzeugmaschinen".

Gewindedrehen *(thread turning)*
Zum Gewindedrehen (Seite 42 Bild 1d) stehen besondere Schneidplatten zur Verfügung. Die Form der Schneide entspricht dem Profil des Gewindes.

Überlegen Sie
Handelt es sich beim Gewindedrehen um Querplan- oder um Längsrunddrehen?

Stechdrehen *(cut-off turning)*
Beim Stechdrehen (Bild 1) wird ein Werkstück abgestochen oder es werden Einstiche (z. B. Nuten für Sicherungsringe) gedreht.

Überlegen Sie
Beschreiben Sie die Bewegungen beim Stechdrehen.

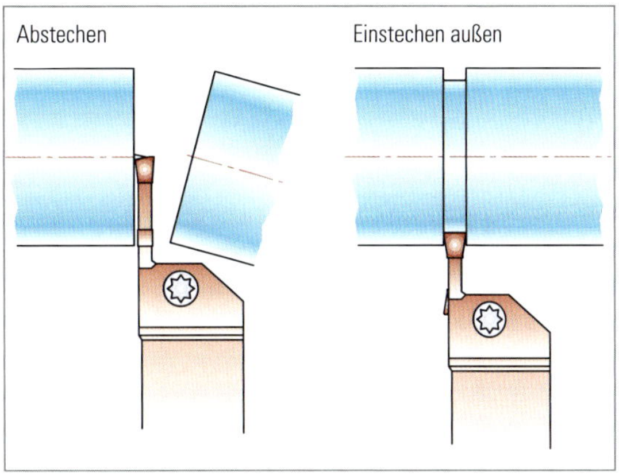

1 *Stechdrehen*

Auswahl der Drehwerkzeuge

Merke
Die Auswahl des Drehwerkzeugs *(lathe tool)* hängt von der Dreharbeit und der Spanabnahme (Schruppen oder Schlichten) ab.

Ein Drehmeißel (Bild 2) besitzt eine keilförmige Werkzeugschneide mit den Werkzeugwinkeln α, β und γ (Bild 3).

- Ein großer, **positiver Spanwinkel** $(+\gamma)$ *(positive rake angle)* erleichtert die Spanabnahme und verbessert die Oberflächenqualität erheblich und ist nach Möglichkeit anzuwenden. Man spricht dann von einer positiven Schneidengeometrie mit einer schneidenden Wirkung.
- Ein **negativer Spanwinkel** $(-\gamma)$ *(negative rake angle)* stärkt die Werkzeugschneide und ergibt eine stabile Schneidkante. Stoßartige Beanspruchungen können so besser aufgenommen werden. Dies ist vorteilhaft bei unterbrochenem Schnitt und bei sehr harten Werkstoffen. Man spricht von einer negativen Schneidengeometrie mit einer schabenden Wirkung.

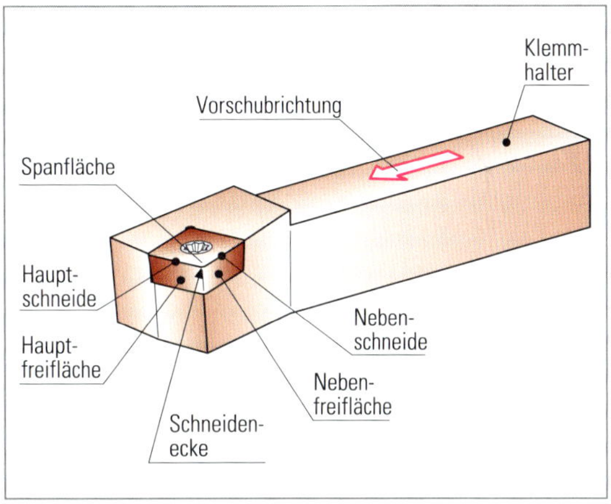

2 *Bezeichnungen am Drehmeißel*

AH GK S. 48

Merke
Damit die vorgegebene Schneidengeometrie eingehalten wird, ist die Schneidenkante des Drehmeißels auf Werkstückmitte einzustellen.

Überlegen Sie
Wie verändern sich die Werkzeugwinkel, wenn die Schneidenkante des Drehmeißels unter Werkstückmitte liegt?

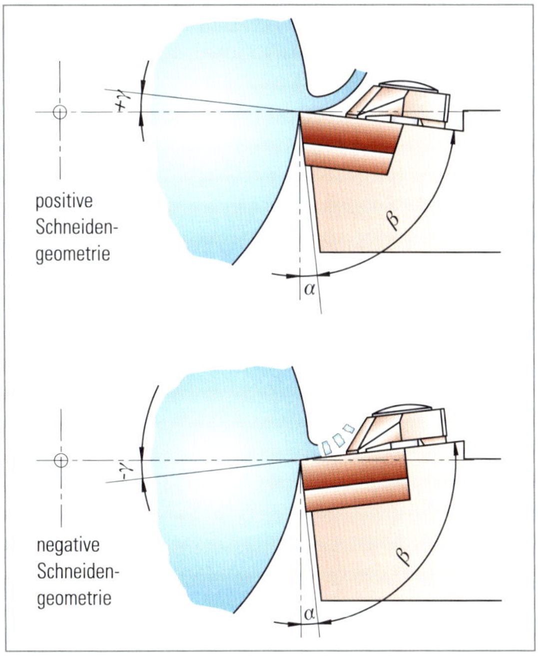

3 *Winkel am Drehmeißel*

Zudem beeinflussen der Einstellwinkel κ (kappa) und der Eckenwinkel ε (epsilon) die Spanbildung (Seite 44 Bild 1):

- Der **Eckenwinkel** ε (epsilon) *(nose angle)* wird durch die Haupt- und die Nebenschneide begrenzt. Je größer der Eckenwinkel, desto stabiler ist die Schneide und umso geringer ist die Gefahr des Werkzeugbruches. Die Schneidenecke wird weniger erhitzt, da hier Wärme besser abgeführt werden kann.

Die Schneidenecke wird zudem gerundet. Genormt sind Eckenradien zwischen 0,4 mm und 2,4 mm.

Merke

Eckenwinkel liegen meist zwischen 35° und 90°.

- Der **Einstellwinkel** κ (kappa) *(back rake angle)* wird durch die Hauptschneide und die Vorschubrichtung des Werkzeugs begrenzt. Je kleiner der Einstellwinkel, desto geringer ist die Beanspruchung der Schneide. Es entsteht dann ein dünner Span und es wirkt eine längere Schneidenkante. Auf diese wird die zur Spanbildung erforderliche Kraft besser verteilt. Zudem wird die Wärmeabfuhr verbessert. Dadurch wird der Schneidkeil nicht so schnell stumpf.

Merke

Einstellwinkel liegen meist zwischen 30° und 90°. Werkstückabsätze erfordern auch Einstellwinkel über 90°.

Überlegen Sie

1. Skizzieren Sie die Spanbildung bei einem Einstellwinkel von 45° und von 90° bei sonst gleichen Bedingungen.
2. Weshalb wird beim Schruppen ein größerer Eckenwinkel gewählt?

Als Drehwerkzeuge verwendet man heute überwiegend Klemmhalter (Bild 2) mit geklemmten oder aufgeschraubten **Wendeschneidplatten** *(throwaway inserts)*. Die Wendeschneidplatten- und Klemmwerkzeugtechnik bieten entscheidende Vorteile:

- Bei Werkzeugverschleiß ist ein unverzüglicher Schneidkantenwechsel am eingespannten Werkzeug möglich.
- Gleichbleibende Schneidengeometrie beim Schneidkantenwechsel, denn die Wendeschneidplatten sind genormt.
- Die Vielfalt an Wendeschneidplatten ermöglicht, optimale Werkzeuge für die jeweilige Bearbeitungsaufgabe bereitzustellen.

Überlegen Sie

Welche Gründe sprechen für die in Bild 1a...c auf Seite 42 gewählten Wendeschneidplatten und die gewählten Einstell- und Eckenwinkel?

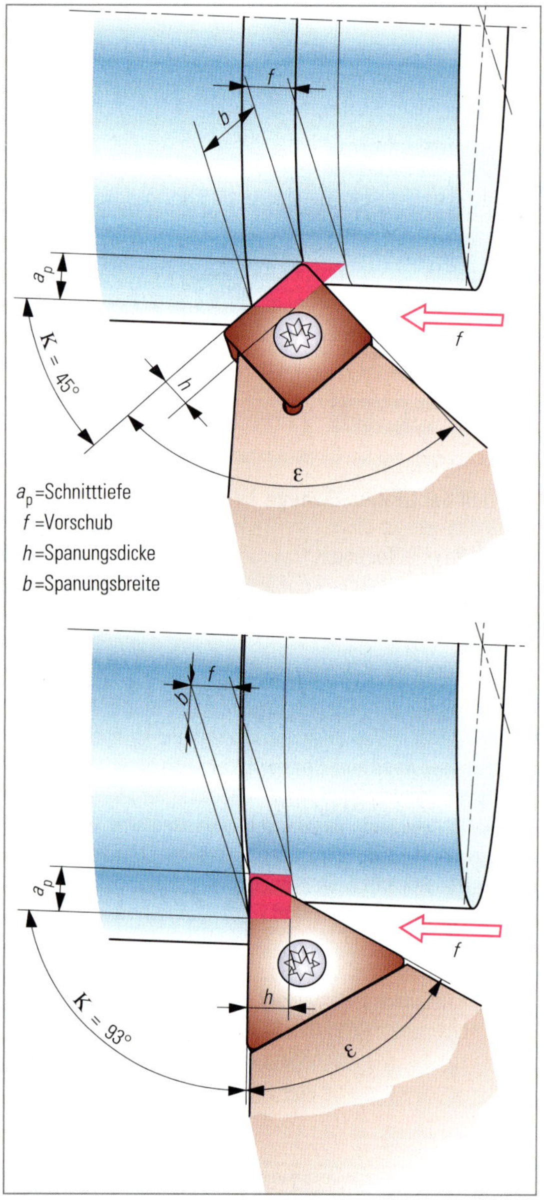

1 *Einfluss von Einstell- und Eckenwinkel*

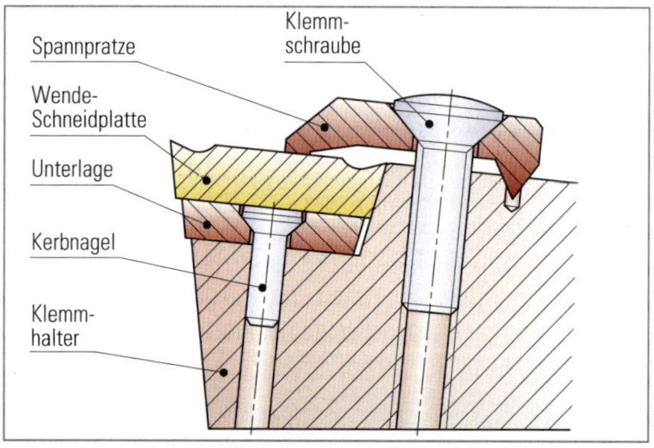

2 *Drehmeißel mit geklemmter Wendeschneidplatte*

Drehmaschinen *(lathes, turning machines)*

An **konventionellen** Drehmaschinen (Bild 1) werden die Arbeitsspindel und das Vorschubgetriebe über das Hauptgetriebe bewegt (Bild 2):

- Mit der **Arbeitsspindel** *(work spindle)* wird die kreisförmige Schnittbewegung ausgeführt. Über das Dreibackenfutter wird diese meist auf das Werkstück übertragen.
- Mit dem **Vorschubgetriebe** *(feed train)* wird über Leit- oder Zugspindel die geradlinige Vorschubbewegung ausgeführt. Beim Längsrund- und beim Querplandrehen dient die **Zugspindel** *(feed rod)* als Antriebselement für die Vorschubbewegung. Sie bewegt den Werkzeugschlitten mit Stahlhalter und Werkzeug. Die **Leitspindel** *(lead screw)* ist zum Gewindeschneiden erforderlich.

Die **Größe** einer Drehmaschine ist bestimmt durch:

- die **Spitzenhöhe** *(height of centres)*, dem Abstand vom Maschinenbett zur Mitte der Arbeitsspindel und die **Drehlänge** *(turning length)*, dem Abstand zwischen Dreibackenfutter und Reitstock.

Heute werden vermehrt Drehmaschinen mit **numerischer Steuerung** eingesetzt. Eine solche **CNC-Maschine** *(CNC machine)* wird „durch Zahlen" (nummerisch) gesteuert. Die Eingabe des CNC-Programmes erfolgt entweder über Tastatur und Bildschirm (Bild 2) oder über ein Computernetzwerk.

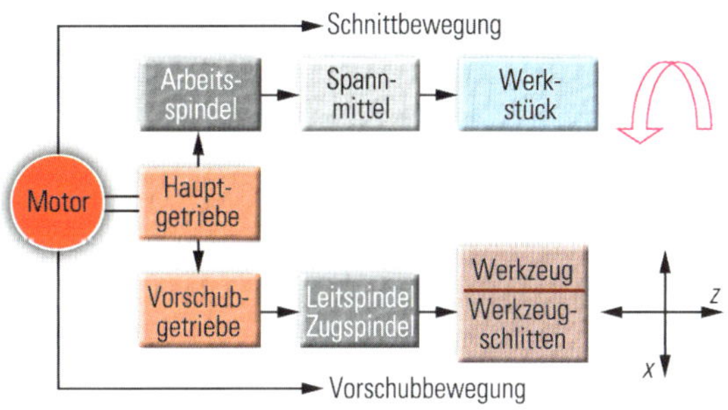

***2** Antrieb einer konventionellen Drehmaschine*

***3** Bedienung und Programmierung an einer CNC-Drehmaschine*

1. Spindelstock mit Hauptgetriebe und Arbeitsspindel
2. Vorschub getriebe
3. Werkzeug schlitten
4. Schlossplatte
5. Leitspindel (hinter Verkleidung*)
6. Zugspindel (hinter Verkleidung*)
7. Führung
8. Maschinenbett
9. Reitstock
10. Positionsanzeige
11. Gestell

AH GK S. 49

* Arbeitsschutz

***1** Konventionelle Drehmaschine (Zug- und Leitspindel-Drehmaschine)*

Prinzip vollständige Handlung

Zeichnung Bundbolzen

AH GK S. 50–52

Überlegen Sie

Fertigungsplanung

Sie erhalten den Auftrag, den Bundbolzen aus 10S20 auf der konventionellen Drehmaschine zu fertigen. Dazu steht Ihnen ein Rohling von ∅60 mm × 500 mm zur Verfügung. Die Auswahl der Drehmeißel und deren Werkstoffe richten sich nach dem, was in Ihrer Werkstatt vorhanden ist.

Planen Sie die Fertigung mithilfe einer Tabelle nach folgendem Muster.

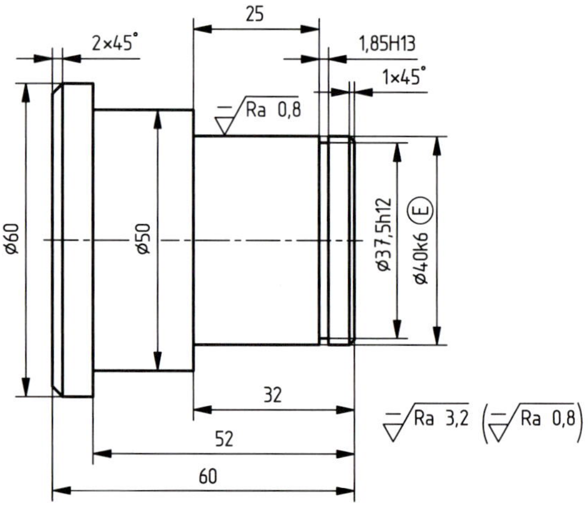

Bundbolzen

Hinweis: Zur Lösung der Aufgabe gibt der Download **Prinzip vollständige Handlung** eine Hilfestellung.

Lfd. Nr.	Arbeitsgang	Werkzeuge	Technologische Daten	Hilfsstoffe
1	Querplandrehen der Stirnseite	Drehmeißel mit Hartmetallplatte $\kappa = 85°$	$a_p = 2$ mm; $f = 0{,}2$ mm; $v_c = 300$ m/min $n = 1540$/min	Kühlschmierstoff
2				
3				
4				

Muster zur Fertigungsplanung

1.3.5 Fräsen

Aus dem Stahlrohling (130 mm × 50 mm × 50 mm) soll die Grundform der Gelenklasche (Bild 1) gefräst werden. Dabei sind folgende Fräsarbeiten auszuführen:

1. Prismatischen Grundkörper fräsen *(milling)*
2. Werkstückabsätze fräsen
3. Nut fräsen

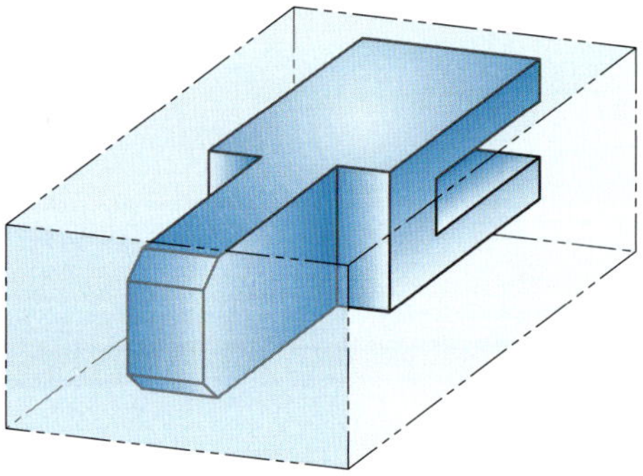
1 *Rohling und gefräste Gelenklasche*

Stirnfräsen *(face milling)*

Der abgesägte Flachstahl wird eingespannt und eine Fläche eben gefräst. Danach wird umgespannt und die Gegenfläche parallel zur ersten gefräst. Die Schnitttiefe wird so zugestellt, dass das geforderte Maß entsteht. Mit den zwei anderen Flächenpaaren wird gleich verfahren.

Bei dem dargestellten Fräsverfahren (Seite 47 Bild 1a) steht die Achse des Fräswerkzeuges senkrecht auf der Schnittfläche. An der Stirnseite des Fräsers entsteht die Werkstückoberfläche. Der Span ist rechteckig mit nahezu gleich bleibendem Querschnitt. Dies ergibt gleichmäßige Zerspanbedingungen während der Spanabnahme und die Zerspanungsleistung wird erhöht. Dadurch werden die Fertigungszeiten verkürzt.

Merke

Beim Stirnfräsen entsteht die Werkstückoberfläche durch die Schneiden an der Fräserstirn. Ebene Flächen werden meist durch Stirnfräsen erzeugt.

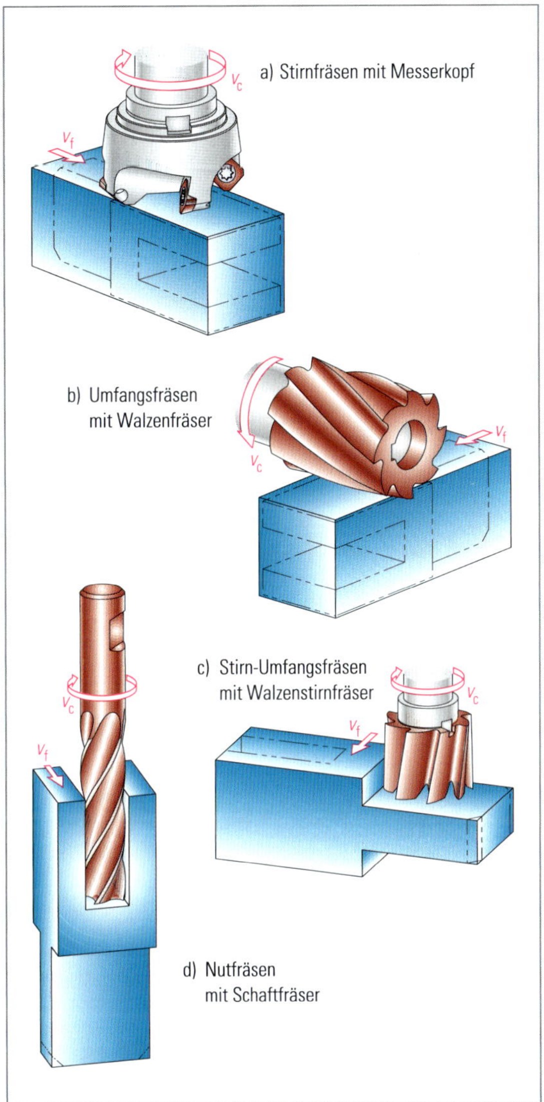

***1** Arbeitsschritte beim Fräsen der Grundform für die Gelenkgabel*

Umfangsfräsen *(plane milling)*
Der Quader für die Gelenklasche kann auch durch Umfangsfräsen (Bild 1b) hergestellt werden. Hierbei liegt die Achse des Fräswerkzeuges parallel zur Schnittfläche. Die Schneiden am Umfang erzeugen die Werkstückoberfläche. Es entsteht ein „kommaförmiger" Span (Bild 2). Dies ergibt ungleichmäßige Zerspanbedingungen während der Spanabnahme und es entsteht eine wellige Werkstückoberfläche.

Merke
Beim Umfangsfräsen entsteht die Werkstückoberfläche durch die Schneiden am Fräserumfang.

Das Stirnfräsen wird wegen der genannten Vorteile nach Möglichkeit dem Umfangsfräsen vorgezogen. Das gilt auch für die Herstellung der Gelenklasche.

Stirn-Umfangsfräsen *(vertical face milling)*
Der Tisch der Fräsmaschine wird in der Höhe und quer eingestellt und dann ein Absatz gefräst. Wenn es die Genauigkeit erfordert, wird auch geschlichtet. Danach wird das Werkstück umgespannt und der zweite Absatz auf der Gegenseite gefräst. Bei dem dargestellten Fräsverfahren (Bild 1c) erzeugen gleichzeitig Schneiden an der Stirnseite und am Umfang die Werkstückoberfläche.

Merke
Werkstückabsätze werden durch Stirn-Umfangsfräsen eckig ausgefräst.

Nutfräsen *(groove milling)*
Die Gelenklasche wird nun in den Werkstückabsätzen gespannt und die Nut gefräst (Bild 1d). Auch hier erzeugen Schneiden an der Stirnseite und am Umfang die Werkstückoberfläche.

AH GK S. 53

Merke
Nutfräsen ist eine besondere Form des Stirn-Umfangsfräsens.

Gegen- und Gleichlauffräsen
Infolge unterschiedlicher Bewegungsabläufe werden beim Umfangs- und Stirn-Umfangsfräsen das Gegen- und Gleichlauffräsen unterschieden (Bild 2):

AH GK S. 54

- Beim **Gegenlauffräsen** *(upcut milling)* sind Schnitt- und Vorschubbewegung einander entgegengesetzt. Vor der Spanabnahme gleitet der Schneidkeil auf der Werkstück-

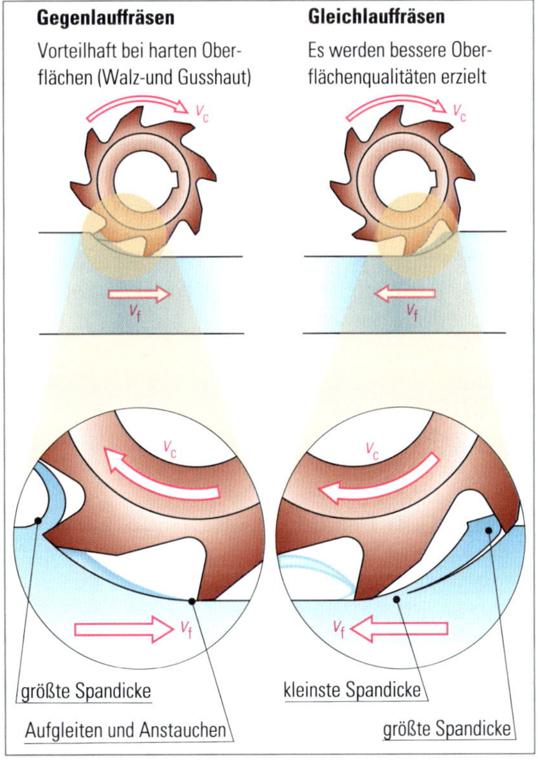

***2** Gegen- und Gleichlauffräsen*

Video Gegen- und Gleichlauffräsen

oberfläche. Diese Reibung kann die Frei- oder Schnittfläche beschädigen. Der Spanwerkstoff muss auf eine bestimmte Dicke gestaucht werden, bevor ein Span abgetrennt werden kann. Durch das elastische Verhalten federt ein Teil des angestauchten Werkstoffes zurück. Dies verschlechtert die Güte der Oberfläche. Vorteilhaft ist dieses Verfahren jedoch bei Werkstücken mit einer harten Oberfläche (z. B. Walz- oder Gusshaut). Die Schneide trifft von innen auf die harte Oberfläche und sprengt diese ab. Dadurch wird der Schneidkeil nicht zusätzlich beansprucht.

- Beim **Gleichlauffräsen** *(downcut milling)* sind Schnitt- und Vorschubbewegung gleichgerichtet. Die Spanabnahme beginnt mit der größten Dicke des „kommaförmigen Spans“. Ein Anstauchen des Spanwerkstoffes ist hier nicht erforderlich. Die unerwünschte Reibung und Rückfederung entfällt. Damit sind die Voraussetzungen für gute Oberflächenqualitäten gegeben. Das Gleichlauffräsen ist jedoch nur auf Maschinen ohne Spiel in der Vorschubspindel möglich. Im Vergleich zum Gegenlauffräsen ergibt bei entsprechenden Maschinen das Gleichlauffräsen eine bessere Oberflächenqualität.

AH GK S. 56

Auswahl der Fräswerkzeuge

Fräser *(mills)* sind mehrschneidige Werkzeuge. Legierter Werkzeugstahl (HSS-Stahl) und Hartmetall sind gebräuchliche Schneidstoffe für Fräser und Wendeschneidplatten.

Merke

Fräswerkzeuge *(milling cutters)* ermöglichen als mehrschneidige Werkzeuge eine hohe Zerspanleistung. Nach Möglichkeit werden Fräser mit verschleißfesten Wendeschneidplatten eingesetzt.

Fräswerkzeuge werden ausgewählt nach

- der **herzustellenden Form**:
  Für ebene Flächen wird möglichst ein **Messerkopf** *(face-milling cutter with inserted blades)* gewählt (Seite 47 Bild 1a). Für rechtwinklige Absätze wird ein **Walzenstirnfräser** *(shell end mill)* gewählt (Seite 47 Bild 1c).
  Zum Fräsen von Nuten kann ein **Schaftfräser** *(end mill)* (Seite 47 Bild 1d) oder ein **Scheibenfräser** *(side milling cutter)* (Bild 1) verwendet werden.
  Für Sonderformen von Ansätzen (z. B. Schwalbenschwanz), oder Nuten (z. B. T-Nut) gibt es entsprechende Fräswerkzeuge (Bild 3).
- dem zu **bearbeitendem Werkstoff**:
  Wie beim Spiralbohrer (siehe Seite 34) unterscheidet man die Frästertypen H, N und W (Bild 2).
  Frästertyp H hat einen Keilwinkel von ca. 80° und eine feine Zahnteilung. Er ist für harte und zähharte Werkstoffe geeignet.
  Frästertyp N hat einen Keilwinkel von ca. 70° und eine mittlere Zahnteilung. Er ist für normale bis feste Werkstoffe geeignet.
  Frästertyp W hat einen Keilwinkel von ca. 60° und eine grobe Zahnteilung. Er ist für weiche und zähe Werkstoffe geeignet.

1 *Scheibenfräser beim Nutfräsen*

Typ W	Typ N	Typ H
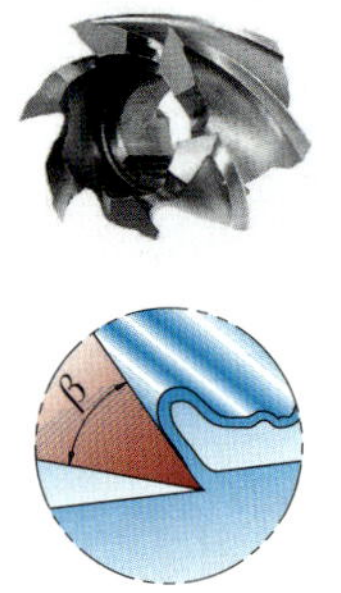	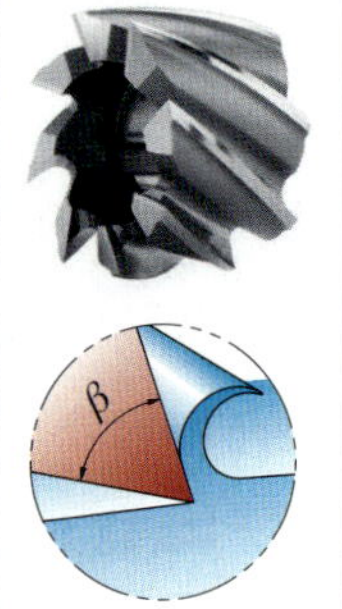	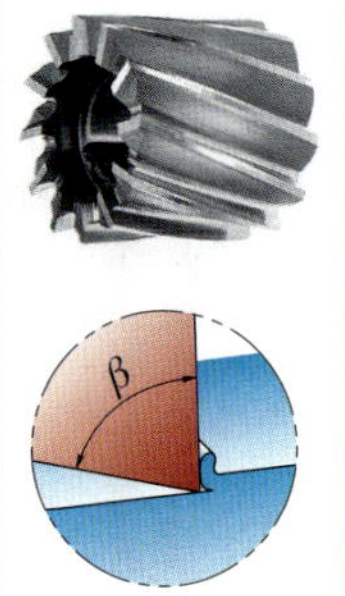
für weiche Werkstoffe wie z. B. Aluminium oder Kupfer	für normal feste Werkstoffe wie z. B. allgemeine Baustähle, Gusseisen, mittelharte NE-Metalle	für harte und zähharte Werkstoffe wie z. B. legierte Stähle

2 *Schlichtfrästertypen (HSS-Fräser) für unterschiedliche Werkstoffe*

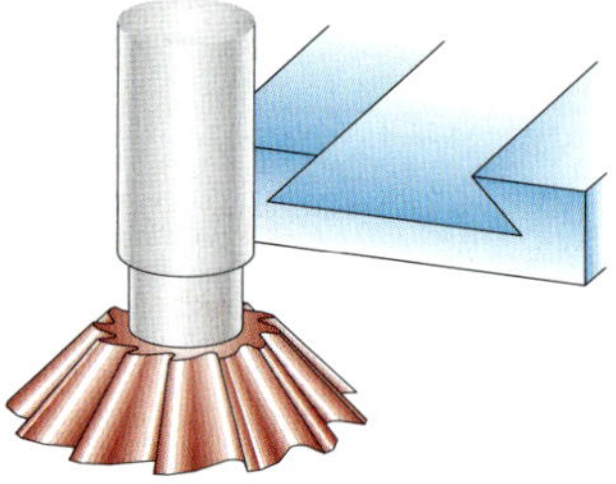

3 *Winkelstirnfräser 45° aus HSS zum Fräsen einer Schwalbenschwanzführung*

4 *Schruppfräser aus HSS mit verschleißfester Beschichtung*

- der zu erzielenden **Oberflächenqualität**:
  Eine hohe Oberflächenqualität wird durch Schlichten erzielt (Frästertypen wie im Bild 2). Durch Schruppen erfolgt eine große Spanabnahme. Mit stabilen und verschleißfesten Schruppfräsern (Bild 4) werden mit einer besonderen Schruppverzahnung (Frästertyp NR) kurze Späne abgetrennt.
  Beim **Messerkopf** (Seite 49, Bild 1) werden die Vorteile der Wendeschneidplatten- und Klemmwerkzeugtechnik (siehe Drehen Seite 44) genutzt. Die Wendeschneidplatte wird z. B. über einen Klemmkeil in Lage gebracht und

mit Schrauben festgezogen. Der Einstellwinkel κ (kappa) bestimmt die Lage der Hauptschneide zur Werkstückoberfläche (Bild 2). Mit abnehmendem Einstellwinkel verlängert sich die im Eingriff befindliche Schneide und die Schneidenbelastung nimmt ab. Ein Einstellwinkel von 90° wird ausschließlich verwendet, um rechtwinklige Konturen zu fräsen. Ansonsten werden Einstellwinkel von 75° oder 60° gewählt.

Fräsmaschine *(milling machine)*

Im Gegensatz zu Drehmaschinen (siehe Seite 45) werden an Fräsmaschinen (Bild 3) die **Arbeitsspindel** *(work spindle)* (Frässpindel) und das **Vorschubgetriebe** *(feed train)* von getrennten Motoren angetrieben (Seite 50, Bild 1):

- Die **Frässpindel** *(milling spindle)* nimmt das mehrschneidige Werkzeug auf und führt die kreisförmige Schnittbewegung aus.
- Das Werkstück wird auf dem Werkstücktisch aufgespannt. Dieser lässt sich über die **Gewindespindel** *(threaded spindle)* bewegen. An einer Fräsmaschine sind Vorschub und Zustellbewegung in drei Achsen möglich: längs (x-Achse), quer (y-Achse) und senkrecht (z-Achse).

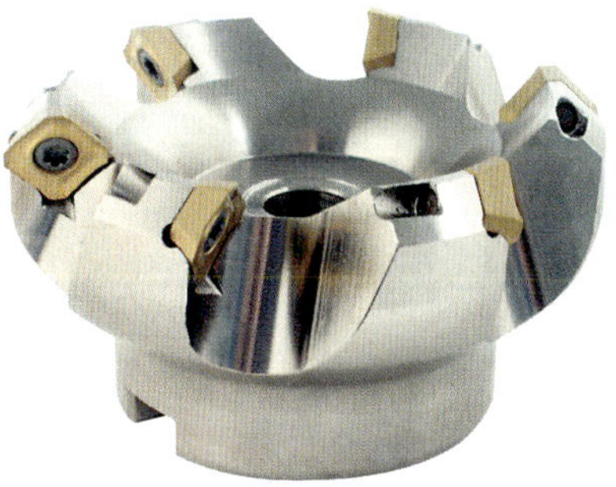

1 *Messerkopf mit Wendeschneidplatten*

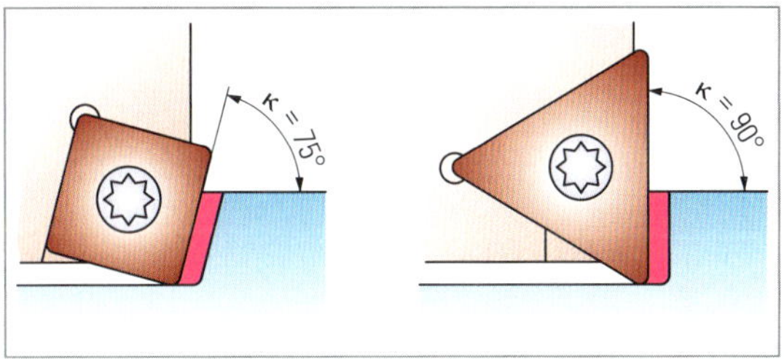

2 *Einstellwinkel κ beim Stirnfräsen*

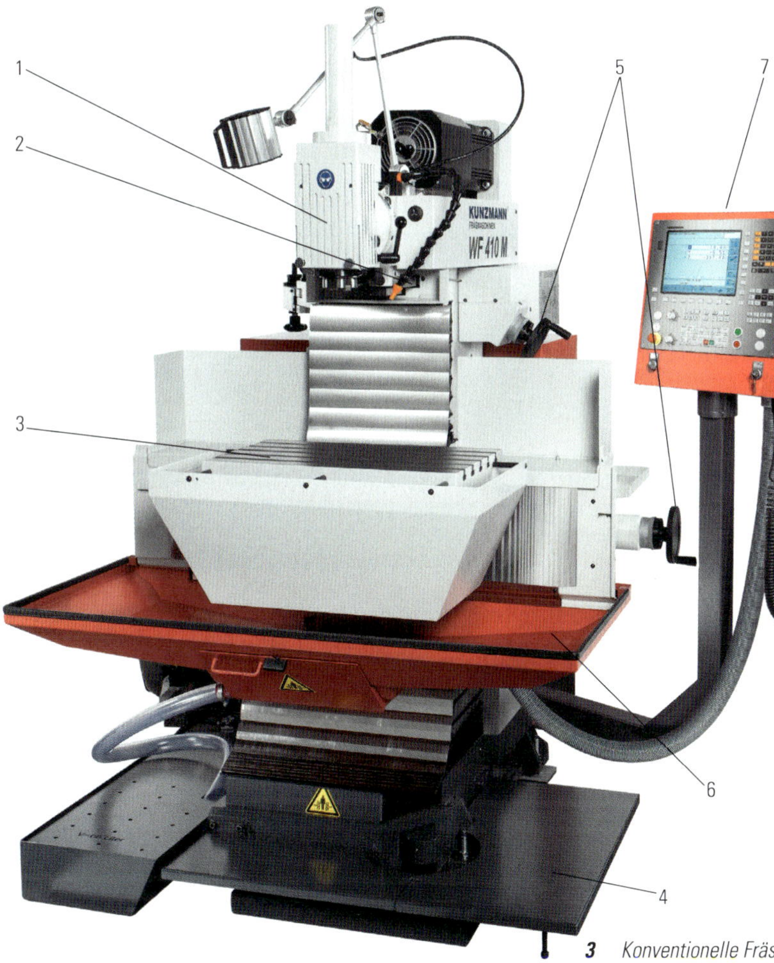

1 Vertikaler Fräskopf
2 Führungsbahn
3 Frästisch
4 Maschinenständer
5 Handräder
6 Spänewanne
7 Positionsanzeige

AH GK S. 55

3 *Konventionelle Fräsmaschine mit senkrechter Arbeitsspindel*

Wegen der getrennten Antriebe ist für die Frässpindel eine Umdrehungsfrequenz und zudem für die Gewindespindel eine Vorschubgeschwindigkeit an der Maschine einzustellen.

- Die **Umdrehungsfrequenz** *(rotational frequency)* wird aufgrund der Schnittgeschwindigkeit *(cutting speed)* und des Fräserdurchmessers auf die bekannte Weise (siehe Bohren und Drehen) bestimmt.

$$n = \frac{v_c}{d \cdot \pi}$$

n: Umdrehungsfrequenz

d: Durchmesser in mm

v_c: Schnittgeschwindigkeit

Meist ist in den Tabellen nicht die erforderliche Vorschubgeschwindigkeit v_f *(feed speed)*, sondern der Vorschub f_z pro Zahn angegeben. Mithilfe der Schneidenzahl *z* lässt sich der Vorschub *f* pro Umdrehung berechnen.

$$f = f_z \cdot z$$

f in mm

f_z in mm

Wird dieser mit der Umdrehungsfrequenz multipliziert, ergibt sich die **Vorschubgeschwindigkeit** v_f:

$$v_f = f \cdot n$$
$$v_f = f_z \cdot z \cdot n$$

Merke

Die technologischen Daten sind den Angaben der Schneidstoffhersteller oder dem Tabellenbuch zu entnehmen.

Die **Größe** einer Fräsmaschine ist bestimmt durch:

- den Arbeitsbereich mit den Verfahrwegen in *x*-Achse, *y*-Achse und *z*-Achse und
- die Aufspannfläche des Frästisches.

Fräsmaschinen werden durch die Lage der Frässpindel gekennzeichnet. Man unterscheidet:

- **Waagrechtfräsmaschinen** *(horizontal milling machines)*: Die Achse der Frässpindel liegt parallel, waagerecht zum Werkstücktisch.
- **Senkrechtfräsmaschinen** *(vertical milling machines)*: Die Achse der Frässpindel liegt senkrecht zum Werkstücktisch.
- **Universalfräsmaschinen** *(universal milling machines)*: An dieser Maschine kann mit senkrechter oder waagrechter Frässpindel gearbeitet werden.

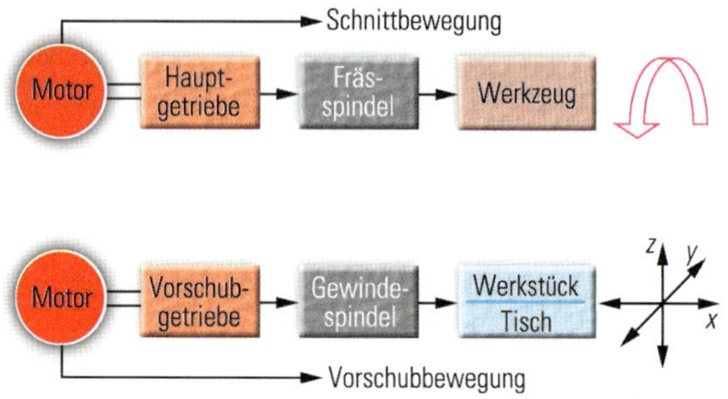

1 Antriebe an konventionellen Fräsmaschinen

2 Fräsen auf einer CNC-Fräsmaschine

Mit modernen **CNC-Fräsmaschinen** *(CNC-milling machines)* werden komplexe Frästeile wirtschaftlich hergestellt (Bild 2). Ein CNC-Programm enthält alle geometrischen und technologischen Informationen für die Fertigung.

- Die geometrischen Informationen beinhalten alle Angaben zu den Verfahrwegen in den drei Achsen.
- Zu den technologischen Informationen gehören Angaben zur Vorschubgeschwindigkeit und Umdrehungsfrequenz.

Übungen zum Thema Vorschubgeschwindigkeit siehe „Lernfeld übergreifende Inhalte" Kap. 4.7.2 „Bewegungen an Werkzeugmaschinen".

Überlegen Sie

Fertigungsplanung

Für eine Spannvorrichtung ist der Spannwinkel herzustellen. Dazu erhalten Sie einen Rohling von 80 mm × 80 mm × 105 mm aus S235JR.

Planen Sie die Fertigung mithilfe einer Tabelle nach folgendem Muster.

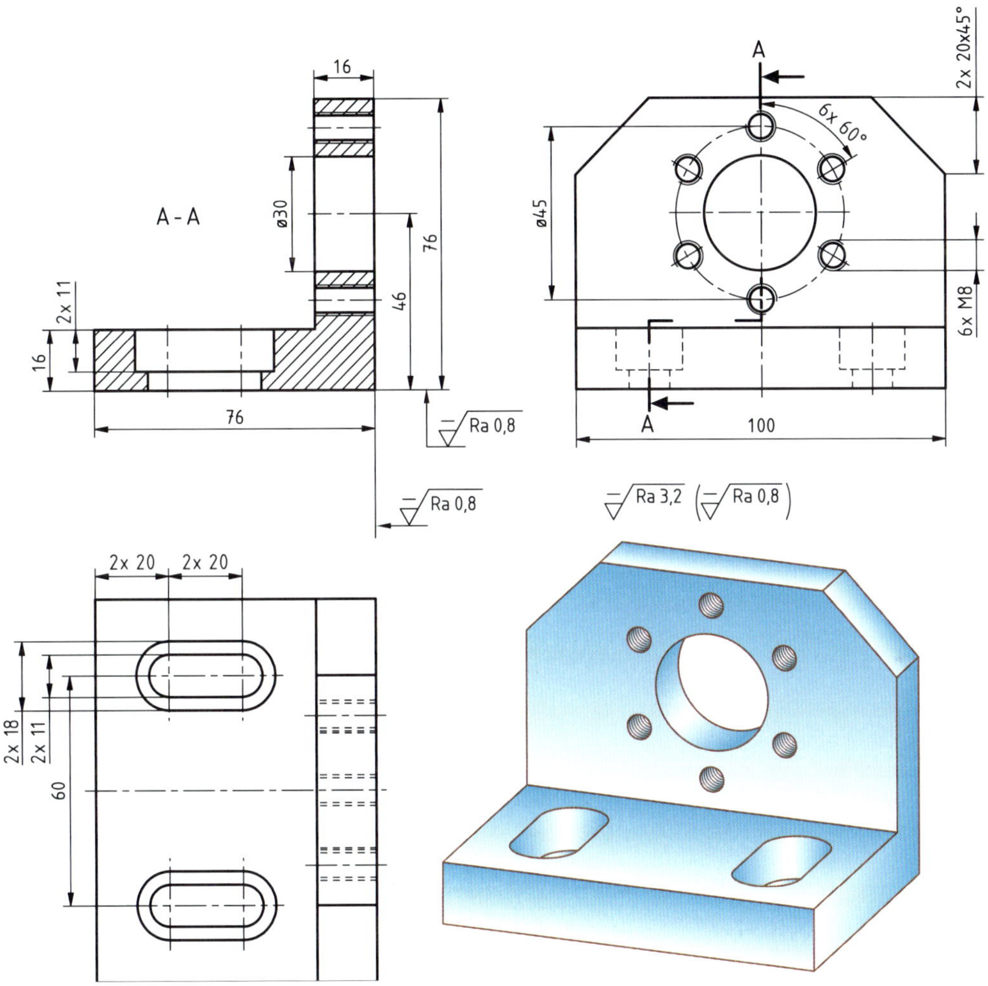

Zeichnung Spannvorrichtung

Lfd. Nr.	Arbeitsgang	Werkzeuge	Technologische Daten	Hilfsstoffe
1	Stirnfräsen von Bezugsflächen	Messerkopf ∅ 100 mm, $z = 8$, Schneidstoff: Hartmetall	$a_p = 1$ mm; $f_z = 0{,}1$ mm; $v_c = 370$ m/min; $n = 1200$/min; $v_f = 960$ mm/min	Kühlschmierstoff
2				
3				
4				

Muster zur Fertigungsplanung

ÜBUNGEN

Keilförmige Werkzeugschneide

1. Skizzieren Sie eine keilförmige Werkzeugschneide und bestimmen sie die drei Werkzeugwinkel und die Flächen am Schneidkeil.
2. Erläutern Sie die Wahl des Keilwinkels in Abhängigkeit von Standzeit und Werkstofffestigkeit.
3. Erklären Sie den Einfluss des Spanwinkels auf die Spanabnahme.
4. Beschreiben Sie anhand der Spanabnahme die schabende Wirkung durch einen negativen Spanwinkel.
5. Warum ist bei einem Maschinensägeblatt der Spanwinkel größer als beim Handsägeblatt?
6. Wie unterscheiden sich die Bohrertypen H, N und W in den Winkeln am Schneidkeil?
7. Welchen Einfluss hat der Freiwinkel auf den Schneidenverschleiß und die Qualität der Arbeitsfläche?
8. Weshalb haben die Schneidkeile an Sägeblättern einen verhältnismäßig großen Freiwinkel?
9. Mit der Gestaltung der Schneidkeile werden höchste Standzeit und optimale Zerspanung angestrebt. Erklären Sie anhand der Werkzeugwinkel, dass diese Ziele nicht gemeinsam erzielt werden können.
10. Weshalb können mit mehrschneidigen Werkzeugen große Zerspanleistungen erzielt werden? Nennen Sie mehrschneidige Werkzeuge.
11. Wählen Sie für folgende Fälle die Werkzeugwinkel aus und begründen Sie ihre Entscheidung:
    a) Ein weicher Werkstoff soll spanend von Hand bearbeitet werden.
    b) Ein harter Werkstoff soll eine hohe Oberflächenqualität erhalten.
    c) Maschinell soll eine große Spanabnahme und dennoch eine gute Oberflächenqualität erzielt werden.
12. Skizzieren Sie einen Flachmeißel beim Trennen.
    a) Bestimmen Sie mithilfe eines Parallelogrammes die Trennkräfte senkrecht zu den Schneidflächen. Die Hammerkraft ist selbst zu wählen und dann ein Kräftemaßstab festzulegen (siehe „Lernfeldübergreifende Inhalte“ Kap. 4.8.4 Zusammensetzung von Kräften).
    b) In welchem Verhältnis steht die Hammerkraft zu den zeichnerisch ermittelten Trennkräften?
    c) Wie lässt sich dieses Verhältnis zugunsten der Trennkräfte verändern?

Spanen von Hand

1. Welche Meißelarbeiten können mit dem Flachmeißel durchgeführt werden?
2. Mit welchen Meißelarten können Nuten gefertigt werden?
3. Welchen Einfluss haben Zahnteilung und Freiwinkel auf den Spanraum eines Sägeblattes?
4. Bestimmen Sie die Zahnteilung eines Sägeblattes für ein dünnes und weiches Blech. Begründen Sie ihre Entscheidung.
5. Erläutern Sie den Vorteil von z. B. geschränkten oder gewellten Sägeblättern.
6. Wie unterscheiden sich Hub-, Band- und Kreissägemaschinen in ihrem Bewegungsablauf?
7. Unterscheiden Sie den Zerspanvorgang mit gehauenen und gefrästen Feilen.
8. Wann werden einhiebige Feilen, Kreuzhiebfeilen und Raspeln eingesetzt?
9. Welchen Einfluss hat die Hiebzahl auf die Spanabnahme?
10. Unterscheiden Sie Hiebteilung und Hiebzahl. Welcher Zusammenhang besteht?
11. Benennen Sie sechs Feilen nach deren Querschnittsform.

Bewegungen an Werkzeugmaschinen

1. Um einen Span abzutrennen, sind grundsätzlich drei Bewegungen erforderlich. Beschreiben und skizzieren Sie diese an einem selbst gewählten Beispiel.
2. Warum ist es vorteilhaft, wenn zur Spanabnahme eine Bewegung kreisförmig erfolgt?
3. Welche Bewegungen führt der Spiralbohrer aus? In welcher Form dringt der Schneidkeil in den Werkstoff ein?
4. Beim Bohren werden offensichtlich durch das Werkzeug nur zwei Bewegungen erzeugt. Durch welche Größe wird die dritte Bewegung ersetzt?
5. Wie werden an den Sägen die Bewegungen erzeugt bzw. ersetzt? Beschreiben Sie den Sachverhalt konkret an einer Sägemaschine.
6. Welchen Vorteil haben Kreissägemaschinen im Vergleich zur Hubsägemaschine?
7. Welche Größen für die drei Bewegungen sind an Werkzeugmaschinen einzustellen?
8. Moderne Werkzeugmaschinen erlauben hohe Geschwindigkeiten und große Spanabnahme. Welche Auswir-

kungen hat diese Entwicklung auf Schneidengeometrie, Schneidstoff, Kühlschmierung und Spannmittel?

9. Wovon ist die Höhe von Vorschub- und Schnittgeschwindigkeit abhängig?

10. Nach welchen Kriterien werden die Werte für Geschwindigkeiten den Tabellen entnommen, wenn dort keine exakten Werte sondern lediglich Bereiche angegeben sind?

11. Ein HSS-Spiralbohrer mit einem Durchmesser von 25 mm zerspant einen unlegierten Baustahl mit einer Umdrehungsfrequenz von 320/min. Berechnen Sie die Schnittgeschwindigkeit in m/min. Kontrollieren Sie mithilfe des Tabellenbuches, ob die zulässige Schnittgeschwindigkeit überschritten wird.

12. Eine Welle mit einem Durchmesser von 100 mm wird auf einer Drehmaschine mit einer Umdrehungsfrequenz von 700/min längsrund gedreht. Wird hierbei die vorgegebene Schnittgeschwindigkeit von 250 m/min überschritten?

13. Unterscheiden Sie Längsrunddrehen und Querplandrehen in den Bewegungen. Warum ergeben sich beim Plandrehen Probleme, eine gleichbleibende Oberflächenqualität zu erhalten?

Spanen mit Werkzeugmaschinen

1. Bestimmen und erläutern Sie den Einsatz der Bohrertypen H, N und W.

2. Der Spitzenwinkel eines Spiralbohrers für Stahl beträgt 118°. Welche Wirkungen hat dieser relativ große Spitzenwinkel?

3. Weshalb muss die Bohrerspitze symmetrisch geschliffen sein?

4. Wie kann die Vorschubkraft beim Bohren verringert werden?

5. Nennen Sie mindestens vier Maßnahmen zur Unfallverhütung beim Bohren.

6. Wann werden Kegelsenker und Flachsenker eingesetzt?

7. Erklären Sie den Zweck des Reibens.

8. Beschreiben Sie den Zerspanvorgang beim Reiben.

9. Worin unterscheiden sich die Bewegungen beim Bohren, Senken und Reiben?

10. Stellen Sie den Arbeitsplan für das Schneiden eines Innengewindes M10 auf.

11. Vergleichen Sie Gewindebohrer für Stahl und Aluminium.

12. Erläutern Sie die Zerspanung durch einen dreiteiligen Gewindebohrersatz.

13. Bestimmen und erläutern Sie den Einsatz von Maschinengewindebohrern mit Rechts-Spirale und Schälanschnitt.

14. Beschreiben und erläutern Sie die Unterschiede der Drehmeißel zum Längsrunddrehen und Querplandrehen.

15. Erklären Sie die unterschiedliche Zerspanung von Drehmeißeln mit positiver und negativer Schneidengeometrie.

16. Begründen Sie die unterschiedlichen Formen von Drehmeißeln zum Schruppen und zum Schlichten.

17. Skizzieren Sie einen Drehmeißel in der Draufsicht.
    a) Tragen Sie Ecken- und Einstellwinkel ein.
    b) Welche Vorteile hat ein großer Eckenwinkel?
    c) Wie wirkt sich der Einstellwinkel auf die Standzeit des Drehmeißels aus?

18. Welcher Schneidstoff wird bei Drehmeißeln vorwiegend verwendet?

19. Beschreiben Sie die Aufgaben der wichtigsten Bauteile einer Drehmaschine.

20. Vergleichen Sie die Größen (Geschwindigkeiten) der Bewegungen beim Drehen von unlegiertem Baustahl, Gusseisen mit globularem Graphit und Kupfer-Legierungen.

21. Ermitteln Sie die Umdrehungsfrequenz zum Schruppen von niedrig legiertem Stahl bei einem Werkstückdurchmesser von 30 mm.

22. Worin unterscheiden sich Stirnfräser, Umfangsfräser und Stirn-Umfangsfräser?

23. Nach welchen Kriterien werden Fräser ausgewählt?

24. Unterscheiden Sie die Spanabnahme beim Stirnfräsen und beim Umfangsfräsen.

25. Stellen Sie die unterschiedliche Spanabnahme bei den Verfahren des Umfangsfräsens dar.

26. Bestimmen Sie mithilfe des Tabellenbuches für das Umfangs-Stirnfräsen einer Aluminiumlegierung mit einem Schaftfräser von ∅ 20 mm mit vier Schneiden die Schnittgeschwindigkeit, den Vorschub pro Zahn, die Umdrehungsfrequenz und die Vorschubgeschwindigkeit.

27. Welche Fräsmaschinen werden nach der Lage der Frässpindel unterschieden?

28. Beschreiben Sie Vorzüge beim Bearbeiten auf CNC-Werkzeugmaschinen.

Projektaufgabe

Zeichnung Stahlgelenk

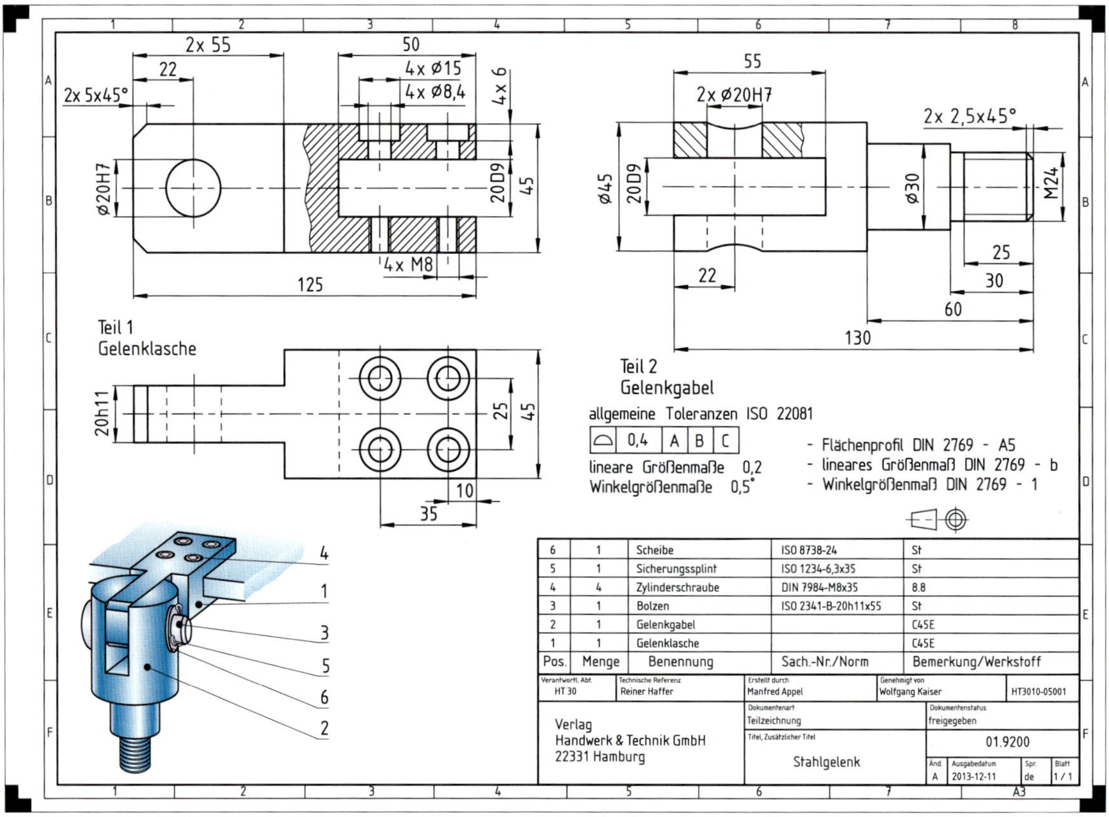

Pos.	Menge	Benennung	Sach.-Nr./Norm	Bemerkung/Werkstoff
6	1	Scheibe	ISO 8738-24	St
5	1	Sicherungssplint	ISO 1234-6,3x35	St
4	4	Zylinderschraube	DIN 7984-M8x35	8.8
3	1	Bolzen	ISO 2341-B-20h11x55	St
2	1	Gelenkgabel		C45E
1	1	Gelenklasche		C45E

Mit zwei Stahlgelenken wird eine Abdeckplatte aus Aluminium beweglich festgehalten. Die Einzelteile sind mit geeigneten Verfahren zu fertigen. Bei Einzelfertigung wird auf verfügbare Maschinen und Werkzeuge zurückgegriffen. Zur Fertigung bieten sich spanende Fertigungsverfahren an.

Aufgabenstellungen

1. Skizzieren Sie die Einzelteile ohne Bemaßung und ergänzen Sie bei der Gelenklasche die Seitenansicht (Ansicht C) und bei der Gelenkgabel die Draufsicht (Ansicht B) und die Seitenansicht (Ansicht C).
2. Stellen Sie einen Arbeitsplan für die Gelenklasche und Gelenkgabel auf.
3. Skizzieren Sie für das Stahlgelenk einen alternativen Lösungsvorschlag und bewerten Sie diesen im Vergleich.

Fragestellungen

1. Überprüfen und erläutern Sie die normgerechte Bezeichnung der Zylinderschraube mit Innensechskant.
2. Ermitteln Sie bei Maßen mit Toleranzangaben jeweils Höchstmaß, Mindestmaß und Toleranz (siehe Kapitel 3 Prüftechnik).
3. Bestimmen Sie das größte und das kleinste Spiel zwischen Gelenklasche und Gelenkgabel (siehe „Lernfeld übergreifende Inhalte" Kap. 4.3.4).
4. Ermitteln Sie oberes und unteres Grenzabmaß des Bolzens mit einer entsprechenden Tabelle. Berechnen Sie dann Höchstmaß, Mindestmaß und Toleranz.
5. Mit welchem Spiralbohrer wird in die Aluminiumplatte gebohrt?
6. Suchen Sie nach Möglichkeiten, den Bolzen gegen axiales Verschieben zu sichern.
7. Prüfen Sie, ob die Tiefe der Senkung in der Gelenklasche ausreicht.
8. Wie kann sich die Fertigung von Gelenklasche und Gelenkgabel bei Massenfertigung ändern?

1.4 Zerteilen

Die Zuschnitte für das Führungsblech (Bild 1) sind zunächst aus einer Blechplatine auszuschneiden, bevor sie gebogen werden. Mit spanlosen Fertigungsverfahren lassen sich dünne Bleche leichter und schneller trennen als mit spanabhebenden Verfahren wie z. B. Sägen. Der Werkstoff wird hierbei zwischen Schneidkeilen zerteilt.

Merke

Zerteilen *(separating)* ist ein Trennen des Werkstoffs, ohne dass sich dabei Späne bilden.

Schneidvorgang

Die Schneidkeile bewegen sich beim Schneidvorgang aneinander vorbei. Das Eindringen der Schneiden bzw. das Zerteilen des Werkstoffs erfolgt dabei in drei Phasen (Bild 2):

- **Stauchen** *(compressing)*: Der Werkstoff wird an seiner Ober- und Unterseite zusammengedrückt und eingekerbt.
- **Scheren** *(shearing)*: Dringen die Schneiden weiter in den Werkstoff ein, so wird ein Teil des Werkstoffquerschnitts geschnitten. Es entstehen dann Risse in der Scherzone.
- **Trennen** *(cutting)*: Diese Risse führen zum Trennen des Werkstoffs. Er bricht an der Schnittstelle auseinander.

Die Schneidkeile ähneln in der Form denen spanender Werkzeuge:

- **Keilwinkel** *(wedge angle)* β: Er verleiht der Schneide die notwendige Stabilität für den Schneidvorgang.
- **Freiwinkel** *(clearance angle)* α: Er verringert die Reibung an der Freifläche.

Merke

Bewegen sich beim Trennen des Werkstoffs zwei Schneiden aneinander vorbei, so wird dies als **Scherschneiden** *(cutting operation)* bezeichnet.

Handscheren

Handscheren *(hand shearings)* bestehen aus zwei kurzen Schneiden mit entsprechend ausgebildeten Schneidkeilen. Sie bewegen sich während des Schneidvorgangs aneinander vorbei. Lange Handgriffe und kurze Schneidenlängen vermindern die notwendige Handkraft. Es gilt das Hebelgesetz[1].

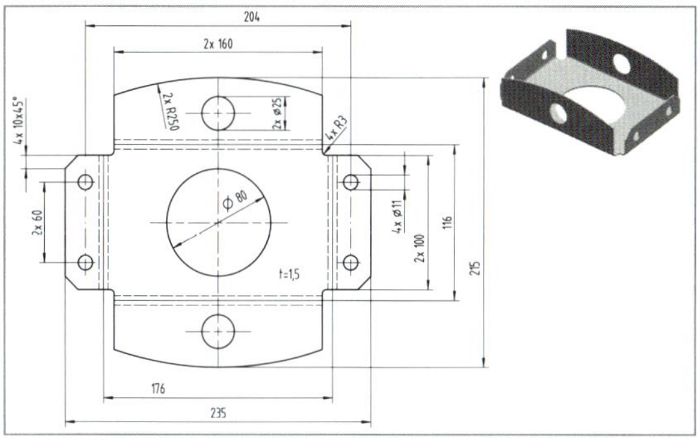

1 Führungsblech

Zeichnung Führungsblech

AH GK S. 25

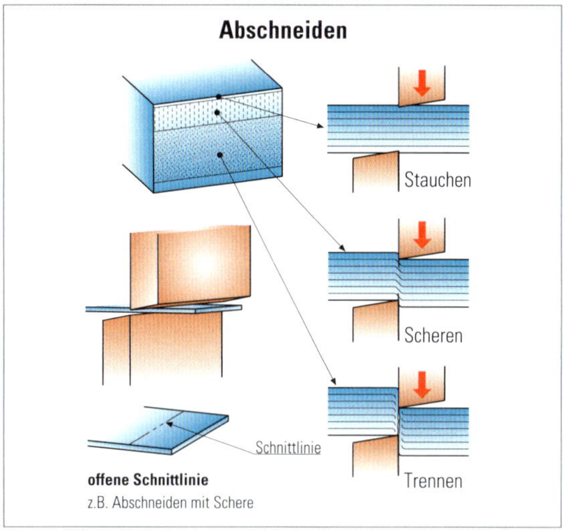

2 Schneidvorgang

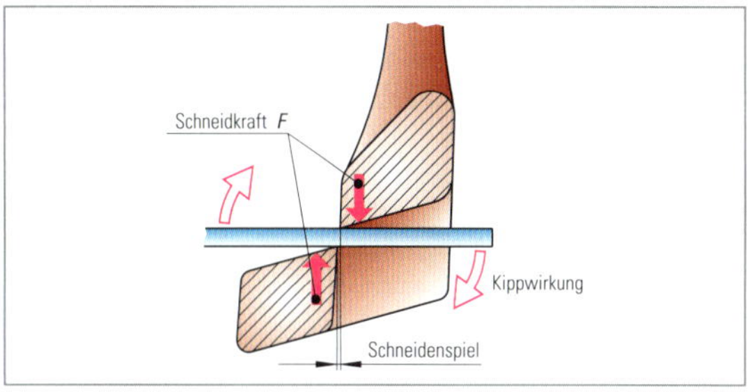

3 Schneidenspiel und Kippwirkung

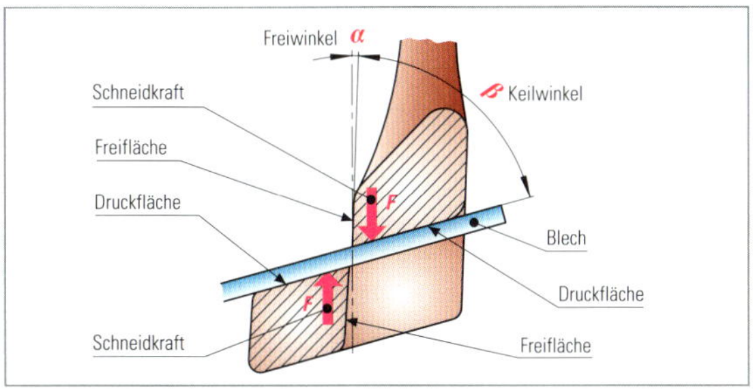

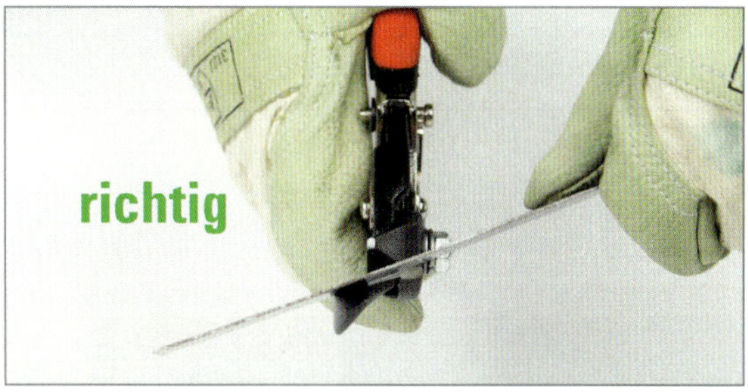

Video Blechschere

4 Blechlage, Winkel und Kräfte bei der Handhebelschere

1) vgl. Teil „Lernfeldübergreifende Inhalte" Kap. 4.9

Daher sollte die Schere weit geöffnet und das Blech möglichst tief in das Maul der Schere geschoben werden. Durch das **Schneidenspiel** (Bild 3, Seite 55) wirken die Schneidkräfte versetzt gegeneinander. Das Blech würde in der dargestellten Lage über die Schneidkeile abkippen. Es müsste mit der Hand abgestützt werden und würde sich verbiegen. Damit das nicht geschieht, ist das Blech auf die Druckfläche der Schneidbacke **aufzulegen** (Bild 4, Seite 55). Auf diese Weise ist ein geringerer Kraftaufwand erforderlich und es entsteht eine optimale Schnittfläche.

Die Schneiden der Handblechschere zerteilen den Werkstoff fortlaufend entlang der Schneide (ziehender Schnitt). Der Schneidenabstand ist hierbei sehr klein. Damit die Schneiden nicht auf ihrer gesamten Länge aneinander reiben, werden sie mit einem **Hohlschliff** (Bild 1) ausgestattet und vorgespannt. Die Schneiden berühren sich dann lediglich an der jeweiligen Schnittstelle. Die Schere ist beim Schneiden **nicht ganz zu schließen**, sondern bereits nach etwa ¾ der Schnittlänge zu öffnen und nachzuschieben. So entstehen nicht bei jedem Schnitt kleine Querrisse am Schnittende, sondern ein gratfreier Schnitt.

Grundsätzlich gibt es zwei **Scherentypen** (Bild 2). Die **Normalblechscheren** sind sehr robust, da Schneide und Griff in einem Stück geschmiedet sind. **Hebelübersetzte Scheren** bestehen aus Scherenkopf und Griff. Beide Teile sind für sich gelenkig gelagert. Die Hebelübersetzung reduziert den Kraftaufwand um circa 25 %.

In folgender Tabelle sind verschiedene Scherenarten mit Anwendungsbeispielen dargestellt (Bild 3).

Von den Scherenarten gibt es **linke und rechte Ausführungen** (Bild 4). Ob es sich um eine rechte oder linke Schere handelt, bestimmt die Lage der unteren Schneide. Linke Scheren sind für **Linkskurven** und rechte Scheren für **Rechtskurven** geeignet. Gleichzeitig ist dabei zu beachten, dass sich der Abfall bei linken Scheren auf der linken Seite verbiegt, während er sich bei rechten Scheren auf der rechten Seite verbiegt.

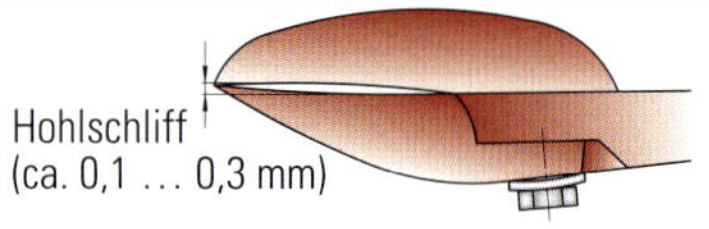

***1** Hohlschliff an Handscheren*

***2** Scherentypen*

Überlegen Sie

Der Zuschnitt auf Seite 55 Bild 1 ist herzustellen.
Wählen Sie geeignete Scheren aus und begründen Sie Ihre Entscheidung.

Scherenart	Anwendungsbeispiel	Erklärung
Durchlauf-Schere 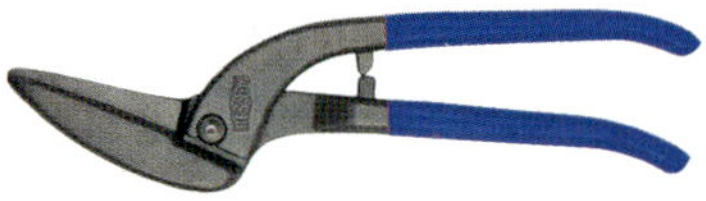	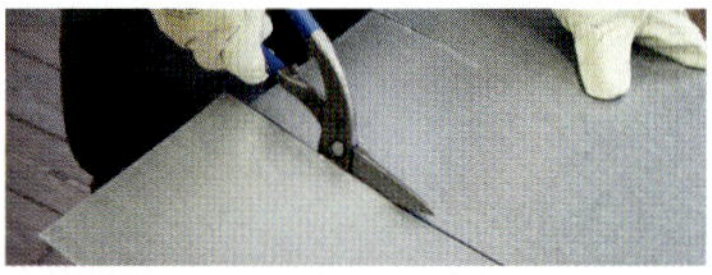	Durchlauf-Scheren trennen mit geraden Schnitten Bleche in der Mitte oder im Randbereich. Es können großformatige Bleche abgelängt und ausgeklinkt werden.
Ideal-Schere 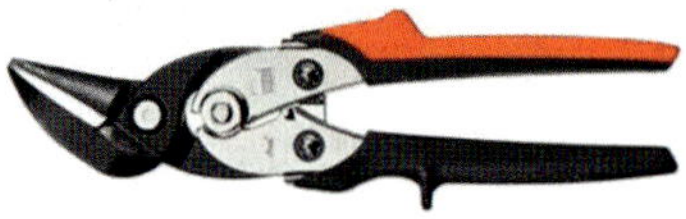	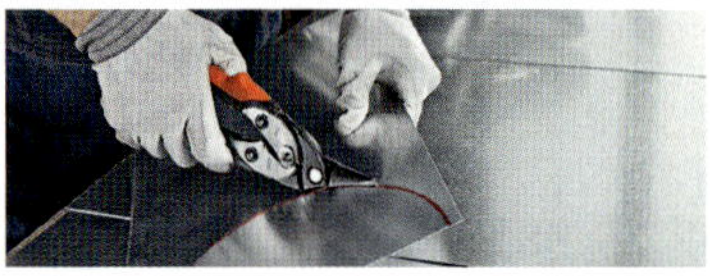	Ideal-Scheren sind für durchlaufende gerade und bogenförmige Schnitte geeignet. Sie eignen sich auch zum Ausklinken und Besäumen von Blechteilen.
Figuren-Schere 	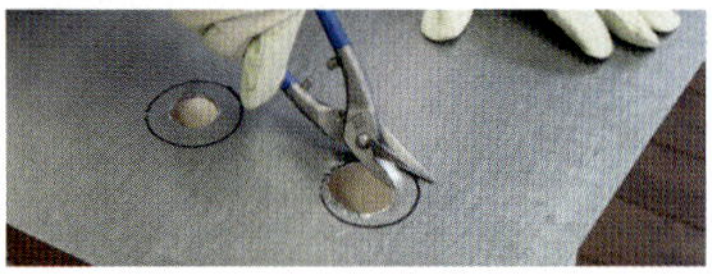	Figuren-Scheren eignen sich am besten für Schnitte mit kleinen Radien. Durch ihre Schneidenform können mühelos äußerst enge Kurven oder Figuren geschnitten werden.

***3** Scherenarten und Anwendungsbeispiele*

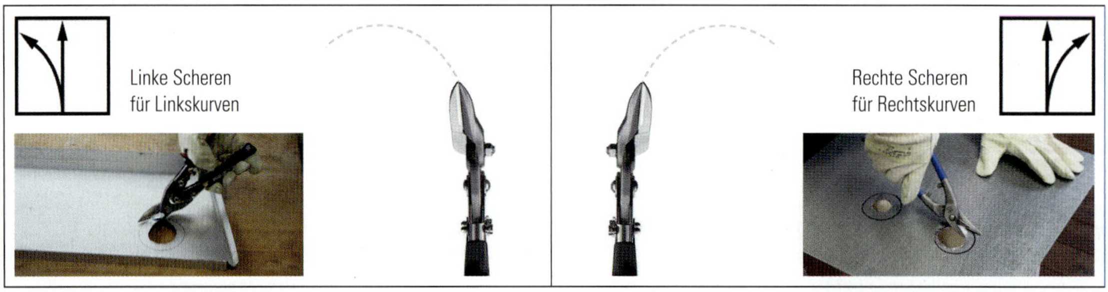

***4** Linke und rechte Handscheren*

Maschinenscheren

Maschinenscheren *(shearing machines)* werden für längere Schnitte und dickere Bleche verwendet. **Hebeltafelschere** *(lever squaring shear)* und **Tafelschere** *(squaring shear)* (Bild 1) verfügen über die notwendige Schneidenlänge und Schneidkraft. Der Antrieb der Scheren erfolgt dabei:

- von Hand mithilfe eines langen Hebelarmes und
- maschinell z. B. mit Kurbeltrieb oder hydraulisch

Das Blech wird in einem Hub getrennt.

Durch zusätzliche Vorrichtungen (Profilmesser) an Hebel- bzw. Profilstahlscheren (Seite 58 Bild 1) können auch Profil- und Stabstähle (Rund-, Vierkantstahl bis ca. 30 mm) zerteilt werden.

Mit elektrisch betriebenen **Nibbelscheren** *(nibbling shears)* (Seite 58 Bild 2) lassen sich Bleche einfach und schnell von Hand zuschneiden. Beliebige Innen- und Außenkonturen sind möglich. Maschinell angetriebene Schneidkeile wirken gegeneinander. Mit einer großen Hubzahl pro Minute trennen sie den Werkstoff.

CNC-gesteuerte **Nibbelmaschinen** *(nibbling machines)* (Seite 58 Bild 2) arbeiten nach demselben Prinzip. Schnelle Werkzeugbewegungen und Blechpositionierungen erlauben somit eine wirtschaftliche Bearbeitung.

Hebeltafelschere

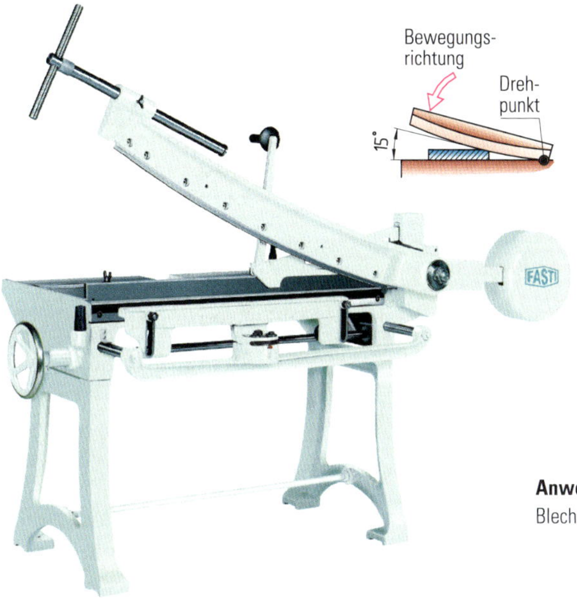

- Ziehender Schnitt
- Fortlaufendes Schneiden bei gekrümmter Schneide

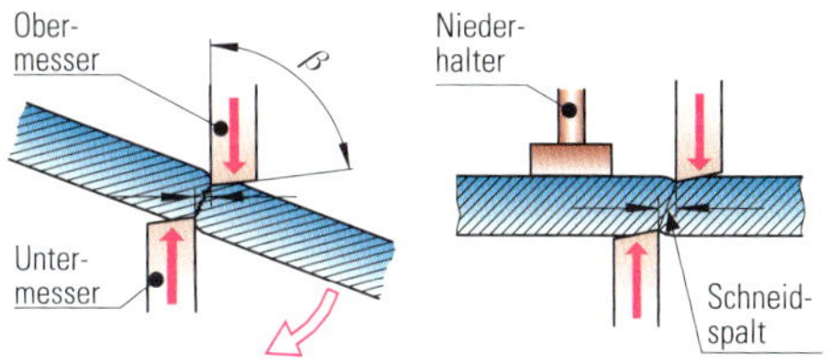

- Für lange Schnitte
- Für Feinbleche
- Die Bleche werden in einem Hub zerteilt

AH GK S. 26

Anwendungsbeispiel:
Blech für Spritzschutz

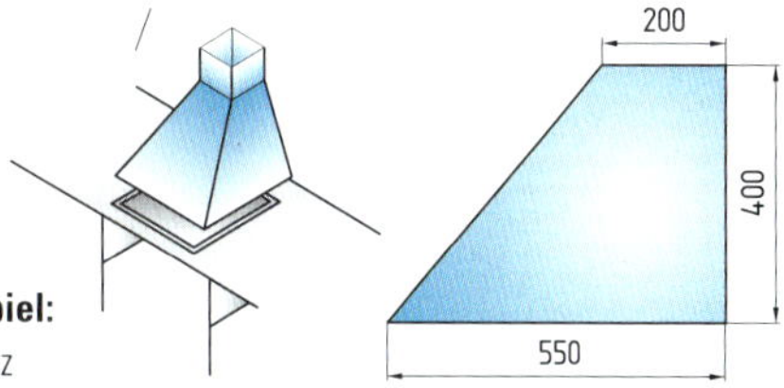

Tafelschere

1 Maschinenscheren für Feinbleche

Mit **ziehendem Schnitt**:

- Fortlaufendes Schneiden bei schräger Schneide

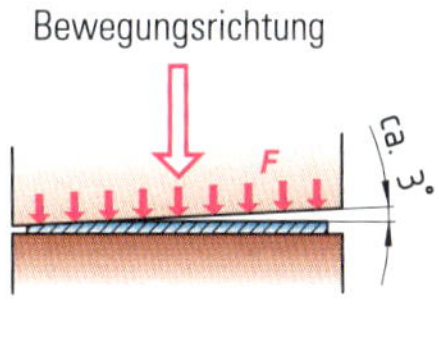

- Durch fortlaufendes Schneiden geringer Kraftaufwand.
- Abgeschnittenes Teil wird geringfügig verformt.

Mit **Trennschnitt**:

- Parallele Schneiden
- Schlagartiger Schnitt

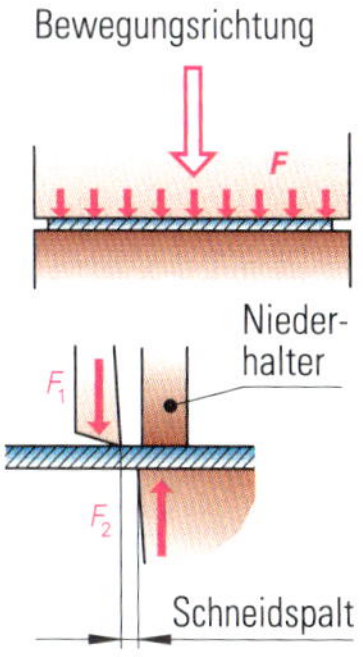

- Vollkantiges Schneiden bedingt stetige Höchstschneidkraft.
- Abgeschnittenes Teil wird nicht verformt.

Anwendungsbeispiel: Träger mit Halteblech

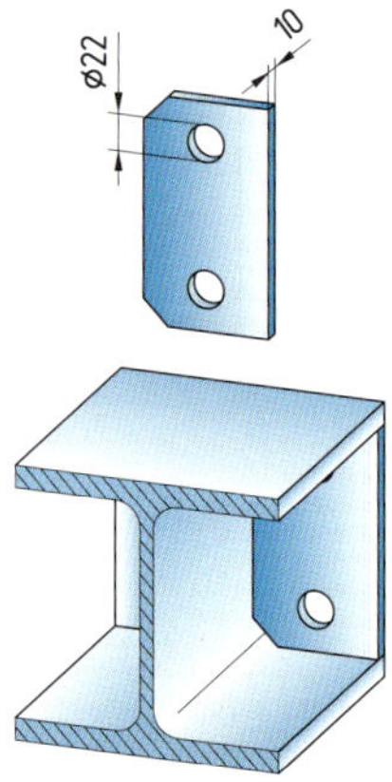

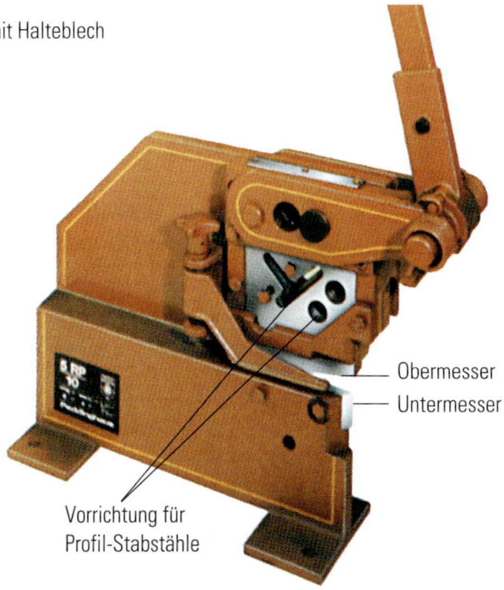

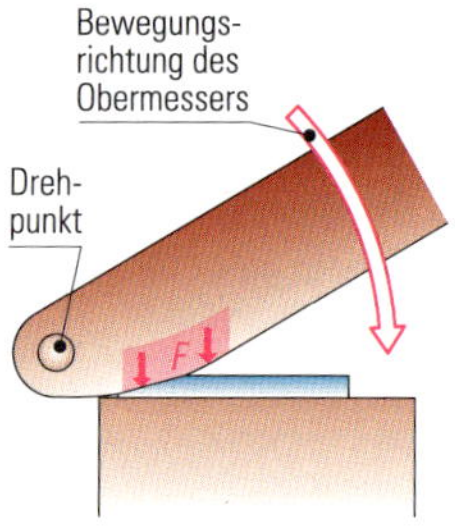

- Mehrfache Hebelübersetzung, daher für Grobbleche bis ca. 12 mm Dicke geeignet
- Lange Schnitte erfordern mehrere Hübe
- Mit zusätzlichen Vorrichtungen können Profil- und Stabstähle zerteilt werden

***1** Maschinenscheren für Grobbleche und Profilstäbe*

Trennen von Blech mit	Nibbler	CNC-gesteuerte Nibbelmaschine
	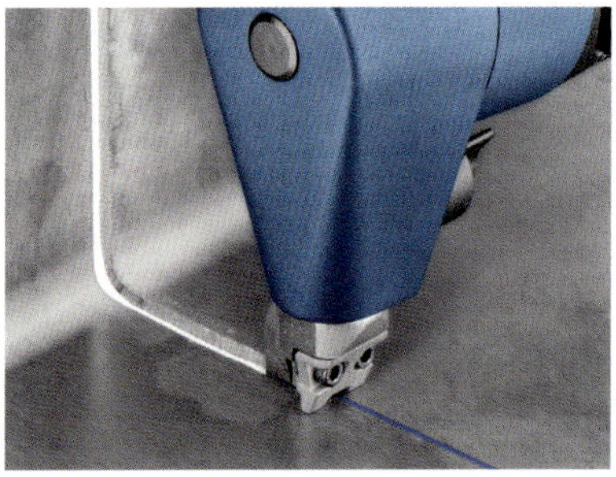	
Beschreibung	■ Stempel bewegen sich gegen Schneidmatrize ■ Hubzahl bis 1400/min	■ Stempel bewegen sich gegen Schneidmatrize ■ Hubzahl bis 2800/min
Qualität des Schnittteils bei allen Nibbelmaschinen	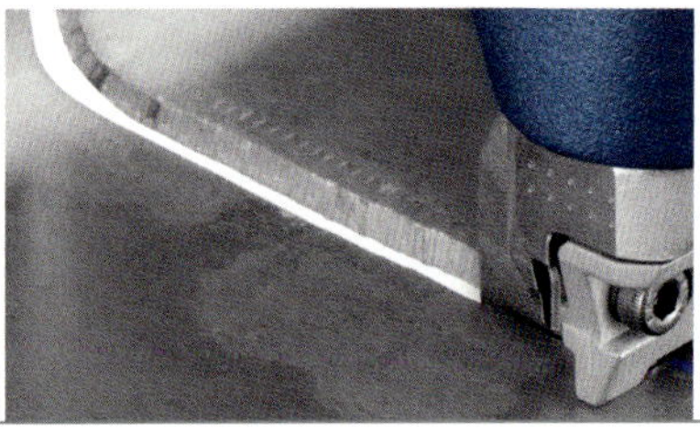	■ Keine Verformung der Bleche ■ An der Schnittspur entstehen viele Abfallschnittteile

***2** Mehrhubige Maschinenscheren*

1.4.1 Messer- und Beißschneiden

Bei beiden Verfahren dringt der Schneidkeil in den Werkstoff ein und drängt diesen zur Seite. Das Zerteilen erfolgt hierbei ebenfalls in drei Stufen (Bild 3). Im Gegensatz zum Scherschneiden und Spanen sind nun beide Flächen des Schneidkeils im Eingriff. Die Größe des Keils (Seite 59 Bild 1) beeinflusst dabei:

- die aufzubringende Schneidkraft,
- den Verschleiß der Schneide und
- die Qualität der Schnittfläche.

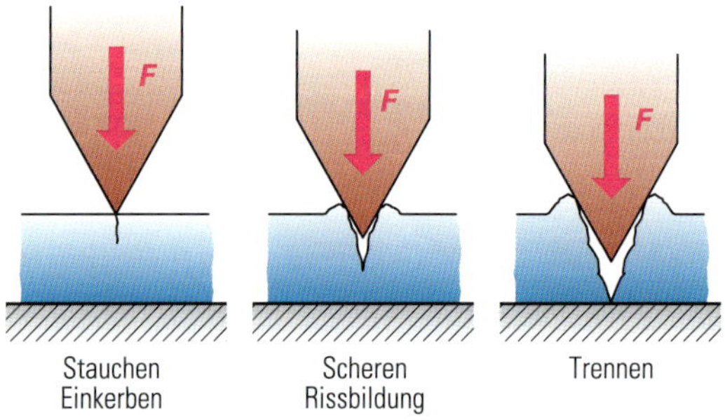

***3** Zerteilvorgang*

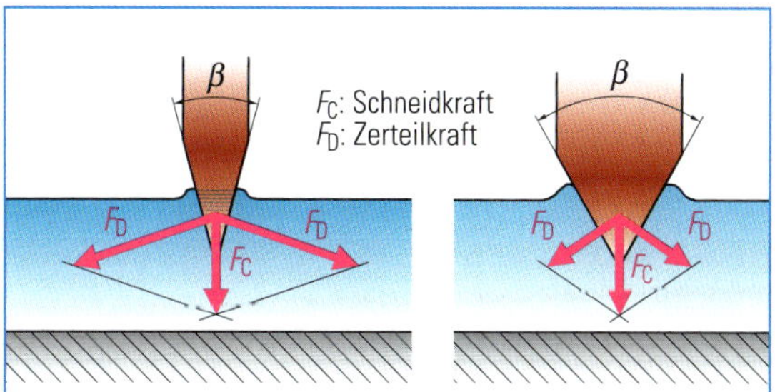

bei gleich großer Schneidkraft und bei gleichem Werkstoff gilt:

Keilwinkel β	klein	groß
Werkstoffverdrängung	klein	groß
Zerteilkraft F_D	groß	gering
Verschleiß	groß	gering
Schnittfläche		

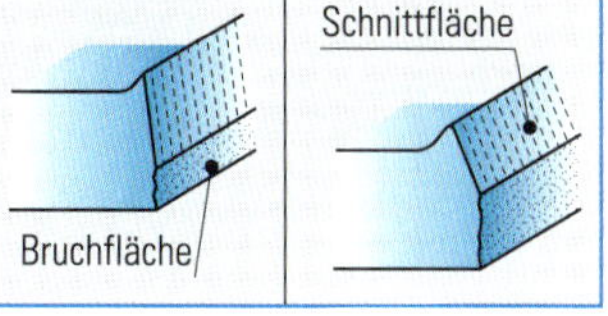

1 Kräfte am Schneidkeil

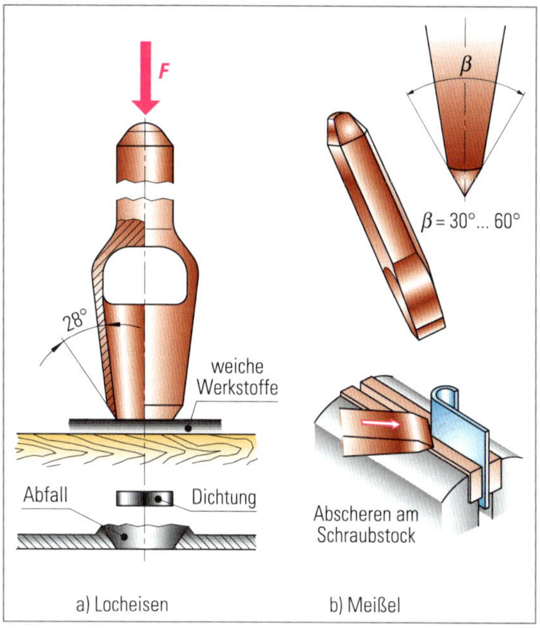

2 Messerschneiden

Messerschneiden

Beim Messerschneiden *(cutting with a single blade)*, z. B. mithilfe eines Locheisens (Bild 2a), wird der Werkstoff zwischen Schneidkeil und einer festen Unterlage zerteilt. Der messerartig ausgebildete Keil des Locheisens drängt dabei den Werkstoff auseinander. Aufgrund des kleinen Keilwinkels der Schneide ist dieses Verfahren nur für Werkstoffe mit geringer Festigkeit geeignet.

Auch Meißel (Bild 2b) können zum Zerteilen verwendet werden. Beim Beschneiden, Einschneiden oder Abschneiden arbeiten sie als Messerschneidwerkzeug.

Beißschneiden

Beim Beißschneiden *(cutting with two approaching blades)* bewegen sich zwei keilförmige Schneiden aufeinander zu. Zangenförmige Trennwerkzeuge (Bild 3) wie **Kneifzange** *(carpenter's pincers)*, **Hebelvornschneider** *(double-action end cutter)* und Bolzenschneider *(bolt cutter)* arbeiten nach diesem Prinzip. Sie unterscheiden sich in Größe, Gestaltung und Einsatzmöglichkeit. Über lange Hebelarme können größere Zerteilkräfte leicht aufgebracht werden. Dennoch eignen sich diese Werkzeuge nur für kleinere Werkstückquerschnitte.

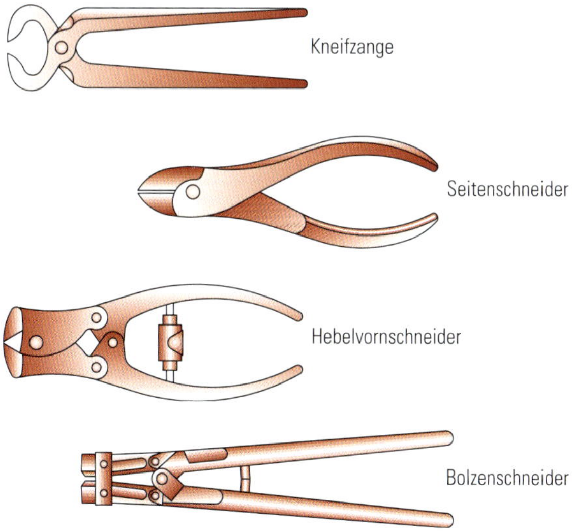

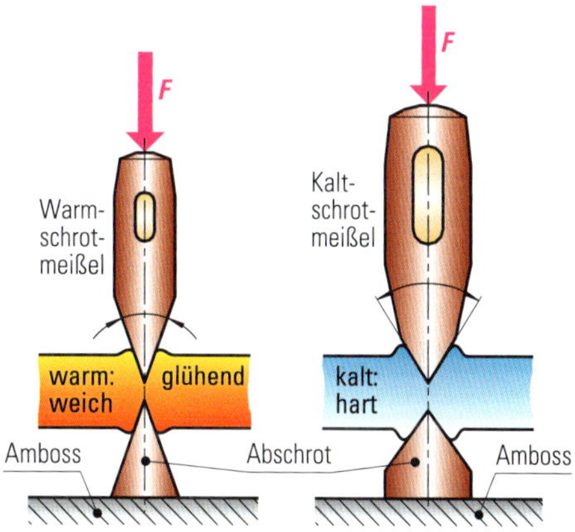

3 Beißschneiden

Größere Querschnitte kann man z. B. kalt- oder leichter warmabschroten. Es werden dabei ein **Schrotmeißel** *(blacksmith's chisel)* und ein **Abschrot** *(hardy)* (Seite 59 Bild 3) verwendet. Ihre Keilwinkel sind der Werkstofffestigkeit anzupassen. Bei Erwärmung verringert sich die Festigkeit des Werkstoffs. Der Keilwinkel kann kleiner gewählt werden.

ÜBUNGEN

1. a) Wodurch unterscheidet sich das Scherschneiden vom Messer- und Beißschneiden?
b) Nennen Sie zu jedem Verfahren Anwendungsmöglichkeiten aus Ihrem Erfahrungsbereich.

2. Durch welche Maßnahmen kann die Scherkraft beim Scherschneiden verringert werden?

3. Geben Sie den allgemeinen Zusammenhang zwischen Keilwinkel und Kraftaufwand beim Scherschneiden an.

4. Welche Bewegungen sind zum Zerteilen des Werkstoffs erforderlich?

5. Erläutern Sie den Scherschneidvorgang.

6. Welche Aufgabe hat der Niederhalter bei Hebel- und Maschinenscheren?

7. Wählen Sie Scheren bzw. Maschinen aus:
a) zum Schneiden langer Blechstreifen
b) zum Herstellen stark gekrümmter Blechschnitte
c) für gleichartige Blechteile in großer Stückzahl

Projektaufgabe

Halter sind aus Stahlblech zu fertigen. Das Blech soll zuvor in Streifen geschnitten werden. Die Zuschnitte sind dann auszuschneiden.

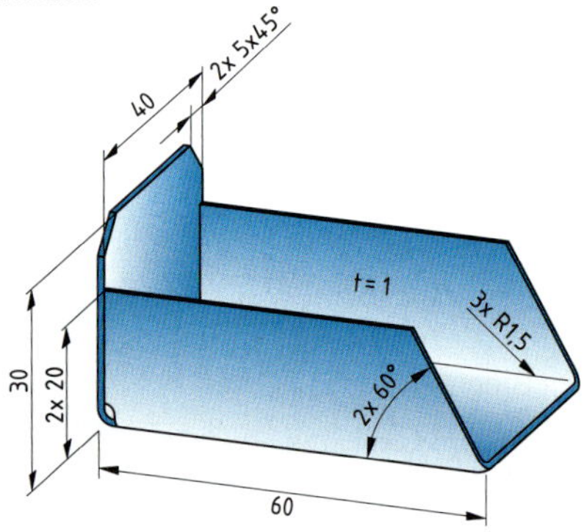

1. Skizzieren Sie den Zuschnitt für den Halter und bemaßen Sie diesen.

2. Berechnen bzw. bestimmen Sie die fehlenden Maße.

3. Bestimmen Sie die Breite des Streifens.

4. Mit welchem Scherschneidwerkzeug sind die langen Blechstreifen zuzuschneiden? Begründen Sie Ihre Antwort.

Es sind fünf Halter zu fertigen!

5. Nennen Sie die Fertigungsverfahren für die Herstellung der Zuschnitte.

6. Welches Scherschneidwerkzeug (Hand, Maschine) schlagen Sie vor? Begründen Sie Ihre Antwort.

7. Bestimmen Sie die Werkzeuge für die notwendigen Schneidarbeiten.

8. Beschreiben Sie die Arbeitsdurchführung.

9. Welche Probleme können bei der Herstellung des Zuschnitts auftreten?

10. Welche Lösungsmöglichkeiten schlagen Sie vor?

Es sind 1000 Halter zu fertigen!

11. Welches Scherschneidwerkzeug schlagen Sie vor? Begründen Sie Ihre Antwort.

12. Beschreiben Sie die Arbeitsdurchführung.

2 Umformen

2.1 Biegen

Viele Bauteile wie z. B. der Bügel der Handbügelsäge (Bild 1) werden durch Biegen *(bending)* umgeformt.

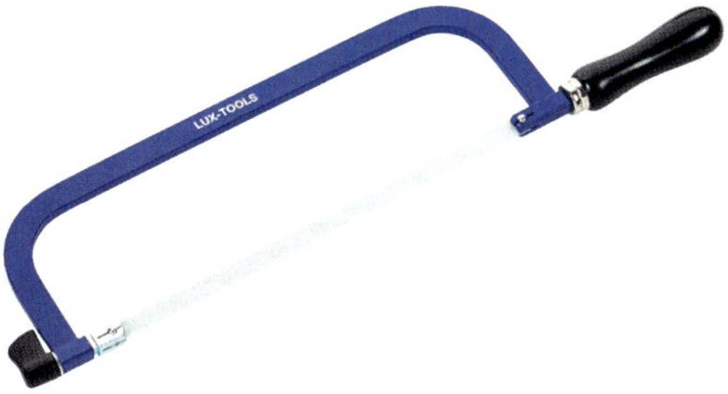

1 *Durch Biegen hergestellte Handbügelsäge*

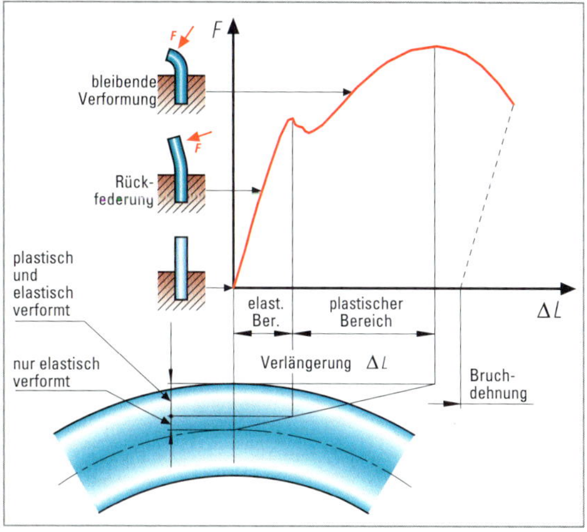

2 *Elastische und plastische Verformung beim Biegen*

AH GK S. 27

Interaktive Biege-simulation

Vorgänge beim Biegen

Um ein Bauteil zu biegen, muss sein Werkstoff plastisch verformbar sein. Nur bestimmte Werkstoffe besitzen diese Eigenschaft in ausreichendem Maße. Für den Bügel der Handbügelsäge wird deshalb ein Baustahl S235JR gewählt.

Wird der Flachstahl mit geringer Kraft geringfügig gebogen, so federt danach der Werkstoff wieder in seine Ausgangslage zurück. Er hat sich **elastisch** *(elastic)* verhalten. Bei entsprechend großem Kraftaufwand bleibt der überwiegende Teil der Biegung erhalten. Der Werkstoff wurde **plastisch** *(ductile)* verformt.

Merke

Durch Biegen erfolgt eine spanlose Formgebung. Der Werkstoff wird dabei plastisch verformt (Bild 2).

Weil der Werkstoff über den elastischen Bereich hinaus beansprucht wird, verändern sich die Werkstoffeigenschaften an der Biegestelle. Der Werkstoff wird fester, härter und spröder. Wird die Bruchdehnung im äußeren Biegebereich überschritten, bilden sich an der Biegestelle Risse (Bild 3). Bei kleinen Radien können an der Innenseite der Kante Quetschfalten auftreten.

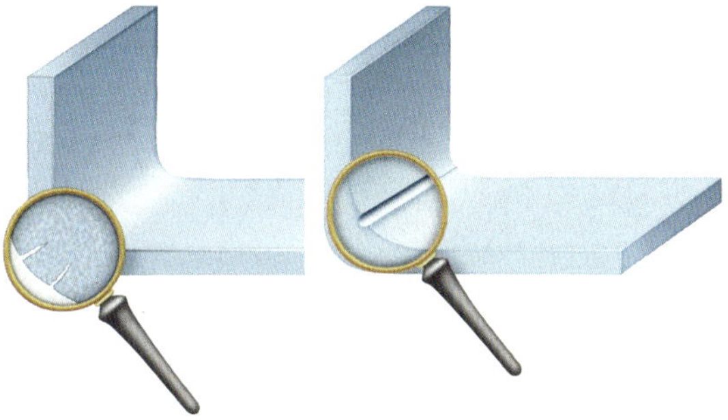

3 *Rissbildung und Quetschung bei zu kleinem Biegeradius*

Überlegen Sie

Biegen Sie einen Schweißdraht und einen Kupferdraht mehrfach im Schraubstock. Beschreiben Sie das Werkstoffverhalten und die Biegestelle.

Der abgewinkelte Teil des Flachstahls weist im Biegebereich eine Veränderung am Werkstückquerschnitt auf (Bild 4). Durch **Strecken** *(stretching)* entsteht eine Einschnürung im äußeren Biegebereich. Durch **Stauchen** *(compressing)* entsteht eine Ausbauchung im inneren Biegebereich.

Der Werkstoff in der Mitte (Schwerpunktlinie) wird beim Biegen nicht beansprucht und erfährt dadurch keine Längenänderung und somit auch keine Querschnittveränderung. Dieser Bereich wird als **neutrale Zone** (neutrale Faser) *(middle fibre)* bezeichnet.

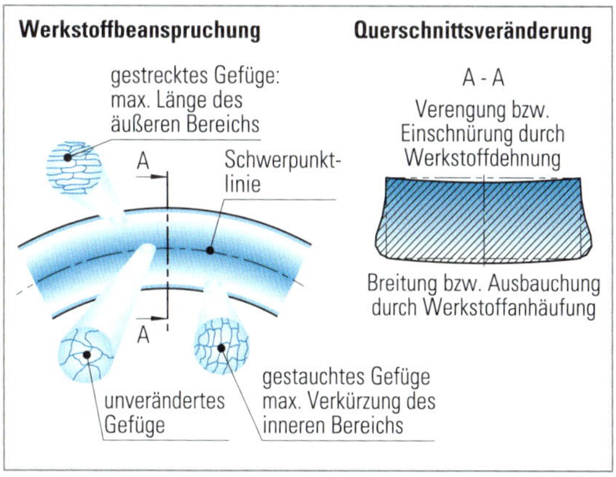

4 *Strecken und Stauchen beim Biegen*

Merke

Die Veränderung am Werkstückquerschnitt erfolgt durch Strecken (der Werkstoff wird gedehnt) und Stauchen (der Werkstoff wird zusammengedrückt).

Die **Gefahr der Rissbildung** besteht vor allem bei

- kleinen Biegeradien,
- großen Biegewinkeln und
- großen Werkstückdicken (Seite 62 Bild 1).

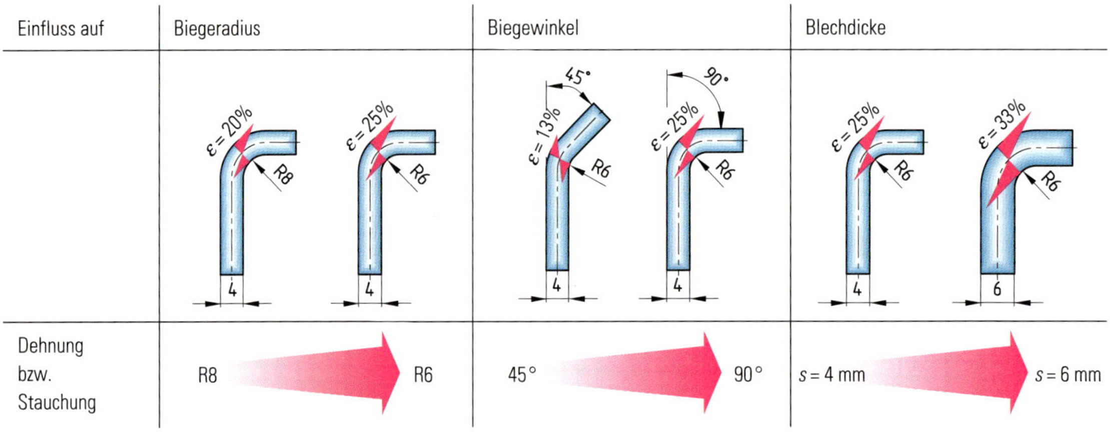

***1** Einflussgrößen auf das Stauchen und Strecken beim Biegen*

Um Rissbildung zu vermeiden, dürfen bestimmte **Mindestbiegeradien** *(minimum bend radii)* nicht unterschritten werden. Die Mindestbiegeradien sind im Wesentlichen vom Werkstoff und der Werkstückdicke abhängig. Erfahrungswerte sind in Tabellen zusammengefasst (Bild 2).

Werkstoff	**Blechdicke in mm**									
	1	1,5	2,5	3	4	5	6	7	8	10
Stahl bis R_m = 390 N/mm²	1	1,6	2,5	3	5	6	8	10	12	16
Stahl bis R_m = 490 N/mm²	1,2	2	3	4	5	8	10	12	16	20
Stahl bis R_m = 640 N/mm²	1,6	2,5	4	5	6	8	10	12	16	20
Reinalum. (kaltverfestigt)	1	1,6	2,5	4	6					
AlCuMg-Leg. (ausgehärtet)	2,5	4	6	10						
CuZn-Leg. (kaltverfestigt)	1,6	2,5	4	6						
Kupfer (weichgeglüht)	1,6	2,5	4							

***2** Mindestbiegeradien*

Durch das **Walzen** *(rolling)* eines Bleches richten sich die Kristalle aus, werden gestreckt und gestaucht. Dies wirkt sich auf die Werkstoffeigenschaften aus. Quer zur Walzrichtung ist der Werkstoff höher beanspruchbar. Beim Biegen ist hier die Gefahr der Rissbildung geringer (siehe Bild 3). Lässt sich ein Biegen parallel zur Walzrichtung nicht vermeiden, so ist ein größerer Biegeradius zu wählen.

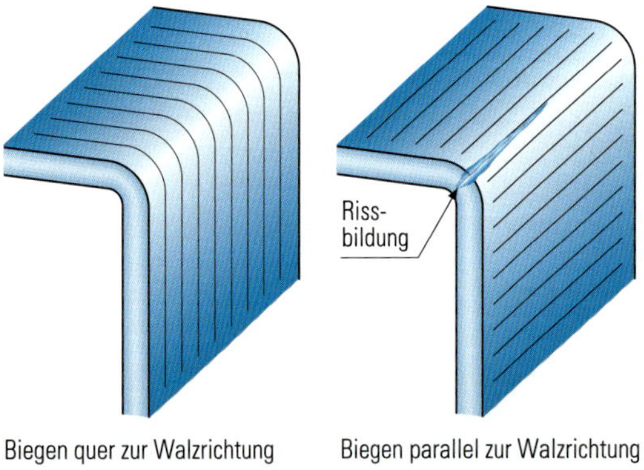

***3** Gefahr der Rissbildung beim Biegen parallel zur Walzrichtung*

Wirkt die Biegekraft nicht mehr auf das Werkstück ein, federt der gebogene Schenkel geringfügig zurück (Bild 4). Der überwiegende Teil des Biegebereiches wurde zwar plastisch verformt, ein Teil der Verformung war jedoch auch elastisch. Die **Rückfederung** *(springback)* wird umso größer, je größer der Anteil der elastischen Umformung an der Biegestelle ist.

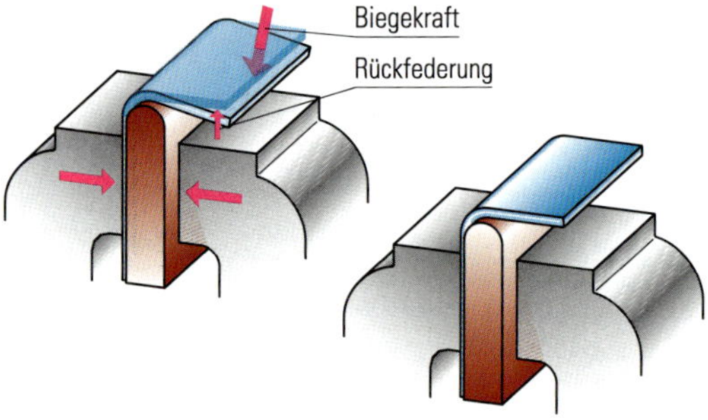

***4** Rückfederung beim Biegen*

Merke

Das elastische Verhalten bewirkt, dass der Werkstoff zurückfedert. Um dies auszugleichen, werden Werkstücke überbogen (etwas mehr als der angegebene Winkel).

Die **Querschnittsveränderungen**, die sich beim Biegen von Vollprofilen ergeben (Seite 63 Bild 1), sind bei **Hohlprofilen** noch problematischer. Es bilden sich im äußeren Biegebereich starke Einschnürungen, manchmal sogar Risse, und im inneren Biegebereich Einknickungen bzw. Wellen (Seite 63 Bild 2). Aus technischen Gründen (z. B. bei Hydraulikrohren) oder aus optischen Gründen (z. B. bei einem Handlauf an einem Maschinenpodest) ist dies zu vermeiden.

Die Form des Rohres bleibt erhalten, wenn der kreisförmige Rohrquerschnitt entweder von innen oder von außen so abgestützt wird, dass er beim Biegen erhalten bleibt. Eine **Drahtspirale** (Seite 63 Bild 3) stützt den Rohrquerschnitt **von innen** ab. Ihr Außendurchmesser ist nur geringfügig kleiner als der Innendurchmesser des Rohres. Die **Rohrbiegevorrichtung** *(tube*

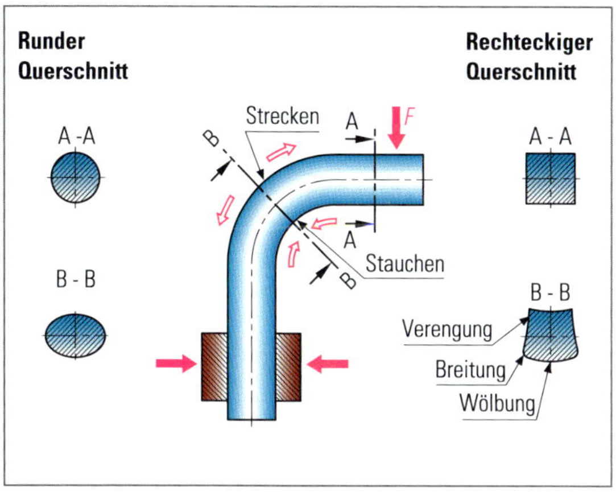

1 Querschnittsveränderung beim Biegen

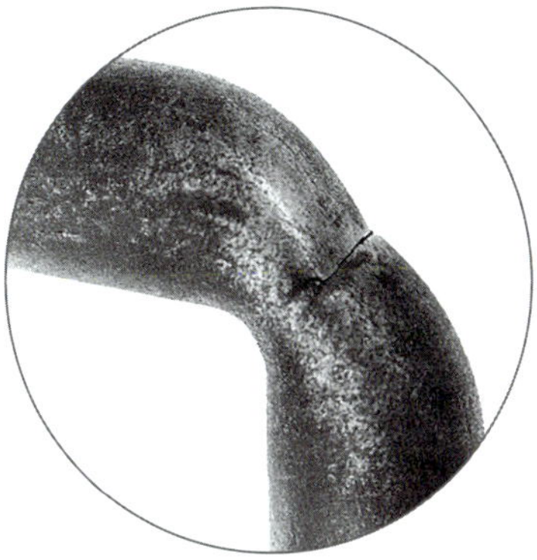

2 Querschnittsveränderung beim nicht fachgerechten Biegen eines Rohres

AH GK S. 28

bender) (Biegematrize) stützt den Rohrquerschnitt **von außen** ab (Bild 4). Ihre Innenkontur entspricht dem Außendurchmesser des zu biegenden Rohres. Das Rohr wird um die Biegematrize gebogen und dabei in seiner Form gehalten.

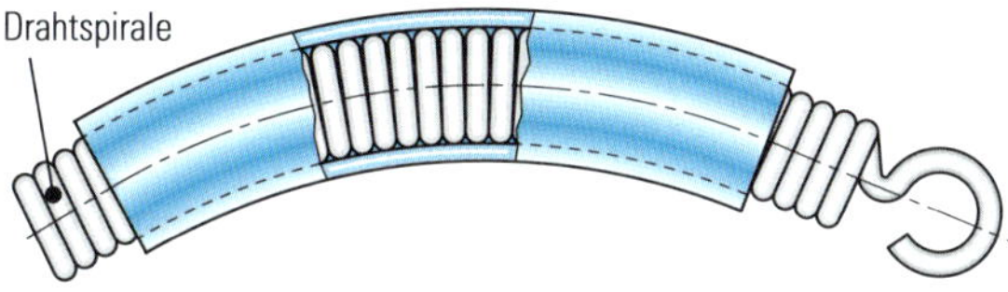

3 Drahtspirale verhindert Querschnittsveränderungen

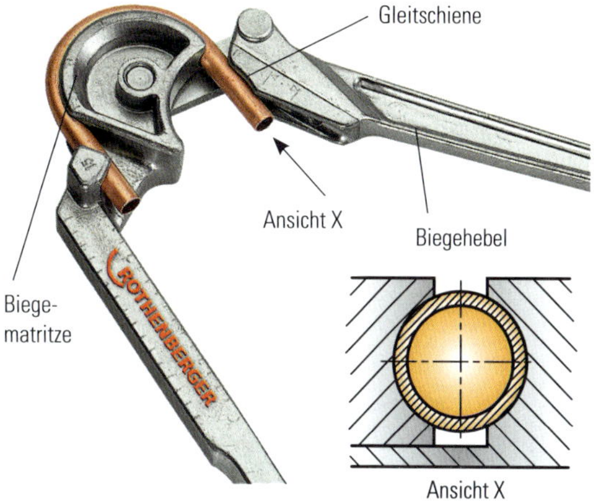

4 Rohrbiegevorrichtung

Überlegen Sie

1. Bestimmen Sie den Mindestbiegeradius für ein Blech aus S235JR mit einer Dicke von 5 mm.
2. Eine 90°-Biegung ist zu fertigen. Ermitteln Sie durch Versuche das Ausmaß der Überbiegung.
3. Beschreiben Sie die Querschnittsveränderung beim Biegen von Rundstahl. Erläutern Sie die Ursachen.

Um **L-** oder **U-Profile** relativ scharfkantig zu biegen (Bild 5), müssen diese vorher ausgeklinkt werden (Bild 6 und Seite 64 Bild 1).

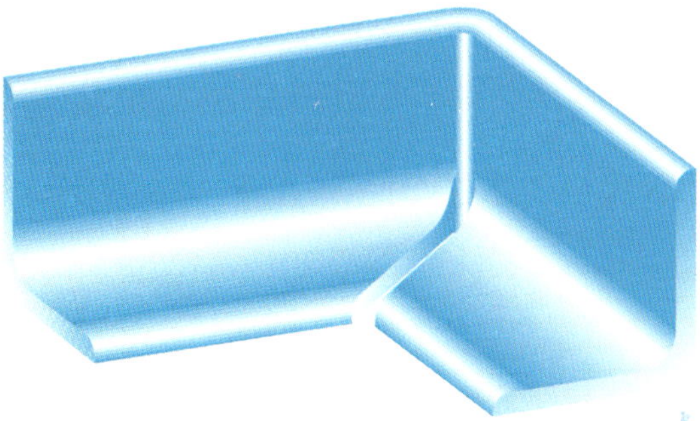

5 Ausgeklinktes und gebogenes Werkstück

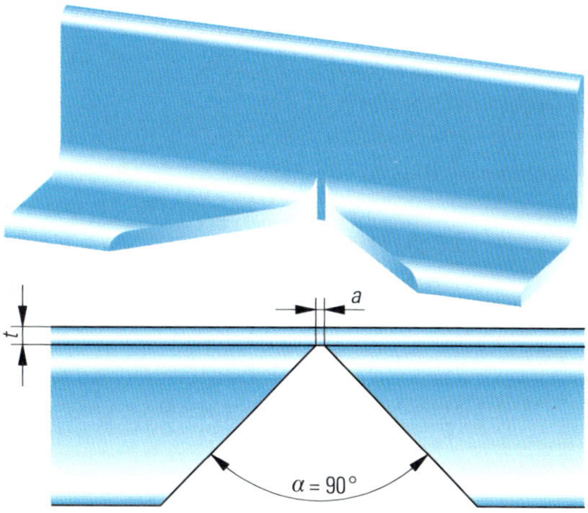

$a \approx \frac{1}{2}\,t$ für $\alpha = 90°$

6 Ausklinkung mit Fase

Nähere Informationen zur Kristallbildung von Stählen finden Sie im Teil „Lernfeld übergreifende Inhalte" im Kapitel 3.3.1.1 „Kristallbildung bei Metallen".

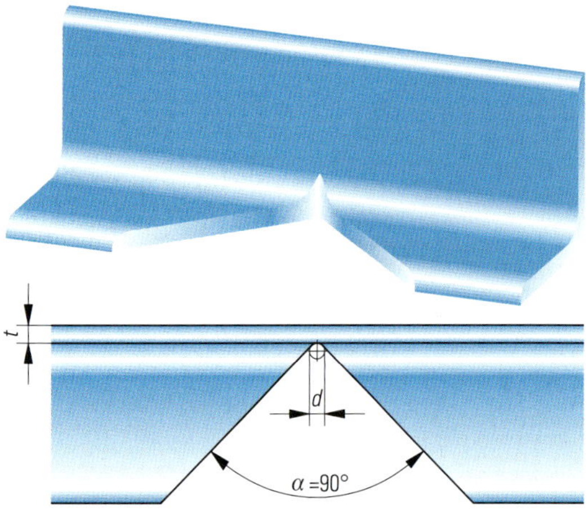

$d \approx \frac{\alpha \cdot t}{100}$ (Anbohren)

1 *Ausklinkung mit Radius durch Bohrung*

Mit zunehmender Temperatur nimmt die Festigkeit des Werkstoffs ab. Er lässt sich dadurch leichter biegen. **Biegetemperaturen** *(temperatures for bending)* von Baustahl liegen zwischen 800 °C und 900 °C.

3 *Walzenbiegen*

2 *Maschinelles Rohrbiegen*

Maschinelles Biegen ermöglicht wesentlich kürzere Fertigungszeiten als das Biegen von Hand. Hierdurch ergibt sich eine kostengünstigere Fertigung. **Biegemaschinen** *(bending machine)* (Bild 2) müssen auch dann eingesetzt werden, wenn entsprechende Biegekräfte erforderlich sind. Diese können mechanisch, elektrisch oder hydraulisch aufgebracht werden. Oft kann dann auf ein Erwärmen des Rohres verzichtet werden.
Beim **Walzbiegen** *(roll bending)* (Bild 3) werden große Querschnitte oder Profile in mehreren Durchgängen auf die gewünschten Biegeradien gebracht.

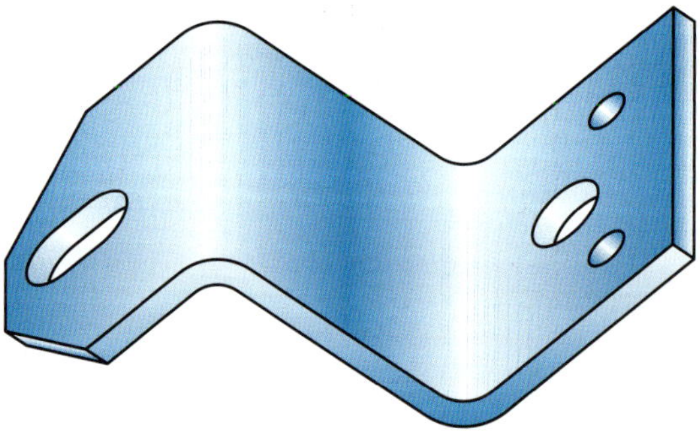

4 *Blechbiegeteil*

Biegen von Blechen

Bleche wie z. B. der Halter (Bild 4) können nach verschiedenen Verfahren gebogen werden. Diese können grundsätzlich nach der Form der Werkzeugbewegung (geradlinig oder kreisförmig) unterschieden werden (Seite 65 Bild 1).

Bei der **Schwenkbiegemaschine** *(swivel bending machine)* (Bild 2) führt die bewegliche Wange eine **kreisförmige Bewegung** *(circular movement)* aus. Hierdurch wird der Werkstoff umgeformt. Der Biegewinkel ergibt sich durch die Position der Wange und ist von der Form des Werkzeugs unabhängig. Das Schwenkbiegen ist eine Form des Freibiegens. Mit einem Werkzeug können somit verschiedene Biegewinkel gefertigt werden.

Überlegen Sie

Skizzieren Sie wie im Bild 2 die Abfolge der Biegevorgänge zum Schwenkbiegen des Halters.

Bei der **Gesenkbiegepresse** *(forging press)* (Bild 3) führt der Biegestempel eine **geradlinige Bewegung** *(linear movement)* aus. Er formt den Werkstoff um. Dieser wird im äußeren Biegebereich gestreckt und im inneren Biegebereich gestaucht. Zuletzt wird der Werkstoff in das Biegegesenk eingepresst. Die Form von Biegegesenk und Biegestempel bestimmen somit den Biegewinkel. Dies wird als **Gesenkbiegen** *(U-bending, V-bending)* bezeichnet. Gesenkbiegepressen werden zum Biegen paralleler Biegelinien genutzt wie z. B. bei Maschinenverkleidungen aus Stahlblech.

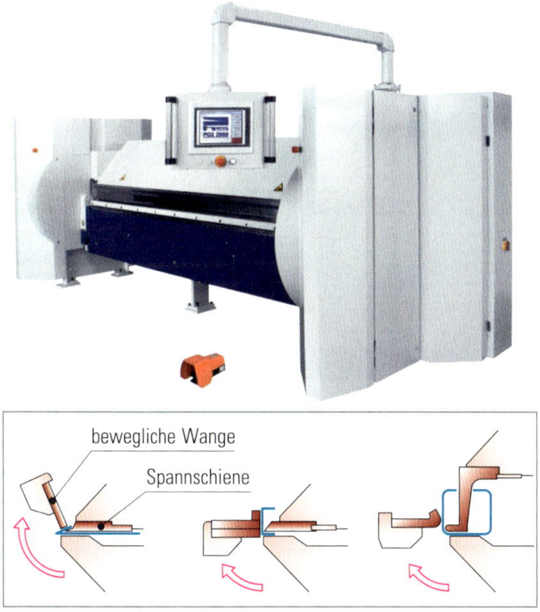

2 *Schwenkbiegemaschine*

Berechnung gestreckter Längen

Die Schelle (Bild 4) aus S235JR ist zu biegen. Vor dem Biegen muss der Flachstahl abgesägt werden. Soll kein oder nur wenig Verschnitt entstehen, stellt sich die Frage, wie groß die gestreckte Länge *(stretched length)* (Länge des ungebogenen Teils) für das Biegeteil ist.

Merke

Gestreckte Länge des Biegeteils = Länge der neutralen Zone. Die neutrale Zone liegt auf der Schwerpunktachse.

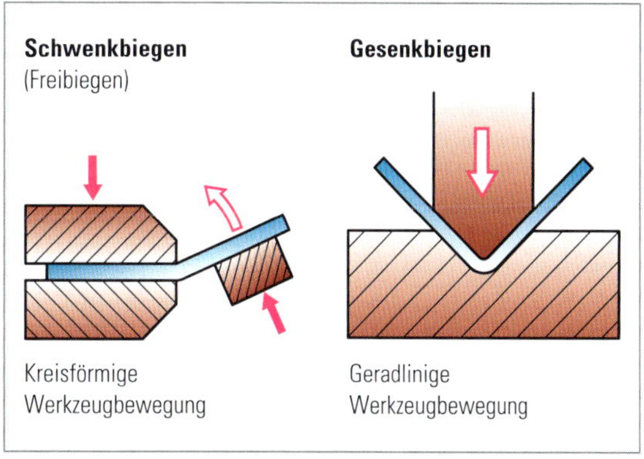

1 *Verfahren zum Blechbiegen*

Überlegen Sie

Skizzieren Sie Biegestempel und Biegegesenk für den Halter und wie im Bild 3 die Abfolge der Biegevorgänge.

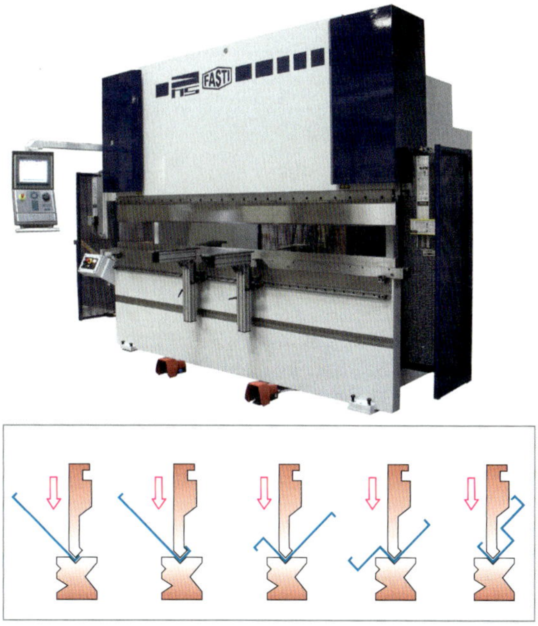

3 *Gesenkbiegepresse*

AH GK S. 28

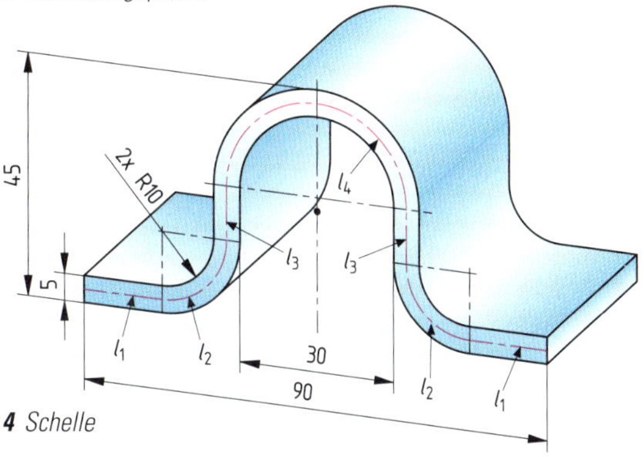

4 *Schelle*

Für die Schelle ist die neutrale Zone zu bestimmen. Sie liegt im **Schwerpunkt** *(centre of gravity)* des rechteckigen Profils und ist im Bild farblich gekennzeichnet. Die Schwerpunktlagen (z. B. Bild 1) verschiedener Profile und die Formeln für verschiedene Längen sind dem Tabellenbuch zu entnehmen. Somit ergibt sich für die Berechnung der gestreckten Länge folgender Lösungsweg:[1)]

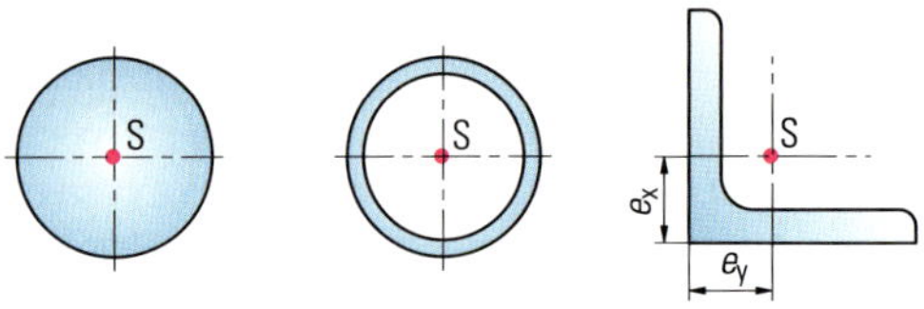

1 *Schwerpunktlagen verschiedener Profile*

Beispielrechnungen

$l = 2 \cdot l_1 + 2 \cdot l_2 + 2 \cdot l_3 + l_4$ → Die Gesamtlänge wird in berechenbare **Teillängen zerlegt**.

$l_1 = \dfrac{90\text{ mm} - 30\text{ mm} - 2 \cdot 10\text{ mm} - 2 \cdot 5\text{ mm}}{2}$

$\underline{l_1 = 15\text{ mm}}$

Die einzelnen Teillängen sind zu berechnen. Dazu werden **Formeln** aus dem **Tabellenbuch** verwendet.

$l_2 = \dfrac{25\text{ mm} \cdot \pi}{4}$

$\underline{l_2 = 19{,}6\text{ mm}}$

$l_3 = 45\text{ mm} - \dfrac{30\text{ mm}}{4} - 10\text{ mm} - 2 \cdot 5\text{ mm}$

AH GK S. 28–31

$\underline{l_3 = 10\text{ mm}}$

$l_4 = \dfrac{d \cdot \pi}{2}$ → **Vorsicht!** Durchmesser und Radien immer auf die Schwerpunktachse beziehen

$l_4 = \dfrac{35\text{ mm} \cdot \pi}{2}$

$\underline{l_4 = 55\text{ mm}}$

$l = 2 \cdot 15\text{ mm} + 2 \cdot 19{,}6\text{ mm} + 2 \cdot 10\text{ mm} + 55\text{ mm}$ → **Addition der Teillängen**

$l = \underline{\underline{144{,}2\text{ mm}}}$

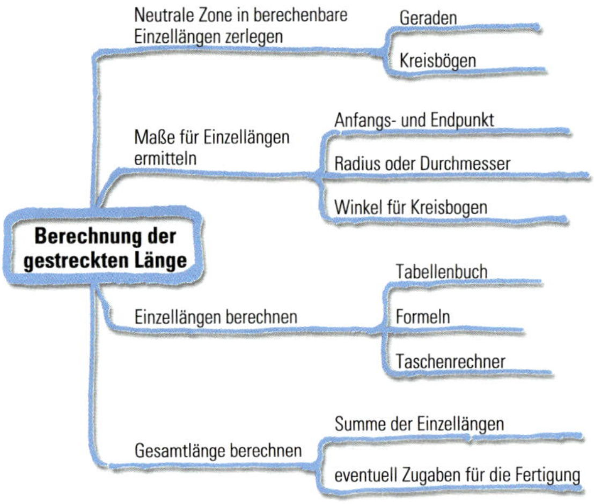

Überlegen Sie

1. Wie groß ist die gestreckte Länge für den gebogenen Bügel einer Aufhängevorrichtung?

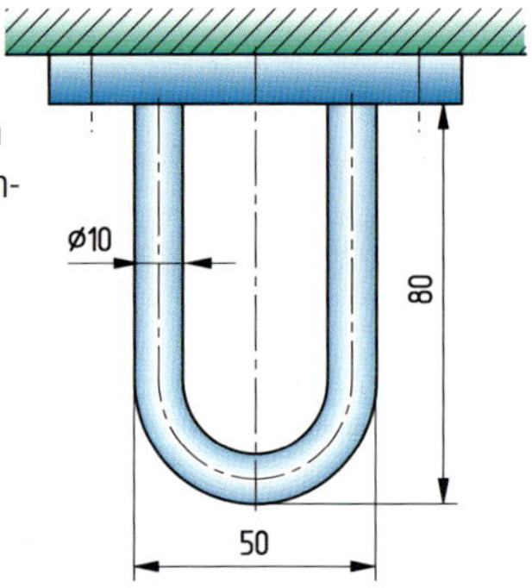

2. Welche Ausgangslänge wird für die Öse benötigt?

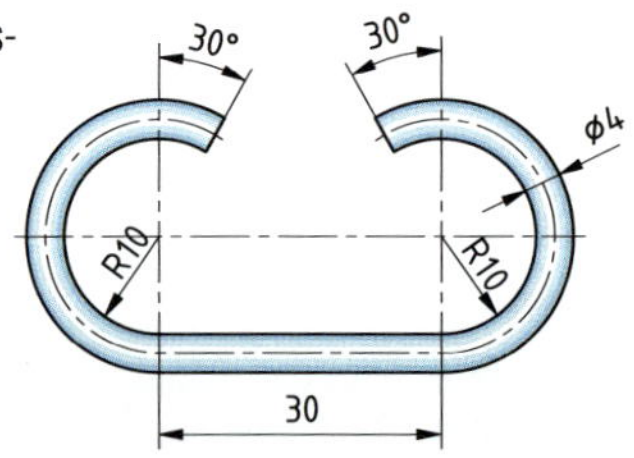

[1)] Weitere Übungsaufgaben zu Berechnungen gestreckter Längen finden Sie im Teil „Lernfeld übergreifende Inhalte" im Kap. 4.3.3 „Gestreckte Längen".

ÜBUNGEN

1. a) Erklären Sie anhand des Bügels den Begriff „neutrale Zone".
   b) Warum wird bei der Berechnung der gestreckten Länge des Biegeteils von dieser Zone ausgegangen?
   c) Berechnen Sie die Länge des ungebogenen Ausgangsmaterials aus S235JR.
2. Erläutern Sie elastische und plastische Verformung.
3. Beschreiben Sie die Rückfederung beim Biegen.
4. Welche Probleme entstehen beim Biegen von Rohren?
5. Wodurch kann man beim Rohrbiegen den Kreisquerschnitt beibehalten?

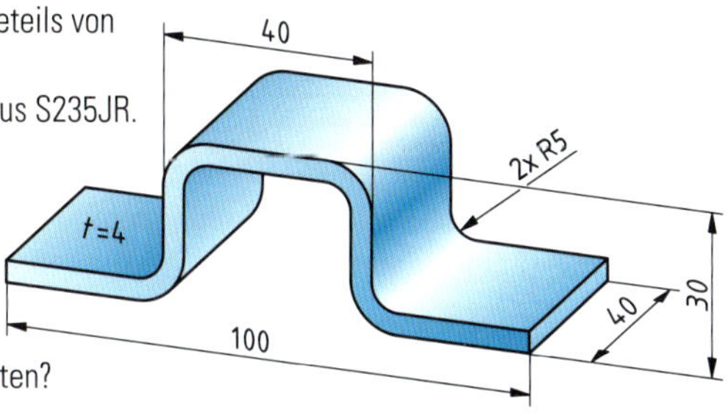

2.2 Schmieden

Merke

Beim Schmieden *(forging)* wird das meist erwärmte Werkstück durch Druckkräfte plastisch umgeformt.

Durch die Druckumformung wird das ursprünglich vorhandene Gefüge feinkörniger und verdichtet. Der **Faserverlauf** *(grain flow)* passt sich der Werkstückkontur an, d. h., er wird nicht wie beim Spanen unterbrochen (Bild 1). Aufgrund dieser Eigenschaften werden Schmiedeteile bevorzugt bei **dynamischer Belastung** *(dynamic load)* eingesetzt (z. B. Kurbelwellen).
Stahl, Aluminium, Aluminiumknetlegierungen, Kupfer und Kupferknetlegierungen sind die wichtigsten schmiedbaren Metalle. Die **Schmiedbarkeit** *(malleability)* dieser Werkstoffe wird von ihrer jeweiligen Zusammensetzung beeinflusst. Durch **Erwärmung** *(heating)* der Rohteile auf Schmiedetemperatur wird eine Verbesserung der Umformbarkeit erreicht. Die Schmiedetemperatur ist vom Werkstoff des Schmiedeteils abhängig.
In besonderen Öfen kann die Erwärmung des Schmiederohlings kontrolliert erfolgen. Wird mit dem Schweißbrenner oder im Schmiedefeuer erhitzt, dient die **Glühfarbe** *(annealing colour)* des erwärmten Werkstoffes zur Beurteilung der erreichten Temperatur. Bei einem Baustahl mit einem Kohlenstoffgehalt von 0,2 % liegt der Schmiedebereich zwischen 1150 °C und 850 °C (Bild 2). Wird Stahl zu hoch erwärmt, fängt er an zu sprühen. Dabei verbrennt der Kohlenstoff des Stahls. Der Stahl wird unbrauchbar. Geschmiedete Teile werden langsam abgekühlt, damit die entstehenden Verspannungen möglichst gering sind.

Maßnahmen zur Unfallverhütung:

- Wegen sprühender Funken sind geschlossene Kleidung, Lederschürze und Handschuhe zu tragen.
- Hammerstiele sind auf festen Sitz zu prüfen und erforderlichenfalls sofort zu erneuern.
- Wegen der Lärmentwicklung ist ein Gehörschutz zu tragen.
- Wärme- und Rauchentwicklung erfordern eine angemessene Ent- und Belüftung der Schmiede.

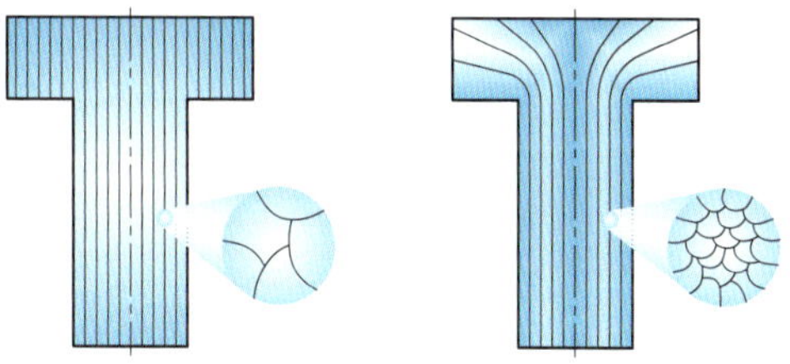

1 *Unterschiede von Faserverlauf und Gefüge beim Spanen und Schmieden*

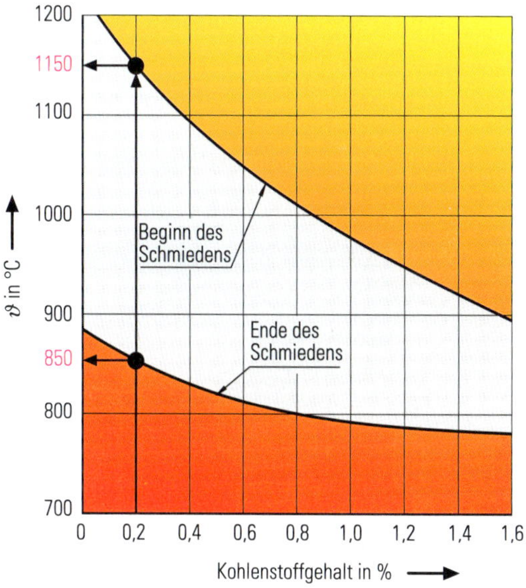

2 *Schmiedebereich von Stahl*

AH GK S. 32

Freiformen

Beim Freiformen *(hammer forging)* – auch **Freiformschmieden** genannt – geschieht die Formgebung mit Werkzeugen, die nicht oder nur teilweise die Form des Werkstücks haben. In der industriellen Fertigung hat das Schmieden von Hand mit Hammer und Amboss (Bild 1) nur noch eine untergeordnete Bedeutung. Wichtiger ist das Freiformen mittlerer und großer Werkstücke (z. B. Schiffskurbelwelle) mit **Schmiedehämmern** *(forging hammers)* oder **Schmiedepressen** *(forging presses)* (Bild 2).

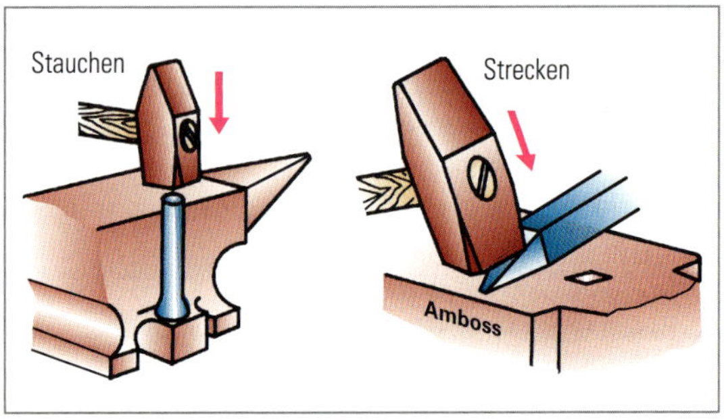

1 *Freiformen mit Hammer und Amboss*

Gesenkformen

Beim Gesenkformen *(flashless forging)*, das in der Praxis oft als Gesenkschmieden bezeichnet wird, bewegen sich die Formwerkzeuge (Gesenke) gegeneinander. Sie umschließen das Werkstück und verformen es plastisch, sodass das Werkstück die Form des Gesenkhohlraumes annimmt.

Beim **Formpressen mit Grat** *(closed-die pressure forging)* fließt der überschüssige Werkstoff durch den Gratspalt in die Gratrille (Bild 3). Der am Schmiedeteil vorhandene Grat wird anschließend mit Schneid bzw. Stanzwerkzeugen entfernt.

Wegen der hohen Herstellungskosten der Gesenke und der benötigten Schmiedehämmer bzw. -pressen eignet sich das Gesenkschmieden nur für die **Massenproduktion**.

Neben den schon genannten Vorzügen des Schmiedens zeichnen sich Gesenkschmiedeteile durch gute Maßhaltigkeit, saubere Oberfläche und kurze Fertigungszeiten aus.

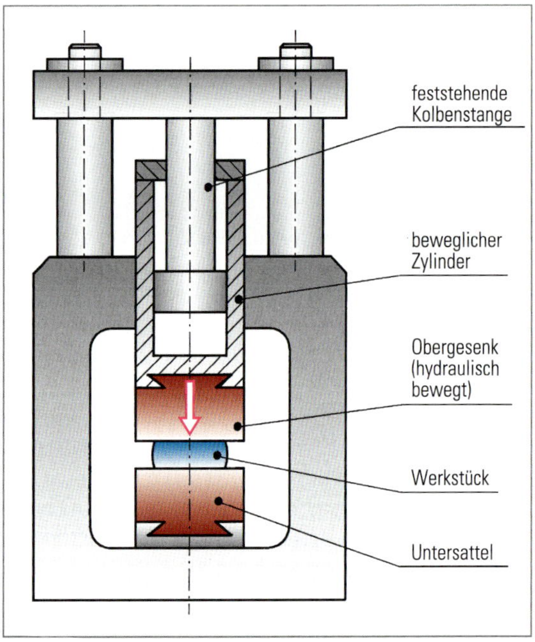

2 *Prinzip einer hydraulischen Schmiedepresse*

AH GK S. 33

Rohlängenberechnung

Der Bolzen mit Vierkant (Bild 4) wird aus einem Rundstahl von 16 mm Durchmesser geschmiedet. [1]

Welche Länge $l_{Rohling}$ muss der Rohling haben, wenn gilt:

Merke

Volumen des Rohlings = Volumen des Werkstücks.

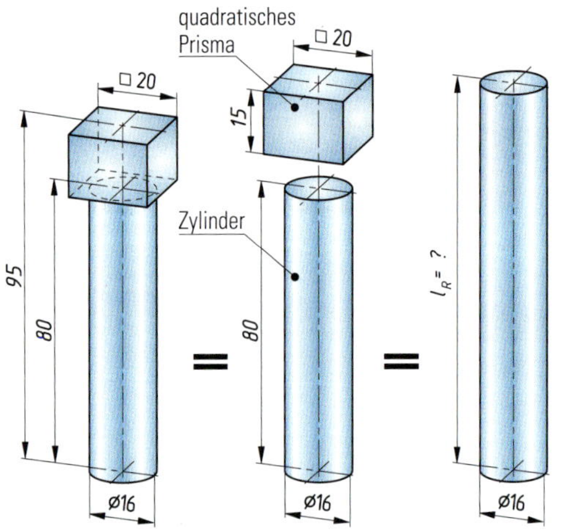

4 *Geschmiedeter Bolzen mit Vierkant*

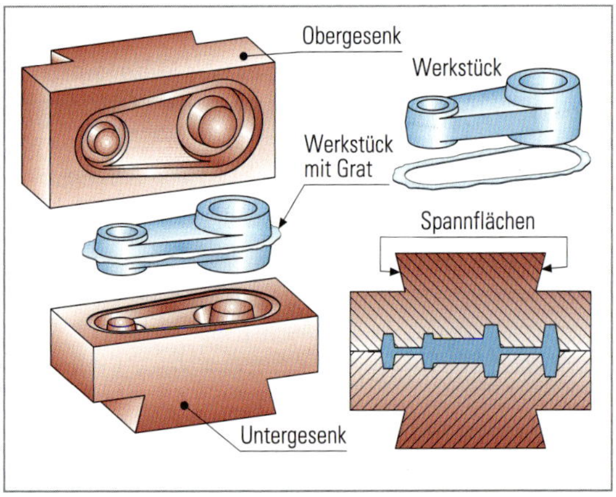

3 *Formpressen mit Grat*

[1] Weitere Übungsaufgaben zur Berechnung von Schmiederohlängen und Volumen finden Sie im Teil III „Lernfeld übergreifende Inhalte" im Kap. 4.5 „Schmiederohlängen- und Volumenberechnungen".

Beispielrechnungen

$$\boxed{V_{Rohling} = V_{Werkstück}}$$

$V_{Rohling} = V_{Zylinder} + V_{Prisma}$ → Schmiedeteile in berechenbare **Einzelvolumen zerlegen**.

$V_{Prisma} = a^2 \cdot h$ → Formel für **Vierkantprisma** aus Tabellenbuch entnehmen.

$V_{Prisma} = 2^2\ cm^2 \cdot 1{,}5\ cm$

$\underline{V_{Prisma} = 6\ cm^3}$ → Einzelvolumen aufgrund der gegebenen Maße berechnen.
Hinweis: Sinnvolle, d. h. überschaubare Einheiten wählen.
Im vorliegenden Beispiel sind das cm.

$V_{Zylinder} = \frac{d^2 \cdot \pi}{4} \cdot h$ → Formel für **Zylinder** *aus Tabellenbuch entnehmen.*

$V_{Zylinder} = \frac{1{,}6^2\ cm^2 \cdot \pi}{4} \cdot 8\ cm$

$\underline{V_{Zylinder} = 16{,}08\ cm^3}$

$V_{Werkstück} = 6\ cm^3 + 16{,}08\ m^3$ → **Addition der Einzelvolumen.**

$\underline{V_{Werkstück} = 22{,}08\ cm^3}$

$V_{Zylinder} = V_{Rohling} = \frac{d^2 \cdot \pi}{4} \cdot l_{Rohling}$

$l_{Rohling} = \frac{V_{Werkstück} \cdot 4}{d^2 \cdot \pi}$ → Formel nach der **gesuchten Größe umstellen**.

$l_{Rohling} = \frac{22{,}08\ cm^3 \cdot 4}{1{,}6^2\ cm^2 \cdot \pi}$

$\underline{\underline{l_{Rohling} = 10{,}98\ cm = 109{,}8\ mm}}$

In der Praxis wird der Stabstahl nicht auf das errechnete Maß abgelängt. Um den Kopf mit Sicherheit formen zu können, erfolgt in diesem Fall eine Zugabe von 5 mm. Der Rohling wird deshalb auf 115 mm abgelängt.

ÜBUNGEN

1. Welche Vorteile haben geschmiedete Werkstücke gegenüber zerspanten und wo werden sie bevorzugt eingesetzt?
2. Die Schneide eines Flachmeißels aus unlegiertem Werkzeugstahl mit 1,1 % C ist zu schmieden.
   a) Welche Schmiedetechnik ist anzuwenden?
   b) Wie groß sind Anfangs- und Endschmiedetemperatur?
3. Beschreiben Sie den Unterschied zwischen Frei- und Gesenkformen.
4. Welche Vor- und Nachteile hat das Gesenkformen?
5. Bei der Kugellagerherstellung werden Kugeln mit 20 mm Durchmesser geschmiedet. Wie lang müssen die Rohlinge sein, wenn dafür Stangenmaterial mit 18 mm Durchmesser genommen und mit einem Zuschlag von 10 % für Abbrand und Grat gerechnet wird?

3 Tools

There are two main groups of **tools**: **hand tools** such as a hammer or a pair of pliers and **power tools** which are driven by electrical power or compressed air.

Power tools are split into two groups: **manual power** tools such as an electric drill and **machine tools** such as a lathe.

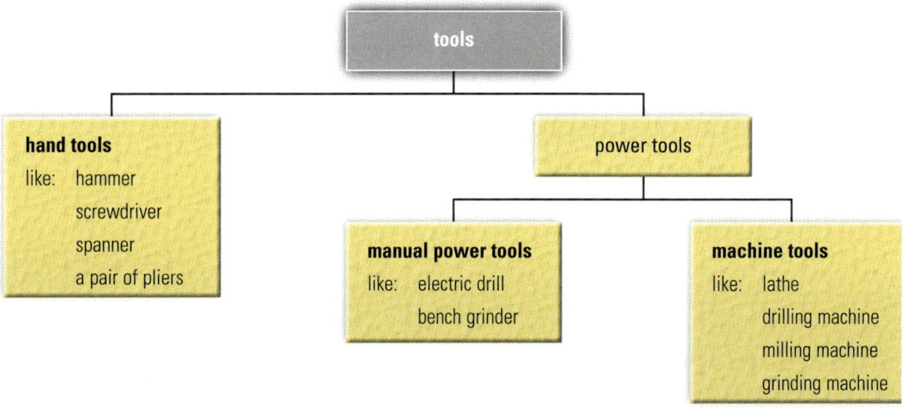

Assignments:

1. Have a look into your wordlist and find the translations for the tools as well as for the titles and write the results into your exercise book.
2. Which of the tools have you used in your company since you started your apprenticeship?

3.1 Hand Tools

A hand tool is any tool that is operated by hand and eye and driven by muscle power. Because the user needs no electricity, hand tools can be moved very easily and taken wherever you need them. Mostly hand tools are smaller tools which fit into a toolbox without problems.

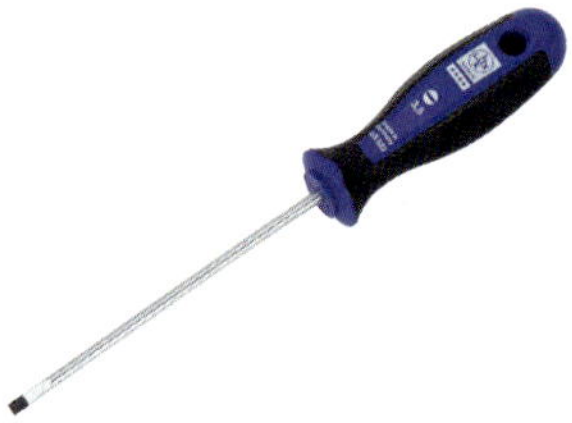

*A **screwdriver** is used for screwing screws into metal or wood.*

*A **hammer** can be used for hitting pins into holes.*

*A **hacksaw** is a small saw for cutting metals.*

*You can use a **spanner** for turning nuts and bolts.*

*A **pair of pliers** is needed for clipping off wires.*

*A **file** is used for rubbing surfaces of metals to make them smooth or shape them.*

*You can use a **chisel** to chop or shape materials.*

*With a **punch** you can hit small holes into metals by using a hammer.*

*A **tap and die set** is used to cut a thread into a bore.*

*If you apply force to a long and thin or flat piece of metal, for example a wire or a pipe 'in order' to change its shape to a curve, you use a **bending tool**.*

Assignments:

1. Imagine you need a tool from your English or American colleague but you have forgotten the name. Try to explain the tool as in the following example:

   You: I use this tool to hit pins into materials.
   He/She: Is it a hammer?
   You: Yes, that's it.

2. Translate the texts below the photos.

3.2 Manual Power Tools

A power tool uses an external energy source, usually electricity or compressed air. Because the user does not have to drive the tool himself power tools are generally more precise and easier to use than hand tools. A big advantage of electric power tools is their mobility. This means that the user can take the tool to the material or work pieces.

Assignments:

Explain to the other trainees how often you have used the manual power tools shown recently and what you did with them. You may need the terms in the box below:

to drill, drill, to grind, work piece, to cut a thread, to bore, hole, workshop

__Electric drills__ are used to drill holes.

drill tap

*A **bench grinder** is used to grind surfaces of wood and metal.*

3.3 Machine Tools

The machine tools shown below are all metal-cutting machines. Each machine needs a motor that provides the power to drive the gear and the control units, which transmit the power to the headstock or the different spindles. The principal difference between them is the shape of the components that are machined.

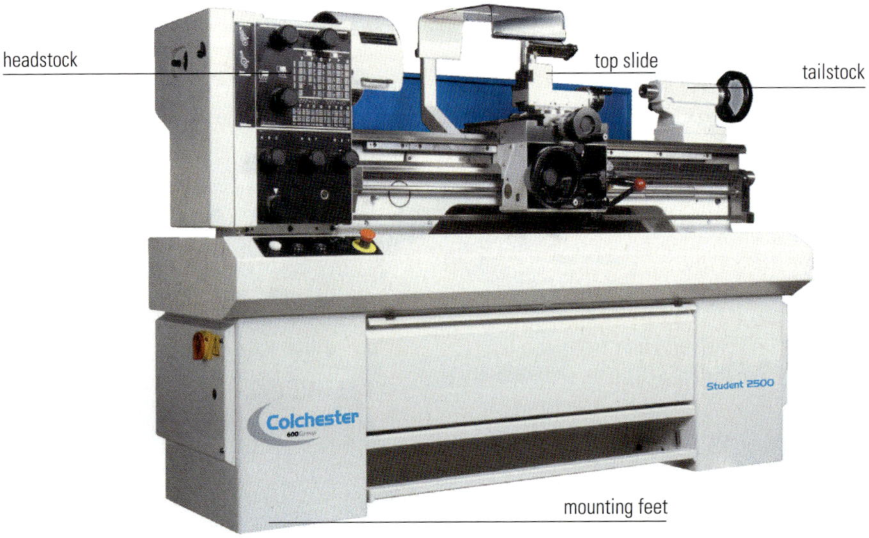

lathe tool

three-jaw chuck

*Round materials are manufactured on a **lathe**.*

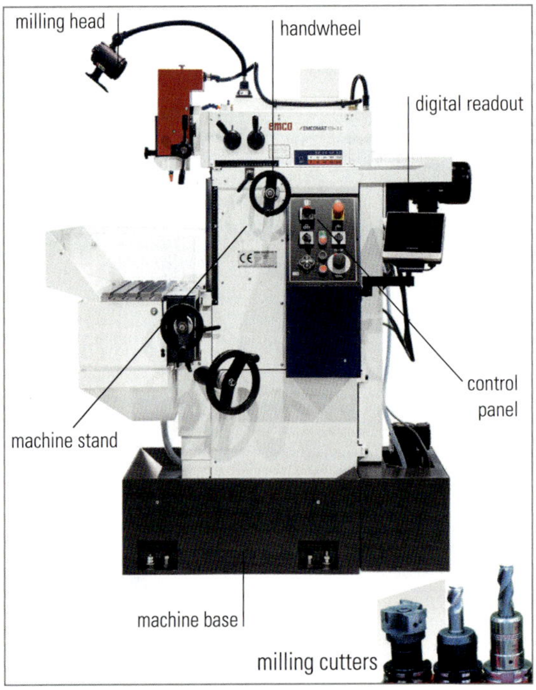

*Flat materials are worked on a **milling machine**.*

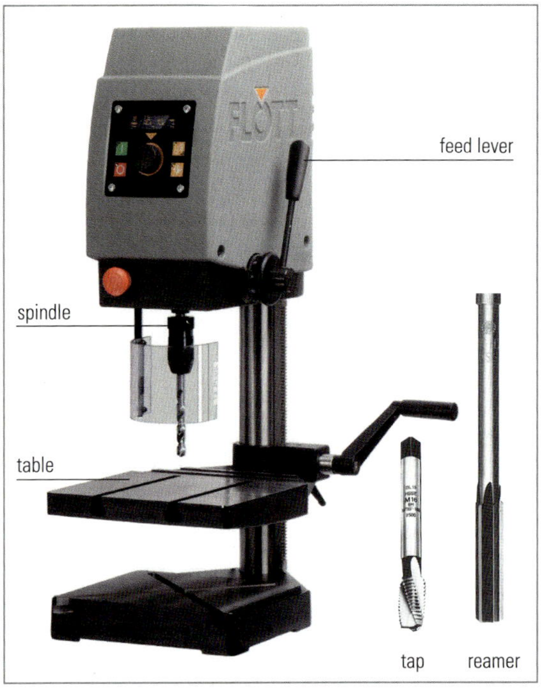

*A **drilling machine** is a machine for making holes. Also threads can be cut.*

Assignments:

1. Translate the texts belonging to the machine tools as well as the ones below the photos.
2. Find the German words for the English parts of the machines you can read on the photos.

3.4 Work With Words

In future you may have to talk, listen or read technical English. Very often it will happen that you either **do not understand** a word or **do not know the translation**.

In this case here is some help for you!

Below you will find a few possibilities to describe or explain a word you don't know or use synonyms[1)] or opposites[2)].
Write the results into your exercise book.

1. **Add as many examples** to the following terms as you can find for machines, shearings and tools.

machines:	bandsaw machine hand drill …	*tools:*	saw punch carpenter's pincers bolt cutter …
shearings:	hand shearing squaring shear …		

2. **Explain the terms in the box:**
Use the words below to form correct sentences. Be careful the range is mixed!

friction:	that makes it difficult/ The force/ for an object to slide	*solid cooling lubricant:*	so that they move smoothly/ which you put on the surfaces/ or parts of something/ It is a substance such as oil
bending:	by applying force to it/ something long and thin/When you bend/or flat/you make a curved or angular shape	*forging:*	If you forge iron/and bend it into the shape you want/you heat the metal

3. **Find the opposites**[2]:

small wedge angle:	…	*heat:*	…
rough spacing:	…	*compressing:*	…
stretching:	…	*ductile:*	…

4. **Find synonyms**[1]:
You can find one or two synonyms to each term in the box below.

heat:	…	*engine:*	…
inspection:	…	*surface:*	…
check/warmth/going over/temperature		machine/plane/facade/apparatus	
separating:	…	*cutting:*	…
stretching:	…	*carpenter's pincers:*	…
parting/enlarging/winding/splitting		hacking/a pair of pliers/slicing	

5. In each group there is a word which is the **odd man**[3)]. Which one is it?

a) drill, hammer, punch, burr, file
b) sawing machine, drilling machine, hammer drill, friction
c) clearance angle, flowing chip, wedge angle, rake angle
d) lubrication, tearing chip, flowing chip, continuous chip
e) compressing, shearing, cutting, hardy
f) center of gravity, linear movement, circular movement
g) stretching, forging, compressing, middle fibre

1) synonyme: Synonym, ähnliches Wort, Ergänzung
2) opposite: Gegenteil
3) odd man: Außenseiter, überzähliges Wort, fünftes Rad am Wagen

4 Prüftechnik

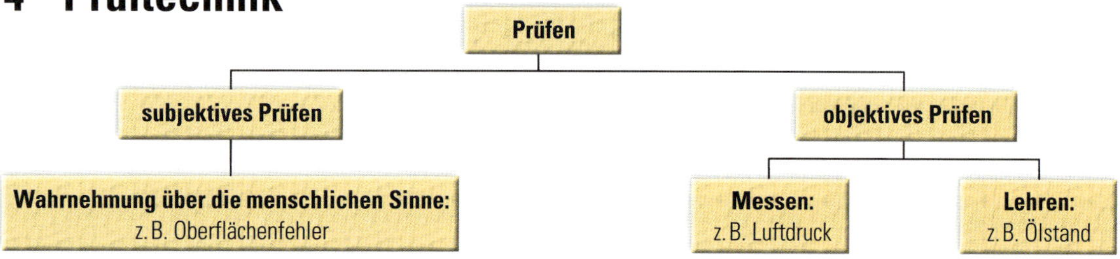

Sowohl im beruflichen wie im privaten Bereich werden täglich die unterschiedlichsten Prüfvorgänge durchgeführt.

> **Merke**
> Prüfen *(testing)* ist das Vergleichen des vorhandenen Zustandes mit dem gewünschten Zustand.

Bei der Montage von Geräten ist u.a. zu prüfen, ob alle Einzelteile vorhanden und die Oberflächen unbeschädigt sind **(Sichtprüfung)**. Abschließend wird festgestellt, ob die Funktion des Gerätes gewährleistet ist **(Funktionsprüfung)**. Verlässt sich der Prüfer ganz auf seine Sinneswahrnehmung, handelt es sich um **subjektives Prüfen**. So kann es sein, dass ein Prüfer einen Oberflächenfehler sieht, während ein anderer aufgrund seiner mangelnden Sehkraft den Fehler nicht entdeckt.

AH GK S. 11

> **Merke**
> Beim subjektiven Prüfen *(subjective testing)* geschieht die Prüfung ohne jedes Hilfsmittel.

An Tankstellen werden z. B. Luftdruck und Ölstand geprüft. Hierfür werden Hilfs- bzw. Prüfmittel wie das Druckmessgerät oder der Ölpeilstab verwendet. Es handelt sich um **objektives Prüfen**.

> **Merke**
> Beim objektiven Prüfen *(objective testing)* werden Prüfmittel wie Messgeräte oder Lehren eingesetzt.

Der Reifendruck wird **gemessen**. Das Druckmessgerät zeigt z. B. einen **Messwert** von 1,8 bar an (Bild 1).

> **Merke**
> Beim Messen wird eine physikalische Größe mit einem Messgerät erfasst. Dabei wird ein Messwert ermittelt.

Messwerte sind **physikalische Größen**, die aus dem Produkt von Zahlenwert und Einheit bestehen:

$p = 1{,}8\ \text{bar}$

physikalische Größe = Zahlenwert · Einheit

Der Ölstand im Motor wird mit dem Ölpeilstab **gelehrt** (Bild 2). Der Prüfer erhält **nicht** die Information, wie viele Liter Öl im Motor vorhanden sind, sondern ob ausreichend, zu wenig oder zu viel Öl vorrätig ist.

> **Merke**
> Beim Lehren wird festgestellt, ob der Prüfgegenstand innerhalb vorgegebener Grenzen liegt oder in welcher Richtung diese überschritten werden. Das Ergebnis des Lehrens ist kein Zahlenwert.

Die Prüfmittel können in Anlehnung an das Prüfen in zwei Hauptgruppen eingeteilt werden: **Messgeräte** und **Lehren**:

- **Anzeigende Messgeräte** *(indicating measuring instruments)* besitzen eine Anzeigeeinrichtung, an denen der Messwert abgelesen wird.
- **Maßverkörperungen** *(embodiments of measures)* stellen Längen bzw. Winkel durch den festen Abstand von Strichen oder Flächen zueinander dar.
- **Lehren** *(gauges)* verkörpern Maße oder Formen.

1 *Der Reifendruck wird gemessen*

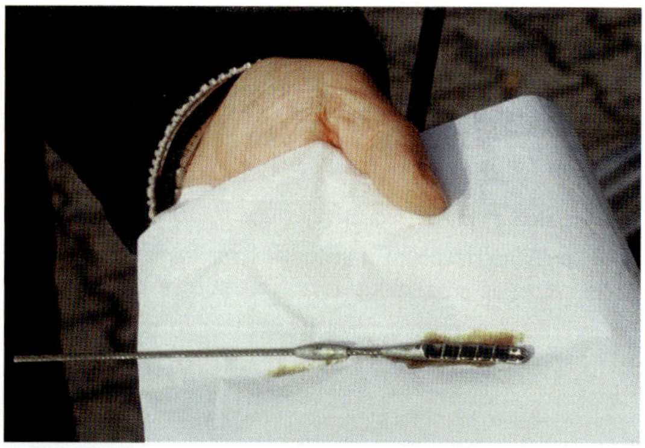

2 *Der Ölstand wird gelehrt*

- **Prüfmittel**
  - **Messgeräte**
    - **Anzeigende Messgeräte**
      - Beispiele
    - **Maßverkörperungen**
      - Beispiele
  - **Lehren**
    - Beispiele

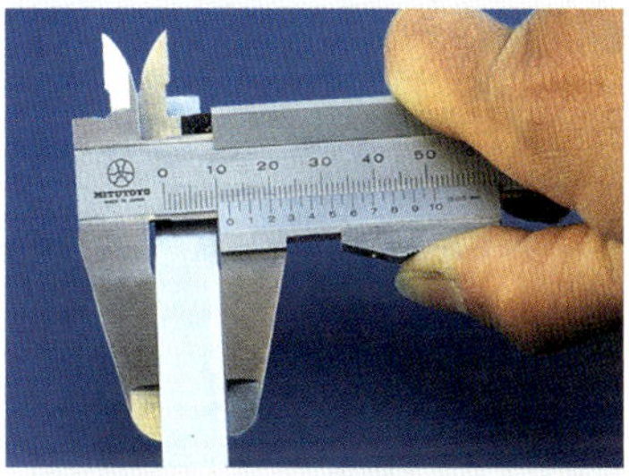

Messschieber

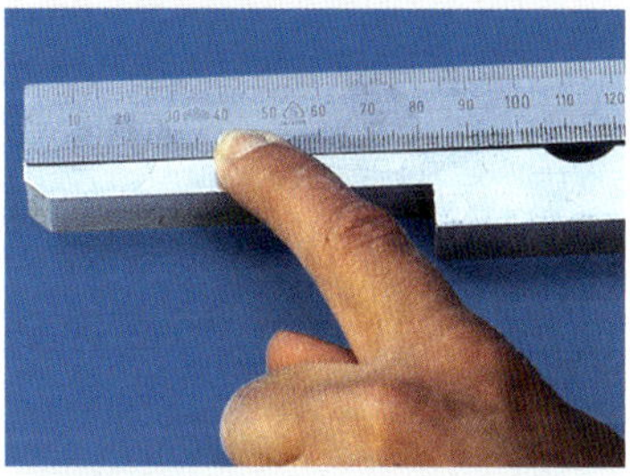

Strichmaßstab

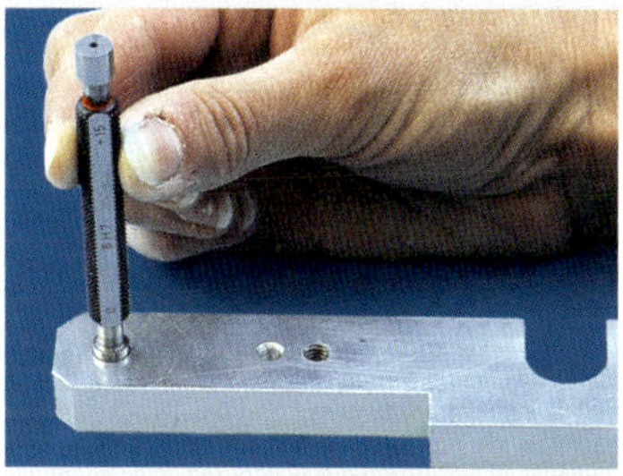

Grenzlehrdorn (Bohrungslehre)

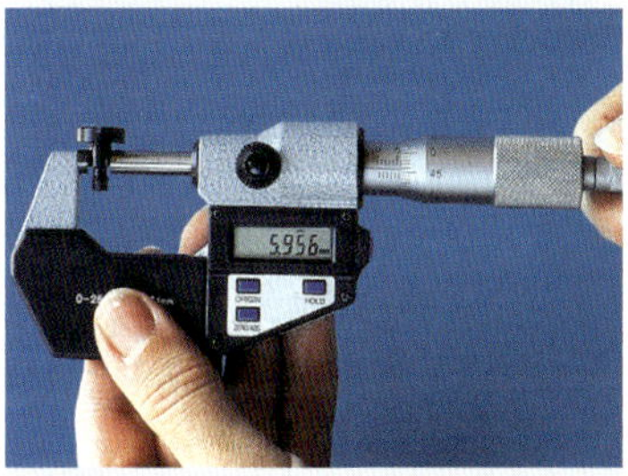

Messschraube

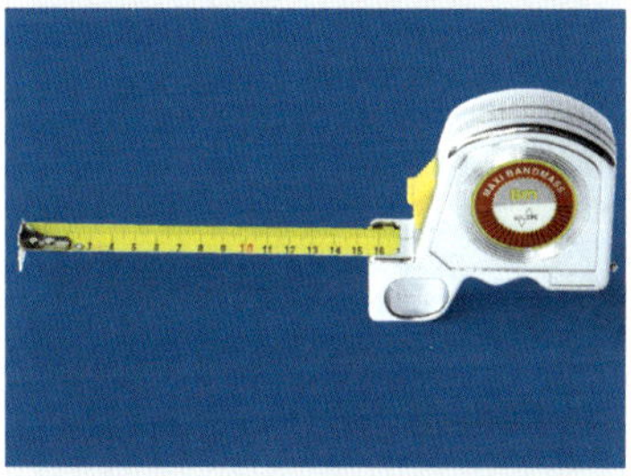

Bandmaßstab

Formlehre

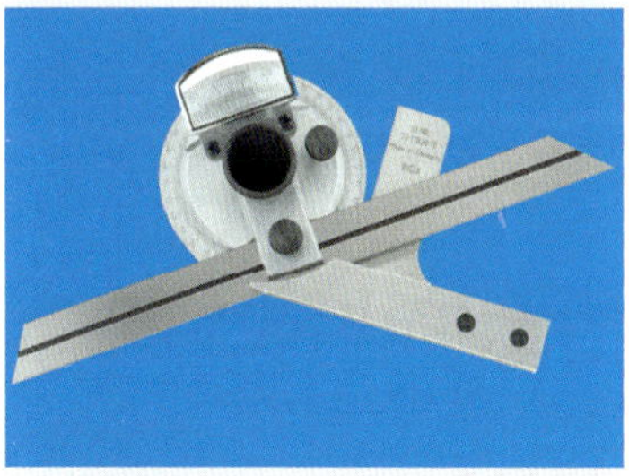

Winkelmesser

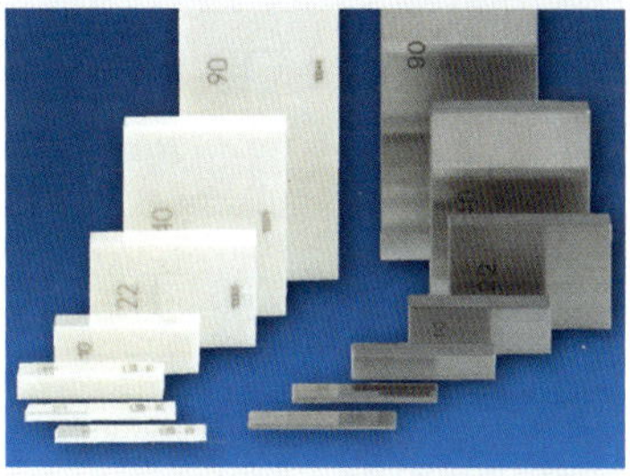

Parallelendmaße

Winkellehre

Luftdruckmessgerät

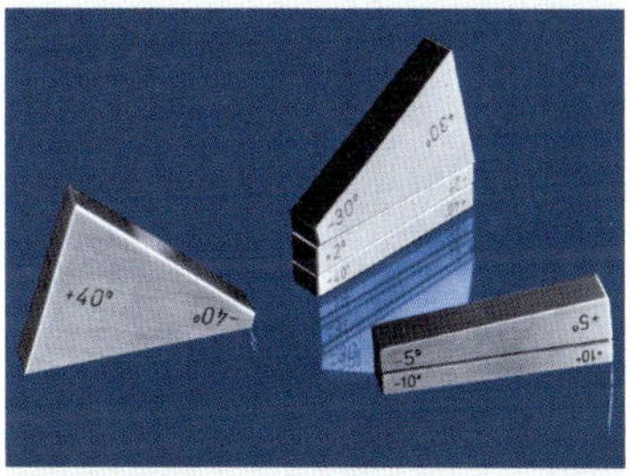

Winkelendmaße

Fühlerlehre

4.1 Toleranzen

Bauteile und Ersatzteile müssen einbaufertig und austauschbar sein, d. h., sie müssen ohne Nacharbeit passen. Da es aber unmöglich ist, das auf der Zeichnung stehende Maß ganz genau einzuhalten, wird eine gewisse Abweichung vom angegebenen Maß geduldet: die **Toleranz** *(tolerance)*.

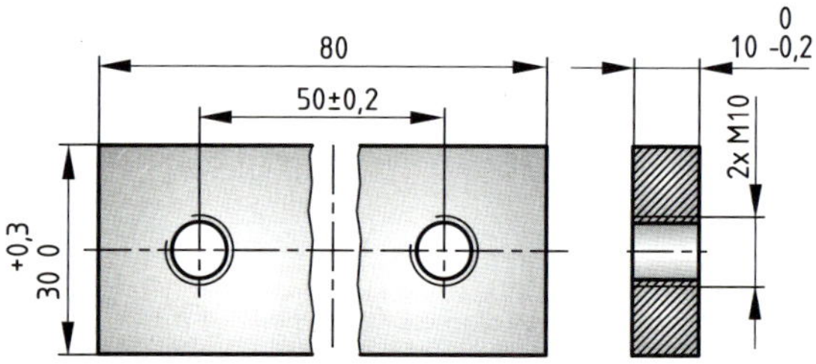

1 Flachprofil mit Gewindebohrungen

4.1.1 Einzelmaße mit Toleranzangaben

Bei dem Flachprofil (Bild 1) beträgt der Abstand der beiden Bohrungen 50 ± 0,2 mm.

AH GK S. 13

Das **Nennmaß** *(nominal size)* $N = 50$ mm (Bild 2) ist das auf der Zeichnung angegebene Maß ohne Berücksichtigung weiterer Angaben.

Die beiden **Grenzabmaße** *(deviations)* (± 0,2 mm) sind hinter dem Nennmaß angegeben. Sie geben die zulässige Abweichung vom Nennmaß an.

Das **obere Grenzabmaß** *(upper deviation)* $es = +\,0{,}2$ mm ist die Differenz zwischen dem **Höchstmaß** *(maximum limit of size)* G_s und dem Nennmaß.

Das **untere Grenzabmaß** *(lower deviation)* $ei = -0{,}2$ mm ist die Differenz zwischen **Mindestmaß** *(minimum limit of size)* G_i und Nennmaß.

Das **Fertigmaß** *(finished size)* eines Bauteils **(Istmaß)** *(actual size)* muss zwischen den **Grenzmaßen** *(limit sizes)*, d. h. zwischen dem Höchstmaß von 50,2 mm und dem Mindestmaß von 49,8 mm liegen.

Interakt. Toleranzeingabe frei

Die **Maßtoleranz** *(dimensional tolerance)* $T = 0{,}4$ mm ist die Differenz zwischen Höchst- und Mindestmaß.
Je kleiner die Maßtoleranz gewählt wird, desto größer wird der fertigungstechnische Aufwand. Zusätzlich ist mit genaueren und damit teureren Messgeräten zu prüfen. Dadurch steigen die Fertigungskosten. Damit diese einerseits möglichst gering bleiben und andererseits die Funktion des Bauteils gewährleistet ist, gilt folgender Grundsatz:

> **Merke**
> Toleranzen sind so groß wie möglich und so klein wie nötig zu wählen.

In einer älteren Zeichnung ist eine Länge mit 30 + 0,3 toleriert. In diesem Fall ist das untere Grenzabmaß nicht ausdrücklich angegeben; es ist Null. Somit darf das Istmaß zwischen 30,0 mm und 30,3 mm liegen. Für das Maß 20 – 0,2 ist das Mindestmaß 19,8 mm und das Höchstmaß 20 mm.

> **Merke**
> Wenn bei einem tolerierten Maß nur ein Grenzabmaß angegeben ist, beträgt das andere stets Null.

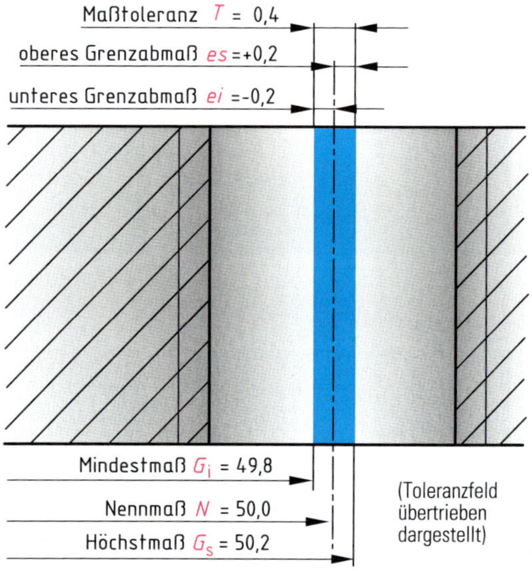

G: Grenzmaß
I, i (franz. **i**nferieur): unteres
S, s (franz. **s**upérieur): oberes
E, e (franz. **é**cart): Abmaß

Höchstmaß = Nennmaß + oberes Grenzabmaß

$$G_s = N + es$$

$G_s = 50\text{ mm} + 0{,}2\text{ mm}$
$G_s = 50{,}2\text{ mm}$

Mindestmaß = Nennmaß + unteres Grenzabmaß

$$G_i = N + ei$$

$G_i = 50\text{ mm} + (-0{,}2\text{ mm})$
$G_i = 49{,}8\text{ mm}$

Maßtoleranz = Höchstmaß – Mindestmaß

$$T = G_s - G_i$$

$T = 50{,}2\text{ mm} - 49{,}8\text{ mm}$
$T = 0{,}4\text{ mm}$

Maßtoleranz = oberes Grenzabmaß – unteres Grenzabmaß

$$T = es - ei$$

$T = 0{,}2\text{ mm} - (-0{,}2\text{ mm})$
$T = 0{,}4\text{ mm}$

2 Grenzmaße, Grenzabmaße, Toleranzen

Übungsaufgaben zur Berechnung von Toleranzen finden Sie im Teil III „Lernfeld übergreifende Inhalte" im Kap. 4.3.4 „Höchstmaß, Mindestmaß, Toleranz".

4.1.2 Allgemeintoleranzen

In Zeichnungen besitzen viele Maße keine Toleranzangaben (z. B. das Maß 80 mm in Bild 1 auf Seite 76). Für solche Maße gelten die Allgemeintoleranzen *(general tolerances)*.

Merke

Für alle Maße ohne Toleranzangaben gelten die Allgemeintoleranzen nach DIN 2769.

Die Tabelle (Bild 1) gibt die Grenzabmaße in Abhängigkeit von der Größe des Nennmaßes und der Toleranzklasse (a bis d) an. Aufgrund der Funktion des Bauteils ist die erforderliche Toleranzklasse festzulegen. Für das Flachprofil wurde die Toleranzklasse „b" gewählt. Größere Nennmaße haben größere Toleranzen als kleinere. Das Istmaß für die Länge des Flachstahls von 80 mm darf bei die Toleranzklasse „b" zwischen den Grenzmaßen 79,7 mm und 80,3 mm liegen.

Merke

- Je gröber die Toleranzklasse, desto größer sind die Toleranzen.
- Je größer das Nennmaß, desto größer sind die Toleranzen.

Überlegen Sie

1. Bestimmen Sie für die einzelnen Maße die Mindest- und Höchstmaße sowie die Maßtoleranz.

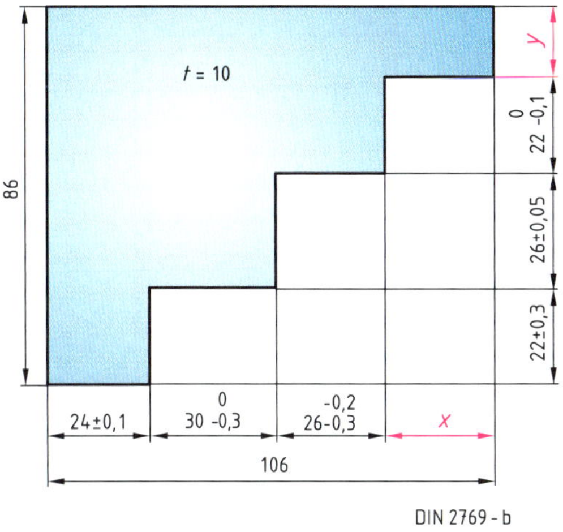

2. Bestimmen Sie für die mit x und y gekennzeichneten Maße jeweils das Mindest- und Höchstmaß sowie die Maßtoleranz.
3. Ermitteln Sie mithilfe des Tabellenbuches, wovon die Allgemeintoleranzen für Winkelangaben abhängen.

Interakt. Toleranzeingabe Längen

über bis einschließlich Toleranzklasse	Nennmaßbereich 0 3	3 6	6 30	30 120	120 400	400 1000	1000 2000	2000 4000
	Allgemeintoleranzwerte für *Linear size*							
a	±0,05	±0,05	±0,1	±0,15	±0,2	±0,3	±0,5	±1
b	±0,1	±0,1	±0,2	±0,3	±0,5	±0,8	±1,2	±2
c	±0,2	±0,3	±0,5	±0,8	±1,2	±2	±3	±4
d	±0,3	±0,5	±1,0	±1,5	±2,5	±4	±6	±8

1 *Allgemeintoleranzen für Längen nach DIN 2769, Maße in Millimeter*

4.1.3 ISO-Toleranzen

AH GK S. 57–58

Hinter den Nennmaßen für die Durchmesser der Gleitlagerbuchse (Bild 2) steht jeweils eine Kombination aus Buchstaben und Ziffern (G7 bzw. r6). Dabei handelt es sich um **ISO-Toleranzangaben** *(ISO-tolerances)*, die bei der Herstellung des Bauteils zu überprüfen und einzuhalten sind. Vor der Überprüfung ist ein Entschlüsseln der ISO-Toleranzen erforderlich.

Lage des Toleranzfeldes

Für den Innen- und Außendurchmesser der Gleitlagerbuchse sind die **Toleranzfelder** *(tolerance zones)* in den Bildern 1 und 2 auf Seite 78 dargestellt.

Für **Bohrungen** *(holes)* bzw. Innenmaße gilt:

- Sie werden mit **Großbuchstaben** *(capital letters)* gekennzeichnet.
- Mit steigendem Alphabet werden die Bohrungen bei gleichem Nennmaß kleiner.
- Das Toleranzfeld H liegt direkt oberhalb der Nulllinie, sein unteres Grenzabmaß beträgt Null.

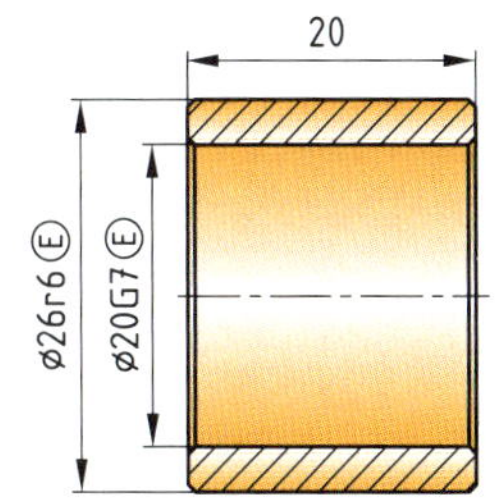

2 *Gleitlagerbuchse*

Merke

Die Lage des Toleranzfeldes in Bezug zur Nulllinie des Nennmaßes wird mithilfe von Buchstaben angegeben (Bilder 3 und 4 auf Seite 78.

Informationen über die Angabe von Toleranzen in technischen Zeichnungen finden Sie im Teil III „Lernfeld übergreifende Inhalte" im Kapitel 2.4.2

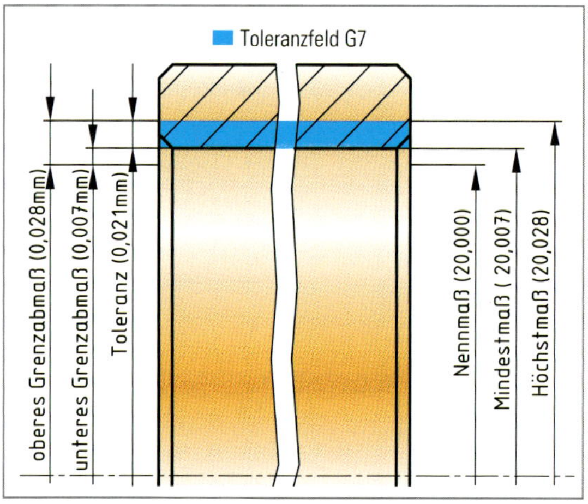

1 Maße am Innendurchmesser der Gleitlagerbuchse

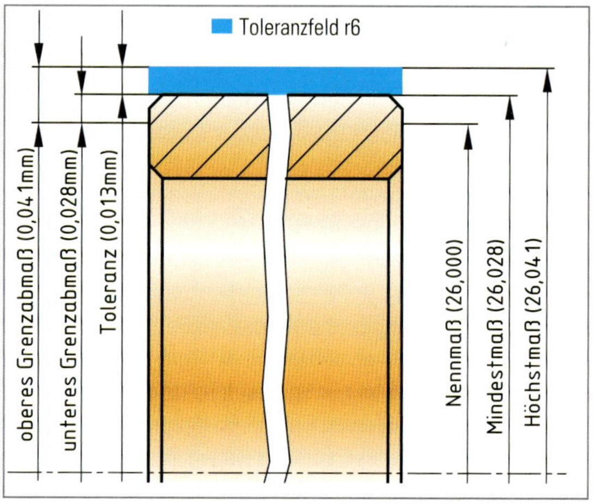

2 Maße am Außendurchmesser der Gleitlagerbuchse

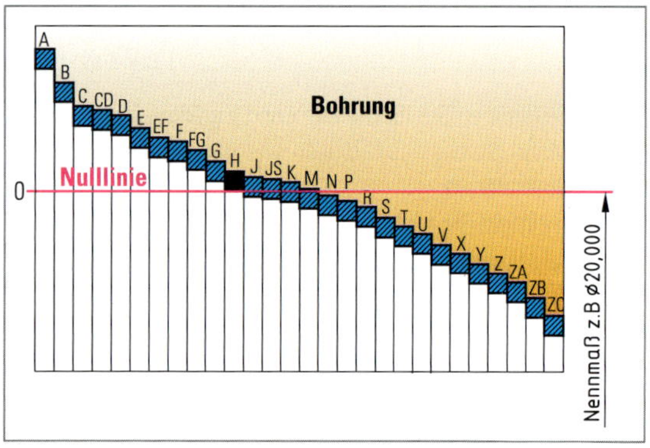

3 Lage der Toleranzfelder bei Bohrungen (Innenteile)

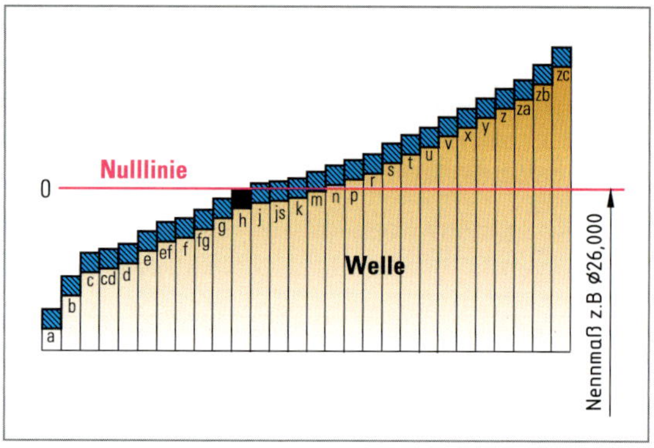

4 Lage der Toleranzfelder bei Wellen (Außenteile)

Interakt. Toleranz-eingabe ISO

Für **Wellen** *(shafts)* bzw. Außenmaße gilt:

- Sie werden mit **Kleinbuchstaben** *(small letters)* gekennzeichnet,
- Mit steigendem Alphabet werden die Wellen bei gleichem Nennmaß größer.
- Das Toleranzfeld h liegt direkt unterhalb der Nulllinie, sein oberes Grenzabmaß beträgt Null.

Maßtoleranz

Maßtoleranz *(dimensional tolerance)* ist die Bezeichnung für die Größe des Toleranzfeldes. Das Nennmaß und der Toleranzgrad (Zahl hinter dem Buchstaben) legen die Maßtoleranz fest:

Merke

Die Maßtoleranz wird größer mit

- zunehmendem Nennmaß *(increasing nominal size)* (Bild 5) und
- steigendem Toleranzgrad *(progressive tolerance grade)* bzw. steigender Zahl (Bild 6).

Die Grenzabmaße für die ISO-Toleranzen sind Tabellen zu entnehmen (Seite 79 Bild 1), sodass für das tolerierte Maß Mindest- und Höchstmaß in der bekannten Weise ermittelt werden können (siehe Kapitel 4.1.1).

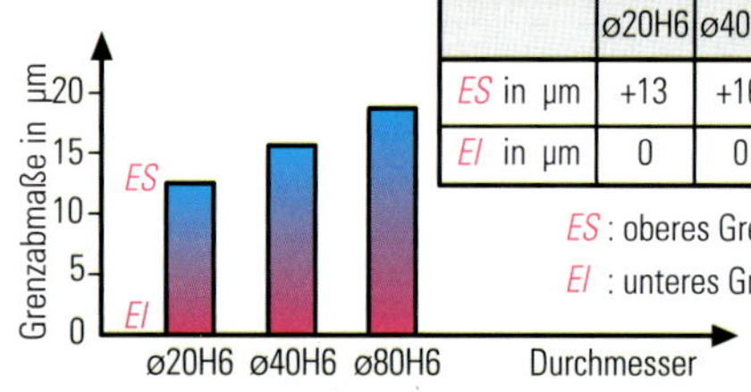

	ø20H6	ø40H6	ø80H6
ES in µm	+13	+16	+19
EI in µm	0	0	0

ES : oberes Grenzabmaß
EI : unteres Grenzabmaß

5 Maßtoleranz in Abhängigkeit vom Nennmaß

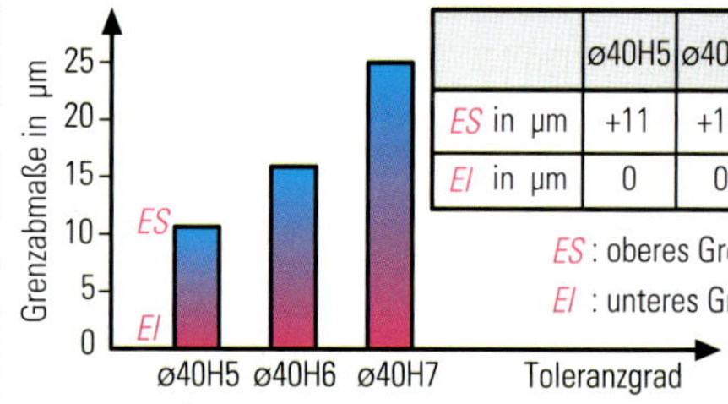

	ø40H5	ø40H6	ø40H7
ES in µm	+11	+16	+25
EI in µm	0	0	0

ES : oberes Grenzabmaß
EI : unteres Grenzabmaß

6 Maßtoleranz in Abhängigkeit vom Toleranzgrad

Nennmaß in mm	Bohrung	Welle				
	H6	h5	j6	k6	n5	r5
von 1 bis 3	+6 0	0 −4	+4 −2	+6 0	+8 +4	+14 +10
über 3 bis 6	+8 0	0 −5	+6 −2	+9 +1	+13 +8	+20 +15
über 6 bis 10	+9 0	0 −6	+7 −2	+10 +1	+16 +10	+25 +19
über 10 bis 14 über 14 bis 18	+11 0	0 −8	+8 −3	+12 +1	+20 +12	+31 +23
über 18 bis 24 über 24 bis 30	+13 0	0 −9	+9 −4	+15 +2	+24 +15	+37 +28

oberes Grenzabmaß *es* in µm

unteres Grenzabmaß *ei* in µm

1 *Auszug einer ISO-Toleranz-Tabelle*

Überlegen Sie

1. Zeichnen Sie ähnlich wie in Bild 5 auf Seite 78 maßstäblich die Maßtoleranzen für die Maße 30H6, 10h5, 20j6 und 10r5.
2. Vergleichen Sie die Maßtoleranzen für 24H6, 24j6 und 24k6 und beschreiben Sie das Ergebnis in allgemeiner Form.
3. Bestimmen Sie mithilfe des Tabellenbuches für die Maße 40H7, 20G7, 100X9, 30f7, 50m6 und 26r6 Nennmaß, oberes und unteres Grenzabmaß, Höchst- und Mindestmaß und präsentieren Sie diese in Tabellenform.

4.2 Messgeräte

Die Auswahl der Messgeräte *(measuring instruments)* richtet sich vor allem nach der zu messenden Messgröße (Länge, Winkel, Druck usw.). Größe und Form des Werkstücks sowie die Toleranz des zu messenden Maßes bestimmen weiterhin das zu wählende Messwerkzeug.

Merke

Eine sorgsame Handhabung der Messgeräte und deren sichere Aufbewahrung ist die Grundlage für ihre korrekte Funktion.

4.2.1 Strichmaßstäbe

Stahlbandmaß, Gliedermaßstab und Rollbandmaß (Bild 2) besitzen Maßverkörperungen. Sie haben meist Millimeterteilungen, manchmal sind sie auch in halbe Millimeter unterteilt.

Stahlbandmaße *(line scales)* werden oft zum Messen von Rohteilmaßen und bei größeren Toleranzen eingesetzt.

Der **Gliedermaßstab** *(folding rule)* besitzt meist eine Länge von 2 m und eine Millimeterteilung. Es kann ein Spiel in den Verbindungen der Holz- oder Kunststoffglieder entstehen, wodurch die Messgenauigkeit gemindert wird.

Mit **Rollbandmaßen** *(taper measures)* können Entfernungen bis zu 50 m gemessen werden. Das Band muss beim Messen gespannt sein, sonst werden die Messergebnisse zu groß.

2 *Stahlbandmaß, Gliedermaßstab und Rollbandmaß*

4.2.2 Messschieber

Um Maße überprüfen zu können, deren Toleranzen kleiner als 1 mm sind, ist ein Messgerät erforderlich, das auch Teile des Millimeters wie z. B. $^1/_{10}$ mm oder $^1/_{20}$ mm misst und gleichzeitig das Maß sicher erfasst.

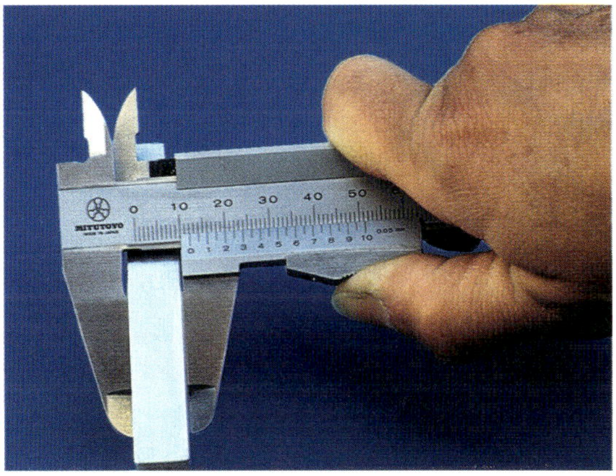

3 *Messen mit dem Messschieber*

AH GK S. 15

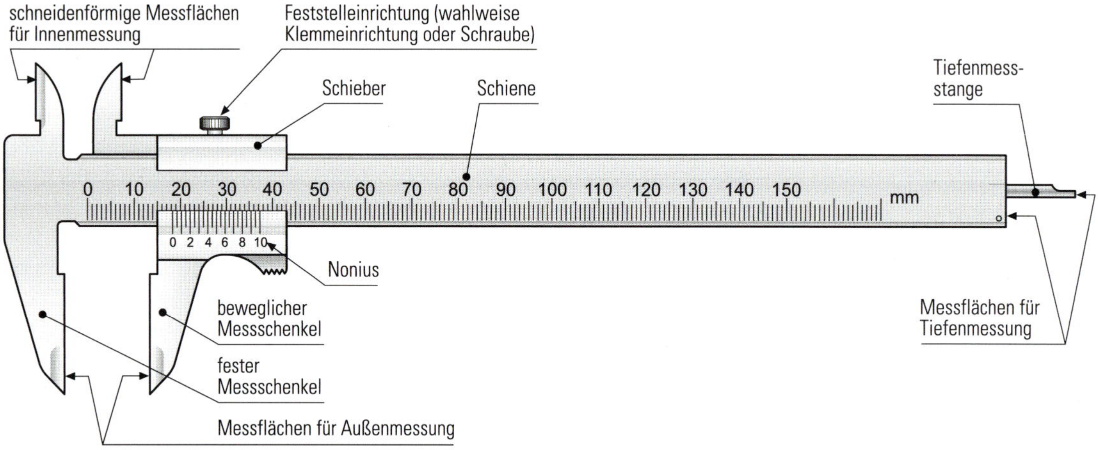

Interaktives Ablesen Messschieber

1 Benennungen am Messschieber

Der Messschieber *(vernier calliper)* erfüllt beide Forderungen:

- Die beiden Messschenkel (Seite 79 Bild 3) erfassen das Werkstück wesentlich genauer als der Stahlmaßstab. Das gilt besonders beim Messen von Durchmessern.
- Mithilfe des Nonius ist es möglich, Millimeter so zu teilen, dass die Maße in $^{1}/_{10}$-mm- bzw. $^{1}/_{20}$-mm-Schritten abzulesen sind.

Auf dem beweglichen Messschenkel des Messschiebers befindet sich der Nonius (Bild 2). Er ist z. B. 19 mm lang und in 10 gleiche Teile eingeteilt. Somit beträgt der Abstand von einem zum anderen Noniusstrich

19 mm : 10 = 1,9 mm

Wenn der erste Noniusstrich (Nullstrich) mit einem Strich der Hauptskale der Schiene übereinstimmt (fluchtet), beträgt der Abstand zwischen den Messschenkeln immer ganze Millimeter. Wird der bewegliche Messschenkel um $^{1}/_{10}$ mm verschoben, fluchtet der „1er-Strich" des Nonius mit der Hauptskale. Dann beträgt der Abstand zu den ganzen Millimetern $^{1}/_{10}$ mm. Wenn der „2er-Strich" mit einem Strich der Hauptskale übereinstimmt, beträgt der Abstand 0,2 mm, beim „3er-Strich" 0,3 mm, beim „4er-Strich" 0,4 mm (Bild 3) usw.

Der Nonius, mit dessen Hilfe $^{1}/_{20}$ mm abgelesen werden können, arbeitet nach dem gleichen Prinzip (Bild 4).

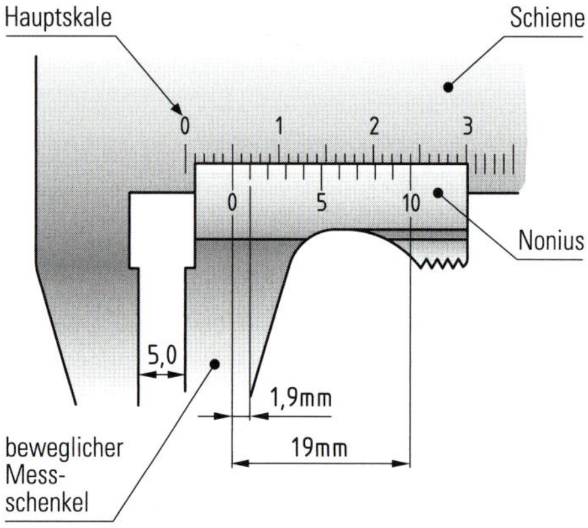

2 Aufbau des $^{1}/_{10}$-mm-Nonius

Merke

Die kleinste ablesbare Maßänderung wie z. B. $^{1}/_{10}$ mm oder $^{1}/_{20}$ mm heißt **Noniuswert** *(standard vernier scale)*.

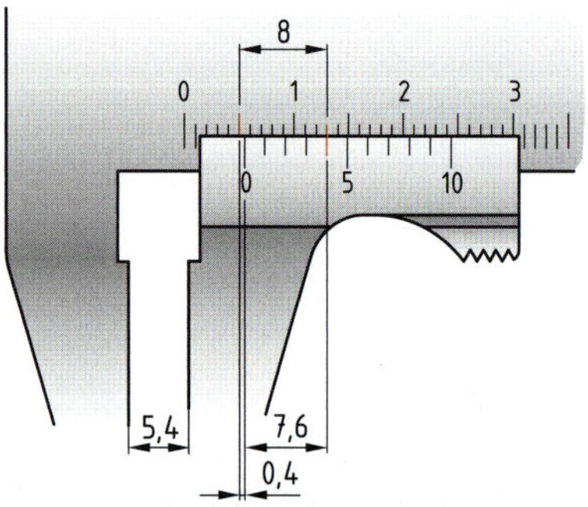

3 Funktion des $^{1}/_{10}$-mm-Nonius

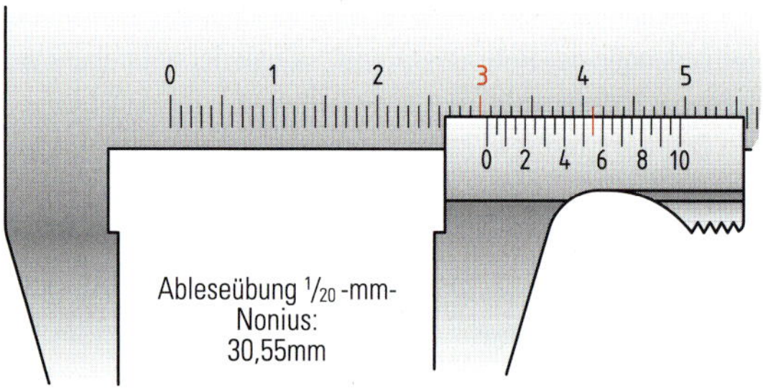

4 Aufbau des $^{1}/_{20}$-mm-Nonius

Überlegen Sie

1. Wie groß ist der Abstand der Teilstriche beim $^1/_{20}$-mm-Nonius?
2. Wie viele Teile hat ein Nonius, mit dem $^1/_{50}$ mm abgelesen werden können? Wie groß sind dabei die Abstände der Noniusstriche und der Noniuswert?
3. Ist ein $^1/_{50}$-mm-Nonius noch sinnvoll? Begründen Sie Ihre Antwort.

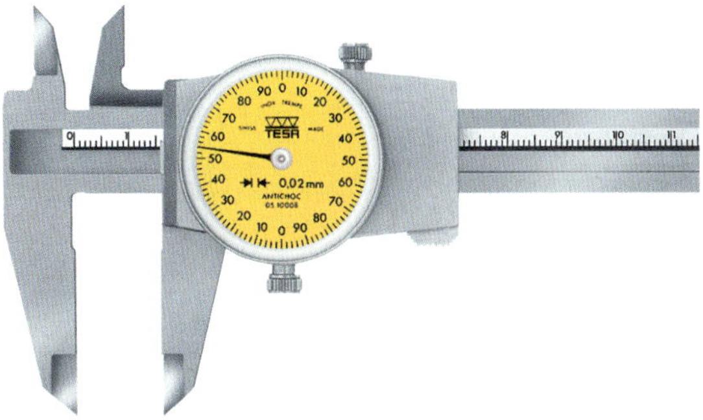

***1** Messschieber mit Rundskale*

Messschieber mit Rundskale (Bild 1) oder mit Ziffernanzeige (Bild 2) besitzen eine Ablesegenauigkeit von $^1/_{100}$-mm.

Merke

Bei der Ziffernanzeige wird die kleinste ablesbare Maßänderung (z. B. 0,01 mm) als **Ziffernschrittwert** *(graduation)* bezeichnet.
Bei Skalen, einschließlich der Rundskalen, heißt der Wert **Skalenteilungswert** *(scale value of the divisions)*.

Beim Messschieber mit Rundskale kann der Zeiger an jeder beliebigen Position, d. h., auch zwischen den Skalenstrichen stehen. Eine solche kontinuierliche Anzeige des Messwertes wird als **analoge Anzeige** bezeichnet.
Der Messschieber mit Ziffernanzeige erlaubt die Darstellung des Messergebnisses in Abständen von 0,01 mm. Diese Anzeige in Ziffernschrittwerten heißt **digitale Anzeige**.
Das Ablesen der Messwerte auf diesen beiden Messschiebern ist einfacher und schneller als beim Messschieber mit Nonius. Bei der digitalen Anzeige kommt es kaum zu Ablesefehlern. Trotzdem können Messfehler wie beim normalen Messschieber auftreten (siehe Seite 82). Die höhere Ablesegenauigkeit führt nicht unbedingt zu einer größeren Messgenauigkeit.

Merke

Fachgerechter Einsatz des Messgerätes und richtiges Ablesen des Messwertes gewährleisten eine genaue Messwerterfassung.

Messschieberauswahl

Die Wahl des Messschiebers hängt von der Werkstückform und -größe und vor allem von der Toleranzangabe ab.

Für die Auswahl des Messgerätes gilt daher folgender Grundsatz:

Merke

Der Nonius-, Skalenteilungs- oder Ziffernschrittwert des Messgerätes sollte unter günstigen Bedingungen wesentlich kleiner als die Toleranz sein.

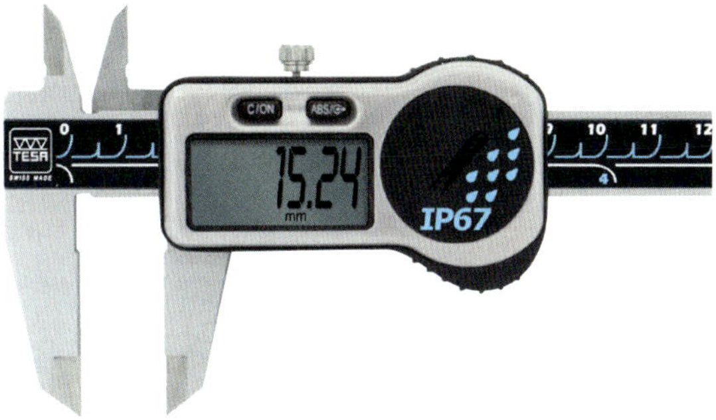

***2** Messschieber mit Ziffernanzeige (digitale Anzeige)*

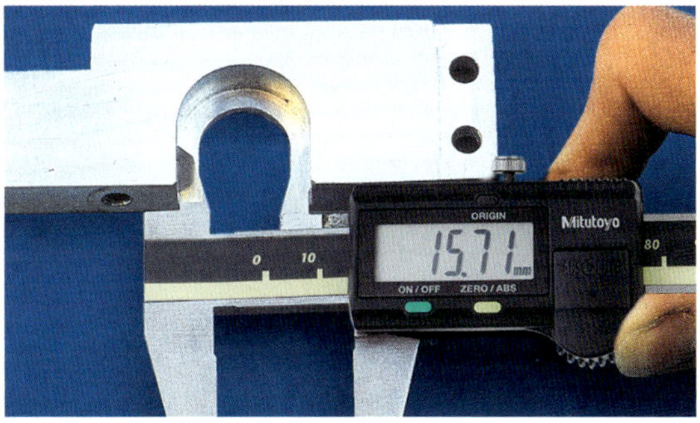

***3** Innenmessung*

Mit Messschiebern können Außen-, Innen- (Bild 3) und Tiefenmessungen (Bild 4) durchgeführt werden.

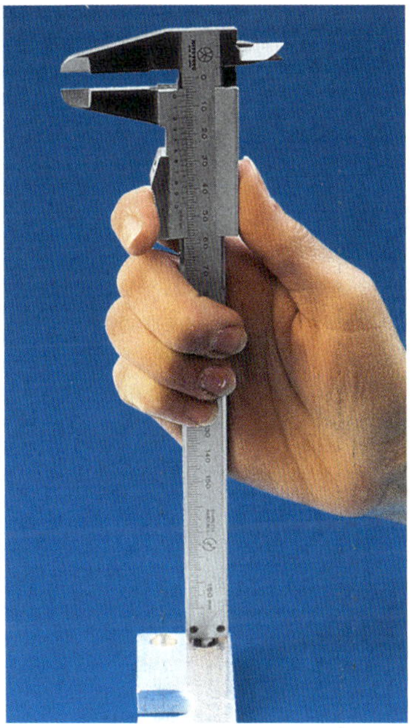

***4** Tiefenmessung*

Messschieberhandhabung

Jedes Messergebnis ist ungenau, d. h., der Istwert stimmt nicht hundertprozentig mit dem Messwert überein. Das liegt an den Ungenauigkeiten der Messgeräte, der Unvollkommenheit der Werkstücke (z. B. Verschmutzung, Unebenheit oder Grat) und der falschen Handhabung *(handling)*. Damit die Messfehler bei der Handhabung des Messschiebers möglichst gering sind, sollten die folgenden Punkte berücksichtigt werden:

Kippfehler

Durch das Kippen des beweglichen Messschenkels (Bild 1) wird das Messergebnis verfälscht. Das Schrägstellen oder Kippen geschieht besonders dann, wenn das Werkstück weit von der Messschiene zwischen den Messschenkeln liegt. Es kommt zu einer Hebelwirkung, weil die Messkraft dicht an der Messschiene auf den beweglichen Schenkel eingeleitet wird.

Der Kippfehler *(error of tilt)* ist beim Messschieber klein, wenn

- eine gute Führung vorhanden ist,
- das Werkstück dicht an der Schiene gemessen wird und
- keine zu große Messkraft wirkt.

Kippfehler sind bei Längenmessgeräten ausgeschlossen, bei denen durch die Messkraft keine Hebelwirkung erzeugt werden kann und die Messschenkel parallel sind. Die zu messende Länge muss auf der gleichen Linie wie die Messkraft liegen (Bild 2).

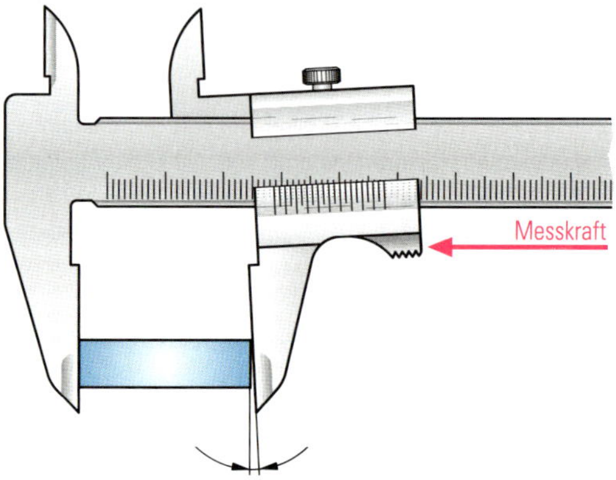

1 *Kippfehler beim Messschieber (übertrieben dargestellt)*

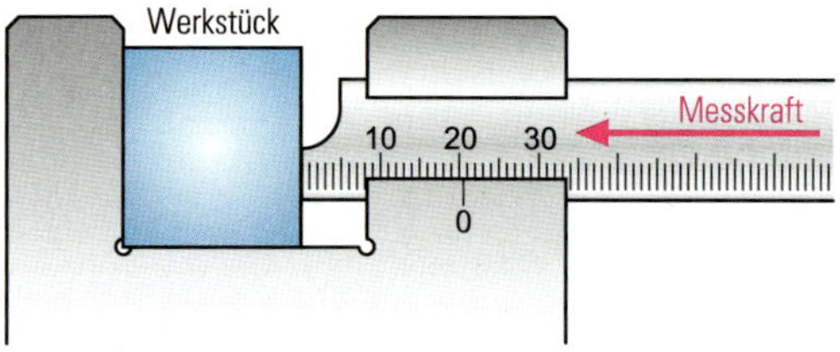

2 *Prinzip der Messwerterfassung ohne Kippfehler*

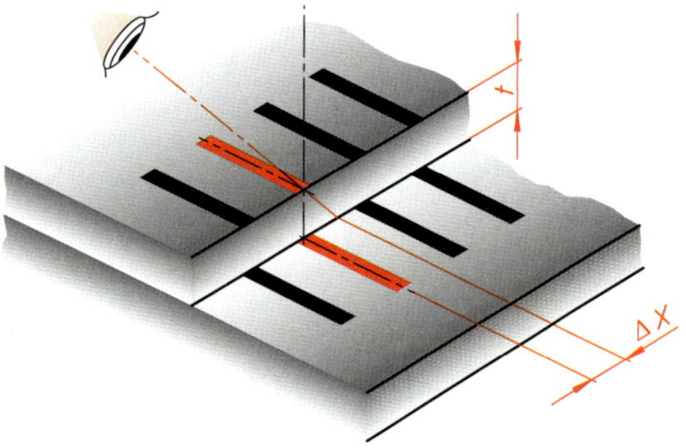

3 *Ursache der Parallaxe*

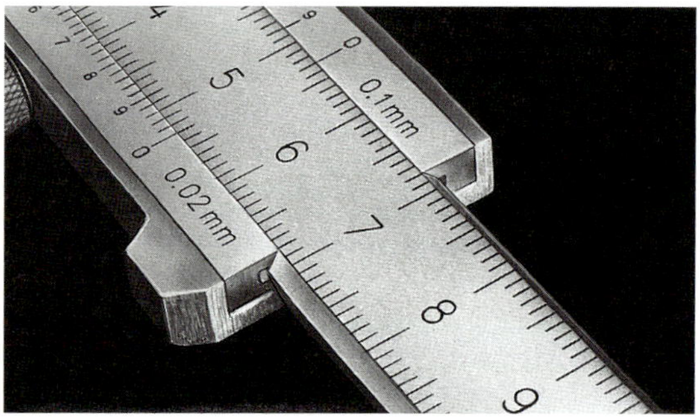

4 *Messschieber mit parallaxenfreier Ablesung (Nonius und Hauptskale liegen in einer Ebene)*

Parallaxe

Bei Messschiebern, aber auch bei Gliedermaßstäben und anderen Messgeräten, können fehlerhafte Messwerte ermittelt werden, wenn beim Ablesen der Blick schräg auf die Skale gerichtet ist (Bild 3). Je kleiner das Maß t ist, umso geringer ist die Gefahr, dass der Messfehler ΔX eintritt, der als Parallaxe *(parallax)* bezeichnet wird. Bei dünnen Stahlbandmaßen oder beim Messschieber in Bild 4 entsteht dieser Messfehler nicht.

Merke

Parallaxenfehler entstehen nicht, wenn der Messwert rechtwinklig zur Skalierung abgelesen wird.

Maßbezugstemperatur

Bauteile dehnen sich bei Erwärmung aus. Ein Werkstück aus Stahl von 1 m Länge verlängert sich bei einer Temperaturerhöhung von 10 °C um rund 0,1 mm. Der Messwert direkt nach der Zerspanung (Seite 83 Bild 1) ist aufgrund der höheren Temperatur größer als später bei 20 °C. Ähnliche Probleme entstehen, wenn sich das Messgerät z. B. durch intensive Sonneneinstrahlung erwärmt hat.

Merke

Um die Vergleichbarkeit der Messungen zu gewährleisten, legt die Norm eine Maßbezugstemperatur *(standard reference temperature)* von 20 °C fest.

Die Maßbezugstemperatur soll beim Messen sowohl für Werkzeuge als auch für Werkstücke eingehalten werden.

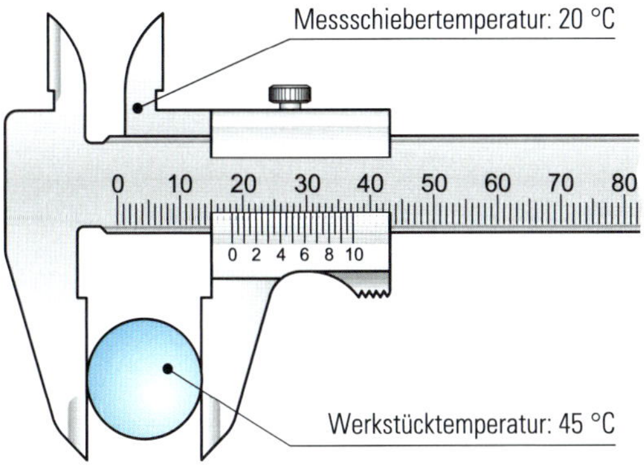

1 *Werkstücktemperatur größer als Maßbezugstemperatur*

Überlegen Sie

1. Bei der Tiefenmessung mit dem Messschieber (z. B. Seite 81 Bild 4) wird dieser nicht rechtwinklig zur Messfläche gehalten. Welche Art von Messfehler ist das und wie wirkt er sich aus?
2. Entsteht beim Messen eines zu warmen Werkstücks ein zu großer oder zu kleiner Messwert?

4.2.3 Winkelmesser

An dem Werkstück (Bild 2) sind die Ecken auf einer Länge von 5 mm unter einem Winkel von 45° gefast. Der Winkel ist mit keiner Toleranzangabe versehen. Es gelten die Allgemeintoleranzen nach DIN 2769 (Bild 6). Diese sind abhängig von der Toleranzklasse und dem Nennmaß des kürzesten Schenkels, jedoch nicht von der Größe des Winkels. Im Beispiel sind die beiden Schenkel je 5 mm lang. Bei der Toleranzklasse „1" beträgt die Toleranz ±1°.

Merke

Je gröber die Toleranzklasse und je kleiner der kürzeste Schenkel, desto größer sind die Allgemeintoleranzen für Winkel.

Bei einer Schenkellänge von 100 mm und Toleranzklasse „1" ist die Toleranz ± 20′ (± 20 Gradminuten). Die Gradangabe für Winkel erfolgt aufgrund folgender Definition:

Merke

Vollkreis = 360°
Rechter Winkel = 90°
1° = 60′ (Gradminuten)
1′ = 60″ (Gradsekunden)

Zur groben Winkelmessung werden vorrangig einfache Winkelmesser *(protractor)* (Bild 3) eingesetzt. Der Universalwinkelmesser (Bild 4) besitzt einen Nonius mit einem Nonienwert von 5′. Eine Lupe erleichtert das Ablesen. Zunehmend sind Winkelmesser mit digitaler Anzeige (Bild 5) ausgestattet. Übungsaufgaben siehe Teil III, Kapitel 4.1.2 „Physikalische Größen".

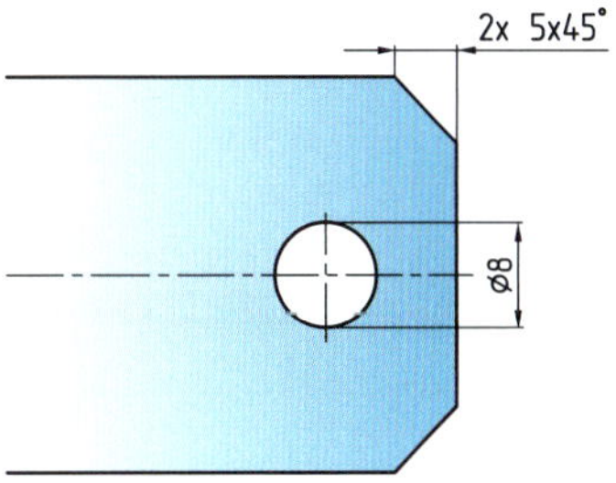

2 *Werkstück mit 45°-Fasen*

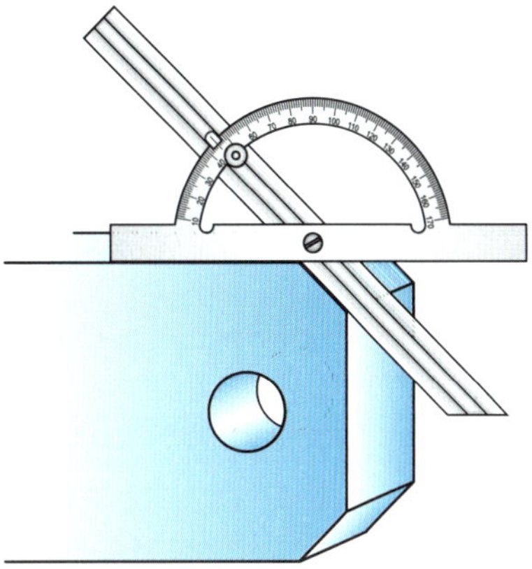

3 *Einfacher Winkelmesser*

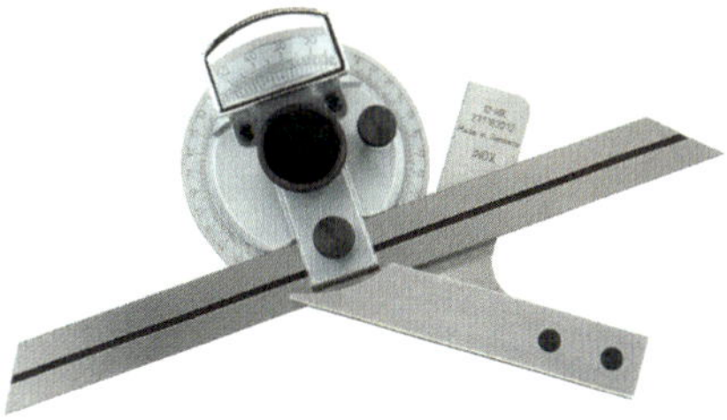

4 *Universalwinkelmesser*

5 *Winkelmesser mit digitaler Anzeige mit 1′ Ziffernschrittwert*

	Länge der kürzeren Winkelseite in mm				
über	**0**	**10**	**50**	**120**	**400**
bis einschließlich	**10**	**50**	**120**	**400**	**—**
Toleranzklasse	**Allgemeintoleranzwerte für *Angular size***				
1	±1°	±0°30′	±0°20′	±0°10′	±0°5′
2	±1°30′	±1°	±0°30′	±0°15′	±0°10′
3	±3°	±2°	±1°	±0°30′	±0°20′

6 *Allgemeintoleranzen für Winkelangaben nach DIN 2769*

Interaktives Ablesen Winkelmesser

Interaktive Toleranzeingabe Winkel

4.2.4 Messschrauben

AH GK S. 59

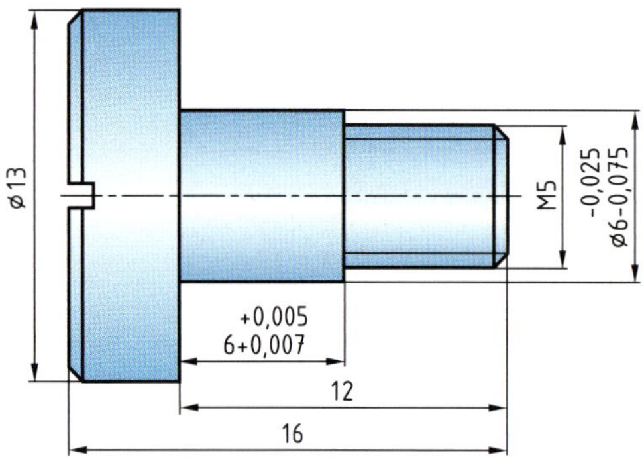

***1** Schlitzschraube mit Bund*

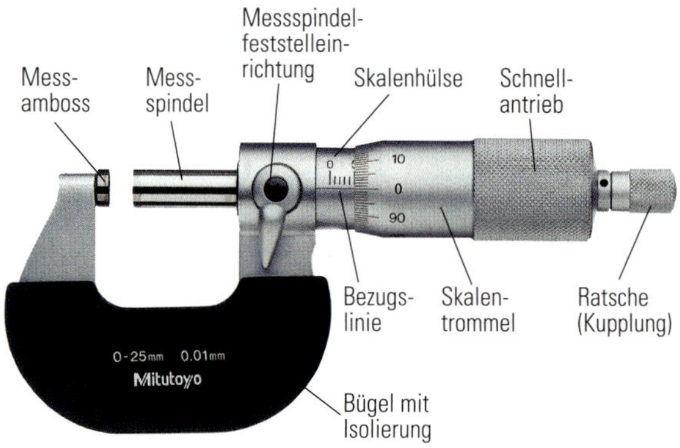

***2** Benennungen an der Bügelmessschraube*

Interaktives Ablesen Messschraube

Der Durchmesser der Schlitzschraube mit Bund (Bild 1) ist mit ∅ 6 –0,025/–0,075 mm sehr eng toleriert. Das Maß kann mit dem Messschieber nicht hinreichend genau überprüft werden, weil der Noniuswert von 0,05 mm zu groß ist. Das geeignete Messgerät zum Messen des Durchmessers ist die Messschraube *(micrometer)* (Bild 2).

Merke

Die Messschraube besitzt einen Skalenteilungswert von 0,01 mm. Sie erfasst das Maß **ohne** Kippfehler.

Das Erreichen des geforderten Skalenteilungswertes wird mithilfe des Funktionsmodells (Bild 3) beschrieben: Die Gewindesteigung (Abstand zwischen zwei Gewindespitzen) beträgt 1 mm. Bei einer Umdrehung der Gewindespindel wird der Abstand zwischen Messspindel und Messamboss um 1 mm verändert.

$^1/_2$ Umdrehung → $^1/_2$ mm Abstandsänderung
$^1/_{10}$ Umdrehung → $^1/_{10}$ mm Abstandsänderung
$^1/_{100}$ Umdrehung → $^1/_{100}$ mm Abstandsänderung

Damit eine $^1/_{100}$-Umdrehung genau abgelesen werden kann, ist der Umfang der Skalentrommel in 100 gleiche Abstände eingeteilt. Wird die Skalentrommel um einen Teilstrichabstand gedreht, bewegt sich die Spindel in Längsrichtung um $^1/_{100}$ mm. Die ganzen Millimeter können an der Millimeterteilung auf der Skalenhülse abgelesen werden.

Um Hundertstelmillimeter sicher ablesen zu können, darf der Abstand zwischen zwei Teilstrichen nicht zu klein sein. Dies erfordert verhältnismäßig große Skalentrommeln (Bild 2). Die Skalentrommel (Bild 4) kann halb so groß werden, wenn nur die Hälfte der Striche untergebracht werden muss: 50 statt 100. Um trotzdem eine Ablesegenauigkeit von 0,01 mm zu erhalten, darf bei einer Umdrehung nur ein Weg von $50 \cdot {}^1/_{100}$ mm = 0,5 mm zurückgelegt werden. Die Spindel hat eine Steigung von 0,5 mm. Es müssen zwei Umdrehungen durchgeführt werden, um einen Millimeter zurückzulegen.

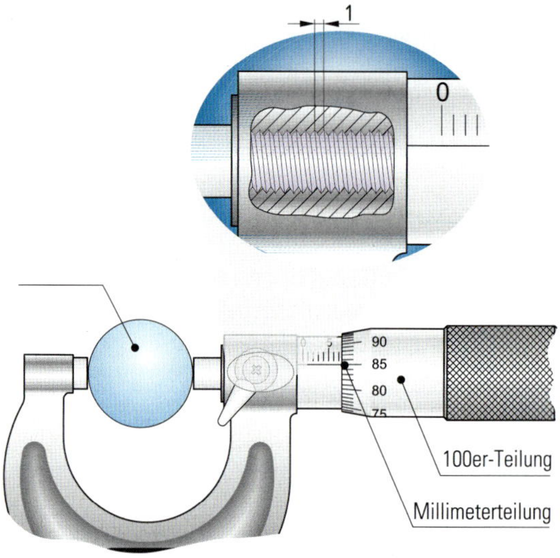

***3** Funktionsmodell einer Bügelmessschraube*

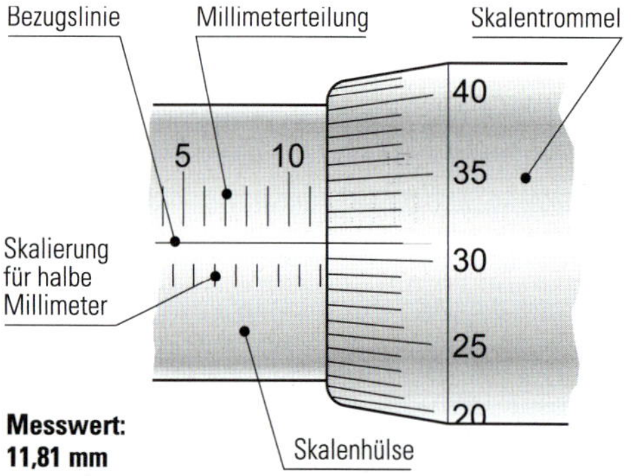

***4** Ablesebeispiel an einer Messschraube mit 0,5-mm-Steigung*

Bei der Messschraube mit 0,5 mm-Steigung hat die Skalentrommel eine Skalierung von 0...49 hundertstel Millimeter. Bild 4 auf Seite 84 erläutert das Ablesen.
Für Innenmaße mit kleinen Toleranzen werden Innenmessschrauben (Bild 1) gewählt. Genaue Tiefenmessungen erfolgen mit Tiefenmessschrauben (Bild 2).

Handhabung von Messschrauben
Zur Vermeidung von **Messfehlern** *(errors of measurement)* beim Messen mit der Messschraube sind folgende Regeln einzuhalten:

- Um mit optimaler Messkraft zu messen, ist die Skalentrommel über die **Ratsche** *(ratchet)* zu betätigen.
  Sie rutscht bei zu großer Messkraft durch und begrenzt so die Messkraft.

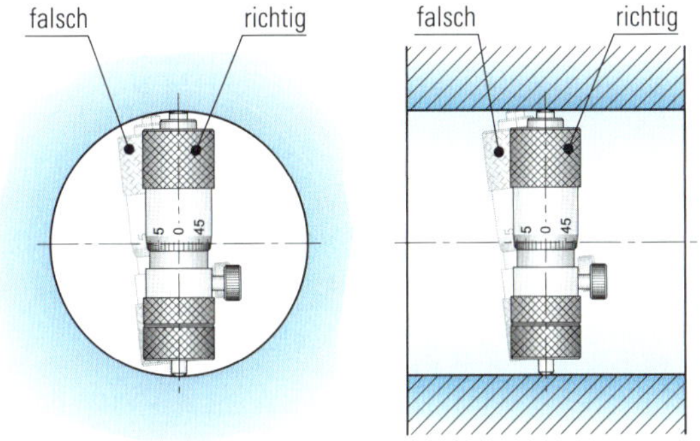

3 *Richtiges Ansetzen von Innenmessschrauben*

- Es ist die **Maßbezugstemperatur** *(standard reference temperature)* einzuhalten. Deshalb Messschraube an der Kunststoffisolierung anfassen und nicht der Sonneneinstrahlung aussetzen.
- Die Messschraube ist immer **rechtwinklig** zu den Bezugsflächen anzusetzen (Bild 3).

4.2.5 Messuhren

Eine Messuhr *(dial gauge)* kann z. B. zur Rundlaufprüfung einer Walze verwendet werden (Bild 4). Die Messuhr wird in eine Halterung so eingesetzt, dass ihr Messbolzen auf der Lauffläche aufsitzt. Durch langsames Drehen der Walze wird der Rundlauf geprüft. Bei unrundem Lauf verändert der Messbolzen seine Stellung. Diese Längsbewegung wird durch Zahnstangen- und Zahnradtrieb in eine Drehbewegung des Zeigers umgewandelt (Bild 5). Das ist neben dem Nonius- und Messschraubenprinzip eine weitere Möglichkeit, Millimeter weiter zu unterteilen.

Merke
Der Skalenteilungswert der Messuhr beträgt $^1/_{100}$ mm.
Der Zeiger einer Messuhr kann mehr als eine Umdrehung ausführen.

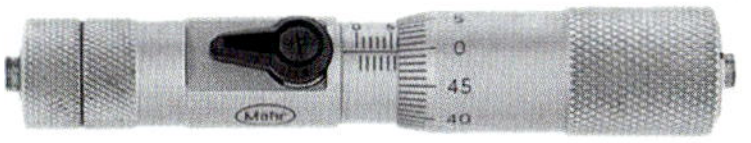

1 *2-Punkt-Innenmessschraube*

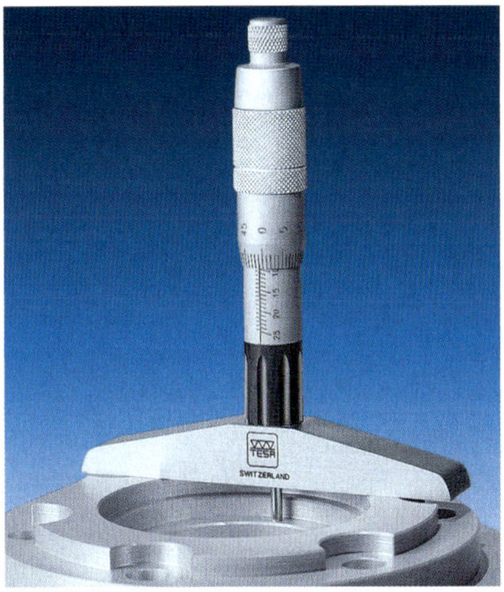

2 *Tiefenmessschraube*

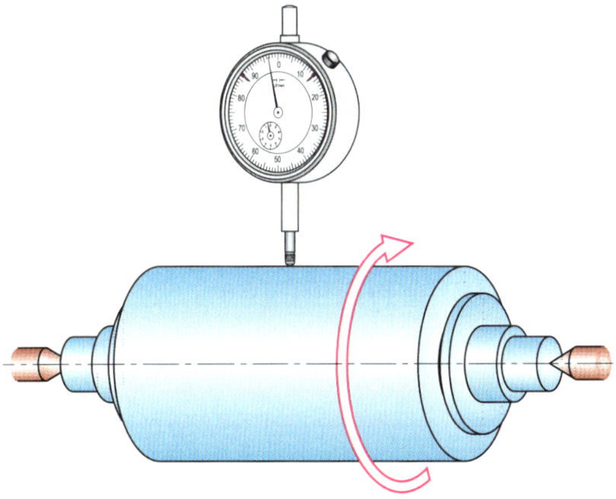

4 *Rundlaufprüfung mit der Messuhr*

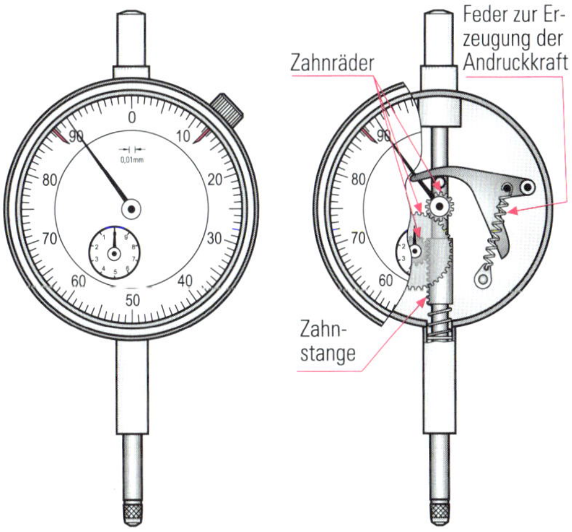

5 *Funktionsprinzip der Messuhr*

4.3 Direkte und indirekte Messung

Die erfasste Länge l_1 entspricht bei der Tiefenmessung (Bild 1) der angezeigten Länge l_2

> **Merke**
> Bei der **direkten Längenmessung** *(direct length measurement)* wird der Messwert erfasst und ohne Umwandlung der erfassten Messgröße am Messgerät angezeigt (Bild 2).

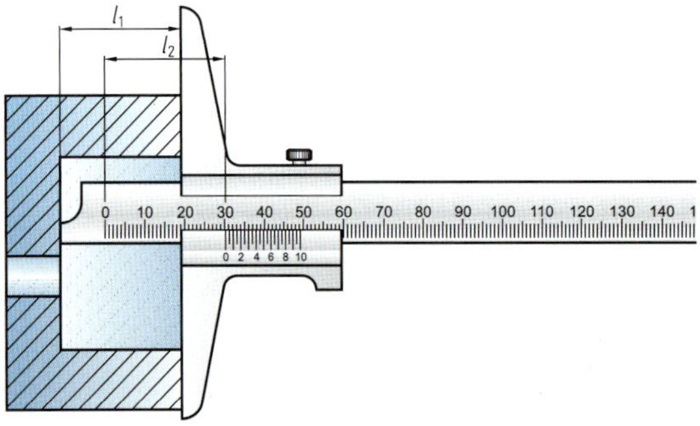

1 *Direkte Wegmessung mit Tiefenmessschieber*

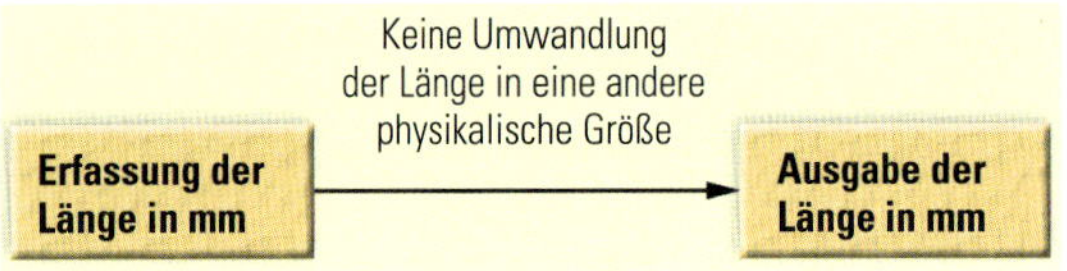

2 *Prinzip der direkten Wegmessung*

Der Drehwinkel der Spindel ist ein Maßstab für die Bewegung des Tisches (Bild 3). Die Umwandlung des erfassten Drehwinkels in die Länge des Verfahrweges erfolgt durch den Skalenring (siehe Prinzip der Messschraube).

> **Merke**
> Bei der **indirekten Längenmessung** *(indirect length measurement)* wird der Messwert in einer anderen Messgröße angezeigt als er erfasst wird (Bild 4).

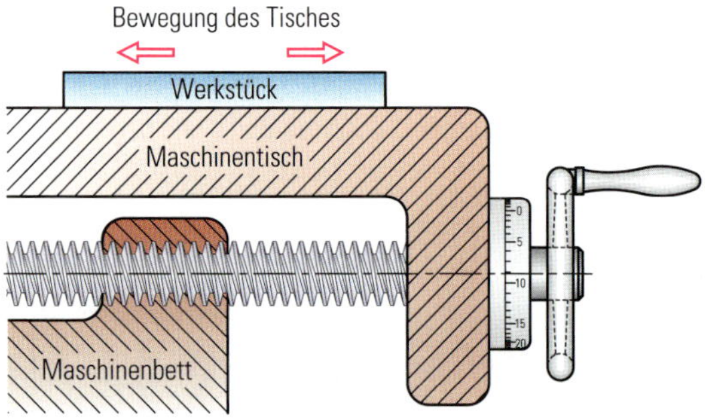

3 *Indirekte Wegmessung des Verfahrweges*

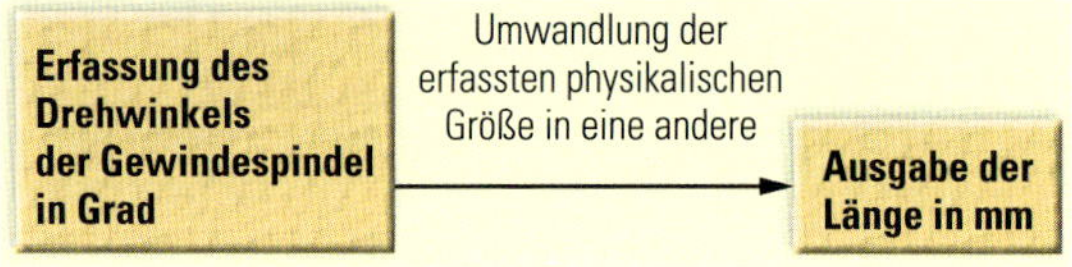

4 *Prinzip der indirekten Wegmessung*

4.4 Messabweichungen

Die an Messgeräten angezeigten Messwerte sind immer fehlerbehaftet. Oft müssen bei der Serienfertigung Werkstücke oberhalb der Maßbezugstemperatur gemessen werden. Dadurch wird der Messwert größer als das beim Messen bei Maßbezugstemperatur der Fall wäre. Bei einem Drehteil, dessen Temperatur 80 °C beträgt, wird z. B. ein Durchmesser von 220,200 mm (Istanzeige) gemessen. Bei Raumtemperatur sind es 220,002 mm (Sollanzeige).

Messabweichung = Istanzeige – Sollanzeige
Messabweichung = 220,200 mm – 200,002 mm
Messabweichung = 0,198 mm

Die erhöhte Werkstücktemperatur von 80 °C bewirkt bei jeder 220-mm-Messung eine Abweichung von 0,198 mm.

> **Merke**
> Abweichungen, die bei jeder Messung in gleicher Weise auftreten, werden als **systematische Messabweichungen** *(systematic drifts)* bezeichnet.

Systematische Messabweichungen bzw. Fehler (Bild 5) können erfasst und bei weiteren Messungen berücksichtigt werden. Der Messfehler durch die erhöhte Temperatur wird bei einer neuen Messung folgendermaßen berichtigt:

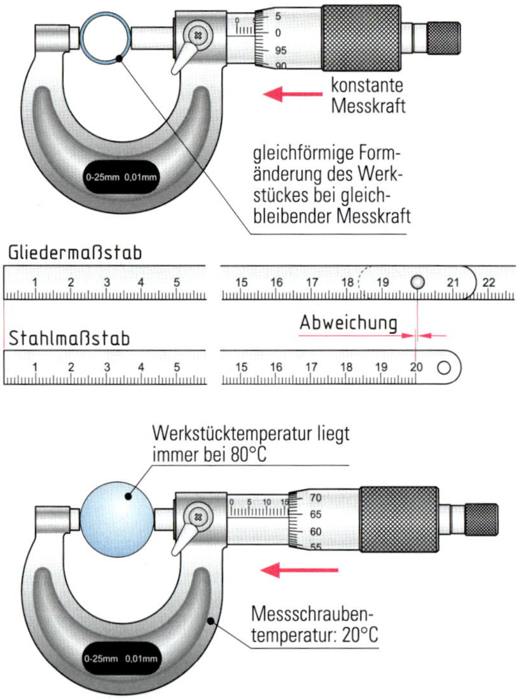

5 *Systematische Messabweichungen*

Neue Istanzeige: 220,105 mm
Berichtigter Messwert = Istanzeige – Abweichung
Berichtigter Messwert = 220,105 mm – 0,198 mm
Berichtigter Messwert = 219,907 mm

Diese Art der Messwertberichtigung kann bei systematischen Messfehlern auf andere Messgeräte übertragen werden.
Im Gegensatz zur konstanten hohen Temperatur tritt z. B. eine zu kleine Messkraft nicht bei jeder Messung auf.

Merke

Abweichungen, die nicht bei jeder Messung auftreten, werden als zufällige **Messabweichungen** *(accidental drifts)* bezeichnet.

Ihre Ursachen sind meist unsachgemäße Handhabung des Messgerätes sowie falsches Schätzen oder Ablesen der Anzeige (Bild 1). Zufällige Messabweichungen können nicht eindeutig erfasst und bei nachfolgenden Messungen auch nicht berücksichtigt werden.
Zufällige Messabweichungen machen das Messergebnis unsicher. Die **Messunsicherheit** soll ein Bruchteil der Maßtoleranz betragen.

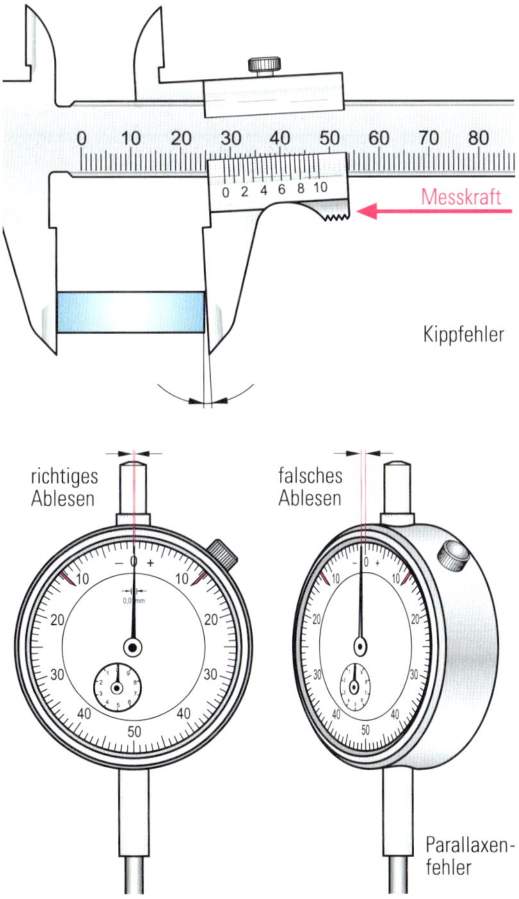

***1** Zufällige Messabweichungen*

4.5 Lehren

Beim Lehren wird nicht das Istmaß (Radius in Bild 2c) ermittelt, sondern es wird die Entscheidung getroffen, ob das Werkstück in die Bereiche „Gut", „Nacharbeit" oder „Ausschuss" einzuordnen ist.

4.5.1 Formlehren

Formlehren *(profile gauges)* ermöglichen die Prüfung von Flächen, Winkeln, Radien und anderen Geometrien nach dem Lichtspaltverfahren (Bild 2).

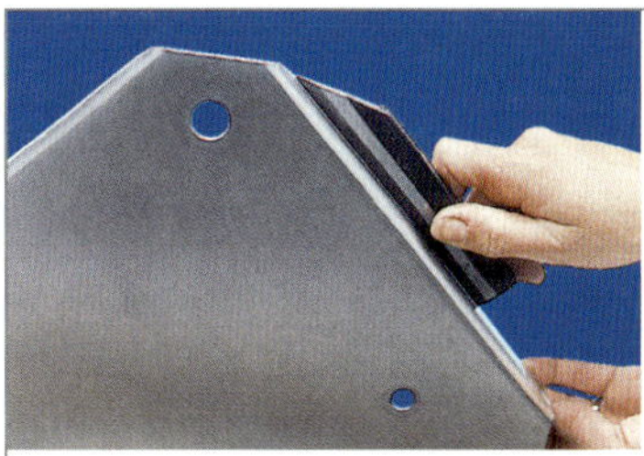

a) Haarlineal
Die Ebenheit einer Fläche wird mit dem schneidenförmig zulaufenden Haarlineal gelehrt. Bei einer ebenen Fläche ist kein Lichtspalt erkennbar.

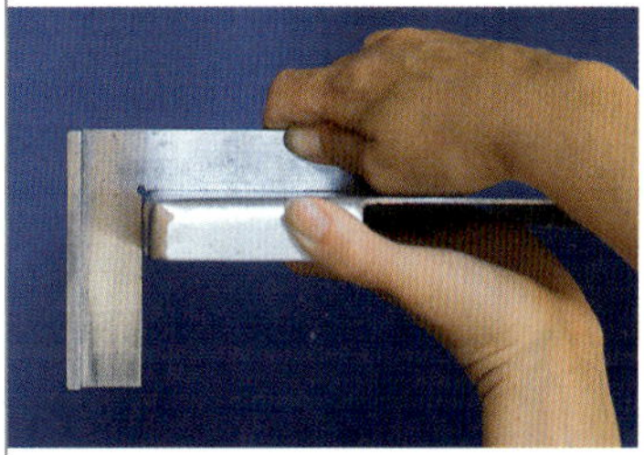

b) Winkel
Anschlag- und Flachwinkel werden sowohl zum Prüfen als auch zum Anreißen von 90°-Winkeln genutzt.

c) Rundungslehre
Innen und Außenradien können mit der Rundungs- bzw. Radiuslehre geprüft werden. Rundungslehren sind in verschiedenen Sätzen zusammengefasst wie z. B.
1 mm ... 7 mm
oder
7,5 mm ... 15 mm
usw.

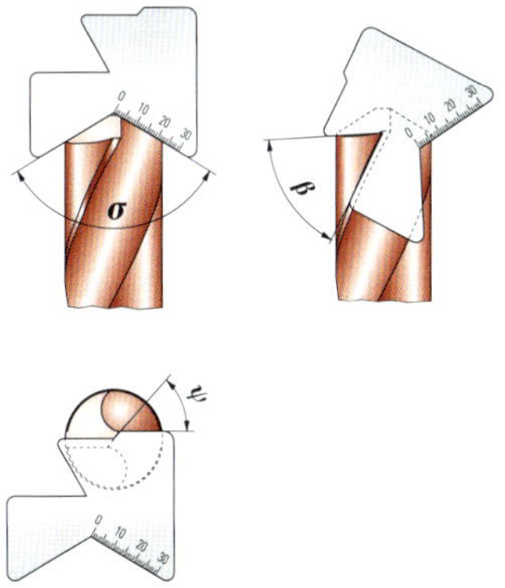

d) Schleiflehre
Das Anschleifen von Spiralbohrern kann mit Schleiflehren kontrolliert werden.
Die Schleiflehre ermöglicht die Prüfung der wichtigsten Winkel an der Werkzeugschneide.

***2** Formlehren*

4.5.2 Maßlehren

Maßlehren *(measuring gauges)* sind in Abständen gestuft, d. h., von Lehre zu Lehre nimmt das Maß zu. Neben den Endmaßen gehören z. B. Fühl-, Loch und Blechlehren dazu (Bild 1).

Fühlerlehre
Der Abstand oder das Spiel zwischen eng aneinander liegenden Bauteilen kann mit der Fühlerlehre annähernd bestimmt werden. Die Blechstreifen haben eine Dicke zwischen 0,05 mm und 1 mm. Sie müssen vorsichtig gehandhabt werden.

Lochlehre
Mithilfe von Lochlehren können die Durchmesser von Bohrern, Fräsern, Nieten, Bolzen usw. schnell annähernd bestimmt werden. Dazu werden die Teile in die passenden Durchmesser der Lehre gesteckt und die jeweiligen Durchmesser abgelesen.

Blechlehre
Die genormten Blechdicken sind bei Blechlehren als Spalte an ihrem Umfang verkörpert. Die Lehre wird auf das entgratete Blech gesteckt. Lässt sich z. B. der Schlitz mit 0,5 mm aufstecken und der mit 0,4 mm nicht, so ist das Blech 0,5 mm dick.

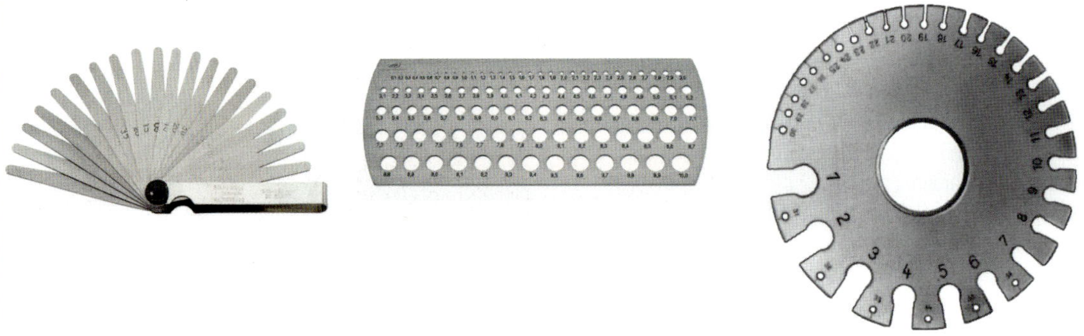

***1** Maßlehren*

4.5.3 Grenzlehren

Der Bohrungsdurchmesser (Bild 2) ist mit ∅ 8H7 eng toleriert. Der Bohrungsdurchmesser ist „gut", wenn er nicht größer als das Höchstmaß ∅ 8,015 mm und nicht kleiner als das Mindestmaß ∅ 8,000 mm ist. Ob das der Fall ist, kann auch ohne Messen beurteilt werden. Dazu sind zwei Prüfzylinder erforderlich, von denen der eine ∅ 8,015 mm und der andere ∅ 8,000 mm Durchmesser besitzt. Der Bohrungsdurchmesser liegt innerhalb der Toleranz, wenn folgende Bedingungen zutreffen:

AH GK S. 60

- **Das Mindestmaß ist überschritten**. Dazu muss sich der Prüfzylinder mit dem Mindestmaß in die Bohrung einführen lassen.
- **Das Höchstmaß ist unterschritten**. Der Prüfzylinder mit dem Höchstmaß darf sich nicht in die Bohrung einfügen lassen.

Aus diesen Überlegungen heraus entstanden die **Grenzlehrdorne** *(limit plugs)* (Bild 3), die an jedem Ende einen Prüfzylinder (Gut- und Ausschussseite) besitzen.

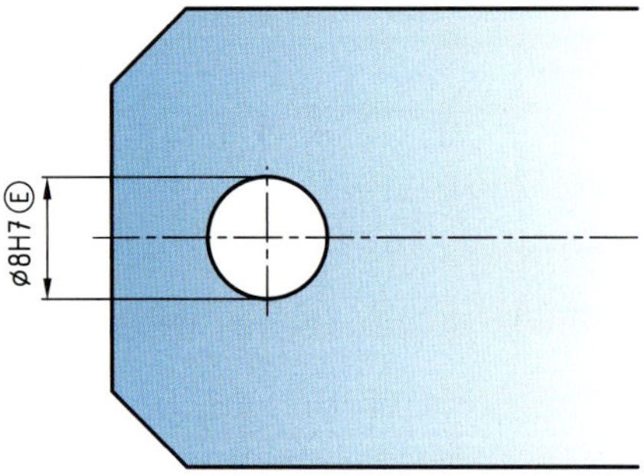

***2** Eng tolerierte Bohrung*

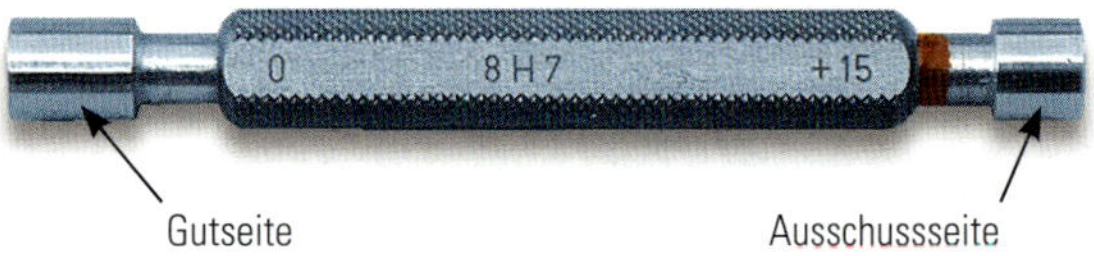

***3** Grenzlehrdorn*

Merke

Die Gutseite des Grenzlehrdornes hat das Mindestmaß und den längeren Zylinder. Die Ausschussseite besitzt das Höchstmaß, ist rot gekennzeichnet und hat den kürzeren Zylinder.

Die Achse (Bild 2) soll einen Durchmesser von ∅ 20h6 erhalten. Die Überprüfung des Durchmessers ist mit einer **Grenzrachenlehre** *(external limit gauge)* (Bild 3) möglich. Im Bild 4 ist der Einsatz der Grenzrachenlehren dargestellt.
Das Lehren mit Grenzlehren *(limit gauges)* ist gegenüber dem Messen vorteilhaft, wenn

- Werkstücke mit Normmaßen in großen Stückzahlen und engen Toleranzen,
- schnell und sicher überprüft werden sollen und
- die Istwerte nicht benötigt werden.

Bei der spanenden Bearbeitung ist der Istwert des Werkstücks oft sehr wichtig, um entsprechende Zustellungen vornehmen zu können. Daher wird dort zunehmend gemessen anstatt zu lehren. In Endkontrollen kann das Lehren bevorzugt werden.

Überlegen Sie

1. Unter welchen Bedingungen trifft beim Lehren die Behauptung zu: „Das Werkstück ist Ausschuss, wenn das Höchstmaß überschritten ist"?
2. Bei welchen Grenzlehren ist das Mindestmaß die Gutseite?

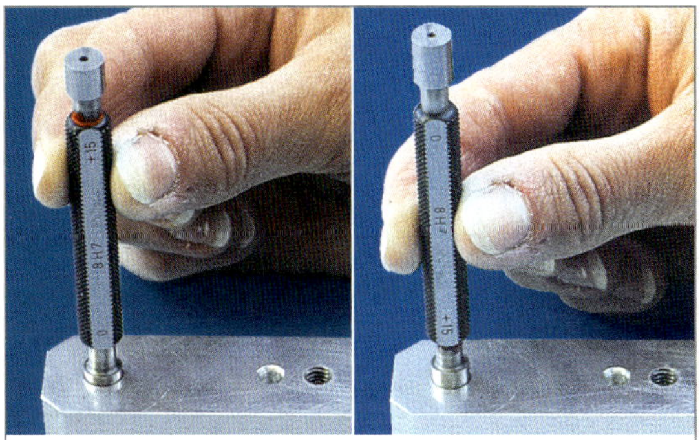

Die **Gutseite** des Grenzlehrdorns muss durch sein Eigengewicht in die Bohrung gleiten. Der Grenzlehrdorn darf nicht mit zusätzlicher Kraft in die Bohrung gedrückt werden.

Die **Ausschussseite** des Grenzlehrdorns darf durch sein Eigengewicht nicht in die Bohrung gleiten, sondern nur „anschnäbeln". Die Ausschussseite ist **rot** gekennzeichnet.

***1** Prüfen mit Grenzlehrdorn*

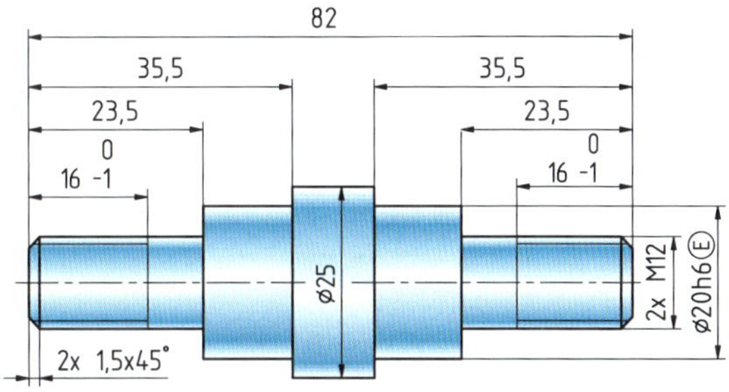

***2** Achse mit eng toleriertem Durchmesser*

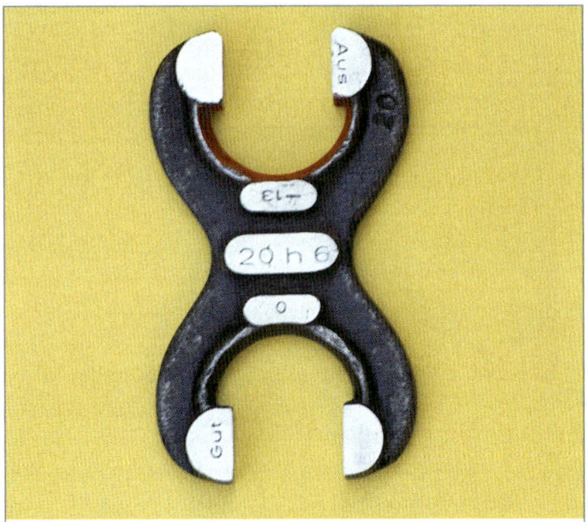

Die Gutseite besitzt das Höchstmaß, die Prüfflächen sind **nicht** angefast. Die Ausschussseite hat das Mindestmaß, die Prüfflächen sind angefast. Die Ausschusseite ist **rot** gekennzeichnet

***3** Grenzrachenlehre*

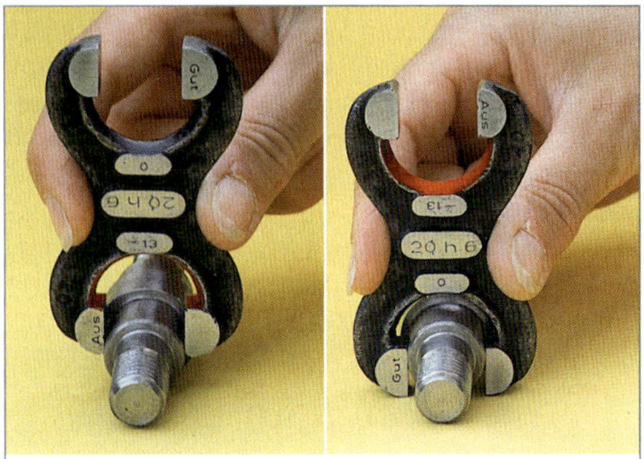

Die **Ausschussseite** darf nur „anschnäbeln".

Die **Gutseite** muss lediglich durch das Eigengewicht über das Werkstück gleiten.

Die Lehre darf auf keinen Fall mit zusätzlicher Kraft auf das Werkstück gedrückt werden. Hierdurch würde die Lehre aufgebogen und das Prüfergebnis verfälscht werden.

***4** Prüfen mit Grenzrachenlehre*

4.6 Endmaße

Parallelendmaße *(slip gauges)* (Bild 1) sind Maßverkörperungen aus Stahl oder Hartmetall. Die beiden gegenüberliegenden, planparallelen Messflächen sind mit sehr geringen Toleranzen gefertigt. Sie sind so „glatt", dass zwei Endmaße aneinander haften, wenn sie aneinander geschoben werden. Sie sollen nicht mehrere Tage aneinander geschoben bleiben, weil sie nach längerer Zeit nicht ohne Beschädigung voneinander getrennt werden können.

Durch Kombination von einzelnen Endmaßen können Maße auf tausendstel Millimeter genau verkörpert werden. Endmaßsätze sind daher entsprechend gestuft (Bild 2). Das Maß 82,456 mm kann mit Endmaßen z. B. folgendermaßen zusammengestellt werden:

1,006 mm
+ 1,050 mm
+ 1,400 mm
+ 9,000 mm
+ 70,000 mm
____
82,456 mm

- Beginnen mit der niedrigsten Reihe und enden mit der höchsten
- Möglichst wenige Endmaße kombinieren

Endmaße gibt es in den Genauigkeitsgraden K (Kalibrierklasse) 0, 1 und 2. Die zulässige Toleranz der Endmaße hängt vom Genauigkeitsgrad und dem Nennmaß ab. Mit steigender Zahl und größer werdendem Nennmaß nimmt sie zu.

Beispielsweise beträgt beim Nennmaß 10 mm und Genauigkeitsgrad K die Toleranz 0,05 µm, beim Genauigkeitsgrad 0 beträgt sie 0,1 µm und beim Genauigkeitsgrad 2 ist sie 0,3 µm.

Mit Endmaßen können Messgeräte wie Messschieber, Messschraube oder Messuhr auf ihre Anzeigegenauigkeit überprüft werden. Dabei sollte mindestens der Genauigkeitsgrad 1 gewählt werden.

Mithilfe von **Winkelendmaßen** *(angular end blocks)* können genaue Winkelangaben überprüft werden. Das Werkstück in Bild 3 wird mit Winkelendmaßen unterbaut und mit der Messuhr abgefahren. Zeigt der Zeiger der Messuhr keinen Ausschlag, stimmt der Werkstückwinkel mit den unterbauten Endmaßen überein. Winkelendmaße können addiert bzw. subtrahiert werden (Bild 4).

1 *Parallelendmaße*

Reihe	Stufung in mm	Länge in mm
1	0,001	1,001 ... 1,009
2	0,010	1,010 ... 1,090
3	0,100	1,100 ... 1,900
4	1,000	1,000 ... 9,000
5	10,000	10,000 ... 90,000

2 *Stufung der Parallelendmaße*

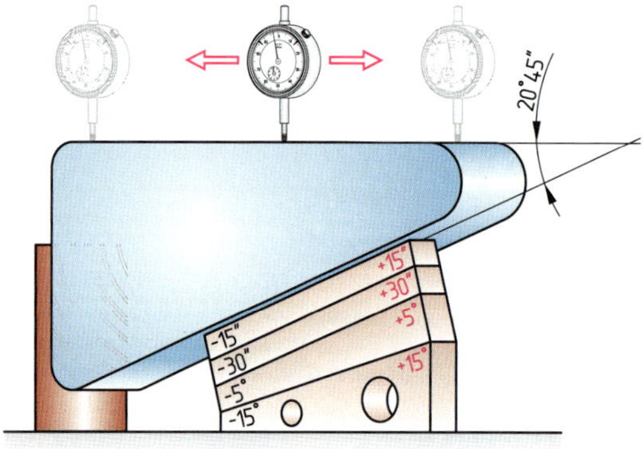

3 *Winkelprüfung mit Winkelendmaßen*

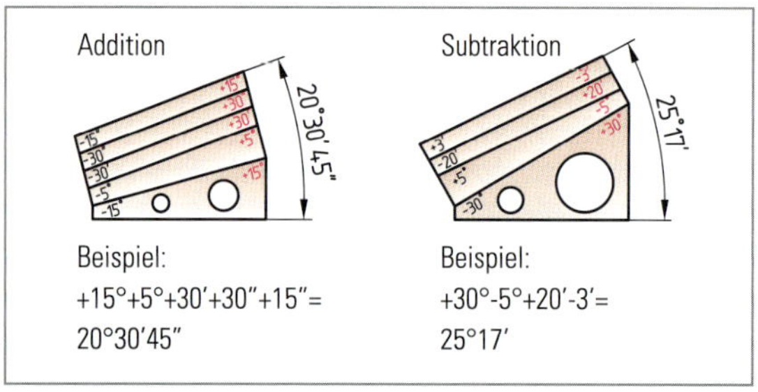

4 *Addition und Subtraktion von Winkelendmaßen*

4.7 Prüfprotokoll

In der Serienfertigung werden die **Prüfergebnisse** *(inspection results)* oft in Prüfprotokollen *(inspection sheets)* dokumentiert. Einerseits liefern diese den Nachweis, dass das jeweilige Produkt die Qualitätsanforderungen erfüllt, nachgearbeitet werden muss oder Ausschuss ist. Andererseits können aus ihrer statistischen Auswertung Rückschlüsse für die Fertigung abgeleitet werden. Die Protokolle können während der Fertigung oder nach deren Ende (Endkontrolle) ausgefüllt werden.
In Prüfprotokollen sind

- **Prüfeigenschaften** *(inspection characteristics)*
- **Prüfmittel** *(inspection equipment)* und
- **Prüfzeiten** *(inspection periods)* bzw.
  Prüforte *(inspection locations)*

festgelegt

Für die Endkontrolle der Zentrierplatte (Bild 1) könnte das Prüfprotokoll folgendermaßen aussehen:

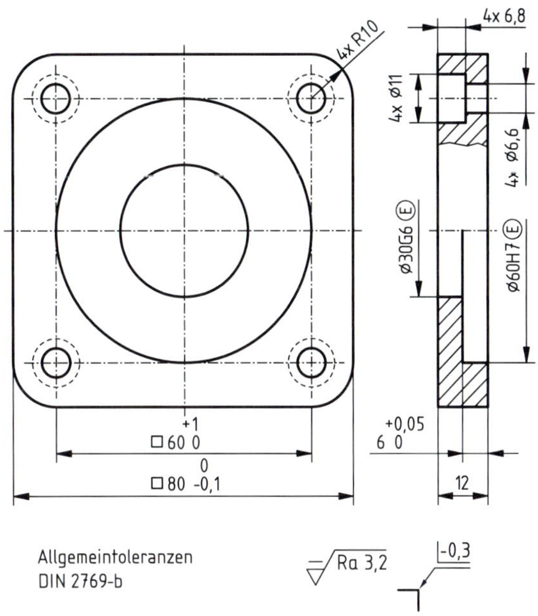

1 *Zentrierplatte*

Zeichnung Zentrierplatte

Firma: HAFRITEC	**Bauteil** Zentrierplatte	**Prüftermin:** Endkontrolle		**Prüfer:** F. Müller		**Prüfdatum** 22.02.2013	
Prüfung	Prüfmittel	Mindestmaß	Höchstmaß	Istmaß	Gut	Ausschuss	Nacharbeit
Teil nach Zeichnung	Sichtkontrolle				X		
Oberfläche	Sichtkontrolle				X		
Gratfreiheit	Sichtkontrolle				X		
12	Messschieber	11,8	12,2	12,1	X		
$80^{0}_{-0,1}$	Messschieber	79,9	80,0	79,95	X		
$80^{0}_{-0,1}$	Messschieber	79,9	80,0	79,9	X		
$6^{+0,1}_{0}$	Messschieber	60,0	60,1	60,05	X		
$6^{+0,1}_{0}$	Messschieber	60,0	60,1	60,1	X		
6,8	Messschieber	6,6	7,0	6,7	X		
11H13	Messschieber	11,0	11,27	11,1	X		
6,6H13	Messschieber	6,6	6,82	6,7	X		
$6^{+0,05}_{0}$	Tiefenmessschraube	6,0	6,05	6,03	X		
30G6	Grenzlehrdorn 30G6	30,007	30,020		X		
60H7	Grenzlehrdorn 60H7	60,000	60,030		X		

Ist das Ergebnis von einer der geforderten Prüfungen Ausschuss, ist das ganze Teil unbrauchbar. Daher ist es meistens wirtschaftlicher, das Produkt während der Fertigung an verschiedenen Orten zu prüfen und die Ergebnisse zu protokollieren. Auf diese Weise wird vermieden, dass noch Kosten während der folgenden Bearbeitung entstehen, obwohl schon ein Ausschussmaß vorliegt.

ÜBUNGEN

1. Unterscheiden Sie subjektives und objektives Prüfen und nennen Sie zu jedem ein Beispiel aus dem privaten und beruflichen Bereich.

2. Was wird
   a) als Messen und
   b) als Lehren bezeichnet?

3. Nennen Sie zwei Fälle, bei denen Sie außer Längen weitere physikalische Größen gemessen haben.

4. Aus welchen Teilen besteht eine Größenangabe?

5. Erläutern Sie mithilfe der Maßangabe 32+0,3/–0,2 folgende Begriffe:
   a) Nennmaß
   b) Höchstmaß
   c) Mindestmaß
   d) Maßtoleranz
   e) Grenzmaße
   f) oberes Grenzabmaß
   g) unteres Grenzabmaß

6. Begründen Sie den fertigungstechnischen Grundsatz „Toleriere so grob wie möglich und so fein wie nötig".

7. Von welchen Faktoren sind die Allgemeintoleranzen für Längen abhängig? Schreiben Sie zwei Sätze auf mit *„Je … desto"*.

8. Bestimmen Sie für die Maße *x* und *y* die Höchst- und Mindestmaße sowie die Maßtoleranz.

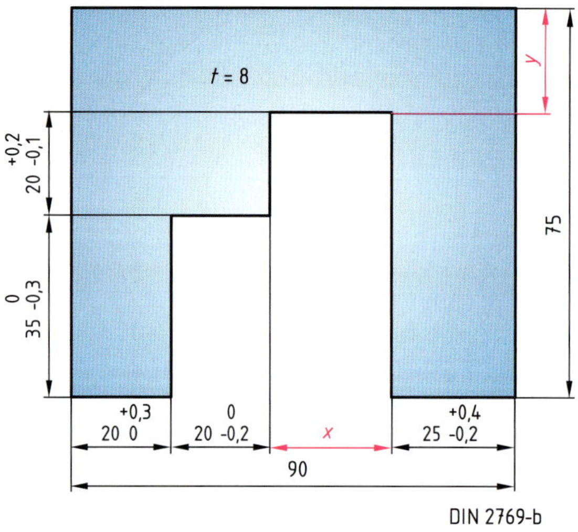

9. Was geben die Buchstaben bei den ISO-Toleranzen an?

10. Wie wirkt sich der Toleranzgrad auf die Größe der Maßtoleranz aus?

11. Welchen Einfluss hat das Nennmaß auf die Maßtoleranz bei den ISO-Toleranzen?

12. Bestimmen Sie für die folgenden Toleranzangaben die Höchst- und Mindestmaße sowie die Maßtoleranz: 20h6, 20H7, 50k6, 70F8, 80k4.

13. In welchen Fällen bevorzugen Sie den Gliedermaßstab gegenüber dem Stahlbandmaß?

14. Nennen Sie drei Messaufgaben aus Ihrem Arbeitsbereich, bei denen Sie den Messschieber einsetzen. Begründen Sie Ihre Auswahl.

15. Welche Aufgabe hat der Nonius beim Messschieber?

16. Beschreiben Sie das Funktionsprinzip des Nonius.

17. Welches Maß wird gemessen?

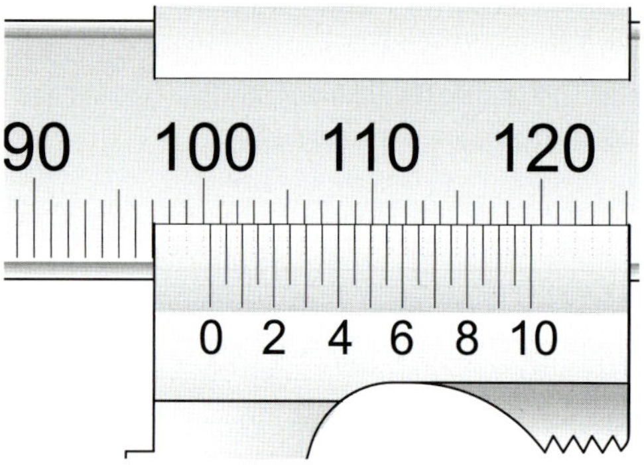

18. Erklären Sie die Begriffe „Noniuswert", „Skalenteilungswert" und „Ziffernschrittwert".

19. Durch welche Maßnahmen kann die Parallaxe beim Messen verringert bzw. verhindert werden?

20. Unterscheiden Sie analoge und digitale Anzeigen.

21. Können beim Einsatz von digitalen Messschiebern Messfehler entstehen? Begründen Sie Ihre Antwort.

22. Stellen Sie direkte und indirekte Messung vergleichend gegenüber.

23. Wie groß ist
    a) der spitze und
    b) der stumpfe Winkel am Universalwinkelmesser?

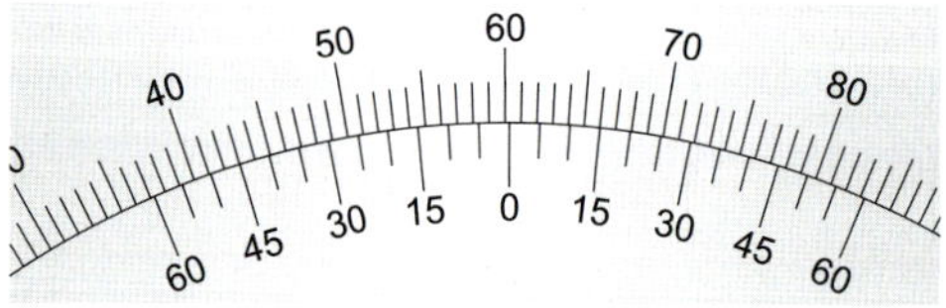

24. Beschreiben Sie den Unterschied zwischen Form- und Maßlehren.

25. Beschreiben Sie zwei Messaufgaben, bei denen Sie die Messschraube einsetzen.

26. Welches Maß ist an der Messschraube abzulesen?

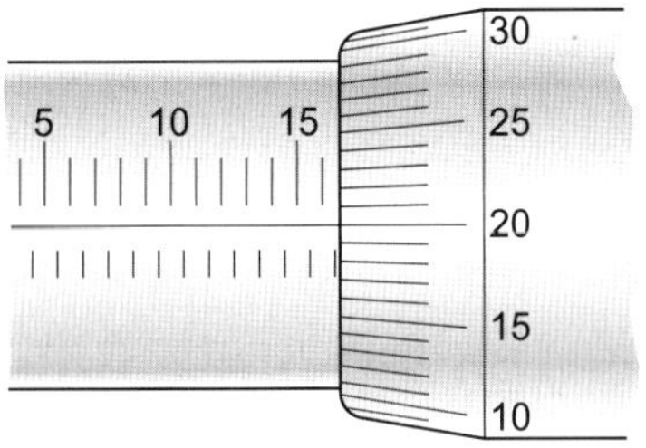

27. Durch welche Maßnahme wird eine konstante Anpresskraft zwischen Messschraube und Werkstück erreicht?

28. Welche Messfehler können beim Messen mit der Messschraube auftreten?

29. Wie funktioniert eine Messuhr und welchen Skalenteilungswert besitzt sie?

30. Unterscheiden Sie systematische und zufällige Messabweichungen und geben Sie hierzu jeweils zwei Beispiele aus Ihrem Arbeitsbereich an.

31. Woran erkennt man die Ausschussseite
a) eines Grenzlehrdorns und
b) einer Grenzrachenlehre?

32. Was ist beim Einsatz von Grenzlehren zu beachten?

33. Was sind Parallel- und Winkelendmaße?
Nennen Sie Beispiele für ihren Einsatz.

Projektaufgabe

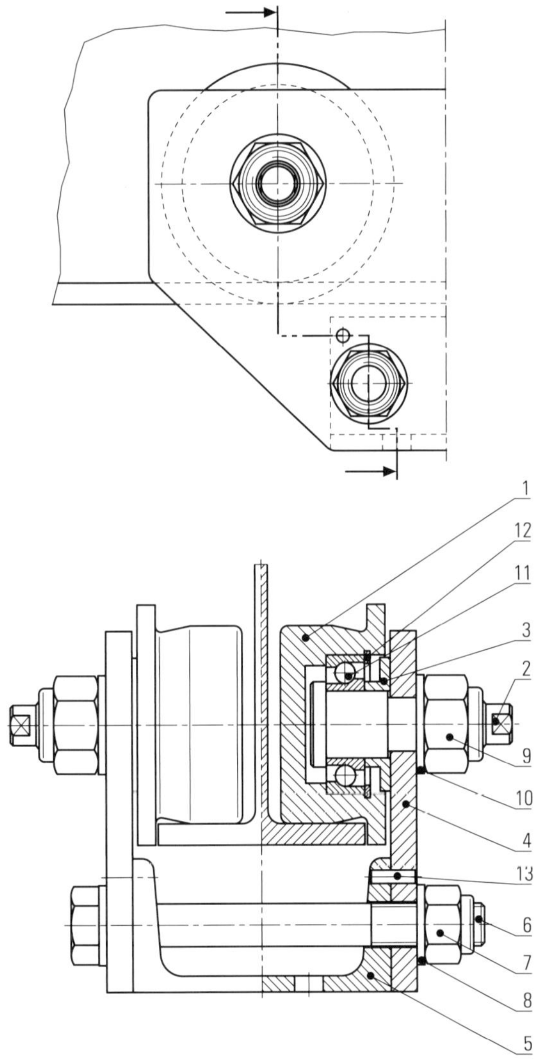

Laufwerk für Elektrozug

An das dargestellte Laufwerk wird ein Elektrozug zum Heben von Lasten montiert. Das Laufwerk mit Elektrozug lässt sich manuell auf der Laufschiene bewegen. Bei und nach der Fertigung des Laufwerks müssen dessen Einzelteile geprüft werden. Legen Sie für die Einzelteile des Laufwerkes fest, mit welchen Prüfwerkzeugen dies geschehen soll.

Seitenteil Pos. 4

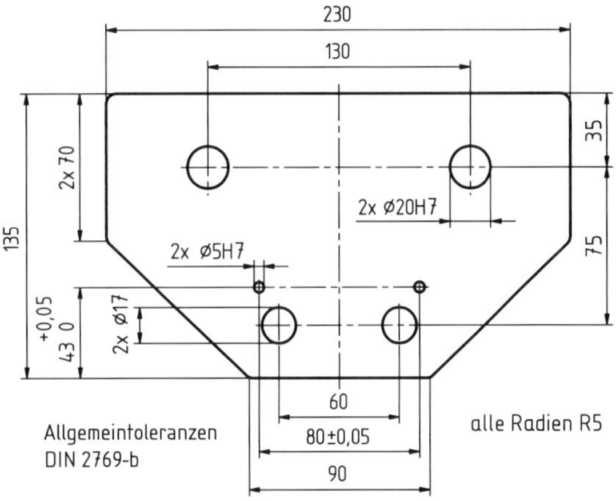

Zeichnung Seitenteil

1. Legen Sie für jedes Maß das geeignete Prüfwerkzeug fest.
2. Beschreiben Sie die Prüfung der Bohrungsabstände.
3. Nennen Sie die Maße, bei deren Prüfung es Schwierigkeiten geben kann und beschreiben Sie diese.

Distanzstück Pos. 3

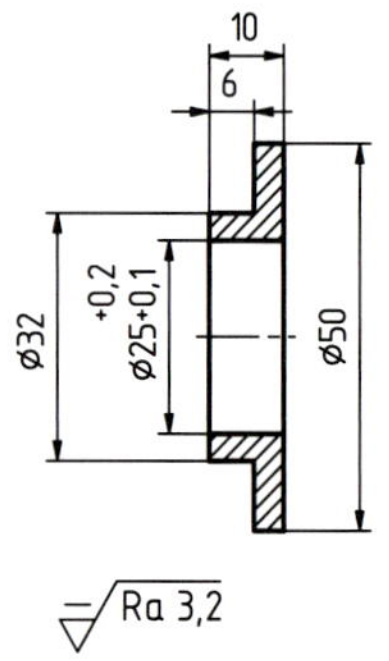

1. Wie groß sollte der Rohling für das Distanzstück vor der Bearbeitung sein?
2. Beschreiben Sie schrittweise die Fertigung des Einzelteils (vgl. Kap. 1.3).
3. Wählen Sie geeignete Messwerkzeuge aus und geben Sie zu jedem Maß an, wie das jeweilige Messwerkzeug eingesetzt wird.
4. Erstellen Sie ein Prüfprotokoll für das Distanzstück nach dem Muster von Seite 91.

Lagerbolzen Pos. 2

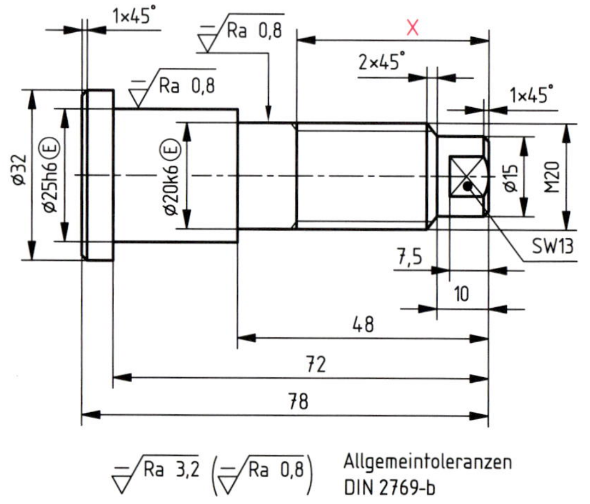

1. Wie groß sollte der Rohling für den Lagerbolzen vor der Bearbeitung sein?
2. Legen Sie das Maß *X* unter der Bedingung fest, dass das Kugellager 17 mm breit ist.
3. Warum sind zwei Flächen des Lagerbolzens mit höherer Oberflächenqualität herzustellen als die restlichen?
4. Beschreiben Sie schrittweise die Fertigung des Einzelteils (vgl. Kap. 1.3).
5. Erstellen Sie ein Prüfprotokoll für den Lagerbolzen nach dem Muster von Seite 91.

4.8 Work With Words

In future you may have to talk, listen or read technical English. Very often it will happen that you either **do not understand** a word or **do not know the translation**.

In this case here is some help for you!

Below you will find a few possibilities to describe or explain a word you don't know or use synonyms[1)] or the opposite[2)]. Write the results into your exercise book.

1. Add as many examples to the following terms as possible.

measuring instruments:	line scale vernier calliper	*errors of measurement:*	error of tilt parallax

2. Explain the two terms in the box:
Use the words below to form correct sentences. Be careful the range is mixed!

gauge:	of work pieces or parts/ measures the quality/ It is a device thata	*tolerance:*	of variation/ It is an acceptable degree/ in a measurement

3. Find the opposites[2]**:**

subjective testing:		*capital letter:*	
upper deviation:		*direct length measurement:*	

4. Find synonyms[1]:
You can find one or two synonyms to each term in the box below.

hole:		*test:*	
gauge:		*shaft:*	
drilling/measure/bore		tube/pipe/check	

5. In each group there is a word which is the **odd man**[3)]. Which one is it?

a) inspection period, limit, inspection sheet, inspection result

b) limit plug, ratchet, limit gauge, external limit gauge

c) accidental drift, systematic drift, shaft

d) measuring screw, dial gauge, tolerance, line scale

6. Please translate the information below. Use your English-German Vocabulary List if necessary.

Testing means establishing whether the test object for example a test piece, sample, measuring device meets one or more given conditions.

1) synonyme: Synonym, ähnliches Wort, Ergänzung
2) opposite: Gegenteil
3) odd man: Außenseiter, überzähliges Wort, fünftes Rad am Wagen

Lernfeld 3: Herstellen von einfachen Baugruppen

Bei der Montage von einzelnen Bauelementen *(components)* zu einer Baugruppe *(subassembly)* besteht Ihre Aufgabe darin, die Montage *(assembly)* zunächst vorzubereiten und dann durchzuführen. Bei der Montagevorbereitung kontrollieren Sie die Vollständigkeit der einzelnen Bauelemente, stellen die benötigten Verbindungselemente, Zubehörteile und Werkzeuge bereit und ggf. säubern und entfetten Sie die Bauteile, z. B. für anstehende Löt- oder Klebeverbindungen, oder Sie bereiten die Schweißnähte entsprechend vor.

Es kann sein, dass die zu montierende Baugruppe bereits das Endprodukt darstellt. Sie kann aber auch Teil einer größeren Baugruppe und diese evtl. wiederum Teil einer noch größeren Einheit sein usw. Wichtig in diesem Zusammenhang ist, dass Sie sich die **Funktion** *(function)* der Baugruppe klar machen. Soll sie in erster Linie z. B. Kräfte übertragen und dient sie innerhalb eines Systems dem **Energiefluss** *(energy flow)*? Oder ist es ihre hauptsächliche Aufgabe, Materialien wie z. B. Späne, Stückgüter, Flüssigkeiten oder Gase zu transportieren? Dient sie also dem **Stofffluss** *(stock flow)*? Oder besteht ihr wesentlicher Zweck darin, z. B. im Rahmen einer Steuerung Signale zu erfassen bzw. weiterzuleiten oder zu verarbeiten? Dient sie also hauptsächlich dem **Informationsfluss** *(flow of information)*?

Die Beantwortung dieser Fragen erleichtert es Ihnen, den konstruktiven Aufbau der Baugruppe, ihre **Struktur** *(structure)*, zu verstehen. Diese stellt sicher, dass die Baugruppe ihre Funktion erfüllen kann und von der Sorgfalt Ihrer Montage hängt es ab, dass diese Funktion auch wirklich gewährleistet ist. So müssen z. B. bestimmte Teile der Baugruppe vielleicht fest miteinander verbunden werden, bei anderen ist dagegen Beweglichkeit mit leichtgängigem Spiel gefordert. Sie müssen beachten, ob die Baugruppe später wieder zu demontieren sein muss und Sie deshalb die einzelnen Teile **lösbar** *(detachable)* oder **unlösbar** *(non-detachable)* verbinden usw. Wenn Ihre Baugruppe Teil einer übergeordneten Einrichtung ist, muss sichergestellt sein, dass sie später problemlos dort eingebaut werden kann und deshalb z. B. wichtige Montage- oder Anschlussmaße eingehalten werden oder die Lage von Bohrungen für den späteren Einbau korrekt ist. Sie müssen sich also über die spätere **Umgebung** *(surrounding)* der Baugruppe informieren.

Zum Herstellen von Baugruppen wenden Sie verschiedene **Fügeverfahren** *(joining method)* an, bei denen Sie auf jeden Fall die entsprechenden **Unfallverhütungsvorschriften** *(accident prevention regulations)* einhalten müssen und die Montagekosten beachten.

Grundlage Ihres Arbeitsauftrages ist in vielen Fällen eine Gesamtzeichnung mit Stückliste, eine Explosionsdarstellung, eine Montageanleitung usw. Grundlegende Informationen zum Umgang mit diesen Unterlagen finden Sie in diesem Buch im Teil **„Lernfeldübergreifende Inhalte"** im Kapitel **„Technische Kommunikation"**.

Die folgende Mind-Map stellt die Entscheidungen dar, die beim Montieren von Baugruppen zu treffen sind.

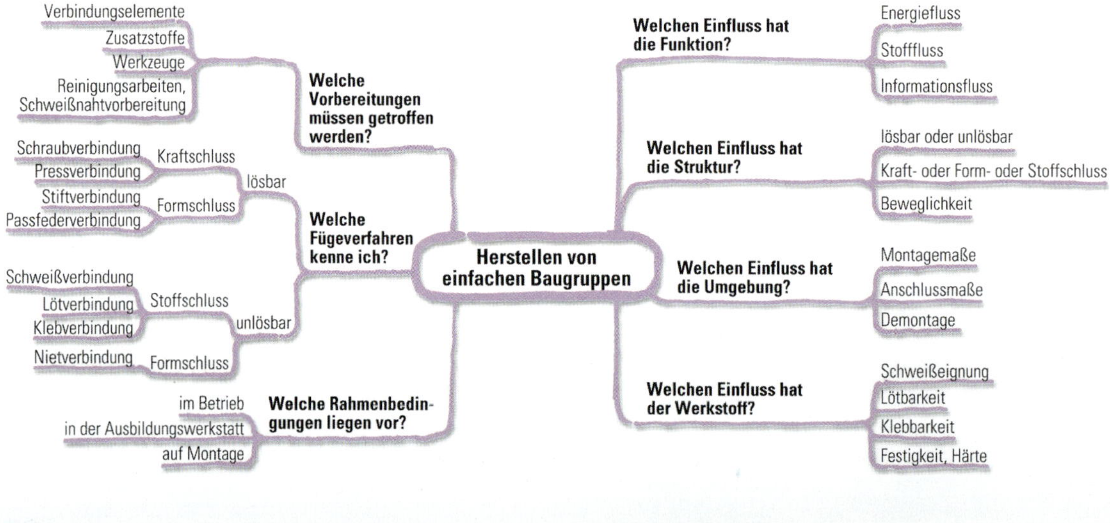

1 Systemtechnische Grundlagen

Einzelteile *(parts)* erfüllen nur selten eine **Funktion** *(function)* aus sich selbst heraus. Meist wirken sie zusammen, indem sie zu **Baugruppen** *(subassemblies)* montiert werden. Innerhalb einer Baugruppe können Einzelteile vielfältige Funktionen erfüllen.

Der technische Fortschritt führt zu Maschinen, Geräten und Anlagen, die immer mehr Arbeitstechniken und Arbeitsgänge zusammenfassen. In der Technik wird der übergeordnete Begriff **System** *(system)* verwendet (vgl. DIN 40150). Durch die Betrachtung als System können Maschinen, Anlagen und sogar ganze Fabriken überschaubar dargestellt werden.

Merke

Die drei wesentlichen **Merkmale** *(features)* eines Systems sind seine **Umgebung** *(surrounding)*, seine **Funktion** und seine **Struktur** *(structure)*.

Einige Grundlagen, die für die **Montage** *(assembly)* von Baugruppen wichtig sind, werden in den folgenden Abschnitten dargestellt.

Für die Betrachtung eines Systems sind verschiedene Merkmale zu unterscheiden. Die Übersicht unten auf dieser Seite zeigt dies am Beispiel eines Lochwerkzeuges (vgl. Teil I, Kap. 1.4.1).

1.1 Umgebung eines Systems

Das System steht in Wechselwirkung mit seiner Umgebung (vgl. Seite 98 Bild 1). Die **Systemgrenze** *(system boundary)* bildet den Übergang von der Umgebung zum System. An dieser Stelle wirkt demzufolge die Umgebung auf das System ein. Diese **Einflüsse** *(influences)* können sich z. B. auf die Funktion des Systems auswirken; sie können ein System schädigen, schützen usw.

Merkmal		**Beispiel Lochwerkzeug**
Die **Umgebung** erfasst die Anschlüsse, Bedienelemente und Befestigungen eines Systems.	Bei einem Lochwerkzeug ist dies die Presse, in der das Werkzeug betrieben wird.	
Die **Funktion** beschreibt das Verhalten eines Systemes bei seinem Einsatz.	Die Hauptfunktion eines Lochwerkzeuges ist das maßhaltige Schneiden von Löchern in ein Blech.	
Die **Struktur** stellt die Konstruktion des jeweiligen Systems dar.	Das Lochwerkzeug ist aus vielen Bauteilen aufgebaut. Sie müssen problemlos zusammenwirken, damit sie optimal funktionieren.	

Im Beispiel des Lochwerkzeuges *(punching device)* sind dies Angaben über die Presse und im Weiteren über den Einsatzort:

- Steht das Werkzeug an der richtigen Stelle?
- Ist die richtige Schneidkraft eingestellt?
- Ist die Hubhöhe eingestellt?
- Schwingt der Hallenboden (Maßhaltigkeit des Werkstücks)?
- Wird die Maschine in einer korrosionsfördernden Umgebung betrieben (Luftfeuchtigkeit)?
- Wird das Werkzeug in der Nähe von Wärmequellen oder in einer großen und schlecht geheizten Halle betrieben (Maßhaltigkeit des Werkstücks)?
- Ist die Energiezufuhr (elektrisch/hydraulisch) in ausreichendem Maße vorhanden?

1.2 Funktion eines Systems

Zunächst wird ein System als sog. **Blackbox** (schwarzer Kasten) betrachtet. So erhält die Fachkraft einen Überblick über die Funktion des Systems. Dabei wird sein innerer Aufbau unberücksichtigt gelassen. Es interessieren nur die **Eingangs**- und **Ausgangsgrößen** *(input and output parameters)* des Systems. Diese werden in folgende Bereiche aufgeteilt:

- **Energie**
- **Stoff**
- **Information**

Merke

Die Grenze eines Systems muss von der Fachkraft so festgelegt werden, dass nur die Ein- und Ausgangsgrößen berücksichtigt werden, die untersucht werden sollen.

In einem System werden die Funktionen einzeln betrachtet. Es können mehrere Funktionen gleichzeitig wirksam sein.
Das System „Lochwerkzeug" hat die Funktion, aus einem Rohteil ein Fertigteil herzustellen. Das Rohteil/Werkstück ist dem Bereich „Stoff" zuzuordnen. Das Lochwerkzeug gehört daher zu den **Stoff umsetzenden Systemen**.
Jedem System kann eindeutig eine bestimmte **Hauptfunktion** *(main function)* zugeordnet werden.

Beachte:

- Der Motor in einer Fräsmaschine (System zum Stoffumsatz mit der Hauptfunktion „Zerspanen") ist eine **Einrichtung innerhalb** dieser Maschine.
- Der gleiche Motor kann aber auch ein **eigenständiges System** zum Energieumsatz mit der Hauptfunktion „Energie wandeln" sein.

Dies hängt von der jeweils gezogenen Systemgrenze ab.
Die drei Hauptfunktionen von Systemen lassen sich wie in der Übersicht auf Seite 99 darstellen.

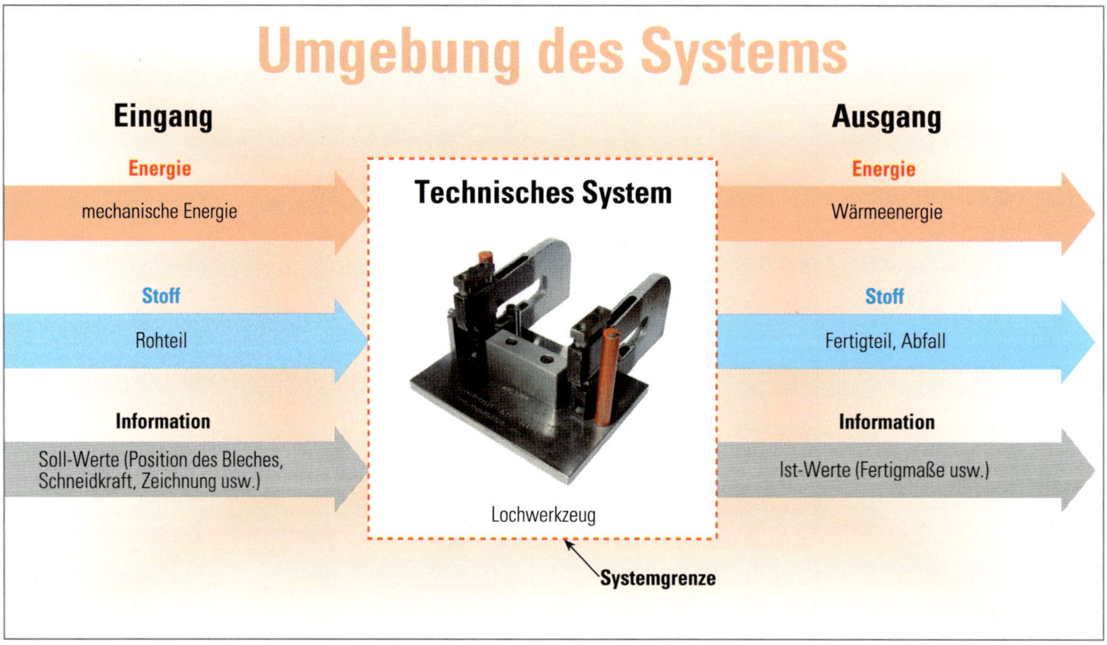

1 *Systemdarstellung eines Lochwerkzeuges*

Systeme zum Energieumsatz	Zu dieser Gruppe gehören alle **Kraftmaschinen** *(prime movers)*: ■ Wärmekraftmaschinen wie z. B. Otto- und Dieselmotor, Gasturbine ■ Wasserkraftmaschinen wie z. B. Wasserrad, Wasserturbine ■ Windkraftmaschinen wie z. B. Windrad ■ Elektrische Maschinen wie z. B. Generator, Motor	
Systeme zum Stoffumsatz	Zu dieser Gruppe gehören alle **Arbeitsmaschinen** *(machine tools)*: ■ Werkzeugmaschinen wie z. B. Drehmaschine, Fräsmaschine, Lochwerkzeug ■ Fördermaschinen wie z. B. Förderband, Becherwerk	
Systeme zum Informationsumsatz	Zu dieser Gruppe gehören alle Anlagen, die **analoge oder digitale Signale** *(analog or digital signals)* verarbeiten können: ■ Computer ■ Speicherprogrammierte Steuerungen (SPS) ■ Kommunikationssysteme wie z. B. Mobilfunknetz ■ Global Positioning System[1] (GPS)	

Überlegen Sie

1. Stellen Sie das Förderband als System dar.

2. Nennen Sie die Hauptfunktion des Systems.
3. Benennen Sie die einzelnen Ein- und Ausgangsgrößen.

1.3 Strukturstufen eines Systems

Jede Maschine *(engine)*, jede Anlage *(plant)* oder jedes Gerät *(device)* erfüllt eine bestimmte Hauptfunktion.

- Ein Generator *(generator)* wandelt mechanische Energie in elektrische Energie.
- Eine Schweißanlage *(welding machine)* gewährleistet z. B. den Stofffluss zum Brenner.
- Ein Computer *(computer)* dient der Informationsverarbeitung.

Insbesondere für die Montage und Demontage eines Systems muss der innere Aufbau bekannt sein. Hierfür kann ein technisches System in verschiedene Betrachtungsebenen unterteilt werden. Dies sind im Allgemeinen „**Einrichtung**", „**Gruppe**" und „**Element**" (Bild 1 auf Seite 100).

Überlegen Sie

Das System „Dieselmotor" ist ein Energie umsetzendes System. Ordnen Sie den jeweiligen Betrachtungsebenen die zugehörigen Baueinheiten zu.

1) US-amerikanisches Satellitensystem zur Positionsbestimmung auf der Erde.

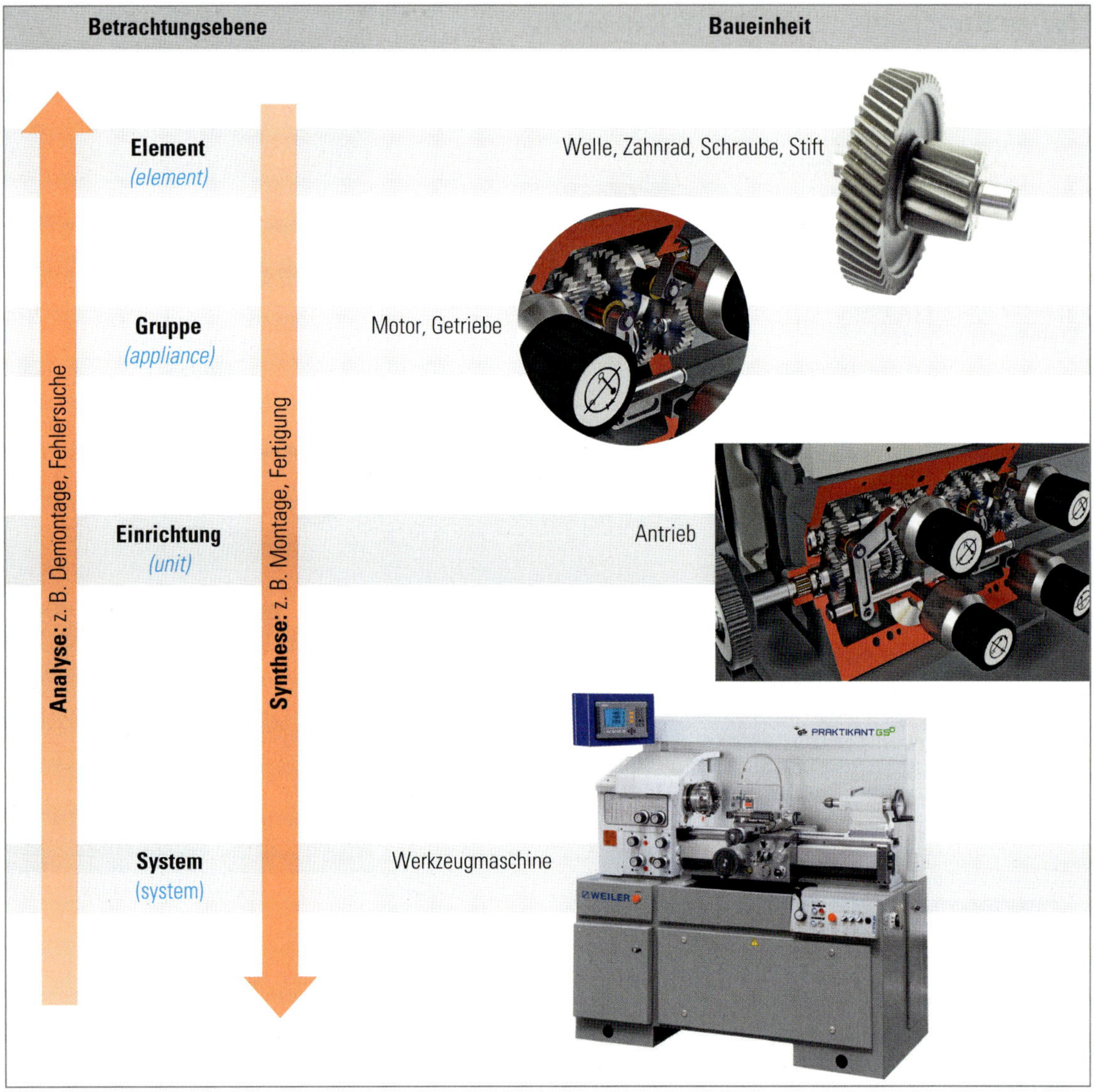

1 *Betrachtungsebenen eines technischen Systems*

Bei der **Montage** werden aus Elementen (Einzelteilen) Baugruppen gebildet. Je nachdem, wie die Systemgrenze von der Fachkraft gezogen wird, ist die fertig montierte Baugruppe bereits ein eigenständiges System oder Teil eines übergeordneten Systems.
Die zu montierenden Elemente (Einzelteile) erfüllen **Grundfunktionen** *(basic functions)*, d. h., die Funktion des Elements ist nicht mehr weiter zerlegbar.
Eine Auswahl von Grundfunktionen zeigt die nebenstehende Tabelle.

Merke

Die Struktur eines Systems ergibt sich aus der Verknüpfung seiner Einrichtungen, Gruppen und Elemente. Elemente erfüllen Grundfunktionen, die nicht mehr weiter zerlegbar sind.

Wandeln *(convert)*	Die Zahnräder im Getriebe wandeln z. B. die Drehfrequenz und das Drehmoment.
Speichern *(store)*	Ein Vorratsbehälter speichert z. B. Kühlschmierstoff; ein Akkumulator speichert elektrische Energie.
Stützen – Tragen *(support – bear)*	Ein Gehäuse trägt die Elemente einer Maschine.
Führen *(guide)*	Ein Wälzlager führt eine Welle; ein Maschinenbett führt einen Frästisch.
Verbinden *(join)*	Eine Schraube verbindet zwei Bauteile.
Leiten – Transportieren *(transmit – convey)*	Eine elektrische Leitung leitet den elektrischen Strom; ein Rohr leitet Kühlschmierstoff, eine Welle leitet mechanische Energie.

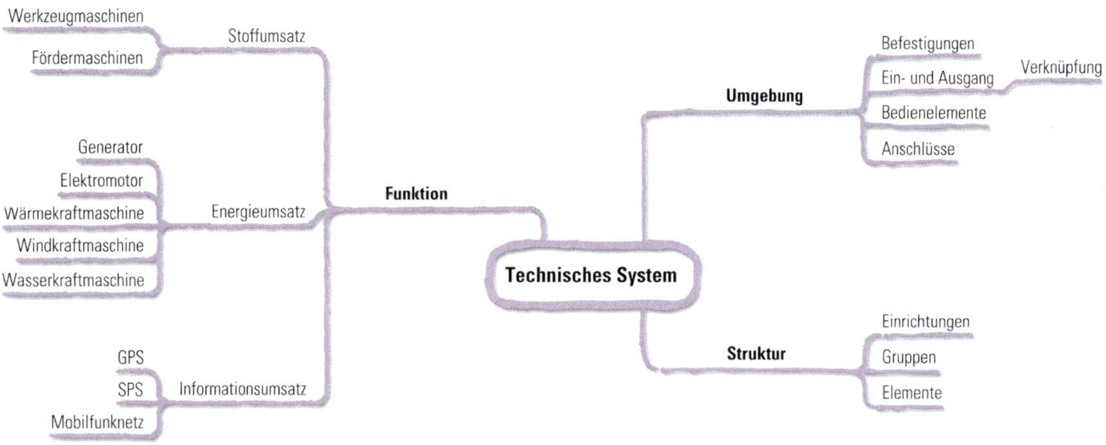

1 *Technisches System*

Die Fachkraft benötigt Kenntnisse über den inneren Aufbau (Funktion und Struktur), um z. B. defekte Bauteile zu erkennen und auszutauschen. Sie montiert, nutzt, wartet oder repariert diese Einrichtungen. An den unterschiedlichsten Maschinen sind ähnliche Elemente und Gruppen vorhanden, dies können Getriebe, Motoren, Wellen, Schrauben, Federn, Schalter oder Verbindungsstücke sein.

Die Aufgabe eines Systems ist abhängig von seiner Funktion:

- Motoren *(engines)* wandeln die zugeführte Energie wie z. B. elektrische Energie in mechanische Energie.
- Wellen *(shafts)* leiten mechanische Energie wie z. B. Drehbewegung vom Antriebsmotor zum Getriebe.
- Schrauben *(screws)* übertragen Kräfte wie z. B. zwischen Schraubenkopf und Mutter.
- Rohrleitungen *(rigid lines)* leiten Flüssigkeiten wie z. B. von der Pumpe zum Hydraulikzylinder.

2 Montagetechnik

Maschinen, Anlagen oder Geräte werden aus vielen Einzelteilen zusammengesetzt. Zunächst werden aus Einzelteilen Gruppen montiert und aus diesen dann Einrichtungen. Aus diesen Einrichtungen entsteht dann ein System wie z. B. eine Werkzeugmaschine (siehe Seite 100). Dazu müssen die Einzelteile gehandhabt werden, d. h., sie werden in einer vorher festgelegten Reihenfolge gefügt und montiert. Dies kann manuell oder automatisiert erfolgen. Im Folgenden wird die manuelle Montage behandelt.

Das Verbinden von Einzelteilen oder Baugruppen nennt man **Fügen** *(joining)*. **Montieren** *(assembling)* geschieht immer unter Anwendung von **Fügeverfahren** *(joining processes)*. Zusätzlich zum Fügen werden beim Montieren jedoch Arbeitsvorgänge ausgeführt, zu denen das

- Messen und Überprüfen z. B. der Rohmaße,
- Positionieren der Bauteile sowie das
- Bereitstellen der Arbeitsmittel

zählt. Montieren ist also mehr als Fügen.

Merke

Fügen ist das auf Dauer angelegte Verbinden (oder sonstige Zusammenbringen) von zwei oder mehr Werkstücken. Montieren umfasst weiter gehende Tätigkeiten wie z. B. Messen und Positionieren von Werkstücken.

In der Technik kennt man sehr viele Möglichkeiten, Bauteile miteinander zu verbinden.

Wichtige Fügeverfahren gemäß DIN 8593 sind:

- Zusammensetzen *(composing)*
  z. B. Verschrauben
- Füllen *(filling)*
  z. B. Tränken
- Anpressen/Einpressen *(tightening and forced insertion)*
  z. B. Schrumpfen
- Urformen *(primary forming)*
  z. B. Ausgießen
- Umformen *(deforming)*
  z. B. Nieten, Bleche bördeln
- Stoffschluss *(material joint)*
  z. B. Schweißen, Löten, Kleben

Die Aufgabe einer Verbindung besteht darin, Kräfte von einem Bauteil auf ein anderes zu übertragen.

Verbindungen können nach unterschiedlichen Gesichtspunkten betrachtet und unterschieden werden.

Verbindungsarten *(joining methods)*

- fest/starr *(firm/rigid)*
- beweglich *(flexible)*

- kraftschlüssig *(force locking)*
- formschlüssig *(positive locking)*
- stoffschlüssig *(material joint)*

- lösbar *(detachable)*
- unlösbar *(non-detachable)*

2.1 Verbindungsarten

2.1.1 Bewegliche und starre Verbindungen

AH GK S. 65

Bei einer **starren Verbindung** *(rigid joining)* wird eine Bewegung der Bauteile gegeneinander unterbunden. Zwei Einzelteile werden z. B. mit einer Schraube starr verbunden.
Eine **bewegliche Verbindung** *(flexible joining)* überträgt Kräfte und/oder Drehmomente und erlaubt eine Bewegung der Teile gegeneinander. Das können Dreh- oder Verschiebebewegungen sein. Ein Bauteil z. B. ist mit einem Bolzen beweglich in einer Halterung gelagert (Bild 1).

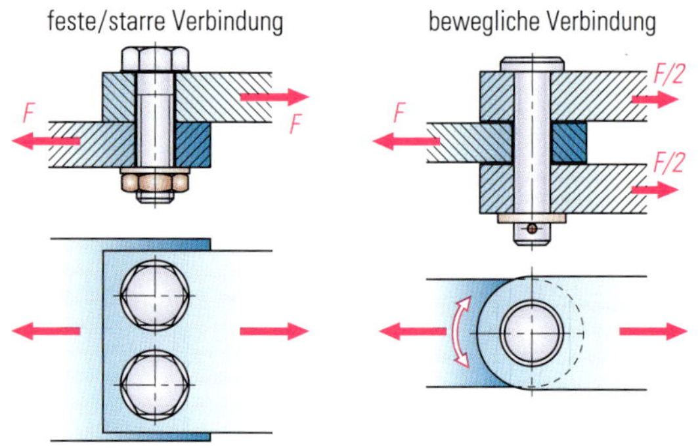

1 *Feste/starre und bewegliche Verbindung*

2.1.2 Kraft-, form- und stoffschlüssige Verbindungen

Eine andere Art der Unterteilung der Fügearten ist die Unterscheidung nach Fügen durch
a) Kraftschluss b) Formschluss und c) Stoffschluss

AH GK S. 20

Schraubenverbindung 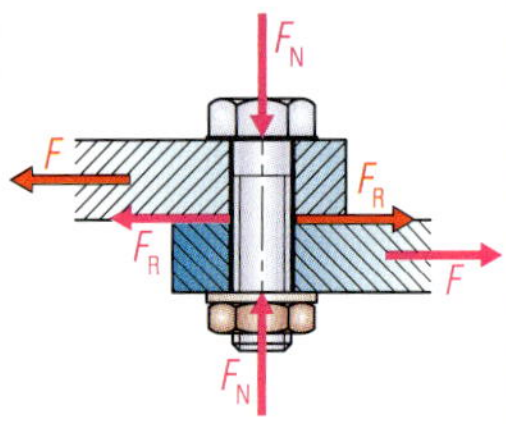 	**Kraftschlüssige Verbindungen** Die Berührflächen der Teile übertragen äußere Kräfte F durch Reibkräfte F_R.	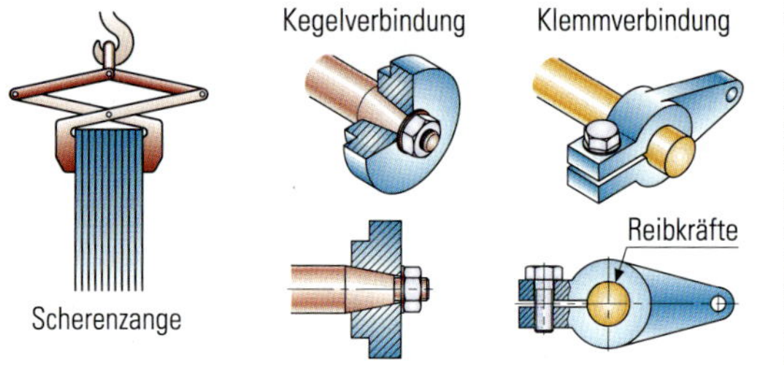
Stiftverbindung 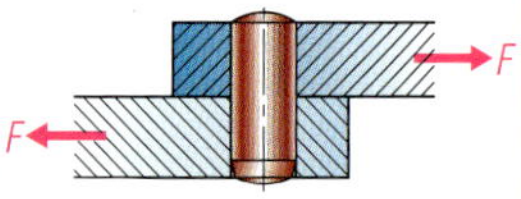 	**Formschlüssige Verbindungen** ■ Zusatzelemente (Stift, Splint, Niet) verbinden aufgrund ihrer Form. ■ Teile (Maulschlüssel, Zahnräder) greifen ineinander.	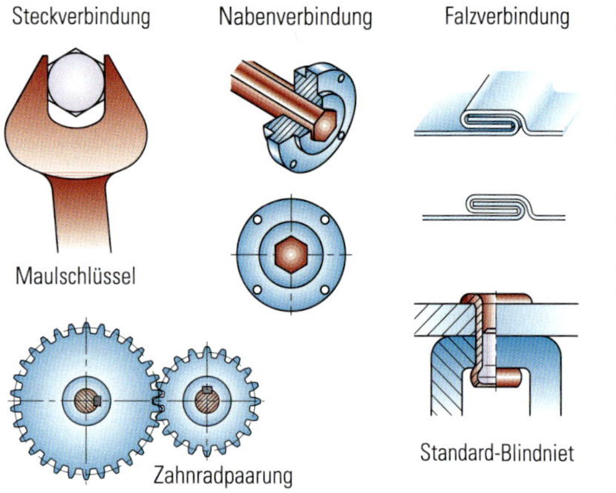
Schweißverbindung 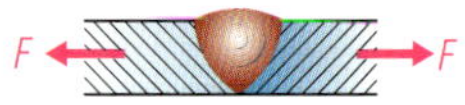 	**Stoffschlüssige Verbindungen** Zusatzwerkstoffe haften an der Oberfläche der Teile oder verbinden sich mit deren Grundwerkstoff.	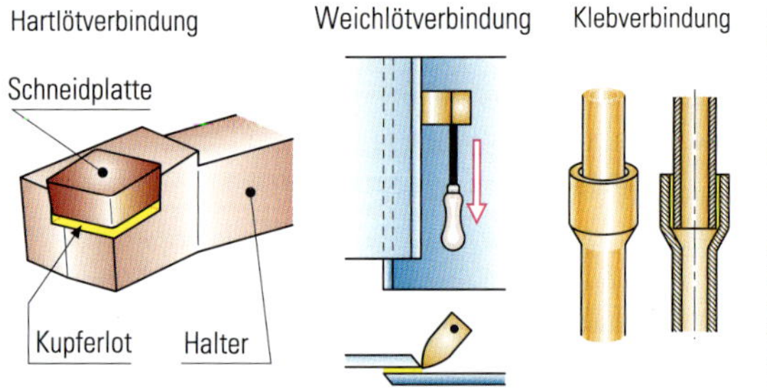

2 *Kraft-, form- und stoffschlüssige Verbindungen*

Bei dieser Art der Betrachtung wird nicht das Fertigungsverfahren berücksichtigt, mit dem die Verbindung hergestellt wird. Es wird nur die Fügestelle selbst betrachtet. Die Art der Kraftübertragung kann dann einer der drei genannten Verfahren zugeordnet werden. Auch hier sind Mischformen innerhalb der Fügearten möglich. Dies ist für verschiedene Fügeaufgaben sogar erforderlich.

zu a) **Kraftschlüssige Verbindungen** *(frictional connections/ force lockings)*: Die Kraftübertragung erfolgt durch Reibung innerhalb der Fügestelle, z. B. mithilfe von Sechskantschraube und Mutter (Seite 102 Bild 2). Die Anpresskraft der Verbindungselemente ist die Voraussetzung für die Reibung zwischen den Bauteilen. Erst dadurch wird ein Verschieben und Lösen der Fügeteile verhindert.

zu b) **Formschlüssige Verbindungen** *(positive lockings)*: Die Kraftübertragung erfolgt durch die geometrische Form der beteiligten Bauteile. Bild 2 auf Seite 102 zeigt dies anhand einer Stiftverbindung. Die Form der Verbindungselemente verhindert ein Verschieben der Fügeteile gegeneinander.

zu c) **Stoffschlüssige Verbindungen** *(material joints)* werden durch das Vereinigen von Werkstoffen in der Verbindungszone unter Anwendung von Wärme und/oder Kraft ohne oder mit einem Zusatzwerkstoff hergestellt. Fast immer kommt es hierbei zu einer Legierungsbildung[1)] (vgl. Teil III „Lernfeldübergreifende Inhalte Kap. 3.3.1 „Metallische Werkstoffe").

2.1.3 Lösbare und unlösbare Verbindungen

Lösbare Verbindungen *(detachable joinings)* können **ohne Zerstörung** der Bauteile oder der Verbindungselemente gelöst werden. Sie sind sinnvoll, wenn am Zusammenbau Veränderungen vorgenommen werden müssen. Häufigste Verbindungsart ist hier die Schraubverbindung; durch Lösen der Mutter kann die Verbindung gelöst werden. Die Verbindungselemente können wiederverwendet werden.

Unlösbare Verbindungen *(non-detachable joinings)* können nur durch **Zerstörung** der beteiligten Verbindungselemente gelöst werden. Dabei können auch die verbundenen Bauteile beschädigt werden. Eine Nietverbindung wird durch Abtrennen des Nietkopfes gelöst. Mit einem Splintentreiber wird der Nietschaft aus der Bohrung getrieben. Eine Beschädigung der Bauteiloberfläche ist kaum vermeidbar und der Niet ist nicht wiederverwendbar (Bild 1).

Merke

In der Praxis ist es nicht immer leicht, eine Verbindungsart eindeutig zuzuordnen. Häufig können Verbindungsarten kombiniert werden.

Überlegen Sie

1. Nennen Sie Beispiele für lösbare und unlösbare Verbindungen aus Ihrem Betrieb.
2. Wie erfolgt bei den von Ihnen gefundenen Beispielen die Kraftübertragung?
3. Nennen Sie Beispiele für starre und bewegliche Verbindungen aus Ihrem Betrieb.

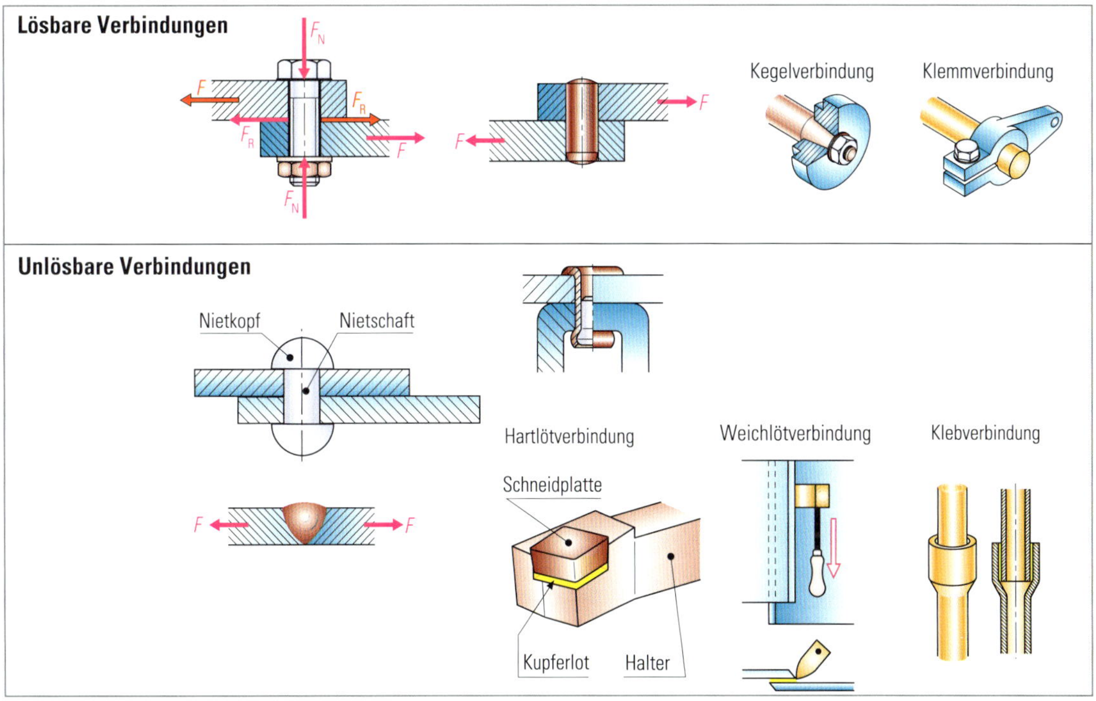

1 Lösbare und unlösbare Verbindungen

2.2 Fügeverfahren, Werkzeuge und Vorrichtungen für die Montage

Werkzeuge und Hilfsmittel für die manuelle Montage

Werkzeuge ohne Maschinenunterstützung (handbetätigt)	Werkzeuge mit Maschinenunterstützung (maschinenbetätigt)	Montagehilfsmittel
■ Schraubendreher ■ Schraubenschlüssel ■ Hammer	■ Schrauber (elektr./pneumat.) ■ Schlagschrauber ■ Presse	■ Schraubstock ■ Montagevorrichtung ■ Prüfmittel

Für Montageaufgaben, die manuell ausgeführt werden, stehen eine große Zahl verschiedener Fügeverfahren und Standardwerkzeuge zur Verfügung. Wenn Baugruppen montiert werden, sind oft auch besondere Montagewerkzeuge notwendig. Es kann sogar vorkommen, dass für eine spezielle Montageaufgabe ein einzelnes Montagewerkzeug angefertigt wird. Gleiches gilt auch für die Demontage von Baugruppen.

1 Ausführungsarten von Schrauben und Muttern

2.2.1 Fügen durch Kraftschluss

2.2.1.1 Schraubenverbindungen

Innerhalb der lösbaren Verbindungen ist die **Schraube** *(screw)* das am häufigsten verwendete Verbindungselement. Sie wird für die unterschiedlichsten Aufgaben eingesetzt und dem jeweiligen Verwendungszweck angepasst. Deshalb gibt es Schrauben in vielen Größen und Längen, aber auch in verschiedenen Ausführungsarten, -formen und Werkstoffen (Bild 1).

AH GK S. 66

	Sechskantschraube DIN EN ISO 4014	Stiftschraube z. B. DIN 938	Zylinderschraube mit Innensechskant DIN EN ISO 4762	Gewindestift DIN EN ISO 4027
Schraubenverbindung	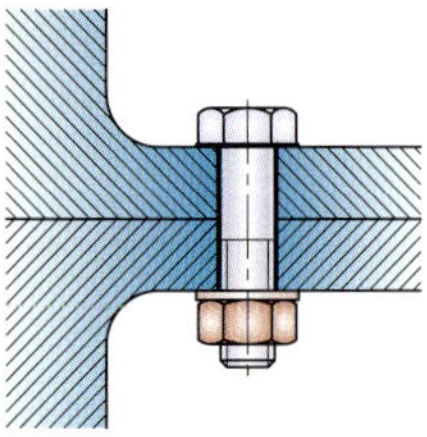	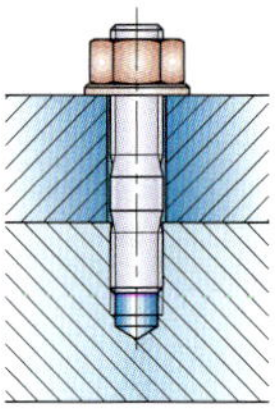	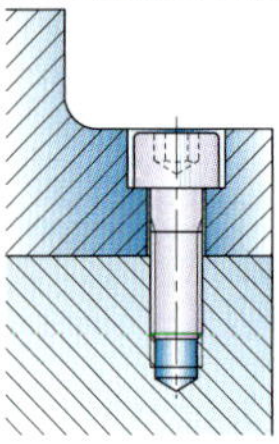	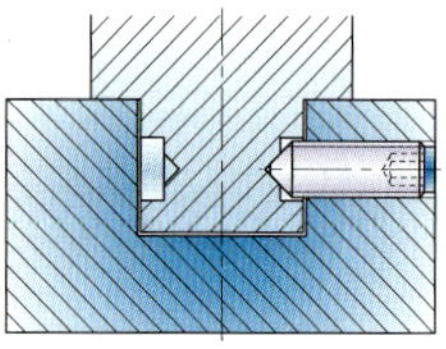
Merkmale	Die Sechskantschraube besteht aus Schraubenkopf und Gewindeschaft. Gegebenenfalls wird sie mit einer Mutter verschraubt.	Die Gewindezapfen sind unterschiedlich lang. Das Ende mit dem kurzen Gewinde wird in das Werkstück geschraubt.	Der Schraubenkopf kann bei entsprechender Flachkopfsenkung im Gehäuse versenkt werden.	Gewindestifte haben über ihre gesamte Länge ein Gewinde. Zur Montage dient ein Schlitz oder ein Innensechskant.
Bemerkung	Je nach Anwendungsfall ist eine Scheibe und/oder eine Schraubensicherung gegen Lösen erforderlich. Diese Schraubenverbindung ist mit dem geringsten Fertigungs- und Montageaufwand verbunden.	Das Lösen der Verbindung erfolgt durch die Mutter. Das Gewinde im Bauteil wird dadurch geschont. Diese Verbindungsart ist z. B. an Maschinendeckeln zu finden, die häufig wieder gelöst werden müssen.	Versenkte Schraubenköpfe sind erforderlich ■ aus Sicherheitsgründen (Verletzungsgefahr) ■ um die Funktion der Einzelteile sicherzustellen	Mit Gewindestiften werden Maschinenteile wie z. B. Lagerbuchsen oder Stellringe gegen Verdrehen und axiales Verschieben gesichert.

2 Merkmale von Schraubenarten

Informationen zur zeichnerischen Darstellung von Gewinden und Schraubenverbindungen finden Sie im Teil III „Lernfeld übergreifende Inhalte" im Kapitel 2.6 „Gewinde" sowie in weiteren Unterkapiteln.

Durch die Form der Bauteile bzw. durch die Montageverhältnisse wird meist festgelegt, welche Art der Schraubenverbindung *(screw joint)* infrage kommt (Seite 104 Bild 2).

Wird die Schraubenverbindung fest angezogen, so werden die Fügeteile durch die Normalkraft[1] F_N zusammengepresst. Dabei dehnt sich die Schraube geringfügig und spannt die Bauteile, die Schraube ist vorgespannt und stellt die kraftschlüssige Verbindung sicher (siehe Kap. 2.1.2 Kraft-, form- und stoffschlüssige Verbindungen). Ein Modell (Bild 1) verdeutlicht dies (Die Schraube wird dabei gedanklich durch eine Feder ersetzt).

Wenn **Verbindungen** *(connections)* häufig gelöst werden müssen oder andere Verbindungsarten unwirtschaftlich oder technisch schwierig umzusetzen sind, sind Schraubenverbindungen sinnvoll. Verschiedene Anwendungsbeispiele sind im Bild 2 zu sehen.

Üblicherweise werden Gewinde mit Rechtssteigung verwendet (**Rechtsgewinde** *(right-handed screw thread)*. Es gibt jedoch Anwendungen, bei denen ein linkssteigendes Gewinde erforderlich ist. So ist z. B. für die Vertauschungssicherheit von Gasflaschen[2] das Anschlussgewinde für die Druckminderarmatur und Schläuche einer Sauerstoffflasche ein Rechtsgewinde, das für **Brenngasflaschen** ein **Linksgewinde** *(left-handed screw thread)*. So wird verhindert, dass die Druckminderarmaturen versehentlich an die falschen Gasflaschen angeschlossen werden. **Muttern** *(nuts)* und **Schraubenköpfe** *(screw heads)*

Anlegen der Mutter | **Anziehen der Mutter**

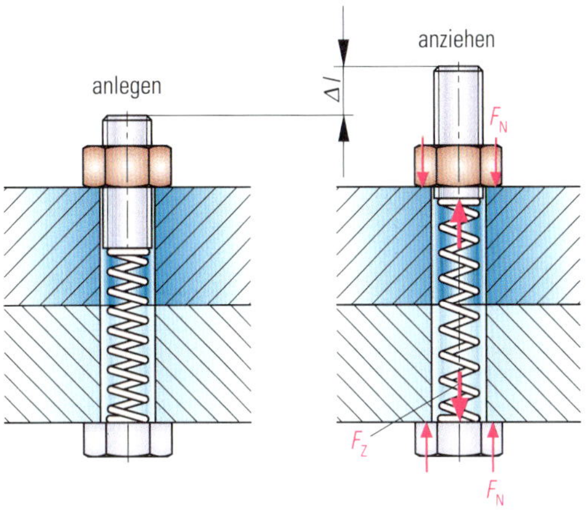

Die Mutter wird bis zur Bauteiloberfläche aufgeschraubt (angelegt). Eine weitere Drehbewegung der Mutter von Hand ist nicht mehr möglich.

Eine weitere Drehbewegung mit einem Werkzeug führt zu einer Dehnung (Δl) des Schraubenschaftes. Die Zugkraft F_Z wirkt über den Schraubenkopf und der Mutter als Normalkraft F_N auf die Einzelteile. Die Schraube ist vorgespannt.

1 *Kraftschlüssige Schraubenverbindung*

	Senkschraube DIN EN ISO 10642	**Passschraube DIN 609**	**Hammerschraube DIN 186**	**Dehnschraube DIN 2510-1**
Schraubenverbindung	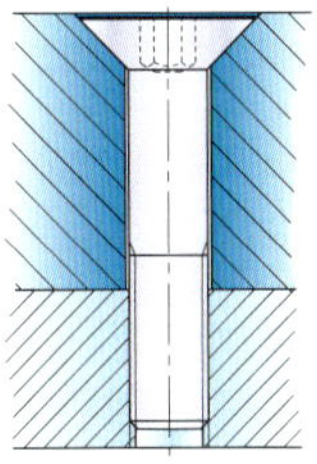	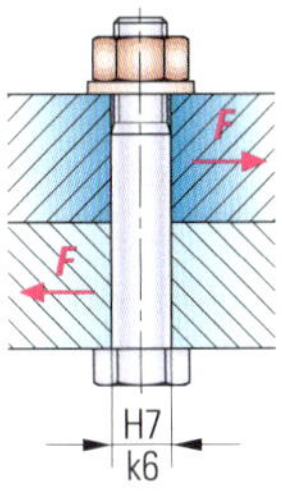	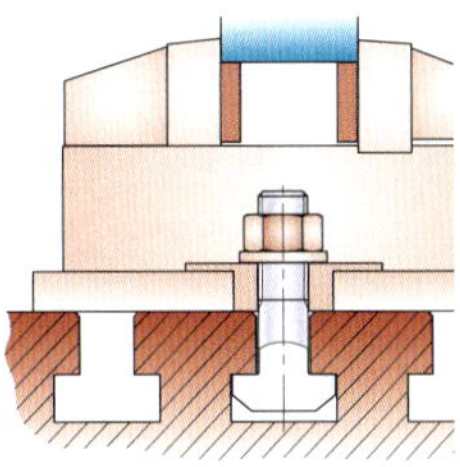	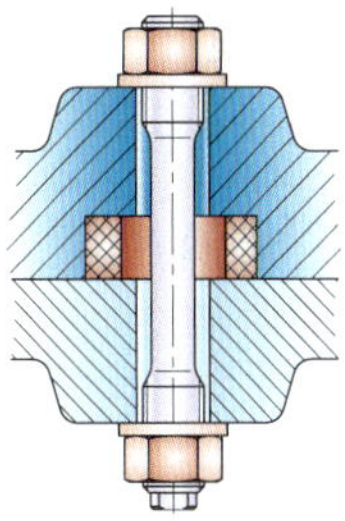
Merkmale	■ Senkkopf schließt bündig mit der Bauteiloberfläche ab. ■ Die Gewindebohrungen müssen mit einer entsprechenden Senkung versehen werden.	■ Lagesicherung von Bauteilen ■ Aufnahme großer Querkräfte	■ Schraubenkopf kann in Führungen eingesetzt werden. ■ Bauteile können nach dem Lösen der Verbindung in der Führung verschoben werden.	■ Schaftdurchmesser beträgt ca. 90 % des Gewindekerndurchmessers. ■ lange Schaftlängen erforderlich ■ Montage mit hoher Vorspannkraft erforderlich
Bemerkung	Versenkte Bauteile sind erforderlich ■ aus Sicherheitsgründen (Verletzungsgefahr) ■ um die Funktion der Einzelteile sicherzustellen	■ Schraubenschaft besteht aus einem genau gearbeiteten zylindrischen Teil und einem Gewindeteil ■ Herstellung teuer	für die Montage von Bauteilen auf Spanntischen (z. B. Schraubstock auf dem Werkzeugtisch einer Bohrmaschine) geeignet	■ für dynamische Beanspruchung z. B. bei Pleuelstangen ■ für Hochdruckflanschverbindungen

2 *Anwendungsbeispiele für Schraubenverbindungen*

1) Die Normalkraft wirkt immer senkrecht auf die Oberfläche 2) siehe Kap. 2.2.3.3.1 „Gasschmelzschweißen"

mit linkssteigendem Gewinde werden durch eine **Kerbe** oder einen **Pfeil** gekennzeichnet (Bild 1).
Linksgewinde sind notwendig, damit sich z. B. Schleifscheiben bei Betrieb aufgrund der Drehrichtung nicht selbsttätig lösen (Bild 2). Spannschlösser müssen ebenfalls an einer Seite mit einem Linksgewinde ausgestattet sein (vgl. Teil III Übung 4 zum Kapitel 2.6.3 „Schraubenverbindungen“).

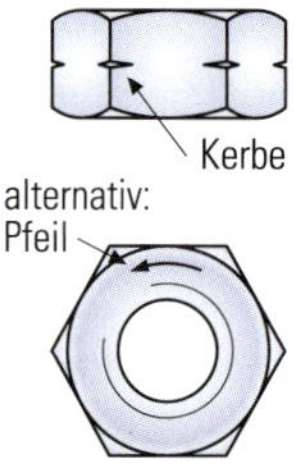

1 *Kennzeichnung für Linksgewinde*

2 *Linke Schleifscheibe muss durch eine Mutter mit Linksgewinde gesichert werden*

Bezeichnungen und Kennwerte am Gewinde

Für ein Schraubengewinde sind verschiedene Bezeichnungen festgelegt (Bild 3). Neben diesen geometrischen Festlegungen sind auch Kennzeichnungen für die Festigkeit möglich bzw. erforderlich.
Eine Festigkeitsbezeichnung für Schrauben besteht aus zwei Zahlen die durch einen Punkt voneinander getrennt sind. Aus ihnen lassen sich ungefähr die **Festigkeitswerte** der Schraube ableiten (Bild 4).
Die genauen **Festigkeitskennzahlen** von Schrauben sind dem Tabellenbuch zu entnehmen.

AH GK S. 67

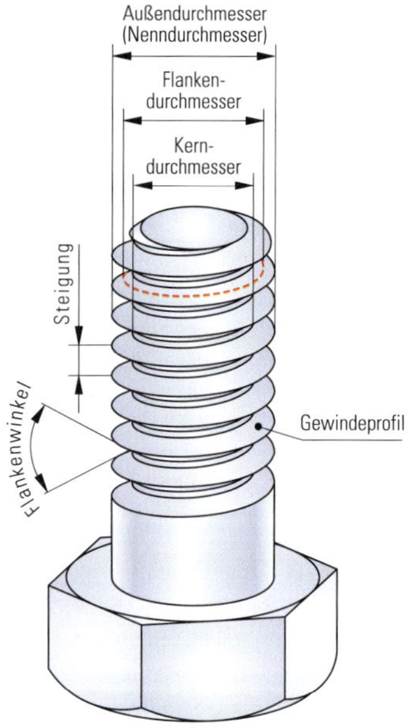

3 *Bezeichnungen am Gewinde*

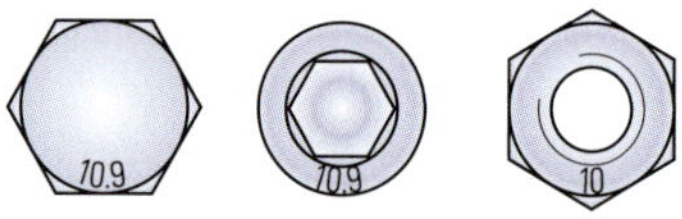

Zahlen auf Schraubenköpfen und Muttern geben genauere Auskunft über ihre Festigkeit.

Die Bedeutung der Zahlen lässt sich mithilfe einer einfachen Rechnung ermitteln.

Beispiel: Schraube mit der Festigkeitsangabe

10.9

Mindestzugfestigkeit R_m:

$\mathbf{10} \cdot 100 \frac{N}{mm^2} = 1000 \frac{N}{mm^2}$

und

Streckgrenze R_e bzw. Dehngrenze R_p:

$\mathbf{10} \cdot \mathbf{9} \cdot 10 \frac{N}{mm^2} = 900 \frac{N}{mm^2}$

4 *Schraubenfestigkeit*

Schraubenarten für die Blechmontage

Für die Blechmontage steht eine Vielzahl von Schraubenarten zur Verfügung. Die Schrauben unterscheiden sich nach:

- Gewindeart, Gewindesteigung und Gewindeform
- Schraubenkopfform (Senkkopf, Zylinderkopf, Linsensenkkopf, ...)
- Schraubenantrieb (Schlitz, Kreuzschlitz, Innensechskant, ...)
- Schraubenwerkstoff

Ob Bleche vorgebohrt werden müssen, hängt von der Blechdicke und der Festigkeit der Bauteile ab. Verschiedene Bohrschrauben haben einen Vorbohransatz, mit dem gleichzeitig vorgebohrt und geschraubt werden kann (Bild 5).

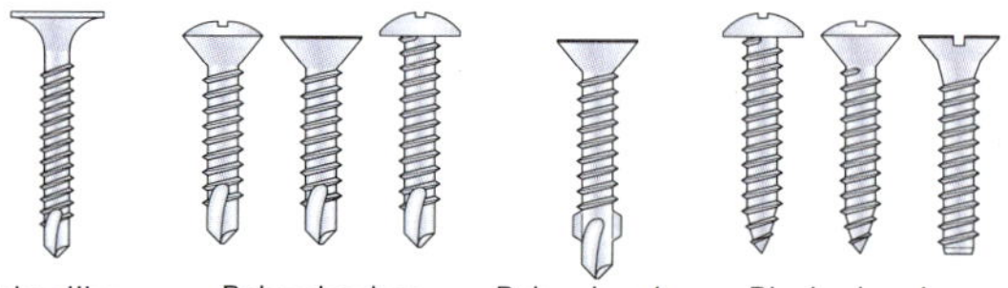

Schnellbauschraube | Bohrschauben | Bohrschraube mit Flügeln | Blechschrauben

5 *Schraubenarten*

Überlegen Sie

1. Berechnen Sie die Zugfestigkeit und Streckgrenze einer Schraube mit der Kennzahl 5.8 entsprechend Bild 4.
2. Vergleichen Sie die ermittelten Werte mit denen Ihres Tabellenbuches.

Muttern
An Durchgangsbohrungen müssen Schrauben mithilfe einer Mutter *(nut)* die notwendige Anpresskraft sicherstellen (Bild 1). Auch die Muttern werden den vielfältigen Aufgaben angepasst und deshalb in unterschiedlichen Formen ausgeführt (Bild 3).

- Die **Sechskantmutter** *(hexagonal nut)* ist die häufigste Form einer Mutter. Sie wird mit Sechskantschlüsseln (vgl. Seite 109 Bild 4) oder Steckschlüsseln (Seite 110 Bild 1) befestigt.
- Die **Hutmutter** *(cap nut)* verdeckt das Gewindeende. Dies kann für den Unfallschutz wichtig sein. Gleichzeitig wird eine Beschädigung des Schraubenendes verhindert.
- Die **Kronenmutter** *(crown nut)* kann mit einem **Splint** *(cotter/splint pin)* gegen Verlieren gesichert werden. Splinte werden mit Zangen montiert (Kap. 2.2.4).

Merke
Splinte dürfen nur einmal verwendet werden.

- **Nutmuttern** *(nuts for keyed end)* werden für Verschraubungen an Wellen und Achsen vorgesehen. Sie haben meist große Gewindedurchmesser und werden mit einem Hakenschlüssel (Seite 110 Bild 4) befestigt.

Innengewinde an einem Bauteil müssen eine bestimmte **Einschraubtiefe** l_e haben (Bild 2), um bei Belastung eine Beschädigung des Gewindes zu vermeiden. Diese Mindesttiefe hängt von der Festigkeit des Bauteilwerkstoffs und von der Festigkeitsklasse der Schraube ab. Bei Bauteilen aus Stahl entspricht die Mindesteinschraubtiefe etwa der Mutternhöhe. Die genauen Werte sind dem Tabellenbuch zu entnehmen.

Festigkeit von Muttern
Muttern werden mit einer Festigkeitskennzahl gekennzeichnet. Die Festigkeitsklasse einer Mutter soll der Festigkeitsklasse der Schraube entsprechen (Bild 4).

Scheiben
Scheiben *(washers)* (Bild 5) sind erforderlich, wenn die Oberfläche (z. B. eine Beschichtung) des Bauteiles nicht beschädigt werden darf. Bei weichen Bauteilen bzw. bei der Verwendung hochfester Schrauben hat die Scheibe die Aufgabe, die Schraubenkraft über eine größere Fläche in das Bauteil zu leiten. Dies kann auch bei Bauteilen mit rauer Oberfläche erforderlich sein. Wenn Bauteile verschraubt werden, deren Oberflächen gehärtet sind, dürfen keine Scheiben verwendet werden. Sie weisen nicht die erforderliche Druckfestigkeit auf.
Für verschiedene Schraubenarten stehen unterschiedliche Scheiben zur Verfügung. Sie unterscheiden sich in den Durchmessern d_1/d_2 und in der Scheibendicke *s*.

Schraubensicherungen
Je nach Beanspruchung und Zweck werden unterschiedliche Schraubensicherungen *(screw locking devices)* eingesetzt. Sie müssen deshalb je nach Aufgabe ausgewählt werden. Die Übersicht auf der folgenden Seite zeigt eine Auswahl.

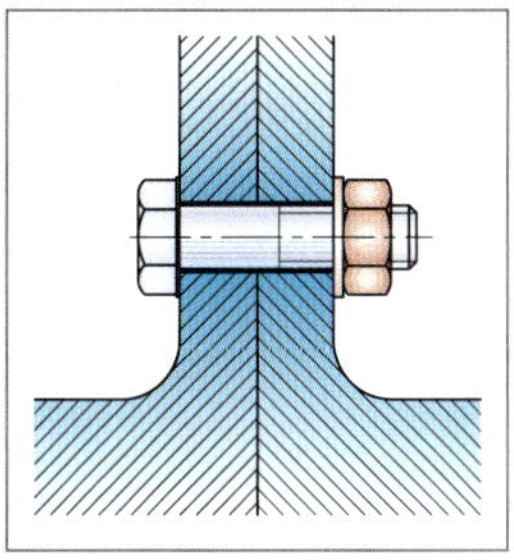

1 *Schraubenverbindung mit Mutter und Scheibe*

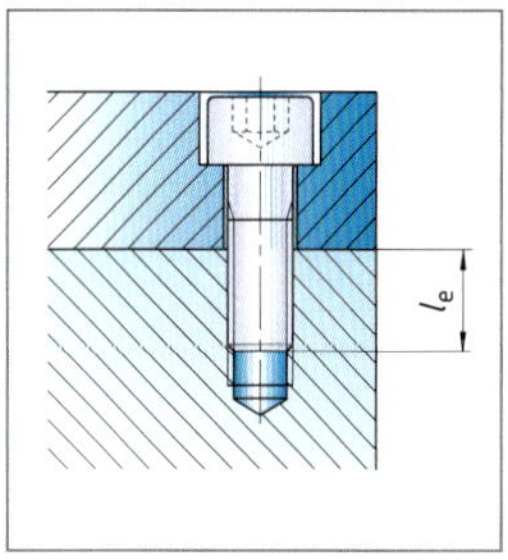

2 *Mindesteinschraubtiefe*

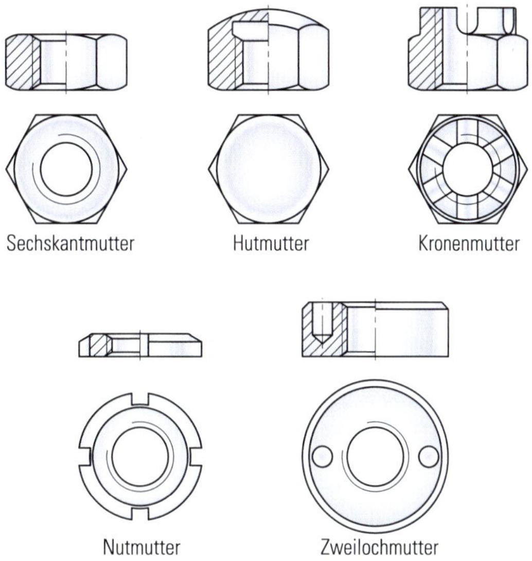

3 *Mutternformen*

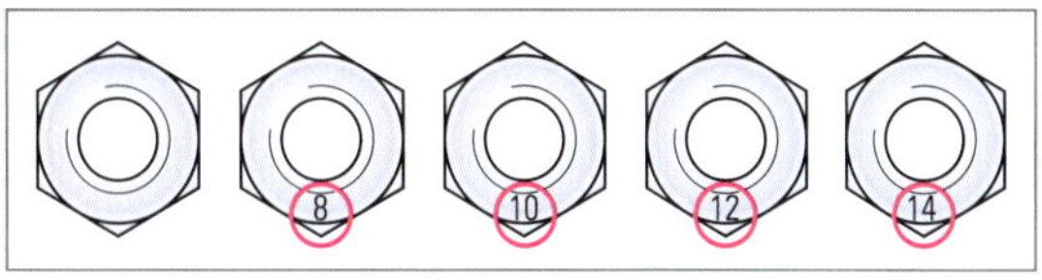

4 *Festigkeitskennzahlen von Muttern*

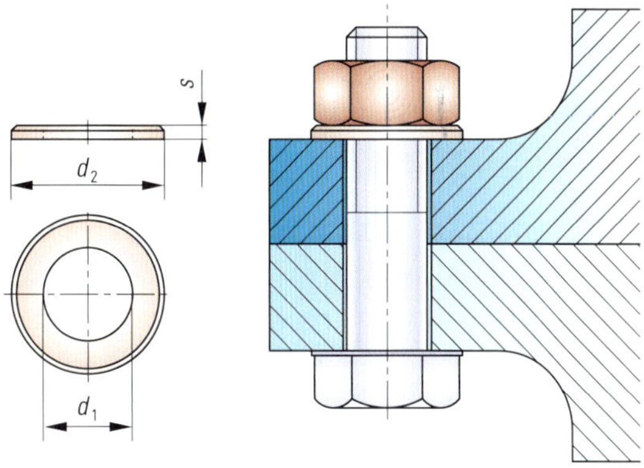

5 *Scheiben*

Schraubensicherung

Setzsicherung	Losdrehsicherung	Verliersicherung
■ Zahnscheibe ■ Federring ■ Fächerscheibe	■ Klebstoffsicherung ■ Sperrzahnschraube ■ Mutter mit Klemmteil	■ Sicherungsscheibe ■ Kronenmutter mit Splint ■ Drahtsicherung

- **Setzsicherung**
  Durch zu starke Beanspruchung der Schraubenverbindung kann die Flächenpressung zwischen Schraubenkopf und Bauteil so hoch werden, dass sich die Bauteile plastisch verformen (= setzen). Setzsicherungen sollen durch ihr elastisches Verhalten das Setzen der Bauteile ausgleichen und die Vorspannkraft erhalten.
- **Losdrehsicherung**
  Eine Losdrehsicherung verhindert ein Lösen der Schraubenverbindung. Setzvorgänge werden nicht ausgeglichen.
- **Verliersicherung**
  Nach dem Lösen einer Schraubensicherung wird lediglich der Verlust der Schraube/Mutter verhindert. Diese Sicherung wird oft bei formschlüssigen Schraubenverbindungen angewendet.

Eine Sicherung gegen unbeabsichtigtes Lösen ist nicht für jede Schraubenverbindung erforderlich. Es ist möglich, dass die Reibungskräfte im Gewinde und an den Anlageflächen so groß sind, dass sich die Verbindung nicht selbsttätig löst. Dies ist meist bei statisch belasteten Bauteilen der Fall. Bei ungünstigen Betriebsverhältnissen wie z. B. bei starken Erschütterungen (dynamische Belastung) muss eine zusätzliche Sicherung gegen Lösen verwendet werden. Grundsätzlich lassen sich Schraubensicherungen in form-, stoff- und kraftschlüssige Schraubensicherungen unterteilen. Häufig werden auch Kombinationen aus diesen Sicherungsarten verwendet. Bild 1 zeigt einige Anwendungsbeispiele.

Formschlüssige Schraubensicherung	Kraft- und stoffschlüssige Schraubensicherung	Kombination aus form- und kraftschlüssiger Schraubensicherung
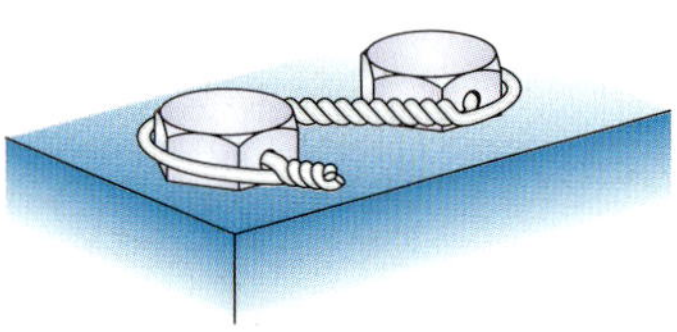 Drahtsicherung 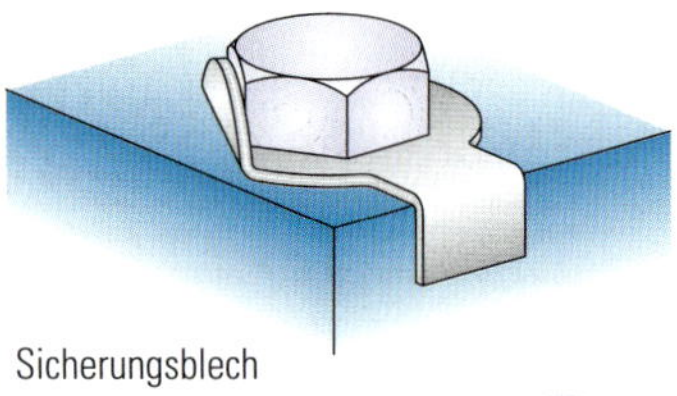 Sicherungsblech 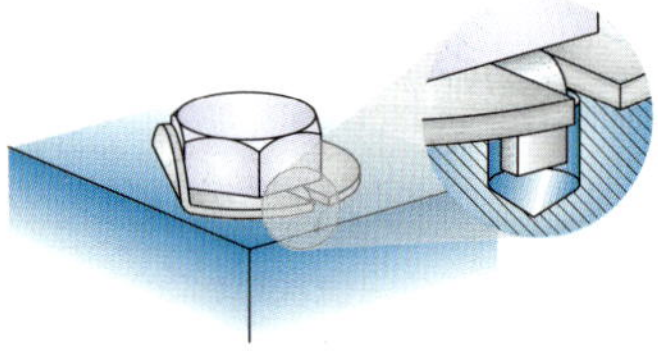 Sicherungsblech mit Innennase	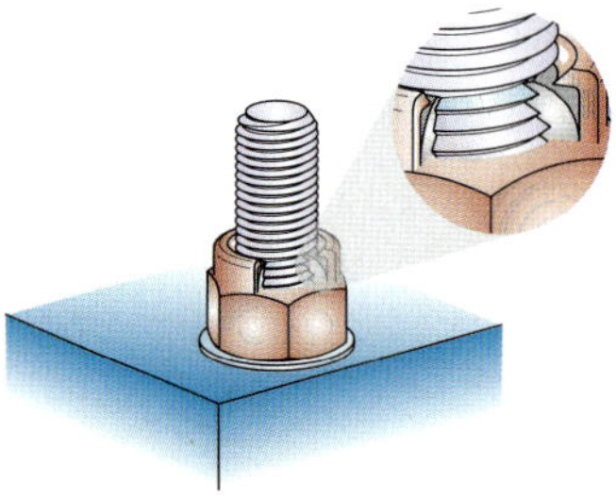 Mutter mit Klemmteil 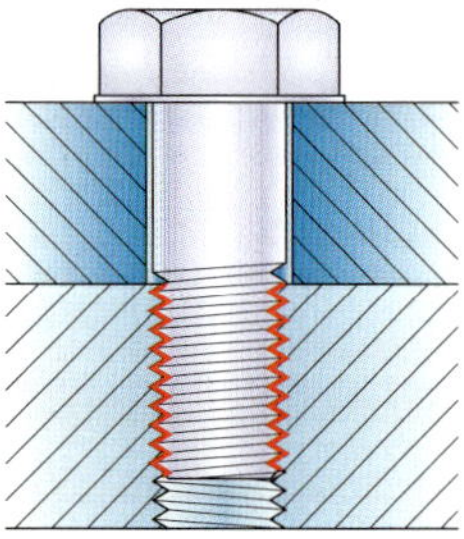 Klebstoffsicherung	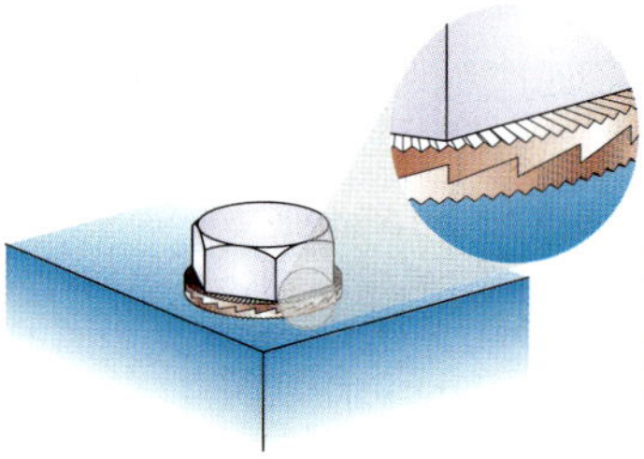 Sicherungsscheibenpaar 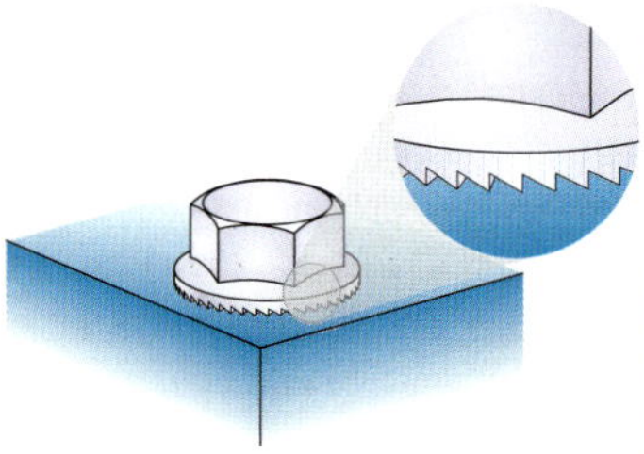 Sperrzahnschraube
Beim Sicherungsblech verhindert die Form der Blechwinkel ein Lösen der Schraube.	Bei der Mutter mit Klemmteil verhindert eine Erhöhung der Reibung ein Lösen der Schraubenverbindung. Diese Muttern dürfen nur einmal verwendet werden.	Die Rippen an den Außenseiten der Scheiben wirken durch die Verformungskräfte kraft- und formschlüssig. Die Sperrzähne wirken nur formschlüssig.

***1** Schraubensicherungen (Auswahl)*

Montagewerkzeuge *(assembly tools)*

- **Schraubendreher** *(screwdrivers)* werden zum Befestigen *(fastening)* oder Lösen *(removing)* von Schrauben benutzt. Schraubendreher haben unterschiedliche Klingenspitzen (Bild 1). Diese müssen dem jeweiligen Schraubenkopf entsprechen. Die gebräuchlichsten Formen sind die Schlitz- und Kreuzschlitzschraubendreher. **Schlitzschraubendreher** *(flat-blade screwdrivers)* lassen sich schlecht zentrieren, **Kreuzschlitzschraubendreher** *(crosshead screwdrivers)* brauchen während des Schraubvorganges axiale Anpresskräfte. Die fortschreitende Entwicklung der Montagetechniken hat Schraubenköpfe hervorgebracht, die besonders für das automatisierte Verschrauben geeignet sind. Es müssen jedoch auch diese Schraubenverbindungen für Wartungs- und Instandhaltungsmaßnahmen von der Fachkraft gelöst und befestigt werden können.
  Neben den Schlitz- und Kreuzschlitz Schraubenköpfen ist eine Reihe unterschiedlicher Kopfarten auf dem Markt. Eine Übersicht verschiedenen Schraubendreher-Einsätze (Bits) für diese Kopfarten zeigen die Bilder 1 und 2.

Für die Montage von Schrauben mit **Sechskantkopf** stehen unterschiedliche Werkzeugarten der Fachkraft zur Verfügung:

- **Schraubenschlüssel** *(spanners)* sind zum Verschrauben seitlich des Schraubenkopfes vorgesehen (Bild 3). Sie gibt es in verschiedenen Ausführungsarten. Die Ausführungsarten sollen für entsprechende Schraubenverbindungen den optimalen Sitz des Schraubenschlüssels auf dem Schraubenkopf gewährleisten.
  Damit die Anzahl der Werkzeuge gering gehalten wird, werden einige Schraubenschlüssel doppelseitig mit unterschiedlichen Schlüsselweiten hergestellt. Ein Werkzeug ist für zwei Schlüsselweiten geeignet. Eine Ausnahme bildet der Ring-Maulschlüssel, er wird jeweils nur für eine Schlüsselweite angeboten.
  Die Öffnung der Maulschlüssel ist um 15° gegenüber der Griffachse versetzt. Dies ermöglicht ein einfaches Umsetzen des Schlüssels bei engen Montageverhältnissen (Bild 4).

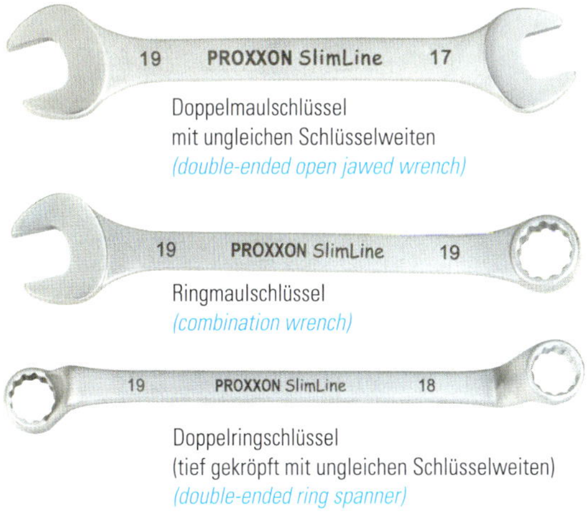

***3** Schraubenschlüssel*

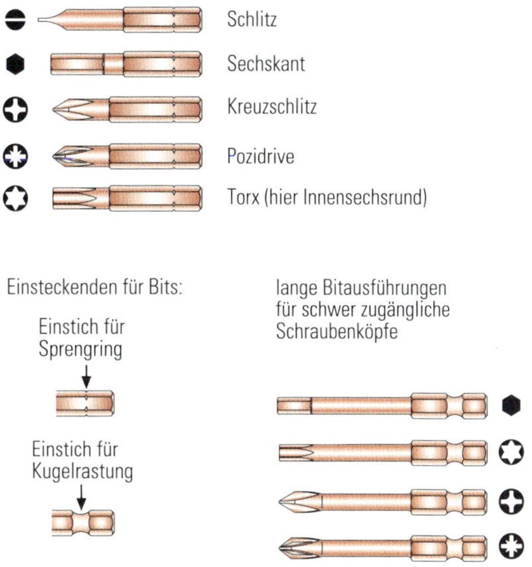

***1** Schraubendrehereinsätze*

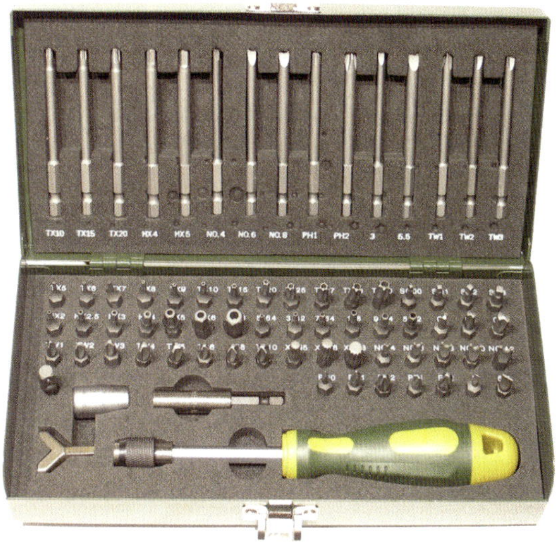

***2** Werkzeugeinsätze für verschiedene Schraubenköpfe*

AH GK S. 68

***4** Ringmaulschlüssel bei der Montage*

Gängige Schlüsselweiten sind:

Gewindegröße *(thread diameter)*	M5	M6	M8	M10	M12	M16	M20	M24
Schlüsselweite *(wrench size)* in mm	8	10	13	(17) 16	(19) 18	24	30	36

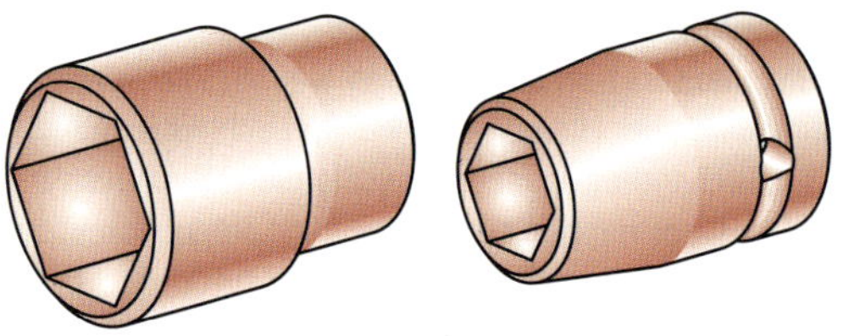

1 *Steckschlüssel*

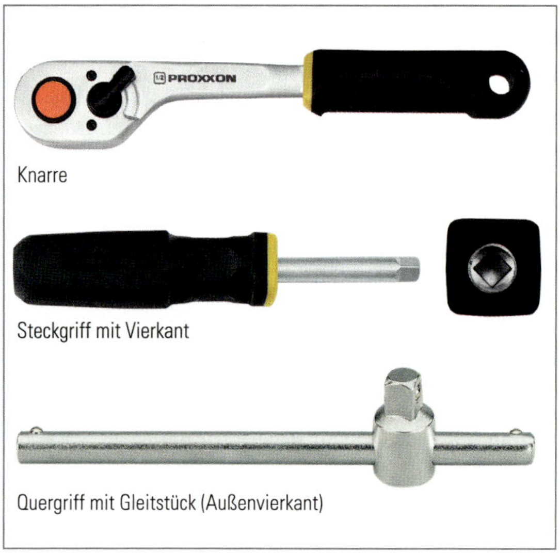

2 *Werkzeugaufnahmen für Steckschlüssel*

3 *Hakenschlüssel*

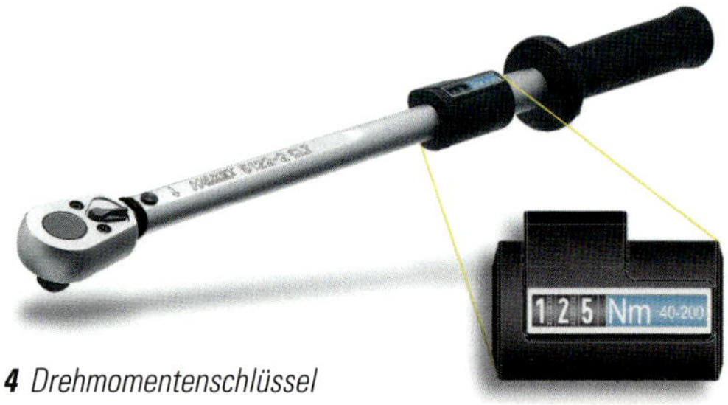

4 *Drehmomentenschlüssel*

5 *Elektroschrauber*

- **Steckschlüssel** *(socket wrenches)* eignen sich für die Montage aus Richtung des Schraubenkopfes (Bild 1). Steckschlüssel gibt es für unterschiedliche Aufnahmegrößen. Die Aufnahme hat eine Vierkantform. Für die Steckschlüssel sind zusätzliche Handhabungswerkzeuge notwendig. **Knarren** *(ratchets)*, die eine Drehbewegung in nur eine Richtung ermöglichen, sowie **Schraubendreher** *(screwdrivers)* und **Quergriffe** *(T-handles)* erlauben eine vielseitige Anwendung bei der Montage und Demontage von Bauteilen (Bild 2).
- **Hakenschlüssel** *(sickle spanners)* werden für das Verschrauben von Nutmuttern verwendet (Bild 3).
- **Drehmomentschlüssel** *(torque wrenches)* sind erforderlich, um eine Schraubenverbindung mit einem bestimmten Drehmoment[1] anzuziehen. Mit ihnen lässt sich das vorgeschriebene Drehmoment einstellen. Wird das erforderliche Drehmoment beim Verschrauben erreicht, bekommt die Fachkraft einen fühlbaren Impuls durch das Werkzeug. Je nach Ausführung des Drehmomentschlüssels kann dies auch zusätzlich optisch erfolgen.

Video Drehmomentschlüssel

- **Schrauber** *(screwdrivers)* werden für eine effiziente Montage von Bauteilen verwendet, wenn die Zuhilfenahme von Maschinen sinnvoll ist. Dies gilt für drehende Bewegungen (Schrauber) und geradlinige Bewegungen (Pressen).
  Elektroschrauber *(electric screwdrivers)* sind im Aufbau mit Bohrmaschinen vergleichbar (Bild 5). Sie haben anstelle der Spannvorrichtung für Bohrer eine Aufnahme für Schraubeinsätze (Bits) und eine geringere Umdrehungsfrequenz. Es sind aber auch Kombigeräte auf dem Markt, die den Anforderungen einer Bohrmaschine genügen. Dort, wo keine Stromversorgung zur Verfügung steht, ist der Einsatz von akkubetriebenen Schraubern sinnvoll. Deren Einsatzdauer hängt von der Kapazität des Akkus ab. Für einen kontinuierlichen Betrieb sollte demzufolge ein Ersatzakku einsatzbereit sein. Auch druckluftbetriebene Schrauber sind bei vorhandener Druckluftversorgung sinnvoll.
  Schrauber für den Einsatz für Metallverschraubungen, Maschinenschrauben und Muttern benötigen eine Begrenzung des Drehmomentes. Sie haben deshalb eine Drehmomentkupplung und werden als **Drehmomentschrauber** *(dynamometric screwdrivers)* bezeichnet.
  Beim Schrauben in „weiche" Werkstoffe wie z. B. Holz ist in der Regel die exakte Einschraubtiefe wichtig. Dazu ist ein einstellbarer Tiefenanschlag notwendig. Nach Erreichen der exakten Einschraubtiefe wird der Antrieb vom Werkzeug getrennt. Diesen Schraubertyp nennt man **Tiefenanschlagschrauber** *(screwdrivers for bit gauges)*.

1) Siehe Teil III „Lernfeld übergreifende Inhalte" Kap. 4.9 „Drehmoment, Hebelgesetz, Hebelarm".

- **Drehschlagschrauber** *(percussion screwdrivers)* (Bild 1) kommen dort zum Einsatz, wo Schraubenverbindungen ein hohes Anzugsmoment besitzen müssen, eine manuelle Montage mit einem Drehmomentschlüssel jedoch zu aufwändig ist. Im Stahl- und Maschinenbau sowie im Kessel- und Rohrleitungsbau ist dieser Schraubertyp im Einsatz. Neben elektrisch betriebenen Schlagschraubern gibt es druckluftbetriebene Drehschlagschrauber. Die für die jeweilige Schraubenverbindung notwendigen Drehmomente lassen sich an diesen Maschinen einstellen. Der Drehschlagschrauber ermöglicht hohe Drehmomente. Dabei werden große Schläge auf die Hand der Fachkraft vermieden. Auch für die Demontage fest sitzender Schraubenverbindungen ist der Drehschlagschrauber gut geeignet.

***1** Elektroschlagschrauber*

2.2.1.2 Klemmverbindungen *(clamping joints)*

Bauteile, die nicht gegeneinander verschoben werden sollen, können geklemmt *(jamming)* werden. Dies geschieht immer durch Kraftschluss. Der Vorteil besteht darin, dass dies an verschiedenen Stellen des Bauteils erfolgen kann. Bild 2 zeigt einige Beispiele.

Die Schraube drückt direkt auf das zu klemmende Bauteil. Diese Klemmverbindung ist leicht herzustellen hat aber den Nachteil, dass das Bauteil beschädigt werden kann, z. B. Feststellen des Nonius am Messschieber.

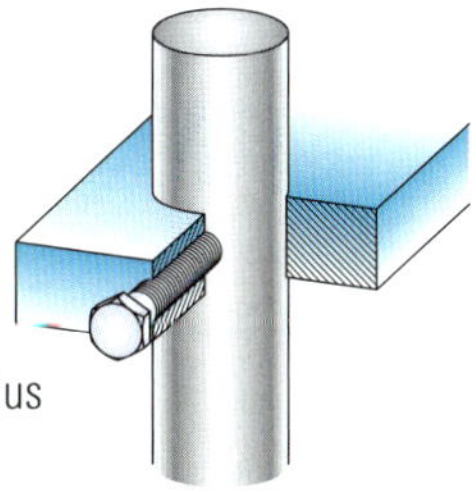

Zwei Klemmbacken drücken auf das runde Bauteil. Eine Beschädigung der Bauteiloberflächen wird so vermieden. Die Bauteile können exakt zueinander fixiert werden, z. B. zur Befestigung von Hydraulikschläuchen.

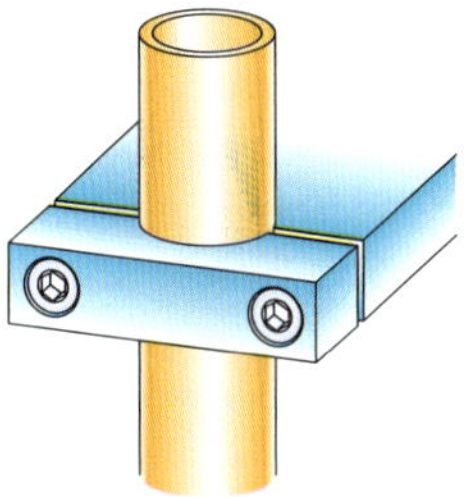

Wird eine Scheibe auf einer Welle so angebracht, dass die Scheibenachse außerhalb der Wellenachse liegt, so spricht man von einem Exzenter[1]. Je kleiner die Exzentrizität, desto größer ist die Spannkraft.

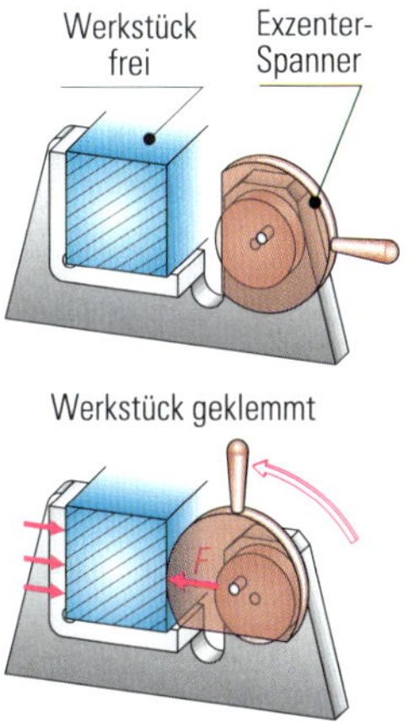

***2** Ausgewählte Klemmverbindungen*

2.2.1.3 Pressverbindungen *(press fit joints)*

Vor allem runde Bauteile können durch Pressen *(pressing)* miteinander gefügt werden. Diese Fügeverbindung nennt man auch **Pressverband** (Bild 3). Sie besteht aus einer **Welle** *(shaft)*, **Achse** *(axis)* oder einem **Bolzen** *(stud)* und einer umgebenden **Nabe** *(hub)*.

Voraussetzung für einen Pressverband ist, dass der Außendurchmesser des Bolzens geringfügig größer ist als der Innendurchmesser der Bohrung, in die er eingepresst werden soll. Beim Einpressen des Bolzens wird dieser an der Verbindungsstelle gestaucht und die Nabe gedehnt. Die Kräfte, die zwischen Bolzen und Bohrung aufgrund der elastischen Verformung wirken, ermöglichen die notwendige Haftung durch Reibung.

Ein größerer Durchmesserunterschied führt zu größeren übertragbaren Kräften. Sie reichen aus für die Befestigung von

- Teilen und Sicherung gegen Lösen und
- Teilen und Übertragung von Drehmomenten (siehe Welle-Naben Verbindungen Seite 112).

Pressverbindungen erfordern keine zusätzlichen Verbindungselemente wie Schrauben, Passfedern oder Stifte. Aufgrund dieses Vorteils werden sie z. B. im Maschinenbau, vermehrt aber auch im Fahrzeugbau und in der Kunststofftechnik angewendet. Um große Kräfte bzw. Drehmomente zu übertragen, muss die Differenz zwischen Bohrungs- und Wellendurchmesser entsprechend groß gewählt werden. Dies kann dazu führen, dass die Bauteile beim Verpressen so stark belastet würden, dass sie zerstört würden. Für die leichtere Montage ist es erforderlich, die **Wärmedehnungen** der Bauteile zu nutzen.

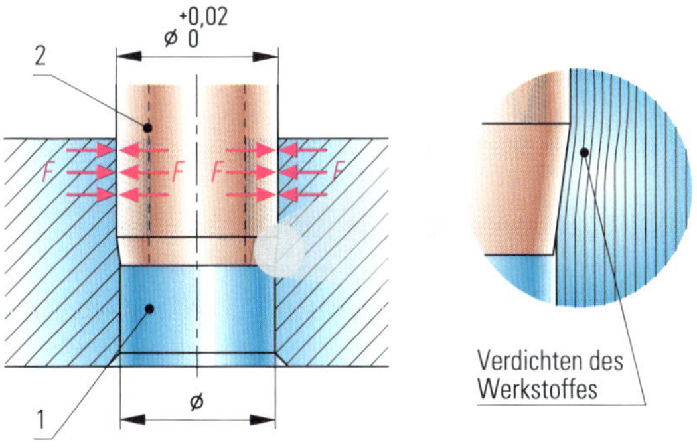

***3** Pressverband*

Anwendung Klemmverbindungen

1) Das lat./griech. Lehnwort Excenter bedeutet „aus dem Zentrum gerückt".

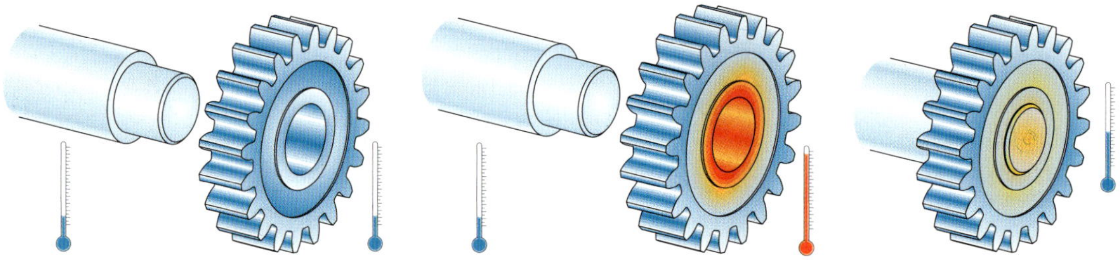

1 Pressverband einer Welle-Naben-Verbindung durch Wärmedehnung und anschließende Schrumpfung

Die Nabe kann erwärmt werden, um deren Innendurchmesser zu erweitern oder die Welle kann abgekühlt werden, um deren Außendurchmesser zu verringern (Bild 1). So wird eine Beschädigung der Bauteile verhindert.
Die Festigkeitswerte der beteiligten Werkstoffe dürfen dabei nicht überschritten werden.
Ein weiteres Beispiel für einen Pressverband ist das Einsetzen von Ventilbuchsen in einen Motorblock. Dies geschieht durch Herunterkühlen der Ventilbuchsen in flüssigem Stickstoff (–196 °C). Hierdurch verringert sich ihr Durchmesser so weit, dass sie leicht in die Bohrungen des Motorblocks eingesetzt werden können. Nach dem Erwärmen dehnen sie sich wieder aus und stellen so einen Pressverband her.

- **Pressen** *(presses)* (Bild 2) kommt neben den bereits behandelten Werkzeugen eine besondere Bedeutung zu. Sie sind erforderlich zum gleichmäßigen Ein- und Auspressen von z. B. Buchsen, Wälzlagern und Stiften. Werkstattpressen werden häufig pneumatisch, hydraulisch oder elektrisch betrieben. Elektrohydraulische Werkstattpressen erreichen Druckkräfte bis zu 1000 kN.

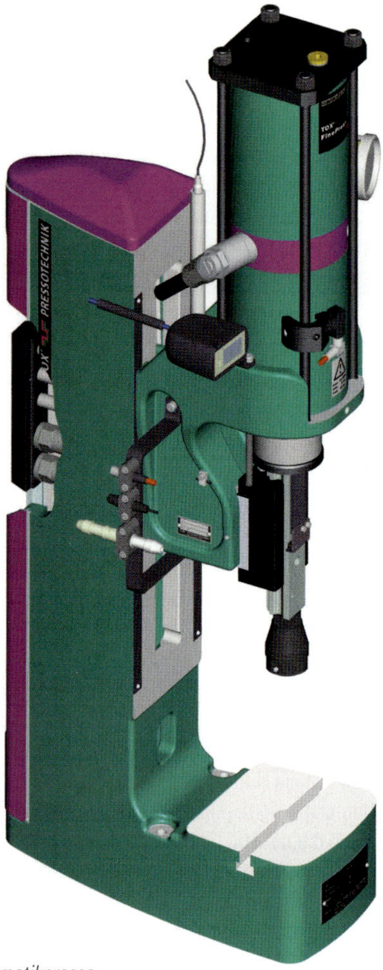

2 Pneumatikpresse

2.2.2 Fügen durch Formschluss

Eine weitere Möglichkeit für Bauteilverbindungen bietet das formschlüssige Fügen *(joining by positive locking)* von Bauteilen. Hierbei wird die Kraftübertragung durch eine geeignete Formgebung der Bauteile ermöglicht. Die Bauteile werden hauptsächlich auf **Abscherung** *(shearing)* beansprucht. Hinzu kommt oft eine **Druckbeanspruchung** *(compressive stress)* aufgrund einer **Flächenpressung** *(surface pressure)*.

2.2.2.1 Bolzenverbindungen *(stud joints)*

Bolzen werden überwiegend als Verbindungselemente für Bauteile verwendet, die sich gegeneinander um eine Achse bewegen können. Zwei unterschiedliche Gelenkverbindungen sind in Bild 3 zu sehen. Die linke Darstellung zeigt eine Verbindung zweier flacher Bauteile, in der Kräfte entgegengesetzt wirken. Der Bolzen wird dabei hauptsächlich auf Abscherung beansprucht. An den Bohrungsinnenseiten entsteht eine Flächenpressung **(Lochleibungsdruck)**. Hat der Bolzen eine einzige Scherebene, spricht man von einer **einschnittigen** Verbindung. Die rechte Darstellung zeigt eine **zweischnittige** Bolzenverbindung. Hier erfolgt die Kraftübertragung über zwei Scherebenen. Dadurch kann eine höhere Kraft übertragen werden.

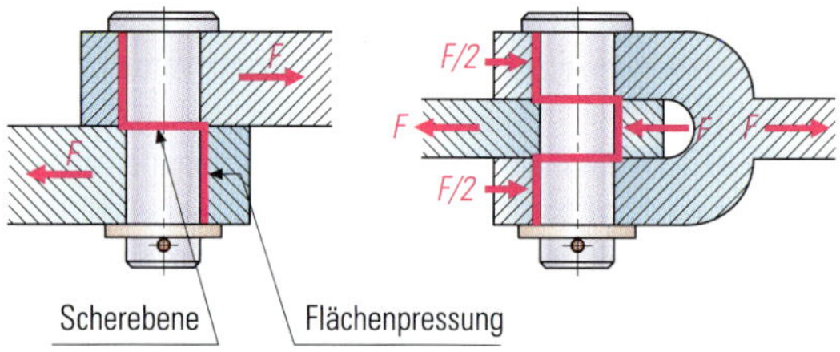

3 Gelenkverbindung mit Bolzen

2.2.2.2 Stiftverbindungen *(pin joints)*

Stiftverbindungen (Bild 1) erfüllen verschiedene Aufgaben:

- Sie übertragen Kräfte oder Drehmomente formschlüssig.
- Mit zwei **Stiften** *(pins)* wird die Lage von Bauteilen zueinander fixiert und ein Verschieben verhindert. Nach einer Demontage (z. B. Reparatur) können so die Teile problemlos und schnell zueinander ausgerichtet werden.

Überlegen Sie

Warum erfüllen kraftschlüssige Verbindungen diese beiden Aufgaben nicht?

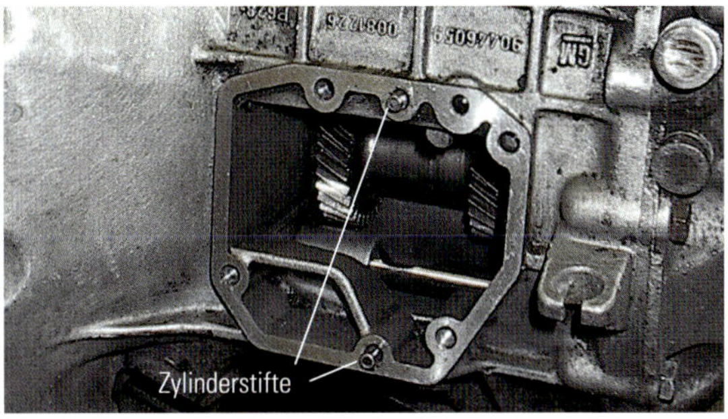

1 *Positionierstift*

Für unterschiedliche Anforderungen an die Stifte gibt es entsprechende Ausführungsformen (Bild 2).

Beispiel			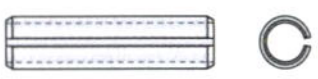	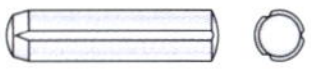	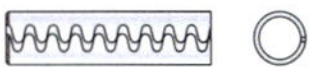
Bezeichnung	**Zylinderstift**	**Kegelstift**	**Spannstift**	**Kerbstift**	**Feder-Passstift**
Anwendung	Lagesicherung von Bauteilen	Sehr genaue Lagefixierung zweier Bauteile	■ Einfache Lagefixierung ■ Sicherheitsstift	■ Übertragung von Querkräften ■ Sicherheitsstift	■ Positionierung und Fixierung mehrerer Bauteile ■ Sicherheitsstift
Herstellen der Bohrung	■ Bohren: 0,1...0,3 mm Untermaß ■ Reiben: H7	■ Bohren (in Stufen) mit dem Kegelbohrer ■ Reiben mit Kegelreibahle	Bohren	Bohren	■ Bohren: 0,1...0,3 mm Untermaß ■ Reiben: H7

AH GK S. 69

2 *Stiftarten (Auswahl)*

Zylinderstifte *(cylindrical pins)*, **Kegelstifte** *(taper pins)*, **Spannstifte** *(straight pins)*, **Kerbstifte** *(grooved pins)* oder **Feder-Passstifte** *(spring dowel pins)* werden in unterschiedlichen Ausführungen für unterschiedliche Aufgaben gebraucht. Die einzelnen Stiftarten können in verschiedenen Werkstoffen (Automatenstahl, Nichtrostender Stahl) mit unterschiedlichen Toleranzen und Oberflächenbeschaffenheiten bezogen werden. Werden Zylinderstifte verwendet, so sind nachbearbeitete Bohrungen erforderlich. Dies geschieht mit einer Reibahle (vgl. Lernfelder 1 und 2 Seite 38). Um die richtige Lage der Bauteile zueinander zu erreichen, müssen sie meistens zusammen gebohrt und gerieben werden. Den Fertigungsablauf zeigt Bild 3. Gehärtete Stifte lassen sich oftmals montieren, ohne dass sie sich dabei abnutzen. Sie bestehen aus Stahl und werden für hochbeanspruchte Teile wie z. B. im Vorrichtungsbau oder im Werkzeugbau verwendet.

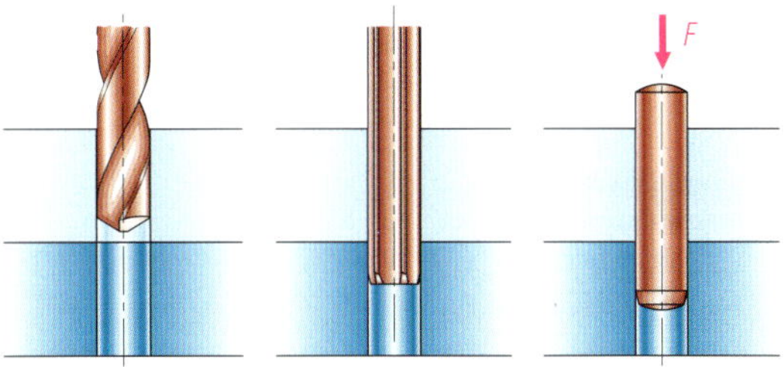

3 *Fertigungsablauf beim Herstellen einer Zylinderstiftverbindung*

Ungehärtete Stifte werden in ihrer Funktion als Kraftübertragungselement zum Fixieren von Bauteilen (siehe Kap. 2.5) auch als Gelenk- und Scharnierstift eingesetzt. Stifte, die zur Positionierung von Bauteilen dienen, sollen aufgrund der besseren Wirkung (Verdrehsicherung) in möglichst großer Entfernung voneinander angeordnet werden. Als Werkstoff werden Automatenstähle verwendet.
Die einzelnen Stiftarten werden durch die Form gekennzeichnet (Seite 113 Bild 2).

Montagewerkzeuge *(assembly tools)*

- **Hämmer** *(hammers)* (Bild 1) werden für Bauteile benötigt, die sich auf Grund ihrer Funktion nur schwer fügen lassen. Da Stahlhämmer gehärtete Oberflächen haben, ist bei ihrer Anwendung darauf zu achten, dass die zu fügenden Bauteile nicht beschädigt werden. Sind die zu fügenden Bauteile selbst gehärtet (z. B. Passstifte) sollte ein weicherer Hammer aus Kupfer, Aluminium oder Kunststoff verwendet werden[1]. Kunststoffhämmer, die für die Blechbearbeitung eingesetzt werden, sollten eine Schrotfüllung haben. Diese verhindert ein Prellen des Hammers und erleichtert die Handhabung erheblich.
- **Splinttreiber** *(pin punches)* (Bild 2) weisen am vorderen Teil eine zylindrische Form auf. Sie sind für das Heraustreiben von Splinten und Stiften vorgesehen. Achtung: Zu starke Schläge können zum Brechen des gehärteten vorderen Bereiches führen – Unfallgefahr.
- **Durchtreiber** *(drift punches)* (Bild 3) sind stärker ausgeführt. Der vordere Bereich verläuft konisch. Sie sind für das Herhaustreiben von Stiften, Bolzen und Nieten geeignet. Sie kommen oft an Wellen, Lagern und Getrieben zum Einsatz. Der erforderliche Durchmesser ist für den jeweiligen Stift auszuwählen. Durchtreiber werden auch zum Durchschlagen von dünnen Blechen oder auch zum Versenken von Stiften verwendet.

1 *Hämmer (Auswahl)*

2 *Splinttreiber*

3 *Durchtreiber*

Überlegen Sie

Sie sollen einen Sterngriff DIN 6336 Form C auf eine Welle mit dem Durchmesser d = 16 mm montieren.

1. Beschreiben Sie mithilfe des Tabellenbuches die Maße des Sterngriffs.
2. Wählen Sie ein geeignetes Fügeverfahren und beschreiben Sie die Montageschritte.

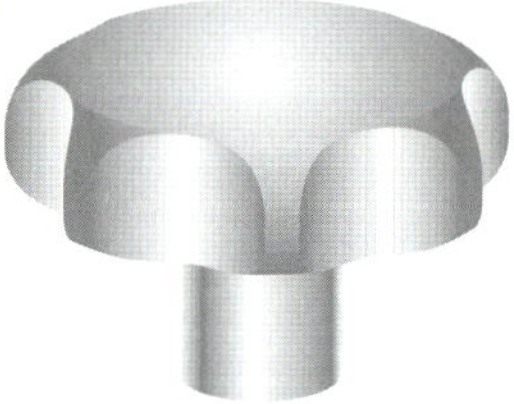

1) Anstelle der genannten Hämmer kann auch ein Aluminium- oder Kupferdorn mit einem Schlosserhammer verwendet werden.

2.2.2.3 Nietverbindungen mit Blindnieten
(rivet joints with blind rivets)

Das Fügen mit **Blindnieten** dient zum formschlüssigen Fügen von Blechen (Bild 1). Ein großer Vorteil dieses Fügeverfahrens ist das verzugfreie Fügen. Es kann manuell mit einer **Handnietzange** *(pliers for hand riveting)* (Bild 2) erfolgen. In diese wird ein Niet eingesetzt. Durch Zudrücken der Zange erfolgt das Fügen. Je nach Anforderung an die Nietverbindung stehen verschiedene Blindnietformen zur Verfügung (Bild 3).

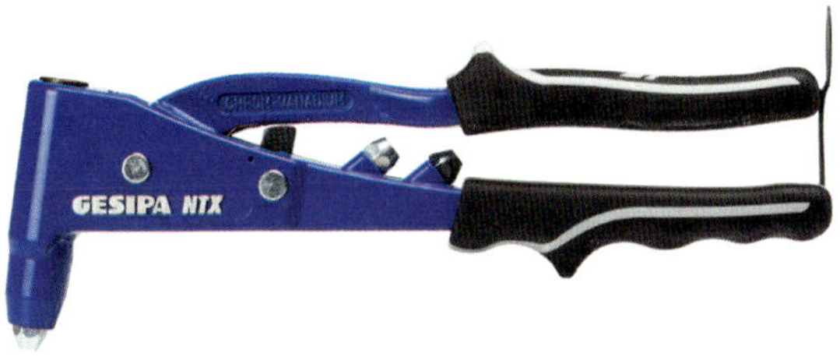

2 Handnietzange für Blindniete

Dieses Nietverfahren eignet sich sowohl für das maschinelle wie auch das automatische Fügen.

2.2.2.4 Welle-Naben-Verbindungen *(shaft-hub-joints)*

Die **Passfeder** *(key)* (Bild 4) wirkt formschlüssig. In die **Welle** *(shaft)* und in die **Bohrung** *(bore)* werden Nuten eingearbeitet, die die Passfeder aufnehmen. So können die wirkenden Kräfte über ihre Seitenflächen aufgenommen werden. Der Querschnitt der Passfeder wird auf Abscherung beansprucht.

Merke

Passfedern verhindern nicht das axiale Verschieben der Bauteile. Eine zusätzliche axiale Sicherung ist daher erforderlich.
Passfederverbindungen eignen sich schlecht zum Übertragen großer wechselseitiger Drehmomente.

Das Maß der Nutbreite hat eine geringe **Toleranz** *(tolerance)* (z. B. P9 für festen Sitz), d. h., es muss mit einer hohen Genauigkeit gefertigt werden. Dies ist für einen sicheren (spielfreien) Sitz notwendig (Bild 5). Die Höhe der Nut muss mit einem oberen Spiel gefertigt werden. Damit ist sichergestellt, dass das aufmontierte Teil nicht aus der Mitte gedrückt wird und keine Rundlaufabweichung entsteht. Das ist für viele Verbindungsarten mit hohen Umdrehungsfrequenzen wichtig (Werkzeuge, Zahnräder, Kupplungen und Riemenscheiben). Die Passfederverbindung ist leicht zu montieren und zu demontieren. Die Verbindung kann außerdem so gestaltet werden, dass sich Bauteile wie z. B. Zahnräder in Längsrichtung verschieben lassen. Dazu müssen die Toleranzen von Passfeder und Nut aufeinander abgestimmt werden.
Bild 6 zeigt verschiedene Ausführungsformen von Passfedern (siehe auch Tabellenbuch).

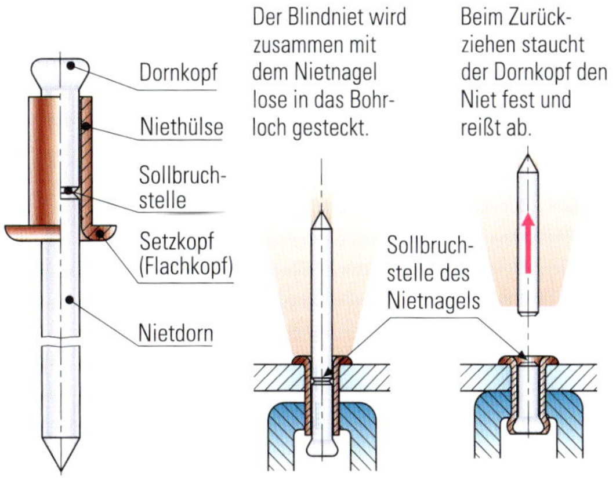

1 Herstellen einer Blindnietverbindung

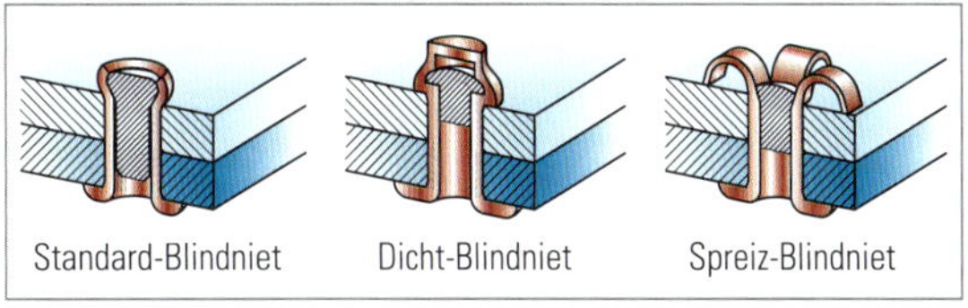

3 Blindnietformen

Funktionsweise Blindniete

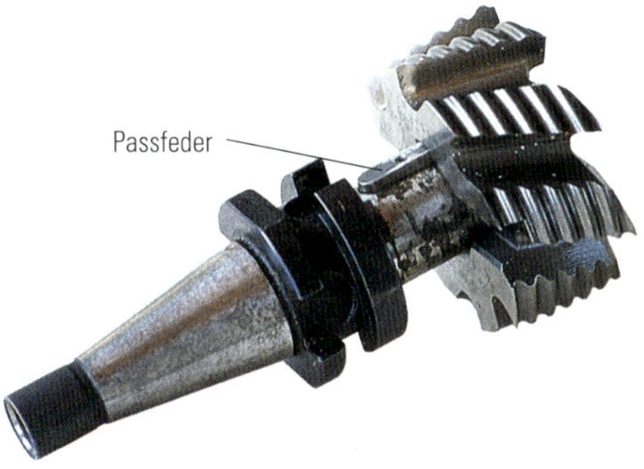

4 Passfederverbindung an einer Fräseraufnahme

AH GK S. 70

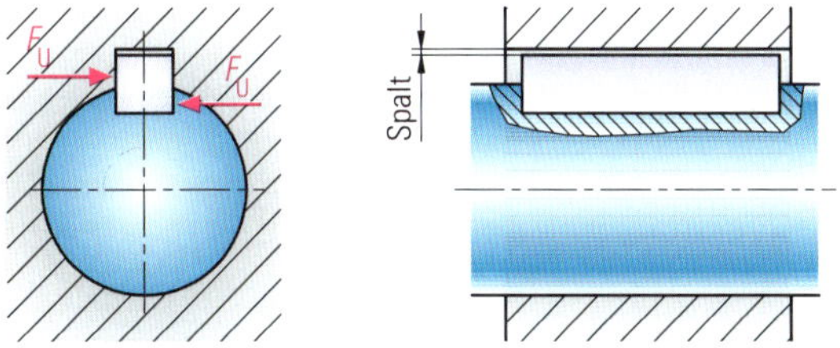

5 Passfederverbindung

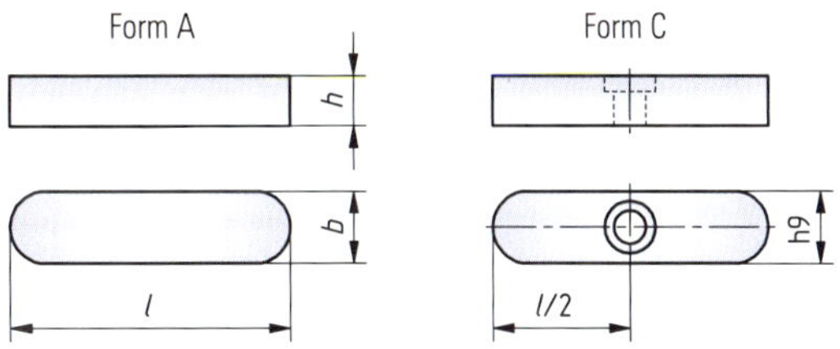

6 Passfedern

Video[1)] Passfederverbindungen

1) siehe www.mathe-ist-chillig.de

Profilformen *(profiles)*
Bei wechselseitiger Beanspruchung einer Welle-Naben-Verbindung kommen profilierte Wellen zum Einsatz. Hierdurch wird eine gleichmäßigere Kraftverteilung am Wellenumfang erreicht. Die wichtigsten sind das **Keilwellenprofil** *(spline)*, das **Kerbzahnprofil** *(serration profile)* und das **Polygonwellenprofil** *(polygon profile)* (Bild 1).

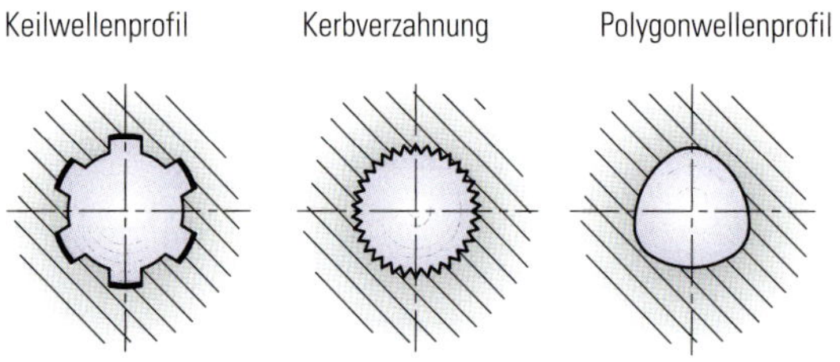

***1** Profilwellen*

2.2.3 Fügen durch Stoffschluss

Beim stoffschlüssigen Fügen *(joining by material joint)* wird ein Stoffzusammenhalt zwischen den zu fügenden Bauteilen hergestellt. Es werden dadurch weniger Bauteile benötigt, da die zusammenhaltenden Kräfte nicht durch zusätzliche Fügeelemente wie z. B. Schrauben aufgebracht werden müssen. Um diesen Zusammenhalt aufzulösen wie z. B. zur Demontage einzelner Teile, muss die Verbindung zerstört werden. Die stoffschlüssigen Verbindungen zählen deshalb zu den **unlösbaren Verbindungen** *(non-detachable joinings)*.

2.2.3.1 Klebstoffverbindungen *(adhesive joints)*

Kleben *(sticking)* wird z. B. in der Mikroelektronik, Optik, Luft- und Raumfahrt und im Maschinen- und Fahrzeugbau eingesetzt. Das Kleben gehört zu den rationellsten Fügeverfahren.

Merke
Kleben ist eine stoffschlüssige Verbindung von Werkstoffen mithilfe eines Klebstoffs.

Video Kleben
AH GK S. 71

Oberflächenbehandlung *(surface preparation)*
Die **Haftkraft** *(adhesive strength)* des Klebstoffes *(adhesive)* auf der Oberfläche eines Werkstückes beruht auf **Anhangskräften** (**Adhäsion**[1)] *(adhesion)*). Ein Klebstoff hat umso höhere Haftkräfte, je höher seine Fähigkeit ist, die Bauteiloberfläche zu benetzen (Bild 2).

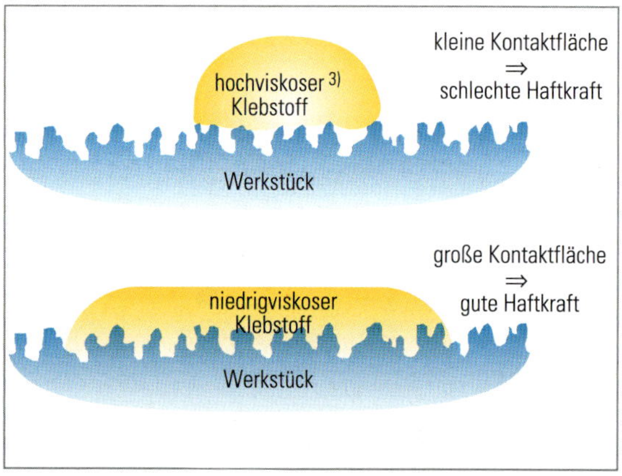

***2** Bauteilbenetzung*

Die innere Haftfähigkeit eines Klebstoffes beruht auf **Kohäsion**[2] *(cohesion)* (Bild 3).

Merke
Ein idealer Klebstoff besitzt ein Gleichgewicht zwischen Anhangskräften (Adhäsion) zu den Bauteilen und inneren Bindungskräften des Klebstoffes selbst (Kohäsion).
Adhäsion ist das physikalische Aneinanderhaften verschiedener Stoffe.
Kohäsion ist der Zusammenhalt zwischen den Teilchen desselben Stoffes.

Klebstoffarten *(types of adhesives)*
Bild 1 auf Seite 117 zeigt die Einteilung der Klebstoffe nach ihren Aushärtmechanismen. In Bild 2 auf Seite 117 werden Klebstoffe mit ihren Eigenschaften dargestellt.

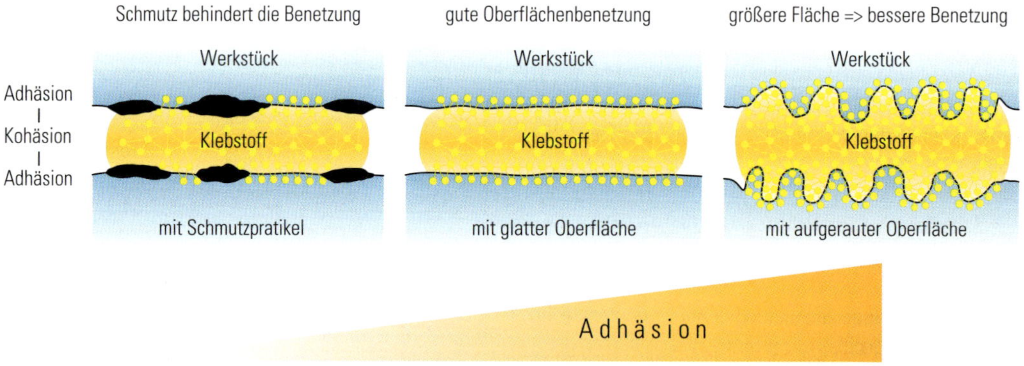

Video Adhäsion & Kohäsion

***3** Kohäsion – Adhäsion*

1) lat. adhaedere, adhaesio: an etwas hängen, haften 2) lat. cohaerere: sich gegenseitig anziehen, zusammenziehen 3) Viskosität (lat.): Zähigkeit von Flüssigkeiten

Einkomponentenklebstoffe *(single-component adhesives)* enthalten alle zum Aushärten erforderliche Bestandteile. Das Aushärten der Klebnaht erfolgt z. B. durch Verdampfen des Lösemittels, durch Wärme, durch UV-Licht oder durch die Luftfeuchtigkeit (bei den sogenannten Sekundenklebern).

Bei **Zweikomponentenklebstoffen** *(two-component adhesives)* liegen die einzelnen Bestandteile getrennt vor. Diese sind Harz und Härter (auch Aktivator genannt). Vor dem Auftragen auf die Klebfläche werden die Bestandteile in vorgegebenem Mischungsverhältnis gemischt. Da Harz und Härter schon beim Anrühren reagieren, muss der Klebstoff schnell verarbeitet werden. Die Verarbeitungszeit wird „Topfzeit" genannt. Nach Überschreiten dieser Zeit kann der Klebstoff nicht mehr verwendet werden.

Kaltklebstoffe *(cold-setting adhesives)* härten bei Raumtemperatur (20 °C) aus. Ihre Aushärtezeit ist unterschiedlich je nach Klebstoffart: Sekunden bis mehrere Tage.

Warmklebstoffe *(hot-setting adhesives)* haben eine Aushärtetemperatur von 150 °C bis ca. 250 °C, die Aushärtezeit kann mehrere Stunden betragen. Einige Klebstoffe erfordern zudem einen hohen Anpressdruck der Fügeteile.

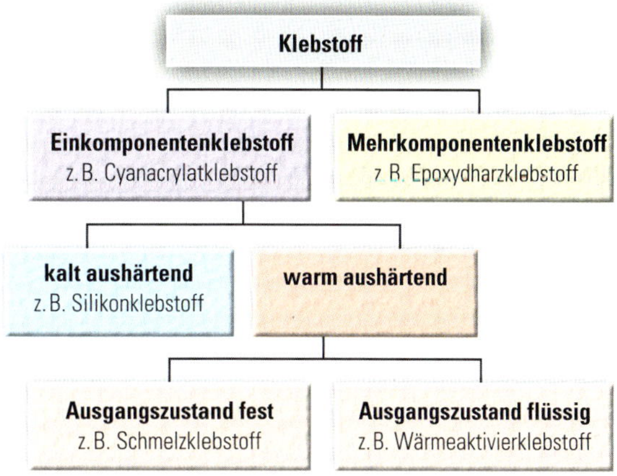

***1** Einteilung der Klebstoffe*

Bei der Klebstoffauswahl sind folgende Einflussgrößen zu beachten:

- Werkstoff der Fügeteile
- Aushärtebedingung (z. B. Aushärtezeit)
- Einsatzbedingung (z. B. Einsatztemperatur, Belastungsart)

Einteilung	Klebstoffart	Geeignet für	Ideale Spaltbreite in mm	Scherfestigkeit	Härteverfahren und -zeit	Typischer Anwendungsbereich	Bemerkung
Einkomponentenklebstoff	Cyanacrylatklebstoff	Metalle, Kunststoffe, Gummi, Holz	< 0,2	hoch	Luftfeuchtigkeit, unter Druck wenige Minuten	Metallverklebungen, Elektroindustrie	einkomponentig
Zweikomponentenklebstoff	Epoxidharzklebstoff	Metall	0,1 ... 0,4	hoch	Härter, 3 ... 180 min	Vergießen (Elektronik) Herstellen von Verbundwerkstoffen (Luft- und Raumfahrtindustrie)	zweikomponentig, zum Mischen
Kaltklebstoff	Silikonklebstoff	Metalle, Glas, Keramik	0,2 ... 0,5	niedrig bis mittel	Luftfeuchtigkeit, mehrere Tage	Dichten von Fugen (Bau-, Elektro-, Kfz-Industrie), Kleben von Silikonteilen	flüssig bis pastös, einkomponentig, „elastisch"
Warmklebstoff	Schmelzklebstoff	viele Materialien	0,1 ... 1,2	mittel	Temperaturveränderung, 10 ... 150 s	Kleben von Kartonagen (Verpackungen) Holz (Möbel)	festes Granulat wird aufgeschmolzen
	Wärmeaktivierklebstoff	viele Materialien	0,1 ... 0,4	hoch	Temperaturveränderung	Metallverklebungen, Kleben von Blechen	Wärme und Druck aktivieren die Vernetzung des flüssigen Klebstoffs

***2** Ausgewählte Klebstoffarten*

Damit eine Klebstoffverbindung möglichst haltbar ist, ist eine **Vorbehandlung** *(pretreatment)* der Klebflächen notwendig. Damit maximale Haftkräfte zwischen Klebstoff und Werkstück wirksam werden können, ist ein klebegerechter Zustand der Werkstückoberflächen Voraussetzung. Verschmutzte oder verölte Oberflächen verringern/verhindern die Adhäsion. Deshalb sind die Klebflächen sorgsam zu **reinigen** *(cleaned)* und die Oberfläche ist zu vergrößern, z. B. durch **Entfetten** *(degreased)* (chemische Behandlung der Klebefläche durch Beizen oder Ätzen), Schmirgeln, Bürsten, Feinsandstrahlen. Danach müssen die Klebflächen evtl. von den Rückständen der mechanischen Bearbeitung (Stäube) gereinigt werden. Vorbereitete Klebflächen dürfen nicht mit bloßen Händen berührt werden. Der Handschweiß verursacht eine störende Oxidationsschicht. Ein Haftvermittler (Primer) wird auf Fügeflächen aufgetragen, wenn zwischen Bauteiloberfläche und Klebstoff eine zusätzliche Haftschicht notwendig wird.
Den grundsätzlichen Ablauf einer Klebstoffverbindung zeigt Bild 1. Die Verarbeitungs- und Warnhinweise des Klebstoffherstellers sind immer zu beachten.

Beanspruchung von Klebverbindungen
(stress of adhesive joints)

Es ist eine möglichst große Klebfläche (Bild 2) vorzusehen. Eine Beanspruchung auf **Scherung** *(shearing)* ist vorteilhaft. Eine Beanspruchung auf **Schälung** *(peeling stress)* (Bild 3) wirkt immer nur auf die vorderste Klebschicht und ist zu vermeiden.

Vorteile *(advantages)* des Klebens sind:

- Fügen unterschiedlicher Materialien wie z. B. Stahl und Aluminium
- Fügen von sehr dünnen Werkstücken wie z. B. Folien oder Blechen
- Gewichtsersparnis (Leichtbau)
- keine Gefügeveränderung der zu verbindenden Teile durch hohe Temperatureinwirkung wie beim Schweißen oder Löten
- keine zusätzlichen Verbindungselemente an der Fügestelle wie z. B. Schrauben oder Stifte und dadurch
- keine Veränderung des Querschnittes durch Bohrungen
- Wirtschaftlich (preisgünstig durch einfache Arbeitstechnik)

AH GK S. 72

Nachteile *(disadvantages)* des Klebens sind:

- Zum Teil lange Aushärtezeiten der Klebstoffverbindung erforderlich.
- Eine teilweise aufwändige Oberflächenvorbehandlung der Fügeteile ist notwendig.
- Wärmeeinwirkung beeinflusst die Klebstofffestigkeit.
- Die Eigenschaften des Klebstoffs wie z. B. seine Festigkeit ändern sich durch die Alterung.
- Nicht alle Beanspruchungsarten sind möglich.
- Im Vergleich zum Löten oder Schweißen sind große Verbindungsflächen erforderlich.

Video Scherfestigkeit

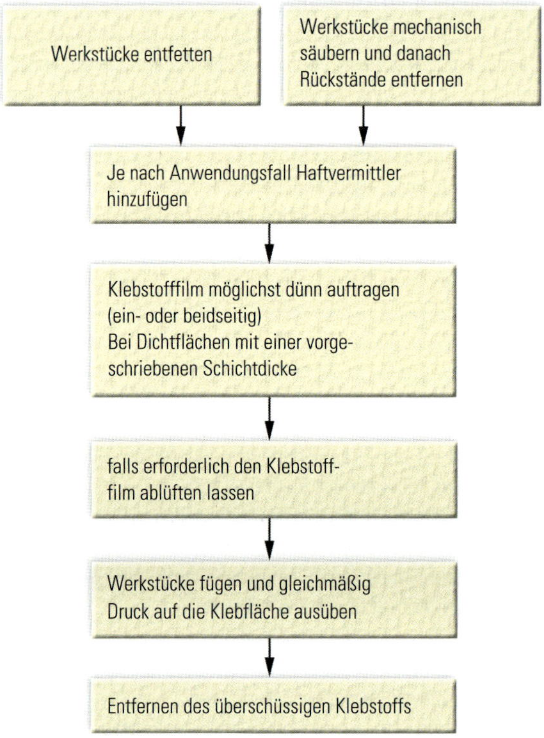

1 *Durchführung einer Klebstoffverbindung*

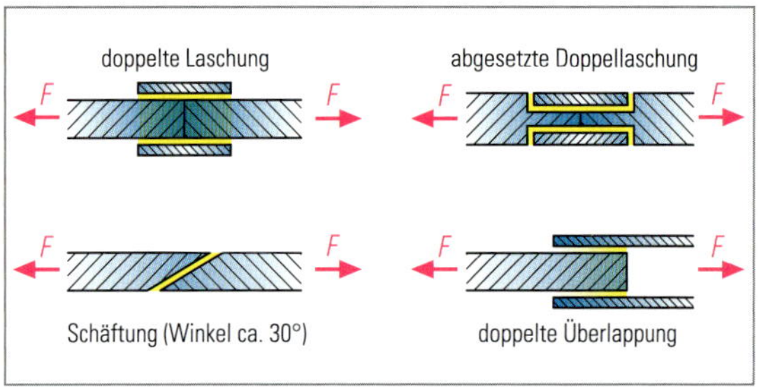

2 *Gestaltung der Klebfläche*

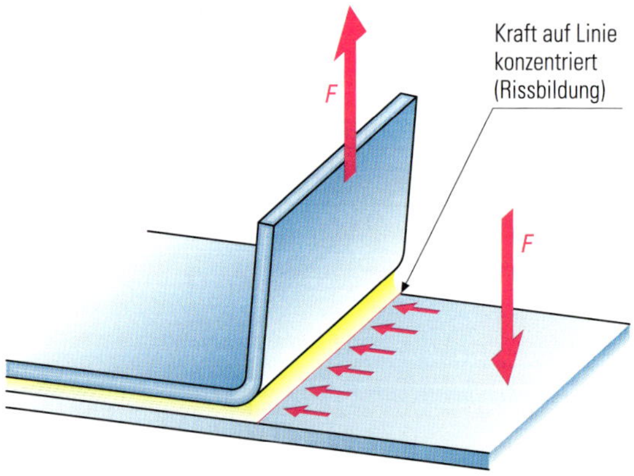

3 *Schälende Beanspruchung*

Arbeitssicherheit und Unfallverhütung beim Kleben *(occupational safety and accident prevention)*

- Arbeitsplatz sauber halten.
- Das Einatmen von Lösungsmitteldämpfen ist gesundheitsschädlich. Beim Verarbeiten des Klebstoffes ist für ausreichende Entlüftung/Absaugung zu sorgen.
- Dämpfe von Lösungsmittel und Reinigern sind feuergefährlich. Offenes Feuer ist daher verboten!
- Vorsicht beim Umgang mit Klebstoffen. Sie sind Chemikalien. Hände, Augen und Atmungsorgane können gefährdet sein. Es sind Körperschutzmittel (z. B. Handschuhe, Schutzbrille) zu tragen.
- Klebstoffe können giftig sein. Daher darf während der Arbeit nicht gegessen und getrunken werden.
- Chemikalien und Lösungsmittel nicht in den Abfluss gießen.

2.2.3.2 Lötverbindungen *(soldering joints)*

Lötverfahren *(soldering methods)*

Die Lötverfahren Weich- und Hartlöten werden nach dem Schmelzbereich der Lote unterschieden:

- **Weichlöten** *(soft soldering)* (Arbeitstemperatur unter 450 °C; Bild 1) wird hauptsächlich für elektrisch leitende Verbindungen im Bereich der Elektrotechnik und bei Hausinstallationen angewendet (Sanitär-, Heizungs- und Lüftungstechnik).

1 Weichlotzugabe bei abgewendeter Flamme

- **Hartlöten** *(hard soldering)* (Arbeitstemperatur über 450 °C; Bild 2) wird oft im Bereich des Maschinenbaus eingesetzt sowie beim Löten von Rohren der Hausinstallation.

Beim **Löten** werden z. B. die Teile (Rohr und Fitting) mit einem Lot (Metall bzw. Metalllegierung) verbunden (Bild 2). Das Lot wird verflüssigt, die Werkstücke jedoch nicht. Das flüssige Lot kann somit in den Spalt zwischen den Bauteilen eindringen. Dabei verbindet es sich mit ihrer Randzone. Damit die Lötflächen während des Lötens oxidfrei bleiben, muss ein Flussmittel verwendet werden. Lot und Grundwerkstoff der Teile können somit leichter eine Legierung bilden. Der Schmelzpunkt des Lotes ist dabei niedriger als der Schmelzpunkt der Bauteile. Es ist möglich, Metalle oder Legierungen miteinander zu verbinden, deren Schmelzpunkte unterschiedlich sind (Bild 3).

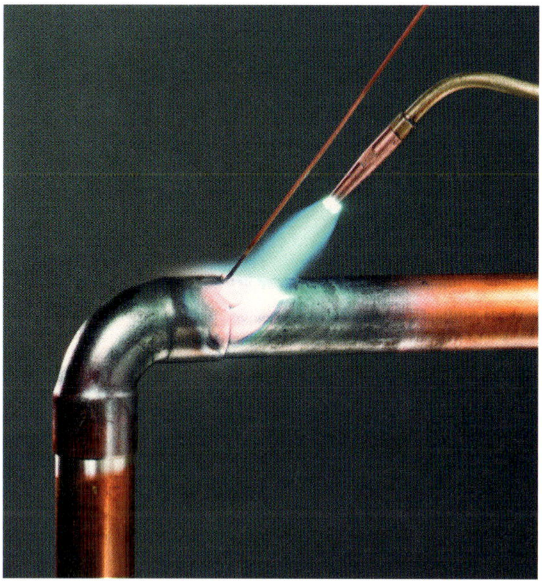

2 Beim Hartlöten wird das Lot in der Brennerflamme abgeschmolzen

AH GK S. 73

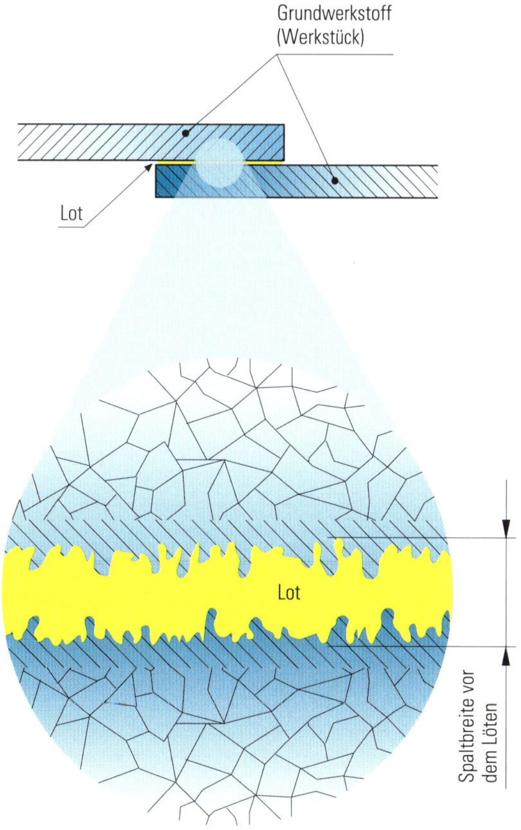

3 Legierungsbildung beim Löten

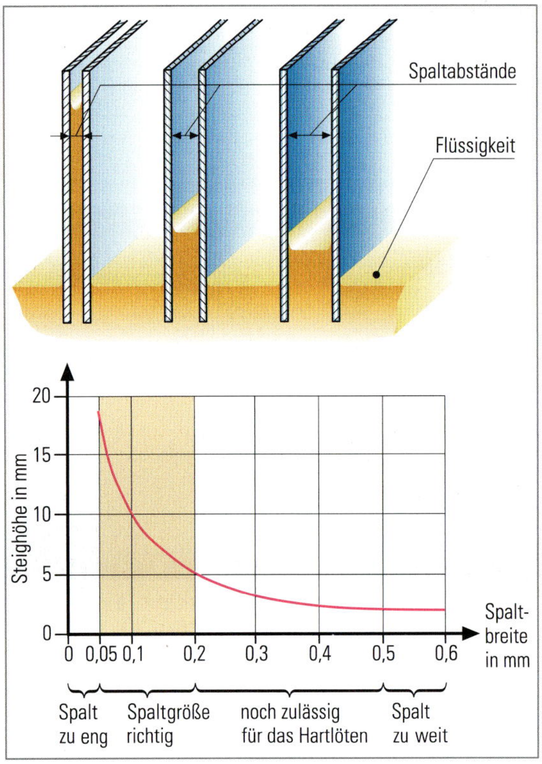

1 Kapillarwirkung

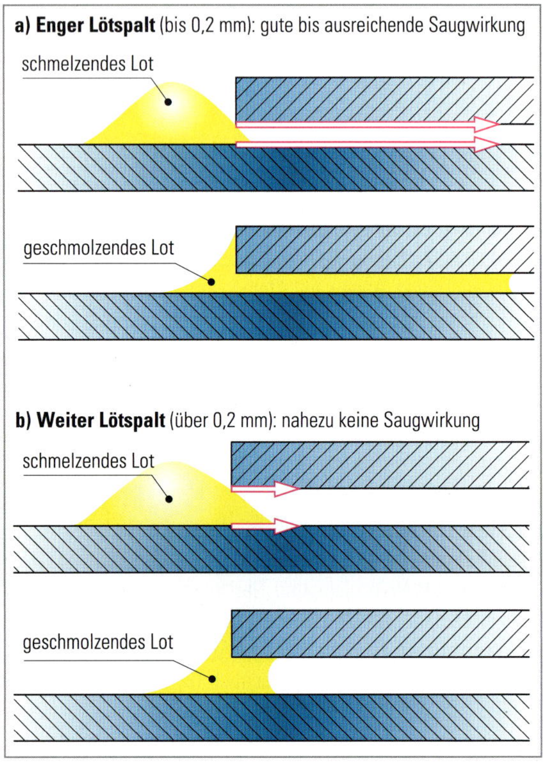

2 Einfluss des Lötspalts

Merke
Durch Löten werden metallische Bauteile mithilfe eines Zusatzwerkstoffes (Lot) stoffschlüssig miteinander verbunden. Die Verbindung weist hohe Festigkeit und geringen Verzug auf.

Beim Verbinden von Bauteilen durch Löten ist zu beachten, dass:
- sich die Werkstoffe der Bauteile zum Löten eignen, also Metalle oder Metalllegierungen sind und
- die Verbindung den geforderten Eigenschaften (z. B. geforderte Temperaturbeständigkeit) genügt.

Lötspalt *(soldering gap)*
Eine haltbare Lötverbindung setzt voraus, dass das Lot den Grundwerkstoff gut benetzt und den gesamten Lötspalt (Ringspalt bei Rohrverbindungen) ausfüllt. Eine richtig gewählte Spaltbreite begünstigt den kapillaren Fülldruck. Er beruht auf den Adhäsionskräften zwischen dem flüssigen Lot und den benetzten Wandungen. Bild 1 zeigt diesen physikalischen Effekt. Je größer die Spaltbreite wird, desto geringer ist die Steighöhe der Flüssigkeitssäule. Für die Löttechnik ist der markierte Bereich wichtig. Beträgt der Spalt ca. 0,2 mm, so wird das Lot tief in den Spalt hineingezogen (Bild 2a). Ist der Lötspalt zu breit, erfolgt die Saugwirkung nur unzureichend (Bild 2b).

Merke
Je geringer der Spalt (0,05 … 0,2 mm), desto größer die Kapillarwirkung (Saugwirkung).

Gestaltung einer Lötnaht
Damit eine Lötverbindung optimal hält, sind Besonderheiten bei der Bauteilgestaltung zu berücksichtigen. Grundsätzlich ist dabei immer die richtige Spaltbreite für den Lötfluss einzuhalten. Bild 3 zeigt verschiedene Möglichkeiten, eine Lötnaht konstruktiv günstig zu gestalten.
Schälende Beanspruchung einer Lötnaht *(soldering seam)* ist, wie auch bei den Klebverbindungen, zu vermeiden (Seite 118 Bild 3).

Merke
Je größer die mit Lot benetzte Fügefläche, desto belastbarer ist die Lötverbindung.

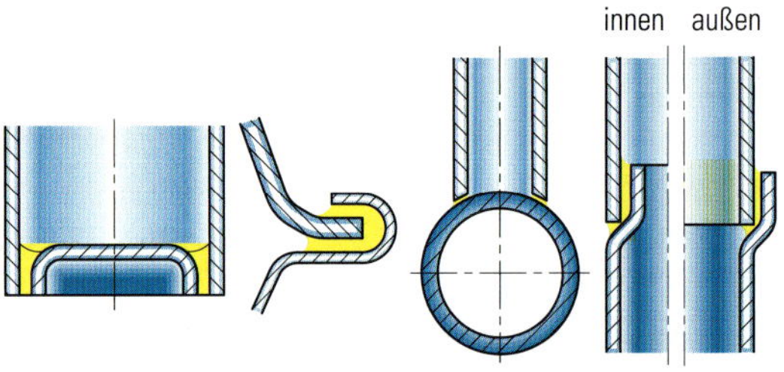

3 Gestaltungsmöglichkeiten für Lötverbindungen

Flussmittel *(fluxing agents)*
Nur metallisch reine Oberflächen des Grundwerkstoffes werden gut benetzt. **Oxid-** *(oxide layers)*, **Schmutz-** *(dirt layers)* und **Fettschichten** *(grease layers)* beeinträchtigen/verhindern die Benetzung. Schmutz und Fettschichten lassen sich durch entsprechende Behandlung der Werkstückoberfläche, z. B. durch Schmirgeln *(emerying)*, Bürsten *(brushing)*, Beizen *(etching)* beseitigen. Die beim Erwärmen entstehende Oxidschicht kann durch ein geeignetes Flussmittel verhindert werden.

Merke
Flussmittel beseitigen die bei Erwärmung entstehende Oxidschicht der Lötflächen und verhindern deren Neubildung.

Je wirkungsvoller jedoch ein Flussmittel die Oxidschicht beseitigt, desto größer ist die Gefahr einer späteren Korrosion an den Lötstellen. Flussmittelreste sind deshalb nach dem Löten sorgfältig zu entfernen.
Je nach Arbeitstemperatur des Lotes hat die Fachkraft ein geeignetes Flussmittel auszuwählen. Das Flussmittel hat einen bestimmten Temperaturbereich, in dem es wirkt und Oxide lösen kann. Flussmittel sind genormt und werden nach den geforderten Ansprüchen an die Lotverbindung ausgewählt.

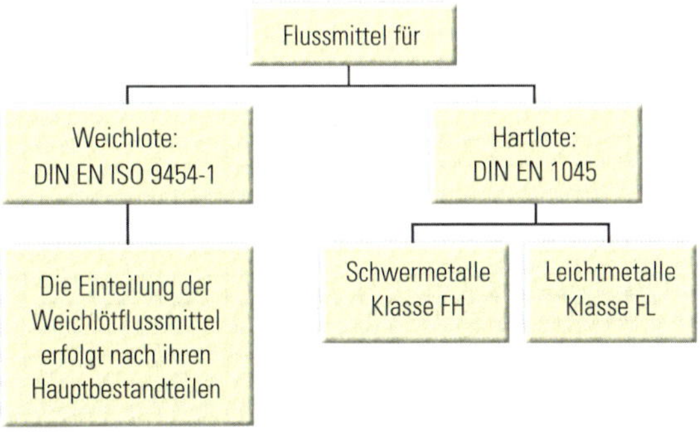

Bezeichnungsbeispiel: Flussmittel EN 1045 – FH 12
Normblatt
Flussmittel
Hartlöten
Typ

Lotauswahl *(selection of solders)*
Verschiedene Metalle wie z. B. Zinn, Blei, Kupfer und deren Legierungen, werden als Lote verwendet (vgl. Tabellenbuch). Bei der Auswahl des Lotes ist zu beachten:
- Die **Temperaturbeständigkeit** *(thermal stability)* der zu lötenden Werkstoffe (siehe Lötverfahren).
- Die geforderte **Festigkeit** *(joint strength)* der Lötverbindung. Große Festigkeit der Lötverbindung lässt sich z. B. durch Lote mit hohem Schmelzpunkt erreichen. Die Legierungszone von Lot und Bauteilwerkstoff ist dabei besonders groß. Es ist auf eine eventuell auftretende Festigkeitsverminderung der Werkstücke zu achten.
- **Unbedenklichkeit** der Lotzusammensetzung *(composition of a solder)*. Lote für Trinkwasserleitungen dürfen keine Schwermetalle (z. B. gesundheitsschädliches Blei, Cadmium) enthalten und dürfen nicht hartgelötet werden.

Beispiel für Weichlot nach DIN EN ISO 9453

Weichlot ISO 9453 S – Sn60Pb40
- Sn60Pb40: **Zusammensetzung:** 60 % Zinn, 40 % Blei
- S: **Kennzeichnung für: Weichlot**
- ISO 9453: **Normblatt**

Verwendung: Feinbleche, Metallwaren, Bauelementfertigung (Elektrotechnik).
Hinweis: Bleihaltige Lote nicht in Anlagen der Lebensmitteltechnik verwenden.

Beispiel für Hartlot nach DIN EN ISO 3677

Hartlot ISO 3677 – B – Cu60Zn(Si) – 875/900
- 875/900: **Schmelztemperatur:** obere/untere Schmelztemperatur
- Cu60Zn(Si): **Zusammensetzung:** 54 % Kupfer, 46 % Zink
- B: **Kennzeichnung: Hartlot**
- ISO 3677: **Normblatt**

AH GK S. 74

Alternative Benennung für den gleichen Lotzusatz gemäß DIN EN ISO 17673

Hartlot ISO 17672 – Cu470
- Cu470: **Kurzzeichen**

Verwendung: Verbindungen mit Hartmetall, Kupfer und Kupferlegierungen.

Wärmequellen *(source of heat)*
Flussmittel verlieren bei zu langer Erwärmung nach ca. 4 min ihre **Wirksamkeit** *(effectiveness)*. Deshalb muss die Wärmequelle in der Lage sein, die **Löttemperatur** *(soldering temperature)* innerhalb kurzer Zeit zu erzeugen. Für die unterschiedlichen Lötverfahren von Hand werden verschiedene Wärmequellen eingesetzt (Seite 122 Bilder 1 bis 4):
- Propan-Sauerstoff- oder Propan-Luft-Brenner
- Lötkolben
- Acetylen-Sauerstoff-Brenner

1 Propan-Sauerstoff-Brenner zum Weichlöten
Je nach Brenner und Einstellung liegt die Flammentemperatur zwischen 1200 °C und 2000 °C. Geeignet z.B. zum Löten von Rohrverbindungen.

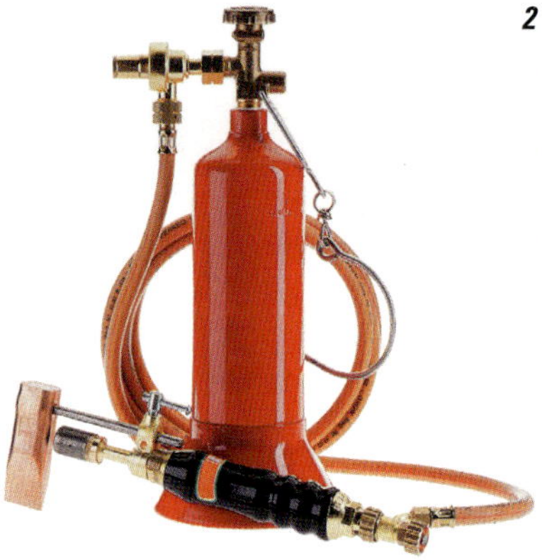

2 Hammerlötkolben zum Weichlöten
Als Wärmequelle dienen elektrische Energie oder z. B. ein Propan-Luft-Brenner. Geeignet z. B. für Blecharbeiten.

3 Elektrolötkolben zum Weichlöten
Vielseitig einsetzbar, 30 W Nennleistung, 380 °C maximale Löttemperatur.

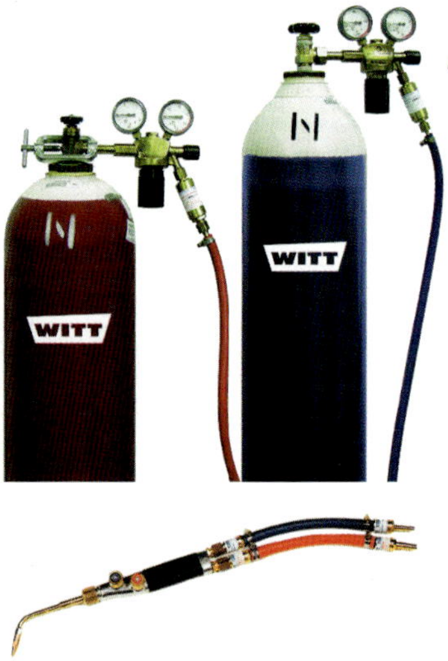

4 Acetylen-Sauerstoff-Brenner[1] **zum Hartlöten**
Für diese Anlage sind Acetylen- und Sauerstoffflaschen, Schläuche und Brenner erforderlich. Zum Löten wird eine Mehrlochdüse verwendet, mit der eine bessere Wärmeverteilung am Werkstück erreicht wird.

Eine gute Lötverbindung ist zu erkennen an:

- einer sauberen und gleichmäßige Nahtoberfläche
- einer Hohlkehle der Lötnaht (bei waagerechter Lage der Bauteile)
- einem ausgefüllten Lötspalt

Vorteile *(advantages)* des Lötens sind:

- Durch Löten können alle festen Metalle und Metalllegierungen gefügt werden.
- Die Löttemperaturen sind wesentlich niedriger als beim Schweißen. Dadurch verringert sich z. B. der Wärmeverzug. Es werden oft auch negative Eigenschaftsänderungen an den Bauteilen vermieden (z. B. Härtesteigerung, Sprödigkeit, Grobkornbildung[2])
- Lötverbindungen sind dicht (Installationsbau); sie leiten elektrischen Strom (Elektrotechnik).

Nachteile *(disadvantages)* des Lötens sind:

- Die Festigkeitswerte sind meist niedriger als beim Schweißen.
- Lötverbindungen sind korrosionsanfällig, bedingt durch unterschiedliche Bauteilwerkstoffe und Flussmittelreste.
- Wegen der geringen Spaltbreite muss die Werkstückvorbereitung genau sein.
- Flussmittel ist fast immer erforderlich.
- Große Verbindungsflächen sind, wie beim Kleben, günstig für die Verbindung (Überlappungen der Fügeflächen).

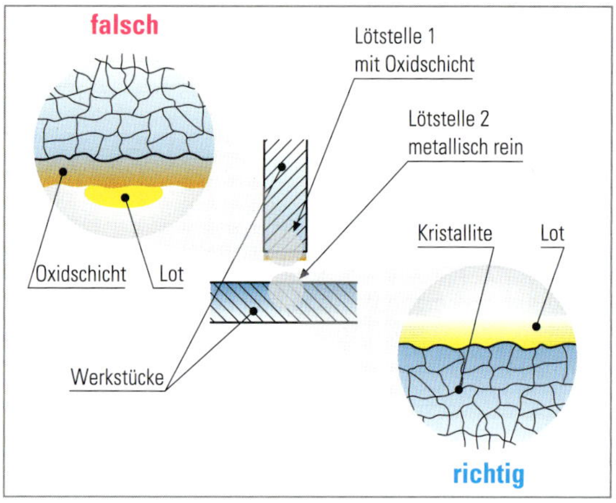

5 *Voraussetzung für eine gute Lötverbindung*

Unfallverhütung und Brandschutz *(accident prevention and fire protection)*

- Beim Löten sind **Schutzkleidung** *(protective clothing)* und **Schutzbrille** *(protective goggles)* zu tragen.
- Flussmittel sind aggressive Stoffe, die zu Verätzungen der Haut führen. Deshalb ist mit diesen sorgsam umzugehen.
- Die Dämpfe von Loten und Flussmittel sind gesundheitsschädlich. Deshalb ist der Arbeitsplatz gut zu entlüften bzw. abzusaugen.

1) Diese Anlage dient in gleicher Weise zum Gasschmelzschweißen und wird im Kapitel 2.2.3.3.1 näher behandelt.
2) Weitere Informationen finden Sie im Teil III „Lernfeldübergreifende Inhalte" im Kapitel 3.2.2 „Werkstoffverhalten bei Belastung durch äußere Kräfte".

- Brenngase können explodieren, wenn das entsprechende Mischungsverhältnis mit Sauerstoff vorliegt. Deshalb soll der Brenner sofort nach dem Öffnen des Ventils gezündet werden.
- Wenn in der Nähe brennbarer Stoffe gelötet wird, müssen die erforderlichen Brandschutzmaßnahmen ergriffen werden.

1. **Lotfläche säubern**
   Oxidschicht entfernen (mechanisch oder chemisch)
2. **Flussmittel auftragen**
   Flussmittel mit dem Pinsel auftragen
3. **Werkstück fixieren**
   Lötspaltbreite beachten (0,05 ... 0,2 mm)
4. **Lötstelle gleichmäßig erwärmen**
   Die Löttemperatur soll schnell erreicht und nicht überschritten werden
5. **Lot einbringen**
   Das Flussmittel wird erschmolzen und das Lot kann durch die Kapillarwirkung den Lötspalt vollständig ausfüllen
6. **Werkstück erkalten lassen**
   Die Werkstücke dürfen in der Erstarrungsphase nicht bewegt werden
7. **Flussmittelreste entfernen**
   Flussmittel können Korrosion verursachen
8. **Kontrolle der Lötnaht**
   Lötnahtaussehen beurteilen

1 *Herstellen einer fachgerechten Lötverbindung*

2.2.3.3 Schweißen

Ein dünnwandiges Rohr ist mit einem Flansch zu verbinden (Bild 2). Die relativ kleine Verbindungsfläche der Teile lässt aus Festigkeitsgründen keine Kleb- oder Lötverbindung zu. Rohr und Flansch werden daher durch Schweißen *(welding)* miteinander verbunden. Das Schweißen wird in vielen Bereichen wie z. B. im Stahl-, Karosserie- und Maschinenbau als Verbindungsverfahren eingesetzt.

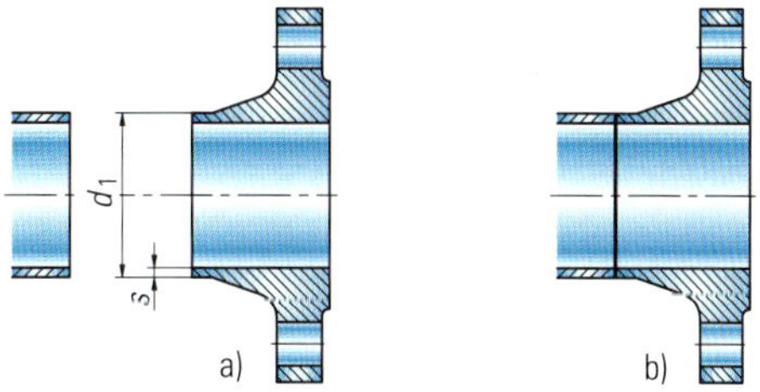

2 *Vorschweißflansch mit Stumpfstoß*

Merke

Beim Schweißen werden die Bauteile an der Fügezone bis in den flüssigen Zustand erwärmt. Ihr Werkstoff verbindet sich dabei unlösbar.

Sowohl **Eisen-** als auch **Nichteisenmetalle** können durch Schmelzschweißen dauerhaft verbunden werden. Voraussetzung ist jedoch, dass es sich um Werkstoffe mit annähernd gleichem Schmelzpunkt handelt. Jedoch sind nicht alle Werkstoffe gleich gut zum Schweißen geeignet. So beeinflussen z. B. bei Stahl der Kohlenstoffgehalt und die Legierungsbestandteile die Schweißbarkeit. Stähle mit niedrigem Kohlenstoffgehalt ($C < 0,25\,\%$) sind gut schweißbar.

Stoßarten und Nahtformen

Die **Anordnung** der Bauteile bestimmt ihre **Stoßart** *(type of joint)* (Bild 3). Die **Blechdicke** bestimmt die **Nahtform** *(type of seam)* (Seite 124 Bild 1). Bei dickwandigen Bauteilen (z. B. Maschinenkörper) sind meist mehrere Lagen von Schweißnähten erforderlich.

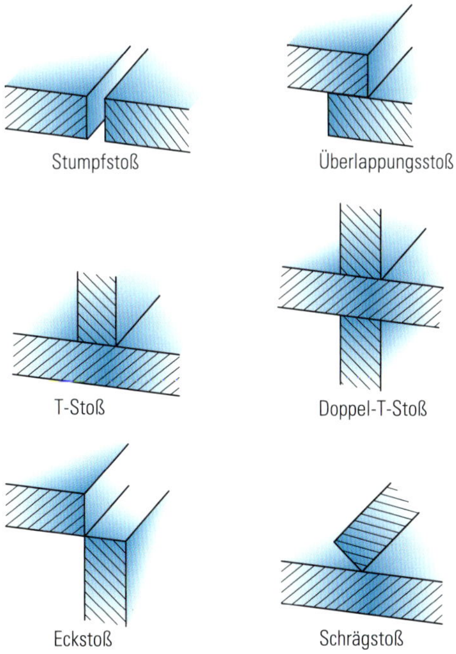

3 *Stoßarten (Auswahl)*

AH GK S. 75

Art der Schweißnahtvorbereitung	Symbol nach ISO 2553	Schnitt	Darstellung
Stumpfnähte, einseitig geschweißt			
Kanten bördeln	⌒⌒ (JL)	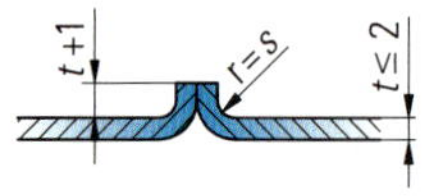	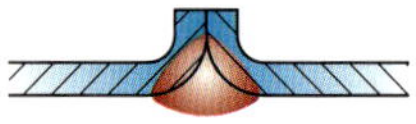
I-Fuge	‖	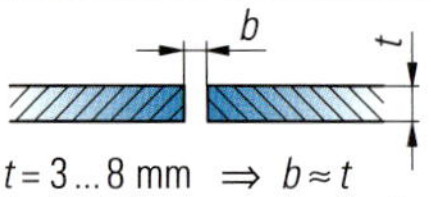 $t = 3 \ldots 8$ mm $\Rightarrow b \approx t$ $t > 8 \ldots 15$ mm $\Rightarrow b = 6 \ldots 8$ mm	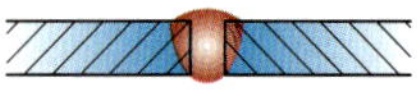
V-Fuge	V	40° … 60° 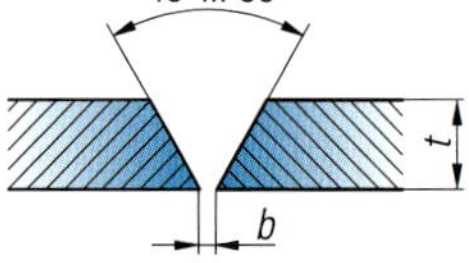 $t = 3 \ldots 10$ mm $\Rightarrow b \leq 4$ mm	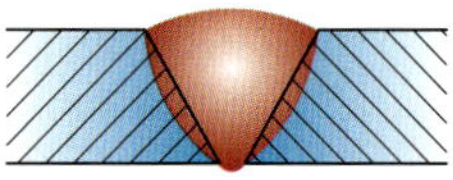
Stumpfnähte, beidseitig geschweißt			
I-Fuge	‖	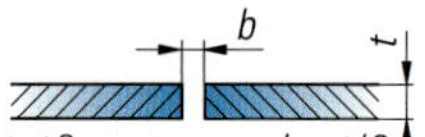 $t \leq 8$ mm $\Rightarrow b \approx t/2$ $t > 8 \ldots 15$ mm $\Rightarrow b \leq t/2$	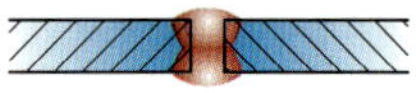
D(oppel)-V-Fuge	X	40° … 60° 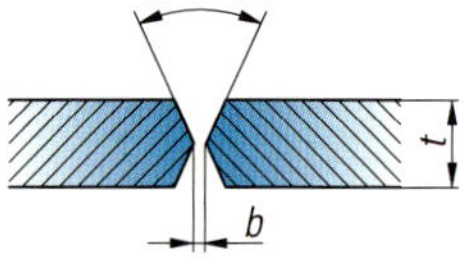 $t > 10$ mm $\Rightarrow b \leq 1 \ldots 3$ mm	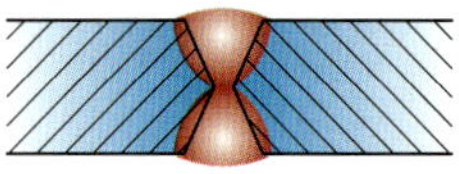
Kehlnähte, einseitig geschweißt			
Stirnfläche rechtwinklig	◺	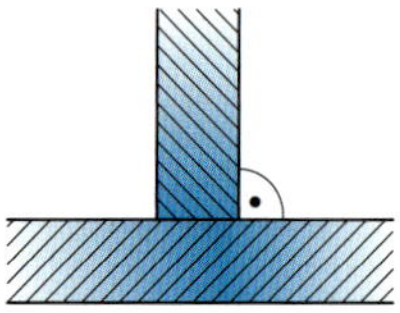	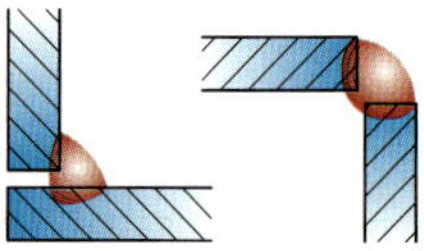

***1** Nahtformen (Auswahl nach EN ISO 9692)[1)]*

2.2.3.3.1 Gasschmelzschweißen

Gasschmelzschweißen *(gas fusion welding)* ist nur für geringe Rohrdurchmesser (< ∅ 150 mm) und geringe Wanddicken (max. 4,5 mm) wirtschaftlich einsetzbar. Zudem ist das Gasschmelzschweißen nur schlecht zu automatisieren. Da dieses Schweißverfahren jedoch im Vergleich zu anderen verhältnismäßig wenig Aufwand erfordert, wird es oft in der **Installationstechnik** bzw. im **Baustelleneinsatz** angewendet.

AH GK S. 76

Schweißtechniken

Beim Gasschmelzschweißen sind zwei Arbeitstechniken zu unterscheiden (Seite 125 Bild 1):

- Nachlinksschweißen
- Nachrechtsschweißen

Beim **Nachlinksschweißen** *(left-hand welding)* wird der Brenner nach links bewegt und führt dabei eine leicht pendelnde Bewegung aus. Der Schweißstab wird vor der Flamme geführt und von Zeit zu Zeit in das Schmelzbad eingetaucht. Bei dieser Schweißtechnik bläst die Flamme das Schmelzbad in Schweißrichtung. Die Erhitzungsdauer an der Schweißstelle ist dadurch geringer. Dies ist gerade bei dünnen Blechen vorteilhaft, da diese besonders leicht „durchbrennen".

Beim **Nachrechtsschweißen** *(right-hand welding)* wird der Brenner mit der rechten Hand geradlinig nach rechts geführt und der Draht kreisförmig bewegt. Die Flamme ist dabei auf die Schweißnaht gerichtet. Dadurch wird die Wärme auf die Schweißstelle konzentriert. Der Schweißstab wird bei dieser Schweißtechnik vor der Flamme geführt. Die Schweißtemperatur ist höher als beim Nachlinksschweißen. Es lässt sich auch bei dicken Blechen bis zur Wurzel durchschweißen.

1) Informationen zur Darstellung von Schweißnähten in technischen Zeichnungen finden Sie in Teil III „Lernfeld übergreifende Inhalte" im Kapitel 2.4.6 „Schweißsymbole".

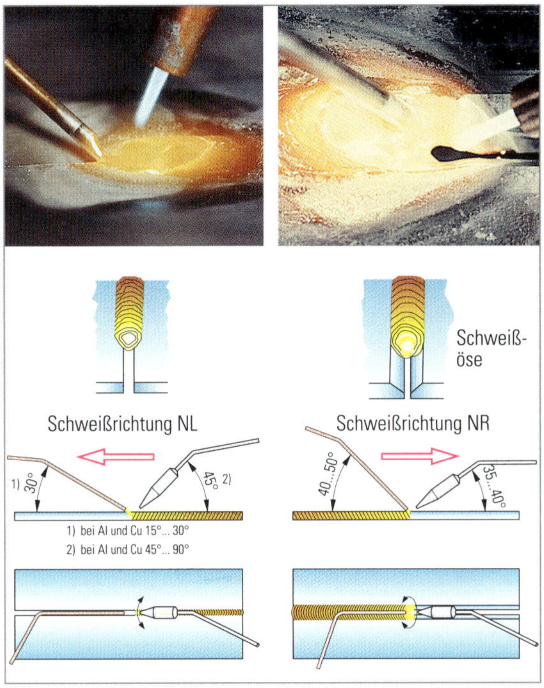

1 Schweißrichtungen

Farbkennzeichnung seit 1. Juli 2006 nach DIN EN 1089-3

Acetylen		**Sauerstoff**	
oben:	kastanienbraun	*oben:*	weiß
unten:	kastanienbraun (schwarz, gelb)	*unten:*	blau

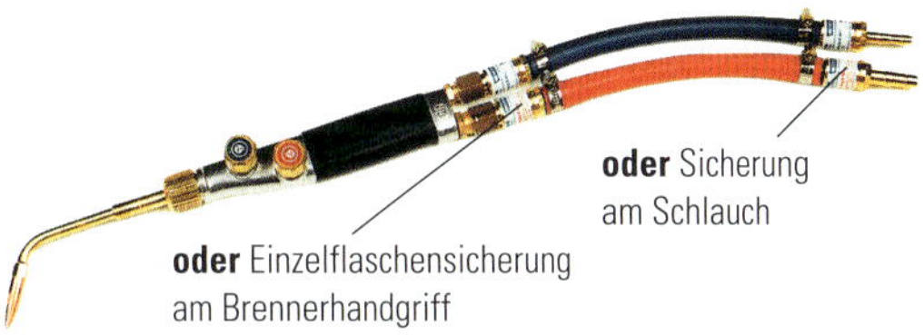

2 Farbkennzeichnung von Gasflaschen und Einbaumöglichkeiten von Einzelflaschen-Sicherungseinrichtungen

Video Autogenschweißen

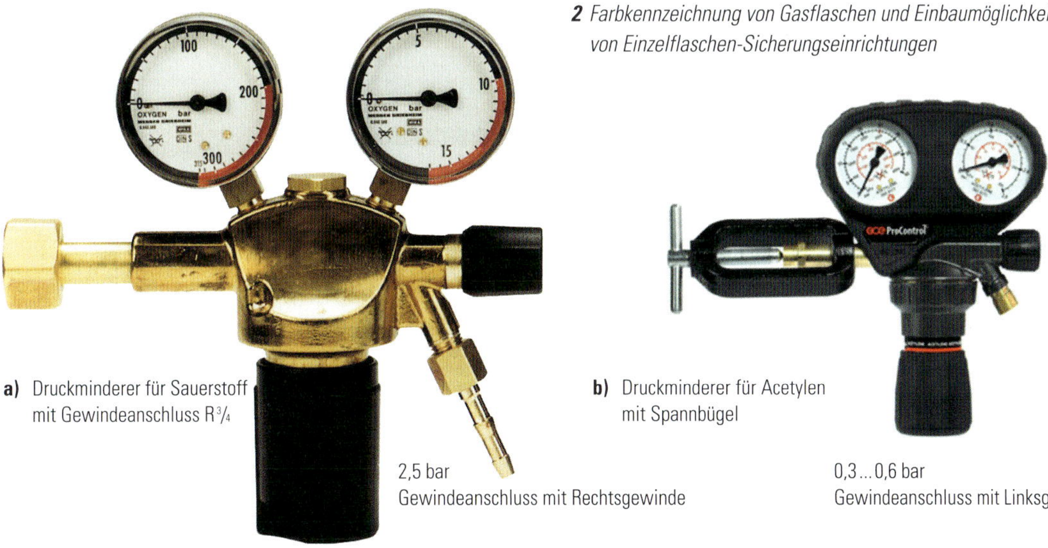

3 Druckminderer für Gasflaschen

Schweißgase

Als **Brenngas** *(fuel gas)* wird beim Gasschweißen fast ausschließlich Acetylen verwendet. Es besteht aus einer Kohlen-Wasserstoffverbindung (C_2H_2). Vorteilhaft sind sein hoher Heizwert und seine hohe Zündgeschwindigkeit. Es ist jedoch hochexplosiv. Im Umgang mit diesem Gas müssen daher die Sicherheits- und Unfallverhütungsvorschriften genau beachtet werden (vgl. Unfallverhütungsvorschriften auf Seite 127).

Dem Brenngas wird reiner **Sauerstoff** *(oxygen)* zugeführt. Durch die Verbrennung dieser Gase entsteht die hohe Schweißtemperatur. Acetylen und Sauerstoff wird in **Gasflaschen** *(gas bottles)* (Bild 2) unter hohem Druck gespeichert. Der Flaschendruck ist sowohl bei Acetylengas als auch Sauerstoff auf den Arbeitsdruck zu senken. Hierzu werden **Druckminderer** *(pressure regulators)* (Bild 3) verwendet. Schläuche (Sauerstoff blau, Acetylen rot) verbinden die Gasflaschen mit dem Brenner (Anschlussgewinde siehe auch Kap. 2.2.1.1).

Brenner

Im Brenner *(welding torch)* wird das Acetylen mit dem Sauerstoff vermischt. Dies geschieht mithilfe des Injektorprinzips (Bild 1). Der Sauerstoff mit der höheren Fließgeschwindigkeit nimmt das Acetylen auf und vermischt sich mit ihm.

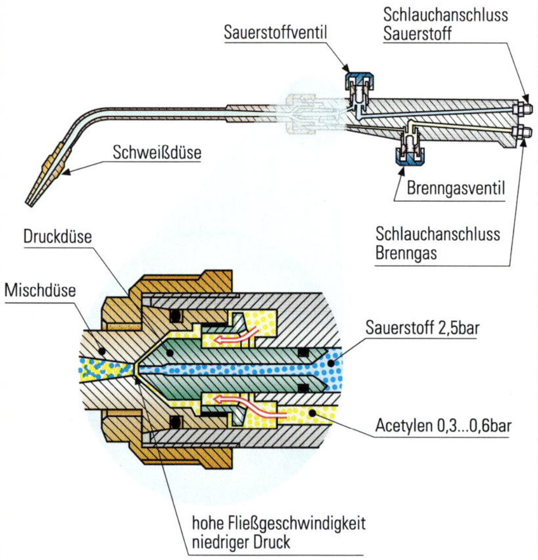

Der Sauerstoff tritt mit einem Druck von $p = 2{,}5$ bar in den Brenner. Durch den verkleinerten Querschnitt steigt die Strömungsgeschwindigkeit erheblich. Dadurch sinkt der statische Druck. Am Ende der Düse ist der Gasdruck quer zur Strömungsrichtung niedriger als der Luftdruck – es ist ein Unterdruck entstanden, durch den das Acetylen angesaugt wird (Injektorprinzip). Beide Gase vermischen sich und strömen durch den Schweißeinsatz zur Schweißdüse.

1 *Injektorprinzip*

Unterschiedliche Blechstärken erfordern beim Schweißen unterschiedliche Wärmemengen. Dies kann durch entsprechende Brennereinsätze erreicht werden (Bild 2). Sie unterscheiden sich durch ihre Innendurchmesser und ermöglichen so einen angemessenen Gasdurchfluss. Die Brennerkennzeichnung gibt die Blechdicke an, für die sie geeignet sind.

Schweißflamme *(welding flame)*

Der Brenner ist beim Schweißen von Stahl so einzustellen (Bild 3), dass die Gase im Verhältnis 1:1 gemischt werden (neutrale Flamme). Bei diesem Mischungsverhältnis verbrennt das Acetylen nur unvollständig. Der für eine vollständige Verbrennung benötigte Sauerstoff wird dann der Umgebungsluft entzogen. Dadurch oxidiert die Schmelze nicht. Das Oxidieren hätte Poren in der Schweißnaht zur Folge. Dies würde die Naht schwächen. Ein Sauerstoffüberschuss führt zusätzlich zu einer sehr hohen Flammentemperatur. Dadurch besteht die Gefahr, dass ein Teil des Werkstoffes der Schweißnaht verbrennt. Dieser Effekt wird beim Brennschneiden genutzt. Acetylenüberschuss führt zum Aufkohlen des Schmelzbades. Dadurch werden die Festigkeit und Härte der Naht erhöht, ihre Zähigkeit jedoch stark vermindert.

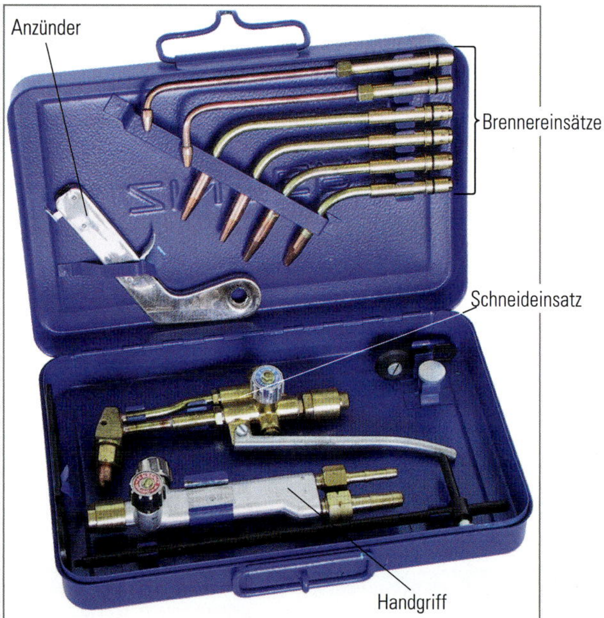

Schaft ∅ 13 mm

- zum Schweißen von 0,2 ... 9 mm
- zum Schneiden von 0,5 ... 6 mm

Inhalt:

1 Handgriff
6 Schweißeinsätze 0,2 ... 9 mm sortiert
1 Schneideinsatz mit Federhebel, Führungsrad und Kreisführung
1 Stufendüse
1 Anzünder (Pistolenform)
1 Universalschlüssel

2 *Brennersatz*

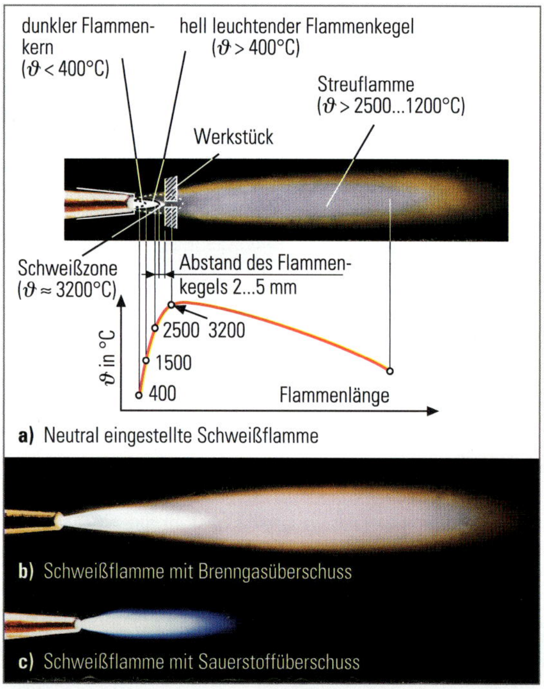

a) Neutral eingestellte Schweißflamme

b) Schweißflamme mit Brenngasüberschuss

c) Schweißflamme mit Sauerstoffüberschuss

3 *Schweißflamme*

Flammeneinstellung	Metall
neutral	Stahl, Chrom-Nickel-Stahllegierungen
Sauerstoffüberschuss	Kupfer-Zink-Legierungen (Messing)
Brenngasüberschuss	Gusseisen, Aluminium

__1__ Flammeneinstellungen beim Schweißen verschiedener Metalle

Geeignete Flussmittel können beim Schweißen von Aluminium und anderen NE-Metallen zum Auflösen von Oberflächenbelägen zugegeben werden.

Unfallverhütung[1)]

Beim Gasschmelzschweißen ist zu beachten:

- Stehende Flaschen gegen Umfallen sichern.
- Anschlüsse von Sauerstoffflaschen dürfen nicht geschmiert/gefettet werden. Sauerstoff reagiert mit Öl/Fett explosionsartig.
- Es ist geeignete Schutzkleidung (schwerentflammbar) während des Schweißens zu tragen. (Schutzbrille, Schweißschürze, Handschuhe, Fußschutz, etc.)
- Es ist für eine ausreichende Be- bzw. Entlüftung zu sorgen. Besondere Vorsicht ist diesbezüglich in engen Räumen (Kellerräume, Stollen, Schächte, Tanks, Kessel, ...) geboten. Das Belüften mit Sauerstoff ist strengstens verboten (Explosionsgefahr!).
- Erhöhte Vorsicht ist in feuer- und explosionsgefährdeten Räumen geboten. Leicht entzündliche Stoffe müssen entfernt werden.
- Vorsicht beim Schweißen in und an Behältern. Sie können brennbare Stoffe enthalten oder gesundheitsschädliche Gase und Dämpfe entwickeln.

2.2.3.3.2 Lichtbogenhandschweißen mit Stabelektroden

Das Lichtbogenhandschweißen *(manual arc welding)* wird im Maschinen-, Stahl- sowie beim Rohrleitungsbau angewendet.

Abschmelzvorgang

Durch kurzes Antippen der Elektrode auf dem Werkstück entsteht ein elektrischer Kurzschluss. Beim Abheben der Elektrode bildet sich ein Lichtbogen in Form einer grell leuchtenden elektrisch leitfähigen Gassäule, über die der Stromfluss erhalten bleibt. Hierbei wird elektrische Energie in Wärmeenergie umgewandelt. Es entstehen Temperaturen bis zu 4 000 °C.

Schweißstromerzeuger

Schweißstromerzeuger liefern die zum Schweißen notwendige Energie. Aus Sicherheitsgründen darf im Betrieb die höchstzulässige Berührungsspannung von 50 V Wechselspannung bzw. 120 V Gleichspannung nicht überschritten werden[2)]. Aus diesem Grund sind die Leerlaufspannungen der Schweißstromerzeuger zu begrenzen (siehe Tabelle Bild 4).

__2__ Lichtbogenhandschweißen

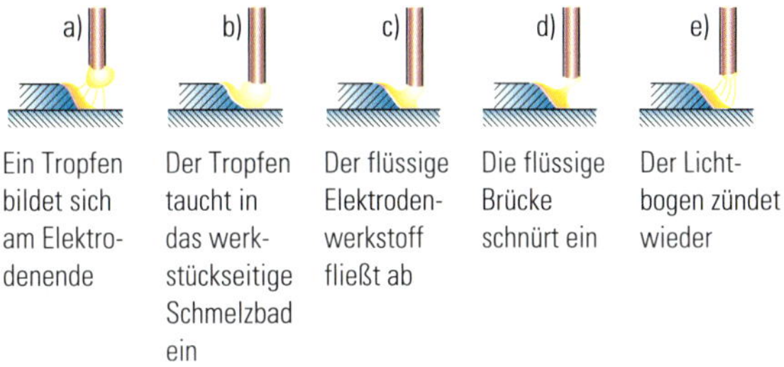

__3__ Abschmelzvorgang einer Elektrode (schematisch)

Einsatz	Gleich-spannung	Wechsel-spannung
Ohne erhöhte elektrische Gefährdung im Normalbetrieb	113 V	80 V
Unter erhöhter elektrischer Gefährdung (Räume mit leitfähiger Umgebung wie z. B. Kessel)	113 V	48 V

__4__ Höchstzulässige Leerlaufspannungen von Schweißstromerzeugern

Schweißstromerzeuger setzen die Spannung von 230 V~ (Einphasennetz) oder 400 V~ (Dreiphasennetz) auf eine niedrigere Schweißspannung um. Damit ist gleichzeitig eine starke Erhöhung des möglichen Schweißstroms auf Werte von 250 A bis

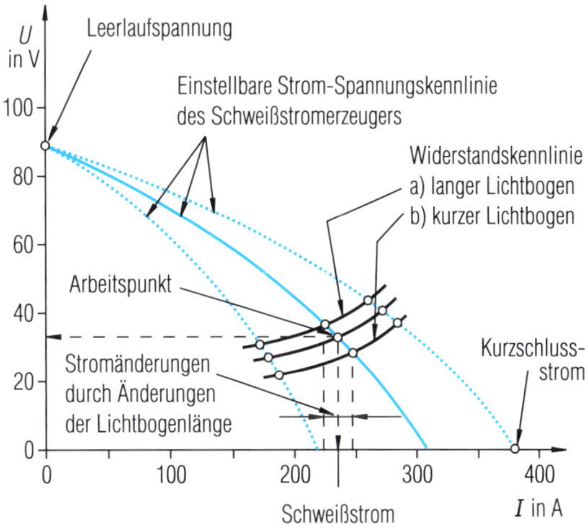

__5__ Strom-Spannungskennlinie eines Schweißstromerzeugers

AH GK S. 77

1) Es muss immer die jeweils gültige Berufsgenossenschaftliche Vorschrift beachtet werden. (BGV D1 „Schweißen, Schneiden und verwandte Arbeitsverfahren")

2) Siehe Lernfeld 4: „Warten technischer Systeme" Kap. 2.1.1 Elektrische Spannung.

Bezeichnung		**Beschreibung**	**Einsatzgebiet**
Schweißtransformator		Ein Schweißtransformator setzt die Netzspannung von 230 V~ bzw. 400 V~ in die jeweils höchstzulässige Leerlaufspannung von z. B. 80 V~ um.	■ Mobiles Kleinschweißgerät
Schweißgleichrichter		Beim Schweißgleichrichter ist einem Transformator, der die jeweilige Netzspannung herabsetzt, ein Gleichrichter nachgeschaltet. Dieser erzeugt dann die zulässige Leerlaufspannung von maximal 113 V–.	■ Mit dem Kennzeichen [S] für elektrisch erhöhte Gefährdung geeignet. ■ Geeignet für NE-Metalle
Schweißumformer		Der Schweißumformer besteht aus einem Gleichstromgenerator, der durch einen Verbrennungs- oder einen Elektromotor angetrieben wird. Es wird eine Leerlaufspannung von maximal 113 V– erzeugt.	■ Besonders geeignet für Baustellenbetrieb.
Schweißinverter		Schweißinverter sind elektronische Schweißumformer. Sie setzen die Spannung durch spezielle Halbleitersteuerungen um. Auf diese Weise können sie je nach Wahl die zulässige Gleich- oder Wechselspannung erzeugen. Der Wirkungsgrad ist erheblich besser als bei den übrigen Schweißstromerzeugern. Außerdem erleichtern Sonderfunktionen den Schweißvorgang.	■ Mobiler Einsatz ■ Werkstatt ■ Geeignet für Lichtbogenhand- und WIG-Schweißen im [S]-Betrieb.

500 A verbunden. Außerdem wird je nach Umsetzungsart eine Wechselspannung beibehalten oder durch Gleichrichtung eine Gleichspannung erzeugt. Während des Schweißens reduziert sich die Spannung erheblich und liegt dann zwischen 20 V und 40 V. Schweißstromerzeuger werden praktisch im Kurzschluss betrieben.

Der Verlauf der Strom-Spannungskennlinie eines Schweißstromerzeugers gibt Aufschluss über die sich einstellenden Schweißspannungen und Schweißströme bei unterschiedlichen Lichtbogenlängen (Seite 127 Bild 5). Über Einstellungen an den Schweißstromerzeugern kann der Verlauf der Kennlinie beeinflusst werden.

Die obige Übersicht zeigt typische Schweißstromerzeuger.

Elektroden *(electrodes)*

Die Elektroden (Bild 1) bestehen aus dem **Kernstab** und der **Umhüllung**. Der Kernstab liefert den Zusatzwerkstoff, der für die Schweißnaht erforderlich ist. Die Umhüllung unterstützt den Stromfluss (durch Ionisation wird die Luft elektrisch leitend). Sie schützt zudem die Schweißstelle gegenüber dem Luftsauerstoff durch einen **Gasmantel** und das flüssige **Schweißgut** durch **Schlackenbildung**.

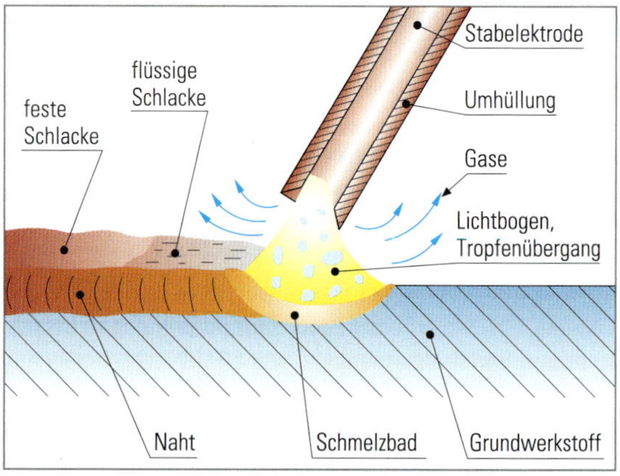

1 *Abschmelzvorgang beim Lichtbogenhandschweißen mit umhüllter Stabelektrode*

Die Zusammensetzung der Elektrodenhülle hat entscheidenden Einfluss auf das Abbrennverhalten der Elektrode. Sie muss dem Grundwerkstoff und der Schweißaufgabe angepasst sein. Die folgende Übersicht zeigt einen ausgewählten Elektrodentyp.

ISO 2560 – A – E 46 3 1Ni 5 4 B H5

- H5 – Wasserstoffgehalt
- B – Umhüllungstyp
- 4 – Schweißposition
- 5 – Ausbringung und Stromart
- 1Ni – chemische Zusammensetzung des reinen Schweißguts
- 3 – Kerbschlagarbeit
- 46 – Festigkeit und Bruchdehnung
- E – Lichtbogenhandschweißen
- ISO 2560 – A – Nummer der internationalen Norm; Einteilung nach Streckgrenze und Kerbschlagarbeit von 47 J

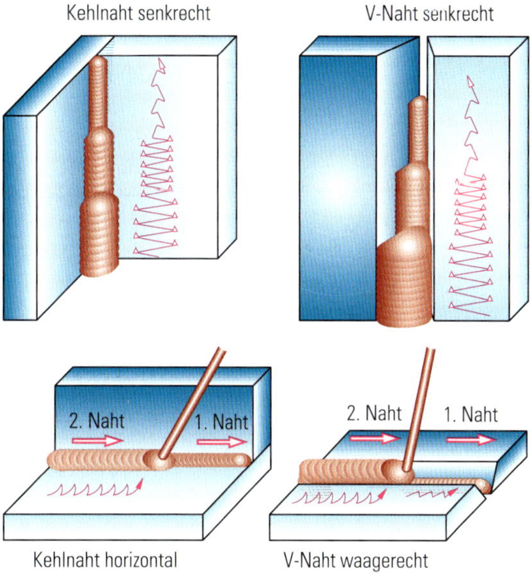

***1** Elektrodenführung*

Führen der Elektrode

Die Elektrode wird zur Schweißrichtung quer gestellt (Bild 1). Der Abstand der Elektrode zum Werkstück soll ca. den Kerndurchmesser der Elektrode betragen. Es wird in Strichraupen geschweißt oder bei Decklagen etwas mit der Elektrode gependelt. Beim Schweißen von Rohren sind besondere Pendelbewegungen erforderlich.

Elektrodenverbrauch

Der Elektrodenverbrauch wird mithilfe von Herstellertabellen berechnet, die den Elektrodenverbrauch je Meter Nahtlänge angeben (Bild 2).

Beispiel:

Zur Montage einer Baugruppe sind zwei Bleche nach folgender Zeichnung zu schweißen (vgl. Übungsaufgaben Teil III, Kap. 4.2).

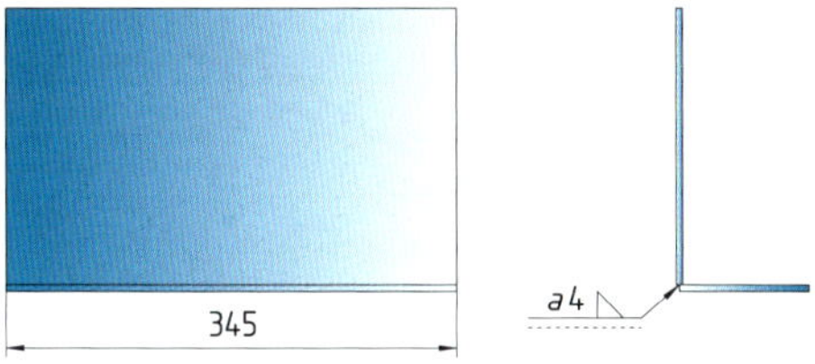

Wie viele Elektroden ∅ 3,25 mm werden benötigt, wenn 25 Baugruppen hergestellt werden sollen?

Beispielrechnungen

geg.: Nahtlänge einer Baugruppe: 345 mm
Nahtlänge von 25 Baugruppen:
345 mm · 25 = 8 625 mm
6 Elektroden pro 1 000 mm (aus Tabelle)

ges.: Anzahl der Elektroden n

$$1\,000\text{ mm} \mathrel{\hat{=}} 6\text{ Elektroden}$$

: 1000 | : 1000

$$1\text{ mm} \mathrel{\hat{=}} \frac{6\text{ Elektroden}}{1\,000}$$

· 8625 | · 8625

$$8\,625\text{ mm} \mathrel{\hat{=}} \frac{6\text{ Elektroden} \cdot 8\,625}{1\,000}$$

$$8\,625\text{ mm} \mathrel{\hat{=}} 51{,}75\text{ Elektroden}$$

Gewählt: $\underline{\underline{n = 52\text{ Elektroden}}}$

Nahtart		Blechdicke in mm	Spaltbreite in mm	Elektrodenzahl pro Meter		
				∅ 2,5 mm	∅ 3,25 mm	∅ 4,0 mm
I-Naht	einseitig	3	1,5	5,4	2,4	
	zweiseitig	4	2	–	2,9	
	zweiseitig	5	2	–	3,5	2,3
V-Naht 60°		6	1	–	4 (Wurzel)	2,3
		8	1,5	–	4 (Wurzel)	6,3
		10	2	–	4 (Wurzel)	11,5
Kehlnaht	Nahtdicke in mm					
	3	–	–	–	4	2,7
	4	–	–	–	6	4
	5	–	–	–	9,3	6,2

***2** Elektrodenverbrauch je Meter Nahtlänge einer Elektrode mit einer Länge von 450 mm und einer Stummellänge (Restlänge) von 50 mm*

2.2.3.3.3 Metall-Schutzgasschweißen (MSG)

Beim Metall-Schutzgasschweißen (MSG) *(metal protective gas welding)* wird der Lichtbogen zwischen einer abschmelzenden Drahtelektrode und dem Werkstück gebildet. Der Draht wird dabei kontinuierlich von einer Rolle mit einer Zuführeinrichtung nachgeführt. Das Schutzgas schirmt den Sauerstoff der Luft von der Schweißstelle ab. Die Schutzgase werden in **Inertgas**[1] *(inert gas)* und **Aktivgas** *(active gas)* unterschieden. Die Verfahrensbezeichnung ändert sich dabei: **MIG** für **M**etall-**I**nert**g**asschweißen, **MAG** für **M**etall-**A**ktiv**g**asschweißen (Bild 2).

AH GK S. 78

Als Inertgas bezeichnet man Gase, die sehr reaktionsträge sind, also nicht oder kaum mit dem Schweißbad chemisch reagieren. Argon und Helium sind inerte Gase. Aktivgas (z. B. Kohlendioxid CO_2) schützt das Schweißbad vor Sauerstoff, indem es mit ihm reagiert. Daneben kommen auch Mischgase zur Anwendung.

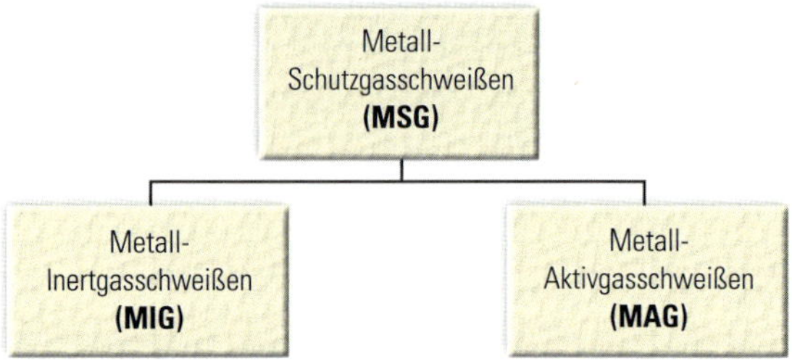

***1** Verfahren des Metall-Schutzgasschweißens*

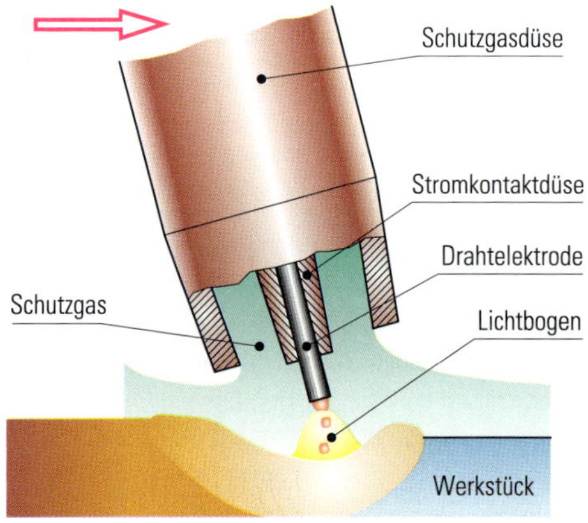

***2** Metall-Schutzgasschweißen (MIG/MAG)*

2.2.3.3.4 Wolfram-Inertgasschweißen (WIG)

Beim Wolfram-Inertgasschweißen *(tungsten-inert gas welding)* (Bild 3) brennt ein Lichtbogen zwischen einer Wolframelektrode und dem Werkstück. Die Elektrode hat eine Brenndauer von 30 ... 300 h. Wegen der hohen Schmelztemperatur von Wolfram (ca. 3 380 °C) schmilzt sie dabei kaum ab. Den Schutz vor dem umgebenden Luftsauerstoff erreicht ein inertes Schutzgas (Argon, Reinheit min. 99,99 Vol.- %). Vereinzelt wird auch Helium verwendet.

Dünne Bleche werden ohne Schweißzusatz geschweißt. Bei dicken Blechen wird ein Massivdraht von Hand (ähnlich wie beim Gasschweißen) oder maschinell zugeführt.

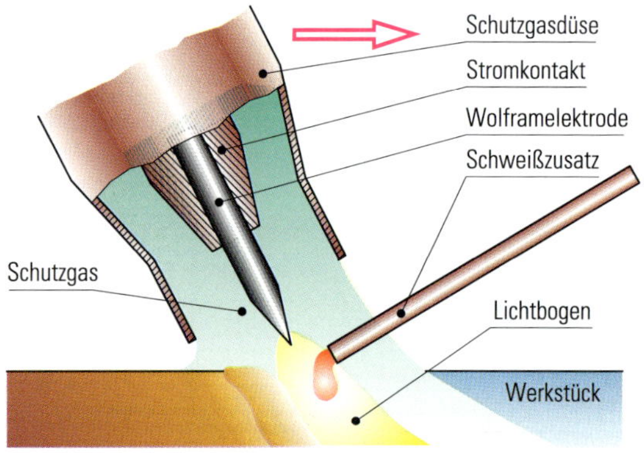

***3** Wolfram-Inertgasschweißen (WIG)*

Vorteile des Schweißens sind:

- Die Schweißnaht kann die Festigkeit des Grundwerkstoffes erreichen, da die gewählten Elektrodenwerkstoffe dem Grundwerkstoff entsprechen.
- Gegenüber Schraubenverbindungen kann an Gewicht und Platz eingespart werden, da keine Überlappungen notwendig sind.
- Wirtschaftliches Verfahren. Bedingt durch einfache Handhabung und schnelle Durchführung der Verbindung.
- Ausführung auch auf der Baustelle möglich.

Nachteile des Schweißens sind:

- Beschränkung des Verfahrens auf schweißgeeignete Werkstoffe.
- Gefügeveränderungen. Aufkohlung der Schmelze und unter Umständen Grobkornbildung im Erstarrungsbereich verändern die Eigenschaften an der Verbindungsstelle negativ.
- Eigenspannungen und Verzug. Durch Temperaturunterschiede von Schweißstelle zu Grundwerkstoff entstehen unterschiedliche Längenausdehnungen.

Unfallverhütung

- Es ist Schutzkleidung zu tragen, da die Augen und die Haut vor der ultravioletten Strahlung und vor der Wärmeeinwirkung geschützt werden müssen (Bild 4).
- Der Schweißraum ist gut zu be- und entlüften.
- Der Schweißplatz ist so abzuschirmen, dass er von außen nicht eingesehen werden kann.

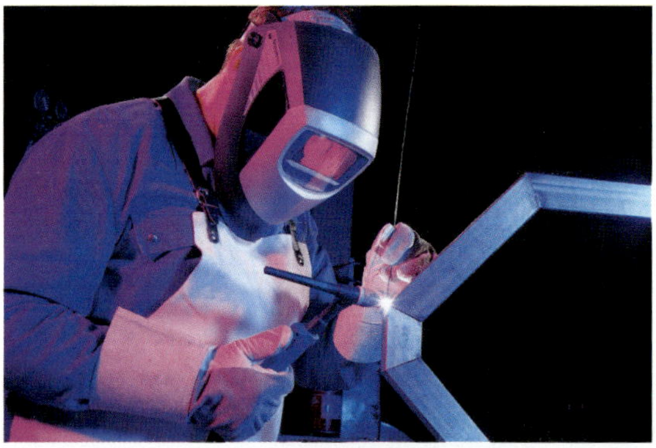

***4** Elektroschweißer mit korrekter Schutzkleidung*

1) lat. inert: für untätig, unbeteiligt, träge

- Schweißstromrückleitungen müssen direkt und übersichtlich geführt sein und gut leitend den Anschluss am Werkstück ermöglichen oder an der Werkstückaufnahme angeschlossen sein.
- In der Nähe der Schweißstelle muss leicht erreichbar eine Einrichtung zum schnellen Abschalten der Schweißspannung vorhanden sein.

2.2.4 Montagevorrichtungen/Montagehilfsmittel

Neben Montagehilfen, die direkt am Verbindungselement vorhanden sind (Flügel der Flügelmutter, Rändel an Rändelschrauben etc.), stehen der Fachkraft eine Reihe von weiteren Hilfsmitteln zur Verfügung.
Für bestimmte Montagevorgänge werden **Montagevorrichtungen** *(mounting devices)* eingerichtet. Hier kommen oft Spannzangen zum Einsatz. Sie dienen der Fixierung von Bauteilen. Solche Vorrichtungen werden in der Serienfertigung bzw. -montage verwendet. Durch solche Montagevorrichtung wird nicht nur die Arbeit der Fachkraft erleichtert, sondern auch die Wiederholgenauigkeit bei wiederkehrenden Montagevorgängen erhöht.

- **Zangen** *(pliers)* sind für die Fachkraft wichtige Werkzeuge für Montage-, Demontage- und Einstellarbeiten. Es gibt sie in einer sehr großen Vielfalt. Die Erfahrung der Fachkraft ist für die richtige Auswahl bei einem speziellen Montageproblem unverzichtbar. Mit einer geeigneten Zange lassen sich Splinte nach dem Einsetzen in eine Kronenmutter (vgl. Seite 107) biegen. Weitere Anwendungsmöglichkeiten sind z. B. das Kürzen von Drähten (Seitenschneider, Kantenzange), Bleche positionieren, Drähte biegen oder Einsetzen bzw. Entnehmen von Teilen.

Kombizange DIN 5244 für vielfältigen Einsatz

Sicherungsringzange für Greifringe (Wellen)

Sicherungsringzange für Innenringe (Bohrungen)

Montagezange für Sprengringe

Seitenschneider

***1** Zangen*

- **Spannzangen** *(collet chucks)* bringen einstellbare Druckkräfte auf das Bauteil auf und verhindern ein Verrutschen. Bild 2 zeigt die Anwendung von Spannzangen an einer Schweißvorrichtung.
  Die Spannzangen sind fest mit der Grundplatte verbunden.

***2** Schweißvorrichtung mit Spannzangen*

- Bild 3 zeigt eine **Gripzange** *(locking pliers)*. Gripzangen haben gegenüber Schraubzwingen den Vorteil der Einhandbedienung. Jedoch ist die Spannweite wesentlich geringer. Sie kommen oft als Montagehilfsmittel für Kleb-, Löt- oder Schweißverbindungen zum Einsatz.

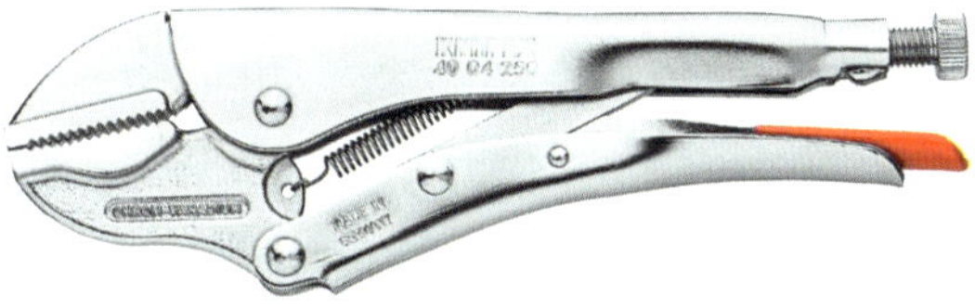

***3** Gripzange*

- **Schraubstöcke** *(vices)* (Bild 4) dienen neben der Fixierung eines Werkstückes während der Fertigung auch der Montage. Für eine flexible Montage sollte ein Schraubstock dreh- und höhenverstellbar sein. Verschiedene Spannbacken, wie die dargestellte Prismenspannbacke sorgen für einen sicheren Sitz runder und eckiger Werkstücke. Zudem wird die Oberfläche der zu montierenden Bauteile nicht beschädigt wenn die Spannbacken aus weichen Metallen (z. B. Aluminium) bestehen.

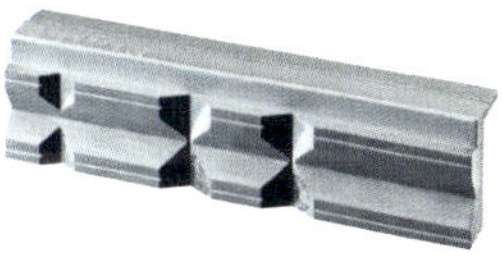

Prismenspannbacken

***4** Schraubstock*

2.3 Montagepläne und Montageanleitungen

Bei **Montagearbeiten** *(assemblings)* werden Bauteile gefügt. Die gefügten Bauteile werden optisch oder mithilfe von Prüfmitteln auf korrekten Sitz bzw. Maßhaltigkeit geprüft. Je nach Montageaufgabe kommt es zusätzlich zu Nebentätigkeiten wie z. B. Schmieren und/oder Justieren einer Gleitverbindung bzw. Reinigen, nachdem die Baugruppe montiert wurde oder Spannen eines Bauteils. Solche, für die Montage notwendigen Tätigkeiten, nennt man **Handhabung** *(handling)* von Bauteilen. Planvolles Vorgehen bei der Montage verhindert Fehler und vermeidet umständliche Handhabungsschritte. Grundlage der Montage ist in vielen Fällen eine **Gesamtzeichnung**[1)] mit **Stückliste** und/oder eine **Explosionsdarstellung**. Durch Verwendung eines **Montageplanes** *(assembly instruction)* wird der Einsatz verschiedener Fachkräfte ermöglicht. Dies ist unter dem Gesichtspunkt hoher Wirtschaftlichkeit von Bedeutung. Der Montageplan enthält die **Montageschritte**, die Bereitstellung der Fügeteile und der erforderlichen Werkzeuge und Vorrichtungen sowie Sicherheitsvorschriften.

Im Folgenden wird die Montage am Beispiel eines **Lochwerkzeuges** *(punching device)* (Bild 1) durch eine Fachkraft gezeigt.
Für die Montage sind folgende Werkzeuge und Montagehilfsmittel erforderlich:

1 Kupferhammer *(copper hammer)*

3 Innensechskantschlüssel *(hexagon key/allen key)* 4 mm, 6 mm und 8 mm

1 Maulschlüssel *(open-end wrench)* 13 mm

2 Auflageplatten aus Stahl *(steel backings)* 40 mm × 20 mm × 150 mm

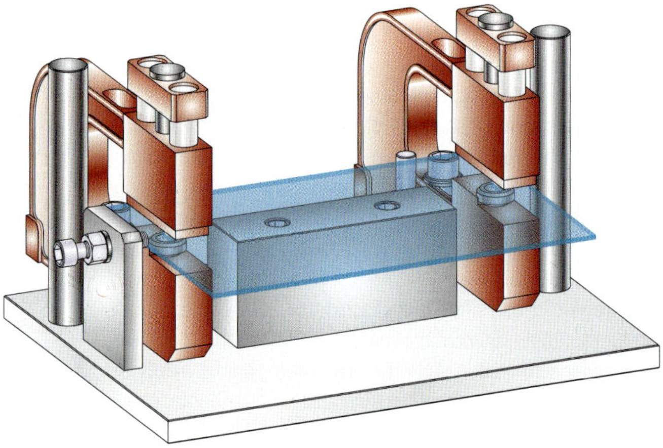

1 *Zu montierendes Lochwerkzeug mit den dazu erforderlichen Montagewerkzeugen*

---

1) Informationen zu Gesamtzeichnungen, Stücklisten und Explosionsdarstellungen finden Sie im Teil III im Kapitel 2.1 „Technische Unterlagen".
Zusätzliche Informationen zur Montage finden Sie außerdem im Kapitel 2.7 „Zeichnungslesen".

Die Baugruppe des Lochwerkzeugs besteht aus:

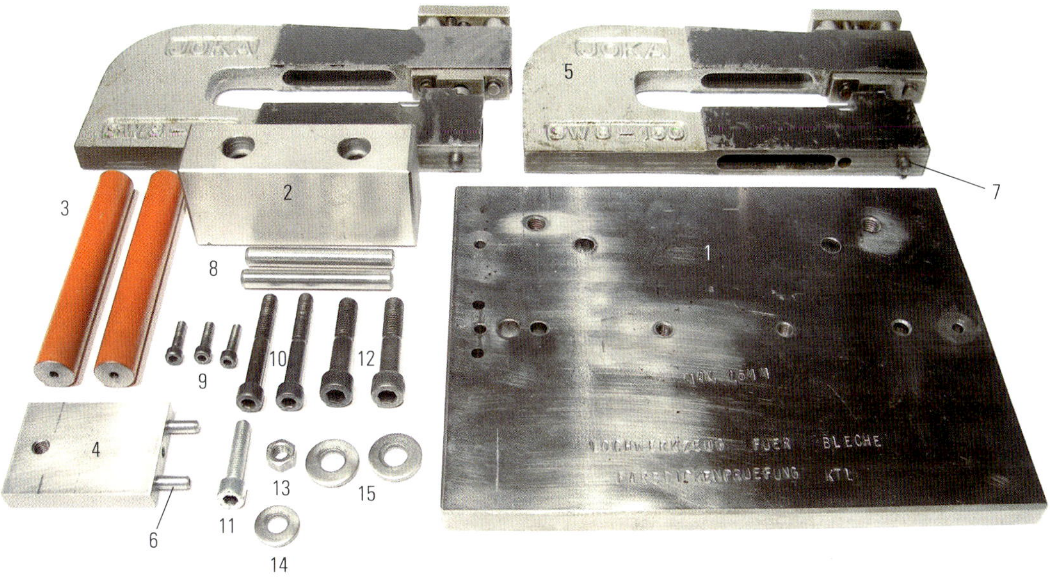

Pos.	Menge	Benennung	Sachnummer/Norm-Kurzbezeichnung	Bemerkung
1	1	Grundplatte	Flach EN 10278 - 200 × 20 × 270 - EN 10025 - S235JR	Halbzeug
2	1	Blechauflage	Flach EN 10278 - 60 × 40 × 120 - EN 10025 - S235JR	Halbzeug
3	2	Endlagendistanz	Rund EN 10278 - 20 × 125 - EN 10025 - S235J0	Halbzeug/rot lakiert
4	1	Endanschlag	Flach EN 10278 - 50 × 10 × 70 - EN 10025 - S235JR	Halbzeug
5	2	Schneideinheit	SW8 - 150	Joka-Katalog
6	2	Zylinderstift	ISO 2338 - 6m6 × 50 - St	
7	2	Zylinderstift	ISO 2338 - 8m6 × 20 - St	
8	2	Zylinderstift	ISO 2338 - 10m6 × 70 - St	
9	3	Zylinderschraube	ISO 4762 - M5 × 25 - 8.8	
10	2	Zylinderschraube	ISO 4762 - M8 × 60 - 8.8	
11	1	Zylinderschraube	ISO 4762 - M8 × 30 - 8.8	
12	2	Zylinderschraube	ISO 4762 - M10 × 50 - 8.8	
13	1	Sechskantmutter	ISO 4032 - M8 - 8	
14	1	Scheibe	ISO 7092 - 8 - 200 HV	
15	2	Scheibe	ISO 7092 - 10 - 200 HV	

Verantwortl. Abt.	Technische Referenz	Erstellt durch	Genehmigt von	
HT13	Sigrid Kaufmann	Benjamin Harfenmeister	Volker Lindner	HT3010-34902

Verlag Handwerk & Technik GmbH 22331 Hamburg	Dokumentenart: Gesamtzeichnung	Dokumentenstatus: freigegeben			
	Titel, Zusätzlicher Titel: Lochwerkzeug	HT 13 - 282 432-6			
		Änd.: B	Ausgabedatum: 2013-12-11	Spr.: de	Blatt: 5/10

Günstig für die Darstellung von Montage- und Demontageabläufen *(mountings and dismountings)* sind **Explosionsdarstellungen** *(exploded views)*. Strich-Punkt-Linien zeigen auf einer gemeinsamen Achse die Montagereihenfolge[1]. Auch können so einzelne Montagegruppen hervorgehoben werden. Bild 1 auf Seite 134 zeigt die Explosionsdarstellung des Lochwerkzeuges. Das Beispiel der Montage dieses Werkzeuges soll das verdeutlichen.

1) Siehe Teil III „Lernfeldübergreifende Inhalte" Kap. 2.1.3 „Explosionsdarstellung – Montage und Demontage".
Bei der Montage komplexerer Baugruppen empfiehlt sich die Dastellung mit Strukturstufen und Strukturstufenstücklisten. Informationen hierzu finden Sie im Teil III im Kapitel 2.7 „Zeichnungslesen".

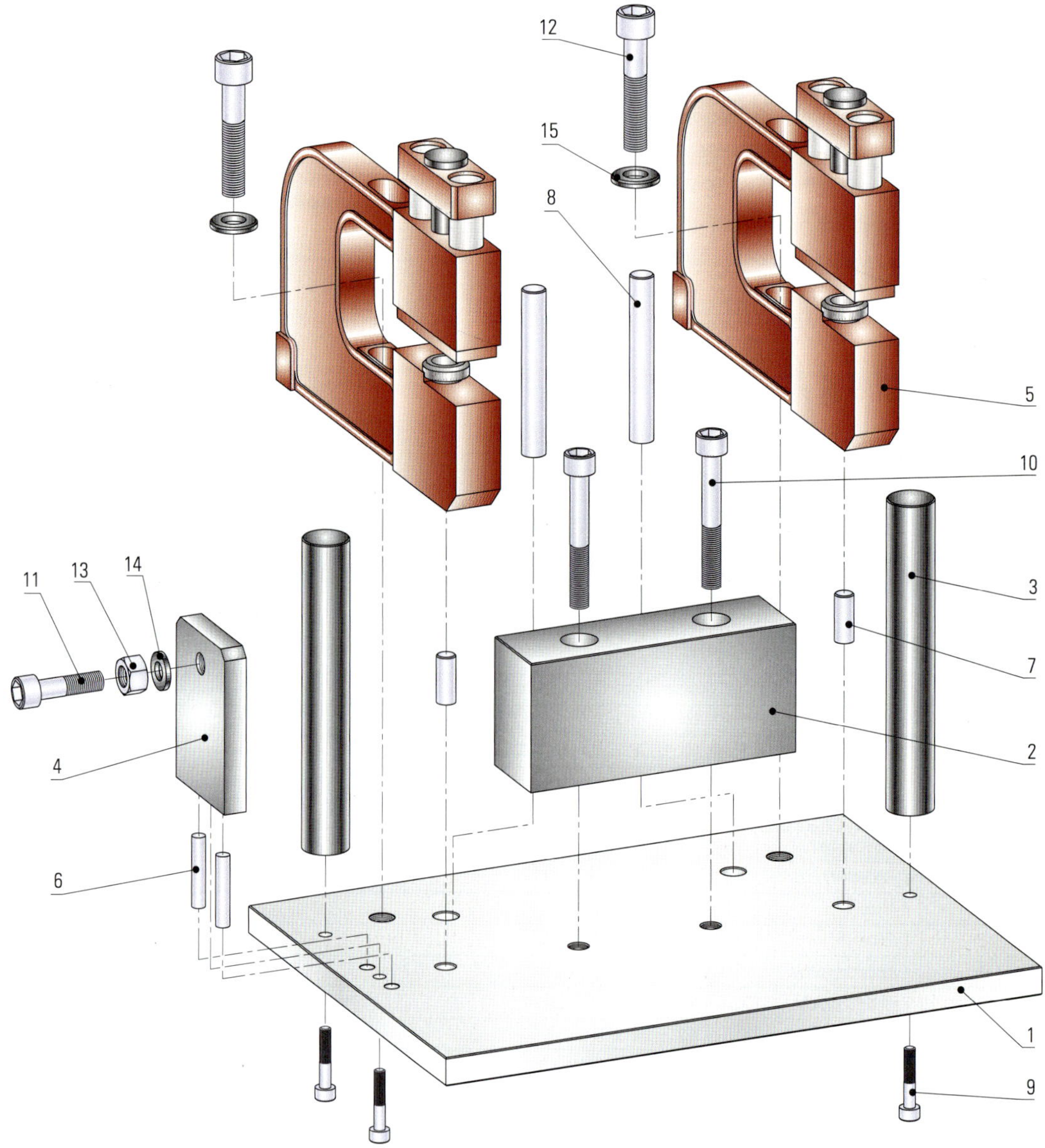

1 Explosionsdarstellung des Lochwerkzeugs

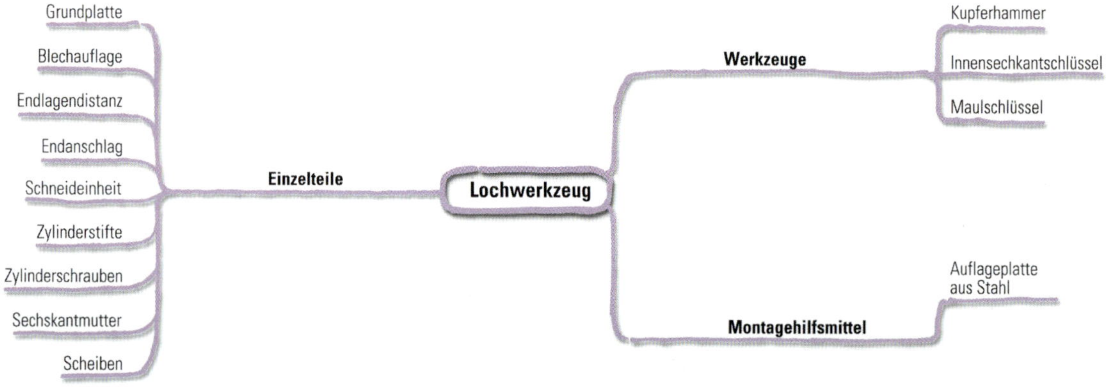

Montageschritte

- In die bereitgelegte **Grundplatte** (Pos. 1) (Bild 1) werden zwei **Zylinderstifte** (Pos. 8) mit dem **Kupferhammer** eingesetzt (Bild 2). Es ist darauf zu achten, dass die Zylinderstifte (Pos. 8) bündig mit der Unterseite der Grundplatte (Pos. 1) abschließen.

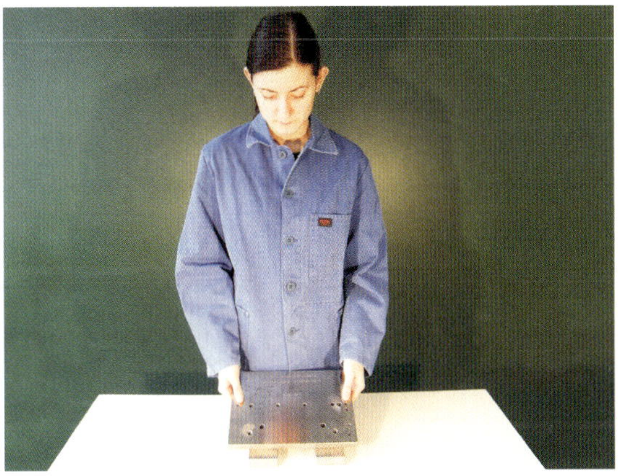

1 Bereitlegen der Grundplatte

2 Einsetzen der Zylinderstifte mit dem Kupferhammer

- Der **Endanschlag** (Pos. 4) wird mit zwei Zylinderstiften (Pos. 6) in die Grundplatte (Pos. 1) eingesetzt und mit einer Innensechskantschraube (Pos. 9) verschraubt (Bilder 3 bis 5).

3 Einsetzen der Zylinderstifte in die Grundplatte

4 Fügen des Endanschlags mit der Grundplatte

5 Verschrauben des Endanschlags mit der Grundplatte

- Die **Blechauflage** (Pos. 2) wird mit zwei Zylinderschrauben (Pos. 10) auf der Grundplatte (Pos. 1) befestigt (Bild 6).

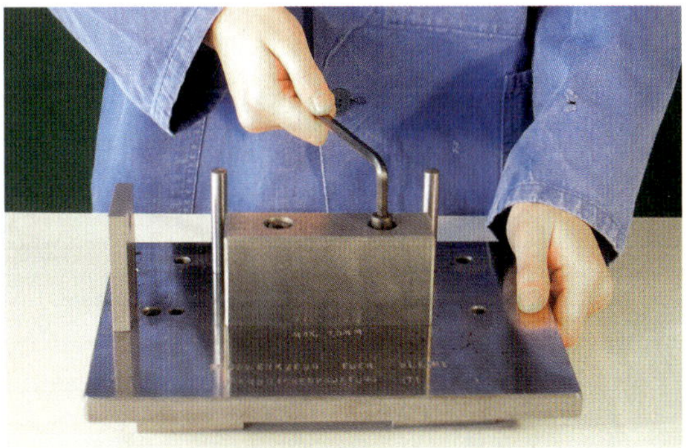

6 Verschrauben der Blechauflage

- Die **Endlagendistanzen** (Pos. 3) (rot) werden von der Unterseite der Grundplatte (Pos. 1) mit Innensechskantschrauben (Pos. 9) befestigt (Bild 7). Sie sind zur Sicherung des Werkzeuges erforderlich. Dadurch erreicht man eine Hubbegrenzung der Presse.

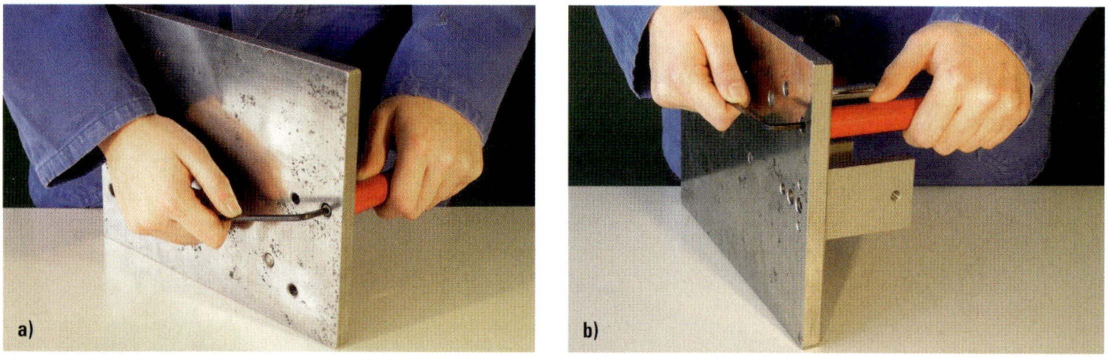

7 *Verschrauben der beiden Endlagendistanzen*

- Die beiden **Schneideinheiten** (Pos. 5) werden in die in der Grundplatte (Pos. 1) vorgesehenen Bohrungen eingesetzt. Sie werden mit jeweils einer Zylinderschraube (Pos. 12) und einer Scheibe (Pos. 15) befestigt (Bild 8) . Die Zylinderstifte[1)] (Pos. 7) sind bereits vormontiert.

8 *Einsetzen und Verschrauben der Schneideinheiten*

- Die Montage der Schneidvorrichtung ist abgeschlossen. Es erfolgt ein Probedurchgang in einer Werkstattpresse (Bild 9). Dabei wird der Endanschlag (Pos. 4) mit einer Schraube (Pos. 11) justiert und mit einer Mutter (Pos. 13) und einer Scheibe (Pos. 14) durch Kontern gesichert. Dafür wird mit einem **Innensechskantschlüssel** die Schraube (Pos. 11) in Position gehalten und mit dem **Maulschlüssel** die Mutter (Pos. 13) gegen den Endanschlag (Pos. 4) verschraubt (Bild 10).

9 *Testen des Lochwerkzeugs mithilfe einer Werkstattpresse*

10 *Einstellen des Endanschlags*

1) Diese Befestigungsart ist nur für kreisrunde Löcher geeignet, da der Positionierstift sich zentrisch unter dem zu schneidenden Loch befindet. Andere Lochformen benötigen zwei Passstifte.

- Abschließend werden Probewerkstücke an einer Presse hergestellt. Das Werkstück wird mit dem Messschieber auf **Maßhaltigkeit** geprüft (Bild 11). Dieser Vorgang wird so oft wiederholt, bis die erforderlichen Maße am Werkstück erreicht werden.

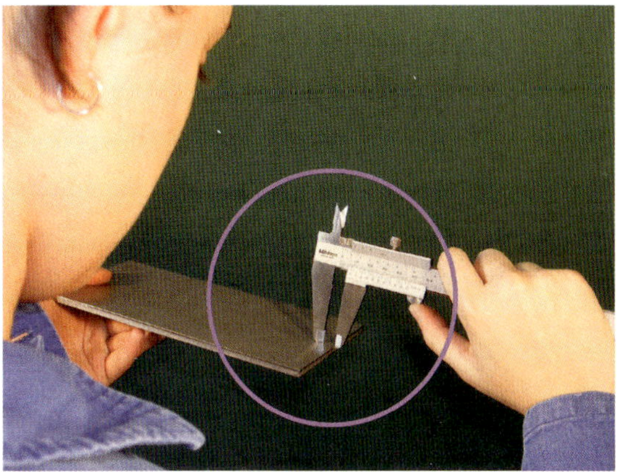

***11** Kontrolle des Werkstücks*

Überlegen Sie

1. Weshalb ist das Vorbereiten aller Einzelteile, Werkzeuge und Montagehilfsmittel sinnvoll bzw. notwendig?
2. Erstellen Sie einen Demontageplan der Schneidvorrichtung.
3. Um welche Sicherungsart der Zylinderschraube Pos. 11 handelt es sich?

ÜBUNGEN

Systemtechnische Grundlagen

1. Warum werden Maschinen und Anlagen systemtechnisch dargestellt?

2. Nennen Sie verschiedene Systeme, die der Energie-, Stoff- und Informationsumsetzung dienen.

3. Was versteht man bei einem technischen System unter einer Arbeitsmaschine? Nennen Sie Beispiele.

4.

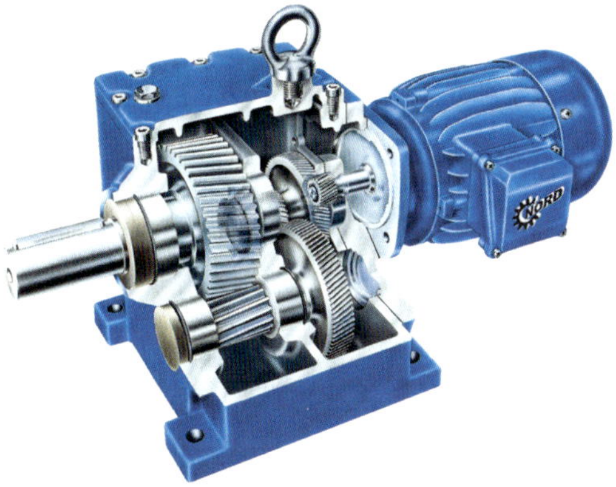

a) Stellen Sie das dargestellte Industriegetriebe systemtechnisch als „Black Box" dar (Hauptfunktion, Ein- und Ausgangsgrößen).
b) Das System lässt sich in Gruppen unterteilen. Nennen Sie die Gruppen und geben sie deren Funktion an.
c) Geben Sie die Strukturstufen des Industriegetriebes an und stellen sie die einzelnen Nennungen in einer Tabelle dar.

Montagetechnik

5. Erläutern Sie den Unterschied zwischen „Fügen" und „Montieren" anhand eines von Ihnen gewählten Beispiels.

Montagetechnik – Verbindungsarten

6. Übernehmen Sie die folgende Tabelle in Ihre Unterlagen und kreuzen Sie die richtigen Zuordnungen an.

Verbindungsart / Verbindungsbeispiel	fest/starr	beweglich	kraftschlüssig	formschlüssig	stoffschlüssig	lösbar	unlösbar
Nieten	■	■	■	■	■	■	■
Verschrauben mit Sechskantschraube	■	■	■	■	■	■	■
Schweißen	■	■	■	■	■	■	■
Verstiften	■	■	■	■	■	■	■
Pressen	■	■	■	■	■	■	■
Verschrauben mit Passschraube	■	■	■	■	■	■	■
Klemmen	■	■	■	■	■	■	■
Löten	■	■	■	■	■	■	■
Schrumpfen	■	■	■	■	■	■	■
Kleben	■				■		■

Schraubenverbindungen

7. Wodurch bringt man bei einer Schraubenverbindung die notwendigen Kräfte auf?

8. Bei welchen Anwendungsfällen wird die Verwendung eines Linksgewindes erforderlich?

9. Warum werden bei einigen Anwendungsfällen Schrauben mit Innensechskant (ISO 4762) anstelle von Schrauben mit Sechskantkopf (z. B. ISO 4014) eingesetzt?

10. Eine Schraubenverbindung soll mit einem bestimmten Drehmoment angezogen werden. Nennen Sie Montagewerkzeuge, mit denen Sie das erreichen können.

Klebstoffverbindungen

11. Wozu dienen Klebstoffverbindungen?

12. Welche Werkstoffe können geklebt werden?

13. Warum sind bei Klebstoffverbindungen oft große Verbindungsflächen der Fügeteile notwendig?

14. Zwei Messingbleche sollen geklebt werden. Erläutern Sie die dafür notwendigen Montageschritte (Klebstoffauswahl, Vorbehandlung der Klebeflächen, Durchführung, Werkzeuge, Sicherheitsmaßnahmen)

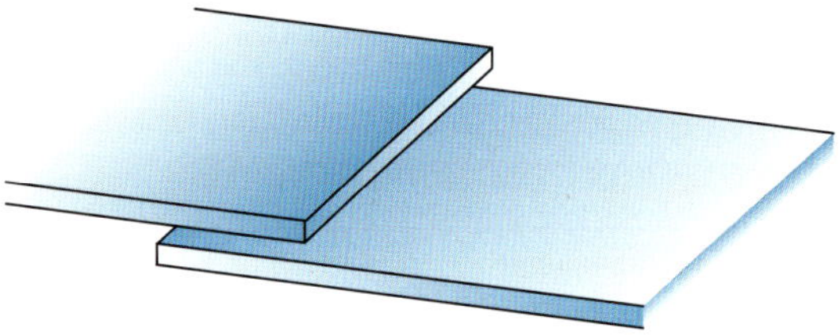

15. Unter welchen Bedingungen dürfen Klebverbindungen nicht angewendet werden?

16. Was versteht man unter einem Zweikomponentenklebstoff?

17. Stellen Sie Klebstoffverbindungen aus Ihrer Praxis dar (Anwendungsbeispiele).

Lötverbindungen

18. Welche Lötverfahren unterscheidet man?

19. Erläutern Sie das Prinzip einer Lötverbindung.

20. Worauf ist bei der Herstellung einer Lötverbindung besonders zu achten und warum?

21. Warum ist die Anwendung eines Flussmittels erforderlich und wieso werden Flussmittelreste nach dem Löten entfernt?

22. Erläutern Sie die Zusammensetzung und die Anwendungsgebiete folgender Lote mithilfe Ihres Tabellenbuches:
S-Pb69Sn30Sb1
S-Sn63Pb37
B-Cu40ZnAg-700/790
B-Cu80AgP-645/800

23. Bis zu welcher Löttemperatur spricht man vom Weichlöten?

24. Die Messingbleche aus Übung 14 sollen hartgelötet werden. Erläutern Sie Ihre Vorgehensweise bei der Durchführung der Lötverbindung.

25. Woran erkennen Sie eine gut ausgeführte Lötverbindung?

Schweißverbindungen

26. Was versteht man unter Schweißen?

27. Welche Schmelzschweißverfahren kennen Sie?

28. An welcher Stelle der Schweißflamme ist beim Gasschmelzschweißen die Temperatur an höchsten?

29. Wo wendet man Gasschmelzschweißen häufig an?

30. Welche Gase werden beim Gasschmelzschweißen verwendet?

31. Was versteht man unter einer „neutralen Flamme"?

32. Unter welchen Bedingungen wird „nach links" bzw. „nach rechts" geschweißt? (Blechdicke)

33. Was ist beim Aufstellen von Gasflaschen besonders zu beachten?

34. Nach welchem Prinzip arbeiten Schweißstromquellen grundsätzlich?

35. Welche Schweißstromquellen kennen Sie?

36. Wie entsteht ein Lichtbogen?

37. Welche Aufgabe hat die Ummantelung einer Stabelektrode?

38. Welche Vorteile hat das Elektrostabschweißen gegenüber anderen stoffschlüssigen Fügeverfahren?

Montage

39. Warum werden Montagepläne erstellt?

40. Welche Inhalte kann ein Montageplan, neben den Montageschritten, zusätzlich haben?

Projektaufgabe Pneumatikzylinder[1)]

Ein Pneumatikzylinder (Kurzhubzylinder) soll montiert werden.

a) Aus wie viel Bauteilen besteht der Zylinder?
b) Erläutern Sie die Hauptfunktion des Systems „Pneumatikzylinder".
c) Mit welcher Verbindungsart werden die Bauteile des Kurzhubzylinders gefügt?
d) Beschreiben Sie die Funktionen der von Ihnen in Aufgabe b gefundenen Bauteile.
e) Teilen Sie den Pneumatikzylinder in verschiedene Baugruppen ein. Nennen Sie die dazugehörenden Bauteile und deren Funktionen.
f) Nennen Sie die Grundfunktionen jedes Bauteils.
g) Welche Aufgabe hat das Gewinde in der Kolbenstange (Pos. 3)?
h) Erstellen Sie einen Montageplan nach folgendem Muster:

Lfd. Nr.	Arbeitsschritt	Werkzeug/Hilfsmittel	Bemerkungen

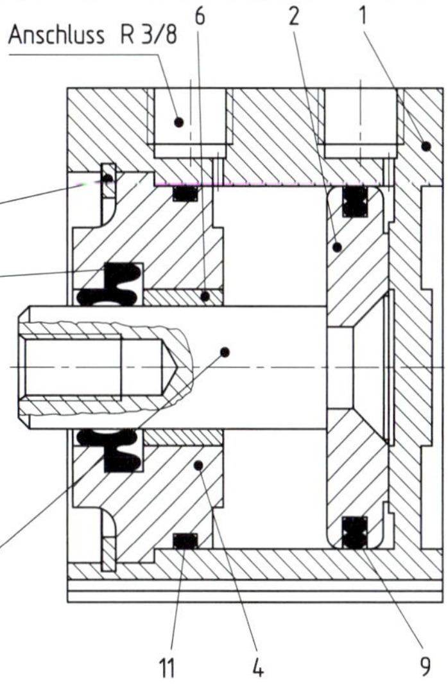

i) Welche Hilfsstoffe sind für die Montage erforderlich und warum?
j) Welche Bauteile unterliegen einem erhöhten Verschleiß, sodass sie nach einer bestimmten Betriebsdauer ausgewechselt werden müssen?
k) Die Kolbenstange (Pos. 3) hat einen Durchmesser von 16 mm und der Kolben (Pos. 2) einen Durchmesser von 40 mm. Berechnen Sie die Kolbenkräfte für beide Hubrichtungen, wenn ein Druck von 6 bar wirkt.

Position	Menge	Benennung	Sach-Nr./Norm-Kurzbezeichnung
1	1	Gehäuse	Gussteil EN AW-5754 [AlMg3)]
2	1	Kolben	Rund EN AW-5754 [AlMg3]
3	1	Kolbenstange	Rund EN 10278 – 25 – C60E hartverchromt
4	1	Zylinderdeckel	Rund EN AW 5754 [AlMg3]
5	1	Befestigungsring	Stahl
6	1	Kolbenstangenlager	Lagermetall
9	1	Kolbendichtung	Werksnorm
10	1	Abstreifer	Werksnorm
11	1	O-Ring	Werksnorm

1) Siehe auch Teil III „Lernfeldüberrgreifende Inhalte" Kap. 2.5.3 „Lochkreise und in die geeignete Ansicht gedrehte Schnitte" Übung 2. Kurzhubzylinder.

2.4 Assembly Instruction for Punching Device

The punching device will be assembled using a lot of different parts. Some of these parts are mounted together in subassemblies that will be joined together. The complete device can be dismantled easily, without causing distortion, by removing the screws and pins which hold the parts together. Washers are used to protect surfaces held together by screws and where nuts are used to adjust the mechanical stop.

Assignments:

1. Have a look at page 132 and name or write down the tools and mounting aids that are used to assemble this device.
2. The description of all parts is given in the parts list on page133. Match the English and German terms and write the results into your exercise book.

Grundplatte	hexagon socket head cap screw
Blechauflage	cutting unit
Endlagendistanz	washer
Endanschlag	mounting plate
Schneideinheit	plate support
Zylinderschaft	distance bolt
Zylinderschraube	hexagon nut
Sechskantmutter	mechanical stop
Scheibe	cylindrical pin

3. Also create a mind map of the punching device.

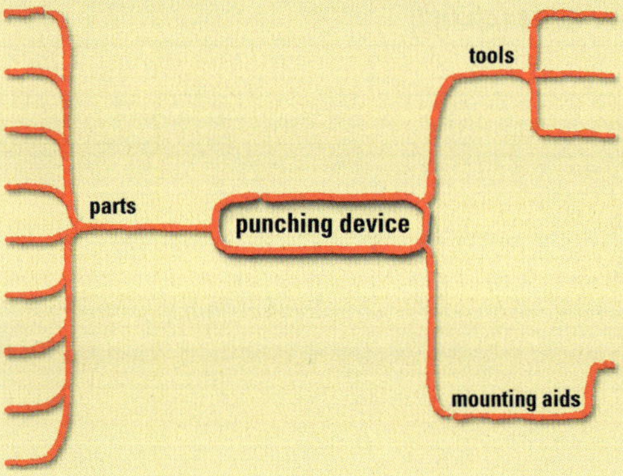

To assemble the punching device special tools and mounting aids are used together with a parts list. An exploded view as well as an assembly instruction would also be useful.
The assembly instructions for the punching device are given in the list below. The sequence is the same as that shown in German on pages 135 to 137, but the sentences are not always an exact translation. They present the sense and sometimes additional information.
You may need the exploded view for better understanding.

Assembly Instructions:

1. Prepare of the mounting plate (PT No. 1).
2. Insert the two cylindrical pins (PT No. 8) using a copper hammer.
3. Insert the two cylindrical pins (PT No. 6) into the mounting plate (PT No. 1).
4. Insert the mechanical stop (PT No. 4) and the two cylindrical pins (PT No. 6) into the mounting plate (PT No. 1).
5. Bolt the mechanical stop (PT No. 4) to the mounting plate (PT No. 1) by using the hexagon socket head cap screw (PT No. 9).
6. Fasten the plate support (PT No. 2) with two hexagon socket head cap screws (PT No. 10).
7. Screw the two distance bolts (PT No. 3) from the bottom surface of the mounting plate (PT No. 1) by using a hexagon socket head cap screw (PT No. 9).
8. Position the cutting units (PT No.5) on the mounting plate (PT No. 1) by using the pins (PT No. 7).
   Then fasten the cutting unit (PT No. 5) to the mounting plate (PT No. 1) by using the hexagon head cap screw (PT No. 12) and a washer (PT No. 15).
9. Test the punching device by using a shop press.
10. Adjust the mechanical stop (PT No. 4) with the hexagon head cap screw (PT No.11), a nut (PT No.13) and a washer (PT No.14) and retransfer.

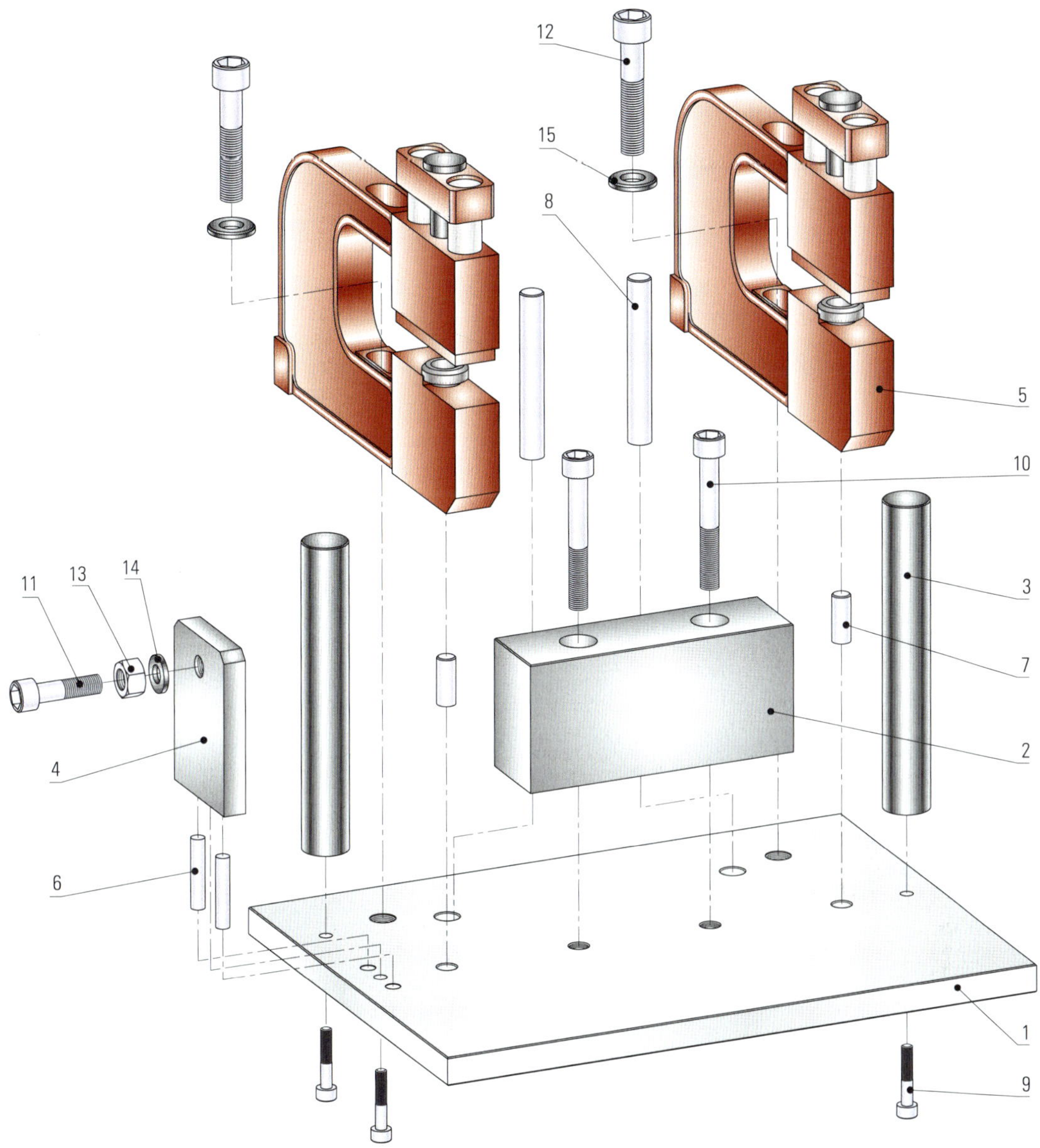

Assignments:

1. Translate the assembly instructions for the punching device.
2. Have a look at the parts list on page 133 and find out the length of the mounting plate.
3. What is the function of the two cylindrical pins (PT No. 8)?
4. Why do you have to use a screw and two pins to join the mechanical stop (PT No. 4) and the mounting plate (PT No. 1)?
5. How many screws do you need to fasten the plate support (PT No. 2) onto the mounting plate (PT No. 1) and what kind of screw is it?
6. Which standard part is used to fix the distance bolts on the mounting plate (PT No. 1)?
7. What function do the washers (PT No. 14) have?
8. Why does the mechanical stop (PT No. 4) has to be retransfered?

2.5 Work With Words

In future you may have to talk, listen or read technical English. Very often it will happen that you either **do not understand** a word or **do not know the translation**.

In this case here is some help for you!

Below you will find a few possibilities to describe or explain a word you don't know or use synonyms[1] or opposites[2].
Write the results into your exercise book.

1. Add as many examples to the following terms as possible.

nuts:	hexagonal nut cap nut	*assembly tools:*	screwdriver spanner

2. Explain the two terms in the box:
Use the words below to form correct sentences. Be careful the range is mixed!

assembly:	of something/The assembly of the parts/is the process of fitting them together/such as a machine	*join:*	fix/them together/you fasten/ If you join two things/or put

3. Find the opposites[2]:

mounting:		*cold-setting adhesive:*	
left-hand welding:		*soft soldering:*	

4. Find synonyms[1]:
You can find one or two synonyms to each term in the box below.

energy:		*device:*	
function:		*to remove:*	
utility/power/force/task		to get ride of/apparatus/to take away/tool	

5. In each group there is a word which is the **odd man**[3]. Which one is it?

a) shaft, pliers, stud, hub
b) shearing, fuel gas, compressive stress, surface pressure
c) cylindrical pin, taper pin, fire protection, straight pin
d) type of joint, torque wrench, type of seam, welding torch, welding flame

6. Please translate the information below. Use your English-German Vocabulary List if necessary.

Adhesives:
Adhesives are non-metallic materials which bond the parts of a joint by surface bonding (adhesion) and internal strength (cohesion).

1) synonyme: Synonym, ähnliches Wort, Ergänzung
2) opposite: Gegenteil
3) odd man: Außenseiter, überzähliges Wort, fünftes Rad am Wagen

3 Automatisierungstechnik

3.1 Grundlagen der Automatisierungstechnik

3.1.1 Entwicklung der Automatisierung

Automaten *(automatons)* führen einen Ablauf ohne Bedienung des Menschen selbsttätig durch. Sie sind so programmiert, dass sie während eines Vorganges Entscheidungen im Sinne des Prozesszieles treffen. Bei Systemen mit hohem Automatisierungsgrad übernimmt der Mensch nur noch die Aufgabe der Programmierung, der Kontrolle, der Wartung und der Behebung von Störfällen. Ein typisches Beispiel aus der metallverarbeitenden Industrie ist das **Bearbeitungszentrum** *(machining centre)* (Bild 1). Es ist ein Automat, der ein Werkstück z. B. durch Fräsen und Bohren selbsttätig bearbeiten kann und während des Bearbeitungsvorganges erforderliche Handhabungstätigkeiten ausführt wie z. B. Zuführen, Einspannen, Umspannen und Abführen. Die Automatisierung *(automation)* beeinflusst auch Konstruktion, Fertigungs- und Produktionsplanung.

3.1.2 Die Mechanik einer automatisierten Einrichtung

Automatisierte Maschinen und Vorrichtungen bestehen aus einer **mechanischen** und einer **steuerungstechnischen Einrichtung**. Die mechanische Einrichtung, kurz Mechanik *(mechanics)* genannt, nimmt Kräfte auf, verbindet oder führt Bauteile und erzeugt Bewegungen. Sie erfüllt direkt den Zweck des Systems, sei es die Umformung oder die Zerspanung eines Werkstückes, der Materialtransport oder die Energieumwandlung (vergl. Kap.1 „Systemtechnische Grundlagen"). Zusammengesetzt aus Elementen wie Schrauben, Lagern, Wellen und Gehäusen und konstruiert auf der Basis der physikalischen Gesetzmäßigkeiten erfüllt die Mechanik ihre Funktion. Der geeignete **Antrieb** *(drive)* kann ein **elektrischer** *(electric)*, **pneumatischer** *(pneumatic)* oder **hydraulischer** *(hydraulic)* sein (Bild 2).

3.1.3 Steuerungsarten

Steuerungstechnische Einrichtungen, kurz **Steuerungen** *(open loop controls)* genannt, lenken die Mechanik der Maschinen nach programmierten Vorgaben. Sie lassen sich unterscheiden in verbindungsprogrammierte Steuerungen und speicherprogrammierte Steuerungen.

Verbindungsprogrammierte Steuerungen (VPS)

In pneumatischen, hydraulischen, elektrischen (Relaissteuerungen) und elektronischen Steuerungen werden gewünschte Steuerfunktionen über eine geeignete Wahl der Steuerelemente und ihrer Verbindungen untereinander hergestellt. Soll eine Steuerungsfunktion geändert werden, so erfordert dies immer die Änderung der Verschlauchung, Verrohrung oder der Verdrahtung und eventuell die Verwendung anderer Steuerelemente.

***1** Bearbeitungszentrum*

Antriebsart	Beschreibung
Pneumatik (Kap. 3.2)	Technologie, die die **Energie der Druckluft** zum Antreiben von Maschinen und zum Übertragen und Verarbeiten von Signalen verwendet.
Hydraulik (Kap. 3.2)	Technologie, die die **Flüssigkeit als Energieträger** zum Antreiben verwendet.
Elektrik (Kap. 3.3)	Technologie, die die **elektrische Energie** zum Antreiben von Maschinen und zum Übertragen und Verarbeiten von Signalen verwendet.

***2** Antriebs- und Steuerungstechnologien*

Merke

In verbindungsprogrammierten Steuerungen (VPS) werden Steuerfunktionen durch die Art der Verbindung von Baugruppen mit elektrischen Leitungen, Druckschläuchen oder Druckrohren erreicht.

AH GK S. 79

Speicherprogrammierte Steuerungen (SPS)

Im Automatisierungsgerät einer speicherprogrammierten Steuerung *(stored programme control)* arbeitet ein elektronischer Prozessor *(processor)* ein **Programm** *(programme)* ab. Dieses Programm wird in einem Speicherbaustein gespeichert. Ändern sich Anforderungen an einer Steuerung, so kann das Programm ausgetauscht oder mit einer Programmiersoftware geändert werden.

Merke

Speicherprogrammierte Steuerungen (SPS) sind schnell veränderbare Steuereinrichtungen, deren Steuerfunktionen in einem geschriebenen Programm festgelegt sind.

3.1.4 Prinzip der Informationsverarbeitung

Prinzip der Steuerung

AH GK S. 80

Zur Verarbeitung der Informationen werden zunächst Eingangssignale *(input signals)* aufgenommen. Anschließend werden sie im Sinne der Steuerfunktionen zu Ausgangssignalen *(output signals)* verarbeitet, die die Antriebe als Stellsignal erhalten. Dies ist die prinzipielle Arbeitsweise aller Steuerungen und wird **EVA-Prinzip** genannt.

Eingabe der Signale		**V**erarbeitung der Signale		**A**usgabe der Signale
Eingabegerät z. B. Schalter, Näherungssensor	→	**Automatisierungsgerät**	→	**Antriebsglieder** z. B. Motor, Zylinder

Prinzip der Regelung

Ein Teilgebiet der Automatisierung ist die Regelung *(closed loop control)*. Bei ihr wird über Sensoren der Istzustand der zu regelnden Größe erfasst und dem Regler gemeldet. Nach dem Vergleich von Soll- und Istzustand kann der Regler nachstellen. Störende Einflüsse werden ausgeglichen.

Beispiel: Der Kolben eines Zylinders soll bis zu einer bestimmten Position ausfahren. Ein Sensor meldet dem Regler ständig die Position des Zylinders. Er vergleicht den gemeldeten Wert mit dem Sollwert und stellt, wenn es erforderlich ist, die Zylinderposition über die Betätigung eines Stellgliedes nach (Bild 1). Das heißt: Ist der Zylinder zu weit ausgefahren, so wird er um die festgestellte Abweichung zurückgefahren.

Merke

In einer Regelung wird der Wirkungsweg durch Rückmeldung des Istwertes geschlossen. Der Wirkungsweg wird zum Regelkreis *(closed loop)*.

Prozessvisualisierung

Ein wichtiger Bestandteil der Automatisierung ist die Prozessvisualisierung *(process visualisation)*. Liegen Soll- und Istwerte vor, so kann ein Ablauf auf einem Monitor abseits vom Ort des Prozesses dargestellt werden. Die Informationen des Prozesses können in einem Leitstand zusammengeführt und beobachtet werden (Bild 2). Bei Störungen kann von dort aus eingegriffen werden. Werden die Prozessdaten gleichzeitig gespeichert und ausgewertet, so können sie zur Qualitätssicherung herangezogen werden.

3.1.5 Signale

Sensoren und Messsysteme können Prozesszustände unterschiedlich wiedergeben:

Binäre (zweiwertige) Signale *(binary signals)* haben entweder einen großen Signalpegel, dem z. B. der Wert „1" zugeordnet wird oder einen kleinen bzw. gegen null gehenden Signalpegel, dem der Wert „0" zugewiesen wird. Am Beispiel einer

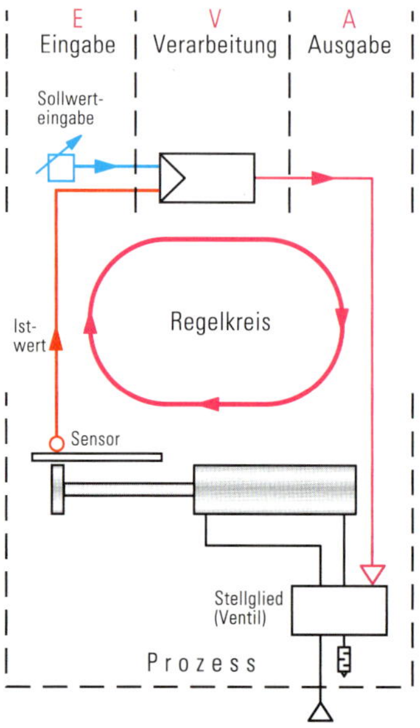

1 *Prinzip einer Regelung*

2 *Prozessvisualisierung in einem Leitstand*

Lichtschranke (Bild 3) zur Absicherung eines Gefahrenraumes können mit ihnen die Aussagen verbunden werden: „Ein Gegenstand befindet sich im Gefahrenraum" oder „Der Gefahrenraum ist frei."

3 *Lichtschrankenvorhang*

Analoge Signale *(analog signals)* verändern sich gleichmäßig mit der gemessenen physikalischen Größe. Bei einem Widerstandsthermometer wächst zum Beispiel mit der Temperatur gleichmäßig der elektrische Widerstand der Messsonde (Bild 1).

3.1.6 Planung einer Steuerung

Für die Entwicklung einer Steuerung wird zunächst der zu automatisierende Prozess analysiert und auf logische Grundfunktionen zurückgeführt. Zur übersichtlichen Darstellung werden **Logiksymbole** *(logic symbols)* verwendet, die zusammengesetzt zu einem **Logikplan** *(logic diagram)* die Gesamtfunktion beschreiben. Ein weiteres Hilfsmittel zur Darstellung und Analyse von Gesamtfunktionen sind **Funktionstabellen** *(function tables)*, die auch als Wahrheitstabellen *(truth tables)* bezeichnet werden. Alle werden unabhängig davon erstellt, ob die Steuerung elektrisch, pneumatisch oder hydraulisch werden soll.

Funktionstabellen erfassen **alle Kombinationen** der Eingänge und ordnen ihnen entsprechend der logischen Grundfunktionen die jeweiligen Ausgänge zu (Bild 2). Beginnend mit einem Signal (hier im Bild: E1), werden zunächst die Zustände 0 und 1 in einer Spalte festgehalten. Die Zustände 0 und 1 des nächsten Signals (hier im Bild: E2), müssen jeweils mit beiden Zuständen des ersten Signals kombiniert werden. Wird die Tabelle so weitergeführt, ergeben sich für n Eingangssignale 2^n Kombinationen.

Anzahl der Eingänge	1	2	3	4			n
Anzahl der Kombinationen	2	4	8	16			2^n

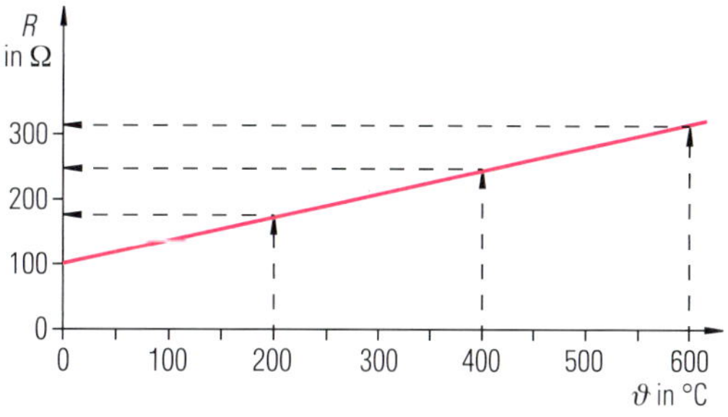

***1** Kennlinie eines Widerstandsthermometers*

…	E3	E2	E1	A1
…	0	0	0	0
…	0	0	1	0
…	0	1	0	0
…	0	1	1	1
…	1	0	0	0
…	1	0	1	1
…	1	1	0	0
…	1	1	1	1

AH GK S. 81

***2** Grundsätzlicher Aufbau einer Funktionstabelle. Der jeweilige Zustand des Ausgangssignals A1 hängt von der gewählten logischen Grundfunktion ab (siehe Tabelle unten).*

Logische Grundfunktionen

In der folgenden Übersicht sind die wichtigsten logischen Grundfunktionen *(basic logic functions)* aufgeführt.

Funktion	Logiksymbol	Funktionstabelle			Beschreibung
UND	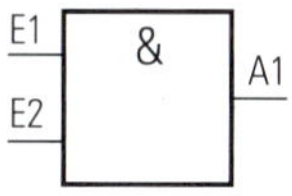	E2	E1	A1	Erst wenn **alle** Eingangssignale den Wert 1 haben, gilt: A1 = 1
		0	0	0	
		0	1	0	
		1	0	0	
		1	1	1	
ODER	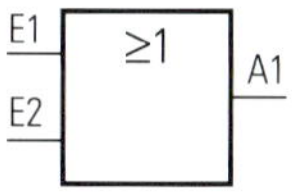	E2	E1	A1	Wenn **mindestens** ein Eingangssignal den Wert 1 hat, gilt: A1 = 1
		0	0	0	
		0	1	1	
		1	0	1	
		1	1	1	
NICHT	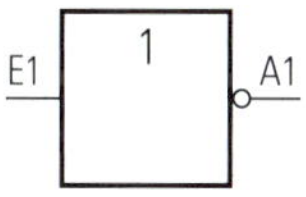		E1	A1	Diese Funktion bewirkt die **Umkehrung** des Signals.
			0	1	
			1	0	
Eingangssignale: E1, E2, …	Ausgangssignale: A1, …				

Überlegen Sie

1. *Formulieren Sie schriftlich die logischen Verknüpfungen der Funktionstabelle auf Seite 145 Bild 2.*
2. *Erstellen Sie den Funktionsplan.*

Vorgehensweise zur Planung einer Steuerung

Bei der Planung einer Steuerung wird folgende Vorgehensweise empfohlen:

1. *Erstellen einer Zuordnungstabelle*
   In ihr werden alle beteiligten Signalgeber und Antriebe festgelegt und die logische Zuordnung der Signalzustände definiert.
2. *Beschreiben der Steuerfunktionen und reduzieren auf die Grundfunktionen*
   In diesem Schritt wird die Gesamtfunktion einer Steuerung in logische Grundfunktionen zerlegt.
3. *Erstellen von Funktionsplan (FUP) und Funktionstabelle*
   Auf der Grundlage einer Analyse werden Funktionsplan und Funktionstabelle erstellt.

Beispiel Aufgabenbeschreibung:

1 *Zuführeinrichtung*

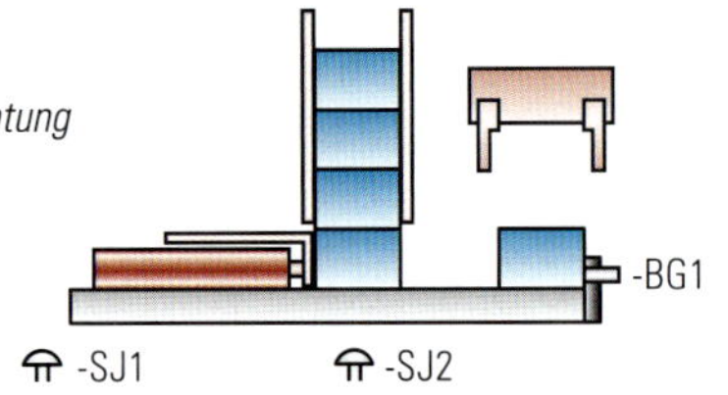

Ein Pneumatikzylinder schiebt aus einem Stapelmagazin Werkstücke gegen einen Anschlag. Von dort aus erfasst ein Greifer die Werkstücke und transportiert sie weiter. Die Steuerung hat drei Signalgeber. Einen Signalgeber -SJ1 mit Stellfunktion an einem zentralen Steuerpult der Anlage, einen Handtaster -SJ2 in der Nähe der Zuführeinheit und einen Taster -BG1 zur Positionsabfrage des Werkstückes. Es soll nur dann ein Werkstück zugeführt werden, wenn einer der beiden Handtaster betätigt wird und sich kein Werkstück in der Greifposition befindet.

AH GK S. 83

Planung der Steuerung

1. Erstellen einer Zuordnungstabelle:

AH GK S. 82

Gerät	Signal	Beschreibung
-SJ1: Hand-Stellschalter	E1	E1 = 1: -SJ1 wird handbetätigt
-SJ2: Hand-Tastschalter	E2	E2 = 1: -SJ2 wird handbetätigt
-BG1: Werkstückabfrage	E3	E3 = 1: Werkstück in Position
Zuführzylinder	A1	A1 = 1: Zylinder fährt aus

2. Beschreiben der Steuerfunktionen und reduzieren auf die Grundfunktionen:

„Der Zuführstempel fährt aus, wenn die Signalgeber -SJ1 **oder** -SJ2 betätigt werden **und** der Signalgeber -BG1 **kein** (nicht ein) Signal liefert."

3. Erstellen von Funktionsplan (FUP) und Funktionstabelle:

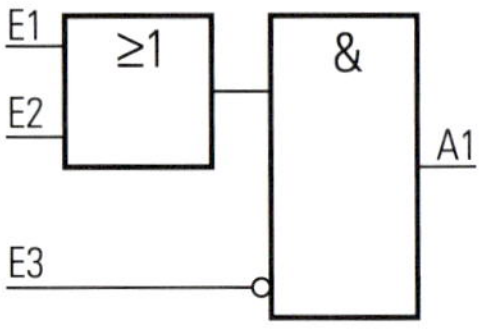

Der Funktionsplan basiert auf den Symbolen des Logikplans.

E3	E2	E1	A1
0	0	0	0
0	0	1	1
0	1	0	1
0	1	1	1
1	0	0	0
1	0	1	0
1	1	0	0
1	1	1	0

3.2 Pneumatik

3.2.1 Grundlagen der Pneumatik

Einsatzbereiche der Pneumatik

In pneumatischen Einrichtungen strömt **Druckluft** *(compressed air)* durch **Schläuche** *(hoses)* oder **Rohre** *(pipes)* zu pneumatischen Baugruppen. Die Energie der Druckluft bewirkt, dass Ventile *(valves)* schalten und Antriebsglieder sich bewegen. Die besonderen Eigenschaften der Druckluft sind ihre geringe Dichte und Komprimierbarkeit, aber auch ihre Sicherheit vor Funkenbildung. Dies kennzeichnet die typischen Eigenschaften der Pneumatik. Auf Grund der geringen Dichte der Druckluft können mit pneumatischen Antrieben hohe Geschwindigkeiten erzielt werden. Ihre Komprimierbarkeit verhindert das Erzeugen von hohen Kräften. Dies kann jedoch für ein dämpfendes Verhalten genutzt werden. Da pneumatische Bauteile keine Funken erzeugen, sind sie häufig für den explosionsgefährdeten Bereich zugelassen.

Merke

Pneumatische Antriebe können schnelle Bewegungen mit mittleren Kräften erzeugen.
Pneumatische Steuerungen eignen sich für kleine Steuerungen mit kurzen pneumatischen Wegen.

Pneumatische Antriebe dienen zum Beispiel zum Pressen und Spannen (Seite 147 Bild 1) von Werkstücken. Weiterhin werden sie zur Montage von elektronischen Komponenten (Seite 147 Bild 2) verwendet und in der Lebensmittelindustrie (Seite 147 Bild 3) eingesetzt.

Aufbau einer pneumatischen Einrichtung

Bild 4 auf Seite 147 zeigt das Gesamtsystem einer pneumatischen Einrichtung mit den wesentlichen Baugruppen von der Drucklufterzeugung bis zur Arbeitsverrichtung. Ein Verdichter presst Luft aus der Umgebung in einen Druckluftspeicher. Anschließend strömt die Druckluft durch Wartungseinheit und Wegeventil zum Pneumatikzylinder. Der Steuerkolben im Wegeventil öffnet oder schließt unterschiedliche Luftwege. Der bewegliche Kolben des Zylinders fährt dann aus oder ein.

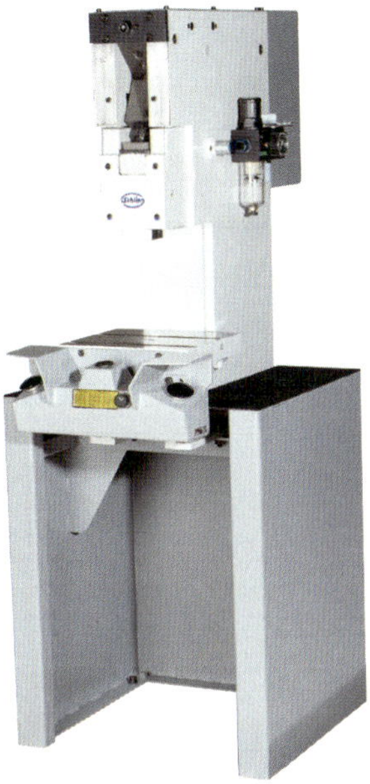

1 Pneumatische Presse

2 Besetzen von Solarzellen

3 Füllen von Flaschenkästen

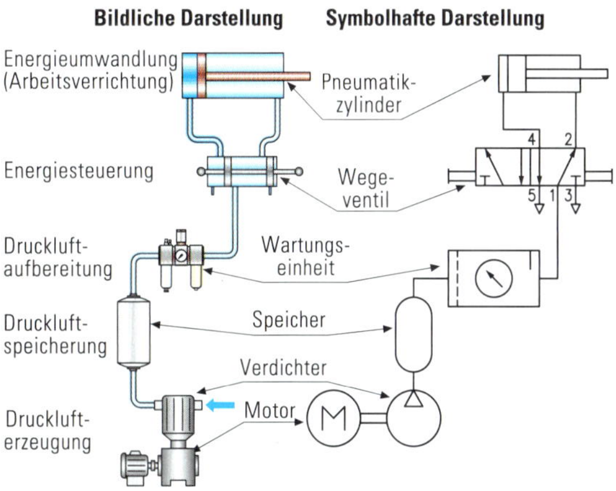

4 Pneumatische Einrichtung

3.2.2 Pneumatische Baugruppen

3.2.2.1 Drucklufterzeugung

Im Handwerk und in der Industrie ist die Druckluft ein wichtiger Energieträger. Sie wird für die Erzeugung von Bewegungen, zur Steuerung von Maschinen und für Trocknungsvorgänge eingesetzt und soll jederzeit zur Verfügung stehen. Eine zentrale **Drucklufterzeugungsanlage** *(compressed air production plant)* (Bild 5) versorgt mehrere Verbraucher innerhalb eines Betriebes mit Druckluft. Sie hat einem Druck von 10 bar und mehr. Druckluft soll frei von Verunreinigungen und trocken sein. Festpartikel verursachen Verschleiß, Feuchtigkeit führt zu Korrosionsschäden. Dadurch entstehen Störungen an Produktionsmaschinen und Produktverunreinigungen.

AH GK S. 84

Eine Drucklufterzeugungsanlage besteht aus mehreren Baugruppen. Ein **Elektromotor** *(electric motor)* treibt einen **Verdichter** *(compressor)* an.

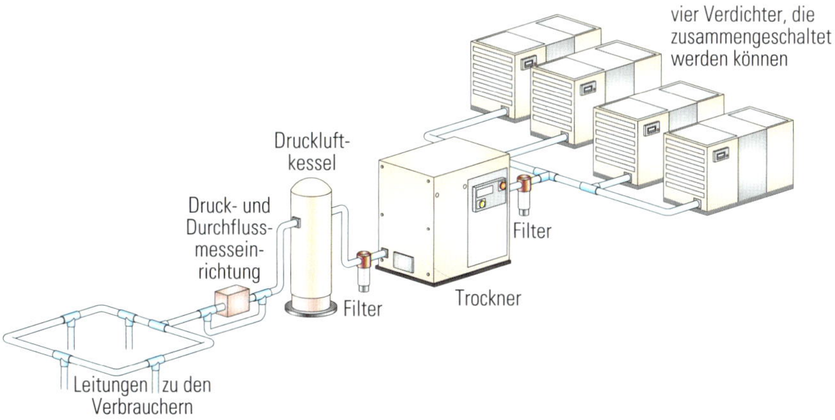

5 Drucklufterzeugungsanlage

Video Kompressor

Die Umgebungsluft strömt in den Verdichter und wird dort komprimiert. Anschließend strömt sie zum Trocknen durch einen Kühler. Vor und nach dem Trocknen passiert sie einen Filter. Zur Speicherung strömt sie in einen Windkessel von dort aus gelangt sie zu den Abnehmern.

Für geringen Luftverbrauch reichen kleine und kompakte Drucklufterzeugungsanlagen (Bild 1) aus.

In Pneumatikplänen erscheinen Drucklufterzeugungsanlagen unabhängig ihrer Größe nur als Symbol: ▷—

Regeln beim Umgang mit Druckluft

Im Hinblick auf mögliche Unfallgefahren müssen beim Umgang mit Druckluft wichtige Regeln beachtet werden:

1. *Brennbare Flüssigkeiten* dürfen nicht mittels Druckluft aus Behältern gedrückt werden. Es besteht Explosionsgefahr.
2. Wird Druckluft in *dünnwandige Behälter* (z. B. aus Blech, Kunststoff oder Glas) eingeblasen, um diese zu trocknen oder auf Dichtigkeit zu prüfen, besteht die Gefahr des *explosionsartigen Bruches* des Behälters.
3. Beim *Abblasen von Werkstücken* mit Druckluft müssen unbedingt zum Schutz vor auffliegenden Partikeln und Flüssigkeiten *Schutzbrille und geeignete Schutzkleidung* getragen werden.
4. *Maschinen dürfen nicht mit Druckluft gereinigt werden,* da sonst Späne und andere Partikel zwischen Führungen und in Lager gedrückt werden können.
5. In *Druckgasflaschen* kann der Druck mehrere hundert Bar betragen. Sowohl an Flaschen als auch an Druckluftleitungen in Arbeitsräumen muss die Druckhöhe an Druckanzeigern abgelesen werden können.
6. *Arbeiten* an pneumatischen Baugruppen dürfen nur an *entlüfteten Anlagen* durchgeführt werden.
7. Vor dem Einschalten der Druckluft sind alle Schlauchverbindungen auf *sicheren Sitz* zu überprüfen.
8. Nach Arbeiten an der Anlage zunächst mit *geringerem Druck starten.*
9. *Impulsventilen* (Kap. 3.2.2.3) ist die *momentane Schaltstellung von außen nicht anzusehen.* Die Kolbenstange kann also beim Einschalten der Druckluft sofort ausfahren. Um Unfälle zu vermeiden, müssen ausreichende Vorsichtsmaßnahmen getroffen werden.
10. *Rollentaster nie von Hand betätigen,* da Quetschgefahr besteht.

3.2.2.2 Wartungseinheit

In der Wartungseinheit *(maintenance unit)* (Bild 2) einer pneumatischen Steuerung wird die Druckluft in einem **Filter** *(filter)* von Verschmutzungen und Feuchtigkeit gereinigt. Ein integriertes **Druckreduzierventil** *(pressure reducing valve)* hält den Luftdruck konstant und ein **Öler** *(lubricator)* zerstäubt Öl in der Druckluft.

Im Pneumatikschaltplan erscheint die Wartungseinheit entweder in einer ausführlichen symbolischen Darstellung oder in der vereinfachten (Bild 3).

1 *Kolbenkompressor*

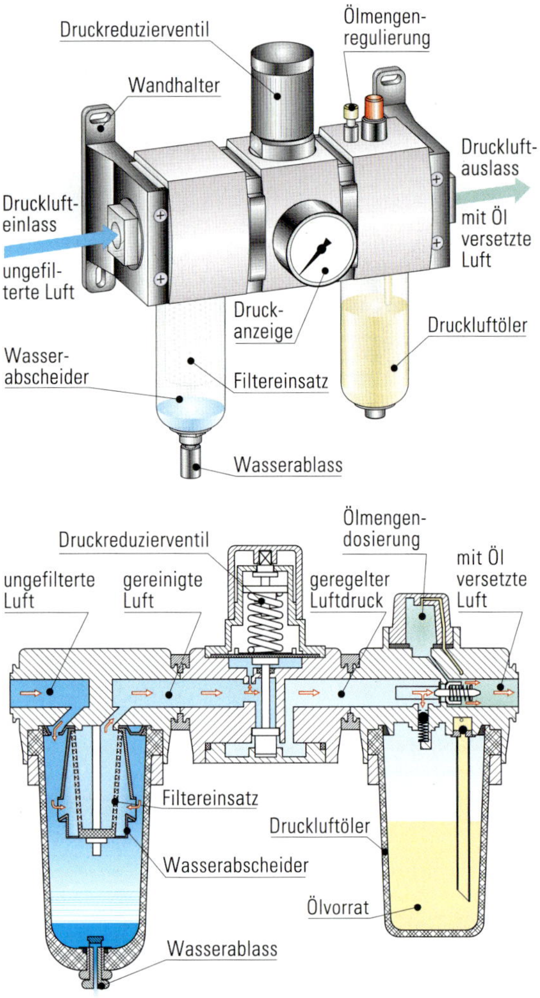

2 *Wartungseinheit*

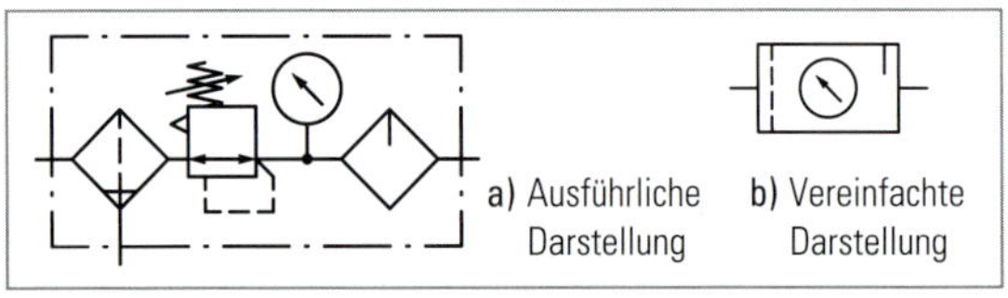

3 *Symbolhafte Darstellung der Wartungseinheit im Pneumatikschaltplan*

3.2.2.3 Baugruppen zur Signaleingabe und -verarbeitung

Sensoren

Sensoren *(sensors)* sind die Eingabebaugruppen einer Steuerung. Sie erfassen Zustände ihrer Umgebung oder sie werden betätigt. In dcr Automatisierungstechnik gibt es eine Fülle unterschiedlicher Sensoren bzw. komplexer Sensorsysteme, die Prozessdaten in verwertbare Signale umwandeln.
Ihr Funktionsprinzip ist immer gleich. Sie nehmen eine physikalische Größe auf und wandeln diese in eine andere physikalische Größe um, die als Signal weiterverarbeitet werden kann.

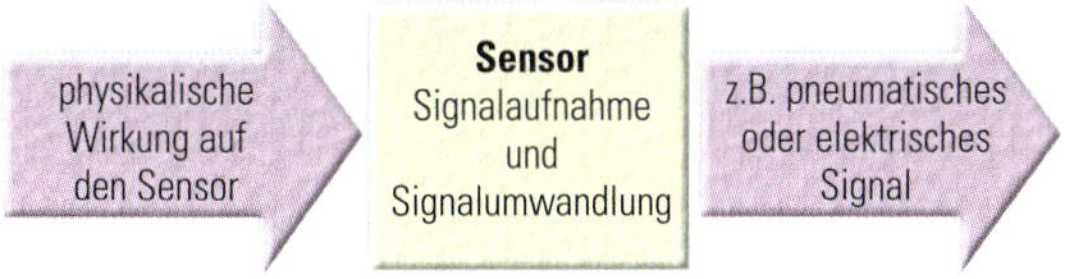

In der Pneumatik können Wegeventile Sensoren sein.

physikalische Wirkung am Eingang	Sensor	physikalische Wirkung am Ausgang
Betätigung durch Handkraft	3/2-Wegeventil mit Handbetätigung (Seite 150 Bild 2b)	Druckluftstrom
Betätigungskraft der Kolbenstange (Beispiel Seite 155 Bild 1)	3/2-Wegeventil mit Rollenbetätigung (Seite 150 Bild 2a)	Druckluftstrom

1 *Wegeventile als Sensoren in pneumatischen Steuerungen*

In elektrischen oder elektropneumatischen Steuerungen werden Sensoren verwendet, die eine physikalische Größe in ein elektrisches Signal umwandeln.

physikalische Wirkung am Eingang	Sensor	physikalische Wirkung am Ausgang
Handkraft	Tastschalter	elektrischer Strom
Lichtenergie	Fotoelement	elektrischer Strom
Temperatur	Temperaturfühler	elektrischer Strom
Magnetfeld	induktiver Sensor	elektrischer Strom

2 *Sensoren in elektrischen Stromkreisen*

Merke

Sensoren erfassen eine physikalische Größe und wandeln diese in eine andere physikalische Größe, die als Signal verarbeitet werden kann.

In der Automatisierungstechnik werden Sensoren in berührende und berührungslose Sensoren unterschieden.
Berührende (taktile[1]) Sensoren (Bild 3) werden durch einen mechanischen Kontakt ausgelöst. Hierzu gehören Wegeventile und elektrische Tastschalter (Seite 160).

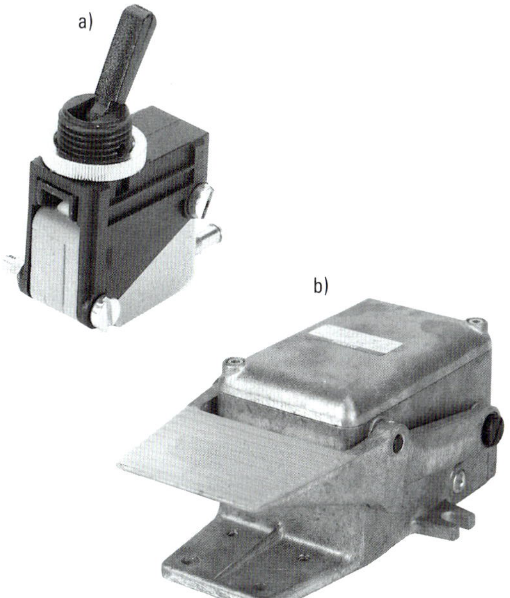

3 *Berührende Sensoren* ***a)*** *Kipphebel* ***b)*** *Fußpedal*

Nicht berührende Sensoren, auch **Näherungssensoren** genannt (Bild 4), liefern Signale ohne mechanische Berührung eines Festkörpers und funktionieren nach einem elektrischen, magnetischen, optoelektrischen (z. B. Lichtschrankenvorhang Seite 144 Bild 3), akustischen oder pneumatischen Prinzip. Am abgebildeten einfach wirkenden Zylinder (Seite 152 Bild 1) wird ein magnetischer Näherungssensor zur Positionsabfrage des Kolbens verwendet.

AH GK S. 85

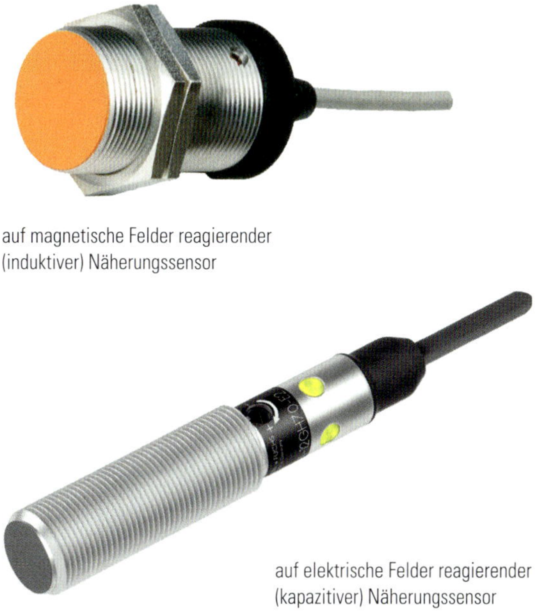

4 *Näherungssensoren*

1) Taktil: von lat. tactus: Berührung, Tastsinn

Wegeventile

Wegeventile *(directional valves)* haben die Aufgabe, den Durchfluss der Druckluft entweder zu sperren oder ihn in bestimmte Luftwege zu leiten.

Die Steuerfunktion der Wegeventile ist im genormten **Schaltsymbol** *(graphic symbol)* (Bild 4) und am Gehäuse der Ventile dargestellt (Bilder 1 und 3). Damit wird eine Funktionszuordnung möglich. Für jede Schaltstellung wird ein Quadrat gezeichnet. Innerhalb der Quadrate wird die Durchflussrichtung mit Linien und Pfeilen dargestellt. Die von außen angeschlossenen Luftleitungen stoßen von unten und oben an einem Quadrat an. Von links und rechts werden Betätigungssymbole gezeichnet.

Die Anzahl der Anschlussleitungen und die Anzahl der Schaltstellungen ergeben zusammen die **Ventilbezeichnung**.

Beispiel 5/2 Wegeventil: 5 Anschlüsse
2 Schaltstellungen

Anschlussbezeichnungen am Ventilgehäuse und im Schaltplan erleichtern die Montage und Fehlersuche. Bild 4 zeigt eine Auswahl gebräuchlicher Wegeventile.

Wegeventile unterscheiden sich nicht nur in ihrer Schaltfunktionen, sondern auch in ihrer Größe und Bauart. Kennzeichnend für die **Ventilgröße** ist das **Durchflussvolumen pro Zeiteinheit**. Schließlich wird für die Ausfahrbewegung eines großen Zylinders ein großer Volumenstrom benötigt, der auch nur mit Ventilen ausreichender Größe geschaltet werden kann.

Ventile ohne Federrückstellung speichern ihre Schaltstellung und benötigen nur eine kurzzeitige Betätigung. Sie heißen **Impulsventile.**

1 *5/2-Wegeventil*

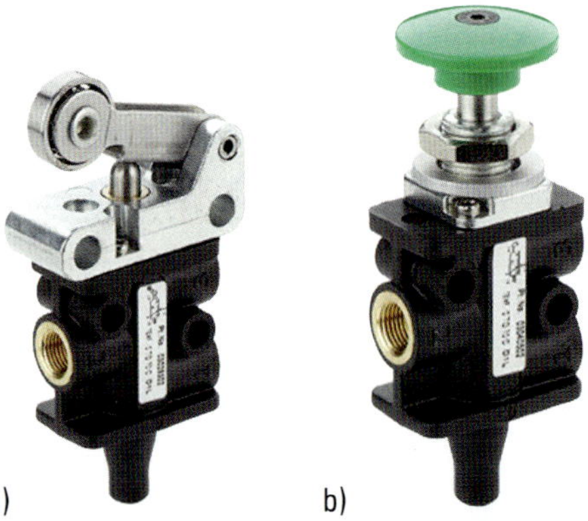

a) b)

2 *Wegeventil mit a) Rollenbetätigung und b) Handbetätigung*

3 *3/2-Wegeventil mit einseitiger Betätigung durch Druckluft und Federrückstellung*

Betätigungsart	Symbol	Ventilbezeichnung und Erläuterung
Handbetätigung durch Druckknopf mit Raste und Federrückstellung	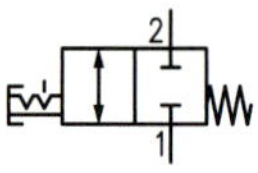	2/2-Wegeventil 2 Anschlüsse 2 Schaltstellungen
Betätigung durch Rolle und Federrückstellung	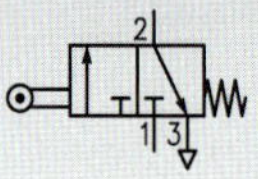	3/2-Wegeventil in Sperrruhestellung 3 Anschlüsse 2 Schaltstellungen
Beidseitige Betägung mit Druckluft	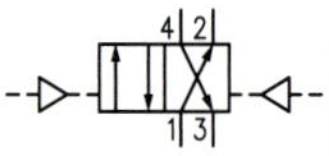	4/2-Wegeventil 4 Anschlüsse 2 Schaltstellungen
Beidseitige elektrische Betätigung	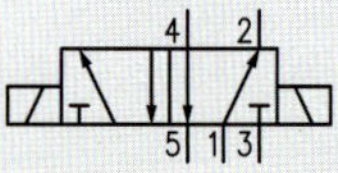	5/2-Wegeventil 5 Anschlüsse 2 Schaltstellungen
Beidseitige Betätigung mit Druckluft	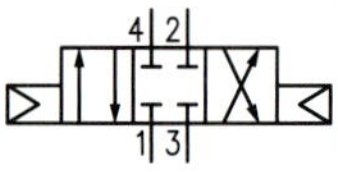	4/3-Wegeventil mit Sperrmittenstellung 4 Anschlüsse 3 Schaltstellungen

4 *Auswahl gebräuchlicher Wegeventile mit unterschiedlichen Betätigungen*

Merke

Impulsventile verbleiben nach einem Schaltimpuls in ihrer Schaltstellung.

Wegeventile können in Steuerungen unterschiedliche Funktionen übernehmen (Seite 151 Bild 1). Als **Signalgeber** liefern sie Eingangssignale, als **Verarbeitungsglied** nehmen sie an der Verknüpfung von Signalen teil und als **Stellglied** weisen sie dem Antriebsglied eine Aktion zu, indem sie die Antriebsenergie steuern.

Überlegen Sie

Welche Ventile in der Tabelle (Bild 4) sind Impulsventile?

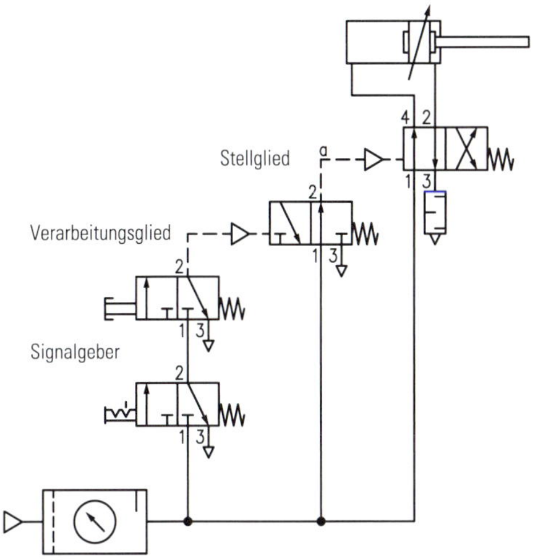

1 *Wegeventile in unterschiedlichen Funktionen*

Zweidruckventil

Das Zweidruckventil *(double pressure valve)* (Bild 2) wird für eine logische **UND-Verknüpfung** verwendet. Es lässt nur Luft zum Ausgang (2), wenn an beiden Eingängen (1) Druckluft anliegt. Man bezeichnet das Ventil als **UND-Ventil** *(AND valve)*. Die Lage des Steuerkolbens hängt davon ab, in welchen Eingang zuerst Druckluft strömt. Liegt nur an einem Eingang ein Signal an, sperrt der Steuerkolben den Luftweg.

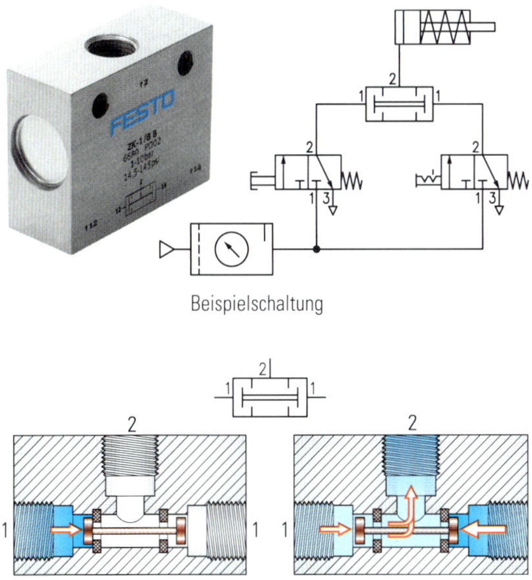

a) Einseitige Druckbeaufschlagung von links oder von rechts ⇒ Kein Durchfluss

b) Beidseitige Druckbeaufschlagung ⇒ Durchfluss an der Seite mit dem geringeren Druck

2 *Zweidruck- bzw. UND-Ventil*

Wechselventil

Mit dem Wechselventil *(shuttle valve)* (Bild 3), das auch **ODER-Ventil** *(OR valve)* genannt wird, wird eine **ODER-Verknüpfung** erstellt. Sobald ein Signal an den Eingängen (1) anliegt, wird es zum Ausgang (2) geführt, während der Luftweg zum anderen Eingang gesperrt wird. Dies wird dadurch erreicht, dass die Druckluft einen Ventilkörper in den Ventilsitz des gegenüber liegenden Einganges presst und ihn abdichtet.

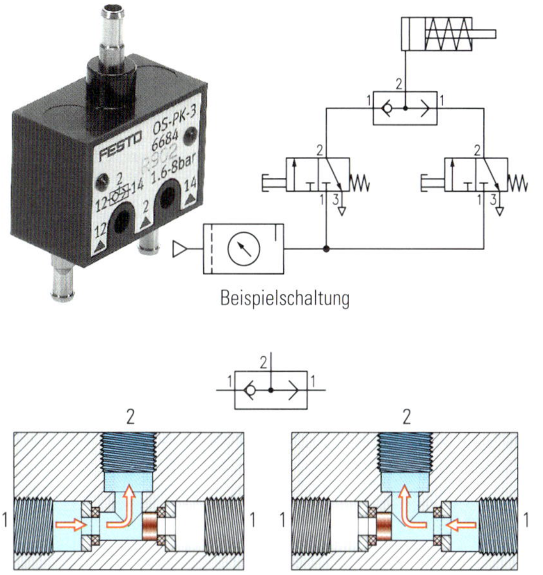

a) Druckbeaufschlagung von links ⇒ Durchfluss

b) Druckbeaufschlagung von rechts ⇒ Durchfluss

3 *Wechsel- bzw. ODER-Ventil*

3.2.2.4 Baugruppen zur Signalausgabe

Pneumatische Antriebe

Pneumatikzylinder *(pneumatic cylinders)* und pneumatische Drehantriebe sind **Antriebsbaugruppen** pneumatischer Steuerungen. Sie wandeln die Energie der Druckluft um und erzeu-

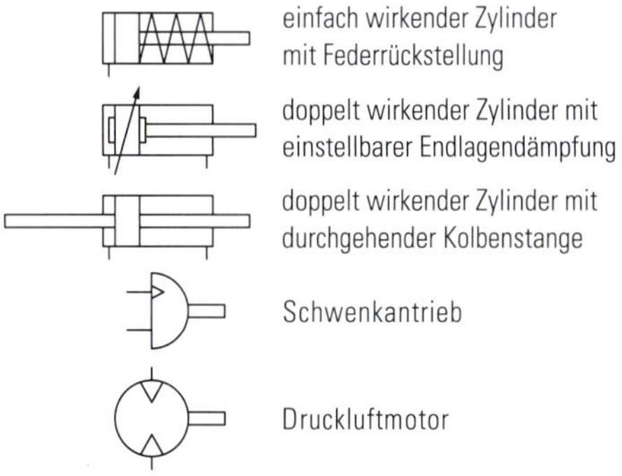

4 *Symbole pneumatischer Antriebe*

Video Funktionen von Wegeventilen

AH GK S. 86

Video ODER-Verknüpfung

Video UND-Verknüpfung

AH GK S. 87

gen Bewegungen und Kräfte. Ihre Geschwindigkeiten werden von Drossel- und Schnellentlüftungsventilen (Kap 3.2.2.7) verändert.

Pneumatikzylinder erzeugen **lineare Bewegungen**, **Druckluftmotoren** und **Schwenkantriebe** *(part-turn valve actuators)* Drehbewegungen. Den unterschiedlichsten Ansprüchen entsprechend werden Pneumatikzylinder in zahlreichen Ausführungsvarianten angeboten. Ihre funktionellen Unterschiede werden aus den pneumatischen Schaltzeichen (Seite 151 Bild 4) sichtbar.

Im Folgenden sind verschiedene pneumatische Antriebe dargestellt:

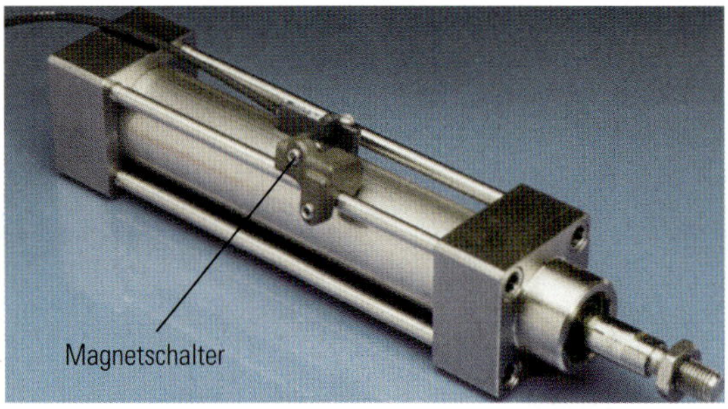

1 *Einfach wirkender Zylinder mit verschiebbarem Magnetschalter*

2 *Doppelt wirkender Zylinder*

3 *Kurzhubzylinder für einen Kolbenhub von wenigen Zentimetern*

4 *Schwenkantrieb für einen Drehwinkel bis ca. 270°*

5 *Kolbenstangenloser Zylinder mit einem pneumatisch angetriebenen Schlitten auf dem Zylindergehäuse*

6 *Balgzylinder für kurze Hübe mit möglicher Schrägstellung und hoher Dämpfung*

7 *Führungs- und Stopperzylinder mit hoher Führungs- und Verdrehgenauigkeit*

Einfach wirkende Zylinder *(single acting cylinders)* (Bild 1) haben nur einen Druckluftanschluss. Die dort eintretende Druckluft übt eine Druckkraft auf eine Seite des Kolbens aus, sodass sich der Kolben in diesem Bild z. B. nach rechts bewegt. Die Feder wird dabei gespannt. Sobald die Druckluftleitung entlüftet ist, schiebt die Feder den Kolben in die Ausgangsposition zurück.

Bei **doppelt wirkenden Zylindern** *(double acting cylinders)* (Bild 2) können beide Kolbenkammern mit Druckluft beaufschlagt werden, die wechselseitig beide Bewegungen erzeugen. Wenige Millimeter vor Erreichen der Endlage beginnt die Endlagendämpfung. Ein Dämpfungskolben an der Kolbenstange verschließt den direkten Weg zum Ausgang. Die Luft wird in dieser Phase durch eine einstellbare Drossel gepresst. Es baut sich ein Luftpolster auf, das die Kolbenbewegung abbremst. Eine Endlagendämpfung schont Zylinder und Anlage und erhöht die Lebensdauer, indem sie harte Stöße verhindert.

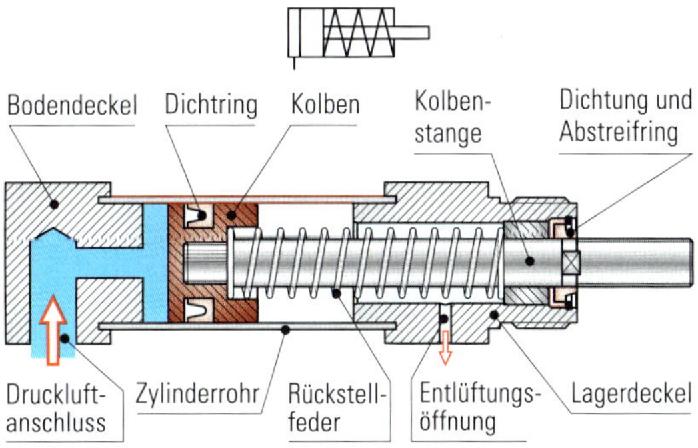

1 *Prinzipbild eines einfach wirkenden Zylinders*

AH GK S. 88

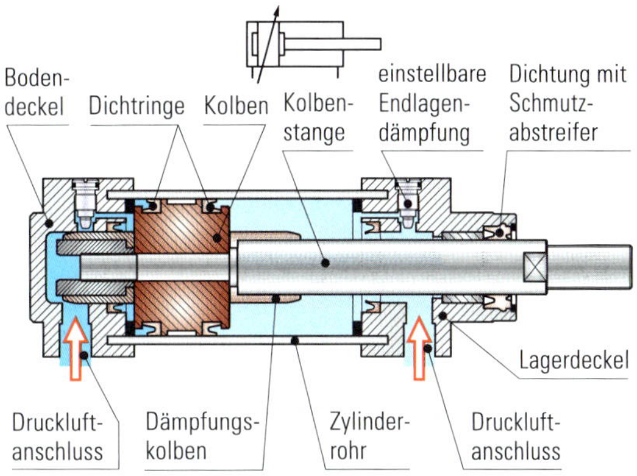

2 *Prinzipbild eines doppelt wirkenden Zylinders mit Endlagendämpfung*

Berechnung der Kolbenkraft

Für die Berechnung der Kolbenkraft *(piston power)* eines Zylinders gilt:

$$p_e = \frac{F}{A}$$

$$F = p_e \cdot A$$

p_e: Überdruck
F: Theoretische Kolbenkraft
A: Wirksame Kolbenfläche

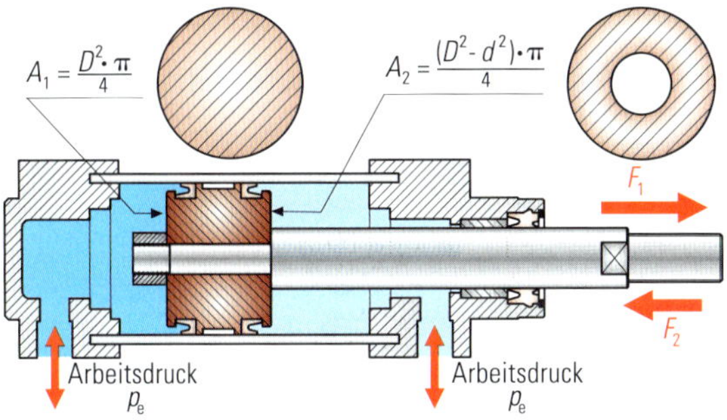

Reibungsverluste vermindern die Kolbenkraft. Durch Multiplikation mit dem Faktor „Wirkungsgrad" werden sie berücksichtigt.

$$F = p_e \cdot A \cdot \eta$$

η: Wirkungsgrad
Es gilt: $0 \leq \eta < 1$

Beispiel:[1)]

Ein doppelt wirkender Pneumatikzylinder ohne Endlagendämpfung wird an eine Druckluftleitung angeschlossen.

Luftdruck $p_e = 5{,}5$ bar
Kolbendurchmesser $D = 30$ mm
wirksamer Kolbenstangendurchmesser $d = 15$ mm
Wirkungsgrad $\eta = 90$ %

Berechnen Sie die maximalen Kolbenkräfte
a) F_1 beim Ausfahren
b) F_2 beim Einfahren

Beispielrechnungen

geg.: $p_e = 5{,}5 \text{ bar} = 55 \frac{\text{N}}{\text{cm}^2}$

ges.: F_1 und F_2 in N

$D = 30 \text{ mm} = 3 \text{ cm}$ • $d = 15 \text{ mm} = 1{,}5 \text{ cm}$ • $\eta = 90\ \% = 0{,}9$

a)
$$F_1 = p_e \cdot A \cdot \eta$$
$$F_1 = p_e \cdot \frac{D^2 \cdot \pi}{4} \cdot \eta$$
$$F_1 = 55 \frac{\text{N}}{\text{cm}^2} \cdot \frac{3^2 \text{ cm}^2 \cdot \pi}{4} \cdot 0{,}9$$
$$F_1 = 55 \frac{\text{N}}{\text{cm}^2} \cdot 7{,}07 \text{ cm}^2 \cdot 0{,}9$$
$$\underline{\underline{F_1 = 350 \text{ N}}}$$

b)
$$F_2 = p_e \cdot A \cdot \eta$$
$$F_2 = p_e \cdot \frac{(D^2 - d^2) \cdot \pi}{4} \cdot \eta$$
$$F_2 = 55 \frac{\text{N}}{\text{cm}^2} \cdot \frac{(3^2 \text{ cm}^2 - 1{,}5^2 \text{ cm}^2) \cdot \pi}{4} \cdot 0{,}9$$
$$F_2 = 55 \frac{\text{N}}{\text{cm}^2} \cdot 5{,}3 \text{ cm}^2 \cdot 0{,}9$$
$$\underline{\underline{F_2 = 262{,}4 \text{ N}}}$$

1) Weitere Übungsaufgaben finden Sie im Teil III „Lernfeldübergreifende Inhalte" im Kapitel 4.11.2.2 „Druck- und Kolbenkraft".

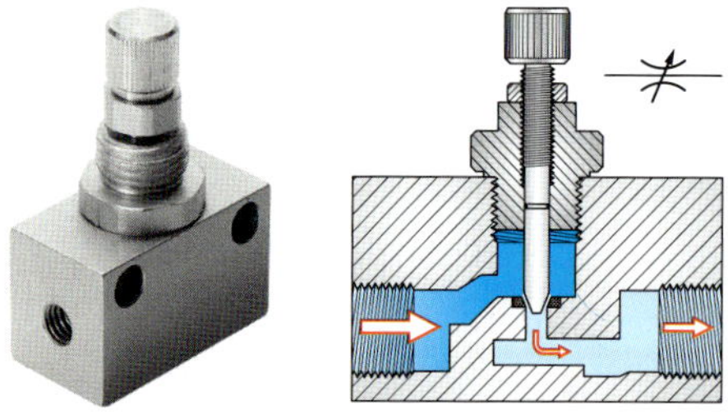

1 *Drosselventil*

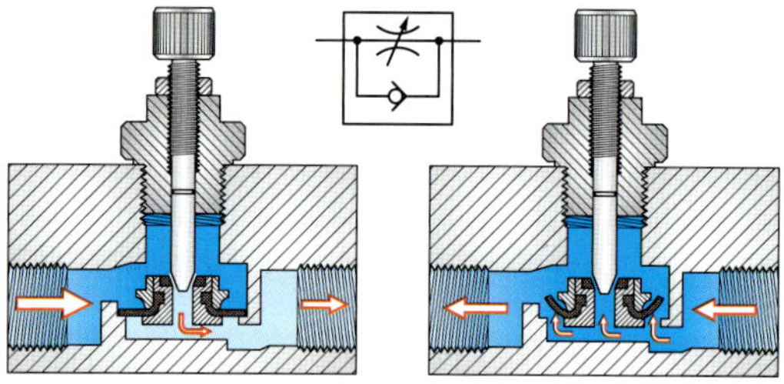

2 *Drosselrückschlagventil*

Video Drosselung

Video Schnell-entlüftung

Video Kolben-geschwindig-keit SEV

Drosselventile und Schnellentlüftungsventile

Kolbengeschwindigkeiten werden mit externen Drosseln *(throttles)* bzw. Drosselrückschlagventilen und Schnellentlüftungsventilen verringert oder erhöht.

Mit **Drosselventilen** *(throttle valves)* (Bild 1) wird der Volumenstrom in beiden Durchströmrichtungen reduziert.

In **Drosselrückschlagventilen** *(throttle check valves)* (Bild 2) ist zusätzlich zur Drossel ein Rückschlagventil eingebaut. In der Öffnungsrichtung des Rückschlagventils durchströmt der Luftstrom beinahe ungehindert, in Gegenrichtung muss er durch die Verengung der Drossel.

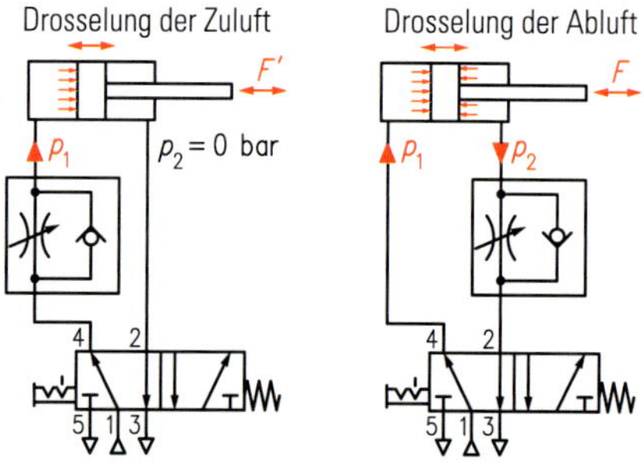

3 *Verlangsamen der Kolbenbewegung*

Merke

Drossel- und Drosselrückschlagventile verlangsamen die Kolbenbewegungen.

Je nach Anordnung unterscheidet man Zuluftdrosselung und Abluftdrosselung (Bild 3).

Zuluftdrosselung *(intake air throttling)*

Wird die zugeführte Luft gedrosselt, so wird nur eine Zylinderkammer druckbeaufschlagt (z. B. $p_1 = 6$ bar), während die andere entlüftet ist ($p_2 = 0$ bar). Wirken bei dieser Drosselungsart von außen wechselnde Kräfte F auf die Kolbenstange oder liegen wechselnde Reibungskräfte in der Kolbenführung vor, können ruckartige Bewegungen des Kolbens entstehen. Die drucklose Seite des Zylinderraums gibt keinen Halt.

Abluftdrosselung *(discharge air throttling)*

Bei einer Drosselung der Abluft stehen beide Zylinderkammern unter Druck. Der Kolben wird pneumatisch eingespannt. Die Kolbenbewegung verläuft deshalb bei wechselnden Kräften gleichmäßiger.

Merke

Die Abluftdrosselung ist der Zuluftdrosselung vorzuziehen.

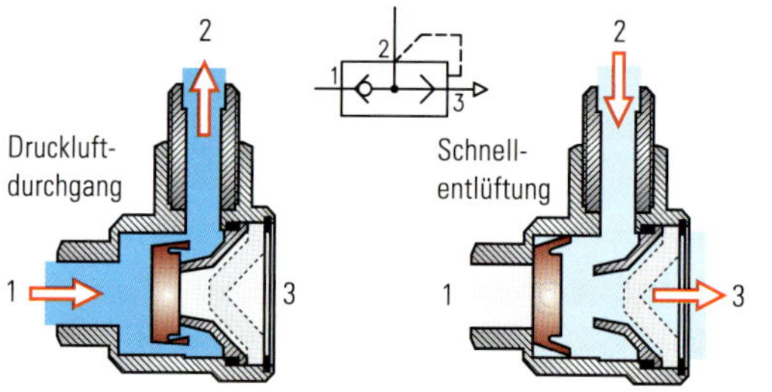

4 *Schnellentlüftungsventil*

Schnellentlüftungsventil (Bild 4)

Schnellentlüftungsventile *(quick evacuating valves)* erhöhen Kolbengeschwindigkeiten. Mit ihnen werden lange Rückhubzeiten besonders bei einfach wirkenden Zylindern verkürzt. Die Abluft des Zylinders strömt in diesem Ventil über einen großen Querschnitt und bei geringem Luftwiderstand direkt nach außen. Es ist deshalb sinnvoll, das Ventil möglichst nahe an den Zylinder zu montieren. Bei Richtungsänderung sperrt es die Auslassöffnung 3 und führt die vom Wegeventil kommende Druckluft in den Zylinder (Bild 5).

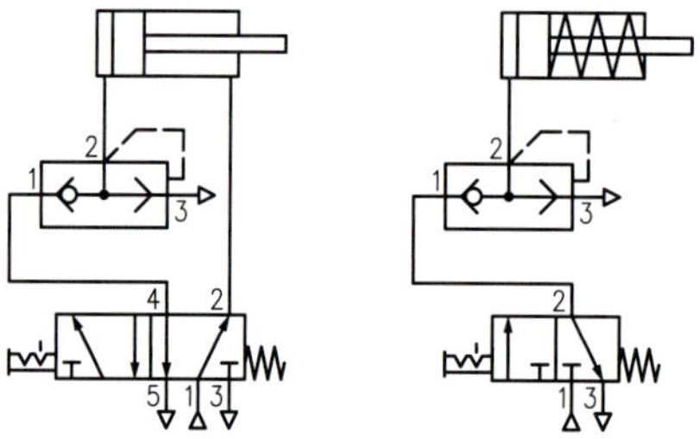

5 *Erhöhung der Kolbengeschwindigkeit durch Schnellentlüftung*

Überlegen Sie

Beschreiben Sie die Vorteile der Abluftdrosselung am Beispiel der Schwenkvorrichtung.

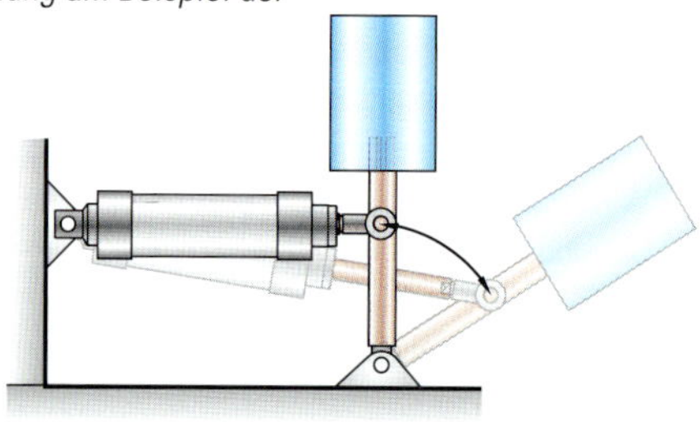

3.2.3 Grundregeln pneumatischer und hydraulischer Schaltpläne

Folgende Regeln gelten sowohl für pneumatische und hydraulische Schaltpläne.

Aufbau der Schaltpläne

Ein Schaltplan *(circuit diagram)* erfasst die **Betriebsmittel** *(equipment)* und ihre **Verschlauchung** *(piping)*.

Vergleichen Sie die folgenden Regeln mit dem pneumatischen Schaltplan (Bild 1).

1. Geordnet nach Baugruppen der Druckluftenergieversorgung, Signaleingabe, Verarbeitung und Antrieb erfolgt eine von unten nach oben strukturierte Darstellung.
2. Die Darstellung im Schaltplan entspricht nicht der tatsächlichen Lage innerhalb einer Einrichtung.
3. Zur Darstellung der Baugruppen werden Symbole nach ISO 1219-1 verwendet. Die Symbole finden Sie im Kapitel 3.2.2 oder im Tabellenbuch.
4. Zylinder und Ventile werden in der Stellung dargestellt, in der sie sich vor dem Start der Steuerung befinden. Zylinder können deshalb im ausgefahrenen Zustand gezeichnet werden. Vor dem Start betätigte Ventile werden mit einem „Schaltnocken" gekennzeichnet. Die Anschlussleitungen liegen dann an der aktivierten Seite des Symbols.

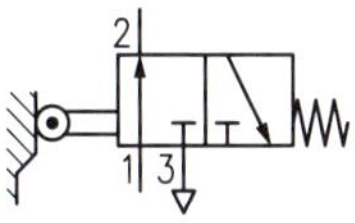

5. Druckluftleitungen werden rechtwinklig zueinander als Volllinien gezeichnet. Leitungen, die der Betätigung dienen, sind Steuerleitungen und werden als Strichlinien gezeichnet.

Kennzeichnung industrieller Objekte (DIN EN 81346-2)

Diese Norm legt die Kennzeichnung industrieller Anlagen fest. Dazu zählen auch pneumatische, hydraulische oder elektrische Baugruppen. Jedes Teil (z. B. Ventile, Schalter, Kolben) erhält ein sogenanntes Referenzkennzeichen.

Ein elektrischer Handschalter und ein pneumatisches Ventil mit manueller Betätigung zum Beispiel erhalten den gleichen Kennbuchstaben. Ihre Funktionen sind identisch, denn beide wandeln eine Handbetätigung in ein Signal um. Sie erhalten den Kennbuchstaben „S" für ihre Funktion. (Bild 2)

2 *Konzept der Referenzkennzeichen*

Wenn es erforderlich oder hilfreich ist, kann die Angabe um einen Buchstaben der Unterklasse erweitert werden, der eine zusätzliche Information liefert.

Für den elektrischen Schalter lautet die Kennzeichnung **SF** und für das pneumatische Ventil **SJ**.

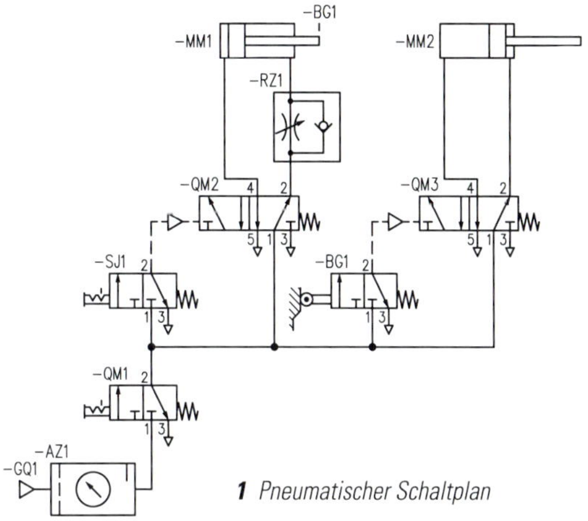

1 *Pneumatischer Schaltplan*

Das vollständige Referenzkennzeichen erhält noch ein Vorzeichen (-, + oder =) und eine Zählnummer, sodass ein elektrischer Schalter die Kennzeichnung **-S1** oder **-SF1** und das pneumatische Ventil die Kennzeichnung **-S2** oder **-SJ2** erhält.

Die Referenzzeichen der Baugruppen der pneumatischen Schaltung (Bild 1) wurden wie in der Tabelle (Bild 3) strukturiert. Sie machen deutlich, dass in dieser Steuerung zwei fast identische Ventile unterschiedliche Funktionen erfüllen. Das Ventil -QM1 ist ein manuell betätigtes 3/2 Wegeventil mit der Funktion des Ein- und Ausschaltens des Energieflusses, dagegen liefert das Ventil -SJ1 bei manueller Betätigung ein Signal, das über die Steuerleitung Ventil -QM3 schaltet.

AH GK S. 89

Die Norm unterscheidet in ihrer Hauptklasse die Prozessaktivitäten der Objekte in achtzehn Funktionen und verteilt entsprechend achtzehn Kennbuchstaben. Jede Funktion kann in mehrere Unterklassen konkretisiert werden.

Vorzeichen als Strukturierungsangabe	
–	produktbezogene Struktur
+	Ortsbezogene Struktur
=	funktionsbezogene Struktur

Hauptklasse	
S	Umwandeln einer manuellen Betätigung in ein zur Weiterverarbeitung bestimmtes Signal

Unterklasse	
J	Pneumatisches / hydraulisches Signal bereitstellen

Zählnummer	
1	Fortlaufende Nummer für gleichartige Bauteile, z. B. –SJ1, –SJ2

– S J 1

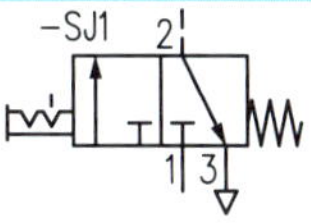

3 *Struktur der Referenzkennzeichen*

Hinweis:

Eine Auswahl von Kennzeichnungen industrieller Objekte gemäß DIN EN 81346-2 ist im Anschluss an das Sachwortregister dargestellt.

Video Kennzeichnung nach Norm

3.2.4 Planen pneumatischer Steuerungen

Vorgehensweise

Die Planung einer pneumatischen und elektropneumatischen Steuerung *(electropneumatic control)* wird durch eine systematische Vorgehensweise nach folgendem Muster erleichtert.

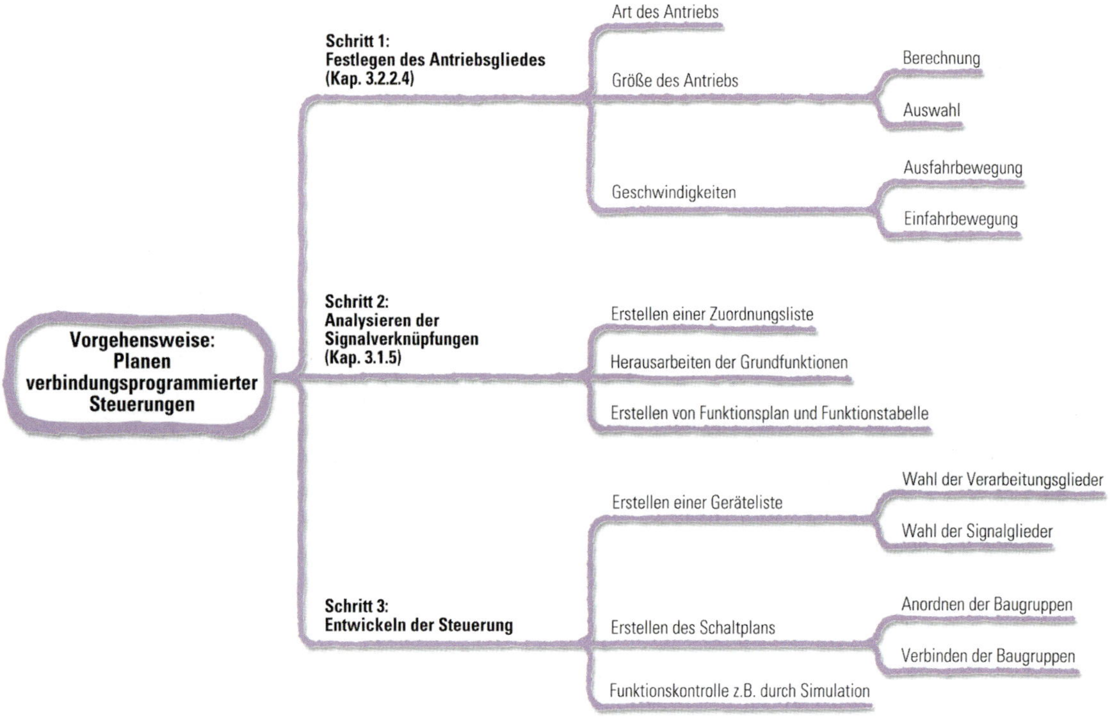

Planungsaufgabe 1 *(planning assignment)*

In einer Schneidvorrichtung zum Trennen von Kunststoffprofilen (Bild 1) schneidet ein Messer, das durch einen Pneumatikzylinder geführt wird, durch das Profil. Während des Rückhubs hat das Messer keine schneidende Wirkung. Die Betätigung des Zylinders erfolgt über ein Fußventil. Mit dem Abbruch der Betätigung fährt der Zylinder zurück.

Schritt 1: Festlegen des Antriebselementes *(drive unit)*

Es wird ein doppelt wirkender Zylinder gewählt, der als Führungszylinder ausgelegt ist (Seite 151). Seine hohe Führungs- und Verdrehgenauigkeit ermöglicht einen sauberen Schnitt. Er wird von einem 5/2-Wegeventil mit Pedalbetätigung direkt gesteuert.

Schritt 2: Analysieren der Signalverknüpfungen *(combination of signals)*

- Zuordnungsliste:

Gerät	Signal	Beschreibung
Fußventil	E1	E1 = 1: Signalgeber wird betätigt
Schneidzylinder	A1	A1 = 1: Zylinder fährt aus A1 = 0: Zylinder fährt ein

- Herausarbeiten der Grundfunktionen:
  Das Eingangssignal ist mit dem Ausgangssignal identisch.
- Funktionsplan:
  Zur grafischen Darstellung wird das folgende Symbol verwendet.

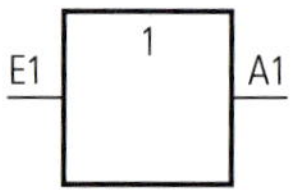

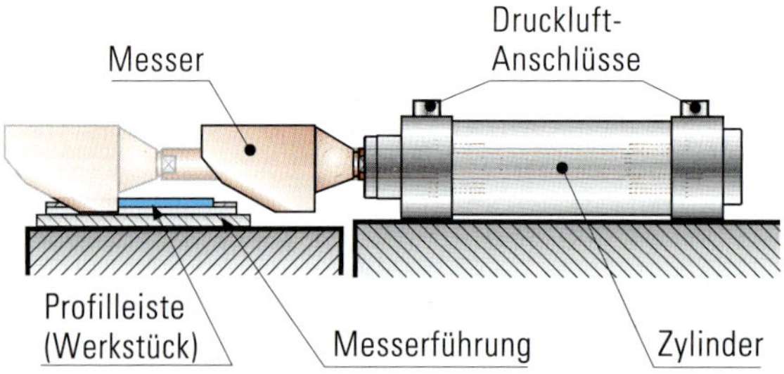

1 *Schneidvorrichtung*

Schritt 3: Entwickeln der Steuerung *(control)*

- Geräteliste

-GQ1	Kompressor
-AZ1	Wartungseinheit
-QM1	Fußventil: 5/2-Wegeventil mit Fußbetätigung, Sperrruhestellung
-RZ1	Drosselrückschlagventil
-RZ2	Drosselrückschlagventil
-MM1	Schneidzylinder: doppelt wirkender Zylinder (Führungszylinder)

Hinweis: Durch Drehen des Funktionsplanes um 90° entsteht eine Vorlage für den Pneumatikplan:

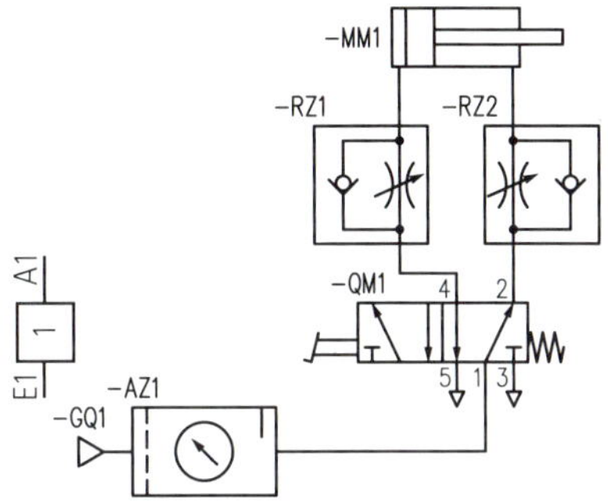

Planungsaufgabe 2 *(planning assignment)*

Ein gefräster Zylinderkopf eines kleinen Pneumatikzylinders soll zur Dichtigkeitsüberprüfung in eine Vorrichtung (Prüfplatte) gepresst werden (Bild 1). Die Anpresskraft erzeugt ein Pneumatikzylinder. Er fährt aus, sobald zwei pneumatische Signalgeber gleichzeitig betätigt werden. Wird die Betätigung beendet, fährt der Zylinder zurück. Die Signalgeber müssen so angebracht werden, dass sie mit **beiden** Händen bedient werden müssen. Um eine Manipulation auszuschließen, ist Zweihandsicherheitsblock einzusetzen.

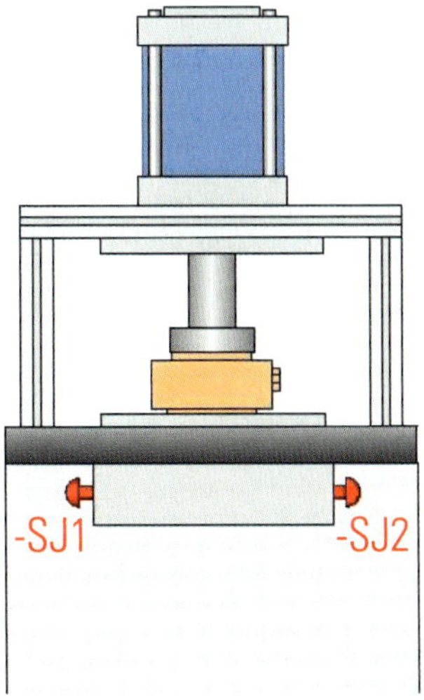

1 *Spannvorrichtung*

Schritt 1: Festlegen des Antriebsgliedes *(actuator)*
Es wird ein doppelt wirkender Pneumatikzylinder mit Endlagendämpfung verwendet. Der Kolben soll abluftgedrosselt ausfahren und ungedrosselt einfahren.

Schritt 2: Analysieren der Signalverknüpfungen *(combination of signals)*

- Zuordnungstabelle:

Gerät	Signal	Beschreibung
Handtaster, links	E1	E1 = 1: Signalgeber wird betätigt Durchfluss der Druckluft
Handtaster, rechts	E2	E2 = 1: Signalgeber wird betätigt Durchfluss der Druckluft
Spannzylinder	A1	A1 = 1: Werkstück wird gespannt A1 = 0: Werkstück wird entspannt

- Herausarbeiten der Grundfunktionen:
  Die Signale E1 und E2 müssen den Wert 1 haben, damit das Prüfstück gespannt werden kann. Dann gilt: A1 = 1. Ist die Bedingung nicht erfüllt, gilt: A1 = 0.
- Funktionsplan

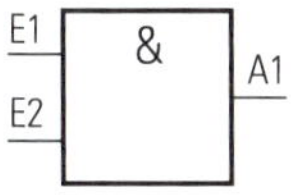

Schritt 3: Entwickeln der Steuerung *(control)*

- Geräteliste

-AZ1	Wartungseinheit
-SJ1	Handtaster, links 3/2-Wegeventil mit Sperrruhestellung, Handbetätigung durch Druckknopf und Feder
-SJ2	Handtaster, rechts 3/2-Wegeventil mit Sperrruhestellung, Handbetätigung durch Druckknopf und Feder
-KH1	Zweidruckventil
-QM1	5/2-Wegeventil mit mechanischer Betätigung durch Druckluft und Federrückstellung
-RZ1	Drosselrückschlagventil
-MM1	Spannzylinder: doppelt wirkender Zylinder mit einstellbarer Endlagendämpfung

Video Zweihand-sicherheits-steuerung

■ Schaltplan *(circuit diagram)*

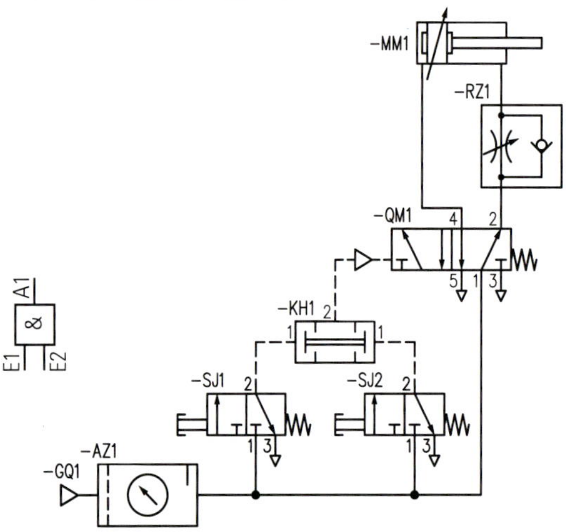

3.2.5 Montage pneumatischer Einrichtungen

Die Montage *(assembly)* pneumatischer Baugruppen erfolgt durch **Stecken** *(plugging)* und **Verschrauben** *(screwing)*. Pneumatische Leitungen können **Schläuche** *(hoses)* aus Kunststoff oder Gummi aber auch Rohre *(pipes)* aus Stahl, Kupfer oder Aluminium sein. Metallrohre sind gegen äußere thermische und mechanische Einwirkungen widerstandsfähiger als Kunststoffrohre. Pneumatikschläuche zeichnen sich durch ihre hohe Biegsamkeit, Vielfalt und ihren verhältnismäßig geringen Preis aus, was ihre häufige Verwendung begründet. Schläuche können mit Steckverbindungen bequem und schnell angeschlossen werden. Das Bild 1 zeigt verlegte Leitungen mit unterschiedlichen Verbindungskomponenten. Das Bild 2 zeigt die fachgerechte Montage und Demontage einer Steckverbindung.
Bei der Verlegung von Druckluftschläuchen ist zu beachten, dass dickwandige Schläuche sich besser biegen lassen als dünnwandige, die aber leichter knicken.

1. Rohrenden rechtwinklig abschneiden und außen sowie innen entgraten.

2. Rohrende (Aussenoberfläche frei von Beschädigungen) durch den Lösering schieben.

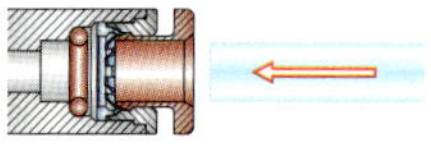

3. Leichten Widerstand vom O-Ring überwinden und Rohrende bis zum Anschlag durchschieben.

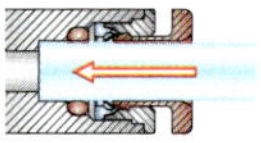

4. Lösering gegen die Armatur drücken und Rohr herausziehen.

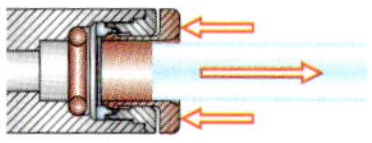

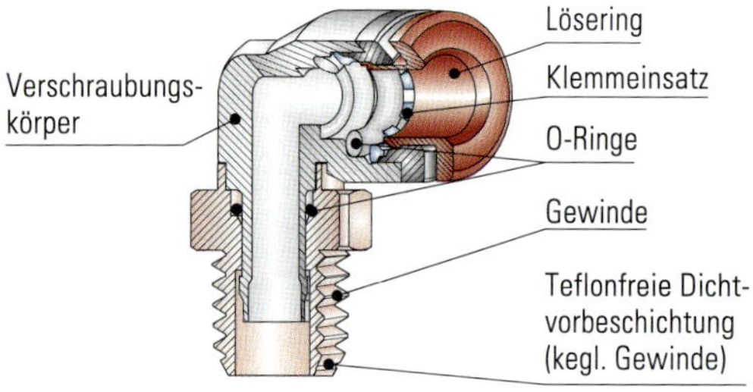

2 *Montage und Demontage einer Steckverbindung*

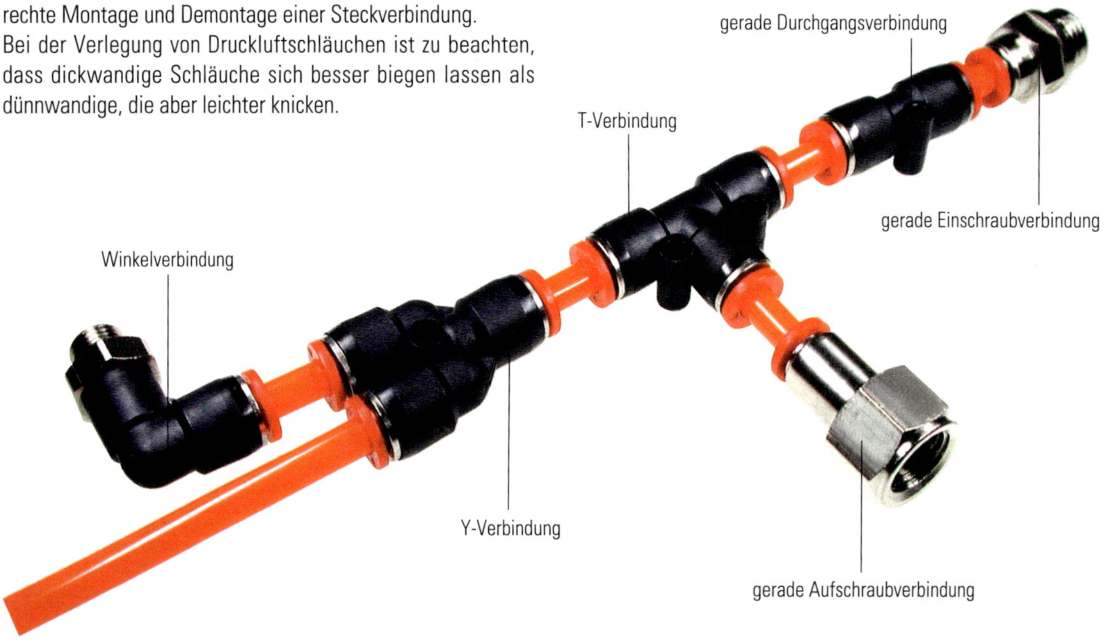

1 *Steckverbindungen*

ÜBUNGEN

1. Der Pneumatikplan soll analysiert werden.
   a) Benennen Sie die verwendeten pneumatischen Baugruppen.
   b) Beschreiben Sie die Bedingungen zum Ein- und Ausfahren des Zylinders.
   c) Beschreiben Sie die Geschwindigkeitssteuerung des Kolbens.
   d) Erstellen Sie den Funktionsplan der Steuerung.

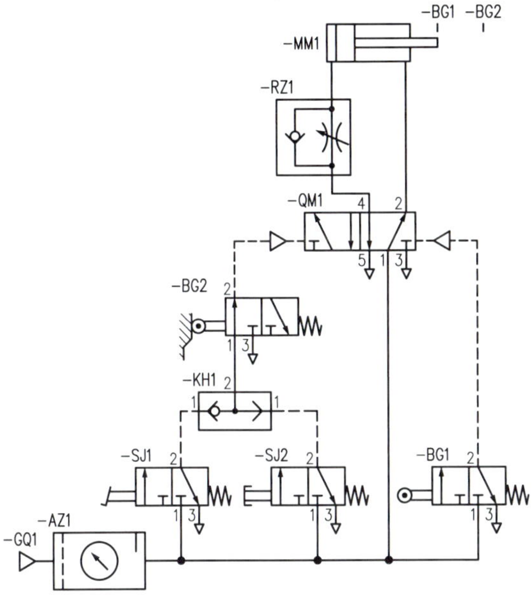

2. a) Beschreiben Sie die Geschwindigkeitssteuerung des Kolbens.
   b) Beschreiben Sie die Funktion der Steuerung.

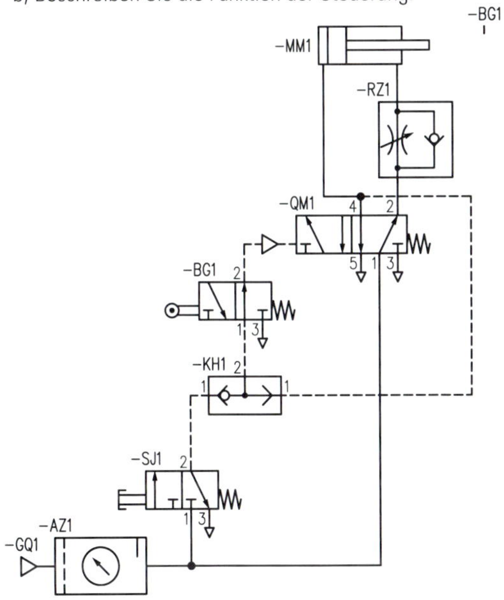

3. a) Beschreiben Sie die Funktion der Steuerung.
   b) Beschreiben Sie die Geschwindigkeitssteuerung des Kolbens.

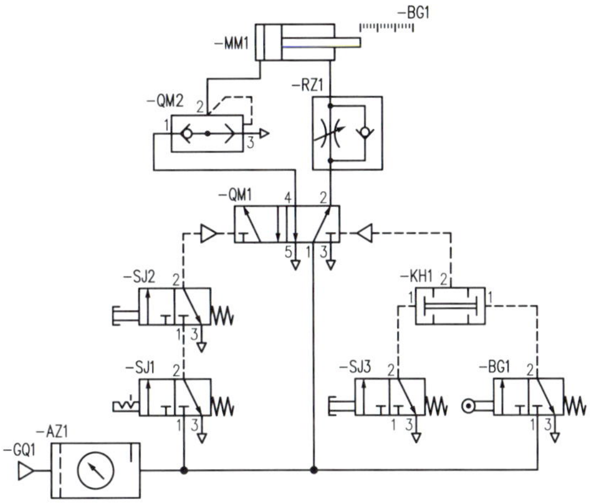

4. Ein einfach wirkender Zylinder soll mit Betätigen des Signalgebers (Ventil mit Handbetätigung und Raste) ein Werkstück spannen.
   a) Entwickeln Sie den Pneumatikschaltplan.
   b) Leider steht Ihnen nur ein 5/2-Wegeventil zur Verfügung. Wie lösen Sie das Problem?

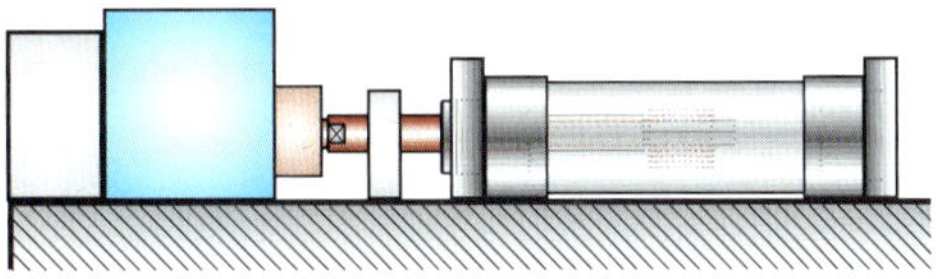

5. Entwickeln Sie eine Steuerung mit zwei doppelt wirkenden Zylindern.
Wenn zwei Signalgeber (Handtaster) betätigt werden, fahren beide Zylinder gleichzeitig aus, einer von ihnen abluftgedrosselt. Sie fahren erst dann wieder ein, wenn der langsamere Zylinder seine Endlage (Rollentaster) erreicht hat. Der zweite Zylinder fährt mit erhöhter Rückhubgeschwindigkeit ein.

Pneumatikplan Übung 1

Pneumatikplan Übung 2

Pneumatikplan Übung 3

3.3 Elektropneumatik

In elektropneumatischen Steuerungen *(electropneumatic controls)* wird **elektrische Energie** eingesetzt, um **Signale** zu erfassen, sie zu verarbeiten und als **Befehle** *(commands)* auszugeben.

Die elektrische Signalverarbeitung *(signal processing)* bietet den Vorteil, dass sie Informationen schneller verarbeiten und übertragen kann als es zum Beispiel mit Druckluft möglich wäre. Dieser Vorteil wird besonders bei langen Wegen deutlich. Weitere Vorteile sind der geringe Wartungsaufwand und die im Verhältnis kostengünstigeren elektrischen Baugruppen.

AH GK S. 90

Die Signalverarbeitung erfolgt entweder **verbindungsprogrammiert** durch **Relais** *(relays)*, **elektronische Bauteile** *(electronic components)* oder **speicherprogrammiert** *(stored programmed)* auf der Grundlage eines geschriebenen Programms *(programs)*, das von einem **Steuergerät** *(control unit)* abgearbeitet wird (siehe Kap. 6.3.3).

Die **Antriebe** *(drives)* werden von pneumatischen Baugruppen (siehe Kap 6.2.2) ausgeführt, die die zugeführte Energie in Bewegungsenergie umsetzen. Sie bestehen aus **Wartungseinheit** *(maintenance unit)*, elektrisch betätigten Wegeventilen *(directional valves)*, pneumatischen Antrieben (siehe Kap. 6.2.2.6) und aus Stromventilen *(flow control valves)* (Drosselrückschlagventile oder Schnellentlüftungsventile; Bild 1).

3.3.1 Elektrisch betätigte Wegeventile

Merke

Das Bindeglied zwischen elektrischer Signalverarbeitung und dem pneumatischen Antrieb ist das elektrisch betätigte Wegeventil, das Magnetventil *(magnetic valve)* (Bild 2).

Video Magnetventil

Die erforderlichen Schaltkräfte erhält das Wegeventil von den Elektromagneten (-MB1 und -MB2). Als Bindeglied erscheint es im Pneumatikplan und im Stromlaufplan (Bild 1).

3.3.2 Elektrische Steuerung

Entsprechend der aktuellen Steuerbedingung werden in elektrischen Steuerungen *(electric open loop controls)* elektrische Baugruppen zur Informationsverarbeitung unterschiedlich miteinander verknüpft. Hierzu muss Strom *(current)* auf veränderlichen Wegen zu den Verbrauchern geführt werden. Dies geschieht entweder mit **mechanischen Kontakten** *(mechanical contacts)*, die einen Stromkreis *(circuit)* öffnen oder schließen, oder mit **Halbleitern** *(semiconductors)*, wie z. B. mit Transistoren *(transistors)*. Mechanische Kontakte unterliegen einem Verschleiß, während Halbleiter verschleißfrei sind, jedoch durch Spannungsspitzen und Vertauschen der Polarität zerstört werden können.

Darstellung im Pneumatikplan **Darstellung im Stromlaufplan**

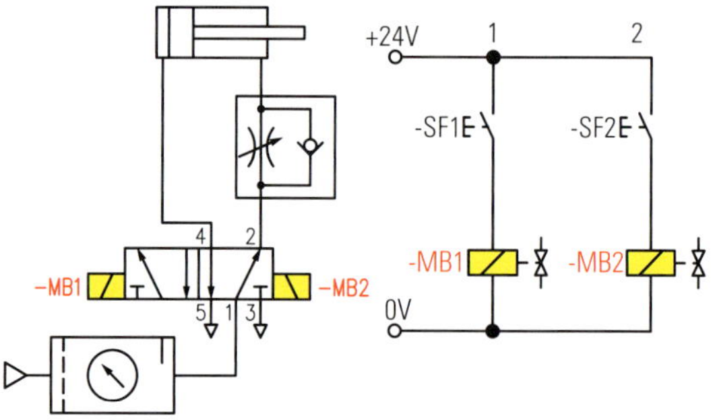

1 *Elektrisch betätigtes Wegeventil mit den Magnetspulen -MB1 und -MB2*

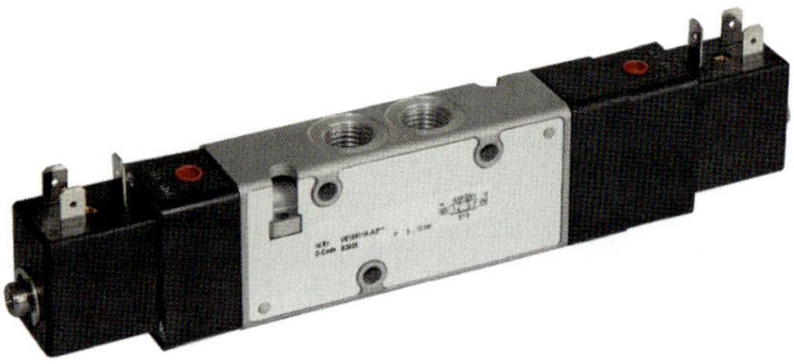

2 *Wegeventil mit beidseitiger magnetischer Betätigung*

3.3.2.1 Elektrische Kontaktsteuerung, Relaissteuerung

Zur Signalverarbeitung der Steuerungen können elektrische Kontakte *(electric contacts)* von Signalgebern oder Relais verwendet werden. In diesem Fall handelt es sich um elektrische Kontaktsteuerungen mit Relais, kurz: **Relaissteuerungen** *(relay controls)*.

Die Signalgeber, die elektrische Signale liefern, werden in verschiedenen Ausführungsformen angeboten. Zu unterscheiden sind mechanische und elektronische Signalgeber (vgl. Seite 149 und Bild 3).

Mechanische Signalgeber *(mechanical signal transmitters)* haben einen oder mehrere elektrische Kontakte, die als Schließer, Öffner oder Wechsler ausgelegt sein können (Seite 161 Bild 1 und Lernfeld 4 Kap. 2 „Elektrotechnik").

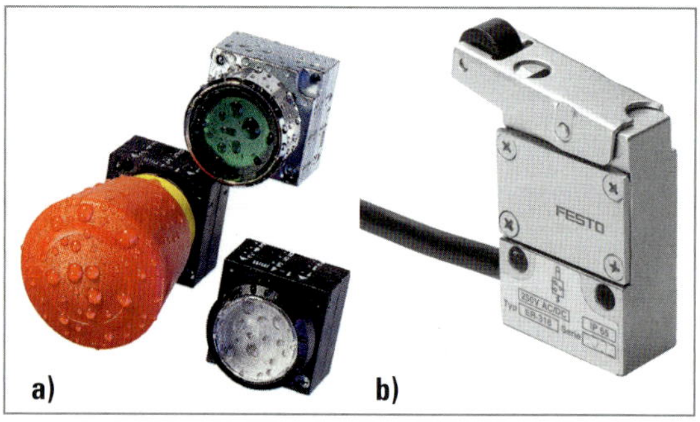

3 *Mechanische Signalgeber* ***a)*** *Drucktaster* ***b)*** *Rollentaster*

Ausführlichere Informationen zur Elektrotechnik finden Sie im Lernfeld 4: „Warten technischer Systeme" im Kapitel 2 „Elektrotechnik".

Signalgeber	Schaltzeichen	Funktion
Schließer *(normally open contact)*	13 / 14	Schließer schließen den Stromkreis bei Betätigung. Kontaktbezeichnungen 3 und 4 (1. Bauteilkontakt[1])
Öffner *(normally closed contact)*	41 / 42	Öffner öffnen bzw. unterbrechen den Stromkreis bei Betätigung. Kontaktbezeichnungen 1 und 2 (4. Bauteilkontakt[1])
Wechsler *(changeover contact)*	32 / 34 / 31	Wechsler wechseln zwischen zwei Strompfaden, indem sie einen Strompfad öffnen und den anderen schließen. Kontaktbezeichnungen 1, 2 und 4 (3. Bauteilkontakt[1])

1 *Kontakte elektrischer Schalter*

Schütz

Betätigungsarten

Elektrische Signalgeber *(electric signal transmitters)* können auf unterschiedliche Art betätigt werden. Die Symbole der gebräuchlichsten Kontakte mit ihren Betätigungsarten sind im Bild 2 dargestellt.

Rückstellung bei Abbruch der Betätigung	Beispiele für Schalter mit Betätigung
allgemein, Hand	Wechsler, betätigt mit Rolle
durch Drücken	Öffner, handbetätigt durch Drücken (Rastschalter)
durch Elektromagnet	Öffner, betätigter Zustand (in Ruhestellung geschlossen)
Rolle	Schließer, betätigter Zustand (in Ruhestellung offen)
Raste, Einrasten bei Betätigung, Ausrasten bei erneuter Betätigung	

2 *Symbole elektrischer Signalgeber und ihrer Betätigungsart*

Taster oder **Tastschalter** *(push-buttons)* stellen sich nach dem Abbruch der Betätigung wieder zurück.
Stellschalter *(electronic power controller)* haben eine Raste und verbleiben in der Schaltstellung, bis sie erneut betätigt werden.
Elektronische Signalgeber *(electronic signal transmitters)* sind zum Beispiel **Näherungssensoren** *(proximity sensors)*, die berührungslos durch Annähern eines Gegenstandes betätigt werden.

Relais

Relais (Bilder 3) sind Geräte, die Kontakte elektrisch schalten. Bei Schaltströmen über ca. 10 Ampère werden sie **Schütz** genannt. Sie bestehen im Wesentlichen aus einer Magnetspule und einigen mechanisch gekoppelten Schaltkontakten. Wenn an die Relaisspule (Kontakte A1 und A2) eine Spannung angelegt wird, werden auf Grund der magnetischen Wirkung über einen Anker elektrische Kontakte betätigt.

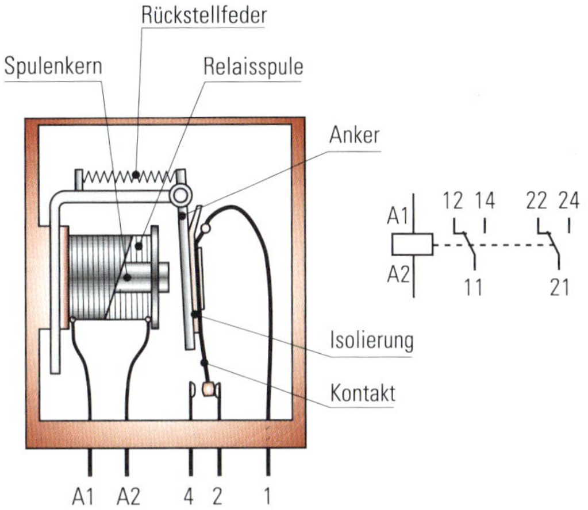

3 *Relais/Schütz*

Zeitrelais haben ein zusätzliches elektronisches System, mit dem man Signale verzögern kann, sodass ein Relaiskontakt erst nach Ablauf einer eingestellten Zeit öffnet oder schließt.

Beispiel eines Schaltsymbols *(graphic symbol)* **eines Zeitrelais**:

Relais mit Ansprechverzögerung | Schließer, schließt verzögert bei Betätigung von -KF1 | Öffner, öffnet verzögert bei Betätigung von -KF1

Stromlaufplan

Schaltpläne *(circuit diagrams)* sind notwendige Unterlagen, um Steuerungen herzustellen, in Betrieb zu nehmen, zu warten, Fehler zu suchen, Reparaturen auszuführen oder den notwendigen Service vorzunehmen. Um eine einheitliche Darstellung von Schaltplänen zu ermöglichen, gelten allgemeine Regeln für das Erstellen von Schaltplänen. Damit ist eine Grundlage für den technischen Informationsaustausch gegeben.

AH GK S. 91

1) Signalgeber können mehrere Kontakte haben.

Regeln zum Stromlaufplan *(flow diagram)* am Beispiel der Schaltung in Bild 1.

- Im Stromlaufplan verläuft der **Signalfluss von oben nach unten**.
- Die obere waagerechte Leiterbahn ist mit dem Pluspol einer Spannungsquelle verbunden, die untere mit dem Minuspol.
- Die Stromwege sind geradlinig und im Verlauf parallel zu zeichnen und von links nach rechts fortlaufend zu nummerieren.
- Schaltzeichen und Schaltelemente sind senkrecht darzustellen.
- Die verwendeten Betriebsmittel werden in einem Symbol[1] dargestellt und mit einem Buchstaben[2] gekennzeichnet. Wichtige elektrische Schaltsymbole finden Sie in Gerätebeschreibungen und im Tabellenbuch.
- Für Elemente eines Gerätes, z. B. Relais, sind die gleichen Gerätebezeichnungen vorzusehen.
- Hauptstromkreis und Steuerstromkreis werden getrennt angeordnet.

Video Relais-Anwendung

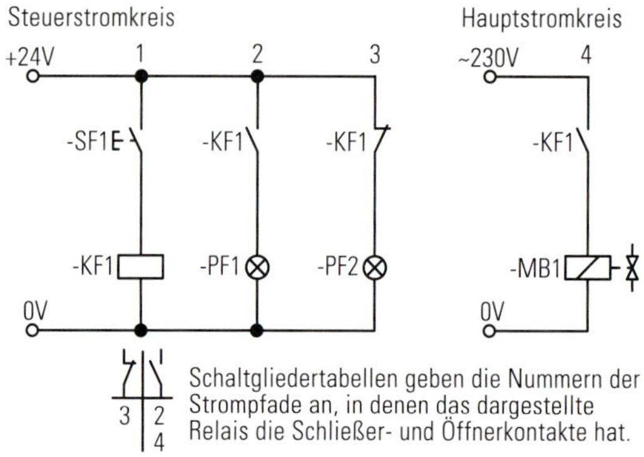

1 *Stromlaufplan*

Logische Verknüpfungen elektrischer Steuerungen

Wie logische Grundfunktionen *(basic logic functions)* (vergl. Kap 3.1.6) in der Kontaktsteuerung *(contact control)* realisiert werden, zeigt die Tabelle Bild 2 an Schaltungsbeispielen *(examples of circuits)*.

Logische Funktion	Schaltungsbeispiel	Bemerkungen
UND-Funktion *(AND-function)* 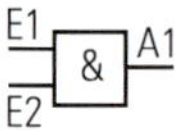	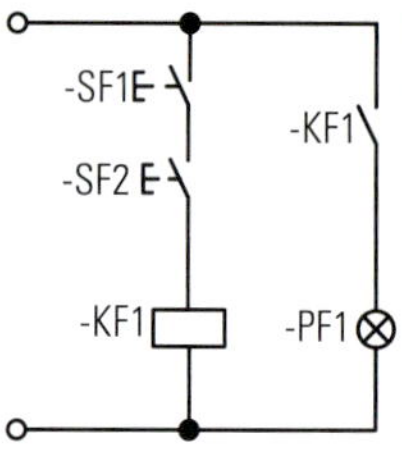	Reihenschaltung von Signalgebern
ODER-Funktion *(OR-function)* 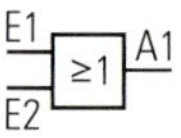	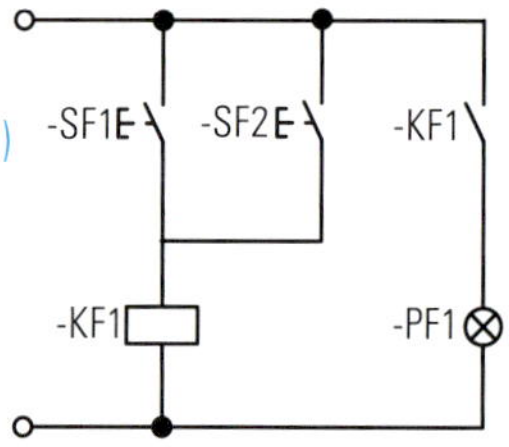	Parallelschaltung von Signalgebern
NICHT-Funktion *(NOT-function)* 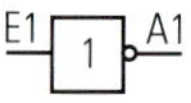	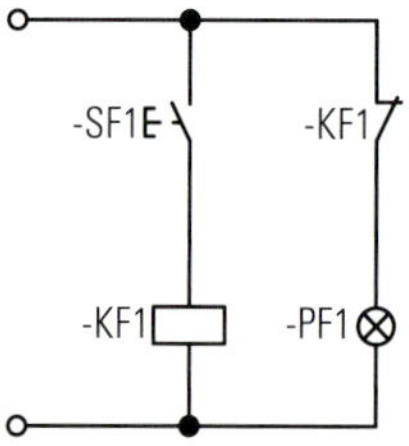	Das eingegebene Signal wird umgekehrt

2 *Logische Grundverknüpfungen*

AH GK S. 82

Beispiel: Torsteuerung *(gate control)*:

Zwei Hallen innerhalb eines Gebäudekomplexes sind durch ein Falttor *(folding gate)* miteinander verbunden (Bilder 3 und 4). Die Torflügel werden von pneumatisch betriebenen Zylindern *(cylinders)* auf- und zugeschoben. Auf jeder Hallenseite des To-

3 *Hallentor*

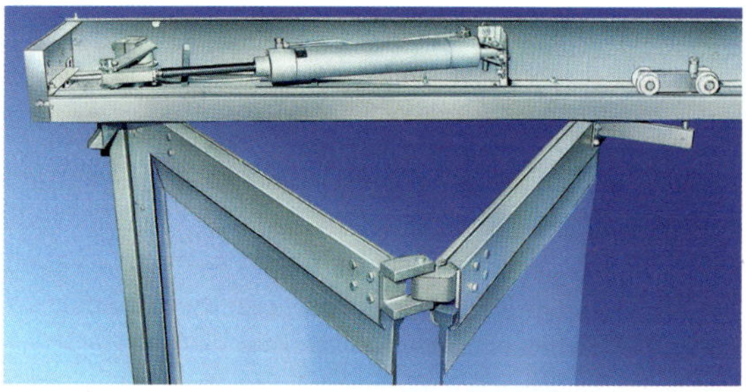

4 *Einrichtung zum Öffnen und Schließen des Hallentors*

1) Symbole der Elektrotechnik sind in DIN EN 60617 genormt.
2) Die Kennzeichnung elektrischer Betriebsmittel ist in DIN EN 81346 genormt.

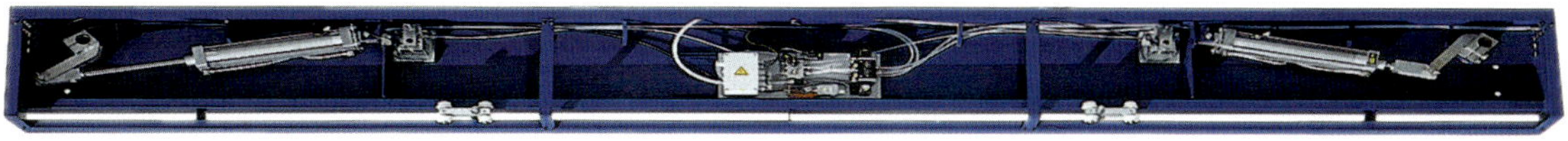

1 Pneumatische Antriebseinheit der Torsteuerung

res befinden sich zwei elektrische Signalgeber, einer zum Öffnen und einer zum Schließen. Die Planung erfolgt nach dem im Kap. 3.2.4 dargestellten Konzept.

- **Festlegen des pneumatischen Antriebes** *(pneumatic drive)* (Bild 1).
  Schaltgliedertabellen geben die Nummern der Strompfade an, in denen sich Schließer- und Öffnerkontakte der dargestellten Relais befinden.
- **Analysieren der Signalverknüpfungen** *(combination of signals)*

Zuordnungstabelle:

Gerät	Signal	Beschreibung
Handtaster Halle A: Öffnen	E1	E1 = 1: Signalgeber wird betätigt
Handtaster Halle B: Öffnen	E2	E2 = 1: Signalgeber wird betätigt
Handtaster Halle A: Schließen	E3	E3 = 1: Signalgeber wird betätigt
Handtaster Halle B: Schließen	E4	E4 = 1: Signalgeber wird betätigt
Wegeventil	A1	A1 = 1: Tor wird geöffnet
Wegeventil	A2	A2 = 1: Tor wird geschlossen

Herausarbeiten der Grundfunktionen:
Das Tor soll sich dann öffnen, wenn ein Signalgeber „Öffnen" der Halle A oder Halle B betätigt wird. Es soll sich schließen, wenn ein Signalgeber „Schließen" der Halle A oder Halle B betätigt wird.

Funktionsplan *(logic diagram)* **erstellen:**

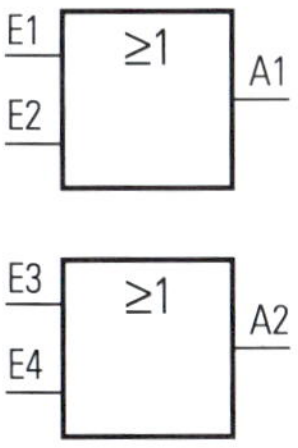

- **Entwicklung der Steuerung Geräteliste erstellen:**

-AZ1	Wartungseinheit *(maintenance unit)*
-RN1	Drosselventil *(throttle valve)*
-RN2	Drosselventil
-QM1	5/2-Wegeventil *(directional valve)* mit beidseitiger elektrischer Betätigung
-MM1	Doppelt wirkender Zylinder mit einstellbarer Endlagendämpfung
-MM2	Doppelt wirkender Zylinder mit einstellbarer Endlagendämpfung
-SF1	Handtaster *(manual push-button)* Halle A: Öffnen (Schließer)
-SF2	Handtaster Halle B: Öffnen (Schließer)
-SF3	Handtaster Halle A: Schließen (Schließer)
-SF4	Handtaster Halle B: Schließen (Schließer)
-KF1	Relais
-KF2	Relais

Erstellen des Pneumatikplans:
(pneumatic circuit diagram)

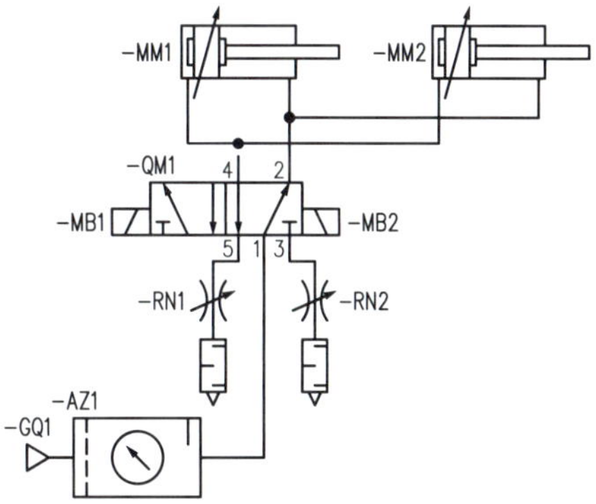

Video Torsteuerung

Erstellen des Stromlaufplanes:
Variante 1: Stromlaufplan 1 mit **direkter** Steuerung des Ventils

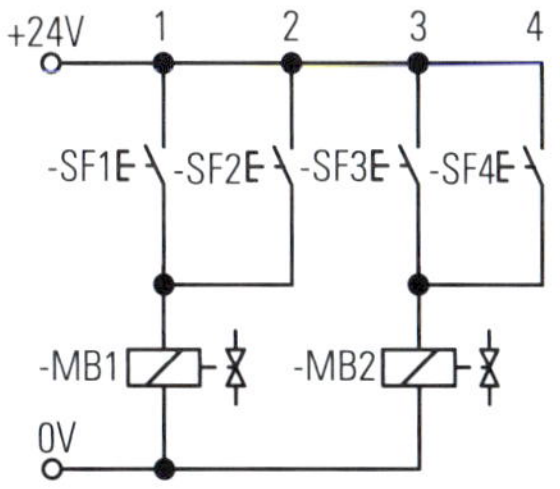

Variante 2: Stromlaufplan 2 mit **indirekter** Steuerung des Ventils

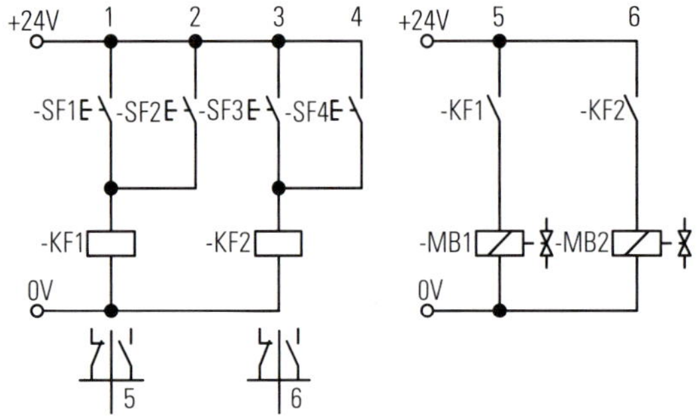

Wird für die Ansteuerung der Wegeventile eine hohe Spannung eingesetzt, so kann mithilfe eines Relais der Steuerstromkreis mit niedriger Leistung und ungefährlicher Spannung vom Hauptstromkreis höherer Leistung und Spannung getrennt werden. Die Schaltung ist eine **indirekte Steuerung**.

Überlegen Sie

In den folgenden Plänen ist eine Torsteuerung abgebildet, die weitere Funktionen erfüllt. Was wurde verändert?

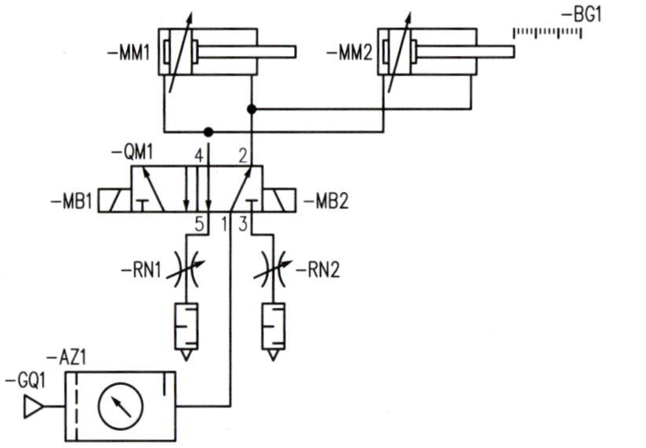

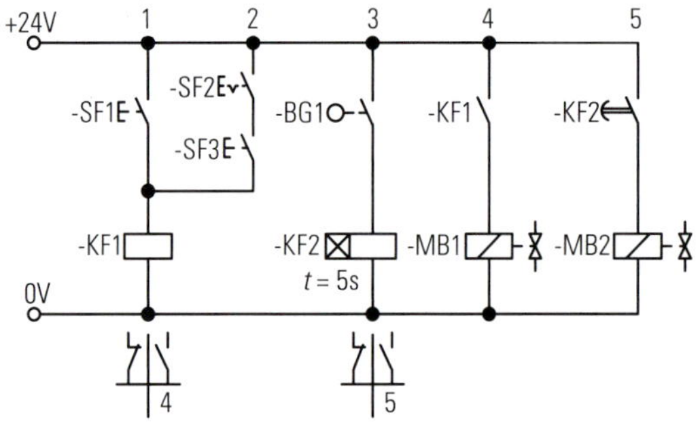

Video Torsteuerung verändert

Video Presse Übung 6

ÜBUNGEN

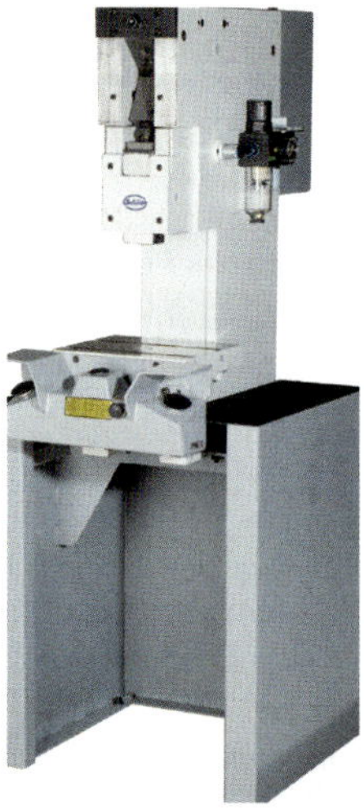

Analyse einer elektropneumatischen Kontaktsteuerung

Die folgenden Bilder zeigen Foto und Pläne einer pneumatischen Presse, deren Aufbau und Funktion festgestellt werden soll.

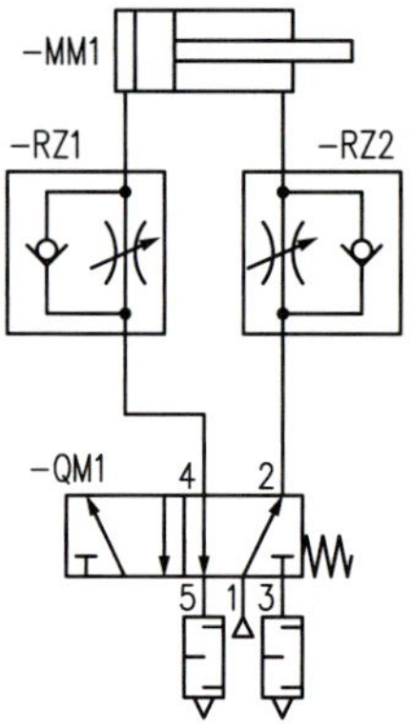

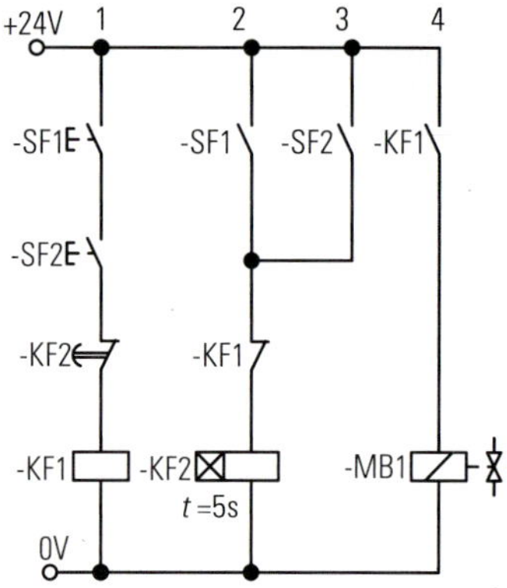

1. Erstellen Sie eine Geräteliste der eingesetzten Betriebsmittel.
2. Machen Sie grundsätzliche Angaben zur Geschwindigkeit des Pressenstempels.
3. Erstellen Sie die Schaltgliedertabellen für die Relais -KF1 und -KF2.
4. In welchem Strompfad und zwischen welchen Signalgebern liegen eine UND-, eine ODER- und eine NICHT-Verknüpfung vor?
5. Welcher Teil der Steuerung gehört zum Hauptstromkreis?
6. Wie reagiert die Steuerung
   a) wenn beide Signalgeber innerhalb von 4 s betätigt werden?
   b) wenn nur -SF1 oder -SF2 betätigt wird?
   c) wenn -SF1 sechs Sekunden später als -SF2 betätigt wird?
   d) wenn im ausgefahrenen Zustand des Kolbens nur ein Signalgeber betätigt wird?
   e) Warum wird eine Steuerung dieser Art von der Berufsgenossenschaft vorgeschrieben?

ISO-RUNDZYLINDER

RM/8000/M Doppeltwirkend, ISO 6432 – Ø 10 ... 25 mm

- » Standard mit Magnetkolben
- » Abmessungen entsprechend ISO 6432
- » Extrem festes, doppelt gecrimptes Enddeckeldesign
- » Mit Endlagenpuffer oder einstellbarer Endlagendämpfung (Ø 16 bis 25 mm)

Technische Daten

Betriebsmedium:
Gefilterte, geölte oder ungeölte Druckluft

Wirkungsweise:
Doppeltwirkend, Magnetkolben, mit Endlagenpuffer

Betriebsdruck:
1 ... 10 bar

Gerätetemperatur:
-10 °C ... +80 °C max.
Bei Temperaturen unter +2 °C bitte Luftbeschaffenheit beachten

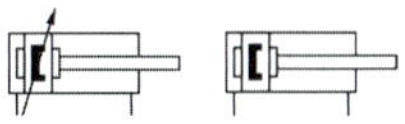

Abmessungen

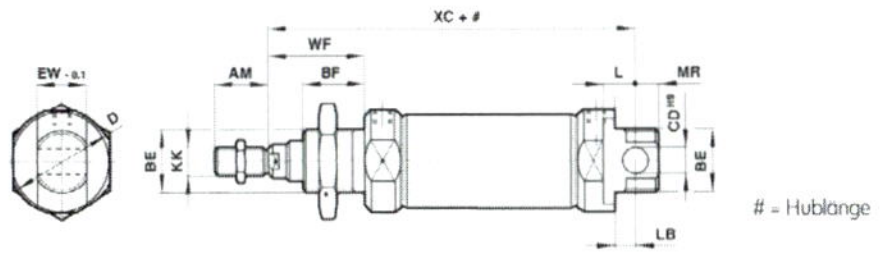

Ø	AM	BE	BF	$Ø_{CDH9}$	ØD	EW_{d13}	KK	L	LB	MR	WF	XC
10	12	M12x1,25	12	4	16,5	7,9	M4	6	2	8	16	64
12	16	M16x1,5	17	6	21	11,9	M6	9	3	8	22	75
16	16	M16x1,5	17	6	21	11,9	M6	9	4	7	22	82
20	20	M22x1,5	20	8	30	15,9	M8	12	3	11	24	95
25	22	M22x1,5	22	8	30	15,9	M10x1,25	12	7	9	28	104

Standard

Zubehör

Typ	Ø	Hublänge	Anschluss	Kolbenstange Ø	Magnetschalter (Reed) mit 5m Anschlusskabel	Befestigung für Schalter ≥15 Hublänge	Drosselrückschlagventil	Gerade Einschraub-verschraubung	Drehbare Winkelver-schraubung
RM/8010/M/10	10	10	M5	4	M/50/LSU/5V	–	COK510405	C02250405	C02470405
RM/8010/M/25	10	25	M5	4	M/50/LSU/5V	QM/33/010/22	COK510405	C02250405	C02470405
RM/8010/M/40	10	40	M5	4	M/50/LSU/5V	QM/33/010/22	COK510405	C02250405	C02470405
RM/8010/M/50	10	50	M5	4	M/50/LSU/5V	QM/33/010/22	COK510405	C02250405	C02470405
RM/8010/M/80	10	80	M5	4	M/50/LSU/5V	QM/33/010/22	COK510405	C02250405	C02470405
RM/8010/M/100	10	100	M5	4	M/50/LSU/5V	QM/33/010/22	COK510405	C02250405	C02470405
RM/8012/M/10	12	10	M5	6	M/50/LSU/5V	–	COK510405	C02250405	C02470405
RM/8012/M/25	12	25	M5	6	M/50/LSU/5V	QM/33/12/22	COK510405	C02250405	C02470405
RM/8012/M/40	12	40	M5	6	M/50/LSU/5V	QM/33/12/22	COK510405	C02250405	C02470405
RM/8012/M/50	12	50	M5	6	M/50/LSU/5V	QM/33/12/22	COK510405	C02250405	C02470405
RM/8012/M/80	12	80	M5	6	M/50/LSU/5V	QM/33/12/22	COK510405	C02250405	C02470405
RM/8012/M/100	12	100	M5	6	M/50/LSU/5V	QM/33/12/22	COK510405	C02250405	C02470405
RM/8016/M/10	16	10	M5	6	M/50/LSU/5V	–	COK510405	C02250405	C02470405
RM/8016/M/25	16	25	M5	6	M/50/LSU/5V	QM/33/016/22	COK510405	C02250405	C02470405
RM/8016/M/40	16	40	M5	6	M/50/LSU/5V	QM/33/016/22	COK510405	C02250405	C02470405
RM/8016/M/50	16	50	M5	6	M/50/LSU/5V	QM/33/016/22	COK510405	C02250405	C02470405
RM/8016/M/80	16	80	M5	6	M/50/LSU/5V	QM/33/016/22	COK510405	C02250405	C02470405
RM/8016/M/100	16	100	M5	6	M/50/LSU/5V	QM/33/016/22	COK510405	C02250405	C02470405
RM/8016/M/125	16	125	M5	6	M/50/LSU/5V	QM/33/016/22	COK510405	C02250405	C02470405
RM/8016/M/160	16	160	M5	6	M/50/LSU/5V	QM/33/016/22	COK510405	C02250405	C02470405
RM/8016/M/200	16	200	M5	6	M/50/LSU/5V	QM/33/016/22	COK510405	C02250405	C02470405
RM/8020/M/10	20	10	G1/8	8	M/50/LSU/5V	–	COK510618	C02250618	C02470618
RM/8020/M/25	20	25	G1/8	8	M/50/LSU/5V	QM/33/020/22	COK510618	C02250618	C02470618
RM/8020/M/40	20	40	G1/8	8	M/50/LSU/5V	QM/33/020/22	COK510618	C02250618	C02470618
RM/8020/M/50	20	50	G1/8	8	M/50/LSU/5V	QM/33/020/22	COK510618	C02250618	C02470618
RM/8020/M/80	20	80	G1/8	8	M/50/LSU/5V	QM/33/020/22	COK510618	C02250618	C02470618
RM/8020/M/100	20	100	G1/8	8	M/50/LSU/5V	QM/33/020/22	COK510618	C02250618	C02470618
RM/8020/M/125	20	125	G1/8	8	M/50/LSU/5V	QM/33/020/22	COK510618	C02250618	C02470618
RM/8020/M/160	20	160	G1/8	8	M/50/LSU/5V	QM/33/020/22	COK510618	C02250618	C02470618
M/200/M/200	20	200	G1/8	8	M/50/LSU/5V	QM/33/020/22	COK510618	C02250618	C02470618
RM/8020/M/250	20	250	G1/8	8	M/50/LSU/5V	QM/33/020/22	COK510618	C02250618	C02470618
RM/8025/M/10	25	10	G1/8	10	M/50/LSU/5V	–	COK510618	C02250618	C02470618
RM/8025/M/25	25	25	G1/8	10	M/50/LSU/5V	QM/33/025/22	COK510618	C02250618	C02470618
RM/8025/M/40	25	40	G1/8	10	M/50/LSU/5V	QM/33/025/22	COK510618	C02250618	C02470618
RM/8025/M/50	25	50	G1/8	10	M/50/LSU/5V	QM/33/025/22	COK510618	C02250618	C02470618
RM/8025/M/80	25	80	G1/8	10	M/50/LSU/5V	QM/33/025/22	COK510618	C02250618	C02470618
RM/8025/M/100	25	100	G1/8	10	M/50/LSU/5V	QM/33/025/22	COK510618	C02250618	C02470618
RM/8025/M/125	25	125	G1/8	10	M/50/LSU/5V	QM/33/025/22	COK510618	C02250618	C02470618
RM/8025/M/160	25	160	G1/8	10	M/50/LSU/5V	QM/33/025/22	COK510618	C02250618	C02470618
RM/8025/M/200	25	200	G1/8	10	M/50/LSU/5V	QM/33/025/22	COK510618	C02250618	C02470618
RM/8025/M/250	25	250	G1/8	10	M/50/LSU/5V	QM/33/025/22	COK510618	C02250618	C02470618

Für Sonderhübe bis 500 mm oder weitere Varianten, kontaktieren Sie bitte unseren technischen Service.
Für diese Zylinderserie sind keine Verschleißteilsätze erhältlich.
Alternative Magnetschalter verfügbar, bitte kontaktieren Sie unseren technischen Service.
Alternative Verschraubungen und Verbindungen siehe Abschnitt 6.

Planung einer elektropneumatischen Kontaktsteuerung
Für eine Ofentür soll eine elektropneumatische Kontaktsteuerung entworfen werden.

AH GK S. 92

Die Tür soll von zwei Stellen aus geöffnet und geschlossen werden. Folglich erhalten beide Bedientafeln je zwei Signalgeber. Eine Signallampe meldet, dass die Tür geöffnet ist. Sie erlischt erst, wenn sie geschlossen worden ist.

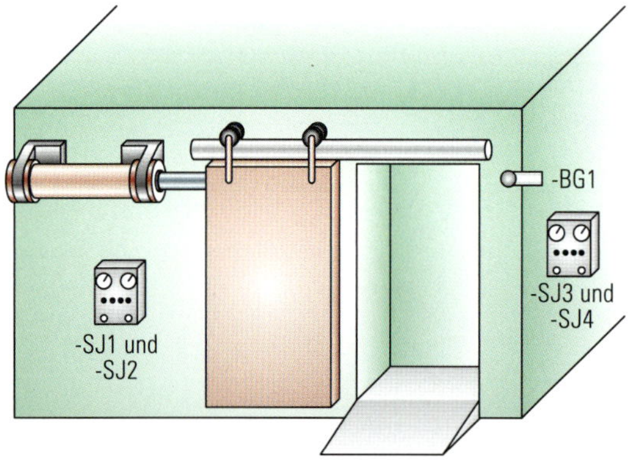

1. **Festlegen des Antriebsteils**
   Der Antrieb soll die Ofentür schnell auf- und zuschieben können. Es muss mit einer Schubkraft von maximal 150 N zum Öffnen und Schließen gerechnet werden. Der Hub soll 400 mm betragen. Zur Auswahl stehen die Zylinder der abgebildeten Katalogseite auf Seite 165.
   a) Berechnen Sie den erforderlichen Zylinder.
   b) Wählen Sie eine geeignete Geschwindigkeitssteuerung.
2. **Analyse der Signalverknüpfungen**
   a) Erstellen Sie eine Zuordnungsliste.
   b) Arbeiten Sie die logischen Grundfunktionen heraus und erstellen Sie Funktionsplan und Funktionstabelle.
3. **Entwickeln der Steuerung**
   a) Erstellen Sie eine Geräteliste.
   b) Erstellen Sie den Pneumatikplan.
   c) Erstellen Sie den Stromlaufplan.
   d) Kontrollieren Sie ihre Steuerung mit einem Simulationsprogramm.

3.3.2.2 Speicherprogrammierte Steuerung (SPS)

Mit einer SPS *(stored programme control)* (vgl. Kap. 3.1.3) können umfangreiche Abläufe gesteuert und Signalgeber *(signal transmitters)* mit analogen und digitalen Signalen (vgl. Kap 3.1.5) erfasst und verarbeitet werden. Verzögerungen sind einfach zu programmieren und Signale können gezählt werden. In der Regel sind diese Geräte vernetzungsfähig, d. h., sie können über eine **Datenleitung** *(data line)* mit anderen Maschinen verbunden werden oder sind in einem Informationsnetzwerk *(information network)* eingebunden, sodass ein Zugriff von außen möglich ist. Die meisten Geräte sind modular erweiterungsfähig und können der Steueraufgabe angepasst werden. Es entfallen zum Beispiel Relais zur Signalspeicherung und Zeitsteuerung (Kap. 3.3.2), Zweidruckventile *(double pressure valves)* (Kap. 3.2.2.3) und Wechselventile *(shuttle valves)* (Kap. 3.2.2.3) und aufwendige Verdrahtungen oder Verschlauchungen. Allein durch Ändern eines Programms kann eine neue Steuerfunktion übertragen werden. Diese beschriebenen Gründe und ihr sinkender Preis macht die Technologie so attraktiv, dass die speicherprogrammierte Steuerung heute in fast allen modernen Maschinen zu finden ist.

Anschluss *(connection)*
SPS- für kleine Anlagen (Bild 1) und große Anlagen (Bild 2) sind prinzipiell gleich angeschlossen. Der Anschluss einer SPS beschränkt sich auf das Verdrahten *(wiring)* der Eingänge *(INPUTS)* und der Ausgänge *(OUTPUTS)*, dem Anlegen einer Versorgungsspannung *(supply voltage)* und gegebenenfalls dem Aufstecken einer Datenleitung *(data line)*.
Bild 1 auf Seite 167 zeigt den Anschlussplan für das Beispiel Torsteuerung von Seite 162 ff.

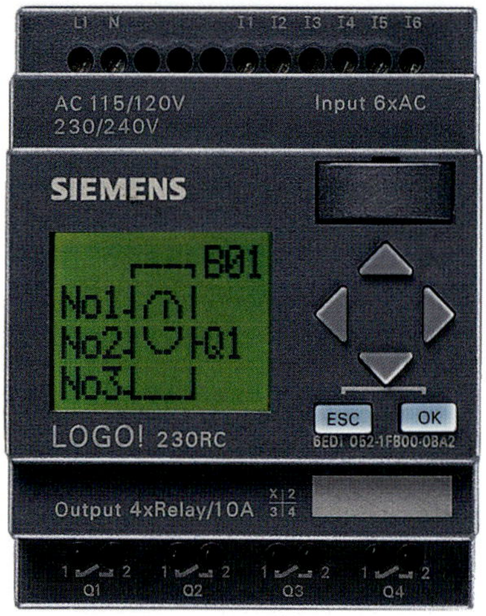

1 SPS für eine kleine Anlage

2 SPS für eine große Anlage

Programmierung

Für die **Eingabe des Steuerprogramms**, der Programmierung *(programming)*, dient ein PC (Personalcomputer), ein Handprogrammiergerät oder die Programmeingabe erfolgt direkt an der SPS (Seite 166 Bild 1). Das Programm legt die Steuerfunktionen fest, die sich aus den **logischen Grundfunktionen** *(basic logic functions)* (Kap 3.1.6) zusammensetzen. Programmiersoftware und Steuergeräte sind für mehrere Programmiersprachen vorbereitet, aus denen der Anwender wählen kann. Durch **Simulation** *(simulation)* werden die erstellten Programme vor dem Einsatz kontrolliert.
Programme können in graphischen Sprachen, in Textsprachen und in einer Kombination aus beiden geschrieben werden.

Funktionsbausteinsprache (FBS)

Die in der Fertigungstechnik gebräuchlichste graphische Programmiersprache *(programming language)* ist die Funktionsbausteinsprache. Grundlage der Programmierung sind **Funktionspläne** (FUP[1]) *(operational diagrams)*. Symbole der logischen Grundfunktionen werden zu kleinen Gruppen, den Funktionsbausteinen, zusammengesetzt und beschreiben im Verbund mit weiteren Funktionsbausteinen die gesamte Steuerfunktion.
Im Beispiel der Torsteuerung von Seite 162 kann der entwickelte Funktionsplan in zwei Funktionsbausteine geteilt werden:

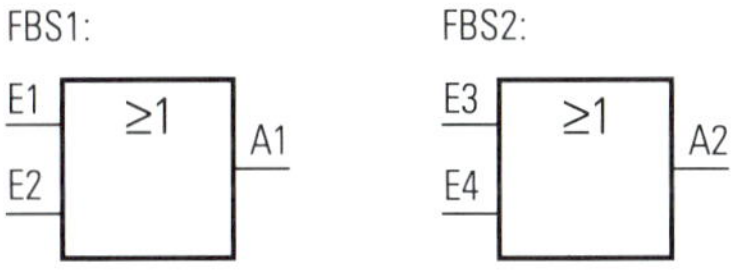

Anweisungsliste

Eine gebräuchliche Textsprache ist die Programmierung einer Anweisungsliste (**AWL**) *(instruction set)*. Durch Angabe der Operationen und der Operanden werden zeilenweise Anweisungen geschrieben. Die AWL für die Torsteuerung sieht wie folgt aus:

```
L  E1    Laden des Eingangs E1
O  E2    ODER-Verknüpfung mit Eingang E2
=  A1    Zuweisung des Ausgangs A1

L  E3    Laden des Eingangs E3
O  E4    ODER-Verknüpfung mit Eingang E4
=  A2    Zuweisung des Ausgangs A2

PE       Programm Ende
```

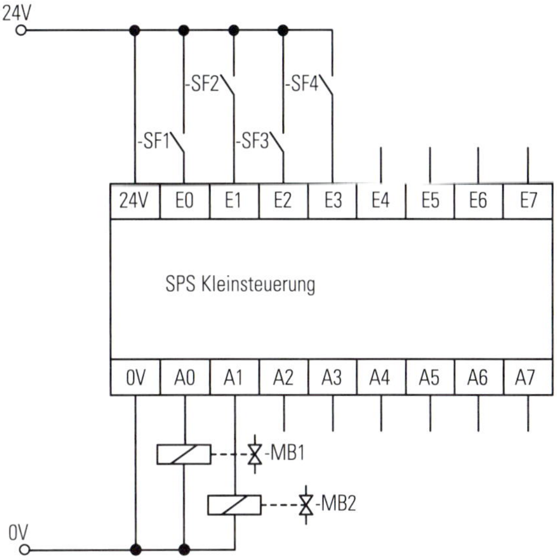

1 *Anschlussplan einer SPS zur Torsteuerung von Seite 162*

Video Torsteuerung SPS

3.4 Hydraulik

AH GK S. 94

In hydraulischen Systemen *(hydraulic systems)* wird Hydraulikflüssigkeit durch Rohre *(pipes)* und Schläuche *(tubes)* in einem geschlossenen Kreislauf aus einem Tank *(tank)* zu Antrieben *(drives)* und wieder zurück in den Tank gepumpt. Die Hydraulikflüssigkeit besitzt eine hohe Druckstabilität. Sie kann zähflüssig sein und ihre Umweltschädlichkeit erfordert besondere Maßnahmen. Hydraulische Antriebe werden mit hohem Druck (p = 40 bis 250 bar) beaufschlagt und erzeugen bei kleinen Baugrößen hohe Kräfte. Weiterhin können sie Positionen auch unter Last genau anfahren. Die Kolbengeschwindigkeiten sind allerdings geringer als die der pneumatischen Antriebe.
In hydraulischen und pneumatischen Systemen *(pneumatic systems)* gibt es viele Übereinstimmungen. So sind die verwendeten Symbole[2] im Hydraulikplan *(hydraulic circuit diagram)* nahezu identisch mit denen in der Pneumatik (vgl. Kap. 3.2.3). Der Schaltplanaufbau gliedert sich ebenfalls von unten nach oben in einen

- Versorgungsteil
- Steuerteil und
- Antriebsteil

Deutliche Unterscheidungsmerkmale zur Pneumatik sind die Rücklaufleitung in den Tank und eine Versorgungseinheit, die sich wesentlich von der der Pneumatik unterscheidet.
Die folgende hydraulische Steuerung *(hydraulic control)* (Seite 168 Bild1) zeigt den grundlegenden Aufbau und die Funktion einer hydraulischen Steuerung.

1) Der Funktionsplan wird in Kapitel 3.1.6 „Planung einer Steuerung" behandelt.
2) Symbole für Pneumatik- und Hydraulikpläne sind in ISO 1219-1 genormt. Sie finden Sie in Ihrem Tabellenbuch.

Video Hydraulische Steuerung

Versorgungsteil

-MA1 Antriebsmotor *(drive motor)*
-GP1 Hydropumpe *(hydraulic pump)*
-PG1 Manometer *(manometer)*
-HQ1 Rücklauffilter *(return flow filter)*
-PG2 Manometer / Verschmutzungsanzeige
-QN1 Druckbegrenzungsventil
-RM1 Rückschlagventil *(check valve)*
-QN2 Druckbegrenzungsventil

Steuerteil

-QM1 4/3-Wegeventil, Umlauf-Mittelstellung

Antriebsteil

-MM1 doppelt wirkender Zylinder

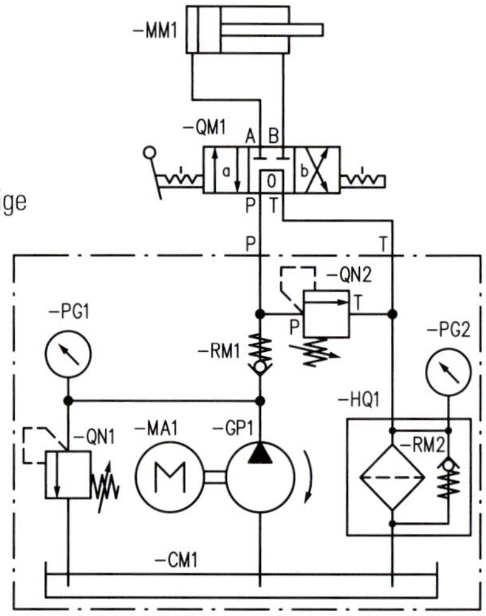

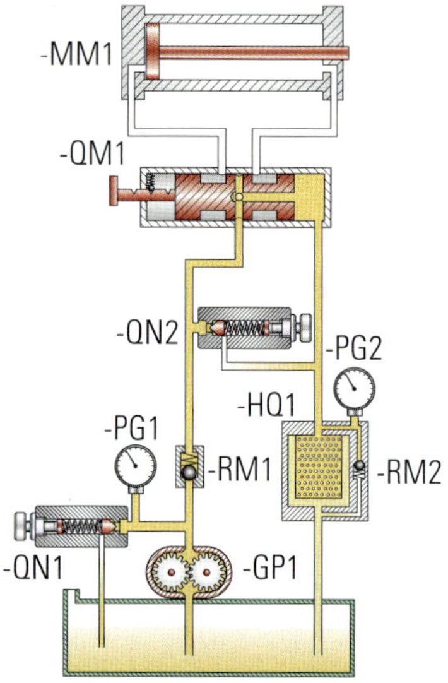

1 Hydraulische Steuerung

Pumpe/ Motor	Stellung des Wegeventils -QM1	Funktionsbeschreibung
EIN	**b** 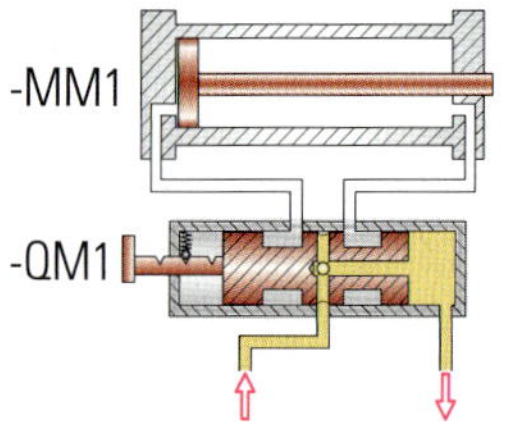	Angetrieben vom Motor -MA fördert die Pumpe -GP1 Hydraulikflüssigkeit in die Leitung. Die Druckflüssigkeit hebt den Ventilkörper des Rückschlagventils -RM1 an und strömt durch das Wegeventil -QM1 in die Rücklaufleitung. Im weiteren Lauf strömt sie durch den Filter -HQ1 in den Tank zurück. Der Widerstand durch die beteiligten Baugruppen ist gering, sodass Elektromotor und Pumpe kaum belastet werden.
EIN	**a** 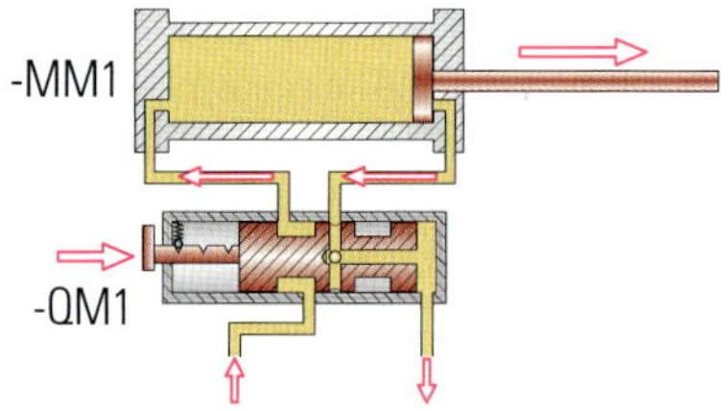	Die Pumpe drückt die Flüssigkeit in die linke Zylinderkammer, der Kolben fährt aus und erreicht die vordere Endlage. Die verdrängte Flüssigkeit aus der rechten Zylinderhälfte strömt während dieser Bewegung durch das Wegeventil -QM1 und den Filter -HQ1 in den Tank zurück. Da die Pumpe kontinuierlich fördert, steigt der Druck in der Endlage des Kolbens an. Erst wenn das Druckbegrenzungsventil -QN2 mit Erreichen des eingestellten Druckes öffnet, wird der Druckanstieg gestoppt. Die Flüssigkeit strömt durch das Druckbegrenzungsventil in den Tank. Wird das Wegeventil -QM1 in die Stellung 0 zurückgeschaltet, bevor der Kolben seine Endlage erreicht hat, so verharrt er in der augenblicklichen Position. In den Arbeitsleitungen des Zylinders herrscht dann der aktuelle Druck.
EIN	**c** 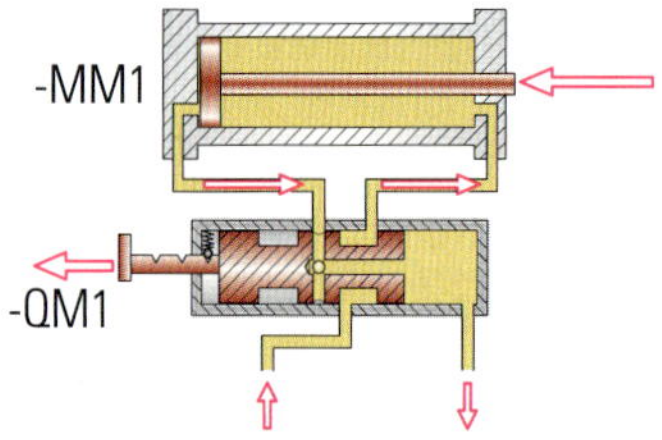	Die Pumpe drückt die Flüssigkeit in die rechte Zylinderkammer, der Kolben fährt zurück in die hintere Endlage. Die verdrängte Flüssigkeit aus der linken Zylinderhälfte strömt durch Ventil -QM1 und Filter -HQ1 in den Tank zurück. Auch hier würde der Kolben bei vorzeitigem Schalten zurück in Stellung 0 nicht in die hintere Endlage fahren, sondern in der augenblicklichen Position verharren.
AUS	**b, c**	Im ausgeschalteten Zustand verhindert das Rückschlagventil -RM1, dass Flüssigkeit durch die Pumpe in den Tank zurückläuft.

Das Druckbegrenzungsventil -QN1 befindet sich an der Pumpeneinheit und erfüllt im beschriebenen Normalbetrieb eine Sicherheitsfunktion. Es schützt die Pumpe, indem es sich beim Überschreiten des maximal zulässigen Pumpendruckes öffnet und unzulässige Druckspitzen abbaut. Diese Bedingung kann dann vorliegen, wenn das Druckbegrenzungsventil -QN2 zu hoch eingestellt worden ist, beschädigt ist oder in einer neu aufgebauten Anlage nicht angeschlossen wurde.

3.4.1 Hydraulische Versorgungseinheit

Die hydraulische Versorgungseinheit *(hydraulic supply unit)* (Bild 1) besteht aus einem Behälter, auf dem Motor, Pumpe, Ölfilter *(oil filter)* und Luftfilter *(air filter)* befestigt sind.

Behälter

Der Behälter *(drum)* (Bild 2), auch Tank genannt, speichert die Hydraulikflüssigkeit. Für die zurückströmende Flüssigkeit dient er als Absetzbecken und Abkühlbehälter. Ein Absetzblech baut die schnellen Bewegungen der zurückströmenden Flüssigkeit ab und fördert das Entweichen von Gasen und die Rückbildung eventuell vorhandenen Schaums. Eine Belüftungsöffnung mit Luftfilter stellt den Druckausgleich bei sich änderndem Flüssigkeitsspiegel her und sorgt für atmosphärischen Druck p_{amb} im Behälter. An einer Füllstandsanzeige kann die vorhandene Flüssigkeitsmenge abgelesen werden und ein Thermometer gibt die Öltemperatur an.

Das Förderprinzip der Pumpen

Alle Hydraulikpumpen *(hydraulic pumps)* arbeiten nach dem gleichen Prinzip: Das in der Saugleitung aufsteigende Öl wird in kleinen Kammern verschlossen und zur Druckseite gedrängt. Dort öffnen sich die Kammern und geben das Öl in die Förderleitung frei (Seite 170 Bild 1).

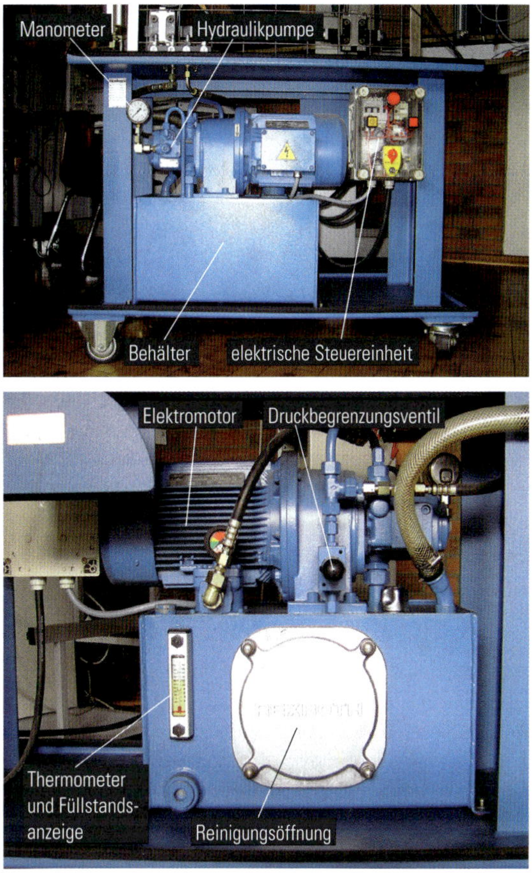

1 *Hydraulische Versorgungseinheit*

Der atmosphärische Druck p_{amb} (Bild 3) der Luft ist verantwortlich für das Aufsteigen der Flüssigkeit in die Saugleitung. Er drückt das Öl durch die Saugleitung hoch zur Pumpe. Bei zu großen Fördermengen der Pumpe fließt zu wenig Flüssigkeit nach, sodass sich Gasbläschen bilden können, die in der Pumpe zu Druckschlägen führen und diese beschädigen.

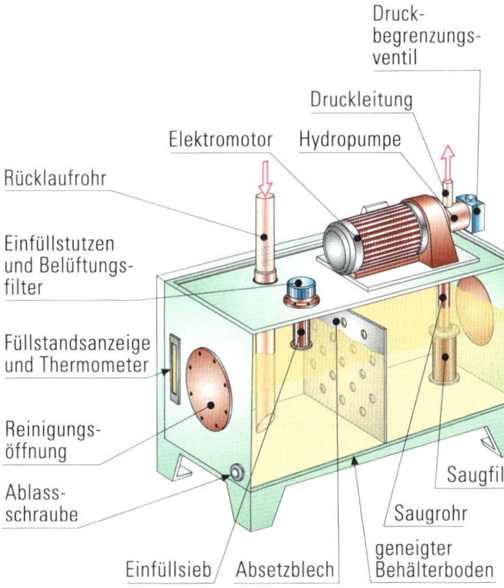

2 *Behälter*

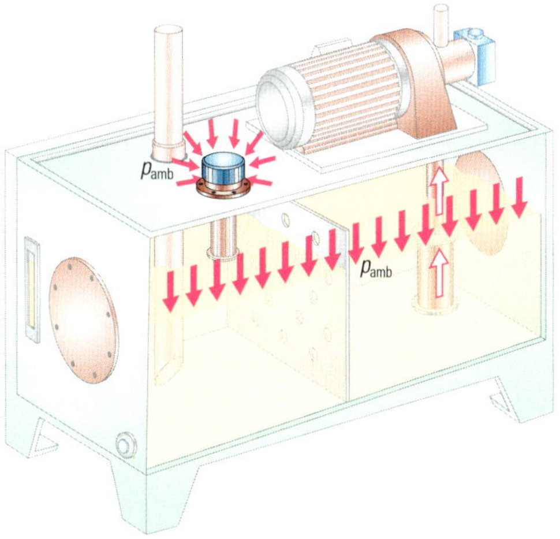

3 *Wirkung des atmospärischen Drucks*

Video Hydraulik-Aggregat

Außenverzahnte Zahnradpumpe
Außenverzahnte Zahnradpumpen *(external gear pumps)* bestehen aus zwei Zahnrädern, die in einem Gehäuse zwischen zwei Deckeln eingeschlossen sind. Gehäuse, Deckel und Zahnräder übernehmen die Funktion des Abdichtens. Der Antriebsmotor treibt über eine elastische Kupplung ein Zahnrad an.
Auf der Saugseite öffnen sich durch die Drehbewegung Zahnkammern. Der atmosphärische Druck füllt sie mit Flüssigkeit. Die Zahnräder drängen die Flüssigkeit zur Druckseite und geben sie dort frei. Beim Ineinandergreifen der Zahnräder verschließen sich die Zahnkammern. Zahnradpumpen liefern einen pulsierenden Volumenstrom. Sie erzeugen Drücke bis ca. 250 bar.

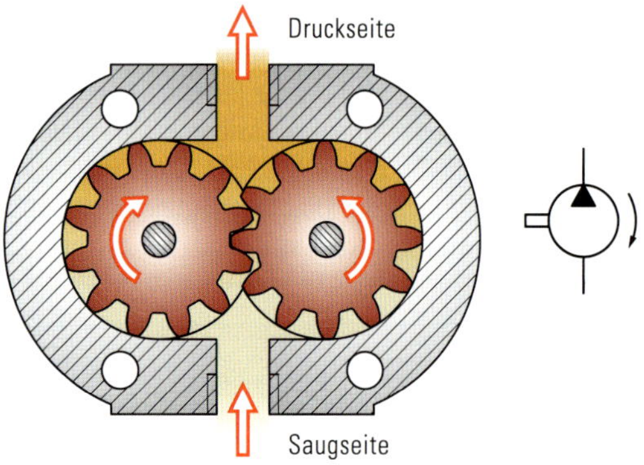

1 *Außenverzahnte Zahnradpumpe*

Druckbegrenzungsventil
Druckbegrenzungsventile *(pressure limiting valves)* erfüllen in einem hydraulischen System zwei Aufgaben. Eingestellt auf den maximalen Betriebsdruck begrenzen sie die Belastung des Gesamtsystems und die Höhe der Kolbenkraft. Fällt das Ventil jedoch aus oder ist es falsch eingestellt, so kann der Druck in einem System so stark ansteigen, dass die Pumpe zerstört wird. Als Überlastungsschutz ist deshalb ein weiteres Druckbegrenzungsventil montiert (Seite 168 Bild1).
Funktionsbeschreibung (Bild 2): Erreicht der Flüssigkeitsdruck den Öffnungsdruck p_e, so wird der Kegel gegen die Federkraft abgehoben und der Weg zur Tankleitung (T) wird frei. Der überschüssige Volumenstrom fließt ab und der Druck steigt nicht weiter an. Die einstellbare Vorspannung der Feder bestimmt die Höhe des Öffnungsdruckes.

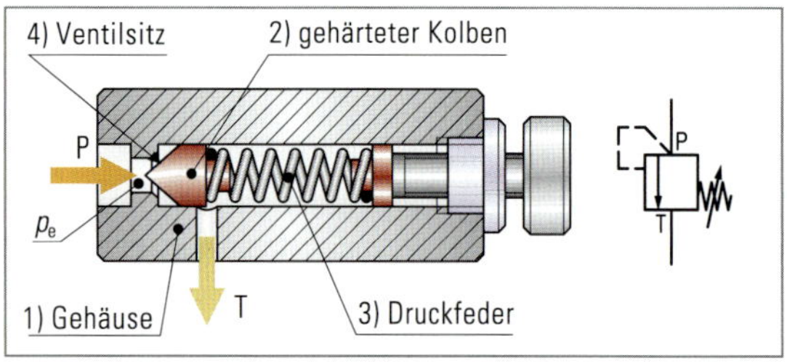

2 *Funktionsprinzip des Druckbegrenzungsventils*

3.4.2 Hydraulikflüssigkeit

Hydraulikflüssigkeiten *(hydraulic fluids)* sind die Energieträger hydraulischer Anlagen. Obwohl es heißt, dass Flüssigkeiten nicht komprimierbar sind, verringert sich ihr Volumen pro 100 bar um ca. 1 %. In langen Rohrleitungen mit geringem Querschnitt wirkt die Flüssigkeit deshalb bei hohem Druck wie eine Druckfeder. Dieser Effekt wird verstärkt, wenn elastische Schlauchleitungen statt Rohrleitungen verwendet werden.
Neben der Fähigkeit der Energieübertragung *(energy transmission)* sollen Hydraulikflüssigkeiten die Bauteile schmieren *(lubricate)*. Hydraulikflüssigkeiten sollen alterungsbeständig *(non-ageing)* sein und eine möglichst konstante Viskosität *(viscosity)* (Zähflüssigkeit) besitzen.
Die Viskosität einer Hydraulikflüssigkeit fällt mit steigender Temperatur. Deshalb beziehen sich die Viskositätsangaben auf eine Bezugs-Öltemperatur von 40 °C. Bei einem Temperaturanstieg von 100 °C steigt das Volumen um 0,65 %. In einem abgeschlossenen System bewirkt dies einen Druckanstieg von 100 bar. Dies kann dazu führen, dass auch in einem ruhenden hydraulischen System der Druck durch äußere Erwärmung über den maximalen Grenzwert ansteigt und z. B. Leckagen und Beschädigungen verursacht.
Über den Belüftungsfilter kann feuchte Außenluft in den Tank gelangen. Das Hydrauliköl kann Feuchtigkeit und Gase aufnehmen. Es entstehen bei steigender Temperatur kleine Dampf- und Gasblasen. Diese werden mit dem erwärmten Öl durch die Rücklaufleitung in den Tank zurückgeführt. Dort können sie entgasen. Ein hoher Wasseranteil im Öl kann zur Schaumbildung führen. Sobald Schaum in die Pumpe gelangt, gerät Luft (auch Dampf) in die hydraulischen Leitungen. Das kann dazu führen, dass sich die Position des Kolbens unter Last verändert.

Rückschlagventil
Rückschlagventile *(check valves)* sperren den Durchfluss in einer Richtung. Das Bild 3 zeigt ein Rückschlagventil mit Feder. In Durchflussrichtung hebt der Flüssigkeitsdruck den gehärteten Kolben (2) aus dem Sitz (4), sodass der Volumenstrom freigegeben wird. In Gegenrichtung drücken Feder und Flüssigkeitsdruck den Kolben auf den Sitz und sperren den Durchfluss.

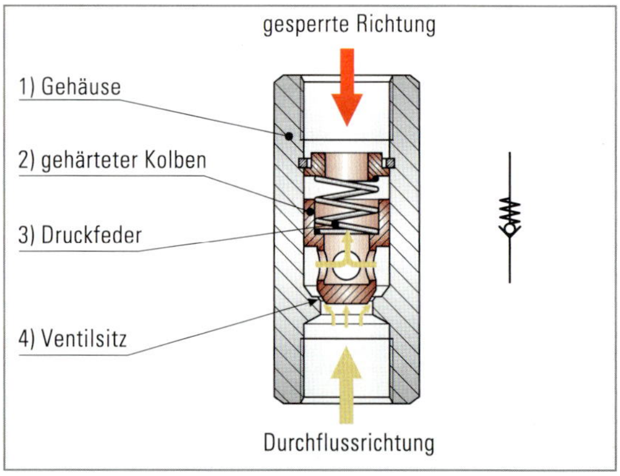

3 *Rückschlagventil*

Hydraulikfilter *(hydraulic filters)*
Festpartikel im Hydrauliköl verursachen Verschleiß und führen zu Störungen. Filter fangen sie ab und erhöhen so die Betriebssicherheit der Anlage. Mit der Feinheit des Filters steigt der Anteil der gefilterten Partikel. Die Filterfeinheit wird in µm gemessen und gibt die Partikelgröße an, die der Filtereinsatz zurückhält.
Filter können an drei Stellen des Hydraulikkreislaufes (Bild 1) vorgesehen werden.

Rücklauffilter a) *(return flow filters)* sind in der Rücklaufleitung, meist am Behälter montiert.

Druckfilter b) *(pressure filters)* befinden sich zwischen Pumpe und Wegeventil. Sie haben eine hohe Filterfeinheit und schützen nachfolgende Ventile.

Saugfilter c) *(suction filters)* befinden sich vor der Pumpe. Sie sind grobmaschig und schützen nur die Pumpe vor großen Fremdkörpern. Sie sind in hydraulischen Systemen selten zu finden, da sie die Flüssigkeit hindern, zur Pumpe aufzusteigen.

Bei hohem Verschmutzungsgrad des Filters und zu großem Volumenstrom öffnet ein Bypassventil (Rückschlagventil mit Feder) und lässt die Hydraulikflüssigkeit ungefiltert in den Tank strömen (Bild 2).
Jeder Filter erzeugt einen hydraulischen Widerstand, der von der Filterfeinheit abhängt und der mit zunehmendem Verschmutzungsgrad steigt. Eine Anzeige zeigt den Verschmutzungsgrad auf der Basis des Druckabfalls am Filter an (Bild 3).

ÜBUNGEN

1. Nennen Sie die Haupt- und Nebenfunktionen von Hydraulikflüssigkeiten.
2. Im Schaltungsbeispiel von Seite 168 Bild 1 wurden zwei Rückschlagventile mit Feder verwendet. Unterscheiden Sie deren Aufgaben.
3. An welchen Stellen eines hydraulischen Kreislaufs können Filter montiert werden?
4. Im Schaltungsbeispiel von Seite 168 Bild 1 sind zwei Druckbegrenzungsventile verwendet worden. Unterscheiden Sie deren Aufgaben.

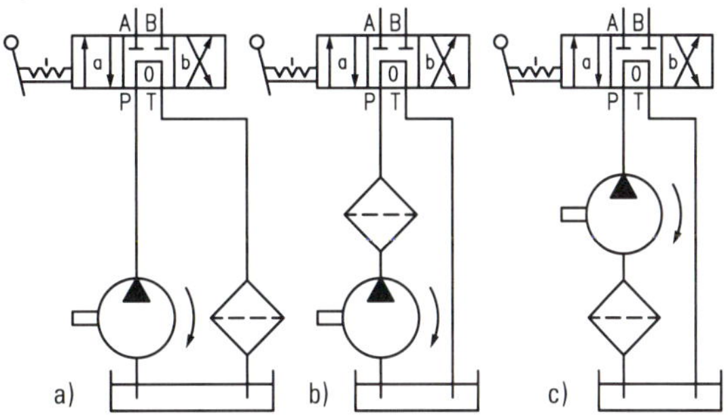

1 *Filter im Hydraulikkreislauf*

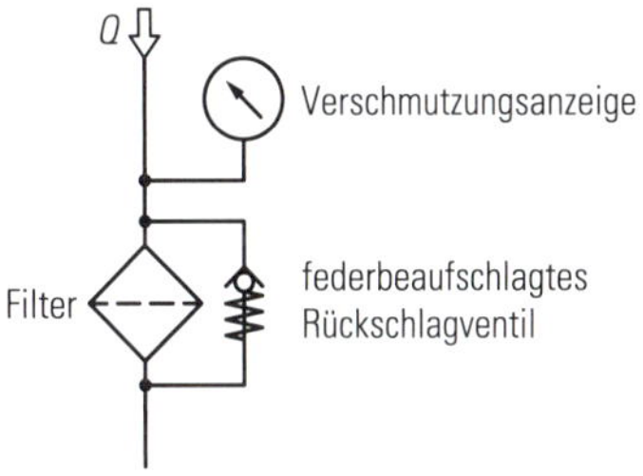

2 *Nebenstromschaltung eines Filters*

3 *Verschmutzungsanzeige*

3.5 Page in a Catalogue

On the next page you can see a page from an original online catalogue of pneumatic parts. Have a look at page 165 and work out the following assignments.

Assignments:

1. What is the German term for 'roundline cylinder'?
2. What is the minimum and maximum diameter of a standard model?
3. Translate the word 'double acting'.
4. These translations of the text on the right side are mixed. Find the correct order.
   a) Die Möglichkeit drei Endlagenpuffer auszuwählen, sowie andere technische Varianten, ermöglichen einen umfangreichen Einsatz dieser Standardprodukte.
   b) Ideale Anwendung für geringen bis mittleren Druck.
   c) Das Gerät ist nicht korrosionsanfällig, somit werden die Kosten für arbeitsaufwendigen und umweltbelastenden Korrosionsschutz gesenkt.
   d) ‚Z' Dichtungen mit geringer Reibung ermöglichen sowohl hohe, als auch niedrige Geschwindigkeit und eine außerordentliche lange Standzeit.
5. Have a look at the Technical Data:
   a) What kind of medium is used?
   b) Describe the operation.
   c) What operating pressures and ambient temperatures are possible?
   d) What could happen to roundline cylinders, if the temperature falls below +2 °C?
6. Have a look at the technical drawing of the unit and find out the complete lengths for the smallest as well as the largest diameter.
7. The six sentences below are translations of the texts below 'PRODUCT LINKS' and 'PRODUCT PLUS', but the range is mixed. Find the correct order for both texts:
   a) Durch Einbau einer Ausgleichskupplung (AK Ausführung) zwischen Kolbenstange und Maschine werden solche Fehler vermieden.
   b) Weitere Informationen zur Serie V60 finden Sie im Abschnitt „Ventile" auf der Seite 79.
   c) Versatzprobleme und Querkräfte während des Betriebs sind der häufigste Grund für kostspielige Ausfallzeiten.
   d) Bei komplexeren Anforderungen wenden Sie sich bitte an unseren technischen Service.
   e) Dies ist deutlich günstiger als ein Komplettausfall des Systems!
   f) Trotz der unterschiedlichen Zylinderdurchmesser und Hublängen ist dank verbesserter Ventiltechnik für den Betrieb des gesamten Antriebssortiments lediglich ein Ventil mit 1/8" Anschluss erforderlich.
8. Sketch a mind-map like the one below and complete the important technical data.

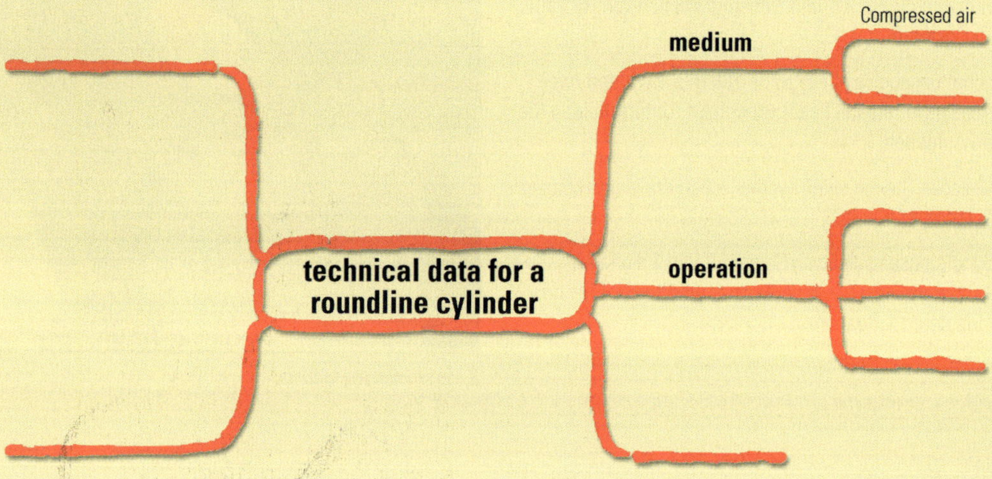

ISO ROUNDLINE CYLINDERS

RM/8000/M Double acting, ISO 6432 – Ø 10 ... 25 mm

- Perfect for small to medium force applications
- Low friction 'Z' seals offer both high and low speed working and extremely long life
- Unit is fully non corrodible reducing the need for costly protection in more aggressive environments
- Choice of three end cap styles, and other technical variants, allows a wider use of standard products

Technical Data

Medium:
Compressed air, filtered, lubricated or non-lubricated

Operation:
Double acting, magnetic piston with buffer cushioning

Operating pressure:
1 ... 10 bar

Ambient temperature:
-10°C ... +80°C max.
Air supply must be dry enough to avoid ice formation at temperatures below +2°C

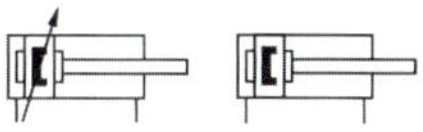

Dimensions

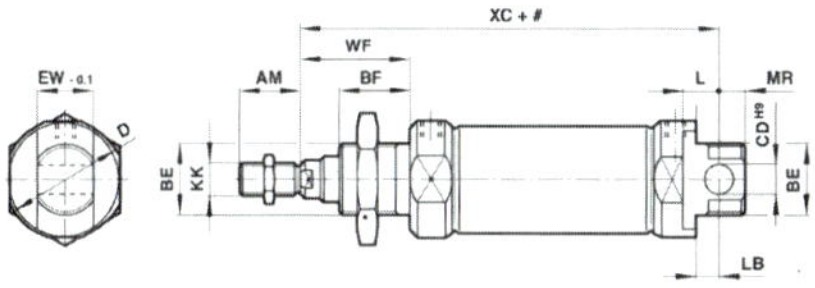

= Stroke

Dia. Ø	AM	BE	BF	Ø CD_{H9}	ØD	$EW_{-0.1}$	KK	L	LB	MR	WF	XC
10	12	M12x1,25	12	4	16,5	7,9	M4	6	2	8	16	64
12	16	M16x1,5	17	6	21	11,9	M6	9	3	8	22	75
16	16	M16x1,5	17	6	21	11,9	M6	9	4	7	22	82
20	20	M22x1,5	20	8	30	15,9	M8	12	3	11	24	95
25	22	M22x1,5	22	8	30	15,9	M10x1,25	12	7	9	28	104

PRODUCT LINKS

Valves...

Despite their different bore sizes and stroke length, improvements in valve technology mean that only a 1/8" ported valve is required to operate this entire range of actuators. Look to our V60 series on page 79 for more information for the simplest solution, or speak to your Express team if you have more complex requirements

PRODUCT PLUS

AK Mount...

Misalignment during operation is the most common cause of actuator failure which can result in expensive down time. Fitting a swivel mount (AK style) between the piston rod and machine will ensure that any error is removed and costs much less than a breakdown!

NORGREN

For further information, visit **www.norgren.com** and use the new improved search function. If you cannot see the option you require please contact us.

3.6 Work With Words

In future you you may have to talk, listen or read technical English. Very often it will happen that you either **do not understand** a word or **do not know the translation**.

In this case here is some help for you!

Below you will find a few possibilities to describe or explain a word you don't know or use synonyms[1)] or opposites[2)].
Write the results into your exercise book.

1. Add as many examples to the following terms as possible.

valves:	double pressure valve shuttle valve	*basic logic functions:*	AND function OR function

2. Explain the two terms in the box:
Use the words below to form correct sentences. Be careful the range is mixed!

pneumatics:	and is usually very powerful/ something which is operated by compressed air/Pneumatics is used to describe	*current:*	circuit/flow of electricity/ It is a/through a wire or

3. Find the opposites[2)]:

binary signal:	
single acting cylinder:	
normally open contact:	
INPUTS:	

4. Find synonyms[1)]:
You can find one or two synonyms to each term in the box below.

automaton:	
signal:	

sign/robot/machine/indication

pipe:	
energy:	

tube/power/channel/force

5. In each group there is a word which is the **odd man**[3)]. Which one is it?

a) electric, pneumatic, throttle, hydraulic
b) electric motor, machining centre, compressor, cooling apparatus, filter, air vessel
c) logical symbols, hoses, logic diagram, function tables
d) electric motor, programming, programming language, operational diagrams

6. Please translate the information below. Use your English-German Vocabulary List if necessary.

Drive is the power supplied by an engine to particular parts in a machine to make it move.

---

1) synonyme: Synonym, ähnliches Wort, Ergänzung
2) opposite: Gegenteil
3) odd man: Außenseiter, überzähliges Wort, fünftes Rad am Wagen

Lernfeld 4: Warten technischer Systeme

Nichts hält ewig. Irgendwann treten Störungen auf, die im besten Fall Ihre Tätigkeit lediglich behindern und im schlimmsten Fall zum Ausfall und Stillstand eines ganzen Betriebes führen können. Die Folgen sind auf jeden Fall mit Kosten, häufig mit Lieferverzögerungen und Ärger mit den Kunden verbunden.
Jeder Betrieb wird daher im Rahmen seines Qualitätsmanagements **Instandhaltungsmaßnahmen** *(maintenance tasks)* vorsehen, die solche Ereignisse nach Möglichkeit verhindern oder so rasch wie möglich wieder beseitigen.
Es liegt zunächst in Ihrer Verantwortung, dass die Betriebsmittel, also Werkzeuge, Anlagen usw., mit denen Sie selbst arbeiten, durch fachgerechte Wartung einsatzbereit sind und bleiben. Sollten sie trotz aller vorbeugenden Maßnahmen schadhaft oder sogar unbrauchbar sein, müssen sie unverzüglich **instand gesetzt** werden. Diese Verantwortung beginnt damit, dass Sie sorgfältig und achtsam mit den Geräten umgehen, die Ihnen anvertraut wurden.
Zum anderen wird die Instandhaltung einen breiten Raum in Ihrem zukünftigen Beruf einnehmen. Sie sind dann evtl. für die Einsatzfähigkeit ganzer Anlagen und Betriebsteile verantwortlich. Zu Ihren Aufgaben gehören regelmäßige Kontrollen (Inspektionen), Wartungstätigkeiten aufgrund vorgegebener Wartungspläne und erforderliche Reparaturmaßnahmen. Wartungs- und Instandsetzungsmaßnahmen werden zukünftig vermehrt von der Maschinen-Software vorgegeben, die den Zustand der Anlage kontinuierlich erfasst und auswertet (condition monitoring). Instandhaltungsmaßnahmen müssen Sie trotzdem weiterhin manuell ausführen. Gewartet werden müssen dabei z. B. Werkzeuge, Maschinen, steuerungstechnische und versorgungstechnische Anlagen.

Nahezu jede Maschine, Anlage usw., die Sie zu warten haben, benötigt zu ihrem Betrieb **elektrische Energie** *(electrical energy)*.
Unweigerlich werden Sie im Rahmen Ihrer Wartungstätigkeiten mit elektrischen Betriebsmitteln und Anlagenteilen in Berührung kommen. Entweder dienen sie der elektrischen Energieversorgung oder der Signalverarbeitung in steuerungstechnischen Anlagen. Für Sie ist in diesem Zusammenhang besonders wichtig, dass Sie wissen und abschätzen können, welche **Gefahren** *(dangers)* von diesen Anlagenteilen ausgehen und wann Sie eine Elektrofachkraft hinzuziehen müssen.

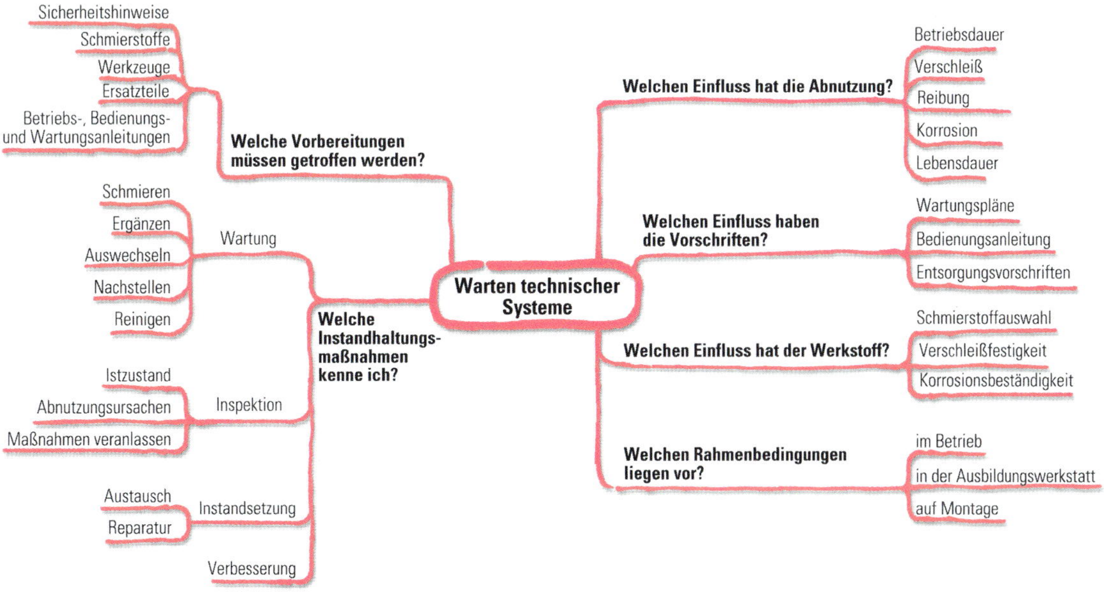

1 Instandhaltung

1.1 Grundlagen der Instandhaltung

1.1.1 Bedeutung der Instandhaltung im Wandel der Zeit

Entwicklung der Instandhaltung

	1. Generation	2. Generation	3. Generation	4. Generation	5. Generation
Zeit	bis ca. 1960	ca. 1960 ... 1980	ca. 1980 ... 2000	ca. 2000 ... 2015	seit ca. 2015
Instandhaltungsart	ungeplante Instandhaltung	geplante Instandhaltung	erweiterte geplante Instandhaltung	vorausschauende Instandhaltung	erweiterte vorausschauende Instandhaltung
Instandhaltungstechniken	Reinigen, Schmieren, Instandsetzen	Erste Systeme der Instandhaltungsplanung und -steuerung	Zustandsüberwachung, Analyse der Ausfallursachen	Risikostudien, instandhaltungsorientierte Konstruktion	Sammeln großer Prozessdatenmengen (BIG Data)
Gründe für die Entwicklungsstufen	Einfache Maschinen	Höherer Güterbedarf, komplexere Maschinen	Steigende Kosten durch häufigere Ausfälle der Anlagen	Steigende Instandhaltungs- und Ausfallkosten	Datenauswertung und Wartungsplanvorgaben durch KI, (Künstliche Intelligenz) hohe Personalkosten

AH GK S. 95–96

Der Begriff **Instandhalten** *(maintenance)* bedeutet „etwas in gutem Zustand erhalten". Dieser Gedanke ist so alt wie die menschliche Arbeit selbst. Seitdem der Mensch Werkzeuge einsetzt, ist er auch bestrebt, diese in einem funktionsfähigen Zustand zu erhalten. Anfangs war die Instandhaltung nur als „Feuerwehrstrategie" zu verstehen, d. h., erst wenn etwas nicht mehr funktionierte, wurde es instand gesetzt (repariert).

Aus heutiger Sicht wird die Entwicklung der Instandhaltung in vier Generationen eingeteilt (siehe obige Übersicht).

Die erste Generation dauerte bis ca. 1960. Außer routinemäßigen Reinigungs- und Schmierarbeiten wurden keine weiteren Maßnahmen durchgeführt, die Maschinenausfälle verhindert hätten. **Vorbeugende Instandhaltungsmaßnahmen** *(preventive maintenance)* waren bis dahin nicht notwendig, weil die Maschinen einfach und überdimensioniert gebaut waren.

Erst die zunehmende Mechanisierung und die Komplexität der Maschinen forderten neue **Instandhaltungsstrategien** *(maintenance strategies)*. Die zweite Generation (1960 bis 1980) kennzeichnet den Zeitraum, in dem die geplante Instandhaltung an Bedeutung gewann.

Weitere zahlreiche Instandhaltungstechniken sind das Ergebnis der dritten Generation (1980 bis 2000). Dazu gehören beispielsweise auch die Analyse der **Ausfallursachen** *(causes of failure)* und die automatische **Zustandsüberwachung** *(condition monitoring)* von Anlagen.

Die heutige vierte Generation basiert auf einem umfassenden vorausschauenden Instandhaltungskonzept. Dazu gehört einerseits, dass die Instandhaltungstechniken der ersten bis zur vierten Generation miteinander verknüpft werden, andererseits, dass alle Bereiche eines Unternehmens[1] in das Instandhaltungswesen eingebunden sind. Beispielsweise beeinflusst das **Qualitätsmanagement**[2] *(quality management)* eines Unternehmens wesentlich den Bereich der Instandhaltung.

Ein weiterer Unternehmensbereich, der großen Einfluss auf das Instandhaltungswesen hat, ist die Konstruktion von komplexen Maschinen und Geräten.

Merke

Je bedeutsamer das Qualitätsmanagement in einem Betrieb, desto bedeutsamer ist der Instandhaltungsbereich.
Der Instandhaltungsaufwand wird verringert, wenn bei der Konstruktion eines technischen Systems auf eine instandhaltungsarme Konstruktion geachtet wird. Aufgrund der zur Verfügung stehenden Datenmengen ist es auch möglich, Systeme der „künstlichen Intelligenz" (KI) zur Verringerung von Stillstandzeiten einzusetzen.

Überlegen Sie

1. Was wird in der 1. Generation unter „ungeplanter Instandhaltung" verstanden?
2. Nennen Sie Gründe für die verschiedenen Entwicklungsstufen der Instandhaltungstechnik.
3. Nennen Sie wenigstens drei Instandhaltungstechniken.
4. Wie wichtig ist in Ihrem Betrieb die Instandhaltung?

1) Siehe Teil I, Kapitel 1.2 2) Siehe Teil I, Kapitel 1.5.2 3) Siehe Teil II Lernfeld 3. Kap. 1

1.1.2 Arbeitssicherheit im Instandhaltungswesen

Bei Arbeiten an und mit technischen Systemen ist es zwingend erforderlich, die **Arbeitssicherheit**[1)] *(occupational safety)* zu beachten. Hier gilt immer der Grundsatz:

Merke
Lernen Sie aus den Erfahrungen anderer! Beachten Sie die Unfallverhütungsvorschriften!

Die Fachkräfte sind bei ihren beruflichen Tätigkeiten oft gefährlichen Situationen ausgesetzt. Bild 1 ordnet die Anzahl tödlicher Arbeitsunfälle verschiedenen betrieblichen Bereichen zu.
Dem linken Teil der Grafik ist zu entnehmen, dass 25 % aller tödlichen Unfälle im Bereich der Instandhaltung geschehen. Im rechten Teil der Grafik werden die Unfälle im Bereich der **Instandhaltung** weiter untergliedert.

ÜBUNGEN

1. Nennen Sie die Bereiche, in denen es zu tödlichen Arbeitsunfällen kommt.
2. Nennen Sie die häufigsten Unfallursachen im Instandhaltungsbereich. Geben Sie jeweils den prozentualen Anteil an.
3. Pro Jahr verunglücken durchschnittlich 180 Arbeitnehmer und Arbeitnehmerinnen tödlich.
   a) Wie viele Personen aus dem Instandhaltungsbereich sind davon betroffen?
   b) Berechnen Sie jeweils, wie viele Instandhalter durch welche Unfallursache sterben (Bild 1).
4. Was können Sie während Ihrer Arbeit selbst tun, um Unfälle zu vermeiden?

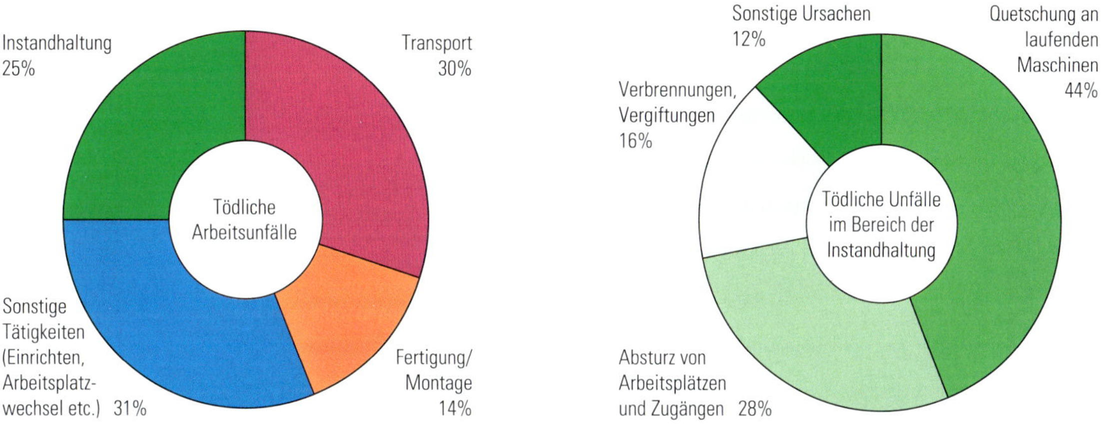

***1** Arbeitsunfälle*

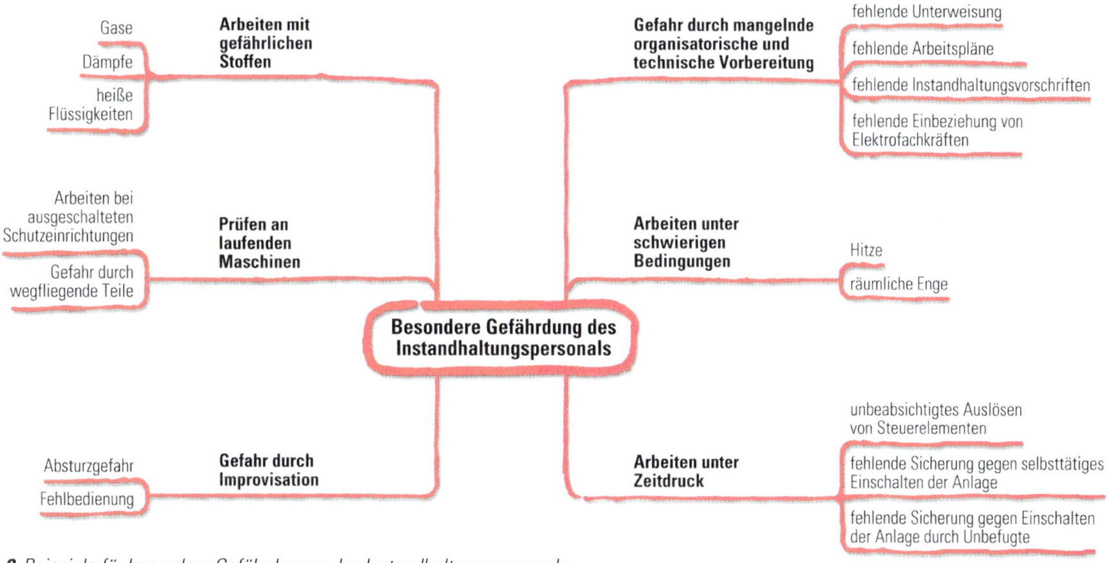

***2** Beispiele für besondere Gefährdungen des Instandhaltungspersonals*

1) Weitere Informationen zur Arbeitssicherheit finden Sie im Teil I „Einführung in den Beruf" im Kapitel 1.4 „Gefahren im Betrieb".

Die hohe Prozentzahl der tödlichen Arbeitsunfälle im Instandhaltungsbereich ist darauf zurückzuführen, dass die Instandhalter besonderen Gefahren ausgesetzt sind (Seite 177 Bild 2).

Rang 1

Um die Gefährdung möglichst niedrig zu halten, sind während der Instandhaltungsarbeiten die Anlagen stillzulegen (Bild 2 Rang 1). Die Anlagen müssen gegen selbstständiges Einschalten gesichert sein. Ebenso muss ein Einschalten der Anlagen durch unbefugte Personen verhindert werden.

Ein unbefugtes, irrtümliches und unerwartetes Ingangsetzen von Anlagen kann nur durch Ausschalten und Abschließen des Hauptschalters (Bild 1) sichergestellt werden.

In der Praxis lassen sich **Instandhaltungsmaßnahmen** *(maintenance tasks)* aber nicht immer im Stillstand der Anlagen durchführen. Oftmals kann die Fehlerursache im Stillstand gar nicht gefunden werden. Deshalb müssen in solchen Fällen besondere Bedingungen erfüllt werden:

Nur die Fachkraft, die die Instandhaltungstätigkeiten verantwortet, kann die Anlage wieder freischalten. Ihr Name steht auf dem Schloss.

1 *Sicherung gegen unbefugtes oder irrtümliches Einschalten einer Anlage*

2 *Rangfolge der Sicherheit von gefährlichen Maschinenbewegungen*

Rang 2

Wenn der Arbeitsablauf zur Fehlersuche an einer laufenden Maschine beobachtet werden muss, ist ein Sicherheitsabstand einzuhalten. Ist die Beobachtung aus einer sicheren Entfernung nicht möglich, so sind dieselben Schutzeinrichtungen zu verwenden, die auch beim Fertigungsablauf erforderlich sind. Häufig handelt es sich dabei um Glasscheiben. Diese ermöglichen eine ungefährliche Beobachtung der Arbeitsabläufe. Wurde eine Schutzeinrichtung zuvor entfernt, muss sie für diese Tätigkeit wieder montiert werden.

Schutzeinrichtungen für den Rang 2 von Instandhaltungsmaßnahmen sind insbesondere

- trennende Schutzeinrichtungen (Verkleidungen, Verdeckungen, Umzäunungen oder Umwehrungen) (Bild 3),
- ortsbindende Schutzeinrichtungen, insbesondere Zweihandschaltungen sowie
- Schutzeinrichtungen mit Annäherungsreaktion, insbesondere Lichtvorhang (Seite 179 Bild 1), Lichtschranke oder Schaltmatte.

3 *Beobachtung bei Fehlersuche oder Funktionsprüfung durch trennende Schutzeinrichtung (Rang 2)*

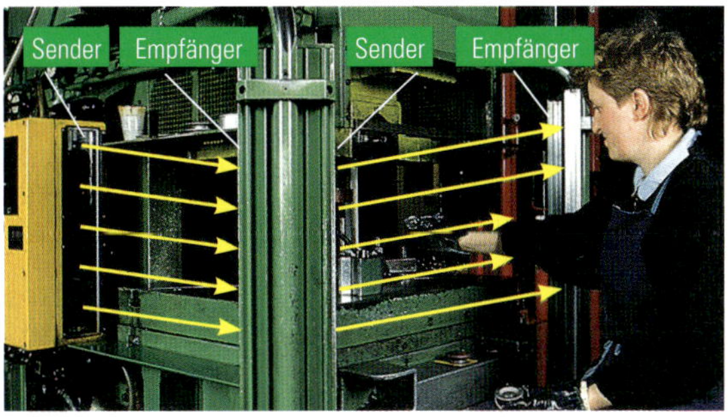

1 *Lichtvorhänge sorgen für eine sichere Fehlersuche und Funktionsprüfung (Rang 2)*

Rang 3
Ist die Einhaltung der bisher geschilderten Schutzmaßnahmen unter keinen Umständen möglich, müssen spezielle Zusatzeinrichtungen vorhanden sein und verwendet werden.
Zu den speziellen Zusatzeinrichtungen gehören zum Beispiel Einrichtungen, die

- das Erreichen von Gefahrstellen entbehrlich machen (z. B. Positionierhilfen wie Pinzetten, Zangen, Magnetgreifer),
- das zufällige Erreichen benachbarter Gefahrstellen erschweren (z. B. Abtrennungen oder Abdeckungen von Gefahrstellen),
- das schnelle Stillsetzen ermöglichen (Zustimmungsschalter oder ortsveränderliche NOT-AUS-Schalter[1)]) und
- das Herabsetzen von Geschwindigkeiten ermöglichen.

Rang 4
Die meisten Instandhaltungsmaßnahmen sind unter Anwendung der geschilderten Schutzmaßnahmen nach Rang 1 bis 3 möglich. Nur bei einigen Instandhaltungstätigkeiten müssen weitere Schutzmaßnahmen getroffen werden. Entsprechende Ausnahmefälle liegen z. B. vor, wenn für Messungen an Maschinen und Anlagen beide Hände benötigt werden. In diesen Fällen sind geeignete organisatorische und personelle Maßnahmen zu treffen. Hierzu gehören:

- Mit entsprechenden Arbeiten dürfen nur fachlich geeignete Personen beauftragt werden, die im Stande sind, eventuell entstehende Gefahren abzuwenden.
- Die Beschäftigten müssen über die mit der Arbeit verbundenen Gefahren unterrichtet sein.
- Für das Verhalten beim Auftreten von Unregelmäßigkeiten und Störungen sind spezielle Anweisungen einzuhalten.
- Im Gefahrenbereich dürfen sich nur die für die Instandhaltungsarbeiten unbedingt erforderlichen Personen aufhalten.
- Gegebenfalls ist eine Person zu bestellen, die den Fortgang der Arbeiten beobachtet und bei akuter Gefahr geeignete Maßnahmen ergreift.

Merke
Personenschutz geht vor Anlagenschutz.

1) Siehe Kap. 2.5 „Unfallgefahren durch elektrischen Strom".

Überlegen Sie

1. Sie sollen einen Auftrag an einer Drehmaschine ausführen und stellen fest, dass die Schutzhaube fehlt. Wie verhalten Sie sich richtig? Diskutieren Sie!
2. Informieren Sie sich darüber, ob in Ihrem Betrieb Instandhaltungsarbeiten an laufenden Maschinen durchgeführt werden. Welche Schutzmaßnahmen sind dabei vorgesehen?
3. Diskutieren Sie den Merksatz: „Personenschutz geht vor Anlagenschutz."

1.1.3 Grundlegende Begriffe der Instandhaltungstechnik

Die Instandhaltung umfasst alle Maßnahmen, die ein technisches System in einem **funktionsfähigen Zustand** erhalten (Bild 2) oder diesen wieder herstellen (Bild 3).

AH GK S. 97

2 *Einfetten beweglicher Teile*

3 *Bohrwerk zur Bearbeitung großer kubischer Teile (Baujahr 1987). Wegen der Schwierigkeiten in der Ersatzteilbeschaffung und der damit verbundenen Stillstandszeiten wurde eine Modernisierung der Maschine erforderlich.*

- *Umrüsten der Maschine auf CNC-Steuerung*
- *Anbau neuer Achsantriebe und Wegmesssysteme für*
- *5 Wegachsen*
- *Anbau eines neuen Bohrspindelantriebes*
- *neuer Bedienschrank*
- *Erstellung der erforderlichen Software (SPS und CNC)*

Durch **Instandhaltungsmaßnahmen** wird die Verfügbarkeit einer Anlage gesichert.

Verfügbarkeit *(availability)*

Zu Beginn des betrieblichen Einsatzes eines technischen Systems ist es relativ unwahrscheinlich, dass es total ausfällt. Im Laufe der betrieblichen Nutzung nimmt die Zuverlässigkeit ab, während die Ausfallwahrscheinlichkeit zunimmt.

Merke

Die Verfügbarkeit ist ein Maß für die Dauer der Einsatzbereitschaft *(readiness for use)*.

Das Diagramm Bild 1 zeigt den Zusammenhang zwischen der **Zuverlässigkeit** und der **Ausfallwahrscheinlichkeit** eines technischen Systems in Abhängigkeit von der Zeit.
Verfügbarkeitswerte über 85 % sind wünschenswert.

$$\text{Verfügbarkeit} = \frac{\text{Einsatzzeit}}{\text{Betriebszeit}} \cdot 100\ \%$$

Die Betriebszeit ergibt sich aus der tatsächlichen Einsatzzeit und der vermuteten Ausfallzeit.

Beispielrechnungen

geg.: Einsatzzeit = 45 Wochen, Ausfallzeit = 5 Wochen

ges.: Verfügbarkeit

$$\text{Verfügbarkeit} = \frac{\text{Einsatzzeit}}{\text{Betriebszeit}} \cdot 100\ \%$$

$$\text{Verfügbarkeit} = \frac{\text{Einsatzzeit}}{\text{Einsatzzeit} + \text{Ausfallzeit}} \cdot 100\ \%$$

$$\text{Verfügbarkeit} = \frac{45\ \text{Wochen}}{45\ \text{Wochen} + 5\ \text{Wochen}} \cdot 100\ \%$$

$$\underline{\underline{\text{Verfügbarkeit} = 90\ \%}}$$

Abnutzungsvorrat

An der Drehmaschine (Bild 2) wird seit ca.1965 gearbeitet. Die Verfügbarkeit liegt bei 90 %. Die relativ hohe langjährige Verfügbarkeit ist auf geeignete **Instandhaltungsmaßnahmen** zurückzuführen.
Jedes technische System nutzt sich im Laufe der Zeit ab. Das heißt, **Abnutzung** ist unvermeidbar. Abnutzungsvorgänge können z. B. hervorgerufen werden durch **Reibung** *(friction)* (vgl. Kap. 1.3) oder **Korrosion** *(corrosion)* (vgl. Kap. 1.4).
Ob ein technisches System seine Funktion erfüllen kann, hängt z. B. von der Qualität der Herstellung und von den durchgeführten Instandhaltungsmaßnahmen ab. Je größer der Abnutzungsvorrat *(wearing stock)*, desto länger kann ein technisches System seine Funktion erfüllen. Die in Bild 2 abgebildete Drehmaschine erfüllt ihre Funktion aufgrund regelmäßiger Instandhaltungsarbeiten noch heute. Ihr Abnutzungsvorrat ist vergleichsweise hoch.
Jedes neue Bauteil hat den vollen Abnutzungsvorrat (Leistung, Genauigkeit usw. sind einwandfrei). Mit der Inbetriebnahme beginnt die Abnutzung, d. h., der Abnutzungsvorrat verringert sich, was sich z. B. in einer Drehfrequenzabweichung, Minderleistung oder Spielvergrößerung äußert. Die Lebensdauer von Bauteilen wird durch Wartungsmaßnahmen verlängert. Dadurch steigen wiederum die Nutzungsdauer und die Einsatzzeit.

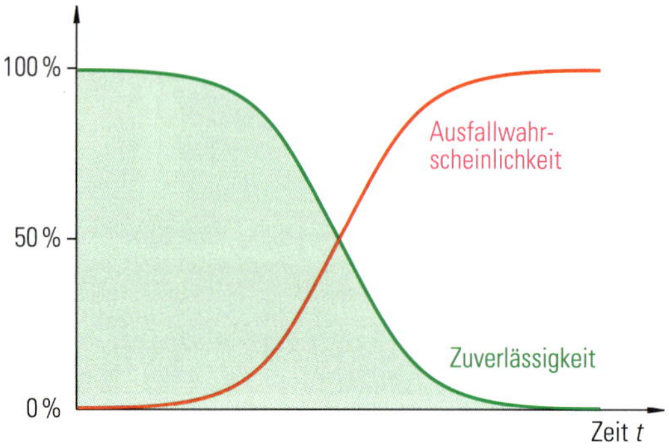

1 *Zusammenhang zwischen Ausfallwahrscheinlichkeit und Zuverlässigkeit*

2 *Drehmaschine, Baujahr ca. 1965*

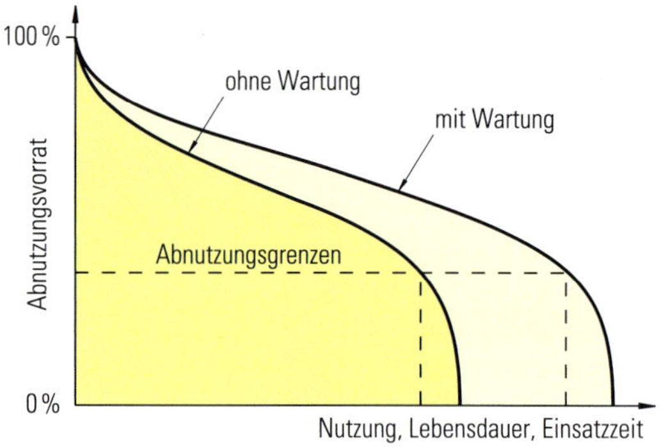

3 *Abnutzungsvorrat in Abhängigkeit von der Nutzung bzw. Lebensdauer*

Merke

Der Abnutzungsvorrat ist ein Maß für die noch zu erwartende Lebensdauer.

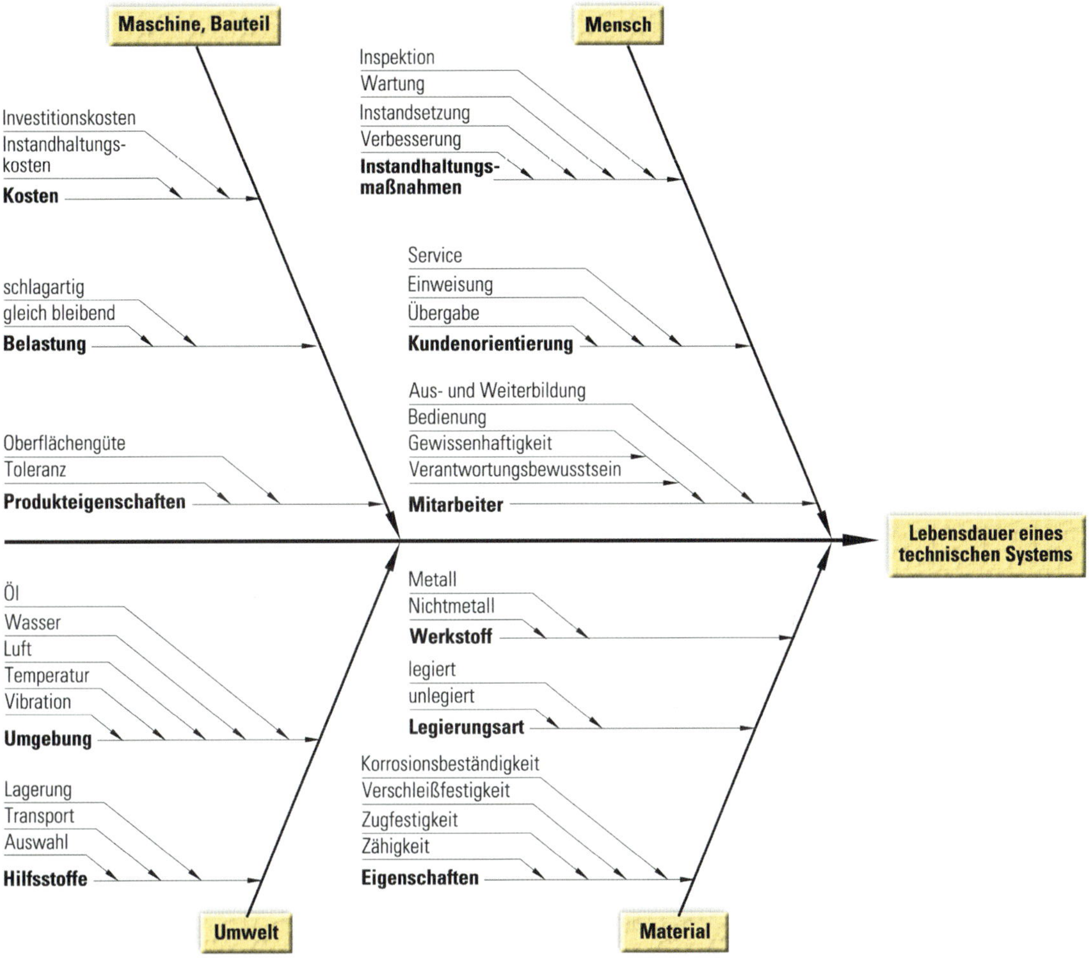

1 *Einflussfaktoren auf die Lebensdauer eines technischen Systems (ISHIKAWA-Diagramm, siehe auch Teil III, Kap. 1.3.1)*

Lebensdauer *(service life)*
Jedes technische System hat eine begrenzte Lebensdauer. Diese wird von mehreren Komponenten beeinflusst. Im **Ishikawa-Diagramm** (Bild 1) sind einige Faktoren aufgeführt, z. B. gilt:

- Die gewünschte Lebensdauer wird nicht erreicht, wenn das System zu hoch beansprucht wird.
- Die angestrebte Lebensdauer wird nur dann erreicht, wenn ein geeigneter Werkstoff ausgewählt wurde (vgl. Teil III, Kap. 3).
- Zahnräder werden oftmals mechanisch höher beansprucht als Schrauben. Deshalb muss ein Zahnradwerkstoff z. B. eine höhere Verschleißfestigkeit aufweisen als ein Schraubenwerkstoff.
- Wenn bei der Fertigung die vorgeschriebenen Toleranzen, Oberflächengüten und Fertigungsverfahren (Produktionsqualität) nicht eingehalten werden, sinkt die Lebensdauer eines technischen Systems.
- Geeignete Instandhaltungsmaßnahmen verlängern die Lebensdauer (vgl. Bild 3 auf Seite 180).
- Fachgerechte Lagerung und fachgerechter Transport verlängern die Lebensdauer.
- Ein Unternehmen, das die Anforderungen der Kunden berücksichtigt, wird bei den hergestellten Produkten Qualitätsprüfungen durchführen. Dadurch ist eine höhere Lebensdauer gewährleistet.

1.1.4 Ziele der Instandhaltung

Maschinen, Automaten und Fertigungseinrichtungen haben die manuelle Fertigung weitgehend verdrängt. Ihre Betriebssicherheit und Funktionsfähigkeit sind daher unbedingt sicherzustellen.
Ebenso muss die Instandhaltung, wie alle anderen Unternehmensbereiche (vgl. Seite 5), die entstehenden Kosten möglichst gering halten. Aus diesen Anforderungen ergeben sich drei Hauptziele für das Instandhaltungsmanagement:

Hauptziele:

- Gewinnmaximierung
- hohe Zuverlässigkeit der Anlagen
- sichere Anlagen

Die Hauptziele werden durch Unterziele konkretisiert:

Unterziele:
- Verringerung von Maschinenausfällen/Erhöhung der Maschinenverfügbarkeit
- Verringerung des Instandhaltungsumfangs
- Werterhaltung der Betriebseinrichtungen
- Verbesserung des technischen Zustands der Betriebseinrichtungen
- Verbesserung der Kommunikation mit anderen Betriebsteilen
- Verringerung von Kosten wie z. B. Personal- und Materialkosten, Ausfall- und Ausfallfolgekosten
- Verringerung des Personalwechsels
- Erhöhung der Arbeitssicherheit

Überlegen Sie

Übernehmen Sie die folgende Mind-Map in Ihr Heft und ergänzen Sie diese.

1.1.5 Instandhaltungskosten

AH GK S. 117

Ein Hauptziel eines Unternehmens ist die Gewinnmaximierung. Kosten sollen also minimiert werden. Dieses Ziel wird auf jeden Unternehmensbereich übertragen und somit auch auf den Instandhaltungsbereich. Die Kosten der Instandhaltung wie z. B. Entlohnung der Fachkräfte oder Ersatzteilbeschaffung hängen vom Instandhaltungsaufwand (z. B. Reparaturzeiten) ab.

Dabei gilt (Bild 1):
- Je weniger Instandhaltungsmaßnahmen (kleiner Instandhaltungsaufwand), desto geringer die Instandhaltungskosten (Graph: Instandhaltungskosten).
- Je länger die Instandhaltungsintervalle (kleiner Instandhaltungsaufwand), desto geringer die Instandhaltungskosten (Graph: Instandhaltungskosten). Allerdings treten dadurch mehr Maschinenausfälle ein und die Ausfallkosten sind sehr hoch (Graph: Kosten durch Ausfall).
- Je mehr Instandhaltungsmaßnahmen (hoher Instandhaltungsaufwand), desto höher die Instandhaltungskosten (Graph: Instandhaltungskosten).
- Je kürzer die Instandhaltungsintervalle (hoher Instandhaltungsaufwand), desto höher die Instandhaltungskosten (Graph: Instandhaltungskosten). Die Anzahl der Maschinenausfälle ist dann relativ gering. Dadurch sinken die Ausfallkosten (Graph: Kosten durch Ausfall).

Merke

Zwischen den gegenläufigen Kosten von Instandhaltungsaktionen und Ausfällen muss ein Optimum gefunden werden (Bild 1).

Das optimale Intervall ist dann erreicht, wenn die Gesamtkosten ein Minimum ergeben. Diese ergeben sich wie folgt:

Gesamtkosten =
Instandhaltungskosten + Kosten durch Ausfall

Überlegen Sie

1. Wann sind die Kosten durch Ausfälle gering?
2. Wann sind die Instandhaltungskosten sehr gering?
3. Erläutern Sie, weshalb der Instandhaltungsaufwand nicht zu klein sein darf.
4. Erläutern Sie, weshalb der Instandhaltungsaufwand nicht zu hoch sein darf.

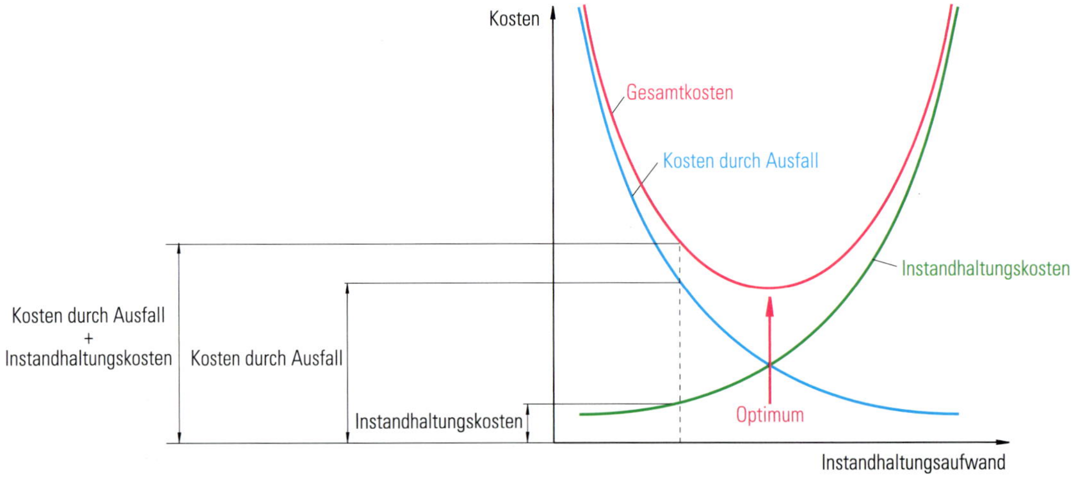

1 Kosten der Instandhaltungsmaßnahmen in Abhängigkeit vom Instandhaltungsaufwand

1.2 Instandhaltungsmaßnahmen

Die Instandhaltungsmaßnahmen werden in vier Grundmaßnahmen gegliedert (vgl. DIN 31051 mit DIN EN 13306):

Instandhaltung

Alle Maßnahmen zur Erhaltung, Wiederherstellung oder Verbesserung des funktionsfähigen Zustandes eines technischen Systems.

Wartung (Kap. 1.2.1) *(preventive maintenance)*	**Inspektion (Kap. 1.2.2.1)** *(inspection)*	**Instandsetzung (Kap. 1.2.2.2)** *(corrective maintenance)*	**Verbesserung (Kap.1.2.2.3)** *(Improvement)*
Alle Tätigkeiten, die der routinemäßigen Anlagenpflege dienen.	Alle Tätigkeiten, die zur Beurteilung des Zustandes eines technischen Systems gehören.	Alle Tätigkeiten, die dazu dienen, die Funktionsfähigkeit eines technischen Systems wieder herzustellen.	Alle Tätigkeiten, die ein technisches System verbessern.
Beispiele: ■ Reinigen ■ Konservieren ■ Schmieren ■ Nachstellen ■ Kontrollieren	**Beispiele:** ■ Messen ■ Werte vergleichen ■ Anpassen von Instandhaltungsplänen	**Beispiele:** ■ Reparatur ■ Austausch von Teilen	**Beispiele:** ■ technische Verbesserungen ■ Erstellen von Arbeitsplänen

AH GK S. 98

1.2.1 Wartung

Warten *(maintenance)* ist eine regelmäßige, vorbeugende Instandhaltungsmaßnahme, die Ausfälle verhindern soll. Routinemäßige Wartungstätigkeiten pflegen die Anlagen. Die Lebensdauer eines technischen Systems wird dadurch verlängert. Zu den Wartungstätigkeiten gehören:

- die Reinigung z. B. von Werkzeugen, Arbeitsflächen, Kontakten und Sichtfenstern,
- der Austausch z. B. von Schläuchen und Filtern,
- die Konservierung von Maschinenelementen,
- die Kontrolle von Ölständen,
- die Ergänzung z. B. von Fetten, Ölen und Kühlschmierstoffen,
- die Schmierung z. B. von Lagern und Führungen.

1.2.1.1 Vorbereitende Maßnahmen

Damit technische Systeme fachgerecht gewartet werden können, ist als erstes der **Wartungsplan** *(maintenance schedule)* zu lesen.

Anschließend werden alle **notwendigen Betriebsmittel** *(equipment)* wie z. B. Werkzeuge, Schmierstoffe, Reinigungsmittel, Ersatzteile bereitgestellt.

Festgelegte **Sicherheitshinweise** *(safety instructions)* wie z. B. Ziehen des Netzsteckers, Betätigen des NOT-AUS-Schalters, Druckluftzufuhrunterbrechung oder Hinweise zur Durchführung der Wartungsmaßnahme in gut durchlüfteten Räumen sind einzuhalten.

Am Kompressor (Bild 1) soll das Kondenswasser *(condensation water)* bzw. Kondensat *(condensate)* abgelassen werden.

AH GK S. 99

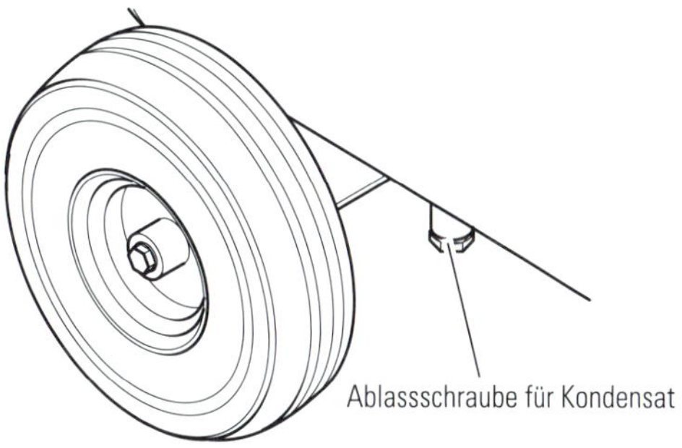

1 *Ablassen des Kondensats*

Kondenswasser entsteht zum Beispiel im Druckbehälter aufgrund der Verdichtung von Luft. Es muss regelmäßig entfernt werden.

Der **Wartungsplan** (vgl. Kap. 1.2.1.4, Seite 196) beschreibt, wann welche Anlagenteile zu warten sind. Er nennt die zu beachtenden Sicherheitshinweise und enthält oftmals auch Hinweise zur Durchführung der Wartung.

Betriebsmittel, die hier bereit gestellt werden müssen sind:

- Auffangbehälter für Kondenswasser,
- Maulschlüssel entsprechender Schlüsselweite und
- eine neue geeignete Dichtung (Herstellerangaben einhalten)

Folgende **Sicherheitshinweise** sind einzuhalten:

- Gerät am Hauptschalter ausschalten
- Netzstecker ziehen
- Warten bis das Gerät stillsteht
- Druckluftzufuhr zu Druckluftwerkzeugen und Zubehörteilen unterbrechen
- Kompressor abkühlen lassen

1.2.1.2 Beschreibung exemplarischer Wartungstätigkeiten

Reinigung

Jedes Arbeitsmittel kann seine Funktion nur längerfristig ausüben, wenn es fachgerecht behandelt wird. Die erste Maßnahme zur Funktionserhaltung ist das Reinigen *(cleaning)* der Arbeitsmittel nach deren Benutzung:

- Bei **grobhiebigen** Feilen *(rough files)* werden festsitzende Späne mit einer **Feilenbürste** *(file card)* entfernt (Bild 1). **Feinhiebige** Feilen *(smooth files)* werden mit einem **Messing- oder Kupferblech** *(brass or copper sheet)* gereinigt. Die Bürste bzw. das Blech ist in Richtung des Oberhiebes zu führen[1].
- Die **Spannuten von Gewindebohrern** *(flutes of tapes)* werden mit **Druckluft** gesäubert (Bild 2). Dabei ist eine **Schutzbrille** zu tragen.

- Bohrmaschinen, Drehmaschinen und Fräsmaschinen müssen von **Spänen** befreit werden. Dazu werden **Spanhaken, Pinsel, Handfeger und Schaufel** benutzt. An schwer zugänglichen Stellen kann ein **Industriestaubsauger** *(industrial type vacuum cleaner)* (Bild 3) benutzt werden.

Merke

Wegen der Verletzungsgefahr sind Späne niemals mit der Hand zu entfernen.

Bei Werkzeugmaschinen *(machine tools)* darf zur Reinigung der Arbeitsflächen *(work surfaces)* niemals Druckluft verwendet werden, weil die Späne leicht zwischen Führungsbahnen gedrückt werden können. Dies führt zur Beschädigung der Flächen und damit zu erhöhter Abnutzung.

1 *Reinigen einer Feile mit Feilenbürste*

2 *Säubern von Spannuten mit Druckluft*

3 *Reinigen einer Werkzeugmaschine mit einem Industriestaubsauger*

1) vgl. Lernfelder 1 und 2: „Fertigen von Bauelementen" Kap. 1.2.3 „Feilen"

- Zur Reinigung des Arbeitsraumes einer Werkzeugmaschine *(work area of a machine tool)* werden häufig elektrisch angetriebene **Dampfreinigungsgeräte** benutzt (Bild 1).

1 *Dampfreinigungsgerät*

- Zur problemlosen Reinigung vieler Verschmutzungen, vor allem im **frischen Zustand**, genügt bereits leichtes Abwischen mit einem **feuchten nicht fasernden Tuch**. Bei stärkeren Verschmutzungen ist ein Reinigungsmittel erforderlich (Bild 2).

2 *Reinigen der Säule einer Bohrmaschine*

Zu den Reinigungsarbeiten, die nach den Angaben in einem **Wartungsplan** durchgeführt werden, gehören beispielsweise:

- Reinigung von Ansaugsieben, Spänesieben *(chip screens)* (Bilder 3 und 4). Beim Reinigen mit Druckluft ist eine Schutzbrille zu tragen.

3 *Spänesieb einer Fräsmaschine*

4 *Reinigen des Spänesiebs mit Druckluft*

- Verschmutzte **Keilriemen** *(V-belts)* müssen gereinigt werden. Meist wird dazu eine **Glycerinlösung** mit einem nicht fasernden Tuch aufgebracht (Bild 5).
- Die **Schutzvorrichtung** des Riementriebs muss frei von Schmutz sein. Jede Materialanhäufung wirkt isolierend. Dadurch könnte der Riemenantrieb heißlaufen.

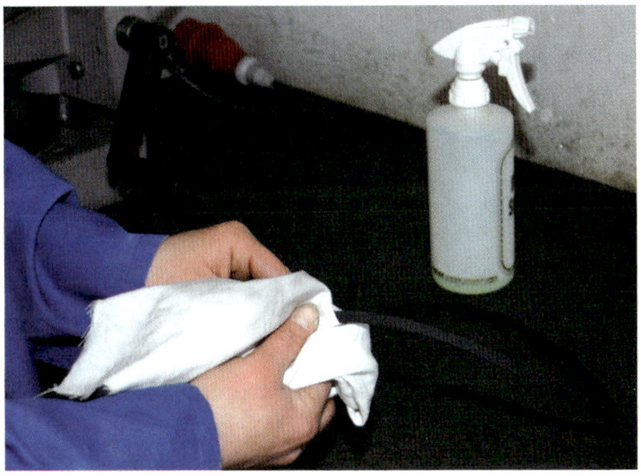

5 *Reinigen eines Keilriemens*

- **Filter** *(filters)* schützen technische Systeme vor Verunreinigung. In Abhängigkeit vom Filtermaterial werden Filter **ausgetauscht** (**Papierfilter** Bild 6) oder

6 *Papierfilter*

gereinigt (**Stahlfilter** Bild 1). Filtereinsätze werden mit Druckluft oder Bürsten gereinigt. In einigen Fällen wird warmes Wasser oder eine Seifenlauge verwendet. Bei der Reinigung mit Seifenlauge ist das Filterelement anschließend mit klarem Wasser auszuspülen. Nach der Reinigung dürfen die Filter nur im trockenen Zustand montiert werden.

1 *Stahlfilter*

Reinigungsmittel

Angetrocknete bzw. hartnäckige Verunreinigungen sollten mit den von den Herstellern empfohlenen Reinigungsmitteln *(cleansing agents)* entfernt werden.

Das ungefährlichste Reinigungsmittel ist **Wasser**. Stark fetthaltige Verschmutzungen können jedoch mit Wasser nicht entfernt werden. Deshalb werden häufig **chemische Reinigungsmittel** *(chemical cleansing agents)* verwendet (Bild 2).

Chemische Reinigungsmittel unterscheiden sich in ihrer Zusammensetzung. Von der Zusammensetzung hängt der Gefährdungsgrad und das Anwendungsgebiet ab. **Wässrige Reiniger** *(aqueous purifiers)* eignen sich zum Reinigen empfindlicher Metalle wie z. B. Aluminium und sind normalerweise ungefährlicher als Kohlenwasserstoffreiniger. Mit **Kohlenwasserstoffreinigern** *(hydrocarbon cleaners)* können starke Verschmutzungen sowie Öle und Fette entfernt werden.

Für jedes chemische Reinigungsmittel gibt es ein **Sicherheitsdatenblatt** *(safety data sheet)* (Seiten 187 und 188). Es informiert insbesondere über:

- die chemische Zusammensetzung
- Eigenschaften wie Dichte oder Zündtemperatur
- Erste-Hilfe-Maßnahmen
- Transport-, Lagerungs- und Entsorgungsvorschriften
- Verhaltensregeln beim Verschütten, Vergießen oder Verdampfen des Reinigungsmittels (unbeabsichtigte Freisetzung)

Merke

Wenn ein Arzt aufzusuchen ist, muss ihm der Name des Reinigungsmittels genannt und das Sicherheitsdatenblatt überreicht werden.

2 *Chemische Reinigungsmittel*

ÜBUNGEN

1. Nennen Sie drei Wartungstätigkeiten.
2. Welche Maßnahmen gehören zu den Vorbereitungen jeder Wartungstätigkeit?
3. Was ist bei der Reinigung von Spannuten zu beachten?
4. Der Keilriemen einer Bohrmaschine ist auszuwechseln. Beschreiben Sie die vorbereitenden Maßnahmen.
5. Was ist bei der Reinigung von Werkzeugmaschinen zu beachten?
6. Warum dürfen Späne nicht mit der Hand entfernt werden?
7. Wie können Filter gereinigt werden?
8. Welches Reinigungsmittel wird als ungefährlich bezeichnet? Welche Verschmutzungsarten lassen sich damit reinigen?
9. Für welche Reinigungsmittel gibt es ein Sicherheitsdatenblatt?
10. Was beinhaltet ein Sicherheitsdatenblatt?
11. Versehentlich wurde wässriger Reiniger verschüttet. Welche Hinweise für diesen Fall enthält das Sicherheitsdatenblatt (siehe Seite 187)?
12. Welche Erste-Hilfe-Maßnahmen sind gegebenenfalls beim Umgang mit einem Kohlenwasserstoffreiniger (siehe Seite 188) einzuhalten?

SICHERHEITSDATENBLATT

Gemäß der geänderten Fassung Verordnung (EG) Nr. 1907/2006 (REACH) Artikel 31 Anhang II.

ABSCHNITT 1: Bezeichnung des Stoffes bzw. des Gemisches und des Unternehmens

Identifizierte Verwendungen: Alkalischer Reiniger
Verwendungen, von denen abgeraten wird: Keine Verwendungen, von denen abgeraten wird, identifiziert.

ABSCHNITT 2: Mögliche Gefahren

AH GK S. 100

2.1 Einstufung des Stoffs oder Gemischs

Das Produkt wurde gemäß der Verordnung (EG) Nr. 1272/2008 (CLP) nicht als gefährlich eingestuft, ist aber kennzeichnungspflichtig.

ABSCHNITT 3: Zusammensetzung/Angaben zu Bestandteilen

Chemische Bezeichnung	Identifikator	Konzentration *	REACH Registrierungs-Nr	Hinweise
Dipropylenglykolmethylether, Isomerengemisch	EINECS: 252-104-2	1,00 - <5,00%	01-2119450011-60	

ABSCHNITT 4: Erste-Hilfe-Maßnahmen

Allgemeines: Produktdurchtränkte bzw. verunreinigte Kleidung und Schuhe wechseln. Nie produkthaltige Lappen in Kleidungstaschen stecken.

4.1 Beschreibung der Erste-Hilfe-Maßnahmen

Einatmen: Frischluftzufuhr, bei Beschwerden Arzt aufsuchen.

Augenkontakt: Augen sofort mit viel Wasser spülen, Augenlider dabei hochziehen.

Hautkontakt: Mit Wasser und Seife waschen. Im allgemeinen ist das Produkt nicht hautreizend.

Verschlucken: Mund gründlich spülen.

ABSCHNITT 6: Maßnahmen bei unbeabsichtigter Freisetzung

6.1 Personenbezogene Vorsichtsmaßnahmen, Schutzausrüstungen und in Notfällen anzuwendende Verfahren: Vorsicht! Im Fall eines Austretens des Materials können Fußböden und Oberflächen rutschig werden.

6.2 Umweltschutzmaßnahmen: Flächenmäßige Ausdehnung verhindern (z.B. durch Eindämmen oder Ölsperren).

6.3 Methoden und Material für Rückhaltung und Reinigung: Mit flüssigkeitsbindendem Material wie Sand, Kieselgur, Säurebinder, Universalbinder oder Sägemehl aufnehmen.

ABSCHNITT 13: Hinweise zur Entsorgung

13.1 Verfahren der Abfallbehandlung

Allgemeine Information: Entsorgung von Abfall und Rückständen in Übereinstimmung mit den jeweiligen lokalen Bestimmungen.

Entsorgungsmethoden: Nicht in die Kanalisation gelangen lassen; Abfälle und Behälter müssen in gesicherter Weise beseitigt werden. Bei Lagerung gebrauchter Produkte Vermischungsverbot beachten.

1 *Auszug aus einem Sicherheitsdatenblatt für wässrige Reiniger*

SICHERHEITSDATENBLATT

Gemäß der geänderten Fassung Verordnung (EG) Nr. 1907/2006 (REACH) Artikel 31 Anhang II.

ABSCHNITT 1: Bezeichnung des Stoffes bzw. des Gemisches und des Unternehmens

Identifizierte Verwendungen: Lösungsmittelbasierter Reiniger
Verwendungen, von denen abgeraten wird: Keine Verwendungen, von denen abgeraten wird, identifiziert.

ABSCHNITT 2: Mögliche Gefahren

2.1 Einstufung des Stoffs oder Gemischs

Das Produkt wurde gemäß der Verordnung (EG) Nr. 1272/2008 (CLP) als gefährlich eingestuft und gekennzeichnet.

Einstufung gemäß der (EG) Richtlinie 1272/2008 in der geänderten Fassung.

Gesundheitsgefahren

Aspirationsgefahr — Kategorie 1 — H304: Kann bei Verschlucken und Eindringen in die Atemwege tödlich sein.

Gefahrenübersicht
Physikalische Gefahren: Kann bei Gebrauch entzündliche Dampf-Luft-Gemische bilden.

ABSCHNITT 3: Zusammensetzung/Angaben zu Bestandteilen

3.2 Gemische

Allgemeine Information: Zubereitung auf Basis von flüchtigen Kohlenwasserstoffen und Additiven.

Chemische Bezeichnung	Identifizierung	Konzentration *	REACH Registrierungs-Nr	Hinweise
Kohlenwasserstoffe, niedrigviskos	EC: 918-167-1	50,00 - <100,00%	01-2119472146-39	

ABSCHNITT 4: Erste-Hilfe-Maßnahmen

Allgemeines: Produktdurchtränkte bzw. verunreinigte Kleidung und Schuhe wechseln. Nie produkthaltige Lappen in Kleidungstaschen stecken.

Einatmen: Frischluftzufuhr, bei Beschwerden Arzt aufsuchen.

Augenkontakt: Augen sofort mit viel Wasser spülen, Augenlider dabei hochziehen.

Hautkontakt: Mit Wasser und Seife waschen. Auf übermäßige Entfettung der Haut achten.

Verschlucken: Sofort einen Arzt oder ein Vergiftungszentrum anrufen. Mund ausspülen. Einer bewusstlosen Person niemals Flüssigkeit verabreichen. Sollte Erbrechen eintreten, den Kopf nach unten halten, damit kein Mageninhalt in die Lungen gerät.

ABSCHNITT 6: Maßnahmen bei unbeabsichtigter Freisetzung

6.1 Personenbezogene Vorsichtsmaßnahmen, Schutzausrüstungen und in Notfällen anzuwendende Verfahren: Vorsicht! Im Fall eines Austretens des Materials können Fußböden und Oberflächen rutschig werden. Von Zündquellen fernhalten - Nicht rauchen.

6.2 Umweltschutzmaßnahmen: Flächenmäßige Ausdehnung verhindern (Eindämmen oder Ölsperren).

6.3 Methoden und Material für Rückhaltung u. Reinigung: Mit flüssigkeitsbindendem Material wie Sand, Kieselgur, Säurebinder, Universalbinder oder Sägemehl aufnehmen.

ABSCHNITT 13: Hinweise zur Entsorgung

13.1 Verfahren der Abfallbehandlung

Allgemeine Information: Entsorgung von Abfall und Rückständen in Übereinstimmung mit den jeweiligen lokalen Bestimmungen.

Entsorgungsmethoden: Bei Einleitung, Behandlung und Entsorgung alle zutreffenden abfallrechtlichen Vorschriften einhalten.

Europäische Abfallcodes 14 06 03*: andere Lösemittel und Lösemittelgemische

1 *Auszug aus einem Sicherheitsdatenblatt für Kohlenwasserstoffreiniger*

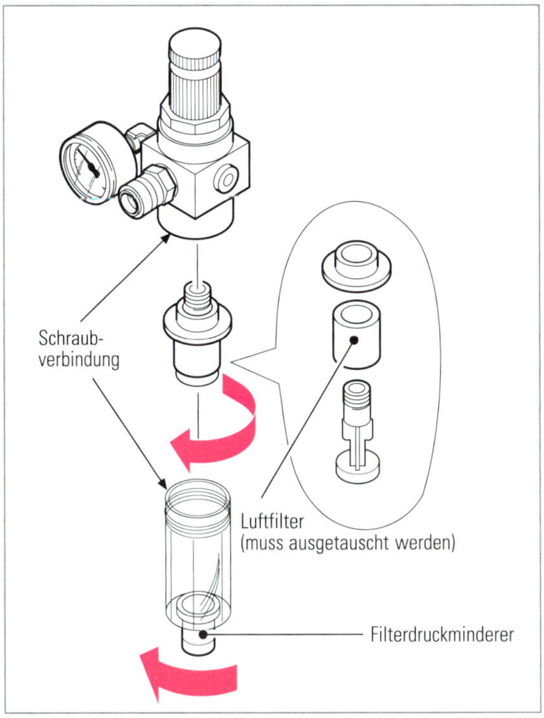

1 Filterwechsel an einem Kompressor (Verschraubung)

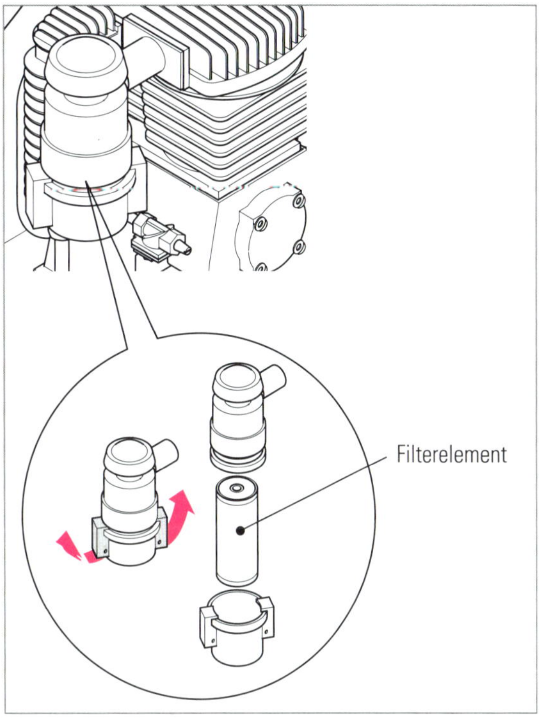

2 Filterwechsel an einem Kompressor (Klemmverschluss)

Austausch *(replacement)*
Wartungsarbeiten an **pneumatischen** und **hydraulischen** Systemen (vgl. Lernfeld 3, Kap. 4) dürfen nur an druckentlasteten Anlagen durchgeführt werden.
Schläuche *(pipes)* können mit zunehmender Einsatzzeit undicht werden. Das bedeutet eine Druckminderung im System. Schläuche sind deshalb regelmäßig zu kontrollieren und gegebenenfalls auszutauschen.
Beim **Wechseln von Ölleitungen** *(replacing of oil feeds)* (Rohre, Schläuche, flexible Leitungen) tritt stets Öl aus. Das ausfließende Öl muss z. B. in einer Ölwanne aufgefangen werden.
Filter *(filters)* schützen Druckluft und Öl vor Verschmutzungen. Sie sind regelmäßig auszutauschen. Der Filterwechsel an pneumatischen und hydraulischen Anlagen ist oftmals wartungsfreundlich gestaltet. An druckentlasteten Anlagen wird das Filtergehäuse abgeschraubt (Bild 1). Manchmal muss auch nur ein Klemmverschluss gelöst werden (Bild 2). Der alte Filter wird ggf. gegen einen neuen ausgetauscht.
Die **Wendeschneidplatten** des Messerkopfes *(indexable cutter inserts)* (Abb.3) sind einfach auszuwechseln. Sie können mit einem geeigneten **Schraubendreher** *(screwdriver)* gelöst und ausgetauscht werden.
Überalterte **Kühlschmiermittel** *(coolants)* können ihre Funktion nicht erfüllen. Sie müssen abgesaugt und fachgerecht entsorgt werden (vgl. Kap. 1.2.1.4).
Der **Keilriemen** *(V-belt)* einer Bohrmaschine ist **porös**. Er muss ausgetauscht werden. Nach Betätigen des NOT-AUS-Schalters, dem Lösen des Spannhebels und dem Wegschwenken der Schutzhaube kann der Keilriemen (Bild 4) entfernt werden.

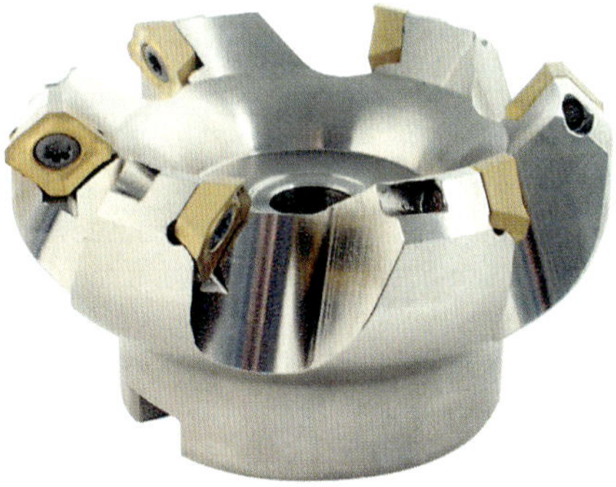

3 Wendeschneidplatten an einem Messerkopf

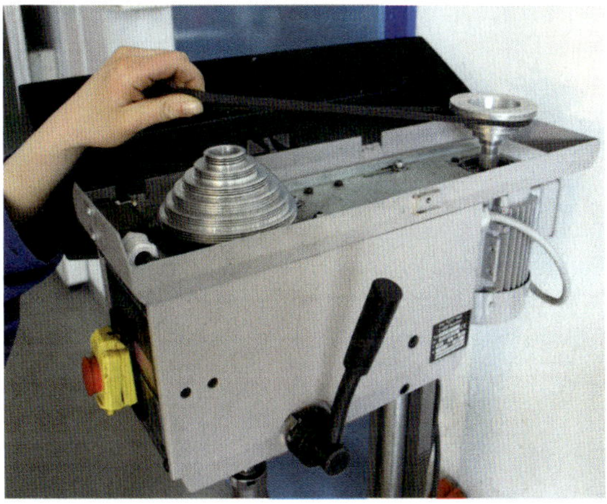

4 Entfernen eines porösen Keilriemens

Beim Einbau des neuen Keilriemens ist auf Folgendes zu achten:
- Die Keilriemenscheiben müssen sauber sein.
- Die Keilriemensorte (siehe Tabellenbuch) muss richtig gewählt werden.
- Der eingebaute Keilriemen muss auf der Antriebs- und der Abtriebsseite auf gleicher Höhe sein.

Ablassen *(draining)*
Das **Kondensat** *(condensate)* des Druckbehälters eines Kompressors muss regelmäßig abgelassen werden (vgl. Seite 183). Mit einem Maulschlüssel wird die Ablassschraube herausgeschraubt. Die Dichtung, die eine Leckage verhindert, wird entfernt. Das Kondensat muss in einem geeigneten Behälter aufgefangen werden. Es muss fachgerecht entsorgt werden, weil es **Ölrückstände** *(oil sludge)* beinhaltet (vgl. Kap. 1.2.1.3). Dichtung und Gewinde der Verschraubung sind vor dem erneuten Einsetzen zu reinigen. Die Dichtung ist gegebenenfalls auszutauschen.

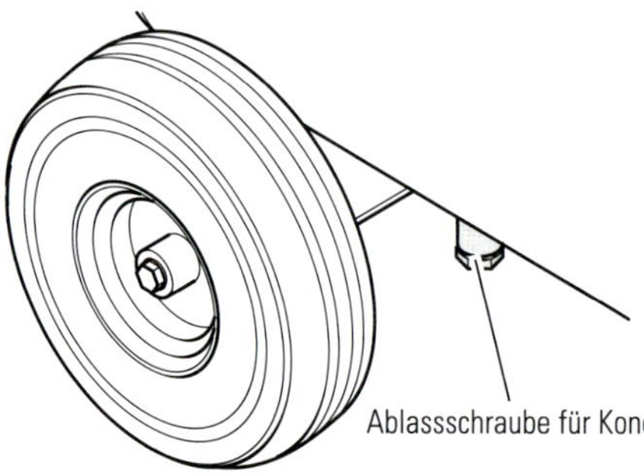

1 *Kondensat ablassen*

Konservierung *(preservation)*
Werkzeuge und Bauteile, die z. B. für den Verkauf oder für längere Lagerung bestimmt sind, werden konserviert; d. h., sie werden vor **Korrosion** *(corrosion)* geschützt. Das kann z. B. durch Einölen mit **Korrosionsschutzöl** *(slushing oil)* oder durch Eintauchen in **Korrosionsschutzlack** *(anticorrosive paint)* (Bild 2) erfolgen (vgl. Kap. 1.4).
Metalloberflächen *(metal surfaces)* (Seite 191 Bild 2) sind nach der Reinigung einzuölen (zu konservieren), um Korrosion zu vermeiden.

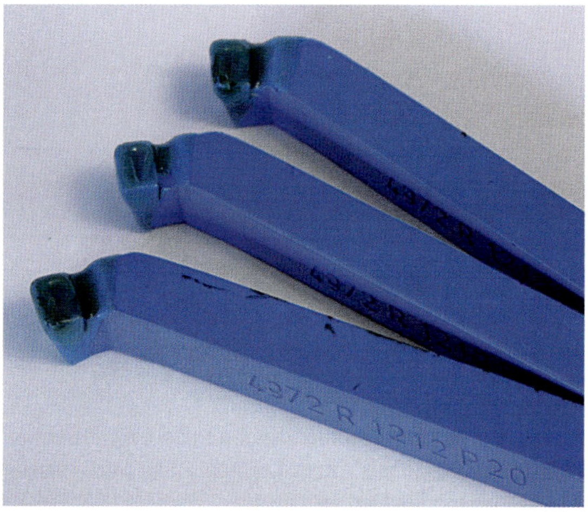

2 *Mit Korrosionsschutzlack versiegelte Drehmeißel*

Kontrolle von Ölständen
Zur Kontrolle des Ölstands *(control of oil-level)* sind in Ölbehältern (z. B. Gehäuse für Getriebe) transparente **Ölschaugläser** *(oil-level glasses)* eingebaut. Die vorhandene Ölmenge muss zwischen den beiden Begrenzungslinien liegen. Ist der Ölstand unterhalb der unteren Begrenzungslinie, muss Öl nachgefüllt werden, ist er oberhalb der oberen Begrenzungslinie ist zu viel Öl im Behälter. Um die Funktionsfähigkeit einer Anlage gewährleisten zu können, ist bei einem erhöhten Ölstand Öl abzulassen oder abzusaugen. Wenn an einem Ölschauglas keine Begrenzungslinie vorhanden sind, muss der Ölstand bis zur Mitte des Ölschauglases reichen. Der Ölstand wird immer zu Beginn einer Arbeit kontrolliert, wenn sich die Maschine noch im Stillstand befindet. Während und direkt nach dem Einsatz ist das Öl in Bewegung und verteilt sich beispielsweise im Getriebegehäuse. Es würden dann falsche Ergebnisse abgelesen werden.

3 *Ölschauglas an einer CNC-Drehmaschine*

Ölwechsel *(oil change)*
Bei dem Getriebe (Seite 191 Bild 1) ist ein Ölwechsel durchzuführen. Weil betriebswarmes Öl besser fließt, ist der Ölwechsel direkt nach der Arbeit mit der Maschine durchzuführen.
Schritte beim Ölwechsel:
1. Maschine ausschalten!
2. Die Öleinfüllschraube wird mit einem entsprechenden Schraubenschlüssel herausgeschraubt (zur Belüftung).
3. Die Ölablassschraube wird mit einem entsprechenden Schraubenschlüssel gelöst und herausgedreht.

4. Das abfließende Öl wird in einem geeigneten Auffangbehälter gesammelt.
5. Ölschlamm wird mit frischem Getriebeöl ausgespült.
6. Die Ölablassschraube wird wieder mit einer neuen Dichtung eingeschraubt.
7. Die entsprechende Ölmenge wird mithilfe eines Trichters eingefüllt (Wartungsplan, Mitte Ölschauglas).
8. Die Öleinlassschraube wird wieder mit einer neuen Dichtung eingeschraubt.
9. Das Altöl wird fachgerecht gesammelt und entsorgt.

Merke

Hersteller übernehmen nur eine Funktionsgarantie, wenn die empfohlenen Schmierstoffe verwendet werden (vgl. Abschnitt Schmierstoffe).

Schmierung *(lubrication)*

Führungsbahnen *(slideways)* von Dreh- und Fräsmaschinen sowie die **Säulen** von Bohrmaschinen werden mit einem **Ölspray** *(oil spray)* (Bild 2) oder einer **Ölflasche mit Zerstäuber** *(oil bottle with atomizer)* (Bild 3) geschmiert. Die Maschinenelemente müssen frei von Spänen und Verschmutzungen sein.

Merke

Die Maschinenelemente müssen vor dem Schmieren gereinigt werden.

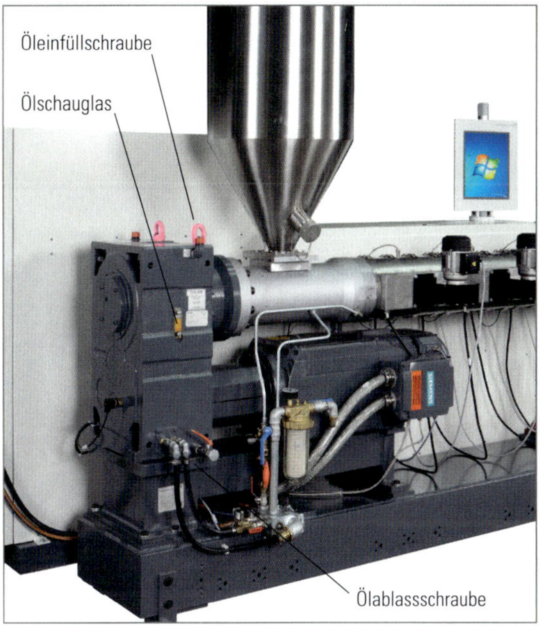

1 Ölwechsel am Getriebe einer Extruderschnecke

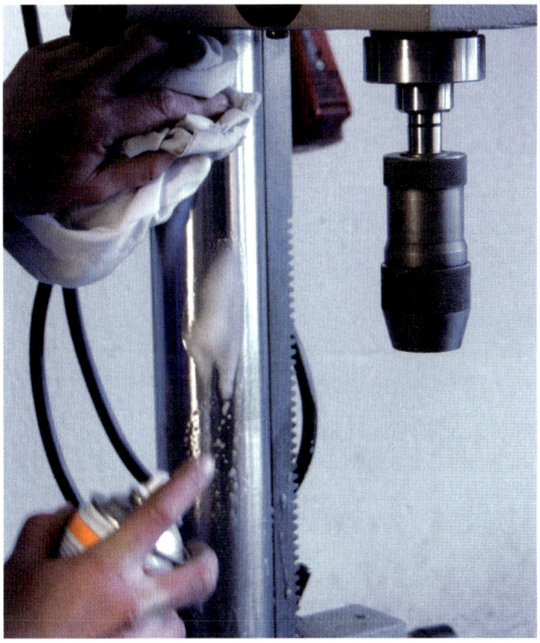

2 Schmieren einer Bohrmaschinensäule mit Ölspray

AH GK S. 102

3 Ölflasche mit Zerstäuber

Einige Maschinenelemente wie z. B. die Vorschubspindel einer Fräsmaschine werden über Schmiernippel geschmiert. Die Reibstellen werden über die **Schmiernippel** *(lubricating nipples)* mithilfe einer Öl- oder **Fettpresse** *(grease gun)* geschmiert (Bild 4). Die richtige **Schmierstoffmenge** *(amount of lubricants)* ist erreicht, wenn der Schmierstoff aus den Fügestellen herauszuquellen beginnt (drei bis vier Hübe mit der Öl- bzw. Fettpresse). Die Schmiernippel werden anschließend mit einem nicht faserndem Tuch gereinigt.

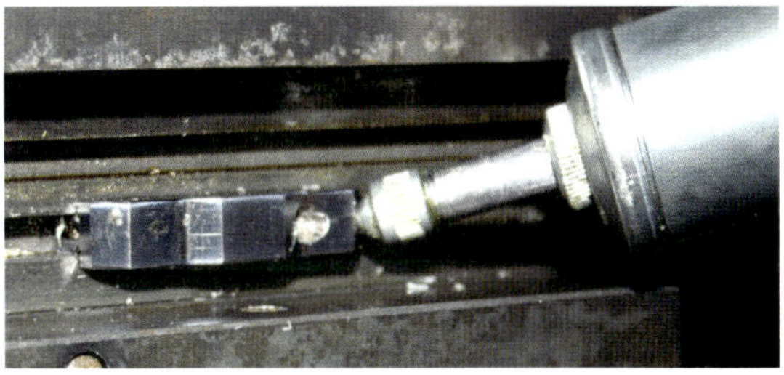

4 Einfetten der Vorschubspindelbehälter über Schmiernippel

Wälzlager *(rolling bearings)* müssen mit einem speziellen Schmierfett geschmiert werden. Nur dann können sie ihre Aufgabe einwandfrei erfüllen. Das Einfetten eines Wälzlagers (Bild 1) erfolgt mit einem Pinsel.

ÜBUNGEN

1. Welche Maschinenelemente haben Sie in Ihrer beruflichen Praxis ausgetauscht?
2. Was ist bei Wartungstätigkeiten an pneumatischen und hydraulischen Anlagen aus sicherheitstechnischen Gründen unbedingt einzuhalten?
3. Was ist bei der Montage von Keilriemen zu beachten?
4. Was verstehen Sie unter Konservierung?
5. Warum werden Werkzeuge wie Drehmeißel, Fräser, Kegelsenker konserviert?
6. Beschreiben Sie die Wartungstätigkeit „Ölstandkontrolle".
7. Wann ist eine Ölstandkontrolle durchzuführen?
8. Zur welcher Zeit (Arbeitsbeginn bzw. -ende) ist ein Ölwechsel zweckmäßig durchzuführen?
9. Welche Betriebsmittel werden bei einem Ölwechsel benötigt?
10. Wie ist bei einem Ölwechsel mit dem Altöl umzugehen?
11. Welche Wartungstätigkeit ist vor dem Schmieren von Maschinenelementen durchzuführen?
12. Nennen Sie Hilfsmittel zum Schmieren von Maschinenelementen.
13. Welche Aufgabe haben Schmiernippel?

1.2.1.3 Sammlung und Entsorgung

Altöle und Reinigungsmittel

Umweltbelastende Abfälle wie Altöle *(waste oils)* und Reinigungsmittel *(cleaning agents)* müssen gesondert gesammelt werden (Bild 1). Sie dürfen auf keinen Fall in die Kanalisation gelangen. Öl ist in der Lage, die 1000-fache Menge an Wasser zu verseuchen. Lösungs- und Reinigungsmittel bestehen häufig aus Chlorwasserstoffen. Diese Substanz ist besonders gefährlich, weil sie durch Betonböden sickern kann und so ins Grundwasser gelangt. Auch führen eingeatmete Dämpfe zu Schädigungen an den Organen. Arbeiten mit Lösungs- und Reinigungsmitteln sind daher nur in gut durchlüfteten Räumen oder im Freien auszuführen.

Für die verschiedenen Stoffe sind unterschiedliche Behälter *(containers)* vorgesehen. Die verschiedenen Stoffe dürfen nicht vermischt werden. Bei einer Mischung von z. B. unterschiedlichen Schmierstoffen kann es zu gefährlichen chemischen Reaktionen kommen. Auch ölhaltige Betriebsmittel wie ölverschmierte Papiertücher werden gesondert gesammelt.

1 Einfetten eines Wälzlagers

2 Vorschriftsmäßige Sammlung von Altölen und Reinigungsmitteln. Auslaufende Flüssigkeiten werden in der darunter liegenden Wanne aufgefangen.

Bei der **Sammlung** *(collection)* und **Entsorgung** *(disposal)* von umweltbelastenden Abfällen ist die vorgeschriebene **Schutzkleidung** *(protective clothing)* wie z. B. Atemschutzmaske, Brille oder Handschuhe zu tragen.

- Überalterte Öle und Kühlschmierstoffe können Hauterkrankungen und juckende Ekzeme verursachen, wenn sie mit der Haut in Berührung kommen. Der Heilungsprozess der erkrankten Haut kann Jahre dauern!
- Reinigungsmittel können dauerhaft die Augen schädigen. Kommt es dennoch zu einem Unfall, ist das betroffene Auge sofort mit klarem Wasser auszuwaschen. Ein Augenarzt muss umgehend aufgesucht werden[1].

Merke

Schützen Sie Ihre Gesundheit!
Tragen Sie die richtige Schutzkleidung!

In Werkstätten sind Getränke sowie der Verzehr von Lebensmitteln verboten, weil die schädigende Wirkung von chemischen Substanzen auch über Nahrungsmittel transportiert werden kann.

Zur **Aufbereitung** *(reprocessing)* oder **endgültigen Entsorgung** *(waste diposal)* werden die Sonderabfälle **Spezialbetrieben** *(waste diposal companies)* wie z. B. Deponien oder Verbrennungsanlagen zugeführt. Auf Deponien werden Sonderabfälle gelagert, in Verbrennungsanlagen werden sie verbrannt und oftmals aufbereitet.

Merke

- Abfälle sollen nach Möglichkeit verwertet werden (Wiederaufbereitung oder Verbrennung zur Energiegewinnung).
- Abfälle sind so zu entsorgen, dass die Gesundheit von Personen nicht beeinträchtigt wird.
- Umweltschädigende Abfälle dürfen nicht mit Lebensmitteln in Kontakt kommen.
- Umweltgefährdende Stoffe müssen bei den zuständigen Behörden angezeigt werden. Ihre gesetzesmäßige Entsorgung muss nachgewiesen werden.
- Eine Übergabe der Abfälle an ein Transportunternehmen darf nur erfolgen, wenn dieses eine Transport- und Entsorgungsgenehmigung vorlegen kann.

Bild 1 enthält eine Auswahl besonders **überwachungsbedürftiger Stoffe**[2], die in Metallbetrieben anfallen.

Abfall	Entsorgung
schmierstoffverunreinigte Papierfilter	Sonderabfall, Abgabe an Spezialbetrieb
schmierstoffverunreinigte Putzlappen, Pinsel	Sonderabfall, Abgabe an Spezialbetrieb
Ölbindemittel	Sonderabfall, Abgabe an Spezialbetrieb
Metalldosen z. B. von Farben, Reinigern, Klebern, Rostentfernern	entleerte Dosen beim Schrotthändler abgeben
Kunststoffdosen mit Ölresten	Sonderabfall, Abgabe an Spezialbetrieb
Getriebeöle, Hydrauliköle, Kompressoröle von Verdichtern, z. B. Verbrennungsmotoren	Rückgabe an den Lieferanten. Nicht mit anderen Stoffen mischen.
Öle aus Heizungs- und Hydraulikanlagen	Sonderabfall, Abgabe an Spezialbetrieb
Überalterte Kühlschmierstoffe aus **mineralischen** Ölen	Rückgabe an den Lieferanten zur Verwertung. Nicht mit Wasser, Emulsionen, Reinigern usw. mischen, weil sonst keine Verwertung möglich ist.
Überalterte Kühlschmierstoffe aus **synthetischen** Ölen	Sonderabfall, Abgabe an Spezialbetrieb
Kondensate aus Kompressoren	Sonderabfall, Abgabe an Spezialbetrieb
Metallschleifschlamm, kühlschmierstoffbehaftete Späne	Sonderabfall, Abgabe an Spezialbetrieb

***1** Auswahl besonders überwachungsbedürftiger Abfälle*

Späne

Späne *(chips)* sind ein **wertvoller Rohstoff** *(raw material)*! Sie sind nicht wie Abfall zu behandeln. Daher ist es wichtig:

- Späne sollten in einem **öldichten Behälter** *(oiltight container)* gesammelt werden, der ein Abtropfen des Kühlschmieröles ermöglicht. Das aufgefangene Öl kann aufbereitet wieder in den Kühlschmiermittelkreislauf zurück geführt werden.
- Späne **sortenrein** sammeln (Bild 2). Eine Vermengung führt zur Beeinträchtigung der Qualität des Rohstoffs.

***2** Behältnis für Aluminiumspäne*

1) Siehe Seite 188.
2) Abfallbeseitigungsgesetz AbfG §2

- Späne **ölfrei** *(oil-free)* zur Wiederverwertung transportieren.
- Spänebehälter *(chip containers)* nicht als Abfalleimer benutzen.

AH GK S. 103–104

Merke

Späne, die mit Emulsionen und Schmiermittel behaftet sind, sind Sondermüll. Sie stellen eine Gefahr für das Grundwasser dar.

Kunststoffe

Riemen, Schläuche usw. sind oftmals aus Kunststoffen *(plastics)* gefertigt. Viele Kunststoffarten sind wiederverwertbar. Deshalb sollten Kunststoffe gesondert gesammelt werden. Die vorübergehende Lagerung von Kunststoffen ist relativ unproblematisch. Gefährlich werden Kunststoffe erst bei Bränden. Dann entstehen gesundheitsschädigende Flüssigkeiten, Gase und Dämpfe.

Merke

Bei Wartungstätigkeiten müssen häufig Materialien wie z. B. Schmierstoffe, Kühlschmierstoffe, Lösungs- und Reinigungsmittel, Späne, Schläuche und Riemen fachgerecht entsorgt werden!

ÜBUNGEN

1. Welche Materialien werden in Ihrem Betrieb und in Ihrer Berufsschule gesondert gesammelt?
2. Wo werden diese Materialien gesammelt?
3. Nennen Sie drei Beispiele für Schutzkleidung.
4. Suchen Sie im Internet nach weiteren Beispielen für Schutzkleidung.
5. Skizzieren Sie zwei weitere Verbotszeichen (vgl. Tabellenbuch).
6. Welche gesundheitlichen Schäden können Kühlschmierstoffe verursachen?
7. Wann muss ein Augenarzt aufgesucht werden?
8. Nennen Sie zwei Möglichkeiten zur endgültigen Entsorgung bzw. Aufbereitung von umweltgefährdenden Abfällen.
9. Nennen Sie überwachungsbedürftige Abfallarten. Wie müssen diese entsorgt werden?
10. Wie werden in Ihrem Betrieb Späne gesammelt?
11. Welche Gefahr geht von schmiermittelbehafteten Spänen aus?
12. Warum sollten Kunststoffe gesondert gesammelt werden?

Video Kolbenkompressor

1.2.1.4 Wartungspläne

Wartungstätigkeiten *(maintenance works)* an technischen Anlagen und Baugruppen wie in Kap. 1.2.1.2 beschrieben, sind nach Herstellerangaben durchzuführen. **Wartungsvorschriften** *(maintenance instructions)* sind meist Bestandteile von Handbüchern[1], die beim Kauf einer Anlage mitgeliefert werden. Wartungsvorschriften werden in **Wartungsplänen** *(maintenance shedules)* beschrieben. Wartungspläne sind **nicht genormt**. Sie können je nach Hersteller unterschiedlich aussehen. Oftmals werden Wartungsangaben durch eine schematische oder fotografische Darstellung der Gesamtanlage (Bild 1) und einem dazugehörigen Text beschrieben. Dieser kann auch tabellarisch (Seite 196 Bild 1) angeordnet sein.

Wartungspläne geben

- die zu wartenden Anlagenkomponenten,
- den Zeitpunkt der Wartung und
- die auszuführenden Tätigkeiten an.

Oftmals enthalten sie noch zusätzliche Bemerkungen wie z. B. Sicherheitshinweise, Hinweise zur Durchführung der Wartungstätigkeit, zu verwendende Schmierstoffe oder Angaben über Füllmengen.

ÜBUNGEN

1. Wo können Sie sich über die erforderlichen Wartungstätigkeiten an einer Anlage informieren?
2. Welche Angaben sind immer in einem Wartungsplan enthalten?
3. Welche Wartungstätigkeiten (siehe Seite 196 Bild 1) dürfen Sie an dem Kompressor **nicht** durchführen?

1) Neben Wartungsangaben enthalten Handbücher Informationen über Sicherheitshinweise, Aufstellbedingungen, Benutzungshinweise, technische Daten, Montage- und Demontagehinweise usw.

1. Das Gerät im Überblick

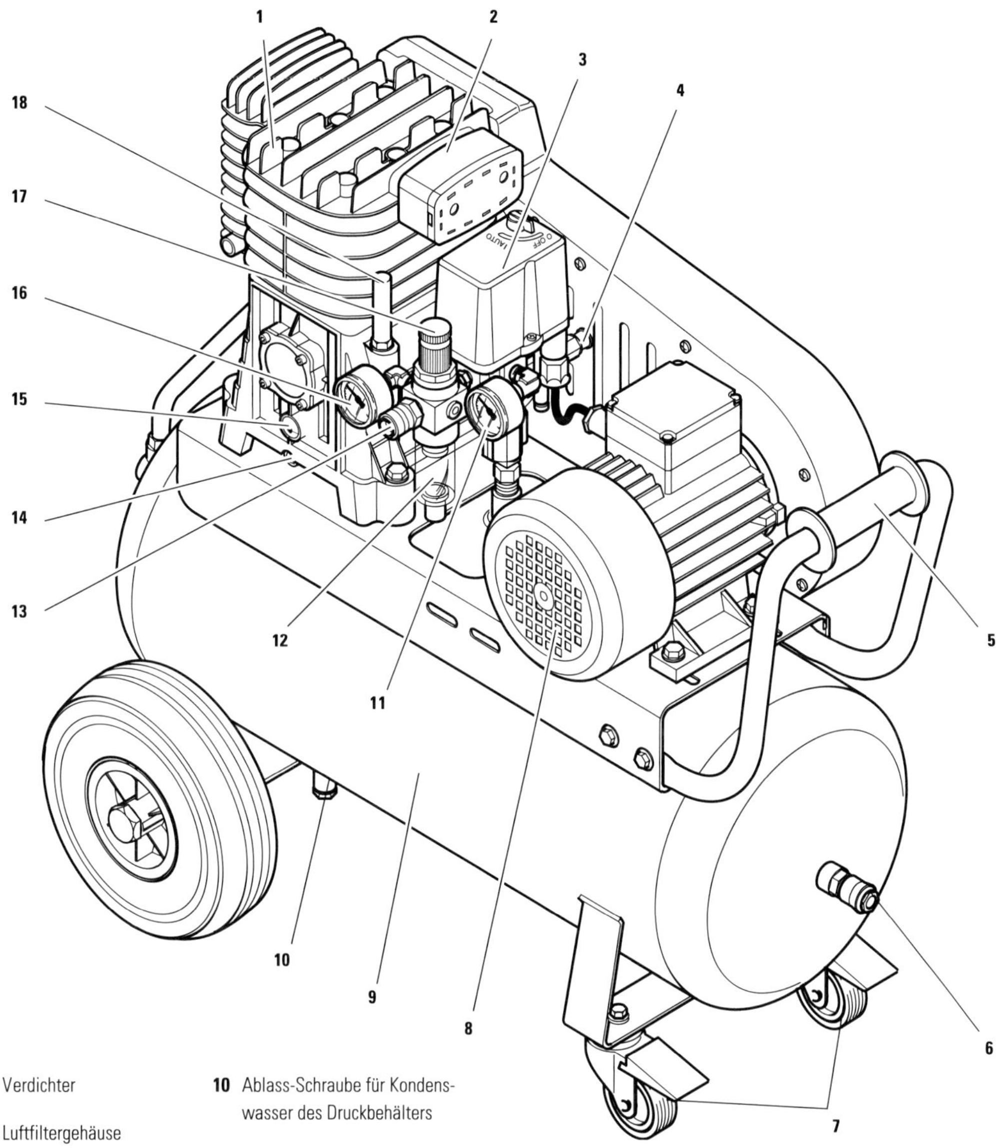

1 Verdichter

2 Luftfiltergehäuse

3 Ein/Aus-Schalter

4 Sicherheitsventil

5 Transportgriff

6 Druckluftanschluss für ungeregelte Druckluft

7 Feststellbare Lenkrollen

8 Motor

9 Druckbehälter

10 Ablass-Schraube für Kondenswasser des Druckbehälters

11 Manometer Kesseldruck

12 Filterdruckminderer

13 Druckluftanschluss für geregelte Druckluft

14 Ölablass-Schraube

15 Ölschauglas

16 Manometer Regeldruck

17 Druckregler

18 Öleinfüllstutzen

Wartungselement	vor Arbeitsbeginn	nach 50 h	nach 250 h	nach 500 h	nach 1000 h
Druckluftschläuche	prüfen (ggf. ersetzen)				
Verschraubungen	prüfen (ggf. festziehen)				
Anschlusskabel	prüfen (ggf. durch eine Elektrofachkraft ersetzen lassen)				
Verdichter		Ölstand kontrollieren (ggf. auffüllen)		Öl wechseln	
Kondensat		des Druckbehälters und des Filterdruckminderers ablassen			
Luftfilter		am Verdichter prüfen (ggf. reinigen), am Filterdruckminderer reinigen	am Verdichter und am Filterdruckminderer erneuern		
Keilriemen		prüfen (ggf. reinigen oder nachspannen)			
Gesamte Funktion					Inspektion durchführen lassen

1 *Wartungsplan eines Kompressors*

1.2.1.5 Schmierpläne

AH GK S. 105

Bei **mechanischen** *(mechanical)* Elementen ist eine **fachgerechte Schmierung** *(lubrication)* die wichtigste Wartungsmaßnahme.

Verschleißerscheinungen[1] *(abrasions)*, die durch **Reibung**[2] *(friction)* verursacht werden, können durch fachgerechte Schmierung reduziert werden. Somit sind die wichtigsten Aufgaben von Schmierstoffen *(lubricants)*:

- Verminderung der Reibung (schmieren)
- Dämpfung von dynamischer Belastung (dämpfen)
- Wärmeabfuhr (kühlen)
- Abtransport von Verschleißteilchen (transportieren)
- Korrosionsschutz[3] (schützen)

Gesonderte **Schmierpläne** *(lubrication charts)* (Seite 197 Bild 1) werden daher häufig den Wartungsplänen beigefügt. Ein Schmierplan besteht z. B. aus einer schematische Darstellung einer Drehmaschine und einer ergänzenden Tabelle. Durch unterschiedliche Symbole auf den **Zuordnungslinien** *(coordination lines)* kann sicher erkannt werden, wann gewartet werden muss und welche Art von Schmiermittel (Öl, Fett oder Kühlschmierstoff) zu benutzen ist bzw. ob eine Kontrolle durchgeführt werden muss. Schmierplänen sind meist Empfehlungen über geeignete Schmier- und Kühlschmierstoffe[3] beigefügt (Seite 198 Bild 1). In Schmierplänen werden oftmals **Bildzeichen** *(graphical symbols)* benutzt. Dadurch werden Schmierpläne international nutzbar (Seite 199). Eine Auswahl genormter Bildzeichen, die in Schmierplänen verwendet werden, zeigt Bild 2.

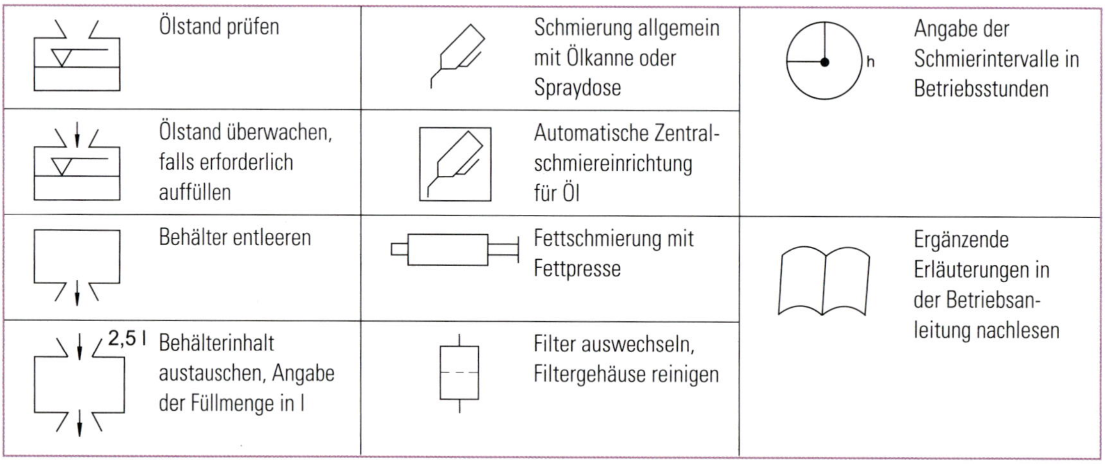

2 *Bildzeichen in Schmierplänen (Auswahl)*

1) Siehe Kap. 1.3.1 „Verschleiß".
2) Siehe Kap. 1.3.2 „Reibung".
3) Siehe Kap. 1.4 „Korrosion".

Wartungs-
plan Dreh-
maschine

Wartungsübersicht   Wartung / Nachstellarbeiten

Wartungsübersicht

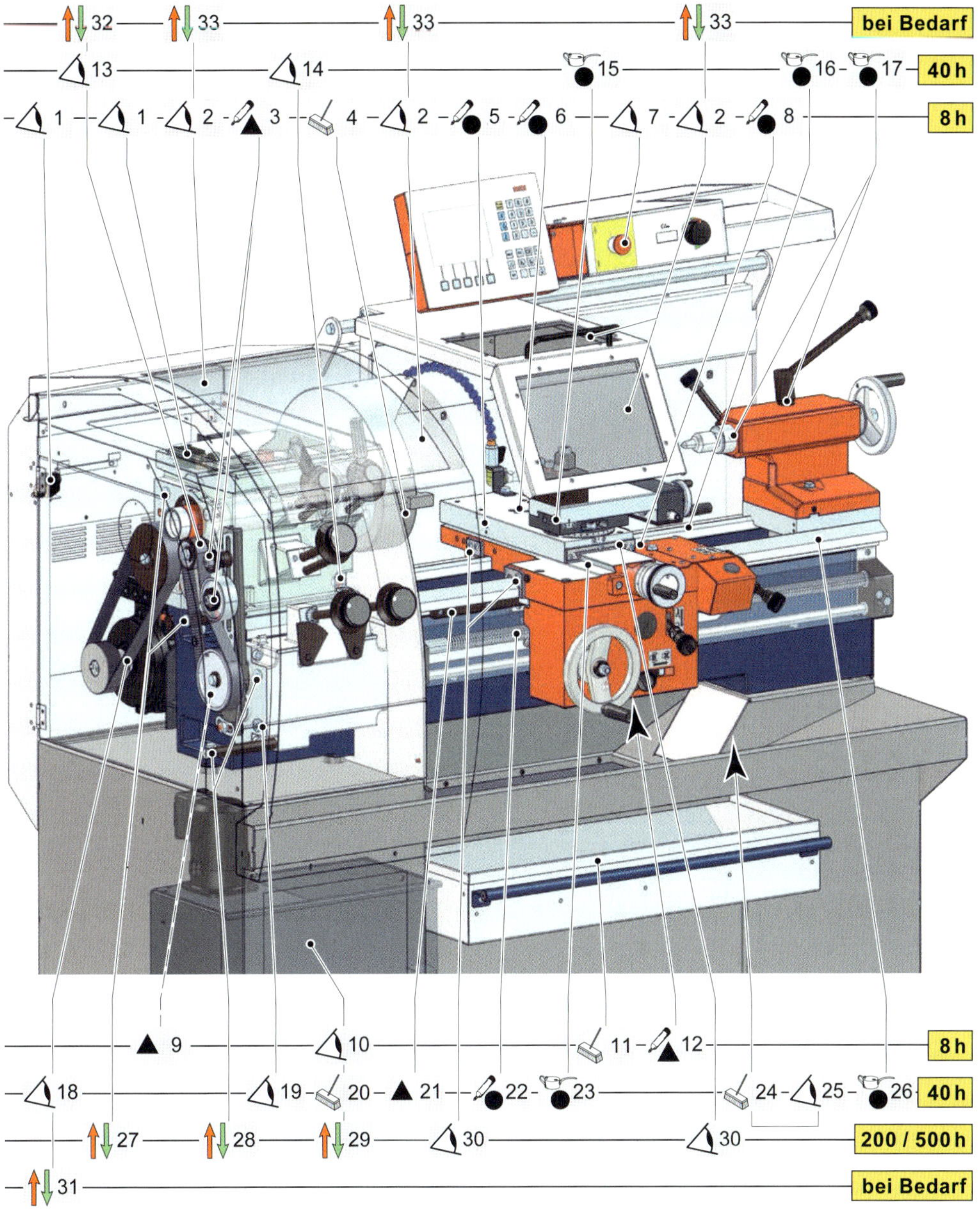

Kontrolle, bei Bedarf ergänzen

Reinigung

Fettschmierung

Fettschmierung (Schmiernippel)

Ölschmierung

Ölschmierung (Schmiernippel)

Austausch

17D/20D EMCOMAT 44

AH GK S. 106

Verwendung	Bezeichnung nach DIN	Empfehlung	
Spindelgetriebe Vorschubgetriebe	Hydrauliköl: HLP DIN 51524/2 ISO VG 46	BP CASTROL EUROL ESSO KLÜBER MOBIL OMV	Energol HLP 46 Vario HDX Spezial K Nuto H 646 Croucolan 46 DTE 25 Hyd HLP 46
Schlittenführungen Reitstockpinole	Gleitbahnöl: CGLP DIN 51502 ISO VG 68	BP CASTROL ESSO KLÜBER MOBIL OMV TRIBOL	Maccurat 68 Magnaglide D 68 Febis K68 Lamora Super Pollad 68 Vactra 2 Glide 68 1060/68
sämtliche Fettschmierstellen (Schmiernippel) Wechselräder	Fett: DIN 51804-1 NLGI 2 DIN 51807-1	EMCO BP CASTROL KLÜBER MOBIL MOLUB ALLOY OMV RÖHM TRIBOL	Gleitpaste L2 Grease MS 3 Altemp Q NB 50 Mobilgrease Special Topfit 3284 Signum LM F 80 4020/460-2
Metallbearbeitung	Kühlschmiermittel	CASTROL CASTROL CASTROL BP BP BP OMV OMV	Syntilo R Plus DC 282 Alusol B Fedaro Olex Bezora AS 220 R Alumet AL877

***1** Schmier- und Kühlmittelempfehlungen für die Drehmaschine Seite 197*

ÜBUNGEN

Schmierplan Drehmaschine

1. Zu welcher Kategorie gehören die Positionen 2, 7 und 33?

2. Welche Wartungstätigkeiten sind bei den Positionsnummern 2, 14 und 18 durchzuführen?

3. Wie häufig ist die Leitspindel zu schmieren?

4. Wie häufig muss das Kühlschmiermittel gewechselt werden?

5. Welche Symbole haben die unterschiedlichen Schmierstoffarten zugeordnet bekommen?

Schmierplan Bohrmaschine (Seite 199)

1. Welche Wartungselemente werden durch die Positionsnummern 200, 300, 400, 500, 700 und 800 beschrieben?

2. Welche Wartungstätigkeiten sind bei den einzelnen Positionsnummern durchzuführen?

3. Wie häufig ist die Spindelkeilwelle zu schmieren?

4. Welche Wartungstätigkeiten sind nach einem Arbeitstag (8 Stunden Betriebszeit) durchzuführen?

5. Welche Wartungstätigkeiten sind nach 2000 Stunden Betriebszeit durchzuführen?

6. Wie viel Tage, Wochen, Monate und Jahre entsprechen 2000 Betriebsstunden? Gehen Sie bei Ihren Berechnungen von einem Arbeitstag mit 8 Stunden und einer Arbeitswoche mit 5 Tagen aus.

7. Nach wie vielen Wochen sind 2000 Betriebstunden erreicht, wenn von einem Zweischichtbetrieb (16 Arbeitstunden pro Tag) ausgegangen wird?

8. Wie viele verschiedene Schmierstoffe sind im Schmierplan angegeben?

9. Begründen Sie, warum bei den Positionsnummern 500 und 600 keine Schmierstoffe angegeben sind.

C 012 528

10.6.3 Schmieranleitung/Lubricating instruction/Instruction de graissage AX 4/SV

Säulenbohrmaschine – Column drilling machine – Perceuse à colonne

D GB F

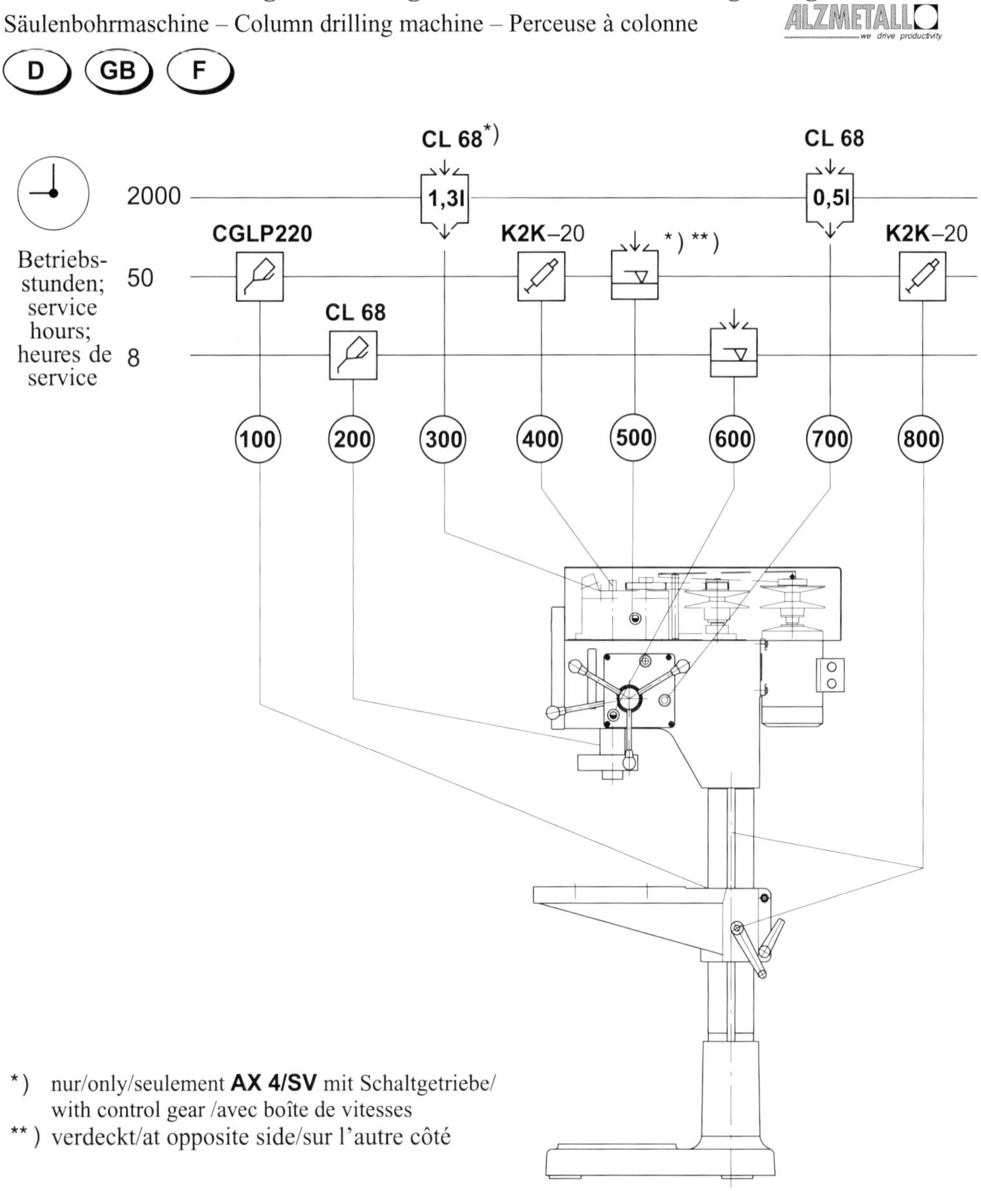

*) nur/only/seulement **AX 4/SV** mit Schaltgetriebe/ with control gear /avec boîte de vitesses

**) verdeckt/at opposite side/sur l'autre côté

100 Säule
Column
Colonne

200 Pinole
Quill
Fourreau

300 Einfüllstopfen für Getriebe
Filling plug for gear;
Bouchon de remplissage pour boîte de vitesse

400 Spindelkeilwelle
Spline shaft of spindle
Arbre cannelé de broche

500 Ölschauglas **AX 4/SV** mit Schaltgetriebe
Oil sight glass **AX 4/SV** with control gear;
Voyant d'huile **AX 4/SV** avec boîte de vitesses

600 Ölschauglas Vorschubgetriebe
Oil sight glass for feed gear
Voyant d'huile pour boîte d'avance

700 Öleinfüllschraube Vorschubgetriebe
Oil filling plug for feed gear;
Bouchon de remplissage d'huile pour boîte d'avance

800 Tischhubgetriebe/Zahnstange
Elevating gear for drilling table/rack
Boîte d'élévation de table/crémaillère

1.2.1.6 Schmierstoffarten

Zur Erfüllung der Aufgaben werden in Abhängigkeit vom Verwendungszweck (Bild 1) verschiedene **Schmierstoffarten** *(kinds of lubricants)* eingesetzt.

1 *Verschiedene Schmierstoffarten an einer Drehmaschine*

Dabei wird hauptsächlich unterschieden zwischen:
- **Kühlschmierstoffen** *(coolants)*
- **Flüssigen Schmierstoffen** *(liquid lubricants)* z. B. Öle
- **Schmierfetten** *(lubricating greases)* z. B. Pasten
- **Festschmierstoffen** *(solid lubricants)* z. B. Grafit

Kühlschmierstoffe werden bei der spanenden Bearbeitung benutzt. Beim Zerspanen haben sie die Aufgabe zu schmieren und zu kühlen. Ferner sollen sie entstehende Späne abtransportieren (vgl. Teil I, Kap. 1.3.2).

Der Einsatz der anderen Schmierstoffarten hängt von den folgenden **physikalischen Größen** ab, denen sie ausgesetzt sind:
- Druck
- Geschwindigkeit
- Temperatur

Flüssige Schmierstoffe

Zu den flüssigen Schmierstoffen gehören **Mineralöle** und **synthetische Öle**. Mineralöle werden aus Erdöl gewonnen. Synthetische Öle werden künstlich erzeugt. Additive (Zusätze) verbessern die Eigenschaften (z. B. die Alterungsbeständigkeit, Korrosionsbeständigkeit) der Schmieröle.

In Getrieben können die entstehenden Geschwindigkeiten und Temperaturen sehr hoch sein. Auch auf Führungsbahnen können hohe Geschwindigkeiten entstehen. Für diese Anforderungen eignen sich **Schmieröle**.

Schmieröle werden nach ihrem Einsatzgebiet (z. B. Getriebe, Hydraulikanlage) weiter unterteilt. Um Schmieröle zum Beispiel in Schmierplänen knapp darstellen zu können, erhalten sie eine **Kurzbezeichnung**, siehe auch Tabellenbuch:

CGLP 220	
CG:	Gleitbahnöl
L:	Zusätze zur Erhöhung des Korrosionsschutzes und/oder der Alterungsbeständigkeit
P:	Zusätze zur Minderung der Reibung und/oder zur Erhöhung der Belastbarkeit
220:	Viskositätsklasse ISO VG 220

Schmierfette

Schmierfette sind angedickte Schmieröle und bestehen somit aus
- einem Grundöl (Mineral- oder Syntheseöl),
- Additiven (Zusätze zur Verbesserung von Eigenschaften)
- und einem Verdickungsmittel.

Schmierfette werden hauptsächlich für Gleit- und Wälzlager (Seite 192 Bild 1) verwendet. Sie haften gut an der Oberfläche der Lagerbauteile. Daher kann meist auf aufwendige Dichtmaßnahmen verzichtet werden. Auch können sie den hohen Lagerdrücken standhalten.
Die Bauteile des Schlosskastens der Drehmaschine (Seite 200) sind weder hohen Geschwindigkeiten noch hohen Temperaturen ausgesetzt. Hier kommen Schmierfette zum Einsatz.
Um Schmierfette z. B. in Schmierplänen knapp darstellen zu können, erhalten sie eine **Kurzbezeichnung**, siehe Tabellenbuch:

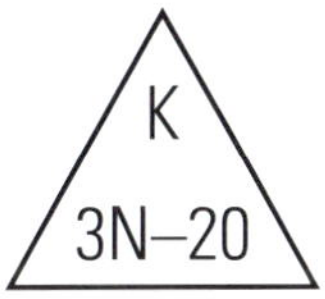

K: Schmierfett für Wälzlager, Gleitlager und Gleitflächen
3: Konsistenzzahl (mittlere Verformbarkeit)
N: obere Gebrauchstemperatur (140 °C)
–20: untere Gebrauchstemperatur (–20 °C)

Festschmierstoffe (Trockenschmierstoffe)
Bekannteste Festschmierstoffe sind Grafit (C = Kohlenstoff) und Molybdändisulfid (MoS_2). Aber auch Legierungen und Kunststoffe werden als Festschmierstoffe verwendet.
Festschmierstoffe kommen bei sehr niedrigen Geschwindigkeiten, bei sehr hohen Drücken und bei extrem niedrigen (ca. –180 °C) oder hohen (ca. 500 °C) Betriebstemperaturen zum Einsatz.

Merke
Beim Einsatz von Schmierstoffen sind die Herstellerangaben einzuhalten!
Nichteinhaltung führt zum Garantieverlust.

ÜBUNGEN

1. Nennen Sie die verschiedenen Schmierstoffarten.
2. Wovon hängt der Einsatz der Schmierstoffarten ab?
3. Erläutern Sie mithilfe Ihres Tabellenbuches die Bezeichnungen der Schmierstoffe der Bohrmaschine auf Seite 199.

1.2.2 Inspektion, Instandsetzung, Verbesserung

1.2.2.1 Inspektion

Die Instandhaltungsmaßnahme Inspektion *(inspection)* (Bild 1) hat die Aufgabe, den Zustand einer Anlage festzustellen. Das Ziel ist dabei, Abnutzungserscheinungen möglichst früh zu erkennen und deren Ursachen zu bestimmen. Dann können geeignete Maßnahmen veranlasst werden, die die Abnutzung reduzieren.
Maßnahmen zur Verringerung der Abnutzung können nicht eingeleitet werden, wenn die **Abnutzungsursache** *(wearing reason)* eines Bauteiles nicht bestimmbar ist. Eine Inspektion macht dann keinen Sinn. Elektronische Bauteile (Bild 2) sind

1 *Inspektion*

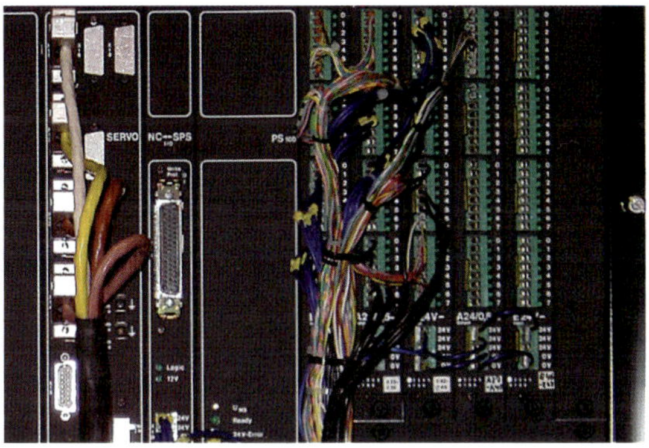

2 *Elektronische Bauelemente an einer SPS-Steuerung*

Beispiele für Maschinenelemente, die ohne äußerlich erkennbare Ursachen ausfallen können.

Merke
Bei einer Inspektion
- wird der Istzustand festgestellt und beurteilt,
- wird die Abnutzungsursache bestimmt,
- werden weitere Instandhaltungsmaßnahmen eingeleitet.

Inspektionspläne
Für eine fachgerechte Inspektion erstellen Hersteller oder das Instandhaltungsmanagement eines Betriebes Inspektionspläne *(inspection schedules)*. In diesen wird aufgeführt, wann und welche Bauteile zu prüfen sind. Manchmal wird auch die Prüfmethode vorgeschrieben. In der Praxis werden diese Pläne häufig mit Wartungsplänen kombiniert (Seite 202 Bild 2). Die festgestellten Messergebnisse werden in **Prüfprotokollen** *(test reports)* notiert. AH GK S. 107

Handlungsanweisungen für eine Inspektion
Eine Handlungsanweisung *(plot of instructions)* stellt eine Folge von Arbeitsschritten und Entscheidungen dar. Bild 1 auf Seite 202 stellt die Handlungsanweisung für eine Inspektion a) allgemein und b) am Beispiel der Kontrolle einer Ölstandsanzeige im Flussdiagramm dar (vgl. Teil III, Kap. 1.3.1).

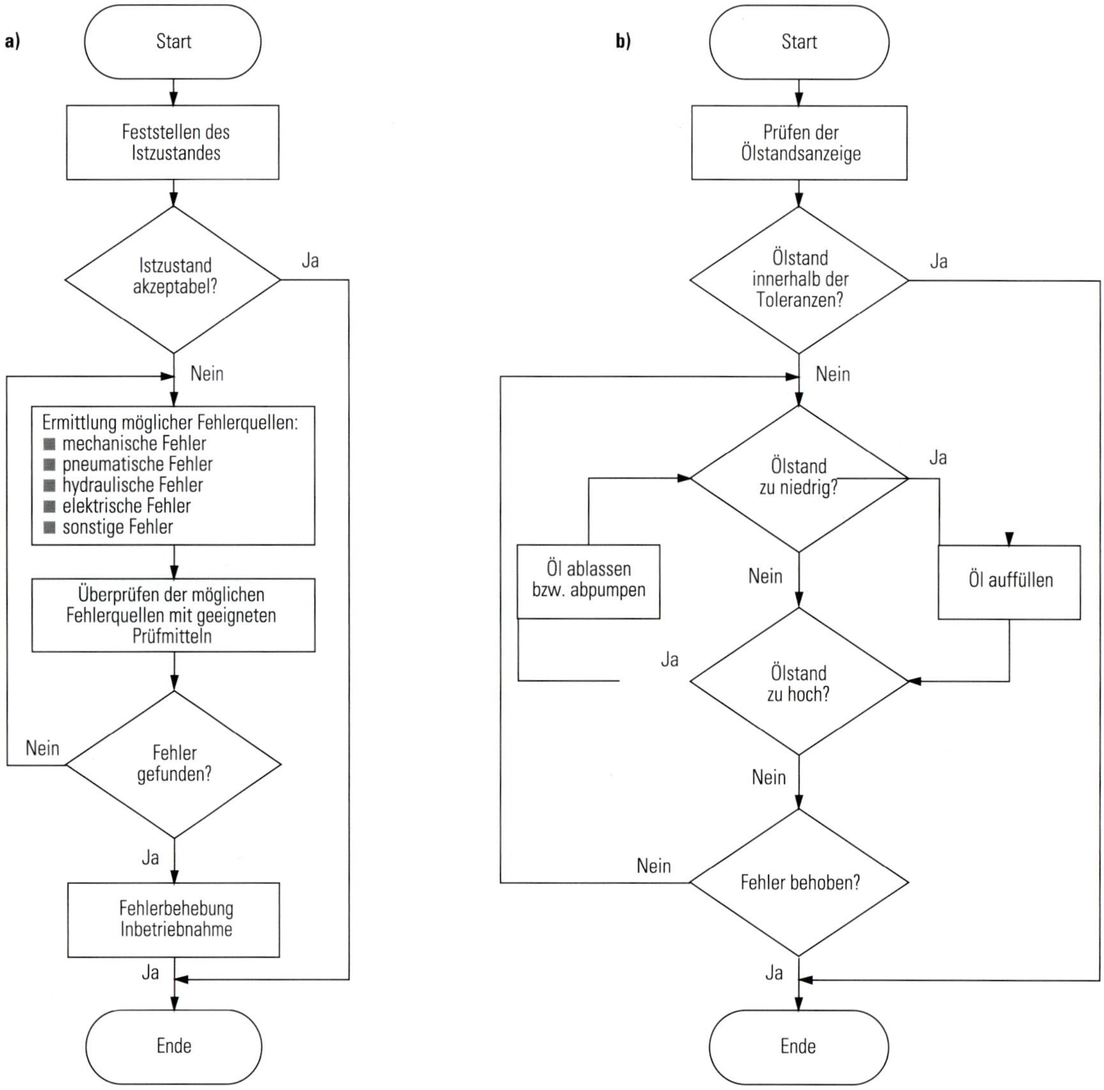

AH GK S. 108

***1** Handlungsanweisung: a) Allgemeine Darstellung b) Konkrete Darstellung*

Baugruppe	**Arbeiten**	**Intervalle** 50 h	200 h	1250 h	**Bemerkungen**
Maschinenbett	Sichtkontrolle auf Sauberkeit und Beschädigung	1, 2	1, 2	1, 2	an Wochenenden reinigen und einölen
Reitstock	Gleitbahn Pinole	2 3	2 3	2 3	
Hydraulik	Öl/Ölstand Leckage Ölfilter	1 1 1	1 1 1	1 1 4	Oberfläche des Hydraulikaggregats reinigen
Kühlschmiermittel	Wasserstand Konsistenz	1, 3 1, 2	1, 3 1, 3	1, 3 1, 4	vom Bediener alle 8 h zu überprüfen
Späneförderer	Sauberkeit	1,2	1,2	1,2	Kette ausbauen und Förderinnenraum reinigen
1 = prüfen; 2 = reinigen; 3 = auffüllen oder abschmieren; 4 = wechseln oder tauschen					

***2** Auszug aus dem Wartungs- und Inspektionsplan einer CNC-Drehmaschine*

ÜBUNGEN

1. Erklären Sie den Unterschied zwischen „Wartung" und „Inspektion".
2. Aus welchen Schritten besteht die Instandhaltungsmaßnahme Inspektion?
3. Begründen Sie, warum Wartungspläne und Inspektionspläne in der Praxis oftmals kombiniert werden.
4. Wozu werden Prüfprotokolle benötigt?
5. Welche Tätigkeiten sind am Reitstock (Seite 202 Bild 2) durchzuführen?

1.2.2.2 Instandsetzung

Instandsetzungsmaßnahmen (Reparatur, Austausch von fehlerhaften Teilen) *(corrective maintenance)* werden durchgeführt:

- Aufgrund der Ergebnisse von Inspektionen (**vorbeugende Instandsetzung**)
- Wenn ein Störungsfall aufgetreten ist und die Instandsetzung wirtschaftlich ist (**störungsbedingte Instandsetzung**)

Instandsetzungsmaßnahmen werden immer im **Stillstand** *(stoppage)* der Anlagen durchgeführt. Für die Durchführung muss deshalb ein für die Produktion günstiger Zeitpunkt gewählt werden. Damit werden die Ausfallzeiten minimiert.

Fällt ein technisches System unerwartet aus, sind Instandsetzungsmaßnahmen **unverzüglich** durchzuführen. Die schnellstmögliche Instandsetzung reduziert die Ausfallkosten.

Vorbeugende Instandsetzung

Die vorbeugende Instandsetzung erfolgt nach Herstellerangaben oder in regelmäßigen Abständen nach einer Inspektion.

Vorbeugende Instandsetzungsmaßnahmen bei **mechanischen Systemen** sind z. B.:

- Austausch von Wälzlagern
- Austausch von Dichtungen, Splinten, Sicherungsringen usw.
- Reparatur von Verbindungen
- Zurückbiegen verformter Bleche
- Nachspannen, Erneuern von Riemen (Bild 1)
- Austauschen von Buchsen

Vorbeugende Instandsetzungsmaßnahmen bei **hydraulischen** und **pneumatischen Systemen** sind z. B.:

- Lose Verschraubungen nachziehen, gegebenenfalls erneuern
- Ventile und Zylinder austauschen
- Fehlerhafte Schläuche austauschen
- Dichtungen erneuern
- Hydraulikpumpen austauschen

Vorbeugende Instandsetzungsmaßnahmen bei **elektrischen Systemen** sind z. B.:

- Verbinden gelöster Leitungen
- Austausch schadhafter Leitungen
- Austausch schadhafter Sensoren

***1** Prüfen der Vorspannung eines Keilriemens*

AH GK S. 109

Störungsbedingte Instandsetzung

Bei unerwartetem Ausfall der Anlage und bei unzureichender Produktqualität ist eine störungsbedingte Instandsetzung erforderlich.

Die fehlerhaften Bauteile sind auszutauschen oder zu reparieren. Folgende Schäden führen zum Ausfall einer Maschine bzw. zu minderer Produktqualität:

Schadensart	Maßnahme
Riss eines Keilriemens	z. B. Keilriemen auswechseln, Ursachen ermitteln wie z. B. Vorspannung prüfen
Defektes (elektro-)pneumatisches Bauteil	Bauteil austauschen
Kalte Lötstelle	Nachlöten
Leckage an Ablassschrauben	Dichtungen prüfen, Dichtungen reinigen oder austauschen
Verformte Wellen	Belastungen prüfen, Welle austauschen
Schraubenbruch	Schraubenfestigkeit prüfen, Schraube ersetzen
Auslösen einer elektrischen Sicherung	Elektrofachkraft hinzuziehen

ÜBUNGEN

1. Erklären Sie den Unterschied zwischen vorbeugender und störungsbedingter Instandsetzung
2. Welche Sicherheitsmaßnahmen sind bei Instandsetzungsmaßnahmen zu berücksichtigen?
3. Durch welche Maßnahmen werden Ausfallkosten minimiert?
4. Welche Instandsetzungsmaßnahme haben Sie in Ihrem Betrieb bereits ausgeführt oder beobachtet?

1.2.2.3 Verbesserungen

AH GK S. 110

Störungen *(disabled states)* werden als **„chronische Störungen"** oder **„Schwachstellen"** bezeichnet, wenn sie

- regelmäßig an derselben Stelle mit den gleichen Symptomen auftreten und
- nicht auf Bedienerfehler zurück zuführen sind.

Durch geeignete Maßnahmen kann eine technische Anlage verbessert werden. Chronische Störungen sind in der Regel durch technische Verbesserungen vermeidbar. Auch organisatorische Verbesserungen *(improvements)* steigern die Produktivität und die Sicherheit von Anlagen.

Technische Verbesserungen sind z. B.

- Zahnräder aus verschleißbeständigerem Werkstoff einbauen
- Wälzlager mit besseren Laufeigenschaften montieren
- Neukonstruktion eines Bauteils
- Qualitativ höherwertige Schmierstoffe einsetzen

Zu den **organisatorischen Verbesserungen** der Instandhaltung zählen Maßnahmen wie

- Ändern von Instandhaltungsplänen
- Planen von Terminen
- Vereinbarungen über das Einhalten von Terminen
- Durchführen von Funktionsprüfungen
- Montage von Schutzeinrichtungen

Überlegen Sie

1. Nennen Sie drei technische Verbesserungen.
2. Nennen Sie drei organisatorische Verbesserungen.

1.3 Verschleiß und Reibung

AH GK S. 111–112

1.3.1 Verschleiß

Anlagen, Maschinenelemente und Gebrauchsgegenstände ändern während des Betriebs ihre Eigenschaften in unerwünschter Weise. Die einzelnen Bauteile verschleißen, sie nutzen ab.

Merke

Schädigende Einflüsse sind nicht vermeidbar.
Durch Instandhaltung können die Schäden und Schadensfolgen nur reduziert werden.

Verschleiß *(abrasion)* (Bilder 1 und 2) verringert die Lebensdauer technischer Systeme. Zudem beeinträchtigt er die **Funktionsfähigkeit** *(operatability)* der Maschinenelemente und führt im Extremfall zum **Ausfall** *(breakdown)* der Anlagen.

Merke

Verschleiß wird hauptsächlich durch Reibung verursacht.

1 *Verschleiß an einem Zahnrad*

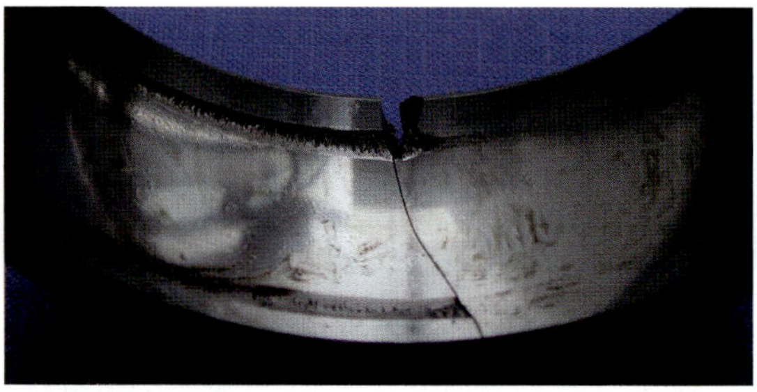

2 *Verschleiß am Außenring eines Wälzlagers, verursacht durch unsachgemäßen Einbau und dadurch falschen Sitz im Gehäuse*

1.3.2 Reibung

Reibung *(friction)* entsteht an Bauteilen, die sich gegeneinander bewegen. Wichtige Kenngrößen für die Reibung sind

- die Reibkraft und
- die Reibzahl.

Reibkraft

Der Reitstock einer Drehmaschine soll auf dem Maschinenbett verschoben werden (Bild 3).
Dem Verschieben des Reitstockes wirkt die **Reibkraft** F_R *(friction force)* entgegen.

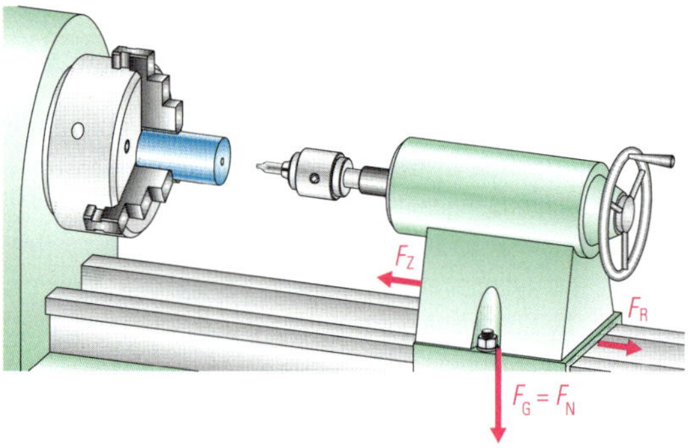

3 *Unerwünschte Reibung beim Verschieben eines Reitstocks auf dem Maschinenbett*

Reibkräfte können nur entstehen, wenn sich bewegte Bauteile berühren.

Merke

Reibkräfte sind **unerwünscht**, wenn Bauteile aufeinander gleiten sollen (z. B. bei Führungen auf Seite 204 Bild 3). Reibkräfte sind **erwünscht**, wenn Bauteile durch Kraftschluss miteinander verbunden werden sollen (z. B. bei Klemmverbindungen Bild 1).

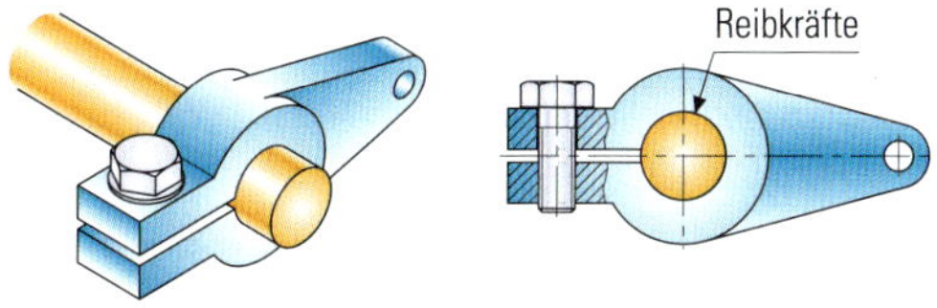

1 *Erwünschte Reibung bei einer Klemmverbindung*

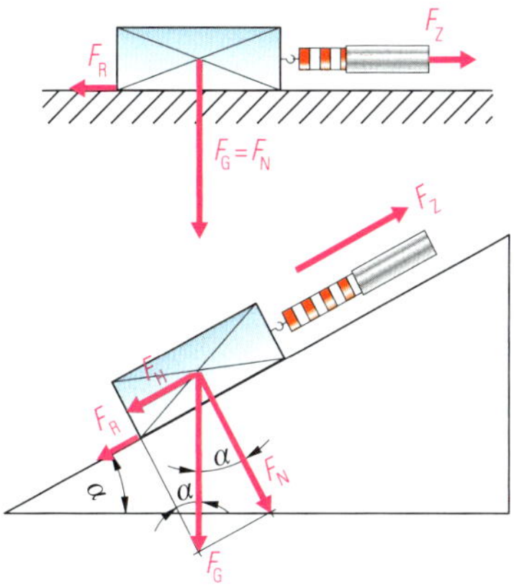

F_H: Hangabtriebskraft
F_N: Normalkraft
F_G: Gewichtskraft
F_R: Reibkraft
F_Z: Zugkraft

$F_N = F_G \cdot \cos\alpha$
$F_H = F_G \cdot \sin\alpha$
$F_G = m \cdot g$

$g = 9{,}81 \frac{m}{s^2}$

2 *Kräfte an der waagerechten und geneigten Ebene (siehe auch Teil III, Kap. 4.8.4)*

Reibzahl

Das Verhältnis von der Reibkraft F_R zur Anpresskraft (Normalkraft) F_N wird als **Reibzahl** μ bezeichnet. Die **Normalkraft** F_N (Bild 2) ist die Kraft, die senkrecht auf die Unterlage wirkt. Sie hängt von der **Gewichtskraft** F_G und dem **Neigungswinkel** α der Unterlage ab.

$$\text{Reibzahl} = \frac{\text{Reibkraft}}{\text{Normalkraft}}$$

$$\mu = \frac{F_R}{F_N}$$

Die Reibzahl μ wurde in zahlreichen Versuchen für die verschiedensten Anwendungsfälle ermittelt und kann Tabellenbüchern entnommen werden.

Aus der Tabelle Bild 3 ist zu erkennen, dass die einheitslose Reibzahl μ von folgenden Faktoren beeinflusst wird:

- Werkstoffpaarung
- Bewegungszustand
- Schmierungszustand (trocken oder gefettet)

Reibfaktor / Werkstoff	Haftreibung μ_0		Gleitreibung μ_G		Rollreibung μ_R
	trocken	gefettet	trocken	gefettet	
Stahl – Stahl	0,15	0,10	0,10	0,01	0,005
Stahl – GG, Stahl – CuSn	0,18	0,10	0,16	0,01	–
Stahl – Holz	0,50	0,16	0,30	0,08	–
Stahl – Bremsbelag	–	–	0,50	0,40	–
Gummi – Asphalt	0,70	0,45	0,50	0,30	0,015

3 *Reibzahlen (Auswahl)*

Werkstoffpaarung *(mating of material)*

Der Tabelle Bild 3 ist zu entnehmen, dass z. B. bei der Berührung von zwei Bauteilen aus Stahl die Reibzahlen geringer sind als bei der Berührung von einem Bauteil aus Stahl mit einem aus Holz. Das bedeutet, dass die Reibkräfte bei einer Werkstoffpaarung aus Stahl kleiner sind als bei einer Paarung aus Stahl und Holz. Der Verschleiß zwischen Bauteilen aus Stahl ist dementsprechend geringer als bei einer Stahl-Holz-Kombination.

Merke

Verschleiß kann verringert werden, wenn die Reibzahl der Werkstoffpaarung klein ist.

Bewegungszustand *(motion status)*

Es wird zwischen drei Bewegungszuständen unterschieden:

Haften *(adhere)* **Gleiten** *(glide)* **Rollen** *(roll)*

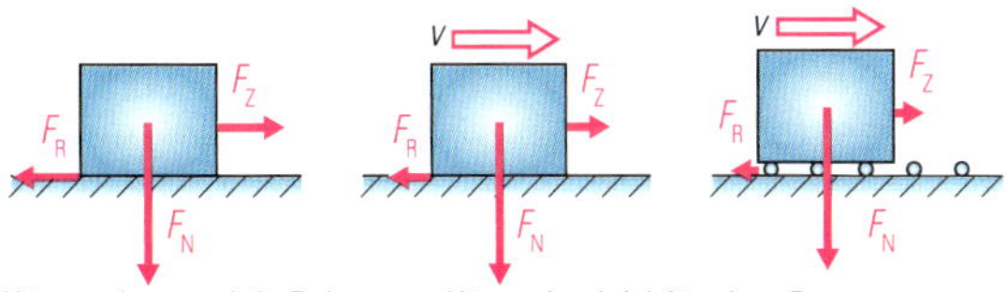

Körper eben noch in Ruhe — Körper in gleichförmiger Bewegung

In Abhängigkeit vom Bewegungszustand werden folgende Reibungsarten unterschieden:

- Haftreibung
- Gleitreibung
- Rollreibung

Haftreibung: $\mu_0 = \frac{F_{RH}}{F_N}$

Gleitreibung: $\mu_G = \frac{F_{RG}}{F_N}$

Rollreibung: $\mu_R = \frac{F_{RR}}{F_N}$

Dabei gilt:

- Die Gleitreibung ist immer kleiner als die Haftreibung.
- Die Rollreibung ist immer kleiner als die Gleitreibung.

Merke

Haft- und Gleitreibung können durch geeignete Schmiermittel minimiert werden.

Beispielaufgaben

Eine Tischbohrmaschine einschließlich Verpackung in einer Holzkiste hat eine Masse von 315 kg. Die Kiste soll auf einem Steinfußboden waagerecht verschoben werden. Hierzu können auch Rollen genutzt werden.
Welche Reibkräfte sind zu überwinden, wenn folgende Reibzahlen zutreffen?

a) Haftreibung: $\mu_0 = 0{,}32$
b) Gleitreibung: $\mu_G = 0{,}24$
c) Rollreibung: $\mu_R = 0{,}06$

$F_N = F_G$

$F_G = m \cdot g$

$F_G = 315\ \text{kg} \cdot 9{,}81\ \frac{\text{m}}{\text{s}^2}$

$F_G = 3090{,}15\ \text{N}$

a) **Haftreibkraft:**

$F_{RH} = F_N \cdot \mu_0$

$F_{RH} = 3090\ \text{N} \cdot 0{,}32$

$F_{RH} = 988{,}8\ \text{N}$

b) **Gleitreibkraft:**

$F_{RG} = F_N \cdot \mu_G$

$F_{RG} = 3090\ \text{N} \cdot 0{,}24$

$F_{RG} = 741{,}6\ \text{N}$

c) **Rollreibkraft:**

$F_{RR} = F_N \cdot \mu_R$

$F_{RR} = 3090\ \text{N} \cdot 0{,}06$

$F_{RR} = 185{,}4\ \text{N}$

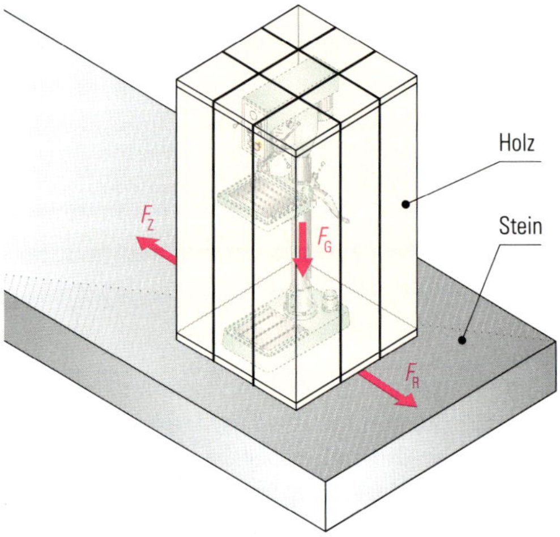

Schmierungszustand *(lubrication status)*
Es wird zwischen **geschmiertem** *(lubricated)* und **ungeschmiertem Zustand** *(unlubricated status)* unterschieden.
Der Maschinentisch einer Bohrmaschine (Bild 1) ist höhenverstellbar, damit Bauteile unterschiedlicher Höhe bearbeitet werden können. Die Höhenverstellung erfolgt über eine Zahnstange und eine Kurbel.
Im geschmierten Zustand ist die Tischführung leichtgängig, weil ein **Schmierfilm** *(grease of lubrication)* die Reibkörper trennt. Somit könnte Ursache einer schwergängigen Tischführung sein, dass die Zahnstange nicht geschmiert wurde (**Trockenreibung**) *(dry friction)*. Die Reibpartner haben dadurch direkten Kontakt und verschleißen früher (vgl. Teil III, Kap. 4.10).

Merke
Verschleißerscheinungen können durch Reduzierung der Reibzahl minimiert werden.
Je größer die Reibzahl, desto größer die Reibkraft.

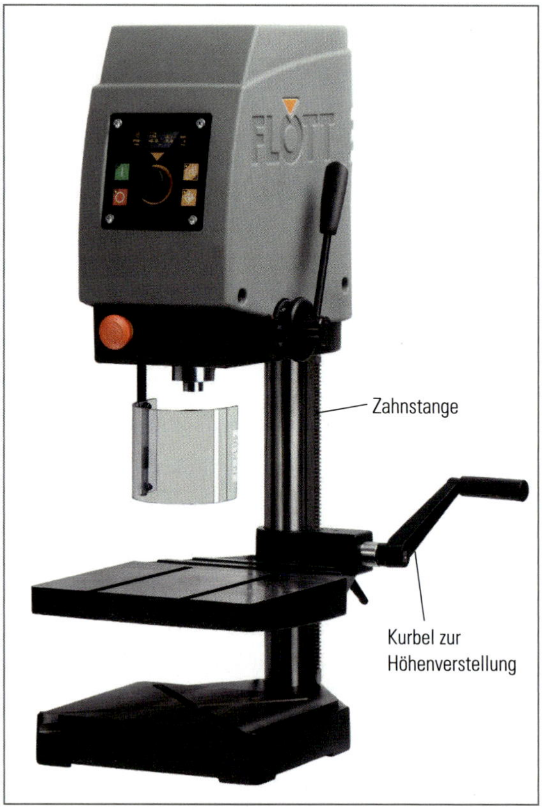

1 Höhenverstellung einer Bohrmaschine

ÜBUNGEN

1. Welche Auswirkungen hat Verschleiß auf technische Anlagen?
2. Nennen Sie eine wesentliche Verschleißursache.
3. Wann sind Reibkräfte erwünscht bzw. unerwünscht?
4. Nennen Sie die Größen, die die Reibkraft beinflussen.
5. Nennen Sie die verschiedenen Reibungsarten in Abhängigkeit vom Bewegungszustand.
6. Bei welchem Bewegungszustand ist der Verschleiß am geringsten bzw. am größten? Begründen Sie Ihre Antwort.
7. Wie können Haft- und Gleitreibung minimiert werden?

1.4 Korrosion

AH GK S. 113–116

Korrosion[1] *(corrosion)* ist die chemische, elektrochemische oder metallphysikalische Reaktion eines Werkstoffs mit seiner Umgebung. Dabei kann der Werkstoff vollkommen zerstört werden. Durch Korrosionsschäden können sich z. B. die Festigkeit und Zähigkeit des Werkstoffs vermindern und der Werkstoff kann an Glanz verlieren. Am Umgebungsmedium können z. B. Verunreinigungen und Verfärbungen entstehen.

Merke

Korrosion ist neben Verschleiß eine weitere Abnutzungserscheinung.
Die Minimierung der Korrosion ist eine wichtige Aufgabe der Instandhaltung.

Korrosionsschäden *(corrosion damages)*

Die wichtigsten Erscheinungsformen ungewollter Korrosion (Korrosionsschäden) zeigt Bild 2.

Korrosionsursachen *(corrosion causes)*

Korrosionsschäden entstehen z. B. wenn:

- Metalloberflächen feuchten Räumen , feuchter Witterung aber auch Handschweiß (Bild 3) ausgesetzt sind. Korrosionsprodukt ist dabei überwiegend **Rost** *(rust)*.
- Metalloberflächen hohen Temperaturen ausgesetzt sind. Korrosionsprozesse dieser Art entstehen beim Glühen, Härten und Schmieden. Es entsteht eine **Zunderschicht** *(scales)* (Bild 4).
- an die Berührungsstelle **zweier verschiedener Metalle** (Bild 5) eine elektrisch leitende Substanz (Elektrolyt) wie z. B. Wasser, Schmierstoffe oder wässrige Kühlschmierstoffe gelangt.

Merke

Korrosion wird verstärkt, wenn die Bauteile zusätzlich mechanisch beansprucht werden.

4 Durch Schmieden verursachte Zunderschicht

1 Korrodiertes Dreibackenfutter

Korrosionserscheinungen im Schnitt und in der Draufsicht

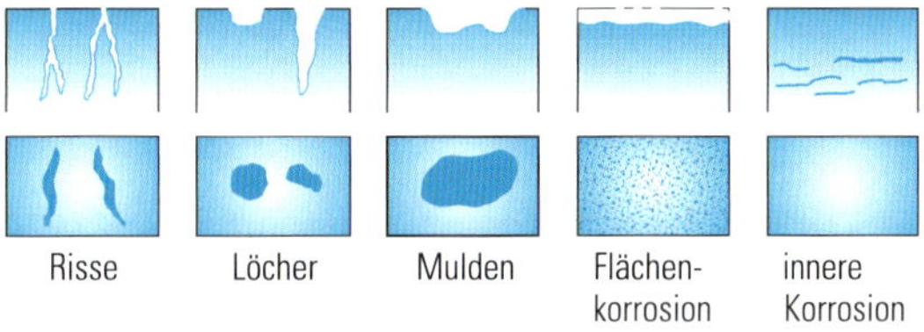

2 Erscheinungsformen von Korrosionsschäden

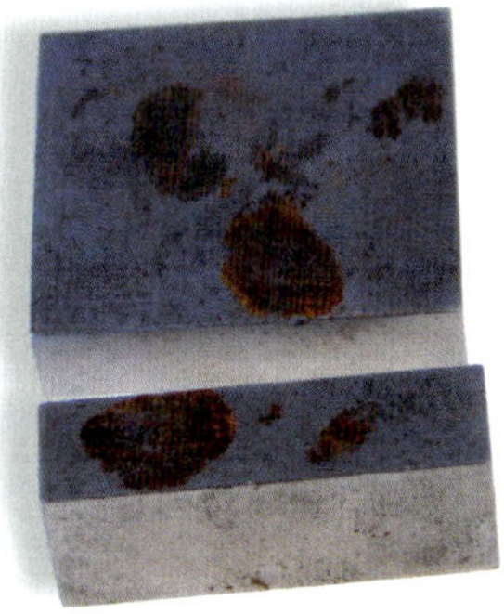

3 Durch Handschweiß verursachte Roststellen an Parallelendmaßen

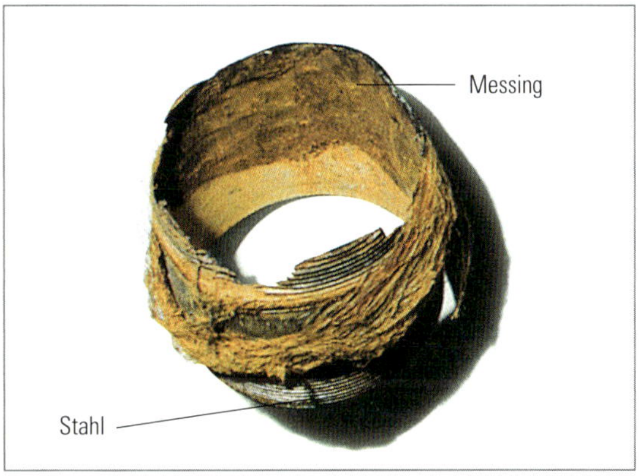

5 Kontaktkorrosion bzw. elektrochemische Korrosion

1) lat. corrodere: zernagen, zerfressen

1.4.1 Elektrochemische Korrosion bei Vorliegen eines galvanischen Elements

Viele Korrosionsschäden beruhen auf elektrochemischen Prozessen.

Elektrochemische Korrosion tritt ein, wenn an die Berührungsstelle zweier verschiedener Metalle ein **Elektrolyt** gelangt wie z. B. elektrisch leitende Flüssigkeiten, Säuren oder Salze.

Elektrisch leitende Flüssigkeiten können z. B. Wasser, Schmierstoffe oder Kühlschmierstoffe sein. Es liegt dann ein kurzgeschlossenes **galvanisches Element** vor (Bild 1).

Die Korrosionsreaktion hängt von der Potenzialdifferenz der Metalle ab. Je größer diese Differenz ist, desto heftiger sind die Korrosionsprozesse. Der Potenzialunterschied wird aus der Differenz der Standardpotenziale berechnet. Die Standardpotenziale sind der **elektrochemischen Spannungsreihe** der Metalle (Bild 2) zu entnehmen.

Beispiel:

Zink hat ein Standardpotenzial von –0,76 V

Kupfer hat ein Standardpotenzial von +0,34 V

Wenn die beiden Metalle sich bei Vorhandensein eines Elektrolyten berühren, besteht eine Potenzialdifferenz von 1,1 V:

Potenzialdifferenz = +0,34 V – (–0,76 V) = 1,1 V

Metalle, die ein kleineres Standardpotenzial als Wasserstoff haben, werden als **unedel** bezeichnet (Bild 2). Ferner gilt dabei, dass z. B. Zink unedler ist als Cobalt, weil das Standardpotenzial von Zink kleiner ist als das von Cobalt.

Metalle, die ein größeres Standardpotenzial als Wasserstoff haben, werden als **edel** bezeichnet (Bild 2). Dabei gilt, dass z. B. Silber edler ist als Kupfer, weil das Standardpotenzial von Silber größer ist als das von Kupfer.

Elektrochemische Korrosionsvorgänge sind vorhersagbar, weil das jeweils **unedlere Metall** (in Bild 1 ist es Zink) zerstört wird – es korrodiert.

So ist z. B. die Zerstörung einer Konstruktion aus verzinktem Stahlblech vorhersagbar, wenn diese Bleche mit Stahlnieten verbunden werden.

1.4.2 Korrosionsschutz

Die Lebensdauer und die Betriebssicherheit von Bauteilen hängt häufig davon ab, in welchem Maße Korrosion verhindert werden kann. Alle Maßnahmen des Korrosionsschutzes beruhen darauf, die ablaufenden chemischen, metallphysikalischen und elektrochemischen Vorgänge zu unterbinden.

Korrosionsschutz *(corrosion protection)* ist somit ein wesentlicher Aspekt der Instandhaltungsaufgaben eines Unternehmens.

Der wirtschaftliche Schaden durch Korrosion beträgt in Deutschland jährlich ca. 50 Milliarden Euro (Bild 3).

Wenn die **Korrosionsursachen** (vgl. Seite 207) bekannt sind, können Bauteile durch relativ einfache Maßnahmen vor Korrosion geschützt werden.

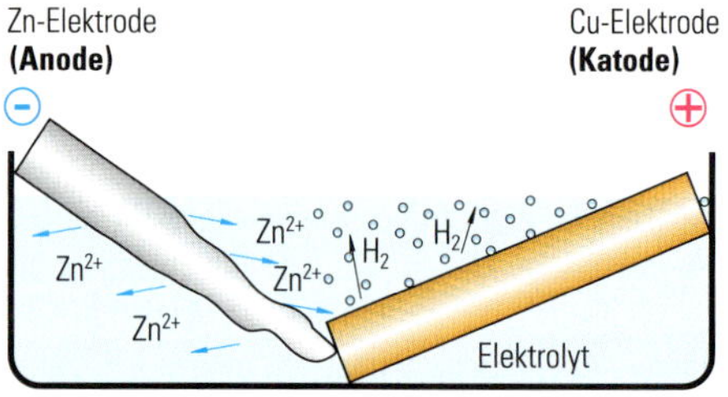

1 *Kurzgeschlossenes galvanisches Element*

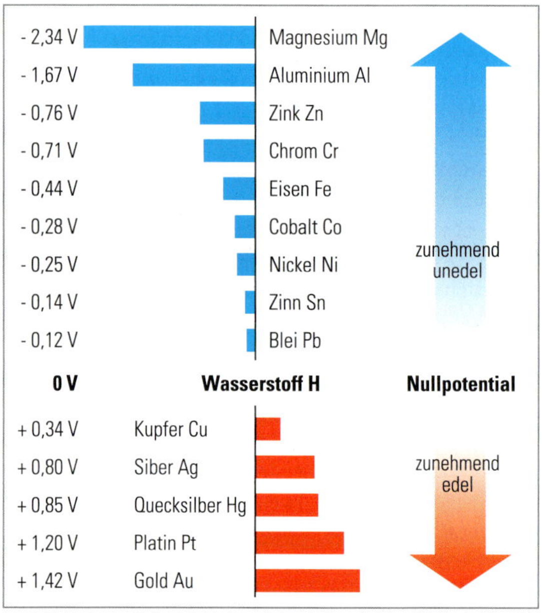

2 *Standardpotenziale der elektrochemischen Spannungsreihe von Metallen mit Wasserstoff als Bezugspunkt*

3 *Wirtschaftlicher Schaden durch Korrosion*

Oberflächenschutz	Beispiel	Korrosionsschutzmittel
Einölen, Einfetten	 Fachgerechtes Einölen von Drahtseilen	Korrosionsschutzöl
Chemische Oberflächenbehandlung	 Eloxieren	Metalle, z. B. Chrom, Zink, Zinn
Korrosionsschutzanstrich	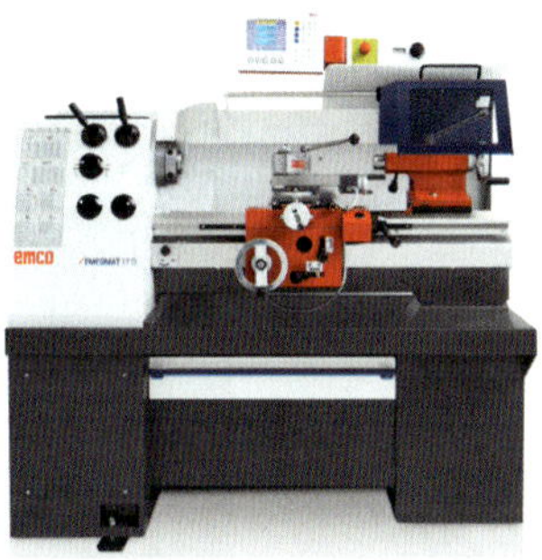 Farbanstrich	Farben
Kunststoffüberzug	 Drehmeißelschneide wird durch einen Kunststoffüberzug geschützt	Lacke

1 *Schutz der Oberflächen vor Korrosion (Beispiele)*

Grundsätzlich sind die folgenden Maßnahmen ein Schutz vor Korrosion:

- **Richtige Lagerung von Bauteilen**, z. B. müssen Wälzlager in einem trockenen, frostfreien Raum gelagert werden
- **Richtige Auswahl von Werkstoffen** wie z. B. die Verwendung von gleichen Metallen oder die Verwendung von Stählen mit geeigneten Legierungselementen.
- **Schützen der Oberfläche** (Fernhalten von Elektrolyten wie z. B. Wasser, Säuren, Kühlschmierstoffe; Bild 1).
- **Fachgerechte Montage**
  - Z. B. eine Schraube so einbauen, dass sie mit Feuchtigkeit nicht in Berührung kommt
  - Zwischenstücke aus Kunststoff verwenden (Seite 210 Bild 1)
  - Vermeidung von Spalten
- **Opferanode**
  Um Metalle in aggressiven Umgebungen wie z. B. im Behälter- und Turbinenbau zu schützen (Seite 210 Bild 2), werden die natürlichen elektrochemischen Prozesse ausgenutzt. Das gefährdete Metall wird mit einem unedleren Metall gemäß der **elektrochemischen Spannungsreihe** (Seite 208 Bild 2) verbunden. Das unedlere Metall – die Opferanode – korrodiert. Die Opferanode muss in regelmäßigen Abständen erneuert werden, weil sie sich im Umgebungsmedium auflöst. Das andere Metall wird nicht angegriffen. Für Eisen kommen als Opferanode z. B. die Metalle Aluminium, Zink oder Magnesium in Frage.

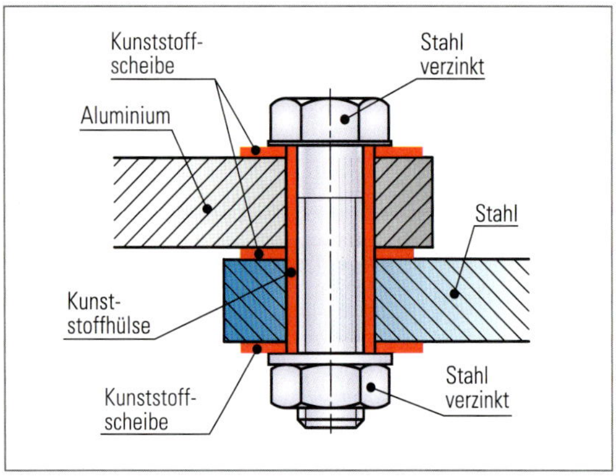

1 *Trennungsmöglichkeit unterschiedlicher Materialien*

2 *Opferanoden von neu bis verbraucht*

3 *Handbürste*

Im Bild 2 ist dargestellt, wie sich eine Opferanode in einem Trinkwasserbereiter mit der Zeit abbaut. Links eine ungebrauchte Opferanode. In der Mitte eine Anode, die schon einige Zeit in Betrieb gewesen ist, jedoch noch zu circa 60 % besteht. Rechts eine Anode, die ihren Dienst erfüllt hat und vollständig aufgelöst ist.

Merke

Korrosionsschutzmaßnahmen im Rahmen der Wartung beschränken sich auf:

- Sichtkontrolle
- Einölen, Fetten von technischen Systemen
- Aufbringen einer Schutzschicht
- Richtige Lagerung von technischen Systemen
- Austauschen der Opferanode

1.4.3 Korrosionsschutzmittel

Korrosionsschutzmittel *(anticorrosives)* (vgl. Seite 209 Bild 1) haben die Aufgabe, den natürlichen Zersetzungsprozess zu unterbinden. Vor dem Aufbringen der Korrosionsschutzmittel sind die zu schützenden Oberflächen zu reinigen (vgl. Seite 184). Die Oberflächen müssen:

- trocken,
- fettfrei,
- schmutzfrei und
- rostfrei sein.

Oberflächliche Roststellen können manuell z. B. mit Schleifpapier oder Bürsten (Bild 3) entrostet werden.

Tiefer in die Werkstückoberfläche eingedrungener Rost muss maschinell entfernt werden, z. B. mit rotierenden Schleifbürsten (Bild 4) oder Schleifscheiben. Große Bauteile und Bauteile mit komplizierten Formen können durch Strahlen (Bild 5) entrostet werden.

Metallflächen z. B. von Gleitbahnen, Führungen, Messzeugen werden mit einem säurefreien, korrosionsbeständigen Öl oder Fett überzogen (vgl. Seite 191 Bild 2).

4 *Entrosten mit rotierender Bürste aus HSS-Drähten*

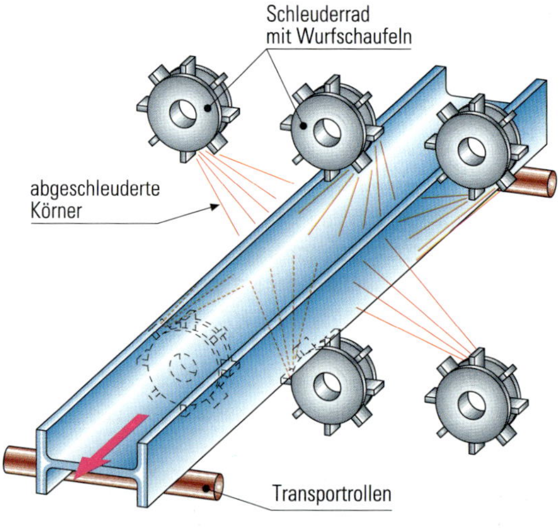

5 *Entrosten durch Strahlen*

Diese **Korrosionsschutzöle** *(slushing oils)* (Bild 1) werden auch für Bauteile verwendet, die zum Transport oder zur kurzfristigen Lagerung bestimmt sind. Voraussetzung ist, dass die Bauteile keinen besonderen Belastungen ausgesetzt sind.
Für Korrosionsschutzöle gelten Sicherheitsvorschriften, die denen von Reinigungsmitteln ähneln.

Merke
Korrosionsschutzöle enthalten gesundheits- und umweltgefährdende Substanzen.
Die Hinweise der Sicherheitsdatenblätter sind einzuhalten.

Farben *(paints)* (Bild 2) werden z. B. bei Maschinengehäusen oder Blechverkleidungen als Korrosionsschutzmittel eingesetzt. Die aufgebrachten Beschichtungen schützen die blanke Metalloberfläche vor Korrosion. Ein ausreichender Korrosionsschutz wird erreicht, wenn

- mehrere Schichten fachgerecht aufgetragen und
- die Trocknungszeiten eingehalten werden.

2 Metallschutzlack

Das **Auftragen von Anstrichen** erfolgt wie in Bild 3 dargestellt.

Kupferpasten *(copper pastes)* (Bild 4a) schützen eine blanke Metalloberfläche, weil Kupfer als edles Metall kaum mit der Umgebung reagiert. Anwendungsgebiete sind Bauteile, die extremen Drücken, Medien und Temperaturen ausgesetzt sind wie z. B. im Kesselbau.

Aluminiumpasten *(aluminium pastes)* (Bild 4b) schützen eine blanke Metalloberfläche, weil Aluminium bei normaler Temperatur mit dem Sauerstoff aus der Luft eine **Schutzschicht** *(protective layer)* **(Oxidschicht)** bildet. Anwendungsgebiete sind z. B. Schraubenverbindungen, die extremen Drücken oder Temperaturen ausgesetzt sind.

Pasten werden stets als dünne Filme mit einem nicht fasernden Tuch oder einem Schwamm aufgetragen. An schwer zugänglichen Stellen ist eine Sprühdose oft geeigneter.

Kunststoffe *(plastics)* sind gegenüber vielen Chemikalien und Umwelteinflüssen korrosionsbeständig. Sie werden daher zum Beschichten von Metallen verwendet (Bild 5). Mithilfe eines Lösungsmittel werden die Kunststoffe in flüssige oder pastenartige Form gebracht. Durch verschiedene Verfahren werden diese Lacke aufgebracht. Das Lösungsmittel verdunstet und der zurückbleibende Kunststoff härtet aus.

a) Kupferpaste

b) Aluminiumpaste

4 Kupferpaste und Aluminiumpaste

1 Korrosionsschutzöl

Anstriche werden aufgetragen
- durch Streichen mit Pinsel oder Rolle
- im Tauchverfahren
- durch Sprühen mit Sprühdose oder Spritzpistole im Nieder- oder Hochdruckverfahren bzw. durch elektrostatische Spritzverfahren

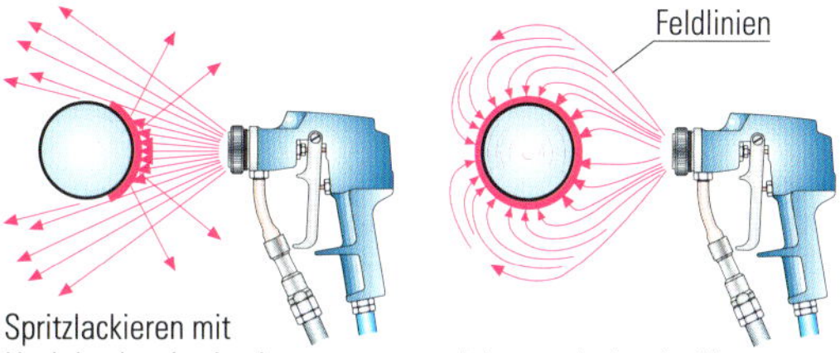

Spritzlackieren mit Hochdruckspritzpistole (Airless-Spritzen)

elektrostatisches Lackieren (Elektrospritzlackieren)

Nacheinander folgende Schichten werden in **entgegengesetzter Richtung** aufgetragen

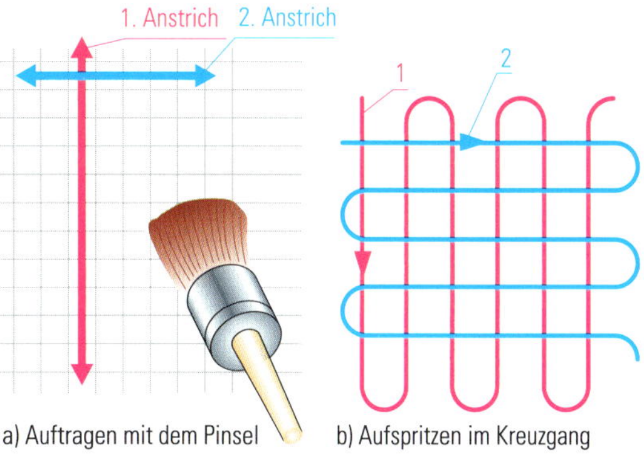

a) Auftragen mit dem Pinsel

b) Aufspritzen im Kreuzgang

3 Auftragen von Anstrichen

5 Korrosionsschutz durch Kunststoffbeschichtungen und -auskleidungen

ÜBUNGEN

1. Was verstehen Sie unter Korrosion?
2. Welche Aufgabe hat die Instandhaltung bezüglich der Korrosion?
3. Nennen Sie Erscheinungsformen von Korrosionsschäden.
4. Wie können Korrosionsschäden entstehen?
5. Wann kann elektrochemische Korrosion eintreten?
6. Nennen Sie Beispiele für elektrisch leitende Flüssigkeiten.
7. Woher erhalten Sie die Werte der Standardpotenziale der Metalle?
8. Wie groß ist die Potenzialdifferenz zwischen den Metallen
   a) Silber – Kupfer
   b) Nickel – Chrom
   c) Kupfer – Chrom?
9. Begründen Sie, warum bei einem Motorgehäuse aus Aluminium keine Stahlschrauben verwendet werden dürfen.
10. Welches Ziel haben alle Korrosionsschutzmaßnahmen?
11. Nennen Sie einige Korrosionsschutzmaßnahmen.
12. Wie können metallische Oberflächen geschützt werden?
13. Durch welche Maßnahmen kann bereits bei der Montage auf Korrosionsschutz geachtet werden?
14. Nennen Sie die wichtigsten Korrosionsschutzmaßnahmen, die im Rahmen der Wartung durchgeführt werden.
15. Welche Metalle bieten sich als Opferanode an, wenn ein Bauteil aus Nickel geschützt werden soll?
16. Begründen Sie, warum die Zerstörung einer Blechkontruktion aus Zink vorhersagbar ist, wenn sie mit Stahlnieten verbunden ist. Welche Maßnahme(n) würden Sie empfehlen, damit die Blechkonstruktion nicht zerstört wird?
17. Wie werden Metallflächen für den Korrosionsschutz vorbereitet? Welche Eigenschaften müssen die Oberflächen haben?
18. Welche Entrostungsmöglichkeiten kennen Sie?
19. Welche Korrosionsschutzmittel kennen Sie?
20. Was ist bei der Anwendung von Korrosionsschutzölen zu beachten?
21. Welche Methoden kennen Sie für das Auftragen von Farbschichten?
22. Nennen Sie einige Anwendungsgebiete für Kupfer- und Aluminiumpasten.
23. Warum eignen sich Kunststoffe als Korrosionsschutzmittel?
24. Welche Korrosionsschutzmittel werden in Ihrem Betrieb verwendet?

Projektaufgabe

Die abgebildete Fräsmaschine soll fach- und termingerecht gewartet werden.

Den Aufbau einer Fräsmaschine finden Sie im Teil II „Lernfeld bezogene Inhalte" unter „Lernfelder 1 und 2: Fertigen von Bauelementen" im Kapitel 1.3.5 „Fräsen".

Grundlegende Fragen

1. Nennen Sie Gründe, die für die Durchführung von Wartungstätigkeiten sprechen.
2. Woher erhalten Sie Informationen über die durchzuführenden Wartungsaufgaben?
3. Zum Schutz vor gefährlichen Maschinenbewegungen werden Instandhaltungsarbeiten in vier Ränge gruppiert. Die meisten Wartungstätigkeiten sind dem Rang 1 zugeordnet. Welche Maßnahmen sind dabei einzuhalten?
4. Nennen Sie Unfallarten, die im Bereich der Instandhaltung passieren können.
5. Welche Instandhaltungsmaßnahmen dürfen Sie als Metallfachkraft **nicht** durchführen?
6. Ergänzen Sie: *„Personenschutz geht vor … ."*
7. Was verstehen Sie unter fachgerechter und termingerechter Wartung?
8. Welcher Zusammenhang besteht zwischen der Verfügbarkeit, dem Abnutzungsvorrat und der Lebensdauer der Fräsmaschine?
9. Welche vorbereitenden Maßnahmen sind grundsätzlich bei anfallenden Wartungstätigkeiten durchzuführen?

Fragen zum Wartungsplan

1. Welche Informationen erhalten Sie aus dem Wartungsplan (Download) von Seite 213?
2. Welche Wartungstätigkeiten sind täglich bzw. nach 8 Stunden durchzuführen?
3. Welche Wartungstätigkeiten sind laut Wartungsplan wöchentlich bzw. nach 40 Stunden durchzuführen?
4. Welche Wartungstätigkeiten sind bezüglich des Hydrauliköls und des Hydraulikbehälters durchzuführen?
5. Wie oft und womit muss das Winkelgetriebe des Vertikalfräskopfs abgeschmiert werden?

FB450/600MC **EMCOMAT**

Wartungsübersicht

Wartungs-plan Fräs-maschine

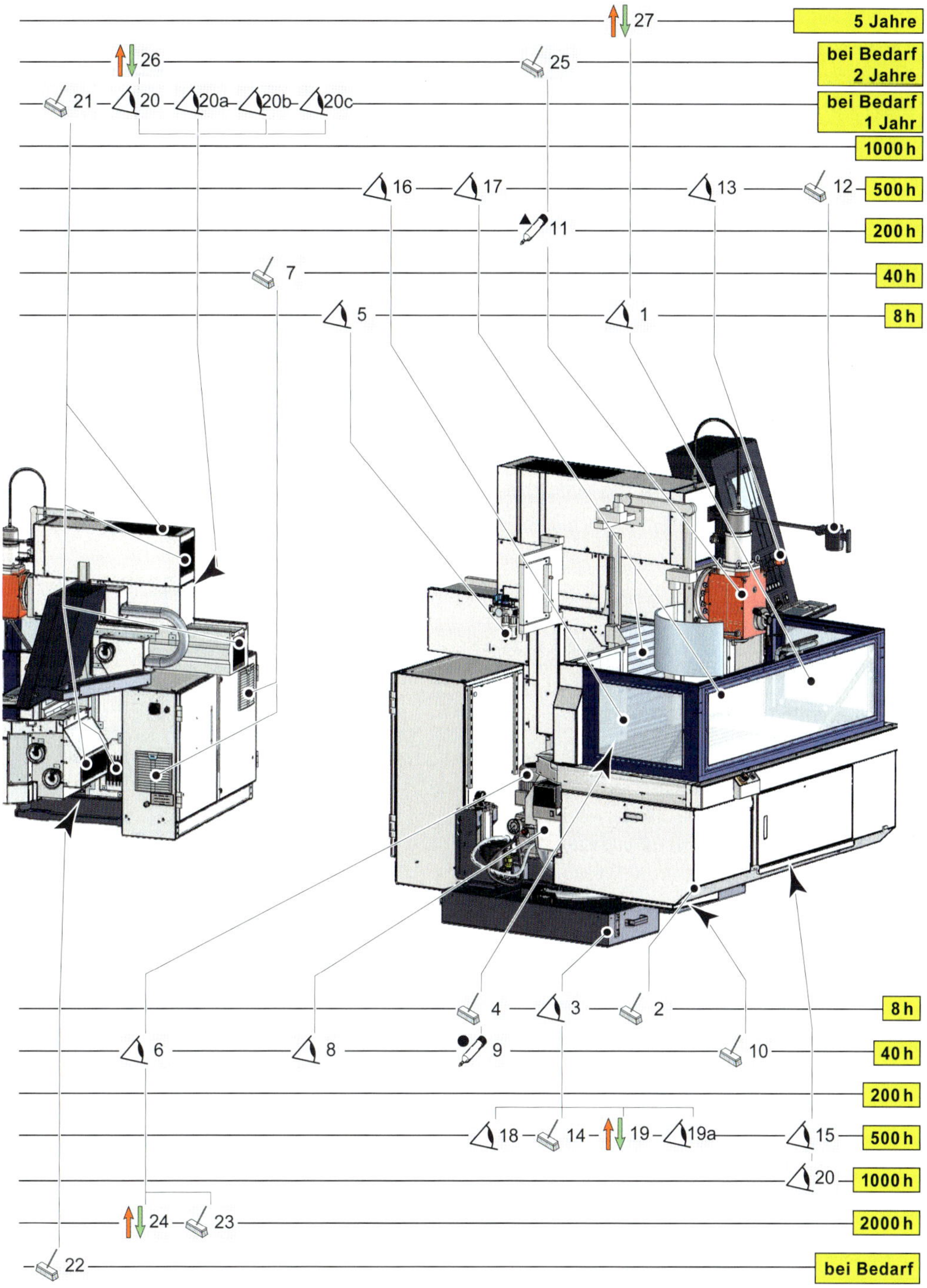

Kontrolle, bei Bedarf ergänzen

Reinigung, bei Bedarf austauschen

ölen mit Lappen

fetten mit Fettpresse (über Schmiernippel)

Austausch

6. Was bedeutet dieses Symbol ? ?
7. Was ist beim Wechseln des Kühlschmiermittels zu beachten?
8. Der jeweilige Ölstand wird an der Fräsmaschine mittels Ölschaugläsern kontrolliert. Beschreiben Sie, wie die richtige Füllmenge zu erkennen ist.
9. Beschreiben Sie ausführlich das Schwenken des Schwenkarms.
10. Welche Wartungstätigkeiten sind nach jedem Arbeitstag durchzuführen?
11. Welche Voraussetzungen müssen erfüllt sein, damit der Ölwechsel bei Positionsnummer 24 durchgeführt werden darf?
12. In der Bedienungsanleitung finden Sie für die Auswahl des Bettbahnöls nebenstehende Hinweise. Beschreiben Sie, weshalb man auf die Verträglichkeit des ausgewählte Bettbahnöls mit dem eingesetzten Kühlschmierstoff achten muss.
13. Warum darf die Fräsmaschine nicht mit Druckluft gereinigt werden?
14. Welche Reinigungsmethode schlagen Sie vor?
15. Zeichnen Sie für die einzelnen Wartungstätigkeiten an der Fräsmaschine die Bildsymbole.
16. Erkundigen Sie sich in Ihrem Betrieb und Ihrer Berufsschule nach Wartungsplänen von Werkzeugmaschinen.
17. Welche Schmiermethoden (z. B. Schmieren über Schmiernippel, mit Fett- bzw. Ölpressen, Ölspray) werden bei den Werkzeugmaschinen in Ihrem Betrieb und Ihrer Berufsschule angewandt?
18. Erkundigen Sie sich nach der Möglichkeit in Ihrem Betrieb und Ihrer Berufsschule, eigenständige Wartungstätigkeiten durchführen zu können.

Schmierstoffe und Entsorgung

1. Welche Gefährdungen können von Schmierstoffen ausgehen?
2. Welche Schmierstoffarten kennen Sie?
3. Der Hersteller empfiehlt für die Positionsnummern 6 und 8 folgenden Schmierstoff: CGLP 68. Erläutern Sie die Kurzbezeichnung?
4. Welchen Schmierstoff würden Sie für die Positionsnummer 11 empfehlen?
5. Welche Anforderungen werden an Kühlschmierstoffe gestellt?
6. Was könnte passieren, wenn an Position 11 mehr Fett als angegeben verwendet würde?

Schwenken des Vertikalfräskopfes

Sicherheitsvorschrift:
Maschine muß ausgeschaltet und gegen unbefugte Inbetriebnahme gesichert sein!

Die 6 Innensechskantschrauben (1) leicht lockern und Fräskopf in die gewünschte Lage schwenken.
Eine Gradskala befindet sich an der Stirnseite des Anschlagflansches (2).
Der Anschlag (3) dient zur Vertikal-Ausrichtung des Fräskopfes.
Ein genaues Einrichten der Vertikalspindel hat jedoch mit Prüfdorn und Meßuhr zu erfolgen.
Durch Eindrücken des Bolzens (4) kann über den Anschlag hinweggeschwenkt werden.
Nach erfolgtem Schwenken die 6 Innensechskantschrauben wieder festziehen.
Schwenkbereich des Vertikalfräskopfes: ±90°.

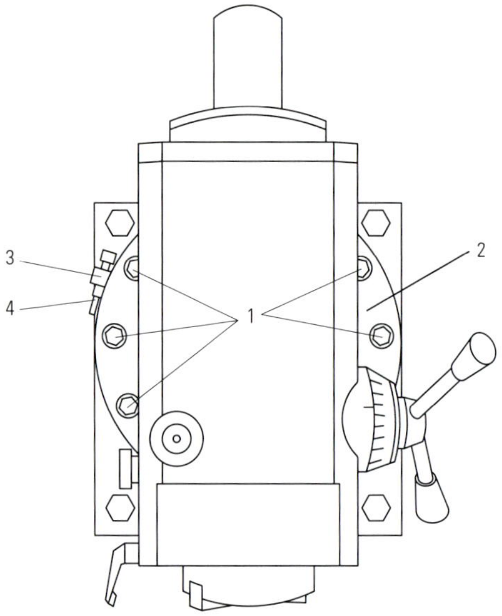

Schwenken Vertikalfräskopf

Beachten Sie bei der Auswahl des Bettbahnöles unbedingt die Verträglichkeit des Öles mit dem eingesetzten Kühlschmierstoff. (Diesbezüglich mit Schmierstofflieferanten Rücksprache halten!)
Durch Beachtung der entsprechenden Hinweise zur Kühlschmierstoffauswahl kann die Standzeit der Emulsion erhöht und die Entsorgungsmenge wesentlich verringert werden.

7. Wozu dienen Sicherheitsdatenblätter?

8. Wie sind Schmierstoffe und schmierstoffhaltige Betriebsmittel zu entsorgen?

9. Beim Absaugen des Lecköls ist eine größere Menge Lecköl auf den Boden gelangt. Wie verhalten Sie sich?

10. Welche Maßnahmen ergreift Ihr Betrieb, um kühlschmiermittelbehaftete Späne der Wiederverwertung zuzuführen?

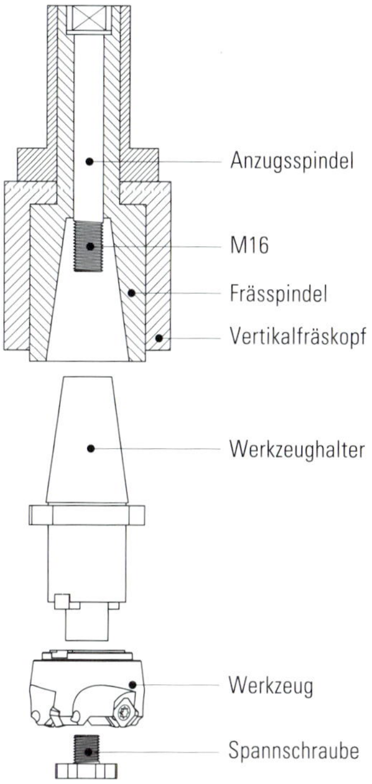

Verschleiß und Reibung

1. Welche Auswirkungen hat Verschleiß auf die Lebensdauer der Fräsmaschine?
2. Welcher Zusammenhang besteht zwischen Verschleiß und Reibung?
3. Welche Kenngrößen für die Reibung kennen Sie?
4. Nennen Sie einige Maschinenelemente der Fräsmaschine, an denen Reibkräfte wirken.
5. Der Hersteller weist in der Bedienungsanleitung darauf hin, dass Werkzeughalterkegel und Fräskonus staub- und fettfrei sein müssen (siehe nebenstehendes Bild). Begründen Sie diesen Hinweis unter den Aspekten Verschleiß und Reibung.

Korrosion

1. Was verstehen Sie unter Korrosion?
2. Nennen Sie Ihnen bekannte Erscheinungsformen der Korrosion.
3. Instandhaltungsfachkräften sind bei einer Inspektion der Fräsmaschine an den Innenflächen der Spänewanne deutliche Lackschäden aufgefallen.
   a) Wodurch könnten diese entstanden sein?
   b) Analysieren Sie diesen Schaden ausführlich unter dem Aspekt der Korrosion.
   c) Welche Instandhaltungsmaßnahme(n) würden Sie einleiten? Begründen Sie Ihre Entscheidung.
4. Benennen Sie Bauteile, Maschinenelemente, die in Ihrem Betrieb/Ihrer Berufsschule korrodiert sind. Welche Gegenmaßnahmen werden ergriffen?

Hydraulik

Das Hydraulikaggregat ist an der hinteren Seite der Fräsmaschine angebracht (siehe nebenstehendes Bild).

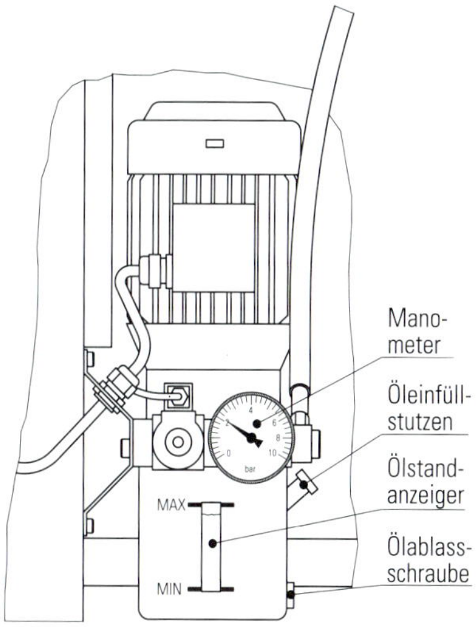

Betriebsdruck 90 bar

1. Was kann passieren, wenn der Betriebsdruck auf über 90 bar steigt?
2. Was kann passieren, wenn der Betriebsdruck geringer als 90 bar ist?
3. Der Ölstand ist täglich vor dem Einschalten zu kontrollieren. Warum werden Ölstände nicht während oder nach dem direkten Betrieb der Maschine überprüft?
4. Ein Ölwechsel am Hydraulikaggregat muss alle 2000 Betriebsstunden erfolgen. Was ist unbedingt zu beachten?

1.5 Maintenance

Machine tools are expensive and valuable precision machines from which exact work, high capacity and long life are expected. Their accuracy and durability demand careful maintenance. The manufacturing firm supplies operating information with a new machine (17D/20D EMCOMAT) and these papers also contain information about maintenance as shown in the original lubrication chart p.197 and p.217.

Assignments:

1. Translate the titles *‚Maintenance'* and *‚Lubricating and oiling the machine'* as well as the text below the title *‚Danger'.*
2. Answer the following questions on the lubrication table:
   a) Why do you have to switch off the main switch and the EMERGENCY-OFF key before you start maintenance on the lathe?
   b) What do the symbols that are shown below the drawing, mean in German? Have a look at page 197.
   c) How many lubricating points does the machine have?
   d) How often do the longitudinal slide and the lead screw need maintenance?
   e) What part numbers do the apron and the cross slide have?
   f) Translate the terms *‚coolant', ‚filling and delivery screw spindle gear'* and *‚inspection glass feed gear'.*
   g) Which part numbers need slideway oil?
   h) The change gear wheel needs grease. How often?
   i) How often should the pivots of change gear wheels be greased?
   j) Name the lubrication points at each maintenance interval.
   k) What is a cooling refrigerant used for?
   l) What is the interval for the change of the gear oil of the spindle gear?

Now have a look at the text below the title *‚change of gear oils'* and *‚Notes'.*

Change of gear oils

The first oil change for the spindle gear is to be carried out not later than 200 hours of operation. Then an oil change is required only every 500 hours.
With the feed gear oil change is every 500 hours.

Notes:
- Find the maximum filling quantities of gear oil for the spindle and feed gear.

m) Translate the sentences by using your English-German vocabulary list.

Also look at the chart *‚Filling quantities'* below.

Filling quantities

Lubricating area	quantity
Spindle gear	1,3l
Feed gear	0,75l
Coolant device (accessory)	20l

n) How much gear oil is used for the spindle gear and feed gear?
o) What kind of liquid is used for the cooling device?
p) Create a mind-map as shown below.

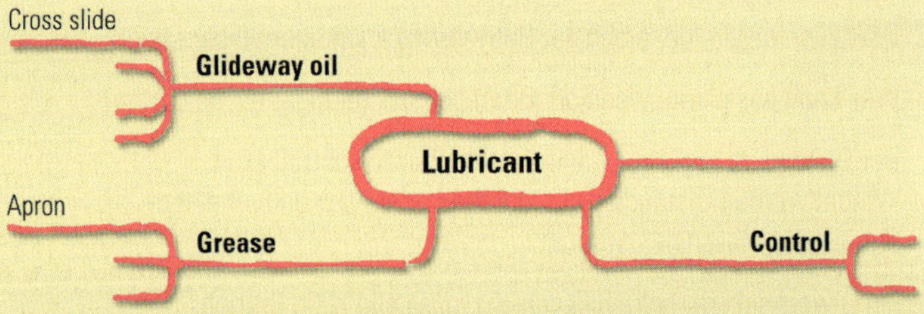

Maintenance survey

Maintenance lathe

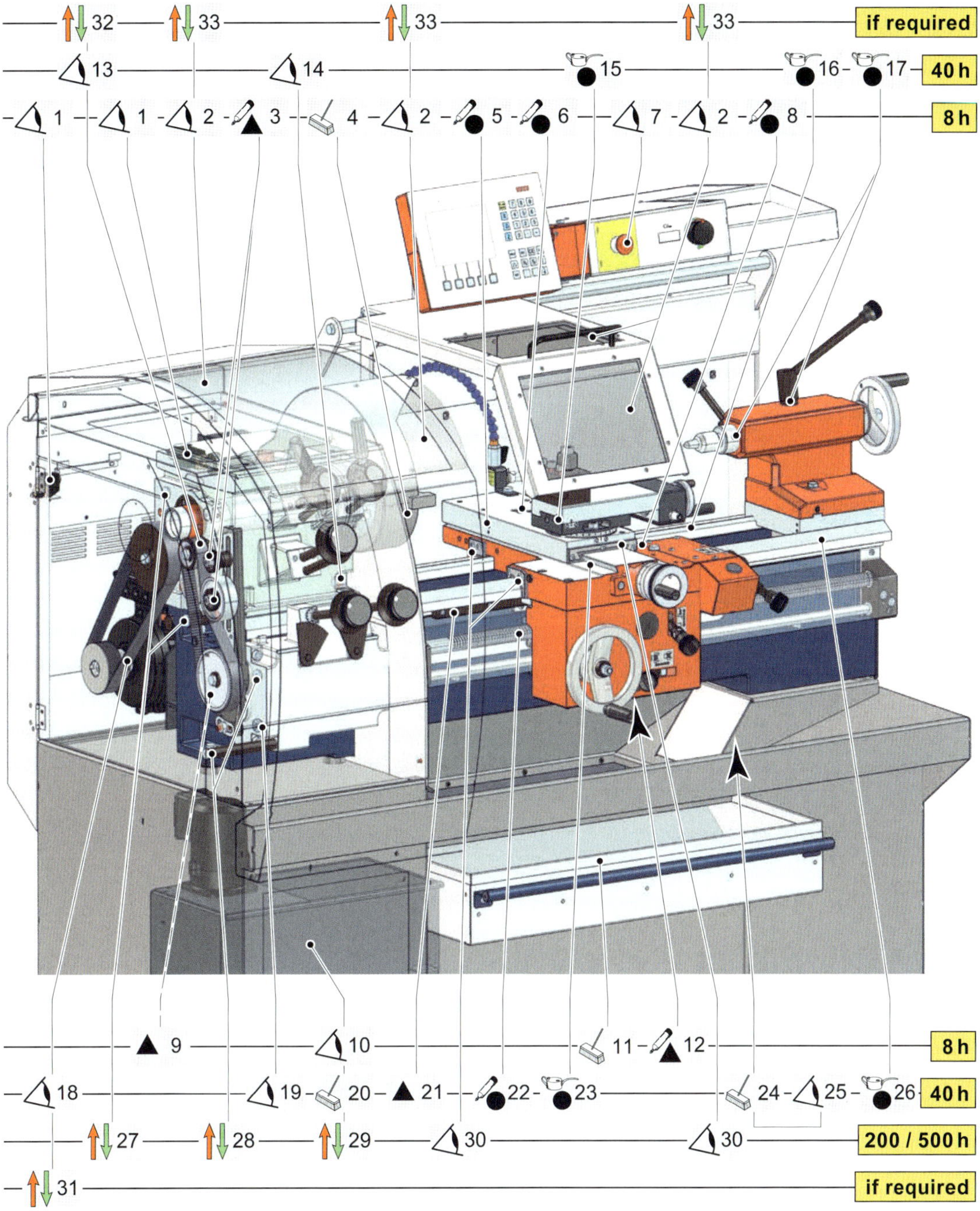

check, if necessary supplement

Purification

Grease lubrication

Grease lubrication (lubricating nipples)

Oil lubrication

Oil lubrication (lubricating nipples)

Exchange

1.6 Work With Words

In future you may have to talk, listen or read technical English. Very often it will happen that you either **do not understand** a word or **do not know the translation**.

In this case here is some help for you!

Below you will find a few possibilities to describe or explain a word you don't know or use synonyms[1)] or opposites[2)].
Write the results into your exercisebook.

1. **Add as many examples** to the following terms as possible.

maintenance:	preventive maintenance inspection _______	*kinds of lubricants:*	coolants liquid lubricants _______

2. **Explain the two terms in the box:**
Use the words below to form correct sentences. Be careful the range is mixed!

corrosion:	when something is destroyed/ The physical damage caused/ by a chemical such as a strong acid or rust	*grease gun:*	into special holes in machines/ moving parts work smoothly/ so that their/A grease gun is a device for forcing grease

3. **Find the opposites**[2)]**:**

rough files:	_______	*adhere:*	_______
collection:	_______	*unlubricated:*	_______

4. **Find synonyms**[1)]:
You can find one or two synonyms to each term in the box below.

container:	_______	*purifier:*	_______
inspection:	_______	*rust:*	_______
box/test/trunk/check		cleanser/corrosion/oxidation/antiseptic	

5. In each group there is a word which is the **odd man**[3)]. Which one is it?

a) file card, brass sheet, breakdown, industrial type vacuum cleaner
b) chemical cleansing agent, aqueous purifier, hydrocarbon cleaner, waste disposal
c) grease gun, friction, oil spray, oil bottle with atomizer
d) corrosion protection, corrosion cause, abrasion, corrosion damage

6. Please translate the information below. Use your English-German Vocabulary List if necessary.

The friction opposes the relative movement between bodies in contact.

1) synonyme: Synonym, ähnliches Wort, Ergänzung
2) opposite: Gegenteil
3) odd man: Außenseiter, überzähliges Wort, fünftes Rad am Wagen

2 Elektrotechnik

Elektrisch betriebene Maschinen und Werkzeuge werden in der Produktion und bei Wartungs- und Reparaturarbeiten eingesetzt. Sie nehmen elektrische Energie auf und wandeln sie z. B. in mechanische oder thermische Energie um. Der Einsatz elektrischer Geräte ist deshalb besonders vorteilhaft, weil elektrische Energie sehr einfach in andere Energiearten umgewandelt werden kann.

Merke

Wirkt elektrische Energie auf den menschlichen Körper ein, so kann es zu lebensgefährlichen Folgen kommen.

Für den Einsatz und den Umgang mit elektrischen Anlagen und Geräten sind deshalb die geltenden Vorschriften der Unfallverhütung zu befolgen (siehe Kap. 2.5 „Unfallgefahren durch elektrischen Strom").

2.1 Grundzusammenhänge des elektrischen Stromkreises

Für umfangreiche Schraub- und Bohrarbeiten wird ein Schrauber benutzt. Um unabhängig von Steckdosen zu sein, werden häufig Akku-Geräte verwendet, die die elektrische Energie aus Akkumulatoren beziehen.
Das Bild 1 zeigt den Aufbau eines Akku-Schraubers *(cordless screwdriver)*. Als Spannungsquelle wird ein Akkumulator verwendet. Dieser wandelt im Betrieb chemische Energie in elektrische Energie um. Dabei wird er elektrisch entladen.
Den vereinfachten grundsätzlichen Aufbau eines **elektrischen Stromkreises** *(circuit)* zeigt das Bild 2 am Beispiel des Akku-Schraubers.

Merke

In einem Schaltplan *(circuit diagram)* werden die Funktionszusammenhänge oder die Verdrahtung einer Anlage oder eines Gerätes zeichnerisch dargestellt.

Schaltpläne basieren auf genormten Symbolen und Zeichen. Eine kleine Auswahl von Schaltzeichen nach DIN EN 60617 zeigt Bild 3.
Eine **Spannungsquelle** *(voltage source)* stellt elektrische Energie zur Verfügung. Diese wird über **Leitungen** *(conductors)* zum **Verbraucher** *(consumer)* geführt und kann dort in andere Energieformen wie z. B. mechanische Energie umgewandelt werden. Damit ein elektrischer Strom fließt, muss eine Rückleitung vom Verbraucher zur Spannungsquelle angeschlossen sein. Es entsteht ein geschlossener Stromkreis. Mit einem Schalter lässt sich ein Stromkreis einfach und gefahrlos schließen oder unterbrechen.

Merke

Spannungsquellen und Verbraucher sind Energiewandler.

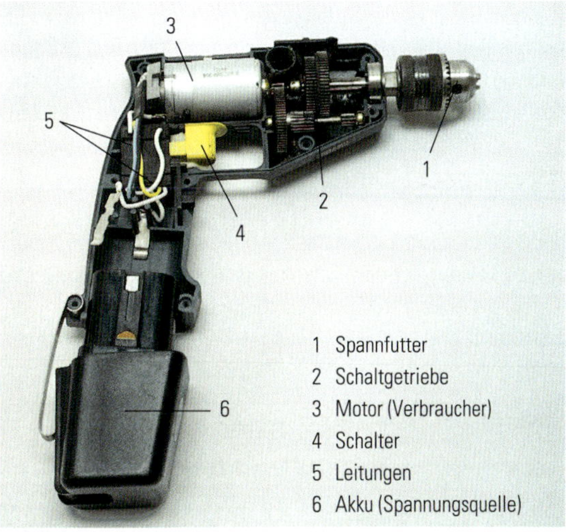

1 *Akku-Schrauber (geöffnet)*

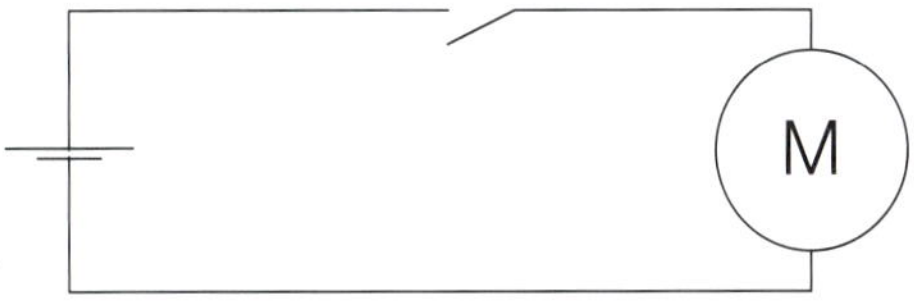

2 *Schaltplan eines Akku-Schraubers*

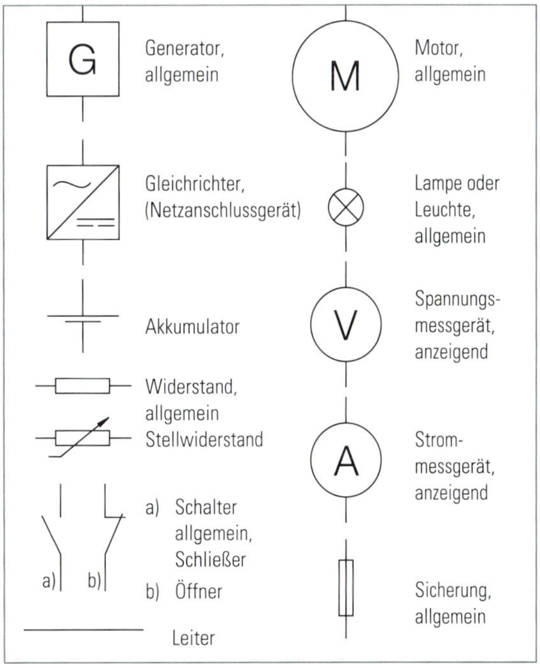

3 *Auswahl von Schaltzeichen nach DIN EN 60617 (siehe auch Tabellenbuch)*

Überlegen Sie

Ordnen Sie den Symbolen im Schaltplan Bild 2 die elektrischen Funktionselemente 3...6 des Akkuschraubers Bild 1 zu.

In einem Gerät ist der Stromkreis meist nicht leicht nachvollziehbar. Seine einzelnen Bestandteile sind durch das Gehäuse verdeckt. Dieses dient teilweise auch der elektrischen **Isolation** *(isolation)* und damit der Unfallverhütung (siehe Kap. 2.5).

2.1.1 Elektrische Spannung

Um ein elektrisches Gerät oder eine elektrische Anlage betreiben zu können, ist eine Spannungsquelle notwendig. Diese ermöglicht einen Stromfluss durch die Leitungen und den Verbraucher (Gerät, Anlage). Typische Versorgungsspannungen sind:

Spannung	Bezeichnung	Einsatz
400 V Wechselspannung	Dreiphasen-Niederspannungsnetz	Haushalt, Betrieb
230 V Wechselspannung	Einphasen-Niederspannungsnetz	Haushalt, Betrieb
42 V Wechselspannung	Schutzkleinspannung	Handgeräte in leitfähiger Umgebung, Automatisierungssysteme
12 V Gleichspannung	Gleichspannungsversorgung	Halogenbeleuchtung, Kfz-Elektrik

1 *Typische Versorgungsspannungen*

Merke

Spannungen oberhalb von 50 V Wechselspannung und 120 V Gleichspannung können für den Menschen tödlich sein. Reparaturen an elektrischen Anlagen und Geräten dürfen deshalb nur von einer Elektrofachkraft ausgeführt werden (siehe Kapitel 2.5).

Der Anschluss einfacher Handgeräte erfolgt über genormte Stecker *(plugs)* (Bild 2) wie sie auch im Haushalt verwendet werden. Je nach Schutzklasse (vergl. Kapitel 2.5) besitzen diese Geräte ggf. einen Schutzkontakt.
Für größere Geräte und den Einsatz im industriellen oder handwerklichen Bereich werden Steckverbindungen nach der CEE-Norm[1)] verwendet (Bild 3). Die „Steckgesichter" dieser Verbindungen lassen nur eine Möglichkeit des Zusammensteckens zu.

Merke

Die elektrische Spannung *(voltage)* hat das Formelzeichen U und wird in der Einheit Volt[2)] angegeben.
Das Einheitenzeichen ist V.

Für die Bereitstellung elektrischer Spannung gibt es Geräte wie:
- Generatoren (Seite 221 Bild 1)
- Akkumulatoren
- Batterien
- Solarzellen

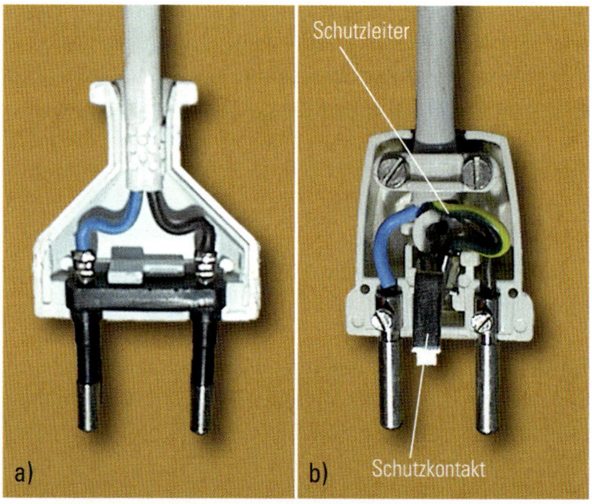

2 *Anschluss von Steckern für das 230-V-Netz*
a) Geräte mit Schutzisolierung (Schutzklasse II, Seite 230 Bild 2)
b) Geräte mit Schutzleiter (Schutzklasse I, Seite 230 Bild 2)

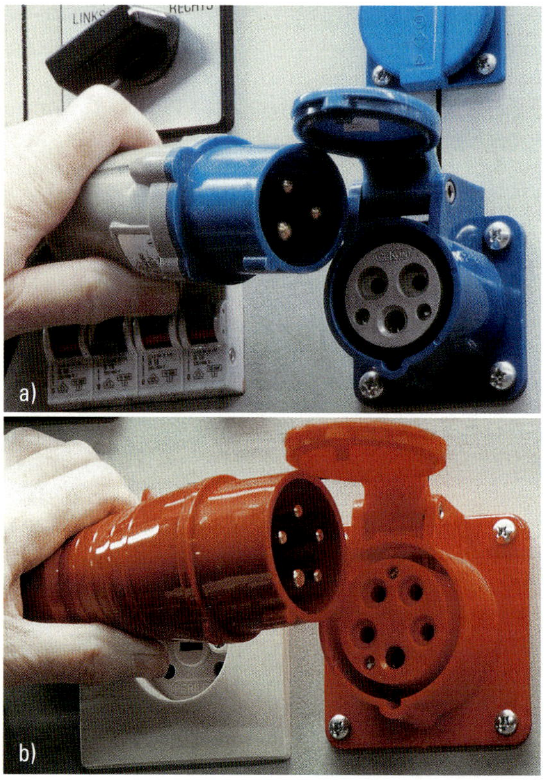

3 *CEE-Steckvorrichtung (plug and socket)*
a) Einphasen-Wechselspannung (230-V-Netz)
b) Dreiphasen-Wechselspannung (400-V-Netz, Drehstromnetz)

1) CEE: International Commission for Conformity Certification of Elektrical Equipment (engl.): Kommission für die Konformität elektrischer Geräte
2) Benannt nach Alessandro Volta, italienischer Physiker, 1745 bis 1827

Hinter allen Verfahren zur Spannungserzeugung steht das Prinzip der Trennung von Ladungsträgern (freie Elektronen). Diese kann durch

- magnetische Wirkung (Induktion),
- chemische Prozesse (Galvanik),
- Lichteinstrahlung (Photovoltaik),
- Temperatur (Thermoeffekt),
- Druck (Piezoeffekt) oder
- Reibung (elektrostatische Aufladung)

erreicht werden (Bild 2). Der entstehende Ladungsträgerunterschied wird als elektrische Spannung bezeichnet. Wird ein elektrischer Verbraucher an der Spannungsquelle betrieben, fließt ein elektrischer Strom. Der Ladungsträgerunterschied wird dadurch ausgeglichen.

1 Mobiler Generator

Merke

Das Bestreben, einen Ladungsunterschied auszugleichen, wird als elektrische Spannung bezeichnet.

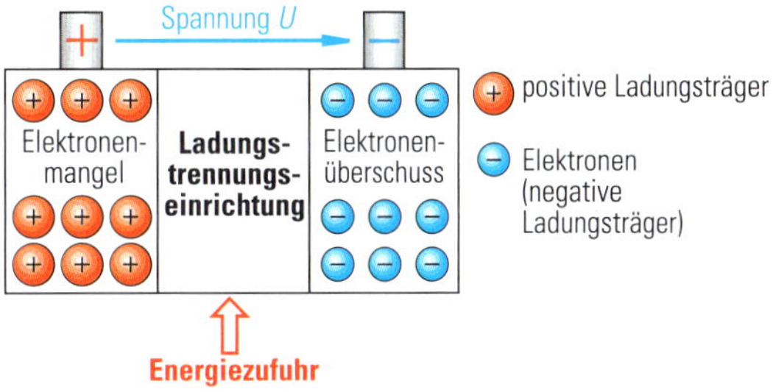

2 Ladungstrennung

An den Anschlussklemmen (Polen) einer Spannungsquelle liegen demnach unterschiedliche Anzahlen freier Ladungsträger (Potentiale) an. Der Minuspol (−) besitzt gegenüber dem Pluspol (+) eine höhere Anzahl von freien Ladungsträgern (Elektronen). Am Pluspol herrscht Ladungsträgermangel. Bei Wechselspannungen verändern sich die Polaritäten ständig (Bild 3).

Merke

Eine Spannung, deren Polarität sich nicht ändert, heißt Gleichspannung *(direct voltage)*.
Eine Spannung, deren Polarität sich ändert, heißt Wechselspannung *(alternating voltage)*.

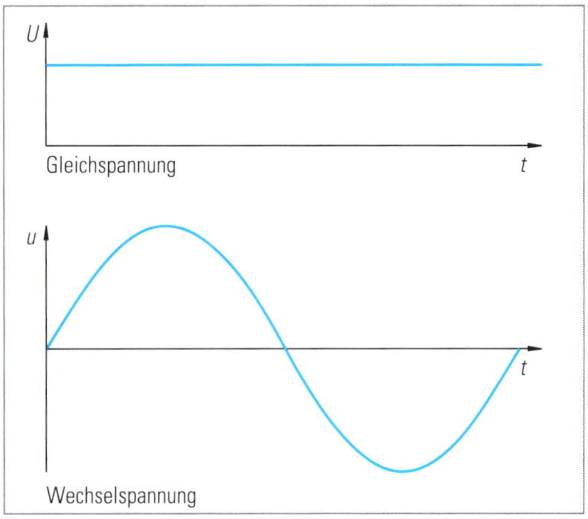

3 Spannungsarten

Um eine Spannung zu messen, werden die entsprechenden Anschlüsse des **Spannungsmessgeräts** *(voltage meter)* so in den Stromkreis geschaltet, dass die Spannung über dem Messgerät abfällt (siehe Kap. 2.3.1 Parallelschaltung).
Wird zum Beispiel im Betrieb an einem Schrauber die Betriebsspannung ermittelt, so ist die Spannung über den Anschlüssen des Schraubers genauso hoch wie an den Anschlüssen der Spannungsquelle. In der in Bild 4 dargestellten Messschaltung misst ein Spannungsmessgerät die Spannung (blau) über dem Verbraucher (Schrauber). Das Messgerät zeigt mit dem Messwert von $U = 9{,}6$ V die Spannung an den Klemmen der Spannungsquelle und über den Anschlussklemmen des Schraubers an.

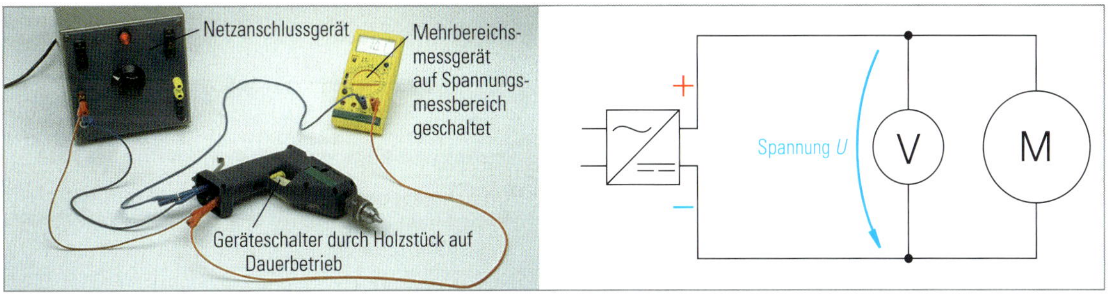

4 Spannungsmessung am Verbraucher

Merke

Die Summe der Teilspannungen an den Verbrauchern innerhalb eines einfachen Stromkreises ist so groß wie die Spannung der Spannungsquelle.

Überlegen Sie

Mit welchen Gleichspannungen werden mit Akkus betriebene handgeführte Elektrowerkzeuge versorgt?

2.1.2 Elektrischer Strom

Elektrische Energie wird über die Bewegung von Elektronen transportiert. Dazu müssen freie Ladungsträger (Elektronen) vorhanden sein. Sie können durch chemische oder mechanische Vorgänge zur Verfügung gestellt werden. Ein Transport von elektrischer Energie ist nur in Systemen mit freien Ladungsträgern z. B. in Metallen möglich.

Merke

Die gerichtete Bewegung elektrischer Ladungsträger heißt elektrischer Strom *(current)*. In Metallen ist dies die Fortbewegung der freien Elektronen.

Die Richtung des Stromes ist als „Technische Stromrichtung" festgelegt, wenn der Strom vom Pluspol einer Spannungsquelle über Leitungen und Verbraucher zum Minuspol fließt.
Durch ihre Konstruktion und ihre Anwendung bedingt, gibt es Spannungsquellen, die an ihren Anschlüssen

- immer die gleiche Zuordnung von Plus- und Minuspol (Polarität) beibehalten. Im Stromkreis bewirken sie demnach eine stets gleich bleibende Stromrichtung.
- ständig Plus- und Minuspol vertauschen. Im Stromkreis bewirken sie daher eine fortwährend wechselnde Stromrichtung.

Merke

Ein Strom, der seine Richtung nicht ändert, heißt Gleichstrom *(direct current)* (Kennzeichnung — oder ⎓ oder DC). Ein Strom, der seine Richtung ändert, heißt Wechselstrom *(alternating current)* (Kennzeichnung ~ oder AC). Die Stromstärke *(current intensity)* hat das Formelzeichen I und wird in der Einheit Ampere angegeben, benannt nach André Ampère, französischer Physiker, 177 bis 1836. Das Einheitenzeichen ist A.

Auf dem Leistungsschild einer Maschine (Bild 1) ist die Angabe 2,3 A zu sehen (siehe auch Kapitel 2.5.2 „Kennzeichnung elektrischer Betriebsmittel"). Dies bedeutet, dass bei der maximal zulässigen Belastung des Gerätes (Nennlast) ein Strom von I = 2,3 A (Ampere) fließt.
Um einen Strom zu messen, werden die entsprechenden Anschlüsse des Strommessgeräts *(ammeter)* so in den Stromkreis geschaltet, dass der Strom durch das Messgerät fließt (siehe Kap. 2.3.2 „Reihenschaltung").

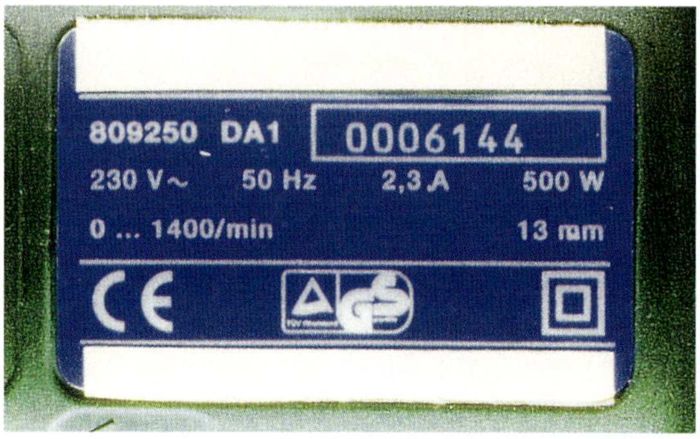

1 Leistungsschild einer elektrischen Handbohrmaschine

Wird zum Beispiel im Betrieb an einem Schrauber die Stromaufnahme ermittelt, so ist die Stromstärke in der Hinleitung genauso hoch wie in der Rückleitung. In der in Bild 2 dargestellten Messschaltung misst je ein Strommessgerät die Stromstärke in der Hinleitung (rot) zum Verbraucher (Schrauber) und in der Rückleitung (blau). Beide Messgeräte zeigen den gleichen Messwert von I = 1,3 A (bei einer Gleichspannung von U = 9,6 V) an.

Merke

Innerhalb eines einfachen Stromkreises ist die Stromstärke an jeder Stelle gleich groß.

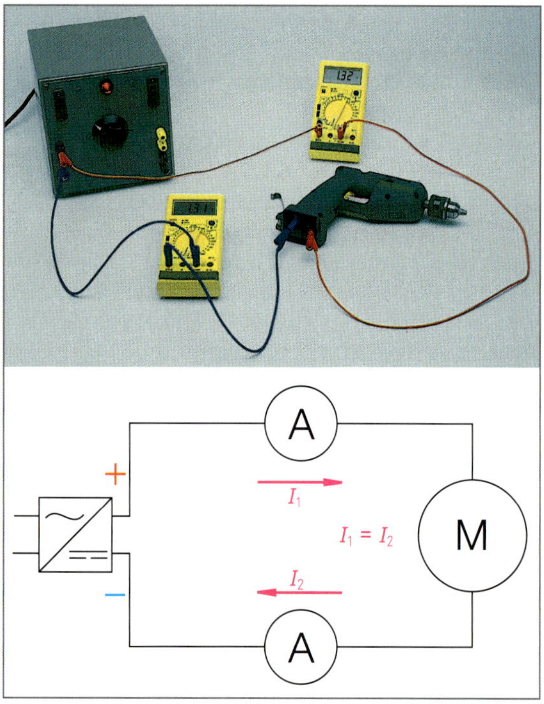

2 Strommessung in Hin- und Rückleitung

Überlegen Sie

Informieren Sie sich darüber, welche Stromarten beim Schweißen verwendet werden und welche Stromstärken dabei erreicht werden.

2.1.3 Elektrischer Widerstand

Alle Bestandteile eines Stromkreises, die vom Strom durchflossen werden, hemmen diesen auf seinem Weg. Sie setzen dem Strom Widerstand entgegen. Die Eigenschaften eines Körpers, z. B. eines Drahtes, den elektrischen Strom zu hemmen, werden als elektrischer Widerstand *(resistance)* bezeichnet.

Merke

Der elektrische Widerstand *(resistor)* hat das Formelzeichen R und die Einheit Ohm[1] mit dem Einheitenzeichen Ω.

Für Widerstandsmessungen werden die Anschlüsse des elektrischen Widerstandes mit den Anschlüssen des Widerstandsmessgerätes *(megger)* verbunden (Bild 1). Die Widerstandsmessung ist meist Bestandteil von Mehrbereichsmessgeräten *(multimeters)*, die mehrere elektrische Größen (z. B. U, I, R) messen können. Die Bestimmung eines Widerstandswertes kann auch auf einer gleichzeitigen Strom- und Spannungsmessung basieren. Über das **Ohmsche Gesetz** *(Ohm's law)* ist dann der konkrete Widerstandswert rechnerisch zu ermitteln (Bild 2).

Merke

Das Ohmsche Gesetz beschreibt den Zusammenhang zwischen Strom und Spannung.

$$\text{Widerstand} = \frac{\text{Spannung}}{\text{Stromstärke}}$$

$$R = \frac{U}{I}$$

R: Widerstand in Ω
U: Spannung in V
I: Stromstärke in A

Für die Ermittlung von Temperaturwerten werden in Produktionsanlagen temperaturabhängige Widerstände verwendet. Weit verbreitet ist ein Temperatursensor aus Platin, der bei 0 °Celsius einen Widerstandswert von 100 Ω hat. Er wird als Pt 100[2] bezeichnet. Die Änderung des Widerstandswertes liegt bei etwa 0,389 Ω/°C. Bei der Wartung einer Anlage ist die Funktion des Sensors zu überprüfen. Bei einem Messstrom von 20 mA ist bei Raumtemperatur (20 °C) folgender Spannungswert zu erwarten:

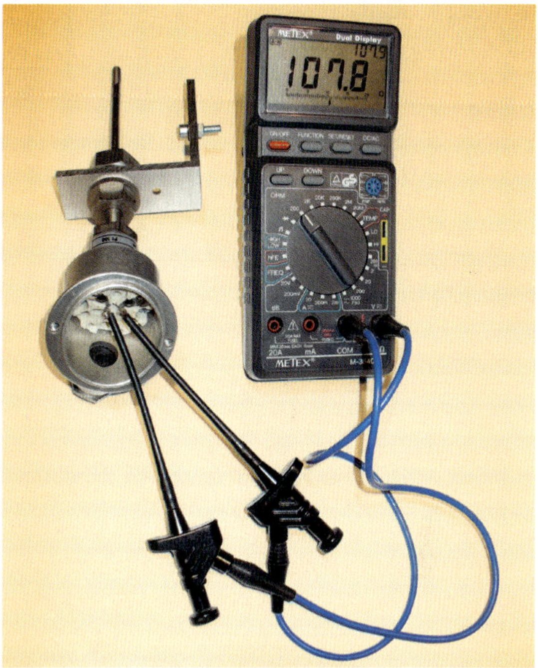

1 *Ermittlung des Widerstandswertes eines Temperaturfühlers*

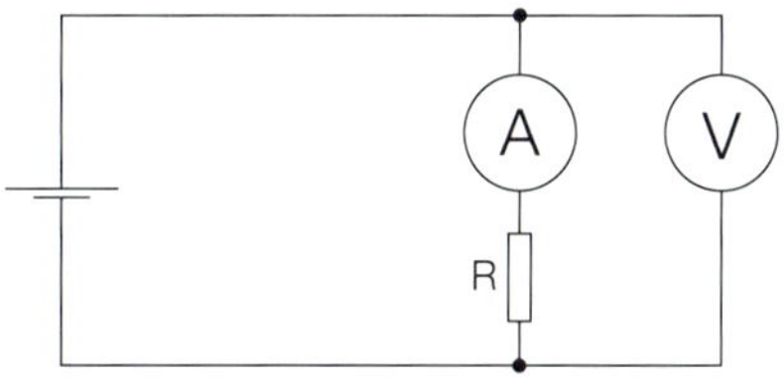

2 *Widerstandsmessschaltung*

Überlegen Sie

Welches Messergebnis erhält man bei der Widerstandsmessung einer unterbrochenen Leitung wie z. B. einer defekten Transformatorenwicklung?

Beispielrechnungen

$R_{Mess} = \frac{U}{I}$ → Grundformel bestimmen.

$U = R_{Mess} \cdot I_{Mess}$ → Grundformel nach der **gesuchten Größe umstellen**.

$R_{Mess} = R_0 + R_{Raum}$ → Formel zur Berechnung von R_{Mess} aufstellen.

$U = [R_0 + R_{Raum}] \cdot I_{Mess}$ → Formel zur Berechnung von R_{Mess} in **umgestellte Grundformel einsetzen**.

$U = [100\,\Omega + (20 \cdot 0{,}389\,\Omega)] \cdot 20\,\text{mA}$ → Zahlenwerte und Einheiten einsetzen.

$U = [100\,\Omega + (20 \cdot 0{,}389\,\Omega)] \cdot 0{,}02\,\text{A}$ → Einheit **mA** in Einheit **A** umrechnen.

$U = 107{,}78\,\Omega \cdot 0{,}02\,\text{A}$

$\underline{\underline{U = 2{,}16\,\text{V}}}$

1) Benannt nach Georg Simon Ohm, deutscher Physiker, 1787 bis 1854. 2) Pt: chemisches Kurzzeichen für Platin

Weitere Übungsaufgaben zum Ohmschen Gesetz finden Sie im Teil „Lernfeldübergreifende Inhalte" im Kapitel 4.12 „Elektrotechnik".

2.2 Fehler in elektrischen Anlagen

Bei Schleifarbeiten mit einem Winkelschleifer bleibt plötzlich die Maschine stehen. Ein Wiedereinschalten ist nicht möglich. Bei der Suche nach einem Fehler wird festgestellt, dass der Sicherungsautomat (Bild 1 Seite 225) in der Verteilung ausgelöst hat.

Beim Betrieb elektrischer Anlagen und Geräte kann es durch Verschleiß oder Fehlbedienung zu Störungen und Fehlern kommen. So ist im oben beschriebenen Fall möglicherweise eine schadhafte oder durchtrennte Zuleitung Ursache für das Auslösen des Sicherungsautomaten. Nebenstehende Ursachen und Folgen können im Allgemeinen auftreten.

Ursachen	Folgen
Dauerbetrieb	Thermische Überlastung, Schäden an der Isolation, „Durchbrennen" von Wicklungen
Überlast *(overload)*	Thermische Überlastung, Materialüberlastung
Verschleiß	Leitungsbruch, Schäden an der Isolation
Verbindung der Einzeladern beim Durchtrennen von Zuleitungen	Kurzschluss
Eindringen von Feuchtigkeit	Kurzschluss
Eindringen von Staub	Thermische Überlastung

1 *Fehler in elektrischen Anlagen*

2.2.1 Überlast

Werden elektrische Maschinen im Dauerbetrieb genutzt, so fließt stetig ein hoher Strom. Bei falschem Einsatz einer Maschine können auch kurzfristig hohe Ströme auftreten. Diese können zu einer übermäßigen Erwärmung des Betriebsmittels führen, was wiederum zum Schmelzen der Isolation oder sogar der Leitungen führen kann. Auf diese Weise werden häufig zentrale Bauteile wie Heizwicklungen *(heating windings)* oder Transformatorwicklungen *(transformer windings)* zerstört (Bild 2). Teure Reparaturen oder Ersatzbeschaffungen sind dann die Folgen. Kommen weitere Fehler oder falsch dimensionierte Anlagenteile hinzu, können sogar Brände ausgelöst werden (Bild 3).

2 *Durch Überlast zerstörte Wicklung*

3 *Verbrannte Hauptverteilung durch Überlast*

2.2.2 Kurzschluss

Im Kurzschlussfall liegt ein geschlossener Stromkreis ohne Betriebsmittel (Verbraucher) vor (Bild 4).

Werden keine Sicherungsmaßnahmen eingesetzt, so fließt ein so hoher Strom, dass die Leitungen schmelzen. Es besteht dann die Gefahr eines Brandes. Auf diese Weise könnte das Versorgungsnetz schwer beschädigt werden. Kurzschlüsse *(short-circuits)* treten vor allem in defekten Zuleitungen und in fehlerhaften Geräteanschlüssen auf. Deshalb ist auch auf die fachgerechte Montage der Zuleitungen zu achten.

Bei Kurzschlüssen können so große mechanische Kräfte auftreten, dass Leitungen oder Anlagenteile aus ihren Befestigungen gerissen werden und Personen gefährden können.

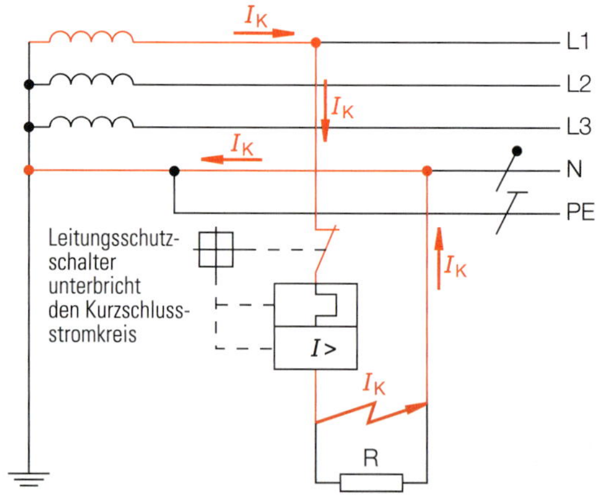

4 *Stromkreis mit Leitungsschutzschalter im Kurzschlussfall*

Überlegen Sie

1. Wie hoch ist der Strom in einem kurzgeschlossenen Stromkreis, wenn eine Versorgungsspannung von 230 V ~ anliegt und die Leitungen einen Widerstand von insgesamt 2 Ω besitzen? Wenden Sie das Ohmsche Gesetz an.
2. Warum besteht bei der Überlastung von Leitungen und bei Kurzschlüssen Brandgefahr?
3. Welche Maßnahmen können Sie persönlich ergreifen, um Fehler an elektrischen Geräten zu vermeiden?

2.2.3 Maßnahmen

Um Anlagen und Geräte bei Kurzschlüssen und Überlastungen zu schützen, werden Schutzgeräte *(protective devices)* eingesetzt. Sie können dem Leitungsschutz und dem Geräteschutz zugeordnet werden.

Leitungsschutzschalter *(circuit breakers)* sind Überstromschutzeinrichtungen und verhindern durch Abschaltung das Auftreten von zu hohen Strömen. Somit schützen sie bei Überlastung und Kurzschluss. Sie werden auch als **Sicherungen** *(fuses)* bezeichnet. Üblicherweise werden **Sicherungsautomaten** *(automatic circuit breakers)* eingesetzt, die nach dem Auslösen und dem Beheben des Fehlers wieder eingeschaltet werden können (Bild 1). **Schmelzsicherungen** *(indicating fuses)* werden dagegen durch den Auslösestrom thermisch zerstört und müssen ersetzt werden.

1 *Sicherungsautomaten*

Video Leitungsschutzschalter

Merke

Sicherungsautomaten schützen den Stromkreis bei Kurzschluss oder Überlastung.

Auch der **Geräteschutz** wird häufig durch Sicherungen gewährleistet. So werden in elektronischen Geräten z. B. **Feinsicherungen** *(miniature fuses)* eingesetzt (Bild 2).

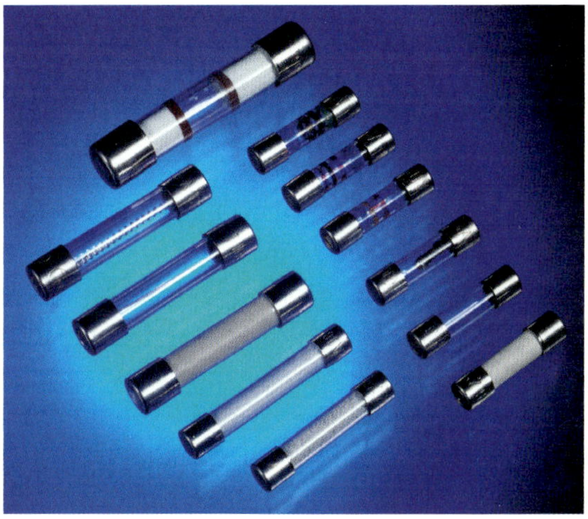

2 *Feinsicherungen*

Motoren werden durch so genannte **Motorschutzschalter** *(motor protecting switches)* gegen thermische Überlastung geschützt (Bild 3). Tritt dauerhaft ein zu hoher Strom auf, löst der Schutzschalter aus.

Eine besondere Funktion erfüllen **Fehlerstromschutzschalter** (RCD[1]- oder FI[2]-Schutzschalter). Sie sind nicht dem Geräte- oder Leitungsschutz sondern dem **Personenschutz** zuzuordnen. Fehlerstromschutzschalter (Bild 4) sind u.a. in Baustellenverteilern und für Bäder vorgeschrieben. Im Gegensatz zu Leitungsschutzschaltern lösen sie beim Auftreten von Fehlerströmen aus. Diese können bei Defekten oder beim Berühren unter Spannung stehender Teile auftreten. Fehlerstromschutzschalter schalten den Stromkreis bei Fehlerströmen von z. B. 30 mA innerhalb von Sekundenbruchteilen ab.

Video Fehlerstromschutzschalter

Merke

RCD- oder FI-Schutzschalter schützen den Menschen beim Auftreten von Fehlerströmen.

Überlegen Sie

1. Stellen Sie fest, wo sich die Schutzeinrichtungen für die elektrische Anlage Ihres Arbeitsplatzes befinden.
2. Stellen Sie fest, ob ihre elektrischen Handgeräte oder Messgeräte einen Geräteschutz besitzen.

3 *Motorschutzschalter*

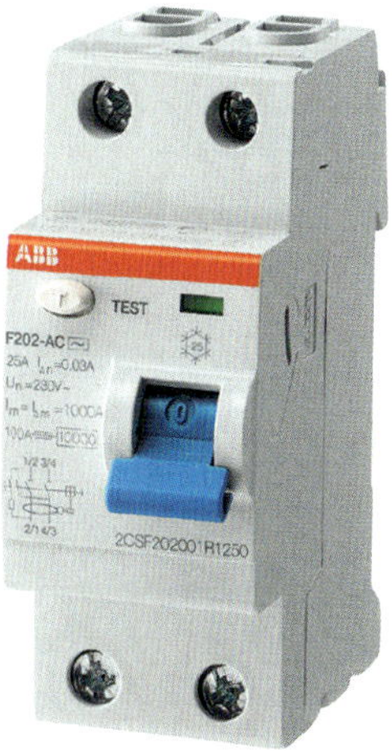

4 *Fehlerstromschutzschalter*

1) RCD: (engl.) Residual Current Protective Device: Reststromschutzvorrichtung
2) FI: Fehler-Strom (I)

2.3 Anschluss von elektrischen Anlagen

Elektrische Anlagen und Verbraucher können in unterschiedlicher Form an eine Spannungsquelle angeschlossen werden. Dies gilt zum Beispiel, wenn mehrere Verbraucher an eine Spannungsquelle angeschlossen werden.

2.3.1 Parallelschaltung

Werden mehrere Handgeräte an eine Spannungsquelle angeschlossen, so kann dies über eine Verteilung z. B. an einer Kabeltrommel geschehen (Bild 1). Hierbei steht allen Verbrauchern die Versorgungsspannung von 230 V~ zur Verfügung. Die Verbraucher sind **parallel** an die Spannungsquelle angeschlossen und können so unabhängig voneinander geschaltet werden.

Merke

Die Spannung an allen Verbrauchern (Widerständen) ist gleich hoch.

$U_v = U_1 = U_2 = \dots$

Betrachtet man den Strom, der durch die Verbraucher fließt, so teilt sich der Gesamtstrom in Abhängigkeit der Widerstände auf die einzelnen Zweige auf.

Merke

Die Summe der Einzelströme durch die Verbraucher ist gleich dem Gesamtstrom.

$I_{ges} = I_1 + I_2 + \dots$

Beispielrechnung

Für das Beispiel gilt dann:

$I_{ges} = I_1 + I_2$

$I_{ges} = 4{,}6\text{ A} + 9{,}2\text{ A}$

$\underline{\underline{I_{ges} = 13{,}8\text{ A}}}$

Merke

Der Ersatzwiderstand einer Parallelschaltung *(parallel connection)* ist kleiner als der kleinste Einzelwiderstand.

$$\frac{1}{R_{ges}} = \frac{1}{R_1} + \frac{1}{R_2} + \dots$$

Die Berechnung einer elektrischen Schaltung mit Handgeräten ist relativ umfänglich, da die Angaben für die Stromaufnahme und den elektrischen Widerstand auf den Leistungsschildern von Handgeräten fehlen. Diese Werte lassen sich nur über die angegebene Leistungsaufnahme errechnen (siehe Kapitel 2.4.1).

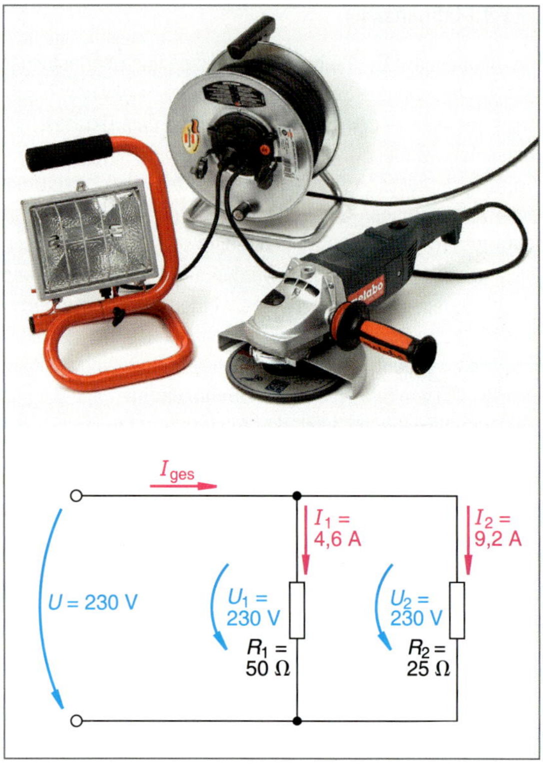

1 *Anschluss von Verbrauchern an einer Verteilung*

Beispielrechnung

Für das Beispiel gilt dann:

$$\frac{1}{R_{ges}} = \frac{1}{R_1} + \frac{1}{R_2}$$

$$\frac{1}{R_{ges}} = \frac{1}{50\ \Omega} + \frac{1}{25\ \Omega}$$

$$\frac{1}{R_{ges}} = 0{,}06\ \frac{1}{\Omega}$$

$$\underline{\underline{R_{ges} = 16{,}7\text{ V}}}$$

Überlegen Sie

1. Berechnen Sie den Gesamtstrom und den Ersatzwiderstand einer Parallelschaltung von drei Winkelschleifern. Jedes Gerät hat eine Stromaufnahme von 4,3 A.
2. Warum sollten Sie sich beim Anschluss mehrerer Handgeräte an eine Verteilung (Bild 1) vor der Inbetriebnahme über die Stromaufnahme der Geräte informieren?
3. Welche Folgen können auftreten, wenn mehrere Verbraucher mit einer hohen Stromaufnahme gleichzeitig an der obigen Verteilung betrieben werden?
4. Welche Anwendungen von Parallelschaltungen kennen Sie?

Übungsaufgaben zur Parallelschaltung von Widerständen finden Sie im Teil „Lernfeldübergreifende Inhalte" im Kap. 4.12 „Elektrotechnik".

2.3.2 Reihenschaltung

Reihenschaltungen *(series connections)* finden sich überwiegend innerhalb elektrischer Anlagen und Geräte wieder. Ein besonderes Beispiel ist eine Arbeitsleuchte mit Leuchtstofflampe. Die notwendige Spannung für den Betrieb der Leuchtstoffröhre wird über die Hin- und Rückleitungen hergestellt. Dazu werden Leitungsmaterialien verwendet, die einen besonders hohen Widerstandswert besitzen. Dies ist der Grund dafür, dass sich im Betrieb die Zuleitungen erwärmen. Außerdem darf bei Beschädigung der Leitungen die Handleuchte nicht repariert werden. Bild 1 zeigt den vereinfachten Schaltplan.

Merke

Die Summe aller Teilspannungen in einer Reihenschaltung ist gleich der Gesamtspannung.

$U_{ges} = U_1 + U_2 + U_3 + \ldots$

Daraus folgt, dass der Widerstand der Leitungen der Arbeitsleuchte die Versorgungsspannung soweit reduzieren, dass eine Versorgungsspannung erzeugt wird, die für den Betrieb der Leuchtstoffröhre notwendig ist.
Für das Beispiel gilt dann:

Beispielrechnung

Für das Beispiel gilt dann:

$U_{ges} = U_1 + U_2 + U_3$

$U_{ges} = 84\ \text{V} + 62\ \text{V} + 84\ \text{V}$

$\underline{\underline{U_{ges} = 230\ \text{V}}}$

Wird ein zusätzlicher Verbraucher in die Reihenschaltung eingefügt, so erhöht sich der Ersatzwiderstand der Schaltung. Der Strom durch die Schaltung verringert sich.
Für das Beispiel gilt dann:

Merke

Der Gesamtwiderstand einer Reihenschaltung ist gleich der Summe der Teilwiderstände.

$R_{ges} = R_1 + R_2 + R_3 + \ldots$

Beispielrechnung

Für das Beispiel gilt dann:

$R_{ges} = R_1 + R_2 + R_3$

$R_{ges} = 500\ \Omega + 369\ \Omega + 500\ \Omega$

$\underline{\underline{R_{ges} = 1369\ \Omega}}$

Merke

In einer Reihenschaltung werden alle Verbraucher (Widerstände) vom gleichen Strom durchflossen.

$I_1 = I_2 = I_3 = \ldots$

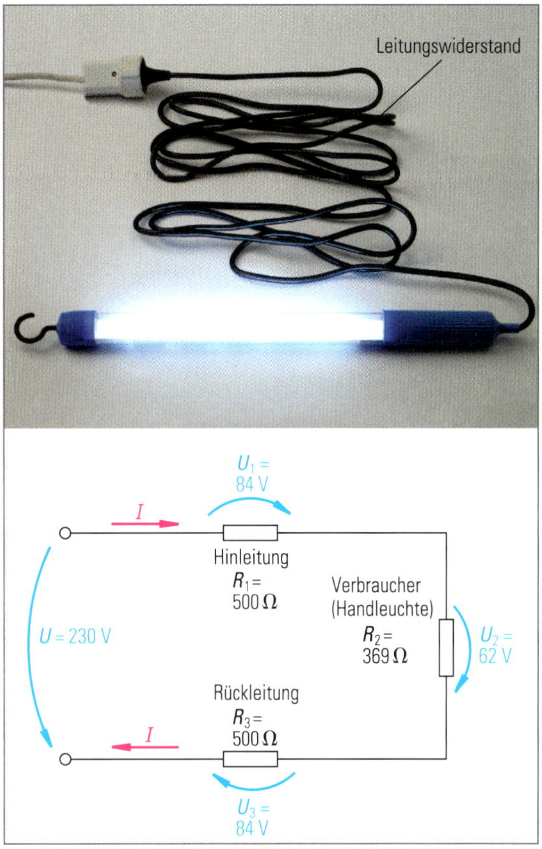

1 *Arbeitsleuchte*

Der Gesamtstrom bzw. die Einzelströme lassen sich z. B. über den Gesamtwiderstand und die Gesamtspannung berechnen:

Beispielrechnung

Für das Beispiel gilt dann:

$I_{ges} = \dfrac{U_{ges}}{R_{ges}}$

$I_{ges} = \dfrac{230\ \text{V}}{1369\ \Omega}$

$\underline{\underline{I_{ges} = 0{,}168\ \text{A} = 168\ \text{mA}}}$

Überlegen Sie

1. Welche Anwendungen von Reihenschaltungen kennen Sie?
2. Welchen Einfluss können sehr lange Leitungen auf den Betrieb elektrischer Geräte haben?
3. Wie verändern sich der Gesamtwiderstand, der Gesamtstrom und die Einzelspannungen im verwendeten Beispiel, wenn durch eine nicht zulässige Kürzung der Leitungen diese nur noch einen Widerstand von 200 Ω haben? (siehe auch Teil III, Kap. 4)

2.4 Betrieb elektrischer Anlagen

Jede elektrische Maschine besitzt ein **Leistungsschild** *(rating plate)*, dessen Aufbau genormt ist und das Auskunft über wichtige Kenndaten *(characteristics)* gibt. Für das Anwendungsbeispiel eines Drehstrommotors (Bild 1) sind dies die folgenden Informationen:

(3)	Stromart:	Drehstrom
(4)	Art der Maschine:	Motor
(7)	Nennspannung: *(nominal voltage)*	400 V (Versorgungsspannung, an die der Motor angeschlossen wird)
(8)	Nennstrom: *(nominal current)*	23 A (Stromaufnahme, die der Motor im laufenden Betrieb hat)
(9) u. (10)	Nennleistung: *(nominal wattage)*	11 kW (Leistungsaufnahme im laufenden Betrieb)
(11)	Nennbetriebsart:	1 (Dauerbetrieb)
(14)	Nenndrehfrequenz:	1440/min
(21)	Schutzart:	IP 44 (Schutz gegen kornförmige Fremdkörper, Spritzwasserschutz)

2.4.1 Leistung

Auf dem Leistungsschild des Motors wird in den Feldern 9 und 10 die Nennleistung des Motors angegeben. In diesem Fall beträgt sie 11 kW.

Merke

Die Leistung *(power)* hat das Formelzeichen P und wird in der Einheit Watt[1] angegeben. Das Einheitenzeichen ist W.

Die Leistung steht im Zusammenhang mit der verrichteten Arbeit. Es wird die Arbeit innerhalb einer bestimmten Zeit angegeben. Die Leistung eines elektrischen Gerätes ist umso höher, je höher die anliegende Spannung und je höher der Strom ist.

$$P = U \cdot I$$

P: Leistung in W I: Stromstärke in A
U: Spannung in V

In der Anwendung der Formel lässt sich so beispielsweise die Stromaufnahme einer Handbohrmaschine berechnen:

Beispielrechnung

$$I = \frac{P}{U} \qquad I = \frac{1000\ \text{W}}{230\ \text{V}} = \underline{\underline{4{,}35\ \text{A}}}$$

2.4.2 Arbeit

Merke

Die Arbeit *(work)* hat das Formelzeichen W und wird in Watt · Sekunden angegeben. Das Einheitenzeichen ist W · s.

$$W = P \cdot t$$

W = Arbeit in W · s t = Zeit in s
P = Leistung in W oder

$$W = U \cdot I \cdot t$$

W: Arbeit in W · s I: Stromstärke in A
U: Spannung in V t: Zeit in s

Die elektrische Arbeit in W · s entspricht der mechanischen Arbeit in J (Joule) oder N · m (Newton · Meter).
Für die Handbohrmaschine kann die Arbeit berechnet werden. Sie wird auf dem Zähler in der Verteilung angezeigt. Wird die Maschine eine Stunde durchgehend betrieben, addiert sich folgender Zählerstand: $W = P \cdot t$

$$W = 1000\ \text{W} \cdot 1\ \text{h} = 1000\ \text{W} \cdot \text{h} = \underline{\underline{1\ \text{kW} \cdot \text{h}}}$$

1) Benannt nach James Watt, englischer Ingenieur und Erfinder der Dampfmaschine, 1736 bis 1819

1 Leistungsschild eines Drehstrom-Asynchronmotors

2.4.3 Wirkungsgrad

Merke

Der Wirkungsgrad *(efficiency)* hat das Formelzeichen η und wird ohne Einheit oder in Prozent angegeben.

$$\eta = \frac{P_{ab}}{P_{zu}}$$

η: Wirkungsgrad (Eta, griech. Buchstabe)
P_{ab}: abgeführte Leistung
P_{zu}: zugeführte Leistung

Die Handbohrmaschine nimmt eine elektrische Leistung von 1000 W auf. Tatsächlich kann aber nur eine mechanische Leistung von 500 W genutzt werden. Der Wirkungsgrad beträgt also:

Beispielrechnung

$$\eta = \frac{P_{ab}}{P_{zu}} \qquad \eta = \frac{500\ \text{W}}{1000\ \text{W}} = \underline{\underline{0{,}5 = 50\ \%}}$$

Überlegen Sie

Auf dem Leistungsschild eines elektrischen Trennschleifers sind die Angaben 1900 W und 230 V zu finden. Kann dieses Gerät an einem Sicherungsautomaten mit dem Nennauslösestrom von 10 A betrieben werden? Womit ist gegebenenfalls zu rechnen, wenn gleichzeitig an diesem Anschluss ein Halogenstrahler mit der Leistung von 1000 W betrieben wird? Begründen Sie Ihre Vermutungen (siehe auch Teil III, Kap. 4).

2.5 Unfallgefahren durch elektrischen Strom

Ein defektes elektrisches Gerät soll nach der Reparatur wieder im Betrieb eingesetzt werden. Dies darf nur nach einer vorschriftsmäßigen Überprüfung des Gerätes geschehen.
Einschlägige Normen und Vorschriften regeln, wer die Reparatur und Wartung ausführen darf. So darf nur eine Elektrofachkraft Arbeiten an elektrischen Anlagen und Geräten durchführen (BGV[1] A3). Der Umfang und die Art der durchzuführenden Prüfungen nach der Reparatur elektrischer Geräte und Anlagen sind in den DIN/VDE-Normen festgelegt.

Merke

Die Reparatur elektrischer Geräte und die Errichtung elektrischer Anlagen darf nur durch eine Elektrofachkraft vorgenommen werden!

2.5.1 Gefahren des elektrischen Stroms

Von defekten oder unsachgemäß reparierten Geräten gehen große Gefahren aus. Im Berührungsfall fließt durch den menschlichen Körper ein elektrischer Strom. Als Folgen können auftreten:

- Muskelverkrampfungen
- Herz- und Atemstillstand
- Gleichgewichtsstörungen
- Verbrennungen
- Zersetzungen von Körperzellen
- Verblitzungen (Lichtbogen)

Merke

Wechselspannungen über 50 V und Gleichspannungen über 120 V sowie Ströme über 50 mA sind lebensgefährlich.

Aus den Gefahren folgt, dass keine Arbeiten an Anlagen durchgeführt werden dürfen, die unter elektrischer Spannung stehen. Elektrische Anlagen dürfen nur von Elektrofachkräften freigeschaltet werden. Kommt es trotzdem zu einer Unfallsituation, so ist als erstes die elektrische Anlage bzw. das elektrische Gerät spannungsfrei zu schalten. Es gilt:

Merke

Persönlicher Schutz geht vor Rettung eines Verunglückten. Eine verunglückte Person erst berühren, wenn die elektrische Anlage, mit der sie in Verbindung ist, spannungsfrei geschaltet ist.

Gegebenenfalls ist also der **NOT-AUS-Schalter** *(emergency stop button)* (Bild 1) zu betätigen, der Netzstecker zu ziehen oder der Leitungsschutzschalter (Sicherungsautomat) auszuschalten. Nach einem „elektrischen Schlag" *(electric shock)* sind unverzüglich Maßnahmen der „Ersten Hilfe" *(first aid)* durchzuführen.

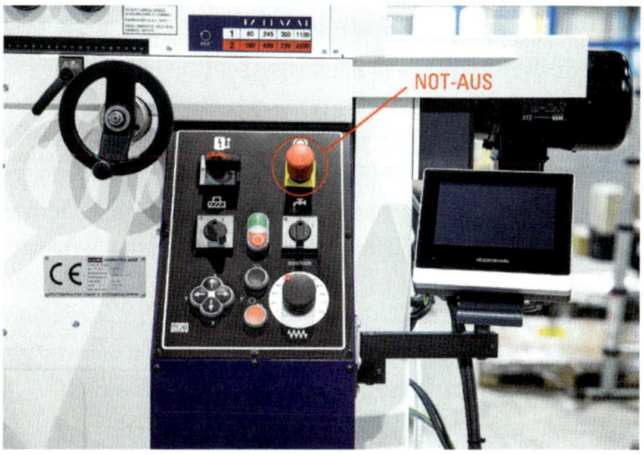

1 *NOT-AUS-Taster an einer Maschine*

Dies sind zum Beispiel:

- die stabile Seitenlage der verletzten Person
- Versorgung von Brandverletzungen
- Atemspende bei Atemstillstand
- Herzmassage bei Herzstillstand

Auf jeden Fall ist sofort ein Arzt/eine Ärztin zu verständigen, damit Spätfolgen vermieden werden können. Evtl. muss auch noch ein Brand bekämpft werden.

2.5.2 Kennzeichnung elektrischer Betriebsmittel

Für die Auswahl und den Betrieb elektrischer Geräte und Anlagen geben die Typenschilder und Betriebshandbücher Hinweise. Neben den Informationen über die Anschlusswerte (siehe auch Kap. 2.4) wird durch Symbole auch die Einhaltung von Sicherheitsvorschriften und Schutzmaßnahmen dokumentiert.

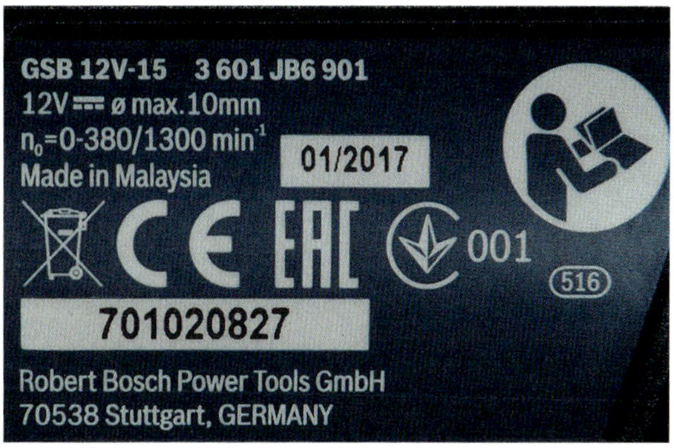

2 *Typenschild einer Handbohrmaschine*

Video Gefahren der Elektrizität

1) BGV: Berufsgenossenschaftliche Vorschrift

Die abgebildeten Symbole können folgende Aspekte kennzeichnen:

- Einhaltung bestimmter Vorschriften
- die Einhaltung bestimmter elektrischer Schutzmaßnahmen
- die Einhaltung von Schutzarten gegen das Eindringen von Stäuben oder Feuchtigkeit

Die Einhaltung von VDE-Bestimmungen und europäischen Richtlinien wird durch Symbole der Tabelle Bild 1 dokumentiert. Die **elektrischen Schutzmaßnahmen** werden durch folgende Symbole dokumentiert:

Zeichen	Merkmal	Beispiel
	**Schutzklasse I** Schutzmaßnahme mit **Schutzleiter**	Geräte mit Metallgehäuse wie z. B. Elektromotor
	**Schutzklasse II** **Schutzisolierung** keine Anschlussstelle für Schutzleiter	Geräte mit Kunststoffgehäuse wie z. B. Handbohrmaschine
	**Schutzklasse III** **Schutzkleinspannung** PELV (**P**rotective **E**xtra **L**ow **V**oltage) oder SELV (**S**afety **E**xtra **L**ow **V**oltage)	Geräte mit Nennspannungen bis AC 50 V oder DC 120 V wie z. B.elektrische Handleuchten

2 *Kennzeichnung elektrischer Schutzmaßnahmen*

Darüber hinaus werden elektrische Betriebsmittel hinsichtlich des Schutzes gegen das Eindringen von Fremdkörpern oder

Zeichen	Benennung und erteilende Stelle	Bedeutung
	VDE-Zeichen Erteilung durch VDE-Prüfstelle	Gerät ist entsprechend den VDE-Bestimmungen gebaut
	Zeichen für **geprüfte Sicherheit.** Erteilung durch eine vom Bundesarbeitsministerium benannte Prüfstelle wie z. B. TÜV oder VDE	Das Gerät entspricht den sicherheitstechnischen Anforderungen des Gesetzes für technische Arbeitsmittel
	Funkschutzzeichen Erteilung durch VDE-Prüfstelle	Gerät ist funkentstört: G grob N normal K Kleinstörungsgrad
	EG-Konformitätserklärung durch den Hersteller bzw. Lieferanten	Das Gerät entspricht den entsprechenden EU-Richtlinien
	Explosionsschutzzeichen Baumusterprüfung durch eine EG-Prüfstelle	Das Gerät erfüllt die europäischen Explosionsschutznormen

1 *Kennzeichnung zugelassener Elektrogeräte*

IP 2 3 C H

- Code-Buchstaben (IP)
- 1. Kennziffer (Personen- und Fremdkörperschutz) (2)
- 2. Kennziffer (Wasserschutz) (3)
- Zusätzlicher Buchstabe (zusätzlicher Berührungsschutz (C)
- Ergänzender Buchstabe (ergänzende Informationen) (H)

Diese Angaben erfolgen nur bei Bedarf. Der zusätzliche Buchstabe wird nur dann verwendet, wenn

- der Personenschutz höher ist als der durch die erste Kennziffer angegebene oder
- nur Personenschutz angegeben wird.

Der ergänzende Buchstabe folgt hinter der zweiten Ziffer oder dem zusätzlichen Buchstaben.

1. Kennziffer	Schutzgrad Personenschutz	Fremdkörperschutz	2. Kennziffer	Schutzgrad Wasserschutz
0	nicht geschützt	nicht geschützt	0	nicht geschützt
	Geschützt gegen Zugang	Geschützt gegen feste Fremdkörper mit	1	Geschützt gegen senkrechtesTropfwasser
1	mit dem Handrücken	einem Durchmesser ≥ 50 mm	2	Tropfen bis 15° Neigung
2	mit dem Finger	einem Durchmesser ≥ 12,5 mm	3	Sprühwasser
3	mit einem Werkzeug	einem Durchmesser ≥ 2,5 mm	4	Spritzwasser
4	mit einem Draht	einem Durchmesser ≥ 1,0 mm	5	Strahlwasser
5	mit einem Draht	staubgeschützt	6	starkes Strahlwasser
6	mit einem Draht	staubdicht	7	zeitweiliges Untertauchen
X	keine Angabe	keine Angabe	8	dauerndes Untertauchen

Zusätzlicher Buchstabe	Schutzgrad (nur Personenschutz)	Ergänzender Buchstabe	Informationen speziell für
A	Handrücken	H	Hochspannungsmessgeräte
B	Finger	M	Bewegung während Wasserprüfung
C	Werkzeug	S	Stillstand während Wasserprüfung
D	Draht	W	Wetterbedingungen

3 *IP-Schutzarten*

Feuchtigkeit gekennzeichnet. Diese Schutzarten werden als **IP-Schutzarten** (**I**nternational **P**rotection) bezeichnet und in Form einer Ziffernkombination dargestellt (siehe Übersicht auf der vorhergehenden Seite).
Der IP-Code legt die Schutzart (Schutzgrad) durch Gehäuse von elektrischen Betriebsmitteln hinsichtlich des Personen-, Fremdkörper- und Wasserschutzes fest.

Überlegen Sie

1. Interpretieren Sie das Typenschild von Seite 229 Bild 2.
2. Welches ist die umfassendste IP-Schutzart?
3. Gegen welche Einflüsse sind die elektrischen Anlagenteile eines Bearbeitungszentrums besonders zu schützen? Stellen Sie diese Faktoren in Form einer Mind-Map dar.

2.5.3 Kennzeichnung elektrischer Gefahrenbereiche

Im Betrieb machen Sicherheitsschilder *(safety signs)* auf Gefahrenbereiche im Zusammenhang mit elektrischer Spannung aufmerksam. Diese Schilder dürfen nur von beauftragten Personen angebracht bzw. wieder entfernt werden. Die Tabelle Bild 1 stellt die üblichen Schilder dar.
Häufig sind diese Schilder in einer Kombination vorzufinden wie z. B. W012 mit S002 sowie P010 mit S001. Die erste Kombination wird üblicherweise zur Kennzeichnung elektrischer Betriebsstätten wie z. B. Schalträumen verwendet. Die zweite Kombination wird im Zusammenhang mit Arbeiten an elektrischen Anlagen eingesetzt. Sie darf nur durch die im Zusatzschild benannte Person wieder entfernt werden.

Darstellung	Bedeutung	Darstellung	Bedeutung
	**M006** Netzstecker ziehen		**W012** Warnung vor elektrischer Spannung
	**P010** Berühren verboten	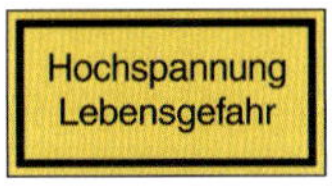	**S002** Warn-Zusatzschild
	**P031** Schalten verboten		**W004** Warnung vor Laserstrahl
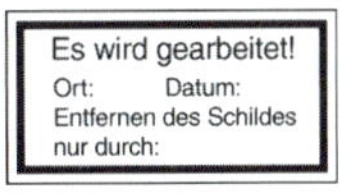	**S001** Verbots-Zusatzschild		**W026** Warnung vor Gefahren durch das Aufladen von Batterien

1 *Sicherheitsschilder in elektrischen Anlagen (vgl. Kapitel Teil I, 1.4, S. 7 ff.)*

ÜBUNGEN

1. Nennen Sie drei Beispiele für Spannungsquellen.
2. Nennen Sie drei Wirkungen des elektrischen Stroms auf den menschlichen Körper.
3. Nennen Sie zwei Wirkungen des elektrischen Stroms, die in der Technik angewendet werden.
4. Welche Wirkung des elektrischen Stroms wird zum Schweißen genutzt?
5. Skizzieren Sie den Schaltplan für einen Schweißvorgang.
6. Welche Spannungsebenen werden in Ihrem Betrieb genutzt? Nennen Sie Anwendungen.
7. Welche Spannungsarten werden in Ihrem Betrieb genutzt? Nennen Sie Anwendungen
8. Begründen Sie, weshalb Verbraucher meist in Parallelschaltung am Netz betrieben werden.
9. Nennen Sie ein Beispiel für die Verwendung von Gleichspannungsquellen.
10. Die Zuleitungen für elektrische Geräte erwärmen sich während des Betriebs sehr stark.
    a) Nennen Sie mögliche Ursachen.
    b) Welche Folgen können entstehen?
    c) Welche Maßnahmen können Sie ergreifen?
11. Erläutern Sie, weshalb Schweißleitungen einen großen Querschnitt haben.
12. Welche besonderen Aufgaben hat ein Fehlerstromschutzschalter (RCD)?

2.6 Electrical Engineering

2.6.1 Some International Graphic Symbols

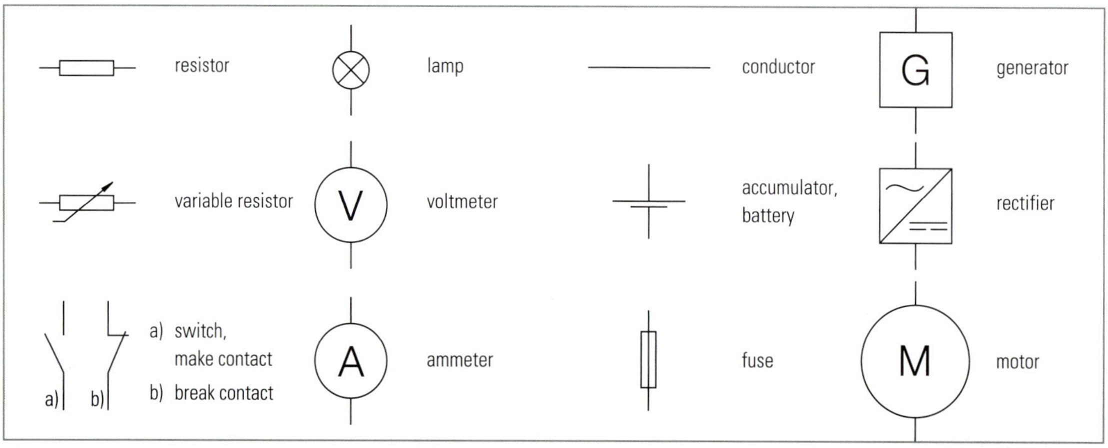

Assignments:

1. Have a look at page 219. Match the terms for the international graphic symbols and write the results into your exercise book.
2. On which devices or machines in your company can you find symbols like the ones above? Say or write down as many examples as possible.

2.6.2 The Electric Circuit

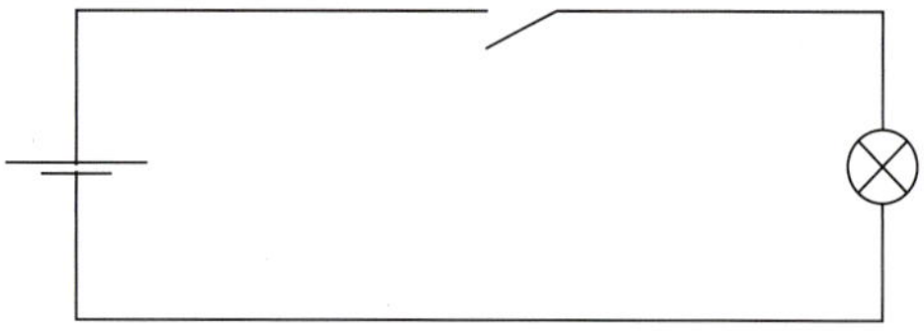

A battery is connected in series with a switch and a lamp

Describe this circuit.
You may also need the following terms as well:
series connection – parallel connection – connected in series – connected in parallel

Assignments:

Sketch an electric circuit that is similar to the one on page 219 and describe it in a similar way to the one above.

2.6.3 Questions On Unit 2 Elektrotechnik (Electrical Engineering)

1. Have a look at the photos and the text written below on page 220. If you compare the plugs and sockets which one has more voltage (V)?

2. The electric circuit which is shown in figure 2 on page 223 shows a resistor, ammeter and voltmeter.

3. You can find the abbreviations AC and DC on page 222 also RCD on page 225. What do they mean?

4. The rating plate for the motor 228 shows many different characteristics.
- What kind of current is used?
- What type of machine is it?
- What is the nominal voltage, nominal current and nominal wattage shown?

5. Working with electrical energy can sometimes be dangerous. What precautions can you take to protect yourself (Pages 230, 231)?

6. Look at the safety signs on page 231. Which ones do you see in your company. Say the letter and the number.

7. How often do you need a cordless screwdriver and what kind of work can you do with this tool?

8. Translate the sentence on p. 219 'Spannungsquellen und Verbraucher sind Energieumwandler'.

9. What is a megger used for?

2.7 Work With Words

In future you may have to talk, listen or read technical English. Very often it will happen that you either **do not understand** a word or **do not know the translation**.

In this case here is some help for you!

Below you will find a few possibilities to describe or explain a word you don't know or use synonyms[1)] or opposites[2)].
Write the results into your exercisebook.

1. Add as many examples to the following terms as you can find for electrical engineering.

protective gears:	fuse circuit breaker	*characteristics on a rating plate:*	efficiency power

2. Explain the two terms in the box:
Use the words below to form correct sentences. Be careful the range is mixed!

conductor:	can pass through or along/ or electricity/It is a substance that heat	*circuit:*	which an electric current/is a complete route/can flow around/ An electrical circuit

3. Find the opposites[2)]**:**

direct voltage: *parallel connection:*		*alternating current:* *plug:*	

4. Find synonyms[1)]:
You can find one or two synonyms to each term in the box below.

resistor: *consumer:*		*power:* *efficiency:*	
user/resistance/buyer		effictiveness/strength	

5. In each group there is a word which is the **odd man**[3)]. Which one is it?

a) voltage meter, first aid, alternating voltage, direct voltage
b) power, motor, protecting switch, miniature fuse, automatic circuit breaker
c) megger, plug, multimeter, resistor
d) series connection, parallel connection, motor winding

6. Please translate the information below. Use your English-German Vocabulary List if necessary.

Direct current is an electric current that always flows in the same direction.

1) synonyme: Synonym, ähnliches Wort, Ergänzung
2) opposite: Gegenteil
3) odd man: Außenseiter, überzähliges Wort, fünftes Rad am Wagen

Lernfeldübergreifende Inhalte

Dieser Teil des Buches soll Ihnen die Informationen zur Verfügung stellen, die Sie nicht ausschließlich für ein bestimmtes Lernfeld sondern in **allen Lernfeldern** immer wieder benötigen.

- Im 1. Kapitel dieses Teils finden Sie Informationen zu **Arbeits- und Präsentationstechniken**. Diese sollen Sie dabei unterstützen, Ihre Arbeitsaufträge planvoll in Angriff zu nehmen, Ihre Arbeitsergebnisse zu dokumentieren und zu präsentieren.
- Im 2. Kapitel dieses Teils finden Sie Informationen zur **Technischen Kommunikation**. Neben der gesprochenen Sprache sind Zeichnungen, Skizzen, Pläne, Gebrauchsanweisungen usw. das wichtigste Verständigungsmittel in Ihrem Beruf.
- Im 3. Kapitel dieses Teils finden Sie Informationen zur **Werkstofftechnik**. Zum Beispiel wählen Sie die Schnittdaten zur Fertigung eines Werkstücks in Abhängigkeit vom Werkstoff des Werkstücks und des Schneidstoffs. Die Entscheidung für ein bestimmtes Fügeverfahren bei der Montage hängt u. a. vom Werkstoff ab. Der Verschleiß bewegter Teile ergibt sich aus der Werkstoffpaarung usw.
- Im 4. Kapitel dieses Teils finden Sie Informationen zur **Technischen Mathematik**. In diesem Kapitel finden Sie einerseits mathematische Grundlage wie z. B. zum Umformen von Bestimmungsgleichungen, Dreisatz, Prozentrechnung, Längenberechnungen usw. Andererseits finden Sie dort zu den Lernfeld bezogenen Inhalten zahlreiche Übungsaufgaben.

1 Arbeitsmethoden und Präsentationstechniken

Die Bearbeitung komplexer Aufgaben verlangt von den Mitarbeitern mehr als nur eine fachliche Qualifikation. Kreativität und Effizienz in einem Team und damit ein offener und konstruktiver Umgang miteinander sind weitere Anforderungen. Außerdem müssen die Mitarbeiter bei Kundenschulungen, Beratungen oder Produktübergaben die Darstellung und Präsentation wirtschaftlicher und technischer Zusammenhänge beherrschen.

1.1 Arbeitsmethoden

Alle Arbeitsprozesse sind heute durch die rasante Entwicklung moderner Technologien ständigen Veränderungen unterworfen. Damit neue Ideen und Produkte entwickelt werden können, müssen die Mitarbeiter auch die Fähigkeit haben, ihre Arbeit zu organisieren.
Dabei sind folgende Elemente zu berücksichtigen:

Elemente	Beschreibung	Tätigkeiten
Zielplanung	Eine inhaltliche und zeitliche Formulierung der Ziele ist die Grundlage der Arbeitsplanung. Sie resultiert in der Regel aus einem Kundenauftrag oder aus einem innerbetrieblichen Auftrag.	Fertigstellung und Auslieferung einer Maschine zu einem vereinbarten Termin (Vertragsabschluss).
Arbeitsaufträge	Mit der Vereinbarung von Zielen und der Festlegung eines Zeitrahmens werden Arbeitsaufträge in Form von konkreten Anweisungen an die Mitarbeiter vergeben. Auf der Grundlage dieser Anweisungen ist die Durchführung und Umsetzung der Aufträge zu planen.	Formulierung von Teilaufträgen an Arbeitsgruppen (z. B. Konstruktion, Fertigung, Montage, Funktionsprüfung).
Arbeitspläne	Arbeitspläne legen für einen Mitarbeiter oder ein Team fest, welche einzelnen Maßnahmen und Arbeiten konkret für die Erfüllung eines Arbeitsauftrags durchzuführen sind. Hierzu gehört auch eine feste zeitliche Zuordnung.	Bereitstellung von Materialien und Einplanung von Maschinenzeiten. Zuteilung von Arbeitsplänen an Mitarbeiter (Technische Zeichnung, Prüfprotokolle).
Prioritäten	Die zu erledigenden Arbeiten unterscheiden sich in Wichtigkeit, Reihenfolge und Dringlichkeit und werden danach eingeordnet. Damit erhalten sie unterschiedliche Prioritäten.	Zeitliche Einordnung der Arbeitsaufträge z. B. in einem Wochenarbeitsplan oder Projektplan.

1.1.1 Selbstorganisation der Arbeit

Arbeitsaufträge werden durch die betrieblichen Prozesse oder z. B. durch Vorgesetzte vorgegeben. Ihre Bearbeitung ist jedoch durch die persönliche Organisation des Mitarbeiters zeitlich und inhaltlich planbar. Gerade in kleineren Unternehmen sind größere Freiräume für eine eigenverantwortliche Arbeit vorhanden. Damit diese Freiräume effizient und motivierend gestaltet werden, sind folgende Kriterien zu berücksichtigen:

- **Ziele**
  Die Arbeitsziele sind klar definiert. Die persönlichen und beruflichen Ziele sind bekannt.
  Beispiel
  Es ist eine Baugruppe zu fertigen.

- **Zeit**
  Die Termine sind bekannt und werden eingehalten. Der Zeitbedarf für die zu erledigenden Aufgaben ist bekannt. Es werden Prioritäten gesetzt. Die Arbeiten werden rechtzeitig begonnen und zügig und systematisch zum Abschluss gebracht. Auch unangenehme Aufgaben werden angemessen bearbeitet. Äußere Störungen (Telefonate, Besucher usw.) werden angemessen berücksichtigt bzw. auf bestimmte Zeiten beschränkt.
  Beispiel
  Das Teil ist bis zu einem festgelegten Datum (Uhrzeit) auszuliefern (Arbeitskarte).

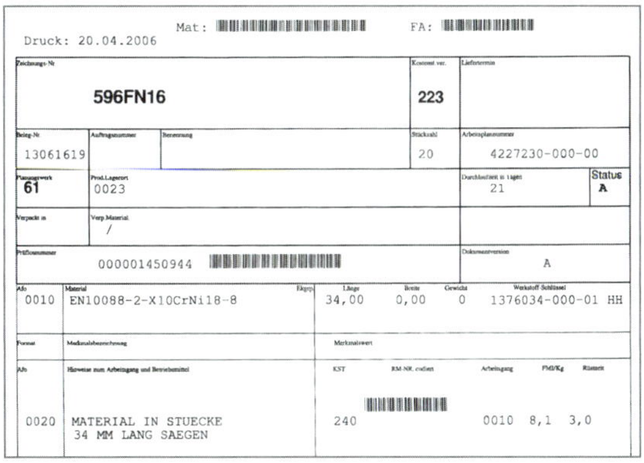
Druck: 20.04.2006 Mat: FA:
596FN16 | 223
13061619 | 20 | 4227230-000-00
61 | 0023 | 21 | Status A
/
000001450944 | A
0010 | EN10088-2-X10CrNi18-8 | 34,00 | 0,00 | 0 | 1376034-000-01 HH
0020 | MATERIAL IN STUECKE 34 MM LANG SAEGEN | 240 | 0010 | 8,1 | 3,0

- **Kommunikation**
  Gespräche werden zielgerichtet und ohne „abzuschweifen" geführt. Vorgesetzte und Kollegen werden informiert.
  Beispiel
  Kollegen und Vorgesetzte werden über den Arbeitsstand und Ausfälle informiert.

- **Arbeitsmittel**
  Es sind alle Arbeitsmittel vorhanden. Die Arbeitsmittel entsprechen den Anforderungen.
  Beispiel
  Alle Materialien sind vorhanden. Werkzeuge und Maschinen sind vorhanden und befinden sich in einem fachgerechten Zustand.

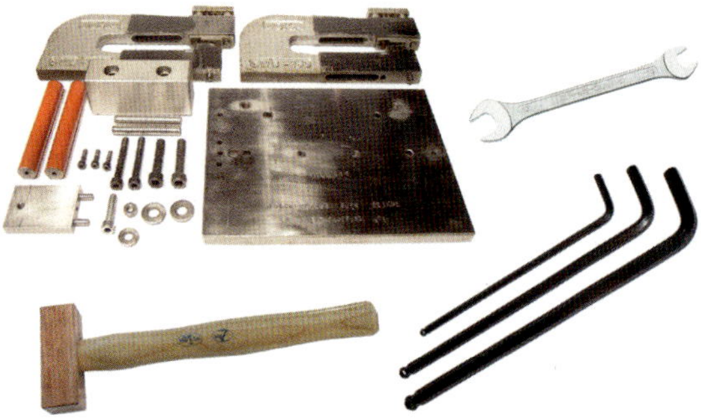

Überlegen Sie

1. Beschreiben Sie anhand eines Beispiels, wie Sie die zu erledigenden Arbeiten an Ihrem Arbeitsplatz organisieren.
2. Mit welchen Kollegen und Vorgesetzten müssen Sie über Ihre Arbeitsorganisation sprechen?

- **Arbeitsorganisation**
  Der Arbeitsplatz ist übersichtlich organisiert. Die Arbeiten werden zügig und möglichst abschließend erledigt. Alle Arbeitsmaterialien sind „griffbereit".
  Beispiel
  Die Arbeiten werden in einer möglichst zeit- und ressourcensparende Reihenfolge geordnet und zügig durchgeführt.

- **Regeneration**
  Es werden regelmäßige Erholungspausen eingeplant. Es gibt einen körperlichen und geistigen Ausgleich. Eine ausgewogene Ernährung wird berücksichtigt.
  Beispiel
  Frühstücks- und Mittagspause werden eingehalten. Die Pausenzeit wird zur Erholung und Nahrungsaufnahme genutzt.

1.1.2 Teamarbeit

Eine Vielzahl von Aufgaben und Projekten sind nur von mehreren Personen zu bewältigen. Dazu müssen Mitarbeiter gemeinsam in einem Team arbeiten. Eine Arbeit im Team ist immer dann anzustreben, wenn:

- größere und komplexere Aufgaben zu bewältigen sind,
- unterschiedliche Qualifikationen mehrerer Teammitglieder zur Aufgabenbewältigung notwendig sind oder
- komplexe Prozesse zu erwarten sind.

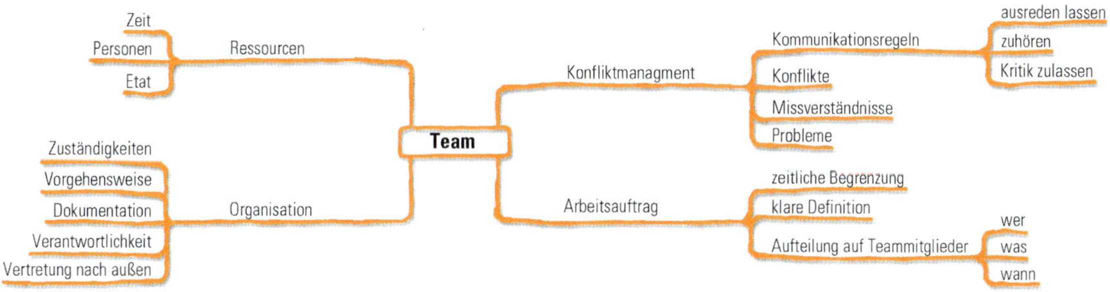

***1** Organisation der Teamarbeit*

Merke

Als Teamarbeit versteht man die zeitlich begrenzte Zusammenarbeit mehrerer Personen (ca. 3...6) an einer gemeinsamen Aufgabe.

Häufig sind diese Aufgaben zeitlich begrenzt. Sie sind immer mit einem festen Ziel versehen. Die Teilaufgaben sind miteinander vernetzt. Die Gesamtheit aller Aufgaben wird als **Projekt** bezeichnet. Innerhalb eines Teams lassen sich weitere Organisationsformen finden, um einzelne Teilaufgaben zu bewältigen. Es wird unterschieden in

- Einzelarbeit,
- Partnerarbeit und
- Gruppenarbeit.

Um erfolgreich in einem Team zu arbeiten, ist eine klare Festlegung und Gliederung des Projektauftrags notwendig. Zusätzlich gelten wichtige Regeln für die Organisation und Kommunikation im Team:

- Für das Erreichen des Projektzieles ist das **gesamte Team** verantwortlich.
- Das Team gliedert den Projektauftrag in Teilaufträge, legt die Zeitvorgaben für das Erreichen von Teilzielen (Meilensteine) fest und vergibt Funktionen an einzelne Teammitglieder.
- Es sind feste Kommunikationsregeln zu vereinbaren wie zum Beispiel:
  - Jeder hat das Recht, seine Meinung einzubringen.
  - Kritik wird jederzeit zugelassen und offen und konstruktiv geäußert.
  - Die Diskussionsbeiträge dürfen nicht persönlich verletzen.
  - Eine Diskussion muss das Erreichen des Projektzieles in den Vordergrund stellen.
  - Störungen im Ablauf und in der Kommunikation werden sofort behandelt.
- Es muss festgelegt werden, wie mit Konflikten umgegangen wird (Konfliktmanagement). Konflikte ergeben sich häufig aus der falschen Zuordnung von Verantwortlichkeiten oder aus Verstößen gegen elementare Kommunikationsregeln. Ist letzteres der Fall, muss z. B. im Team über die Kommunikation gesprochen werden. Dies wird auch als Metakommunikation bezeichnet (siehe auch Teil I „Auszubildende in ihrem neuen Umfeld" Kap. 1.6 „Konflikte lösen").
- Das Projektergebnis ist vom Team bzw. von einem Mitglied zu präsentieren. Die Art der Präsentation und die Anzahl der Vortragenden ist von den vereinbarten Zielen abhängig. So kann entweder eine Person stellvertretend die Aufgaben wahrnehmen oder aber auch mehrere Personen (bzw. die gesamte Gruppe) die Teamarbeit präsentieren.

Die Organisation der Teamarbeit stellt die Grafik in Bild 1 dar.

1.2 Kreativitätstechniken

Um zügig zu Problemlösungen zu kommen und Lösungsansätze zu entwickeln, können Techniken angewandt werden, die die Ideen von Gruppenmitgliedern fördern und sammeln. Diese werden dann für eine weitere Verwendung aufbereitet und dokumentiert.

Merke

Als Kreativitätstechniken bezeichnet man Methoden zur Ideenfindung oder zur Erkennung und Lösung von Problemen.

Häufig verwendete Methoden sind das Brainstorming, die Metaplan-Technik und die Mind-Map.

1.2.1 Brainstorming

Das Brainstorming dient vor allem dem sehr schnellen Auffinden und Sammeln von Ideen. Es wird in drei Phasen unterteilt:

1. In der Problemfindung wird ein zentraler Begriff, ein Problem oder eine Leitfrage festgehalten.
2. In einer zeitlich begrenzten kreativen Phase (Sammlungsphase) werden von den Teilnehmern Begriffe genannt und z. B. an einer Pinwand gesammelt (Seite 238 Bild 1). Dabei gelten folgende Regeln:
   - Jede Idee ist erwünscht, auch wenn sie noch so abwegig erscheint. Ein Ziel des Brainstormings ist es, alte Denkweisen aufzubrechen.
   - Kritik ist nicht zulässig.
   - Die Ideen anderer sollen in die eigenen Überlegungen einbezogen und weiterentwickelt werden.
   - Es geht um Quantität, nicht um Qualität.

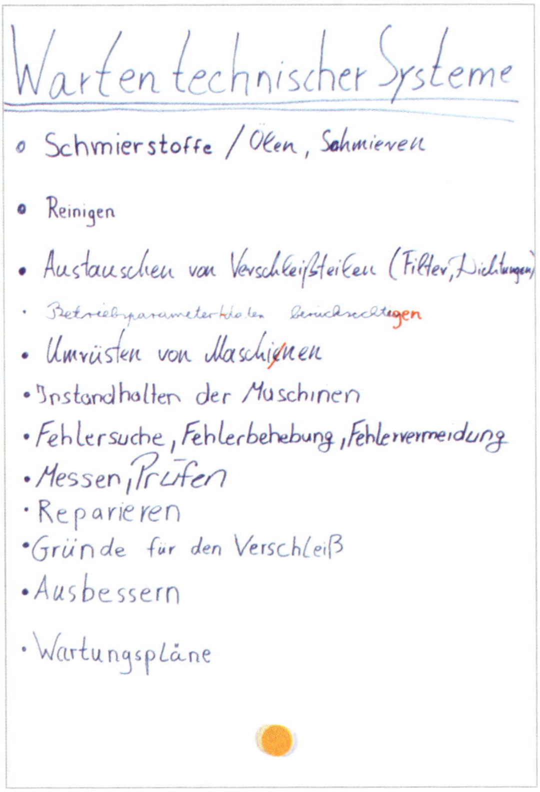

1 Brainstorming zum Thema „Warten technischer Systeme"

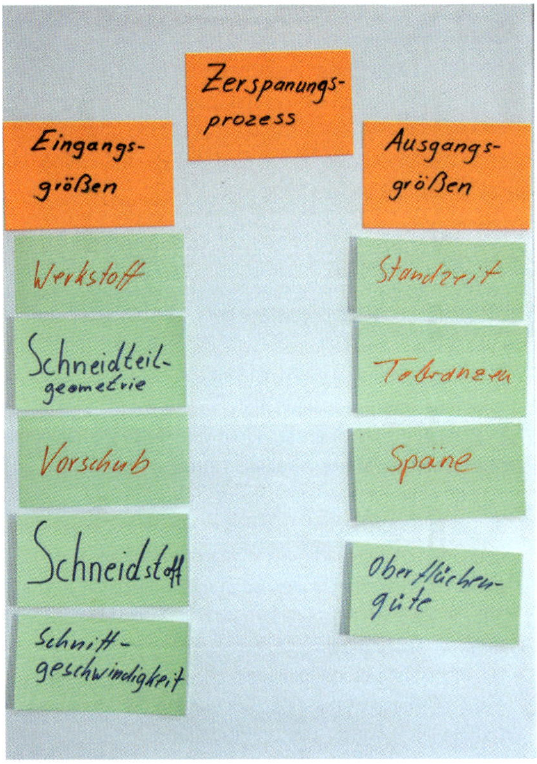

2 Metaplan zu möglichen Einflüssen auf den Zerspanungsprozess

3. Die abschließende Auswahlphase dient der Ordnung und Diskussion der gesammelten Ideen. Dazu werden die ermittelten Begriffe zu thematischen Schwerpunkten geordnet. Alle Ideen und Lösungen werden in der Diskussion auf ihre Durchführbarkeit überprüft

Sinnvoll durchführbar ist diese Methode für Gruppengrößen von vier bis zwölf Teilnehmern unter der Leitung eines Moderators. Nützliche Hilfsmittel für diese und für weitere Kreativitätstechniken w.B. die Metaplan-Technik und für viele Präsentationsmethoden sind z. B. in sog. „Moderatorenkoffern" (Bild 3) enthalten.

3 Moderatorenkoffer

1.2.2 Metaplan

Die Metaplan-Technik (Bild 2) ähnelt dem Brainstorming. Mit klar formulierten Frage- oder Aufgabenstellungen werden von den Gruppenmitgliedern Beiträge abgefragt. Diese werden von den Teilnehmern auf Karten schriftlich festgehalten, z. B. an einer Pin-Wand fixiert und können von den Verfassern erläutert und kommentiert werden. Sie dienen dann als Diskussionsgrundlage für die Gruppe. Die Karten werden von der Gruppe dann bestimmten Themengruppen zugeordnet (geclustert). So ist eine schnelle und flexible Zusammenfassung von Beiträgen möglich.
Der Vorteil der Metaplan-Technik liegt in der Diskussion, die sich in einer Gruppe entwickelt. Durch die Bewegung zwischen Stellwand und Gruppe entsteht eine lockere Atmosphäre. Die ständige Betrachtung der gesammelten Ideen regt die Teilnehmer zu einer Mitarbeit an. Als Gruppenergebnis stellt die entwickelte Zusammenstellung eine gute Dokumentation dar.

Diese kann dann als „Wandzeitung" oder als Fotografie weiter verwendet werden.

1.2.3 Mind-Mapping

Mind-Mapping ist eine Strukturierungshilfe, die in Phasen der Planung, der Problemlösung und der Problemsicherung anwendbar ist. Besondere Bedeutung hat die Mind-Map auch bei der Entwicklung und Dokumentation komplexer Sachverhalte. Beim Mind-Mapping wird in Form einer Baumstruktur von einer allgemeinen Problem- oder Aufgabenstellung zu den speziellen Inhalten verzweigt.
Das Thema wird groß in die Mitte eines Blattes oder einer Wandtafel geschrieben. Um dieses Zentrum herum entspringen in Form von Ästen die Leitgedanken. Zur Bezeichnung dieser Hauptäste sollten nur Schlüsselworte verwendet werden. In Form von Zweigen und Nebenzweigen werden weitere Unterteilungen bis hin zu einzelnen Informationen vorgenommen. Querverbindungen zwischen den einzelnen Ästen sind zulässig. Auch bei der Mind-Map gilt: Kreativ sein und alles aufschreiben, was einem einfällt! Die Mind-Map in Bild 1 zeigt Elemente des Mind-Mappings. Für die Darstellung von Mind-Maps existieren inzwischen leistungsfähige Computerprogramme.

ÜBUNGEN

1. Nennen Sie die Phasen des Brainstormings.
2. Welche Aufgabe übernimmt der Einzelne in der Metaplan-Technik?
3. Setzen Sie das Brainstorming zur Lösung der Aufgabe „Mögliche Weiterentwicklung des Handys" ein.
4. Beschreiben Sie den Aufbau einer Mind-Map.
5. Entwickeln Sie eine Mind-Map zu dem Begriff „Team".

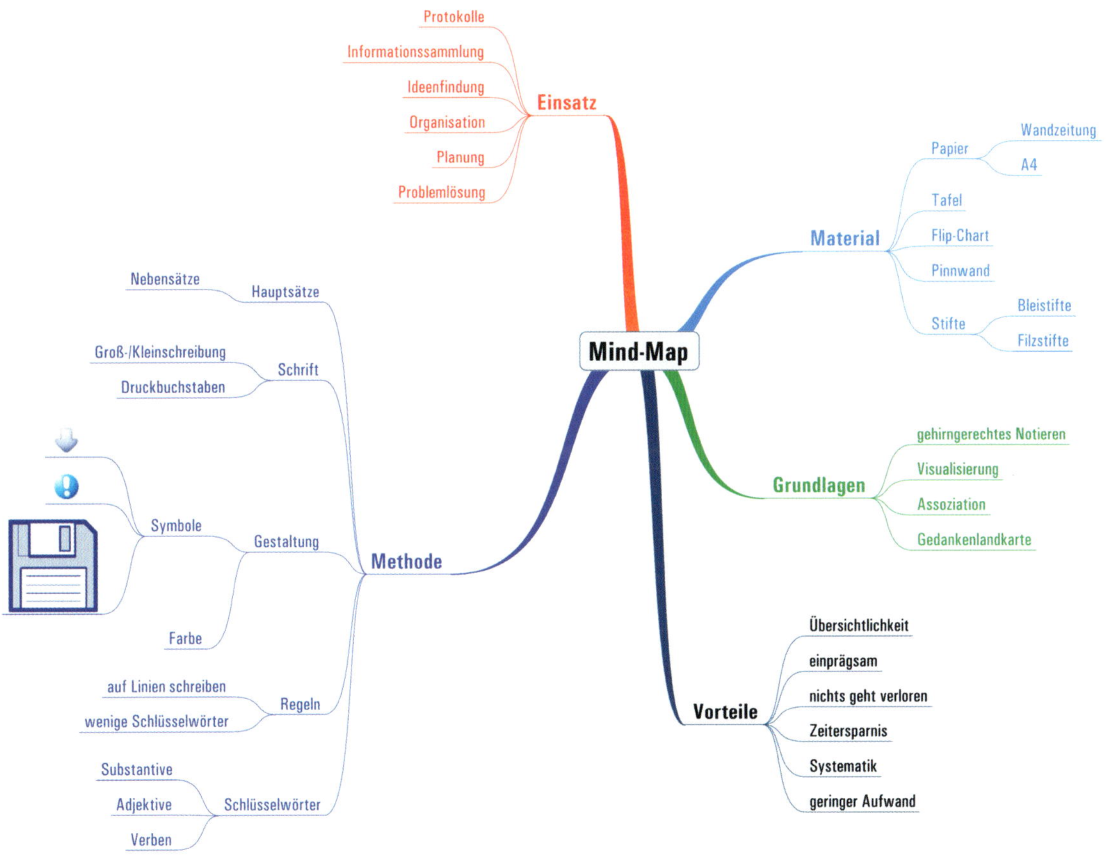

1 *Mind-Mapping*

1.3 Präsentationsformen

Nach erfolgreicher Abwicklung eines Projektes ist dieses an den Kunden zu übergeben. Zu dem Übergabevorgang gehören möglicherweise folgende Aktivitäten:

- Dokumentation der Anlage
- Präsentation der Anlage
- Schulung der Mitarbeiter

Erarbeitete und aufbereitete Informationen können in einem Projekt in vielfältiger Form angeboten werden.
Häufige Formen sind

- Schulungen
- Vorträge
- Präsentationen und
- Dokumentationen

Vor der eigentlichen Weitergabe einer Information stehen Überlegungen

- zur Form der Weitergabe (z. B. Präsentation, Vortrag, Schulung),
- zur Einschätzung des Zielgruppe,
- zum zeitlichen Umfang und
- zur Auswahl der benötigten Medien.

Von besonderer Bedeutung bei der Auswahl und Tiefe der zu präsentierenden Informationen ist die Beachtung der Frage: „Wem soll was verständlich präsentiert werden?". So sind Veranstaltungen zu technischen Produkten für „Verkäufer" grundverschieden zu Schulungen für „Servicekräfte".
Um nachhaltig Wissen zu vermitteln, sollten möglichst viele Sinne des Menschen angesprochen werden (Bild 1). Insbesondere die persönliche Auseinandersetzung durch das eigene Handeln fördert das Lernen. Zur Unterstützung sind deshalb geeignete Medien einzusetzen.

Überlegen Sie

1. Nennen Sie Präsentationsformen.
2. Worauf ist bei der Erstellung einer Präsentation zu achten?
3. Wie erhalten Sie Informationen über die Zusammensetzung des Zielgruppe?

1.3.1 Grafische Darstellungen

Mithilfe grafischer Darstellungsformen lassen sich Zusammenhänge übersichtlicher und kompakter darstellen.
Neben der Verwendung genormter Symbole, z. B. in technischen Zeichnungen, können häufig auch Diagramme und Ablaufpläne zum Verständnis beitragen. Sie stellen Zuordnungen von Werten, Funktionsabläufen oder Strukturen dar. Eine Beschreibung z. B. in einer Tabelle würde weder die Zusammenhänge deutlich machen noch zum Verständnis des Hintergrunds beitragen.

Nach einer Untersuchung des Batelle-Institutes behalten wir ...

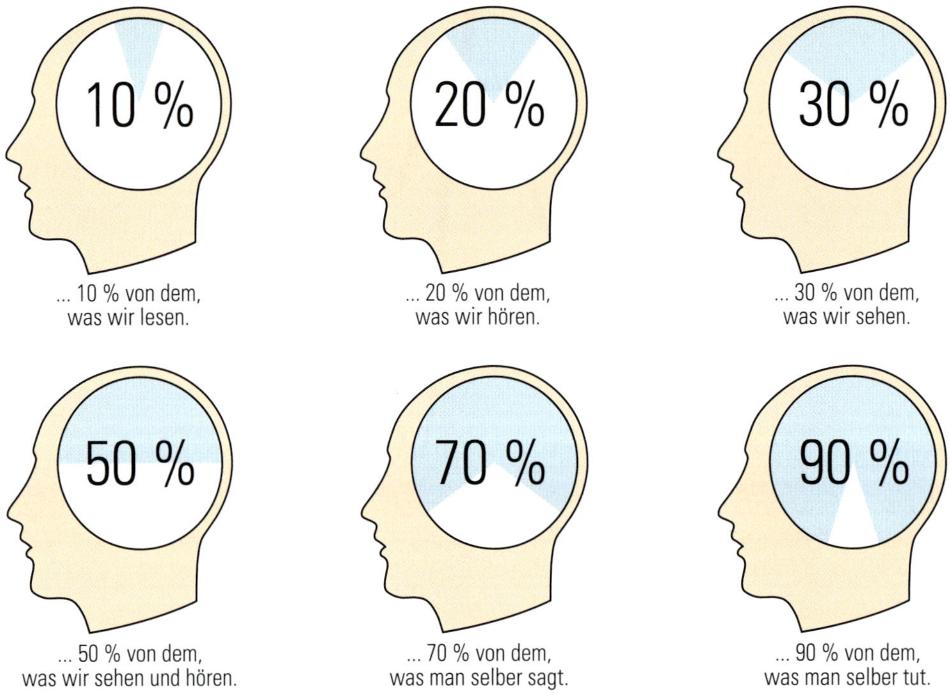

1 *Lernkanäle*

Kurvendiagramm/Flächendiagramm

Kurvendiagramme (Liniendiagramme) stellen den Zusammenhang zweier Größen dar (Bild 1). Dabei wird die jeweils vorgegebene Größe (unabhängige Variable) auf die X-Achse bezogen. Die sich einstellenden Werte der zweiten Größe (abhängige Variable) werden auf die Y-Achse bezogen. Eine Linie ergibt sich aus einer kontinuierlichen Aufzeichnung von Werten oder aber aus der Verbindung der Einzelpunkte. Wird die Fläche unter der Linie oder Kurve hervorgehoben, wird diese Diagrammform als **Flächendiagramm** bezeichnet.

Merke

Kurvendiagramme werden vor allem für die Darstellung dynamischer und kontinuierlicher Zusammenhänge verwendet.

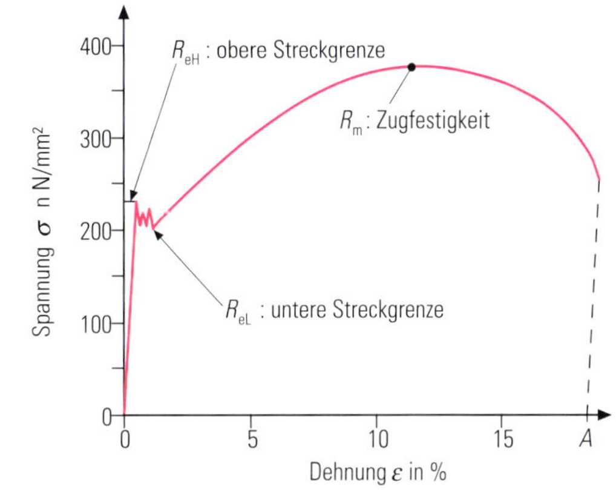

***1** Kurvendiagramm eines Zugfestigkeitsversuchs*

Säulendiagramm/Balkendiagramm

In einem Säulendiagramm (Bild 2) wird ein Wert durch die Höhe einer Säule repräsentiert. Einzelne Werte werden nebeneinander auf der X-Achse angeordnet. Werden die Säulen auf der Y-Achse angesetzt, so wird diese Diagrammform als **Balken- oder Säulendiagramm** bezeichnet.

Merke

Säulendiagramme werden überwiegend für den Vergleich einzelner Werte genutzt.

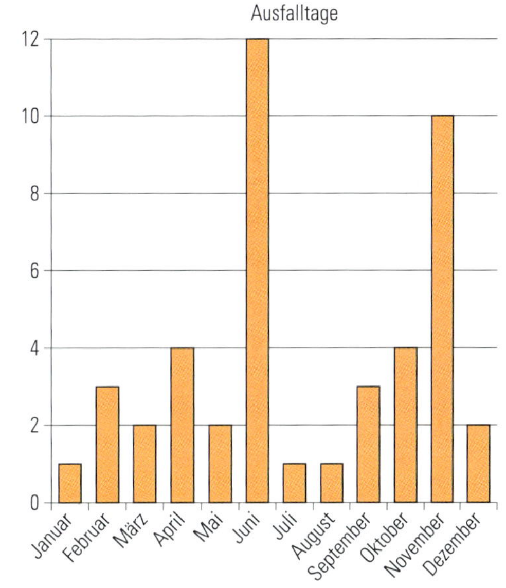

***2** Säulendiagramm der Ausfalltage einer Anlage in einem Jahr*

Kreisdiagramm/Tortendiagramm

Ein Kreisdiagramm (Bild 3) teilt einen Kreis in einzelne Sektoren auf. Die Größe der Sektoren entspricht den Anteilen der jeweiligen Einzelwerte an einem Ganzen. Ist der Kreis dreidimensional dargestellt, wird diese Diagrammform als **Tortendiagramm** bezeichnet.

Merke

Kreisdiagramme zeigen die Anteile eines Ganzen in einem Gesamtzusammenhang.

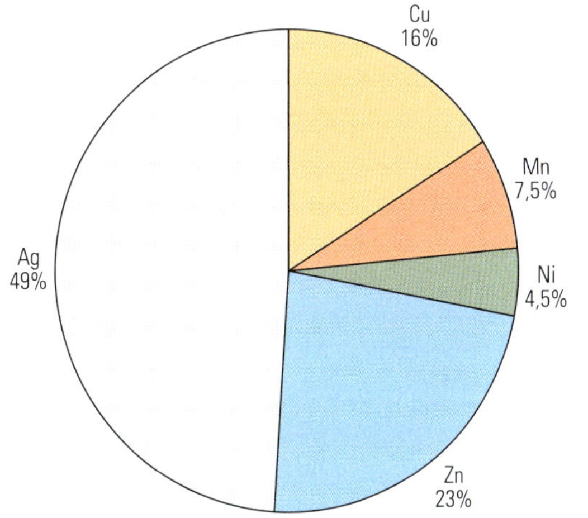

***3** Kreisdiagramm zu den Legierungsbestandteilen eines Sonderlots*

Fischgrät-Diagramm

Fischgrät-Diagramme (Seite 242 Bild 1) werden nach ihrem „Erfinder" auch als **Ishikawa-Diagramme** bezeichnet. Sie stellen immer eine Ursache-Wirkungs-Beziehung dar. Die Darstellung von Haupt- und Nebenursachen an entsprechenden Ästen und Zweigen beschreibt das vorhandene Problem. Es entsteht eine Diagrammform, die eine fischgrätenähnliche Struktur zeigt. Durch die grafische Strukturierung lassen sich Problemursachen als Häufungen z. B. in Unterästen leicht erkennen.

Merke

Fischgrät-Diagramme eignen sich zur Darstellung von Ursache-Wirkungszusammenhängen bei Problemstellungen. Außerdem sind sie geeignet, um Problemursachen zu ermitteln.

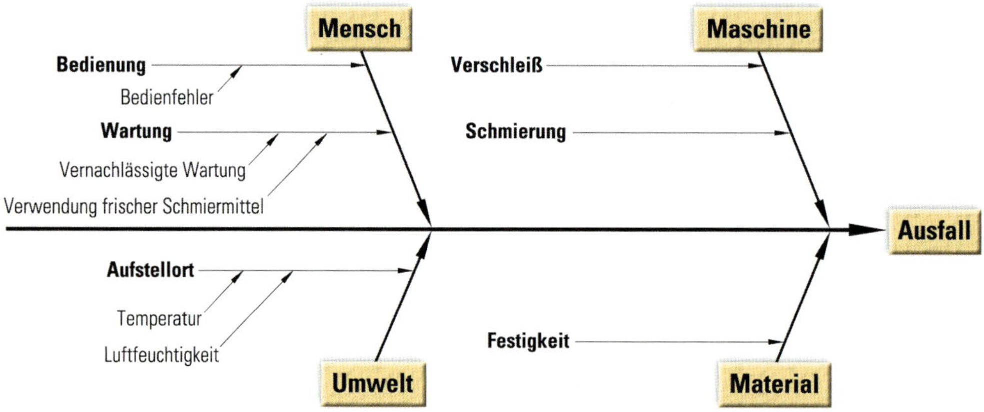

1 Fischgrät-Diagramm zu den Ausfallursachen einer Anlage

Ablaufplan

Ablaufpläne (Bild 2) orientieren sich an den Programmablaufplänen für Computerprogramme (DIN 66001). Sie werden auch als **Flussdiagramme** *(flowcharts)* bezeichnet. Anweisungs- und Entscheidungsfelder beschreiben knapp die auszuführenden Tätigkeiten. Ihre Zusammenhänge werden durch Wirkpfeile beschrieben.

Merke

Ablaufpläne werden zur Darstellung und Dokumentation von Arbeitsabläufen und Wirkzusammenhängen genutzt.

Überlegen Sie

1. Entwickeln Sie jeweils ein Beispiel aus Ihrem Betrieb/Ihrer Schule für die vorgestellten Diagrammformen.
2. Entwerfen Sie einen Ablaufplan für das Lehren einer Bohrung 30H7.

1.3.2 Projektberichte und Dokumentationen

Projektberichte dokumentieren den Ablauf und die Ergebnisse eines Projektes. Die Projektergebnisse finden auch Eingang in entsprechende Handbücher und Schulungen. Üblicherweise werden Dokumentationen in schriftlicher Form festgehalten. Die Verbreitung und Archivierung erfolgt in gedruckter Form. Zunehmend werden Dokumentationen in elektronischer Form auf Datenträgern oder in Informationsnetzen verbreitet.

Bei der Erstellung von Dokumentationen und Berichten ist auf eine sachliche Gliederung (Strukturierung) zu achten. Die Einhaltung folgender Aspekte ist zu berücksichtigen:

- Informationsgehalt
- Vollständigkeit
- Verständlichkeit
- Übersichtlichkeit
- Nachvollziehbarkeit
- Korrektheit

Dokumentationen sind darüber hinaus durch ständige und sorgfältige Pflege immer auf einem aktuellen Stand zu halten.

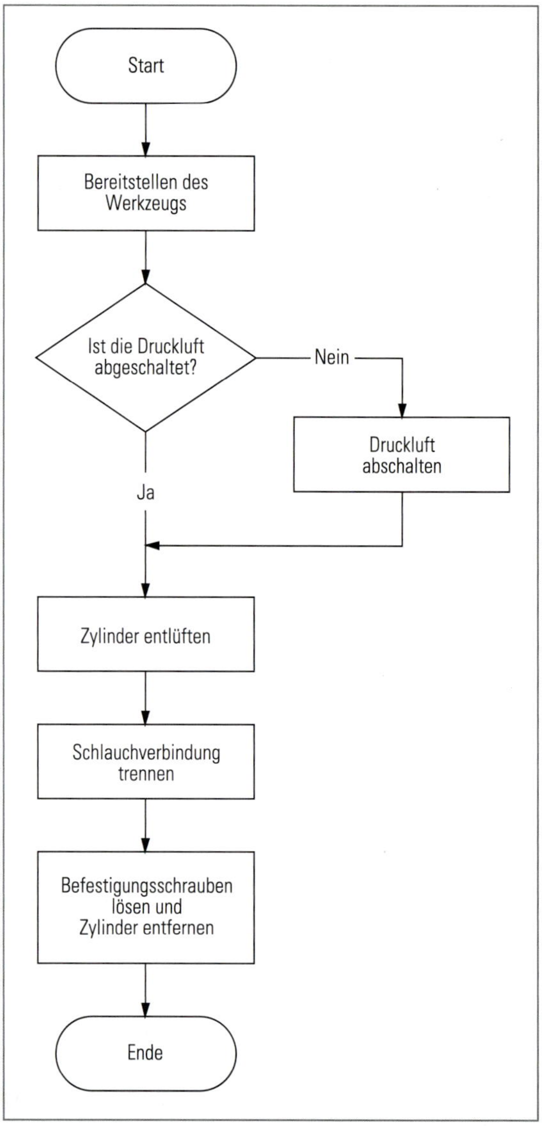

2 Ablaufplan für den Ausbau eines Pneumatikzylinders

1 *Planungsschema für Präsentationen und Schulungen*

1.3.3 Lehrgänge und Schulungen

Je nach Zielgruppe haben Lehrgänge und Schulungen starke Organisationsunterschiede und sind in dazugehörige Gesamtkonzeptionen eingebettet. Einfache Trainingslehrgänge weisen in die Handhabung von Systemen und Programmen ein. Schulungen vermitteln in der Regel darüber hinaus das notwendige Hintergrundwissen. Zunehmend werden Lehrgänge durch spezielle Lernsoftware unterstützt. Das Lehren und Lernen über große räumliche Distanzen wird durch die Nutzung des Internets möglich und wird als **Teleteaching** bzw. **Telelearning** bezeichnet. Die Nutzung von Übungssoftware im Internet nennt man **WBT** (**W**eb **B**ased **T**raining).

1.3.4 Präsentationen

Eine besondere Form der Dokumentation und Einweisung stellen Präsentationen dar. Sie werden überwiegend bei der Einführung und Übergabe von Produkten oder Anlagen sowie bei der Darstellung von Projektergebnissen eingesetzt. Eine Präsentation enthält oft mehrere methodische Elemente und stützt sich auf die Nutzung mehrerer Medien (siehe auch Kap. 1.4 „Medieneinsatz").
Wie eigentlich bei jeder Art der Informationsdarstellung, gilt vor allem bei Schulungen und Präsentationen folgendes Planungsschema (Bild 1):
Vorbereitung ⇒ Durchführung ⇒ Nachbereitung

Vorbereitung
Von der sorgfältigen und umfassenden Vorbereitung und Vorbesinnung hängt der Erfolg einer guten Präsentation ab. Dazu sind vor allem folgende Überlegungen anzustellen:
- Welches Ziel hat die Präsentation?
- Welcher Inhalt soll erörtert werden?
- Welche Zielgruppe soll angesprochen werden?
- Welchen Ablauf soll die Präsentation haben, und welche methodischen Elemente sollen genutzt werden?
- Welche organisatorischen Rahmenbedingungen müssen erfüllt sein?

Durchführung
Die Durchführung basiert auf sorgfältig vorbereiteten Materialien und Texten. Jedoch sollte man nicht zu sehr an vorgefertigten Unterlagen „kleben". Reines Ablesen vermittelt den Eindruck von Unsicherheit und Unflexibilität. Die freie und deutliche Rede sollte angemessen durch Mimik und Gestik unterstützt werden. Überlegen Sie im Voraus, wie Sie auf Störungen, Pannen und Zwischenfragen reagieren könnten. Ein angemessener und richtiger Einsatz der Fachsprache unterstreicht Ihre Kompetenz.

Nachbereitung
Häufig wird die Nachbereitung einer Präsentation oder Schulung vernachlässigt, obwohl sie von großer Bedeutung für die inhaltliche und persönliche Weiterentwicklung ist. Kritisch muss überlegt werden, ob die inhaltliche, methodische und organisatorische Umsetzung gelungen ist und ob und wie beim nächsten Mal Verbesserungen vorzunehmen sind. Hilfreich kann dabei das anschließende Gespräch mit anwesenden Mitarbeitern oder Teilnehmern sein. Auf diese Art und Weise sind auch Rückmeldungen auf persönliche Angewohnheiten und häufig genutzte Wendungen zu erhalten. Als weitere Möglichkeit werden vor allem bei größeren Schulungsabschnitten so genannte Evaluierungsbögen[1] an die Teilnehmer verteilt und anschließend ausgewertet.

1.4 Medieneinsatz

Präsentationen und Schulungen stützen sich üblicherweise auf die Nutzung von Medien. Sie unterstützen den Vortrag durch **Schrift** oder **Bild** (visuell) oder durch **Ton** (auditiv). Audiovisuelle-Medien (AV-Medien) decken die Kombination beider Bereiche ab.

Merke
Medien sind Träger von Informationen.

Für die Gestaltung sind folgende Aspekte zu berücksichtigen:
- Das Medium muss die notwendigen Informationen angemessen darstellen.

1) Evaluation: Beurteilung, Bewertung, Auswertung mit dem Ziel der Verbesserung

- Die Schriftgröße muss so gewählt werden, dass auch weiter entfernt sitzende Zuhörer diese lesen können.
- Überschriften und Absätze sollten einen Text gliedern.
- Abbildungen und Grafiken unterstützen die getroffenen Aussagen.
- Für das Lesen des Textes bzw. das Interpretieren der Abbildungen sollte ausreichend Zeit eingeplant werden.
- Mit eigenen Worten vortragen, nicht vorlesen.

1.4.1 Printmedien

Printmedien umfassen gedruckte Unterlagen überwiegend auf Papier. Dies sind beispielsweise: Handbücher, Garantieunterlagen, Wartungs- und Servicedokumentationen, Schulungsunterlagen, Zeichnungen und Skizzen, Schulbücher. Der Vorteil dieser Unterlagen liegt in der hohen Verfügbarkeit. Zunehmend werden diese Unterlagen durch digitale Dokumentationen verdrängt.

1.4.2 Tafeln

Tafeln dienen als klassisches Medium bei Vorträgen und Schulungen. Genutzt werden sie überwiegend bei der **dynamischen** Entwicklung von Sachverhalten und Grafiken. Die Betriebskosten sind relativ gering und ihre Verfügbarkeit ist hoch. Klassische Wandtafeln, auf denen mit Kreide gearbeitet wird, werden kaum noch genutzt. Überwiegend finden Tafeln einen Einsatz, die mit speziellen Stiften beschrieben werden. Diese Tafeln werden auch als „Whiteboard" (Bild 1) bezeichnet. Eine besondere Form stellt das Flipchart (Bild 2) dar (vgl. Kap. 1.4.4).

1.4.3 Multimediaeinrichtungen

Eine moderne Form der Darbietung von Informationen ist die Verwendung eines Computersystems, an dem verschiedene Ein- und Ausgabegeräte angeschlossen sind (Bild 3). Dies können beispielsweise sein:

- Beamer (Projektoren),
- Lautsprecher,
- Mikrofon,
- Kamera (Dokumentenkamera) oder
- Drucker.

Die Computersysteme verfügen über die entsprechende Bediensoftware und sind meist auch mit einem Netzwerk verbunden. Besonders zu beachten ist der relativ komplexe technische Aufwand. Deshalb sollte die Nutzung dieses Mediums sorgfältig vorbereitet und erprobt werden.

Die Vorteile dieses Systems liegen in der breiten Einsetzbarkeit aller akustischen und visuellen Hilfsmittel. Einzelne Komponenten können leicht im Defektfall oder zur Erweiterung ausgetauscht werden. Damit erhöht sich die Nachhaltigkeit des Gesamtsystems.

1.4.4 Flipchart

Das Flipchart (Bild 2) besteht im Prinzip nur aus einem großformatigen Papierblock, der auf einer Staffelei befestigt ist. Auf dem Papier wird mit Stiften geschrieben und gezeichnet. Im Gegensatz zur Wandtafel wird ein Ergebnis nicht gelöscht und kann für eine **Dokumentation** verwendet werden. Beschriebene Seiten werden abgerissen oder nach hinten umgeschlagen.

1 Whiteboard

2 Flipchart

3 AV PC Arbeitsplatz

1.4.5 Smartboard

Smartboards werden auch als Activeboards oder digitale Flipcharts beschrieben. Sie erweitern die Eigenschaften einer Tafel um interaktive Fähigkeiten. Es handelt sich um großformatige Monitore, die über ihre Oberfläche Signale aufnehmen können. Diese könne durch die Finger oder entsprechende Stifte (Pencils) ausgelöst werden. Zusätzlich enthalten sie Lautsprecher. Sie sind den Multimediaeinrichtungen ähnlich und können entsprechend erweitert werden (Bild 1, nächste Seite).

1 Smartboard auf Rollständer

1.4.6 Virtual Reality-/Augmented Reality-Medien

Zunehmend gewinnt die Nutzung von VR- und AR-Medien an Bedeutung. Virtual Reality (VR, scheinbare Realität) bindet den Benutzer über entsprechende Brillen interaktiv in eine programmierte Umgebung ein (Bild 2). Die Steuerung des Programms findet über entsprechende Aktoren statt. VR-Umgebungen werden insbesondere für komplexe Schulungsaufgaben genutzt, in denen entweder aus Sicherheitsgründen oder aus Kostengründen eine Tätigkeit an der realen Anlage vermieden werden soll.

2 VR-Einsatz

Augmented Reality (AR, unterstützte Realität) bindet in das reale Bild digitale Inhalte ein (Bild 3). Diese Technik wird zunehmend bei der Instandhaltung und Reparatur von Anlagen genutzt. Auf diese Weise können beispielsweise über Entfernungen unterstützende Anweisungen zur aktuellen Tätigkeit eingespielt werden.

3 AR-Einsatz

Überlegen Sie

1. Nennen Sie weitere Medien und beschreiben Sie deren Einsatzmöglichkeiten.
2. Beschreiben Sie, wie und wozu Sie das vorliegende Buch „Grundkenntnisse Industrielle Metallberufe – Lernfelder 1-4" einsetzen würden.

1.5 Internet

Für die Suche nach Informationen und für deren Austausch wird heutzutage oft das Internet genutzt. Der Begriff Internet ist nicht scharf definiert und umfasst zwei Sichtweisen:

- die technische und organisatorische Netzwerkstruktur eines globalen Netzwerks sowie
- das Angebot verschiedener Dienste über ein globales Netzwerk.

Merke

Das Internet ist ein internationaler und globaler Zusammenschluss unabhängiger Einzelnetze.

Im alltäglichen Umgang wird der Begriff Internet häufig mit dem bekanntesten Internetdienst, dem World Wide Web (WWW) gleichgesetzt. Auch E-Mail ist ein bekannter Internetdienst.

1.5.1 World Wide Web

Das World Wide Web (WWW) entstand 1989 aus einem Projekt des CERN[1] in Genf und basiert auf einem System, welches Hypertext-Dokumente über das Internet austauscht.

Video Virtual Reality in der Ausbildung

Merke

Hypertext-Dokumente sind Anweisungsdateien, die mehrere unterschiedliche Informationsarten wie Texte, Grafiken, Bilder, Ton- und Videosequenzen miteinander verknüpfen.

Der Ursprung war die Idee, den Austausch wissenschaftlicher Arbeiten zu erleichtern. Dazu sollten Dokumente miteinander verflochten werden können. Um dies zu ermöglichen, wurden drei wichtige Standards entwickelt:

- das Dokumentenformat **HTML** (Hypertext Markup Language) für die Auszeichnung von Hypertextseiten,

1) CERN: Conseil Européen pour la Recherche Nucléaire; fr. Europäisches Kernforschungszentrum

- die Adressierungsart **URL** (Uniform Resource Locator) für die Bezeichnung von Internet-Seiten und
- das Protokoll **http** (hypertext transport protocol) für die Anforderung und Übertragung von Hypertextdokumenten.

Besonderes Kennzeichen von Hypertext-Elementen sind die Verweise auf andere Textstellen oder Dokumente. Diese werden als **Hyperlinks** oder einfach nur als **Link** bezeichnet. Links beinhalten die Adressierung des aufzurufenden Dokumentes. Für die Übersetzung und Darstellung der Hypertext-Seiten wird ein Browser eingesetzt. Dieser übersetzt die Anweisungen der übermittelten Hypertext-Seite und stellt diese auf dem Bildschirm dar. Die Art der Darstellung hängt vom verwendeten Browser und der Hardware des Systems ab.

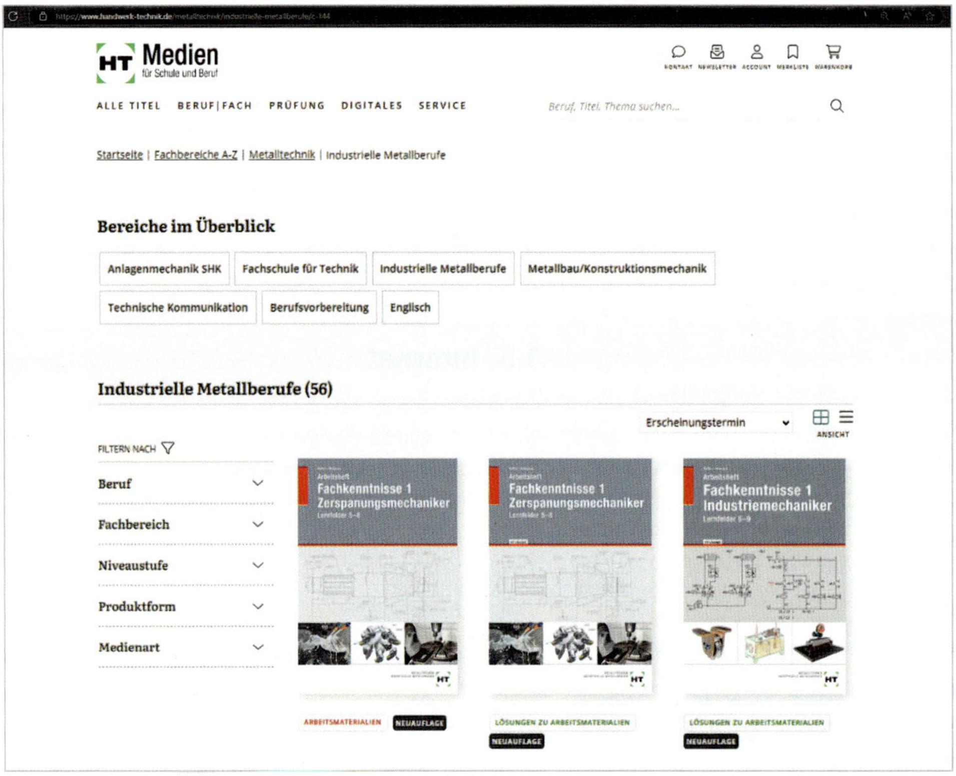

***1** HTML-Seite*

1.5.2 Suchmaschinen

Eine häufige Tätigkeit in einem Unternehmen ist die Recherche nach aktuellen Informationen. Dies könnten technische Daten, Preise oder andere Auskünfte sein. Für diese Tätigkeiten können im WWW Angebote genutzt werden, die eine Informationssuche unterstützen.

Merke

Programme, die eine Recherche nach Dokumenten und Dateien in einem Netzwerk wie z. B. dem WWW durchführen, werden als Suchmaschinen bezeichnet.

Suchmaschinen *(search engines)* haben folgende Funktionen:

- die Erstellung und Pflege einer Datenbank mit Informationen über Dokumente im Internet,
- das Finden und Ordnen von Suchergebnissen,
- die Aufbereitung von Suchergebnissen zum Beispiel in Form einer Bewertung der Relevanz.

Die **Bewertung** *(ranking)* von Ergebnissen erfolgt bei jedem Dienstanbieter unterschiedlich. Es können folgende Kriterien herangezogen werden:

- die Häufigkeit der Suchbegriffe in einem Dokument,
- die Häufigkeit von Verweisen anderer Dokumente auf das betreffende Dokument,
- die Einstufung und Anzahl der zitierten Dokumente,
- die Einstufung der Qualität der verweisenden Dokumente.

Die Bewertungskriterien werden von den Suchmaschinenanbietern nicht offen gelegt, da sonst auch die Möglichkeiten zur Manipulation bekannt sind. Kommerzielle Anbieter haben großes Interesse daran, möglichst häufig „gefunden" zu werden und möglichst „weit oben" auf den Trefferlisten zu erscheinen. Für diese Kunden bieten einige Suchmaschinen die Möglichkeit einer als Werbung gekennzeichneten Aufnahme an.

Für die Erstellung des Datenbestandes stützen sich die Suchmaschinen auf Programme, die automatisch das World Wide Web durchsuchen, aufgefundene Webseiten analysieren und entsprechend in eine Datenbank eintragen. Die Auswahl der Ergebnisse und die Einblendung von Werbung basieren auf bereits im Browserverlauf gesammelter Informationen. Dabei werden auch Programme auf der Basis „künstlicher Intelligenz" (KI) verwendet.

1.5.3 Recherche im WWW

Die Suche von Informationen im World Wide Web stützt sich im Wesentlichen auf die Verwendung von Suchmaschinen. Diese haben jedoch keine einheitliche Bedienung. Aus diesem Grund sollte man sich gerade bei der ersten Nutzung mit den Möglichkeiten der betreffenden Suchmaschine auseinander setzen. Grundsätzlich sollte vor einer Recherche folgendes berücksichtigt werden:

- Auswahl treffender Suchbegriffe im Vorwege,
- Auswahl des Sprachraums,
- Verwendung logischer Operatoren zur Verknüpfung von Begriffen,
- Eingrenzung durch Ausschluss bestimmter Begriffe.

Das Arbeiten mit Suchmaschinen beinhaltet einige bedenkenswerte Aspekte:

- Bei der Auswahl der Schlüsselworte muss deren mögliche Mehrdeutigkeit berücksichtigt werden (Beispiel Maus: Tier oder Gerät). Auch das Auffinden verwandter oder gleichartig verwendeter Begriffe kann eine Rolle spielen (Beispiele: Rechner, Computer, PC).
- Die ermittelten Dokumente müssen bezüglich der Aktualität überprüft werden. Manche Informationen im Netz sind wegen schlechter Pflege der Dokumente veraltet. Glaubwürdige Informationen sind nur über seriöse Quellen zu finden, beispielsweise aktuelle Maschinendaten direkt beim Hersteller. Eine Gewähr für die Richtigkeit bietet ein Informationsanbieter im WWW in der Regel nicht.
- Einige angebotene Dokumente oder Dienste entsprechen nicht den gültigen Rechtsbestimmungen.
- Relevante Informationen sollten inklusive ihrer URL in einem entsprechenden Verzeichnis gespeichert werden und später „offline" weiter ausgewertet werden. Es ist nicht sichergestellt, dass eine Recherche später wieder dieselben Ergebnisse liefert bzw. dass diese Information zu einem späteren Zeitpunkt überhaupt noch im WWW verfügbar ist.

Suchbegriffe sollten deshalb so gewählt werden, dass sie ein Thema angemessen eingrenzen. Eine große Anzahl von Ergebnissen deutet auf einen sehr weit gefassten Suchbegriff hin. Ist die Anzahl der Treffer dagegen sehr gering, so ist der Begriff zu eng gefasst. Der Zeitaufwand der Sichtung der Ergebnisse ist meist erheblich größer als die eigentliche Suche nach Quellen. Außerdem ist die Anzahl der gefundenen Quellen meist erheblich größer als deren Informationsgehalt.

Merke

Schreiben Sie sich vor der Recherche im WWW eine Liste von Suchbegriffen auf, die Sie dann systematisch abarbeiten und deren Ergebnisse sofort sichten.

Eine Übersicht über die Bildung und Verknüpfung von Suchbegriffen stellt die Tabelle auf der nachfolgenden Seite dar. Sie bezieht sich beispielhaft auf die Bedienung der Suchmaschine „Google" (http://www.google.de).
Eine einfache Hilfe für eine präzisere Gestaltung der Suchfunktionen bieten die meisten Suchmaschinen über ein Menü zur „erweiterten Suche".

Beispiel	Beschreibung
"DIN Norm"	Ermittelt Dokumente, in denen die Begriffe nebeneinander stehen.
DIN Norm	Es werden alle Dokumente ermittelt, die alle gesuchten Begriffe enthalten. Groß- oder Kleinschreibung sowie Worttrennungen in den Dokumenten werden dabei nicht berücksichtigt.
+http	Ein Wort oder Zeichen, das normalerweise von der Suchmaschine übergangen wird (Stop-Wort) wird durch das „+"-Zeichen in die Suche mit einbezogen. Das „+"-Zeichen wird auch bei Worten oder Wortgruppen verwandt, die in genau dieser Schreibweise gefunden werden sollen. Mit + Drehmaschine werden nur Dokumente mit dieser Schreibweise gefunden und nicht mit dem Begriff *Dreh-Maschine*.
DIN -Norm	NICHT-Verknüpfung. Ermittelt Dokumente, in denen der Begriff *DIN* und NICHT der Begriff Norm enthalten ist. Um von zusammengesetzten Wörtern zu unterscheiden, muss vor dem „-"-Zeichen ein Leerzeichen stehen.
site: www.google.de	Operator, der die Suche auf die vorgegebene Domain (hier: http://www.google.de) einschränkt.

Eine weitere Informationsquelle neben der Verwendung von Suchmaschinen sind **Online-Lexika**. Dabei handelt es sich um Nachschlagewerke, die im Sinne eines Lexikons in knapper Form Begriffe erläutern. Zusätzlich verweisen sie durch Links auf weitere Informationsquellen im WWW. Ein Beispiel für solch ein Lexikon ist **Wikipedia** (www.wikipedia.de). In diesem Lexikon kann jeder Benutzer Begriffe und deren Erläuterungen einstellen und auch verändern. Es basiert also auf einer freien und öffentlichen Autorenschaft. Änderungen werden erst nach einer redaktionellen Überprüfung übernommen. Als erste Informationsquelle sind Online-Lexika gut geeignet.

ÜBUNGEN

1. Erstellen Sie eine Liste von Suchmaschinen.
2. Recherchieren Sie im World Wide Web nach den Unfallverhütungsvorschriften „BGV D8".
3. Informieren Sie sich über die Präsenz Ihres Unternehmens im World Wide Web. Welche Inhalte werden dargestellt?

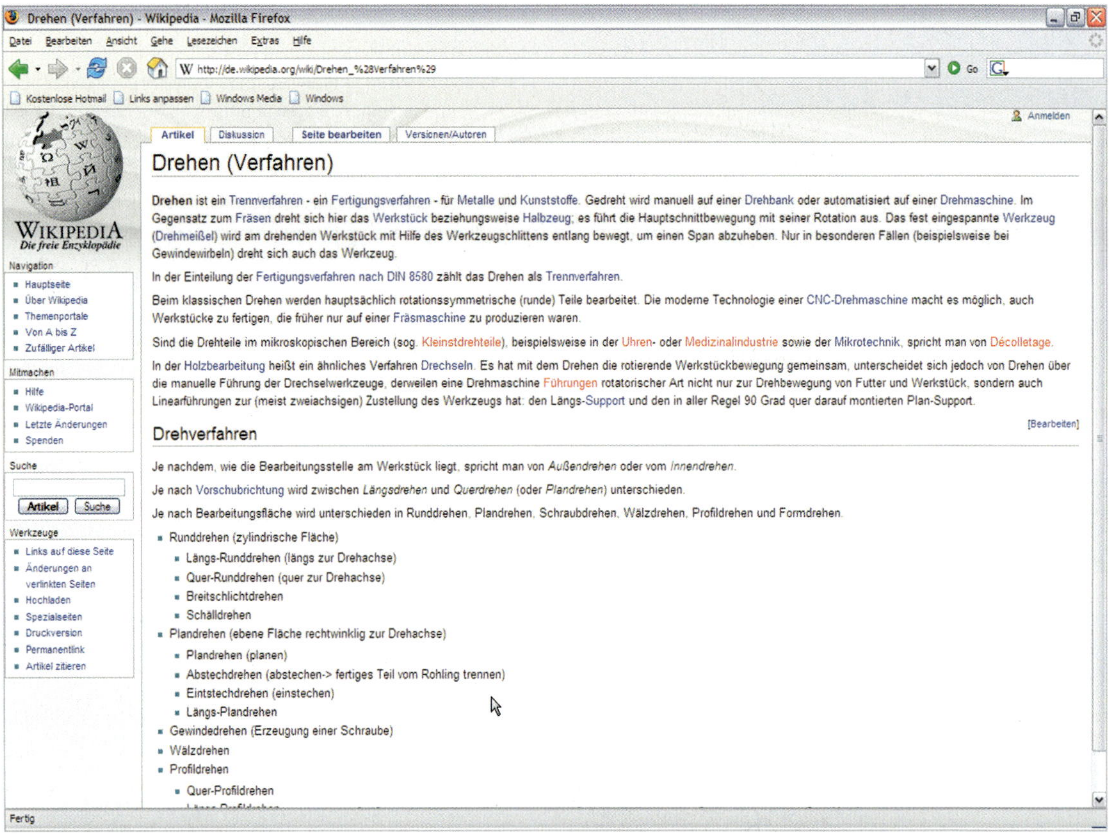

1.5.4 Videokonferenz

Videokonferenzen sind mit jedem digitalen Endgerät möglich, welches über einen Bildschirm, ein Mikrofon, einen Lautsprecher und eine Kamera verfügt. Die Datenübertragung erfolgt über das Internet. Über eine entsprechende gemeinsame Software können so mehrere Personen miteinander im Gespräch kommunizieren. Es ist auch möglich, Daten und Präsentationen zu teilen und gemeinsam zu bearbeiten. Zu beachten ist, dass die gleichzeitige Übertragung von Bild- und Sprachdaten das Vorhandensein leistungsfähiger und stabiler Datenleitungen bei den Teilnehmern voraussetzt.

1 Videokonferenz

2 Technische Kommunikation

2.1 Technische Unterlagen

Technische Unterlagen *(technical papers)* enthalten Informationen für Mitarbeiter und Anwender. Die Mitarbeiter benötigen die Unterlagen für die Fertigung, die Montage, die Sicherheitsabnahme, die Bedienung und die Wartung eines Geräts. Die Anwender benötigen sie für die Installation, die Bedienung, die Wartung von Maschinen und Geräten und für den sicheren, unfallfreien Umgang mit ihnen.

Technische Kommunikation *(technical communication)* ist die Verständigung der Fachkräfte miteinander und auch die Weitergabe von technischen Unterlagen. Dazu gehören die **Fachsprache** *(technical language)* und das **technische Zeichnen** *(technical drawing)* und in **begrenztem Umfang Fachbegriffe** *(technical terms)* **in Englisch**. Technische Unterlagen wie z. B. technische Zeichnungen beschreiben immer den Endzustand eines Werkstücks oder eines Produkts. Eine Fachkraft muss alle für ihren Beruf typischen Unterlagen lesen und anwenden können. Sie muss Skizzen erstellen können.

2.1.1 Fotografische Darstellung

Das Foto *(photo)* der Rollenblechschere[1)] vermittelt einen Gesamteindruck. Es zeigt die äußere Form und die Farbgestaltung. Auf der Abbildung ist die Blechschere im Einsatz dargestellt. Sie ist in gleicher Weise für geraden wie auch gekrümmten Schnittverlauf geeignet.

Überlegen Sie

1. Welche Informationen enthält das Foto?
2. In technischen Katalogen werden im Inhaltsverzeichnis die Produkte häufig fotografisch abgebildet, ähnlich wie in Versandhauskatalogen.
   Welchen Vorteil hat ein Foto für den Kunden?

2.1.2 Produktbeschreibung

Die Produktbeschreibung *(product description)* enthält alle für einen gefahrlosen, technisch richtigen Einsatz eines Produkts erforderlichen Informationen und Sicherheitsvorschriften. Bei der Rollenblechschere sind dies Angaben über die Werkstoffe und die Blechdicken, die bearbeitet werden können:

- Stahlblech bis 1,6 mm Dicke
- rostfreies Stahlblech bis 1,2 mm Dicke
- Aluminiumblech bis 1,6 mm Dicke

Hinzu kommt eine kurze Funktionsbeschreibung, in der wesentliche Einsatzmerkmale enthalten sind: Der Hebel kann während des Trennens über die Mitnehmerplatte und die Rastscheibe in eine ergonomisch günstige Position umgesetzt werden. Durch den Einsatz der Rollenmesser ergibt sich am Blech eine kurze

1 Fotografische Darstellung einer Rollenblechschere

Schnittfläche. Dadurch können leicht gekrümmte Kurvenschnitte und gerade Längsschnitte ausgeführt werden. Obermesser und Untermesser laufen gegeneinander und ziehen durch die Rändelung am Obermesser das Blech gleichmäßig in die Schere. Beim Trennen entsteht an der Trennfläche ein Grat.

Schützen Sie Ihre Hände!

Überlegen Sie

1. Für welche Schnitte ist die Rollenblechschere besonders geeignet?
2. Welche Materialien und welche Blechdicken können getrennt werden?
3. Welche Drehrichtungen haben die Messer beim Trennen?
4. Wie schützen Sie sich beim Trennen vor Verletzungen?
5. Warum ist das Obermesser mit achsparallelen Riefen gerändelt?

1) Die Rollenblechschere ist für ca. 100,– € im Fachhandel erhältlich.

2.1.3 Explosionsdarstellung – Montage und Demontage

Die Explosionsdarstellung *(exploded view)* zeigt alle Einzelteile eines Geräts oder einer Baugruppe – hier die der Rollenblechschere – in ihrer richtigen Lage zueinander (DIN ISO 5456-1: 1998-04 – Technische Zeichnungen, Projektionsmethoden – Übersicht). Sie werden auf den gemeinsamen Achsen entlang ihrer Montagefolge dargestellt. Die Einzelteile sind alle im selben Maßstab gezeichnet. Meistens sind die Teile perspektivisch dargestellt. So kann man ihre Form erkennen und mit den Originalteilen vergleichen. Dies ist besonders wichtig, wenn bei der Wartung *(maintenance)* oder bei der Reparatur ein Teil ausgetauscht werden muss.

Auch lässt sich so die **Reihenfolge** bei der Montage *(assembly)* oder Demontage *(disassembly)* ohne viele Worte erkennen. Dies ist eine große Hilfe bei Arbeiten an bisher unbekannten Geräten. **Strich-Punkt-Linien** *(chain lines)* kennzeichnen die Fügeteile, die miteinander verbunden werden. Dadurch werden die einzelnen Montagegruppen hervorgehoben. Wichtige Hinweise zur **Sicherheit** und zur Umweltverträglichkeit können an der entscheidenden Stelle übersichtlich eingetragen werden. Zusätzlich können die einzelnen Abbildungen mit Teilenummern versehen werden. Dies erleichtert das Heraussuchen von Teilen bei Reparatur- und Wartungsarbeiten.

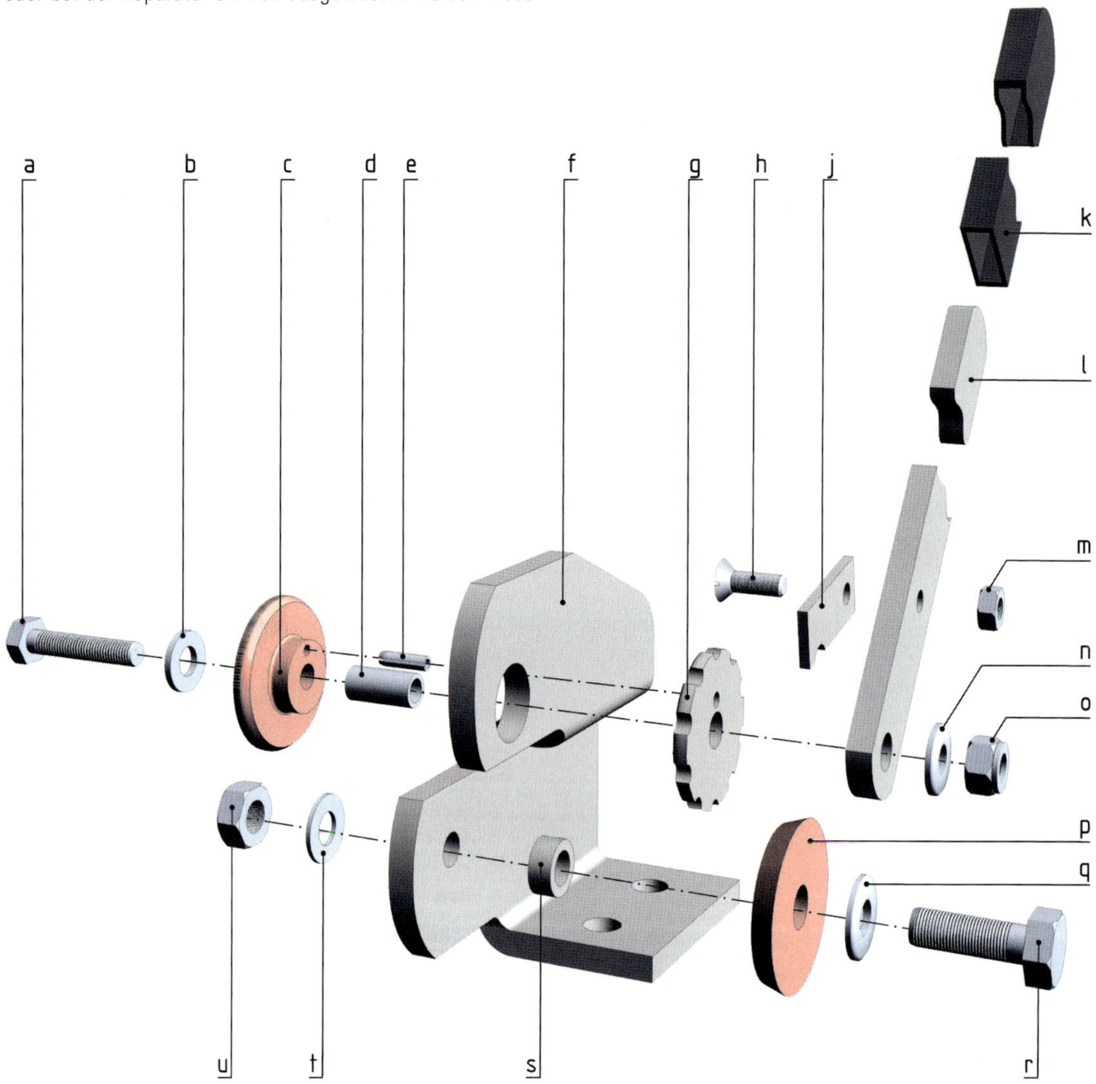

Überlegen Sie

1. Welche Hilfe bietet eine Explosionsdarstellung bei Wartungsarbeiten?
2. Welchen Vorteil hat die Explosionsdarstellung bei der Teilebeschaffung?
3. Welchen Vorteil bietet die perspektivische Darstellung?
4. Welche Bedeutung haben die Strich-Punkt-Linien in der Explosionsdarstellung?

2.1.4 Perspektive – Räumliche Darstellung

In der perspektivischen Darstellung *(exploded pictorial assembly drawing)* sind die Einzelzelteile aus der Explosionsdarstellung zu einem Raumbild *(perspective view)* zusammengefügt. Perspektiven von Baugruppen *(subassemblies)* zeigen der Fachkraft, die nur Einzelteile *(parts)* vor sich hat, wie die fertige Baugruppe aussehen soll. Bei Reparatur- und Wartungsarbeiten dienen die Perspektiven zur Vermeidung von Fehlern. Ähnliche Geräte können sicher unterschieden werden. Fast symmetrische Baugruppen oder Geräte können lagerichtig montiert werden. Die Perspektive der Rollenblechschere hilft der Fachkraft, die Gesamtzeichnung schneller zu verstehen.
In Inhaltsverzeichnissen technischer Kataloge sind die Geräte häufig perspektivisch dargestellt. Das erleichtert den Suchweg nach einem bestimmten Gerät, dessen Fachbezeichnung nicht bekannt ist. Außerdem werden so ähnliche weitere Geräte dem Benutzer näher gebracht.

Überlegen Sie

1. Welchen Vorteil hat die Perspektive eines Gerätes für die Fachkraft?
2. Welche Bedeutungen haben perspektivische Darstellungen in Inhaltsverzeichnissen technischer Kataloge?

2.1.5 Gesamtzeichnung – Funktion, Montage und Demontage

Die Gesamtzeichnung *(assembly drawing)* (Seite 252) zeigt ein Gerät oder eine Baugruppe in der **Gebrauchslage**. Alle Teile, die zu der Rollenblechschere gehören, sind zusammenhängend gezeichnet. Im Zusammenbau kann man die **Funktion** des Geräts besser erkennen. Weiter ist erkennbar, wie die Teile miteinander verbunden sind. Dort, wo Teile sich berühren, erhalten sie nur eine gemeinsame Linie (a) (vgl. Seite 252). Die Gesamtzeichnung dient, wie auch die Explosionsdarstellung, als zeichnerische Grundlage für die Montage, Wartungsarbeiten und Reparaturen.
In eine Gesamtzeichnung müssen immer die **Positionsnummern** (Teilenummern) *(item numbers)* eingetragen werden (b) (vgl. Seite 252). Jedes Teil darf dabei nur einmal gekennzeichnet werden. Bei Änderungen könnte sonst eine Eintragung

1 *Rollenblechschere, Gesamtzeichnung*

Informationen zu den verschiedenen Darstellungen der Perspektiven finden Sie im Kapitel 2.8.1 „Unterschiedliche Perspektiven – Axonometrische Darstellungen".

übersehen werden. Wird ein Teil gleicher Größe mehrmals eingebaut, ist dies in der Mengenangabe der Stückliste *(parts list, items list)* einzutragen. In einer Gesamtzeichnung, die aus mehreren Baugruppen besteht, können gleiche Teile unterschiedliche Positionsnummern erhalten, wenn sie in verschiedenen Baugruppen vorkommen. Zu jeder Gesamtzeichnung gehört eine Stückliste (siehe Stückliste Seite 253). Zusätzlich werden in die Gesamtzeichnung alle Angaben eingetragen, die für die Montage wichtig sind (c).

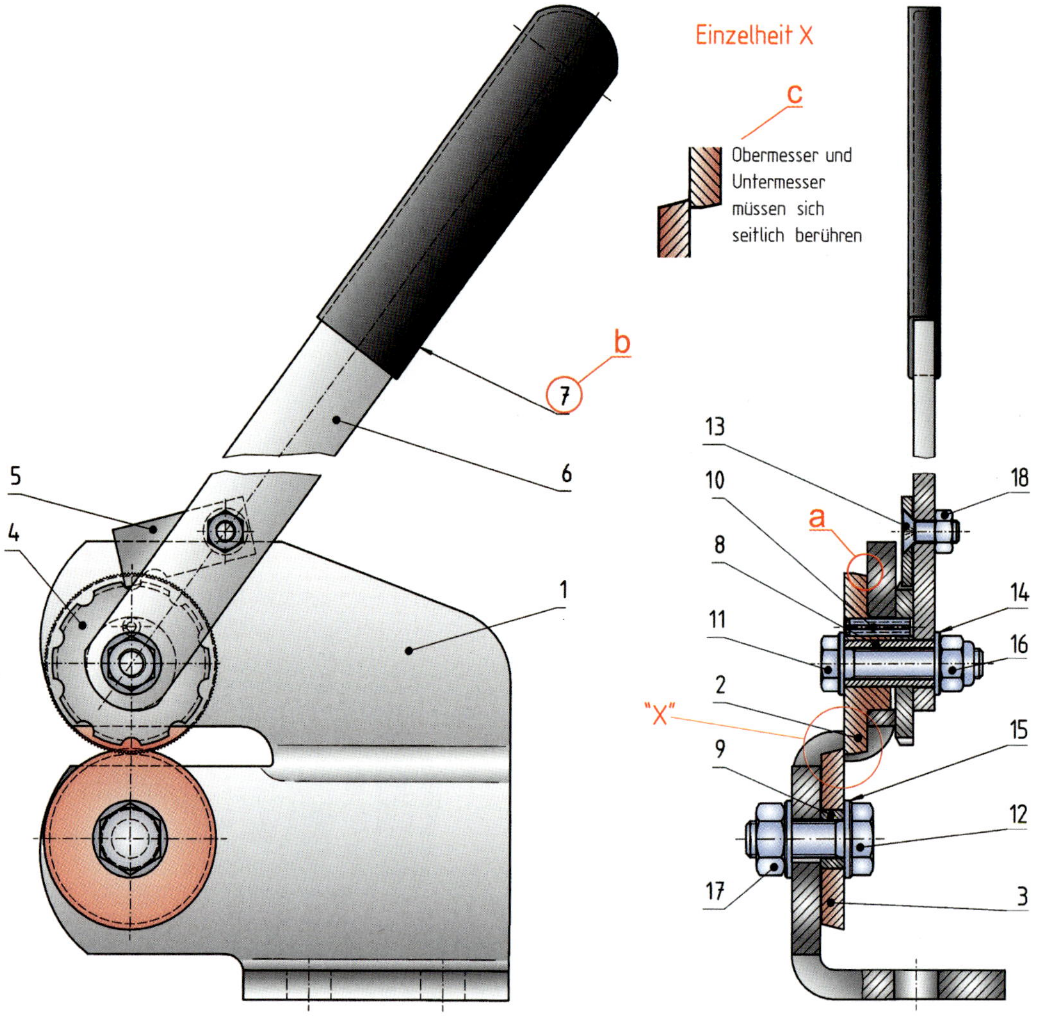

Überlegen Sie

1. Skizzieren Sie eine Tabelle nach folgendem Muster und ordnen Sie die Positionsnummern der Gesamtzeichnung den Kennbuchstaben der Explosionsdarstellung (Seite 250) zu. Nehmen Sie die Stückliste auf Seite 253 zu Hilfe.

Positionsnummer	*1*				
Kennbuchstabe	*f*				

2. Warum dürfen die Positionsnummern nur einmal eingetragen werden?
3. Beschreiben Sie den Kraftfluss, wenn am Hebel gezogen wird. Schreiben Sie nur die Positionsnummern auf.
4. Überlegen Sie, wie die Schere zum Arbeiten befestigt werden kann.
5. An welchen Stellen muss geölt werden, damit die Reibung nicht zu groß wird?
6. Welche Teile müssen nach längerem Gebrauch ausgetauscht werden?

2.1.6 Stückliste – Teileübersicht

Die Stückliste[1)] *(bill of materials)* ist Teil der Gesamtzeichnung. Gemeinsam beschreiben sie ein Gerät *(device)* vollständig. In der Stückliste sind alle Teile nach **Positionsnummern** sortiert. **Computerunterstützte Stücklisten** werden von **oben nach unten** geschrieben. Mithilfe der Software sind an jeder Stelle Änderungen möglich. Hinter den Positionsnummern stehen weitere **Informationen**, die für den Betrieb und später für den Kunden wichtig sind. Diese Angaben werden z. B. beim Einkauf, für die Lager- und Ersatzteilhaltung und für die Begrenzung der Teilevielfalt benötigt. Die Fachkraft entnimmt diesen Informationen Angaben über Maße und Besonderheiten von Teilen. Bei den Einzelteilen werden **Fertigungsteile** *(production parts)* und **Fremdteile** (Kaufteile) *(bought-in parts)* unterschieden. Fertigungsteile werden im Betrieb selbst hergestellt. In der Stückliste stehen Werkstoffangaben, Querschnittsmaße und die Rohteillänge. Fremdteile sind z. B. Normteile *(standard parts)*, komplette Aggregate und auch Einzelteile, die von Zulieferfirmen gekauft werden.

Die Einzelteile werden fortlaufend nummeriert. An dieser Stelle können auch die Ident- oder Bestellnummern stehen. Die Teile innerhalb der Stückliste sind häufig nach Fertigungs- und Fremdteilen geordnet. Fertigungsteile erhalten dabei z. B. die niedrigeren und Fremdteile die höheren Positionsnummern.

Anzahl der gleichen Teile einer Position.

Name eines Teils, der auch in der Teilzeichnung verwendet wird. Die Benennungen werden grundsätzlich in der Einzahl angegeben.

Kennzeichnung eines Fremdteils. Norm-Kurzbezeichnungen enthalten die DIN- bzw. EN- bzw. ISO-Nummer und wichtige Angaben über die Form, Abmessungen, Festigkeit und Werkstoff des Normteils.

Platz für zusätzliche Angaben wie z. B. Lagerhaltungs- oder Bestellnummer, Hinweise für die Fertigung oder Montage oder den Preis.

Position	Menge	Benennung	Sach-Nr./Norm-Kurzbezeichnung	Bemerkung
1	1	Grundkörper	Blech DIN 1623 – 8 × 200 × 135 – EN 10025 – S235JR + C	
2	1	Obermesser	Rund EN 10278 – 50h9 – ISO 4957 – X210Cr12	
3	1	Untermesser	Rund EN 10278 – 50h9 – ISO 4957 – X210Cr12	
4	1	Rastscheibe	Rund EN 10278 – 45h9 – ISO 4957 – X210Cr12	
5	1	Mitnehmerplatte	Flach EN 10278 – 16 × 3 × 38 – EN 10025 – S235JR + C	
6	1	Hebel	Flach EN 10278 – 25 × 6 × 301 – EN 10025 – S235JR + C	
7	1	Griff	Kunststoff	
8	1	Lagerbuchse	Rund EN 10278 – 13h8 – EN 10277 – 3 – 11SMn30 + C	
9	1	Buchse	Rund EN 10278 – 16h8 – EN 10277 – 3 – 11SMn30 + C	
10	1	Spannstift	ISO 8752 – 5 × 18 – St	
11	1	Sechskantschraube	ISO 4014 – M8 × 40 – 8.8	
12	1	Sechskantschraube	ISO 4017 – M10 × 30 – 8.8	
13	1	Senkschraube	ISO 7046 – M6 × 16 – 8.8 – H	
14	2	Scheibe	ISO 7090 – 8 – 200 HV	
15	2	Scheibe	ISO 7090 – 10 – 200 HV	
16	1	Sechskantmutter mit Klemmteil	ISO 10511 – M8 – 05	
17	1	Sechskantmutter	ISO 4032 – M10 – 8	
18	1	Sechskantmutter	ISO 4032 – M6 – 6	

Überlegen Sie

1. Welche Teile müssen vom Betrieb hergestellt werden?
2. Welche Teile werden von Zulieferbetrieben gekauft?
3. Welche zusätzlichen Angaben enthält die Stückliste gegenüber der Gesamtzeichnung?
4. Welche Angaben müssen in der Stückliste und in der Gesamtzeichnung enthalten sein?
5. Welche Abteilungen bzw. Mitarbeiter benötigen die Informationen aus der Stückliste?

1) DIN EN ISO 7200: 2004-05 – Technische Produktinformationen – Schriftfelder für Zeichnungen, Pläne und Listen

2.1.7 Funktionsbeschreibung

In Funktionsbeschreibungen *(descriptions of function)* werden **Vorgänge** *(procedures)* und **Wirkungsweisen** *(effectivenesses)* beschrieben. In der Praxis kommen sie in Arbeits- und Betriebsanleitungen *(manuals)* und als Wartungs- und Sicherheitsanweisungen *(safety instructions)* vor. In ihnen werden Bewegungsabläufe bzw. Arbeitsschritte in festgelegter Reihenfolge in einem zeitlichen Ablauf dargestellt. Die Wortwahl ist knapp und präzise zu halten. Für die Beschreibung technischer Zusammenhänge ist Fachwissen erforderlich und der richtige Gebrauch der Fachbegriffe unumgänglich. Funktionsbeschreibungen werden im Präsens, in der Gegenwart, geschrieben. Eine Funktionsbeschreibung sollte folgende Punkte enthalten:

- Vom Ganzen zum Detail:
  Zunächst wird die Aufgabe eines Geräts, die Wirkungsweise, im größeren Zusammenhang beschrieben –
  Welche Arbeiten können mit dem Gerät durchgeführt werden? Es können Bleche mit geraden und kurvenförmigen Schnitten getrennt werden.

- Nach dem Bewegungsablauf, vom Antrieb zum Abtrieb:
  Danach kann das Gerät im Sinne des Funktionierens, des Zusammenwirkens der Teile, beschrieben werden –
  es folgt die Beschreibung der Funktion der Einzelteile (des Kraftflusses) beginnend am Hebel über die Mitnehmerplatte, die Rastscheibe zum Obermesser; der Blecheinzug und die Führung des Bleches können ebenfalls beschrieben werden.

- Sichere Handhabung:
  Vermeidung von Verletzungen –
  Beachtung der Unfallverhütungsvorschriften; Verletzung durch Grat an den Schnittkanten.
- Vermeidung von Beschädigungen am Gerät –
  richtiges Befestigen der Schere, nur die zugelassenen Materialien und Blechdicken trennen.

- Verständliche Darstellung:
  An den Adressaten denken –
  der Adressat muss die Fachsprache verstehen können, keine überzogene Fachsprache verwenden.
  Deutliche, verständliche Aussagen schaffen, lange Beschreibungen vermeiden –
  zu viel Text wird unübersichtlich, Texte und Abbildungen sinnvoll kombinieren.

Mithilfe einer **Funktionstabelle** *(function table)* können die Funktionen aller Einzelteile übersichtlich dargestellt werden. Aus ihr kann die Fachkraft erkennen, welche Teile miteinander verbunden sind oder welche Teile Bewegungen ausführen. Daraus ergeben sich Maßnahmen für Oberflächen, Toleranzen, Passungen, Schmierung, Wartung usw.

Pos.	Teil ist fest	Teil bewegt sich				Teil überträgt		Verknüpfung
		Geradbewegung		Drehbewegung		Radialkräfte in Richtung	Axialkräfte in Richtung	
		←	→	↶	↷			
1								
2								
3								
4								

***1** Funktionstabelle*

Überlegen Sie

1. Erstellen Sie eine Funktionsbeschreibung für die Rollenblechschere.
2. Erstellen Sie eine Funktionstabelle für die Rollenblechschere.
3. Vervollständigen Sie die Mind-Map als Grundlage für eine Funktionsbeschreibung der Rollenblechschere.

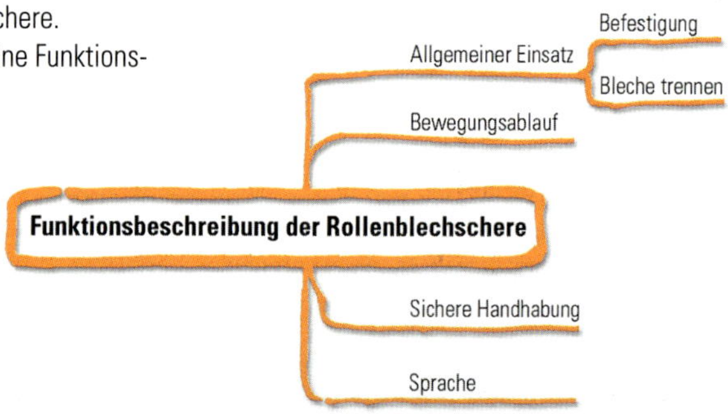

2.1.8 Bilder ohne Text – international verständlich

Immer häufiger gibt es für den Einbau oder die Wartung von Geräten eine Vorgabe der Arbeitsschritte durch nummerierte Abbildungen wie z. B. für die Montage von Kleinmöbeln. Diese Darstellungen sind selbsterklärend. Mit ihnen werden Missverständnisse, Bedienungsfehler und Zeitverluste bei der Handhabung vermieden. Eine Fachkraft kann die in den Abbildungen enthaltenen Anweisungen ohne zusätzliche Beschreibung verstehen. Dies erspart dem Hersteller umständliche Beschreibungen und Übersetzungen in Fremdsprachen. Damit werden mögliche Verständigungsschwierigkeiten und Übersetzungsfehler vermieden. Fehler in Beschreibungen können zu Unfällen führen oder Geräte unbrauchbar machen. Jeder Schadensfall ist aber aufgrund der Gewährleistungshaftung für den Hersteller ein Kostenfaktor.

Die anschließende Bilderfolge dient der Fachkraft als zusätzliche Information und zeigt ihr, wie das untere Rollenmesser für unterschiedliche Blechstärken im $^{1}/_{10}$-mm-Bereich verschoben und fixiert werden kann. Dabei gilt: Je geringer der Überschneidungsgrad der Messer ist, desto stärker kann der Schnitt gekrümmt sein.

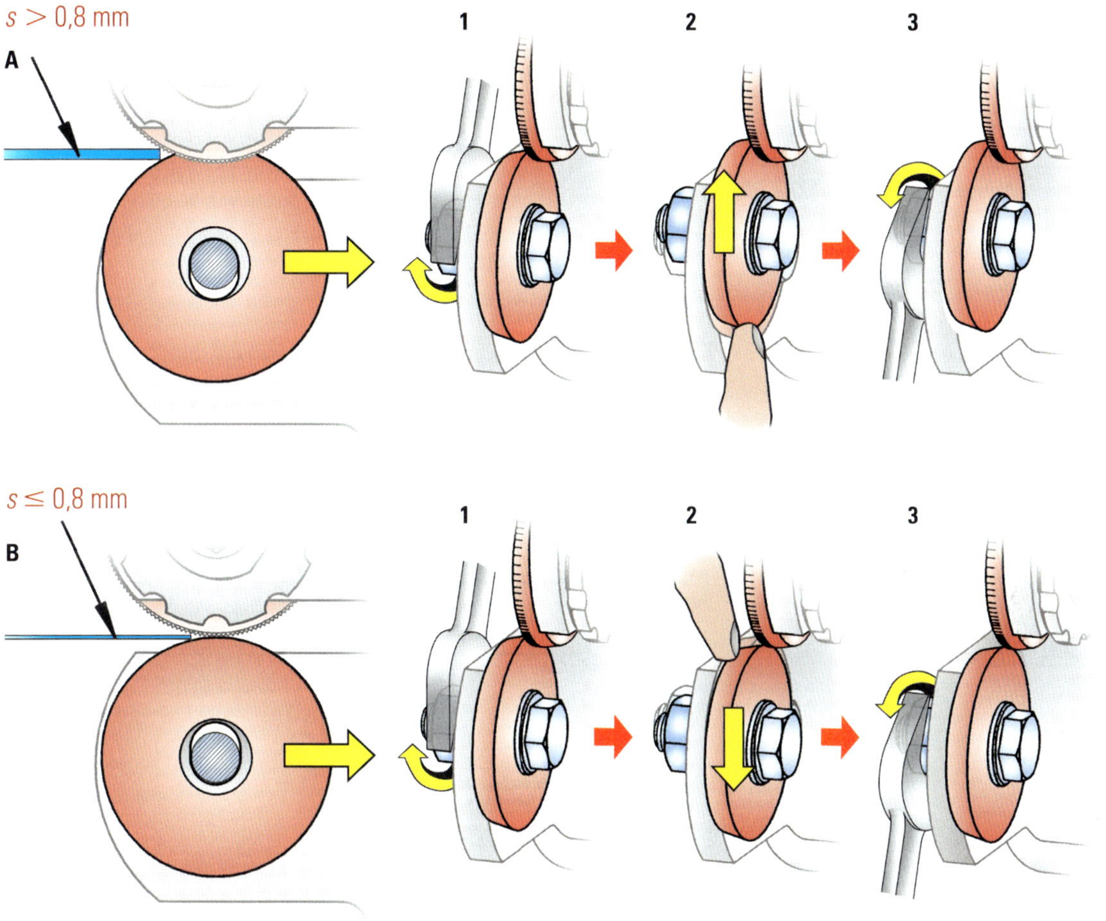

Video Rollenblechschere

Überlegen Sie

1. Beschreiben Sie in kurzen Sätzen die in den Abbildungen enthaltenen Informationen.
2. Welchen Einfluss hat die Blechdicke auf den Krümmungsradius des Schnitts?
3. Nennen Sie Beispiele aus Ihrem Erfahrungsbereich für eine Beschreibung mit Abbildungen.
4. Welchen Vorteil kann eine Beschreibung durch Bilder haben?

2.1.9 Normenübersicht – Kennzeichnung

Normteile sind nach DIN[1], ISO[2] oder EN[3] genormt. In der Stückliste der Rollenblechschere auf Seite 253 sind in den Positionen 10 bis 18 Normteile beschrieben. In der Spalte **Norm-Kurzbezeichnungen** *(reference numbers)* stehen Bezeichnungen wie z. B.: DIN 1623, ISO 4014, ISO 7090 oder EN 10278. Auch die Halbzeuge sind in ihren Abmessungen genormt.

Zu diesen Normteilen gibt es einzelne **Normblätter** *(standard sheets)*, in denen die Teile genau beschrieben sind. Bedingt durch länderübergreifende Zusammenarbeit und Firmenzusammenschlüsse werden die jeweiligen nationalen Normen *(standards)* (z. B. DIN, ÖNORM[4]) durch europäische EN- und internationale ISO-Normen ergänzt bzw. ersetzt. Dies führt zu neuen Bezeichnungen der Normblätter (aus DIN 125 wird DIN EN ISO 7089/7090) und zu veränderten Bezeichnungen der Normangaben in den Stücklisten. Die Benennungen der Normblätter stehen im Tabellenbuch. Zu den Beispielen aus der Stückliste gehören z. B. die Normblätter DIN 1623, DIN EN 10278, DIN EN ISO 24017 und DIN EN ISO 7090. Die Bezeichnungen der Normblätter geben jeweils deren Gültigkeitsbereich an:

- **ISO**: Englischsprachige internationale Norm. Sie ist nur in den Ländern gültig, die sie in ihr nationales Normenwerk übernommen haben (z. B. DIN ISO).
- **DIN**: Diese Norm gilt nur in **Deutschland**.
- **ÖNORM**: Diese Norm gilt nur in **Österreich**.
- **DIN EN**: Diese Norm gilt in der **europäischen Union** und hat den **Status einer deutschen Norm**.
- **ÖNORM EN**: Diese Norm gilt in der **europäischen Union** und hat den **Status einer österreichischen Norm**.
- **BS[5] EN**: Diese Norm gilt in der **europäischen Union** und hat den **Status einer britischen Norm**.
- **DIN ISO**: Diese Norm gilt **international** und hat den **Status einer deutschen Norm**.
- **DIN EN ISO**: Diese Norm gilt **international**, ist von der **europäischen Union** übernommen und hat den **Status einer deutschen Norm**.

Gleiche Normteile können unterschiedliche Stücklistenbezeichnungen haben. Dies hängt davon ab, welches Normblatt zur Zeit der Erstellung der Stückliste gerade gültig ist oder war. Bei unterschiedlichen Angaben muss auf das jeweilige Datum geachtet werden.

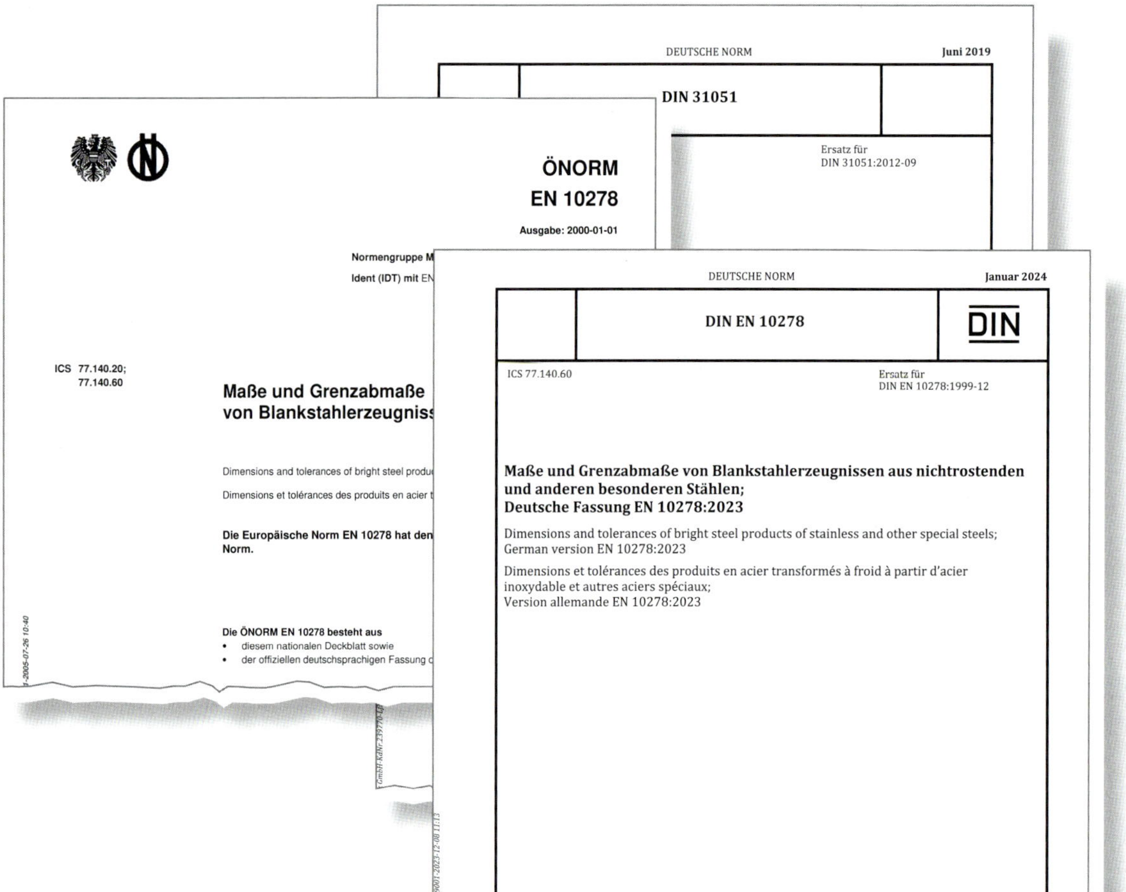

DEUTSCHE NORM Juni 2019

DIN 31051

Ersatz für DIN 31051:2012-09

ÖNORM EN 10278

Ausgabe: 2000-01-01

ICS 77.140.20; 77.140.60

Maße und Grenzabmaße von Blankstahlerzeugniss

Dimensions and tolerances of bright steel produ

Dimensions et tolérances des produits en acier t

Die Europäische Norm EN 10278 hat den Norm.

Die ÖNORM EN 10278 besteht aus
- diesem nationalen Deckblatt sowie
- der offiziellen deutschsprachigen Fassung d

DEUTSCHE NORM Januar 2024

DIN EN 10278

DIN

ICS 77.140.60

Ersatz für DIN EN 10278:1999-12

Maße und Grenzabmaße von Blankstahlerzeugnissen aus nichtrostenden und anderen besonderen Stählen; Deutsche Fassung EN 10278:2023

Dimensions and tolerances of bright steel products of stainless and other special steels; German version EN 10278:2023

Dimensions et tolérances des produits en acier transformés à froid à partir d'acier inoxydable et autres aciers spéciaux; Version allemande EN 10278:2023

---

1) DIN: **D**eutsches **I**nstitut für **N**ormung
2) ISO: **I**nternational **O**rganization for **S**tandardization (Internationale Norm)
3) EN: **E**uropäische **N**orm
4) ÖNORM: **Ö**sterreichisches **NORM**ungsinstitut
5) BS: **B**ritish **S**tandard

Beispiel: Statt DIN 912 heißt es ab Februar 1998 in der Stückliste ISO 4762. Das zugehörige Normblatt hat in Deutschland die Bezeichnung DIN EN ISO 4762.

In den Normblättern ist jeweils beschrieben, wie einzelne Normteile in den Stücklisten in der Spalte Norm-Kurzzeichen zu benennen sind:

- DIN: Teile aus DIN-Normen erhalten die Norm-Kurzbezeichnung DIN und anschließend spezielle Angaben
- EN und ISO: Teile aus europäischen und internationalen Normen erhalten die Norm-Kurzbezeichnung EN bzw. ISO und anschließend spezielle Angaben

Bezeichnung in der Stückliste:

Sicherungsring DIN 471 – 25 × 1,2 ▼
(retaining ring)

Zylinderschraube ISO 4762 – M6 × 20 – 12.9 ▼
(hexagon socket head cap screw)

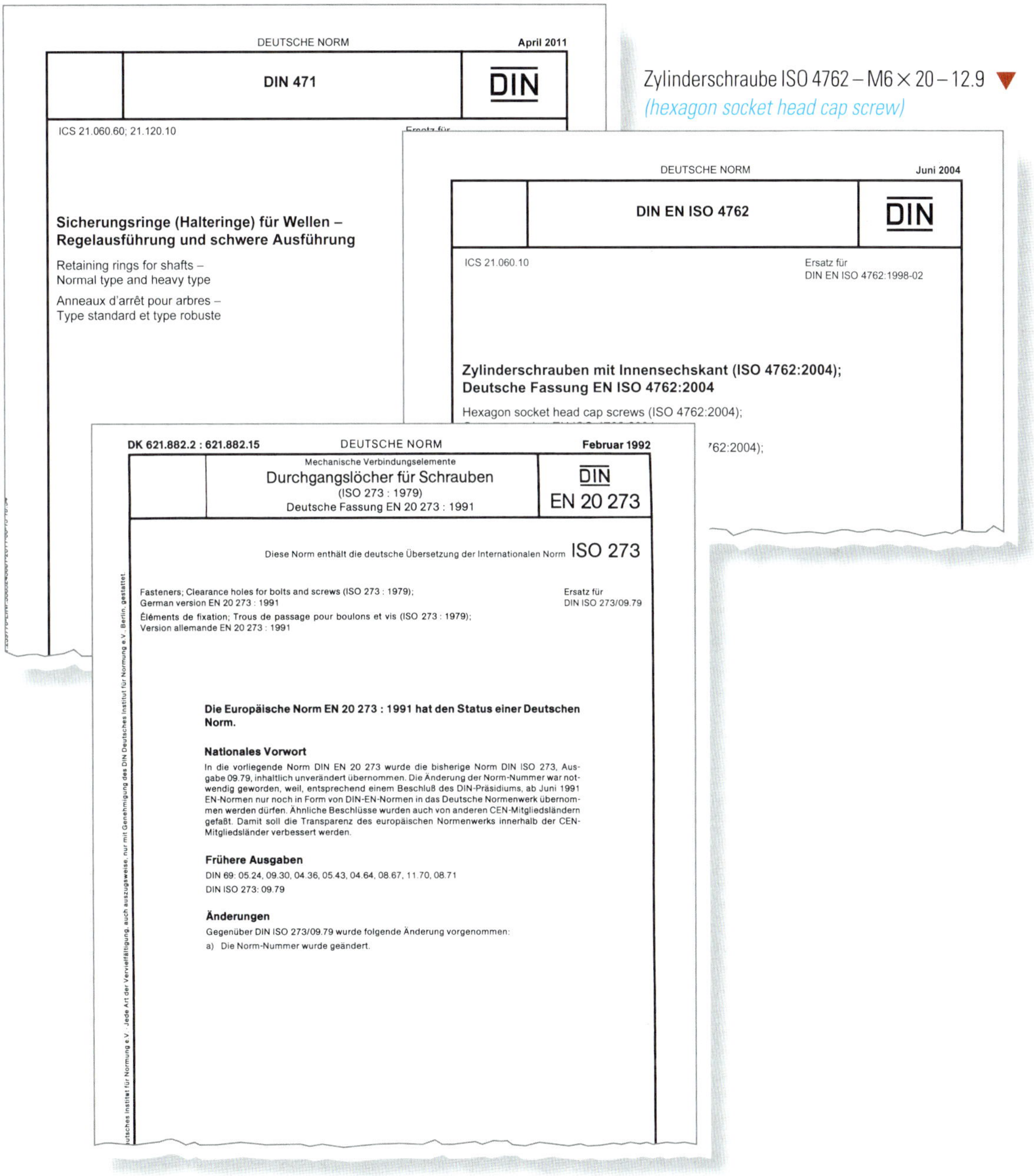

DEUTSCHE NORM April 2011

DIN 471 — DIN

ICS 21.060.60; 21.120.10

Sicherungsringe (Halteringe) für Wellen – Regelausführung und schwere Ausführung

Retaining rings for shafts – Normal type and heavy type

Anneaux d'arrêt pour arbres – Type standard et type robuste

DEUTSCHE NORM Juni 2004

DIN EN ISO 4762 — DIN

ICS 21.060.10

Ersatz für DIN EN ISO 4762:1998-02

Zylinderschrauben mit Innensechskant (ISO 4762:2004); Deutsche Fassung EN ISO 4762:2004

Hexagon socket head cap screws (ISO 4762:2004);

DK 621.882.2 : 621.882.15 DEUTSCHE NORM Februar 1992

Mechanische Verbindungselemente

Durchgangslöcher für Schrauben (ISO 273 : 1979) Deutsche Fassung EN 20 273 : 1991

DIN EN 20 273

Diese Norm enthält die deutsche Übersetzung der Internationalen Norm ISO 273

Fasteners; Clearance holes for bolts and screws (ISO 273 : 1979); German version EN 20 273 : 1991

Éléments de fixation; Trous de passage pour boulons et vis (ISO 273 : 1979); Version allemande EN 20 273 : 1991

Ersatz für DIN ISO 273/09.79

Die Europäische Norm EN 20 273 : 1991 hat den Status einer Deutschen Norm.

Nationales Vorwort

In die vorliegende Norm DIN EN 20 273 wurde die bisherige Norm DIN ISO 273, Ausgabe 09.79, inhaltlich unverändert übernommen. Die Änderung der Norm-Nummer war notwendig geworden, weil, entsprechend einem Beschluß des DIN-Präsidiums, ab Juni 1991 EN-Normen nur noch in Form von DIN-EN-Normen in das Deutsche Normenwerk übernommen werden dürfen. Ähnliche Beschlüsse wurden auch von anderen CEN-Mitgliedsländern gefaßt. Damit soll die Transparenz des europäischen Normenwerks innerhalb der CEN-Mitgliedsländer verbessert werden.

Frühere Ausgaben

DIN 69: 05.24, 09.30, 04.36, 05.43, 04.64, 08.67, 11.70, 08.71

DIN ISO 273: 09.79

Änderungen

Gegenüber DIN ISO 273/09.79 wurde folgende Änderung vorgenommen:

a) Die Norm-Nummer wurde geändert.

Auswahl von Normteilen

Für einen Betrieb sind alle nicht selbst hergestellten Teile **Fremdteile** *(purchased parts)*. Eine besondere Gruppe innerhalb der Fremdteile bilden die **Normteile** *(standard parts)*. Dies sind standardisierte Teile, die es nur in bestimmten Abmessungen gibt. Das erleichtert ihre Austauschbarkeit und vereinfacht die Lagerhaltung. Auch wird so die Anzahl der Werkzeuge, die für den Einbau benötigt werden, begrenzt. Normteile können Sie mithilfe Ihres **Tabellenbuchs** *(standards book)* bestimmen bzw. auswählen. Die Angaben im Tabellenbuch sind für den Benutzer gedacht. Sie enthalten die Größenangaben, die für den Einbau der Normteile von Bedeutung sind. Weitere für die Herstellung bzw. Gewährleistung notwendigen Angaben sind in den jeweiligen Normen enthalten

Beispiel:

Die Rollenblechschere soll mit zwei Schrauben M12 auf einer Werkbank befestigt werden. Das Material des Grundkörpers der Schere hat eine Dicke von

t_1 = 8 mm

und die Arbeitsplatte der Werkbank ist

t_2 = 40 mm dick.

Für die Befestigung werden zusätzlich zwei Scheiben und zwei Muttern benötigt.

Lösung:

Mithilfe des Tabellenbuchs werden die Höhen von Mutter und Scheibe bestimmt:

m = 10,8 mm

h = 2,5 mm

Schere, Arbeitsplatte, Mutter und Scheibe haben eine Gesamthöhe von

H = 61,3 mm.

So lang muss die Schraube mindestens sein.

Die nächst größere genormte Schraubenlänge beträgt

l = 65 mm.

Folgende Normteile werden gewählt:

Pos.	Menge	Benennung	Norm-Kurzbezeichnung
1	2	Sechskantmutter	ISO 4032 – M12 – 8
2	2	Scheibe	ISO 7090 – 12 – 200 HV
3	2	Sechskantschraube	ISO 4014 – M12 × 65 – 8.8

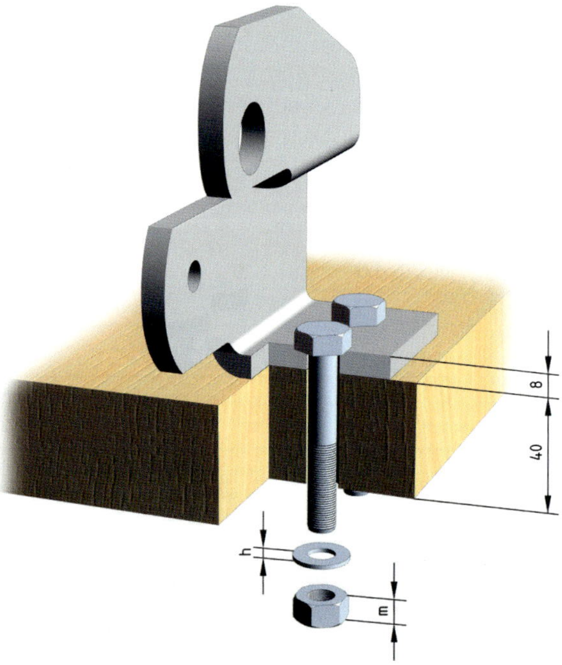

Beispiele:

1. Das Normblatt für die Sechskantmutter hat die Bezeichnung DIN EN ISO 4032.
   In der Stückliste steht: Sechskantmutterutter ISO 4032
2. Das Normblatt für die Scheibe hat die Bezeichnung DIN EN ISO 7090.
   In der Stückliste steht: Scheibe ISO 7090.
3. Das Normblatt für die Sechskantschraube hat die Bezeichnung
   DIN EN ISO 4014.
   In der Stückliste steht: Zylinderschraube ISO 4014.

Hinweis: Zurzeit werden viele nationale Normen durch europäische bzw. internationale Normen ersetzt, die häufig neue Bezeichnungen mit sich bringen. Es ist daher immer wichtig, aus welchem Tabellenbuch mit welcher Auflage die Informationen geholt werden.

- Ein ungehärteter Zylinderstift mit d = 6 mm Durchmesser, l = 28 mm Länge kann folgende Bezeichnungen haben:
  Norm bis 1992-10: Zylinderstift DIN 7 – 8m6 × 28 – St50K
  Norm bis 1998-02: Zylinderstift ISO 2338 – B – 6 × 28 – St
  Norm ab 1998-02: Zylinderstift ISO 2338 – 8m6 × 28 – St

In der Praxis wird es deshalb nebeneinander immer Unterlagen mit alten (ungültigen) und auch mit neuen, gültigen Normbezeichnungen geben.

ÜBUNGEN

Hinweis: Zur Lösung der Übungen 1 bis 6 benötigen Sie Ihr Tabellenbuch.

1. Mithilfe des Tabellenbuches sind die Benennungen der nachfolgenden Normteile zu bestimmen.
In einer Tabelle sind Positionsnummer, Benennung und Normblatt-Nummer einander zuzuordnen.

Normteile:
Kronenmutter *(castle nut)*,
Sechskantmutter *(hexagon nut)*,
Scheibe *(washer)*,
Sechskantmutter mit Klemmteil *(locknut)*,
Sicherungsring *(circlip)*,
Spannstift *(springpin)*,
Splint *(split pin)*,
Sechskantschraube *(hexagon bolt, hexagon head screw)*,
Zylinderschraube mit Innensechskant *(hexagon socket head cap screw)*.

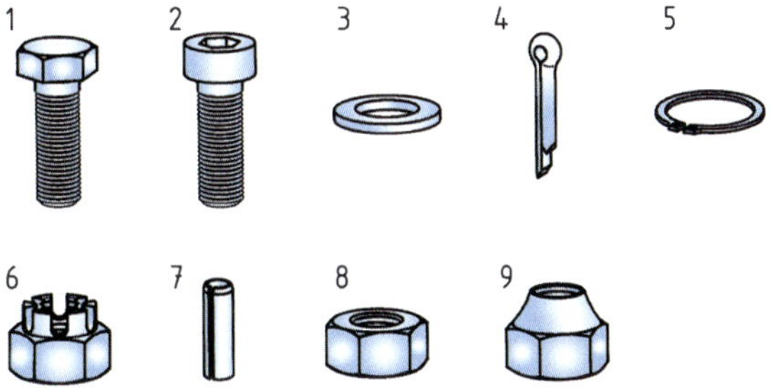

Pos.	Benennung	Normblatt-Nummer
1	■	■
2	■	■
.		
.		
9	■	■

2. a) Schreiben Sie die vollständige Benennung und Norm-Kurzbezeichnung des nachfolgenden Normteils auf.
b) Bestimmen Sie die Gewindelänge.

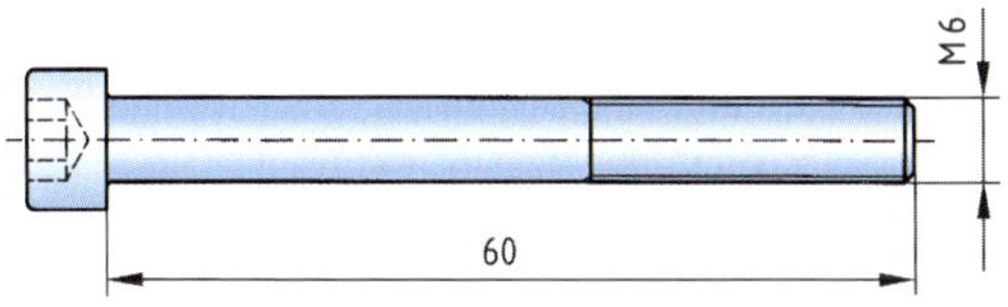

3. a) Schreiben Sie die vollständige Benennung und Norm-Kurzbezeichnung des nebenstehenden Normteils auf.
b) Bestimmen Sie die Schlüsselweite.

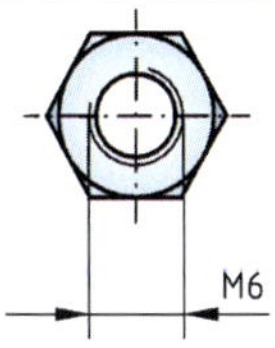

4. a) Schreiben Sie die vollständige Benennung und Norm-Kurzbezeichnung des nachstehenden Normteils auf.
b) Wo werden diese Normteile verwendet?

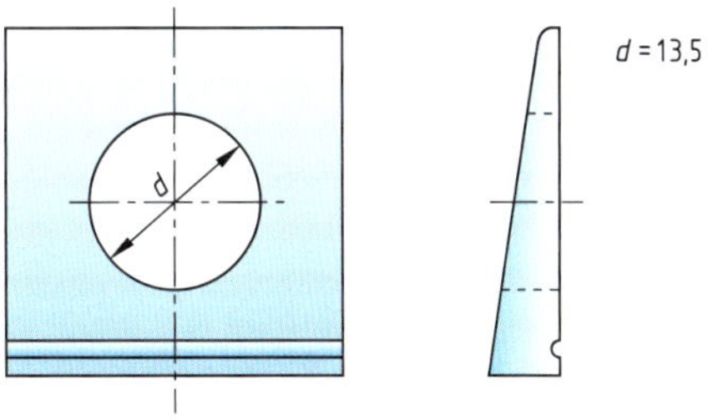

5. Eine Auflage soll mit zwei Schrauben M10 an einer senkrechten Platte befestigt werden. Die Schraubenköpfe sollen versenkt sein.
Die Auflage hat eine Tiefe $t = 20$ mm und die Platte eine Dicke $d = 10$ mm. Für die Befestigung werden zusätzliche Scheiben und Muttern benötigt.
Erstellen Sie eine Stückliste und tragen Sie mithilfe Ihres Tabellenbuches die Benennungen und die Norm-Kurzbezeichnungen ein.

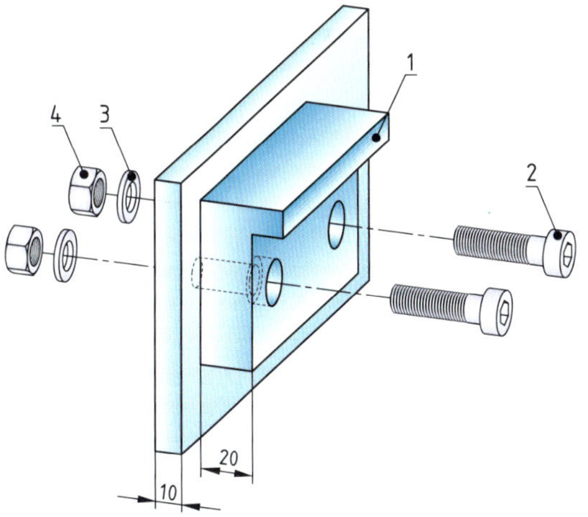

6. Für eine Verbindung mit $t = 80$ mm Gesamtdicke sind die folgenden Normteile zu bestimmen: Sechskantschraube, Scheibe, selbstsichernde Mutter.
Wählen Sie den kleinstmöglichen Nenndurchmesser.

2.1.10 Teilzeichnung – Grundlage für die Fertigung

Die Abbildung *(figure)* auf Seite 261 zeigt die Mitnehmerplatte der Hebelschere als **Teilzeichnung** *(component drawing)*. Sie zeigt den Endzustand eines Einzelteils und enthält alle für die Herstellung erforderlichen Maße und Angaben.
Die Wahl und Anordnung der Maße werden von der Verwendung, der Funktion oder der Fertigung eines Teils bestimmt. Alle in einer Zeichnung gemachten Angaben müssen eingehalten werden. Sie werden bei Kontrollen geprüft. Falsche Maße beeinträchtigen die Funktion.
Zusätzlich können auch noch Wortangaben *(verbal notes)* (z. B. bei Montage gebohrt), Symbole *(symbols)* (z. B. Durchmesser, Schlüsselweite) und Normangaben *(specifications for standards)* (z. B. Werkstückkanten) eingetragen werden.
Alle Angaben müssen von unten oder von rechts zu lesen sein. **Wortangaben** sind immer waagerecht zu schreiben.
Zu jeder Zeichnung gehört ein **Schriftfeld** *(title block)*. Darin sind allgemeine Angaben enthalten, die für die gesamte Zeichnung gelten wie z. B. der gesetzliche Eigentümer, Benennung (Titel) des Einzelteils *(description, title)*, Name des Zeichners, Herstellungsdatum, Zeichnungs- und Positionsnummer *(drawing-, part number)*, Dokumentart, Dokumentenstatus, usw.
Die Lage des Schriftfelds bestimmt die Leserichtung auf der Zeichnung. Es wird immer in der rechten unteren Ecke angeordnet. Die Formate A0 bis A3 dürfen nur im Querformat verwendet werden; das Schriftfeld ist immer unten rechts.
Beim Format A4 ist das Schriftfeld immer unten an der schmalen Seite. Der Schriftfeldabstand beträgt bei allen Formaten 5 mm vom Blattrand.[1)]

Datenfelder für Schriftfelder in technischen Produktdokumentationen

In vielen Betrieben werden computerunterstützte Dokumentenverwaltungssysteme benutzt. Dies bedeutet, dass für die einzelnen Dokumentationen bestimmte Datenfelder vorgesehen sind. In der Norm[2)] ist eine Mindestanzahl von Datenfeldern festgelegt, die in einem Schriftfeld vorkommen müssen. Ebenso sind die Eintragungen z. B. die Anzahl der Zeichen für jedes Feld vorgeschrieben. Die Lage der Datenfelder und die äußere Form der Schriftfelder und auch der Stücklisten werden von der jeweiligen Software normgerecht umgesetzt. Je nach Softwarehersteller kann es dabei Unterschiede geben.
Die eingetragenen Benennungen bezeichnen die Feldernamen. Bei den Datenfeldern die verbindlich eingetragen werden müssen wird unterschieden zwischen:

- identifizierenden Feldern (Gesetzlicher Eigentümer, Sachnummer, Ausgabedatum, Blatt),
- beschreibenden Feldern (Titel) und
- administrativen Feldern (genehmigende Person, Ersteller, Dokumentenart).

Weitere Angaben werden, soweit sie erforderlich sind, außerhalb des Schriftfeldes eingetragen (Halbzeugkennzeichnung, Maßstab *(scale)*, Projektionssymbol, Angaben zu den Allgemeintoleranzen *(general tolerances)*, Oberflächenangaben *(surface textures)*, Werkstückkanten, Werkstoff usw.).
Die in der Norm festgelegten Datenfelder und Dateneintragungen ermöglichen eine sichere Datenübernahme von einer Computeranwendung (Konstruktion, CAD) in andere Anwendungen (Bestellwesen, Arbeitsvorbereitung, Rechnungswesen).
In den Firmen, in denen der gewerblich technische und der kaufmännische Bereich nicht über eine Datenverarbeitung vernetzt sind, gibt es nach wie vor die Schriftfelder nach der bisherigen Norm. Auch hier sind die wesentlichen Daten systematisch eingetragen. Nachteilig für papierbasierende Systeme (das sind z. B. Tuschezeichnungen) ist, dass alle Daten von Mitarbeitern gelesen und übertragen werden müssen. Diese Art der Datenübergabe ist zeitaufwändig und fehleranfällig.

Überlegen Sie

1. Welche Informationen enthält eine Teilzeichnung?
2. Welche Informationen sind im Schriftfeld einer Teilzeichnung enthalten?
3. Welche Vorteile bieten computergestützte Datenverarbeitungssysteme?
4. Bestimmen Sie mithilfe Ihres Tabellenbuches die Abmessungen eines A4- und eines A3-Blatts.

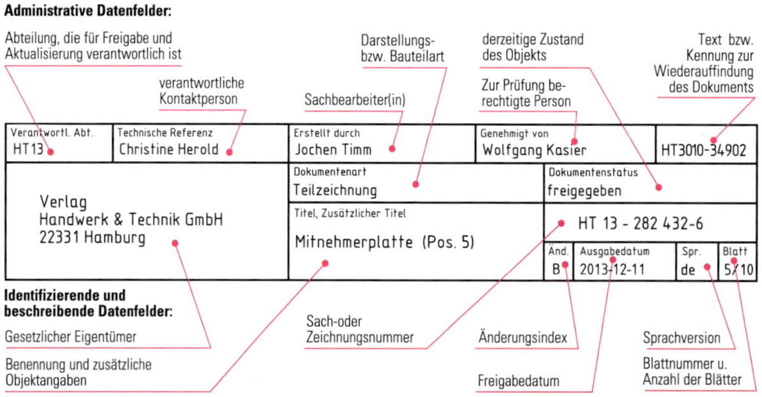

Weitere Angaben wie Maßstab, Allgemeintoleranzen oder Oberflächen werden außerhalb des Schriftfeldes angegeben.

1) DIN EN ISO 5457: 2017-10 – Technische Produktinformation – Formate und Gestaltung von Zeichnungsvordrucken
2) DIN EN ISO 7200: 2004-05 – Technische Produktdokumentation – Datenfelder in Schriftfeldern und Dokumentenstammdaten

2.2 Grundlagen der Maßeintragung[1)]

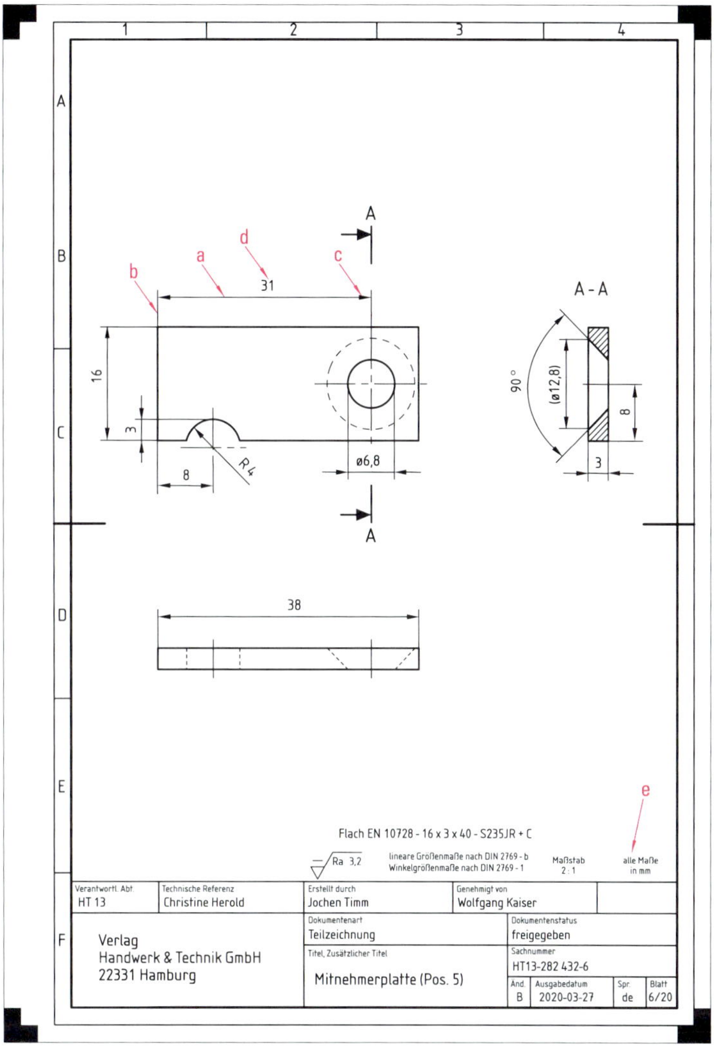

Maßlinien *(dimension lines)* a

- werden parallel zur Körperkante gezeichnet,
- werden deutlich vom Werkstück entfernt gezeichnet (z. B. 10 mm),
- haben untereinander gleiche Abstände (z. B. 7 mm),
- sollten sich nicht mit anderen Maßlinien und auch nicht untereinander schneiden.
- Mittellinien dürfen nicht als Maßlinien verwendet werden.
- Die Maßlinie darf nicht als Verlängerung einer Körperkante gezogen werden.

Maßhilfslinien
(extension lines, projection lines) b

- beginnen direkt an der Körperkante (außen),
- werden senkrecht zur Körperkante herausgezogen (im Ausnahmefall können sie schräge herausgezogen werden),
- ragen 1 bis 2 mm über die Maßlinie hinaus.

Maßlinienbegrenzung
(dimension line determination) c

- sind geschlossene Pfeile (Regelfall) und bei Platzmangel auch Punkte.
- In Skizzen werden häufig Schrägstriche verwendet.

Maßzahlen *(dimensions)* d

- werden in Normschrift (3,5 mm hoch) geschrieben (vgl. Kap 2.8).
- Sie dürfen nicht durch Linien getrennt werden.

Maßeinheiten *(units of measurement)* e

- werden oberhalb des Schriftfeldes vermerkt.
- In der Metalltechnik werden alle Maße in mm angegeben. In den Zeichnungen brauchen deshalb keine Einheiten (z. B. mm) eingetragen zu werden.

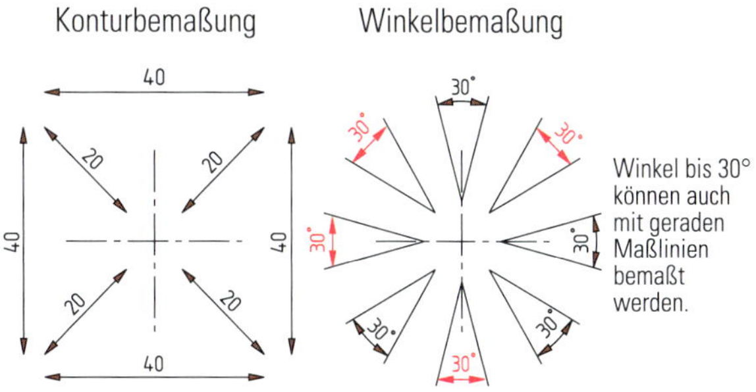

2.2.1 Anordnung der Maße

Die Leserichtung der Maße ist durch die Lage des Schriftfeldes vorgeschrieben. Alle Maße und Symbole müssen von unten oder von rechts zu lesen sein.

Beispiel

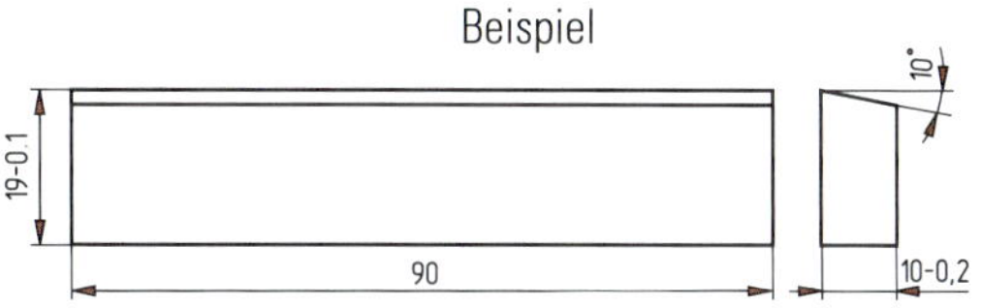

1) DIN EN ISO 129-1: 2022-02 – Technische Produktdokumentation (TPD) – Angabe von Maßen und Toleranzen – Teil 1: Grundlagen

Bei der Darstellung in drei Ansichten wird jede Körperkante zweimal abgebildet f.

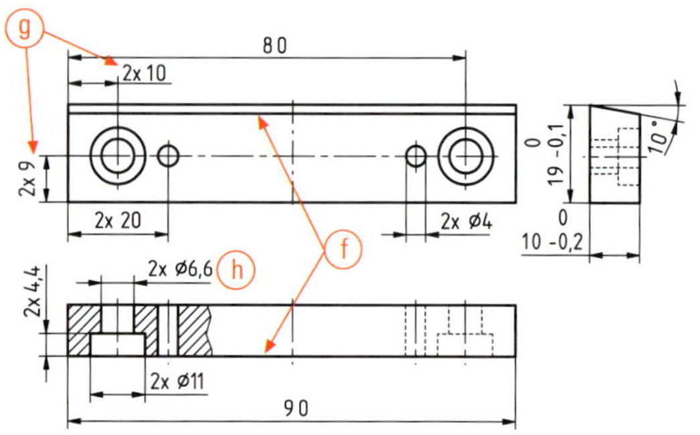

Merke

Jedes Maß wird nur einmal eingetragen.

Bei Änderungen könnte sonst leicht eine Angabe übersehen werden. Das kann dann zu Fehlern in der Fertigung oder Montage führen. Wenn der Platz es zulässt, sollen die Maße aus dem Werkstück **herausgezogen** werden.

Merke

Die Maße werden so angeordnet, dass die Form des Werkstücks deutlich zu erkennen ist.

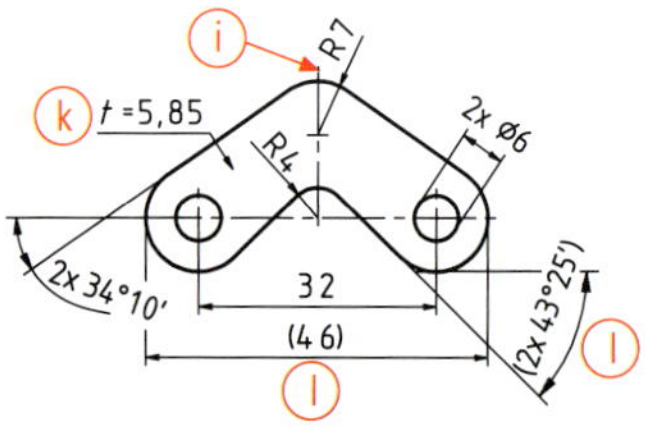

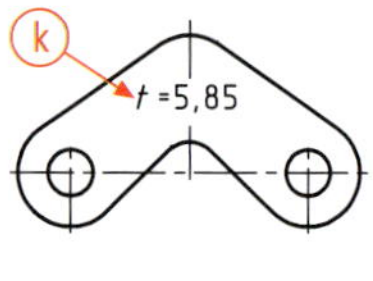

Zusammengehörende Maße gehören in **eine Ansicht** *(view)*, z. B. die Bemaßung des Mittelpunkts von Bohrungen g. Die Maße werden in die Ansicht eingetragen, in der die bemaßte Form am besten zu erkennen ist h.

Mittellinien *(centre lines)* können als Symmetrielinien für die Bemaßung eines Werkstücks oder eines Bereichs innerhalb eines Werkstücks verwendet werden. Die Mittellinien selbst brauchen nicht bemaßt zu werden i.

Die Bemaßung **verdeckter Kanten** *(hidden lines)* ist zu vermeiden.

Dickenmaße *(thickness dimensions)* können im Werkstück oder auf einer abgeknickten Hilfslinie eingetragen werden k.

Überbemaßungen l sind zusätzlich eingetragene Hilfen (Hilfsmaße) und werden in Klammer gesetzt. Sie dürfen nicht zur Kontrolle benutzt werden. Sie unterstützen die Fertigung z. B. bei der Auswahl von Rohteilen.

2.2.2 Maßbezugsebenen und Maßbezugslinien

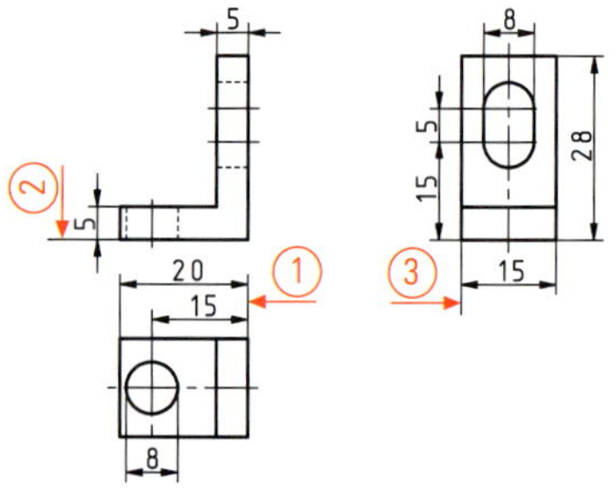

Anlage- und Funktionsflächen *(contact surfaces)* sind häufig Maßbezugsebenen. Bei symmetrischen Konturen werden die Mittellinien als Maßbezugslinien[1] *(dimension reference lines)* verwendet.

Jedes Werkstück hat mindestens drei **M**aß**b**ezugs**e**benen (MBE) oder **M**aß**b**ezugs**l**inien (MBL).

① Maßbezugslinie für die **Breitenmaße** *(width dimensions)*
② Maßbezugslinie für die **Höhenmaße** *(height dimensions)*
③ Maßbezugslinie für die **Tiefenmaße** *(depth dimensions)*

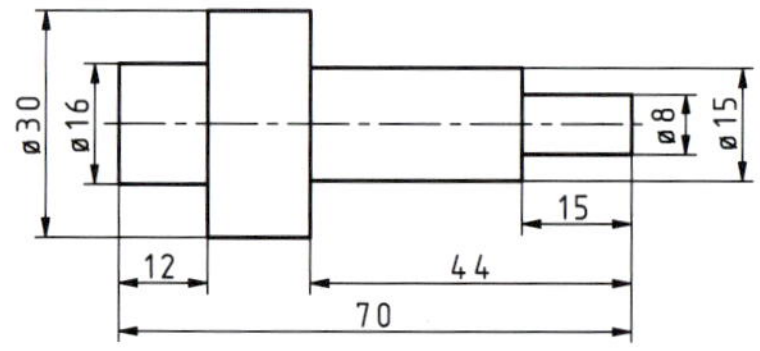

Drehteile benötigen als Maßbezugsebene bzw. als Maßbezugslinie:

- die **Rotationsachse** *(rotation axis)* (Symmetrielinie) und
- die **Planflächen** *(end faces)*.

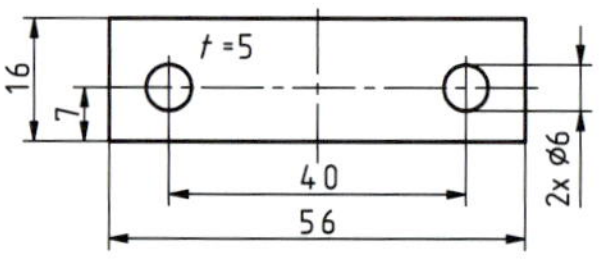

Wenn eine **Mittellinie** Maßbezugslinie ist, werden symmetrische Konturen nur einmal bemaßt.

1) DIN EN ISO 129-1: 2022-02 – Technische Produktdokumentation (TPD) – Angabe von Maßen und Toleranzen – Teil 1: Grundlagen

2.2.3 Die Bedeutung der Mittellinie in technischen Zeichnungen

Die Mittellinie

- ist **Symmetrieachse** *(symmetrical axis)* für geometrische Körper wie z. B.

Zylinder *(cylinder)*

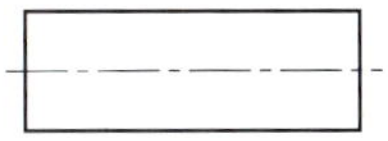

Kegel *(cone)*

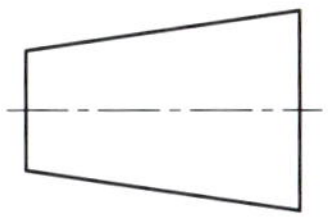

- kennzeichnet die **Mittelpunkte** von Kreisen, Radien, Bohrungen und Wellen:

Kreis *(circle)* oder
Bohrung *(bore, drill, hole)*

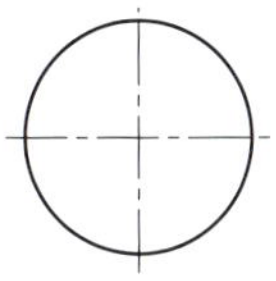

Welle *(shaft)*

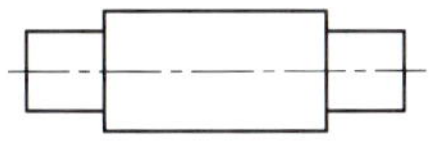

Radius *(radius)*
(wenn erforderlich)

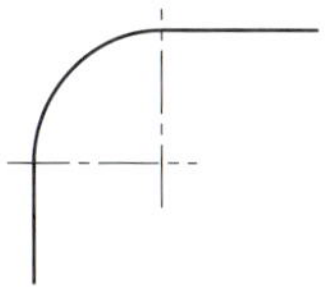

- kennzeichnet **technische Formen**

Stift *(pin)* oder Bolzen *(bolt)*

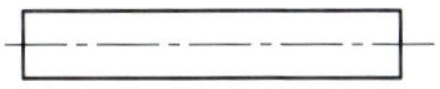

Scheibe *(disc)*

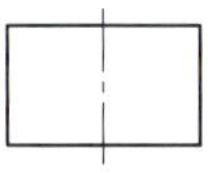

- ist **Maßbezugslinie** für symmetrische Werkstücke

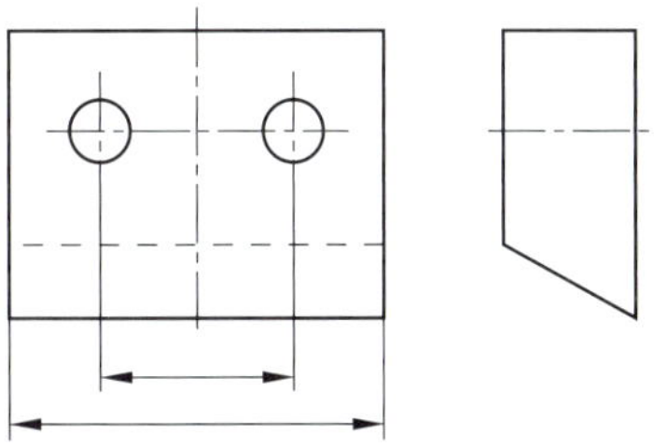

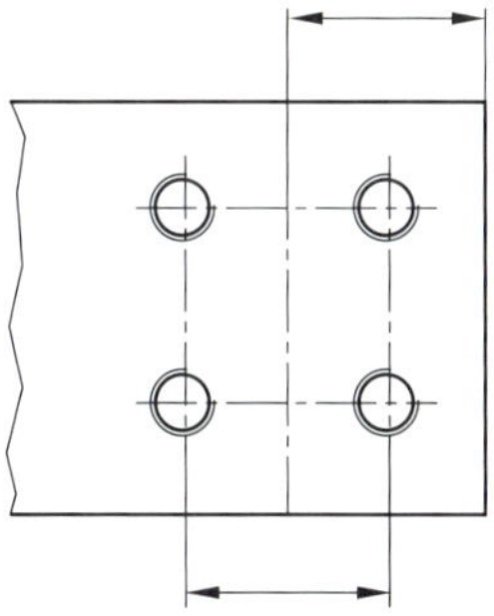

für einen begrenzten Bereich eines Werkstücks

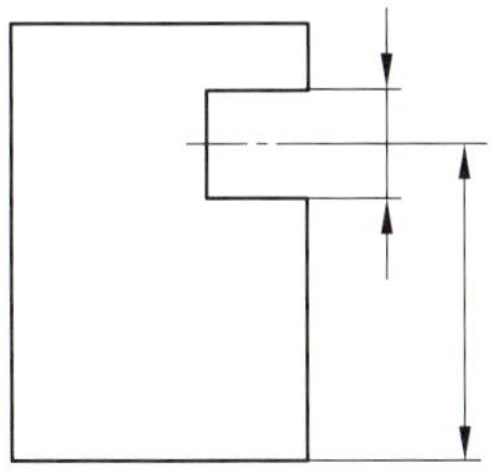

- kennzeichnet die **neutrale Zone** (Faser) eines Biegeteils

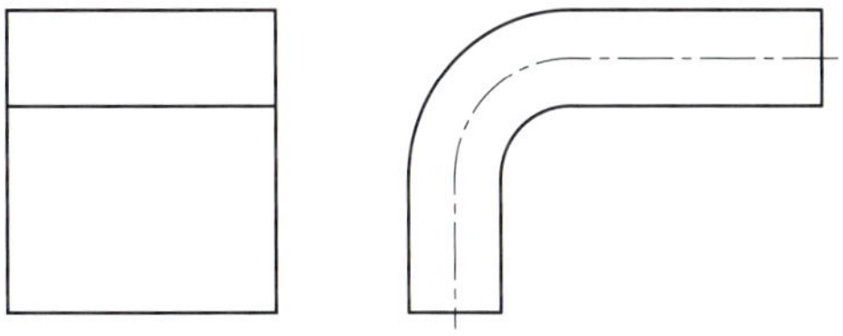

- kennzeichnet in einer **Explosionsdarstellung zusammengehörende Teile** (vgl. Seite 250)

ÜBUNGEN

1. Fehleranalyse: Suchen und beschreiben Sie die Fehler in den folgenden Abbildungen.

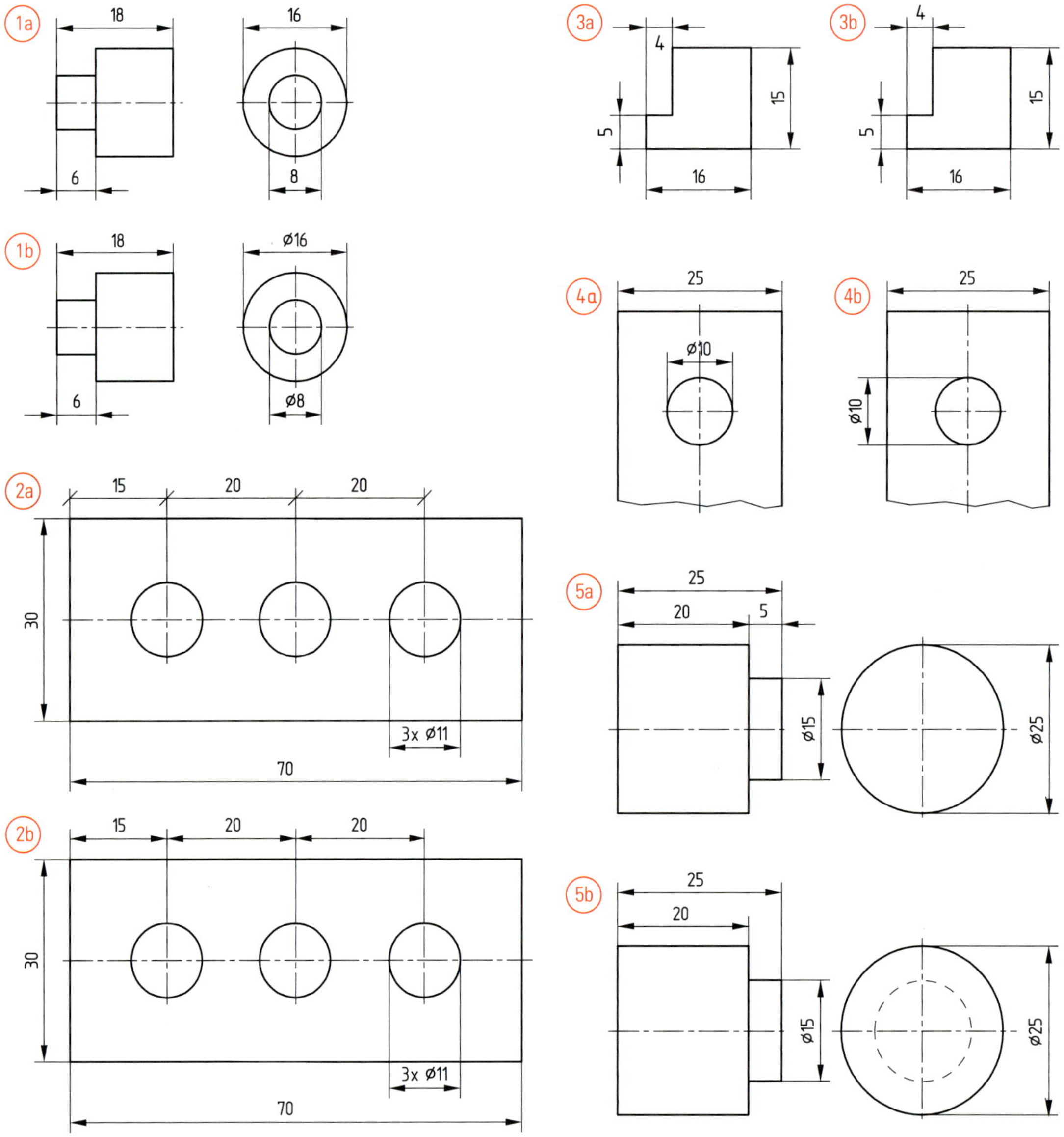

2. Beurteilen Sie die Anordnung der Bemaßungen. Welche ist übersichtlich? Begründen Sie Ihre Aussage.

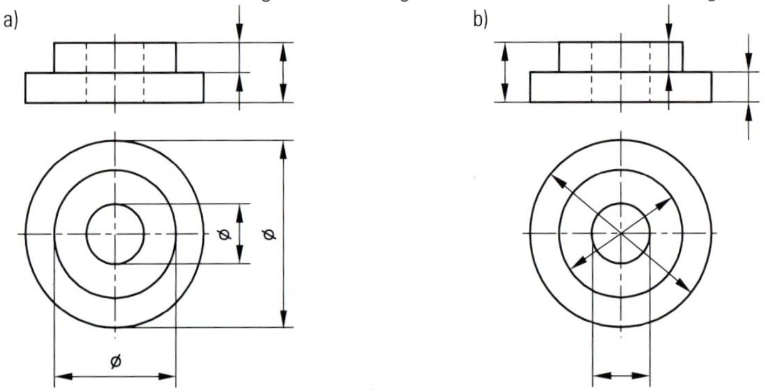

2.2.4 Systeme der Maßeintragung – Hilfsmaße[1)]

1
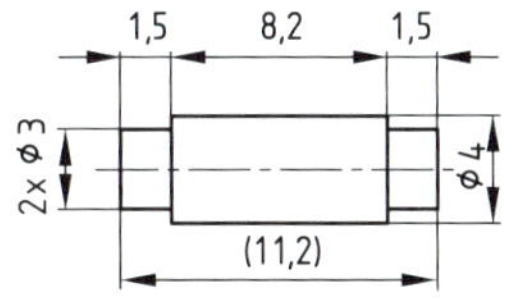

2
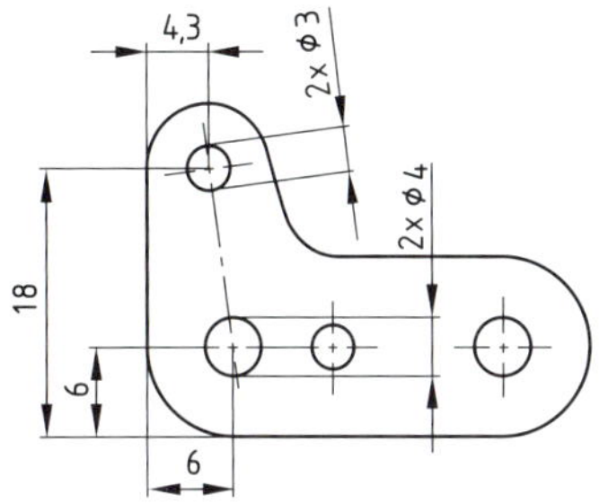

3
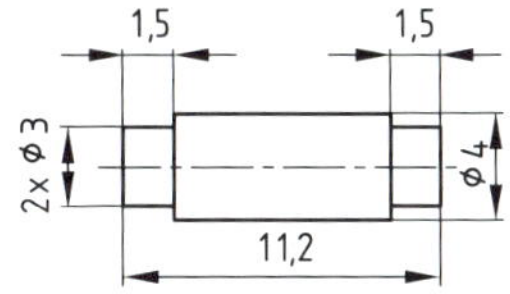

4
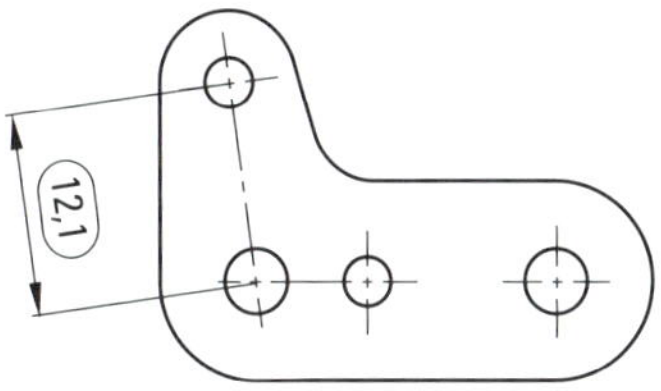

5
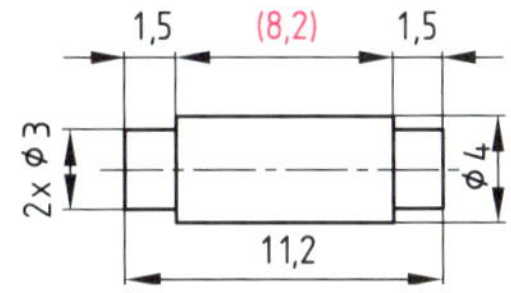

Die Bemaßung eines Werkstücks kann fertigungsbezogen, prüfbezogen oder funktionsbezogen ausgeführt werden. Auf einer Zeichnung können auch gleichzeitig mehrere Systeme der Maßeintragung vorkommen.

Funktionsbezogene Bemaßung *(functional dimensioning)*
Diese Art der Bemaßung orientiert sich an der Funktion eines Teils.

Fertigungsbezogene Bemaßung *(non-functional dimensioning for production)*
Die Maßbezugsflächen sind Auflageflächen beim Anreißen oder bei der maschinellen Spanabhebung (Beispiele 2 und 3).

Prüfbezogene Bemaßung *(non-functional dimensioning for inspection)*
Meistens sind die Fertigungsmaße auch die Prüfmaße. Bei Bohrungen z. B. können zusätzliche Prüfmaße erforderlich sein. Im nebenstehenden Beispiel 4 wird der Abstand der Bohrungen über die Prüfmaße kontrolliert. Prüfmaße werden in einen Rahmen geschrieben.

Hilfsmaße *(auxiliary dimensions)*
Alle Istmaße eines Werkstücks weichen von den Nennmaßen ab. Deshalb ist es nicht sinnvoll, zu viele Einzelmaße aneinander zu hängen. Besser ist es, immer von einer Auflagefläche oder einer Maßbezugsebene ausgehend zu bemaßen. Hilfsmaße dienen lediglich zur Kennzeichnung von Zusammenhängen. Sie haben keine Grenzabmaße und werden immer in Klammern gesetzt (Beispiel 5).

ÜBUNGEN

1. Bestimmen Sie die Maßbezugsebenen in den obigen Zeichnungen 1 und 2.
2. Berechnen Sie die jeweils mögliche größte bzw. kleinste Länge des Maßes 8,2 in den beiden obigen Zeichnungen 1 und 5 des Bolzens.
3. Begründen Sie den Unterschied der Ergebnisse von Übung 2.
4. Bestimmen Sie für die Lasche das Maßbezugssystem, die Maßbezugsebenen und die Hilfsmaße.

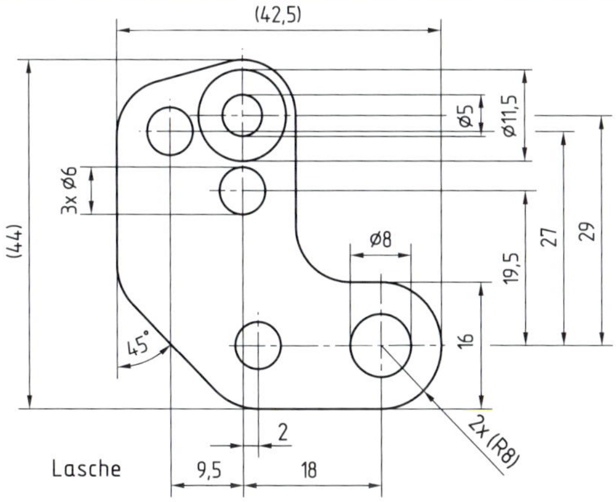

1) DIN EN ISO 129-1: 2022-02 – Technische Produktdokumentation (TPD) – Angabe von Maßen und Toleranzen – Teil 1: Grundlagen

2.2.5 Koordinatenbemaßung

Die Fertigungszeichnung ist die wichtigste Grundlage für die Ermittlung der geometrischen Programmdaten, der Wegbedingungen. Für die Fertigung an CNC-Maschinen ist es erforderlich, dass sich die Bemaßung der Werkstücke auf einen Ursprung, einen Werkstücknullpunkt beziehen. Von hier aus werden die Maße in x-, y-, und z-Richtung eingetragen. Maß- und Koordinatenangaben sollen bestimmte Bearbeitungsblöcke hervorheben. Ausgehend vom Werkstücknullpunkt bestimmt der Rechner in der Werkzeugmaschine den jeweiligen Verfahrweg.

Absolute Koordinatenbemaßung *(coordinate dimensioning, dimensioning by coordinates)*
Bei der absoluten Bemaßung werden alle Maße vom Werkstücknullpunkt aus eingetragen. Dies sind die tatsächlichen Längen. Es gibt keine Maßketten, auch nicht von zwei Maßen! Die Maßlinien werden parallel zu den Darstellungsebenen bzw. konzentrisch eingetragen.

Inkrementale Koordinatenbemaßung *(incremental coordinate dimensioning, incremental dimensioning by coordinates)*
Bei der inkrementalen Bemaßung werden die Maßabstände in einer Maßkette fortlaufend eingetragen. Dies sind Zuwachs- oder Relativmaße. Ausgangspunkt ist immer das vorherige Maß. Endpunkt ist das geforderte Maß. Die tatsächlichen Längen, bezogen auf den Werkstücknullpunkt, sind nicht eingetragen.

Tabellarische Bemaßung *(dimensioning in a chart)*
Ausgehend vom Werkstücknullpunkt können bei einfachen Werkstücken mit Bohr- und Fräsarbeiten die Koordinaten auch in Tabellen angegeben werden. Dies ist besonders günstig bei ähnlichen Werkstücken und bei Variantenkonstruktionen. Hier genügt es, die Werte für die Koordinaten in der Tabelle zu verändern. Die Zeichnung bleibt erhalten. Die Bohrungen erhalten auf der Zeichnung fortlaufende Nummern. Der Ursprung muss ebenfalls auf der Zeichnung eingetragen werden.

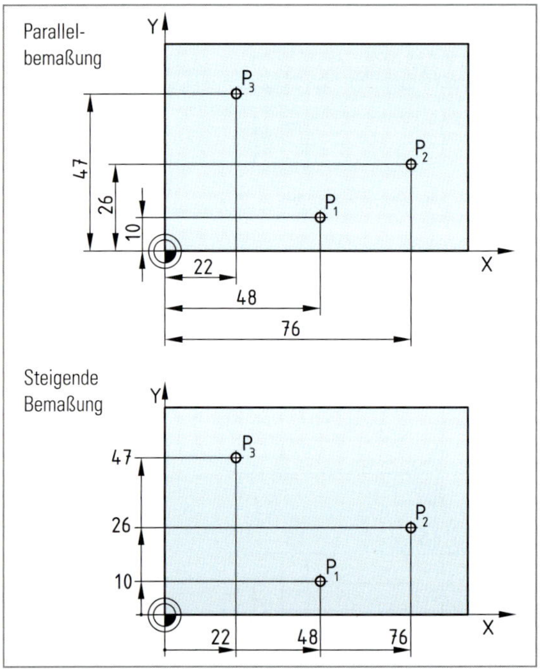

1 *Absolute Koordinatenbemaßung*

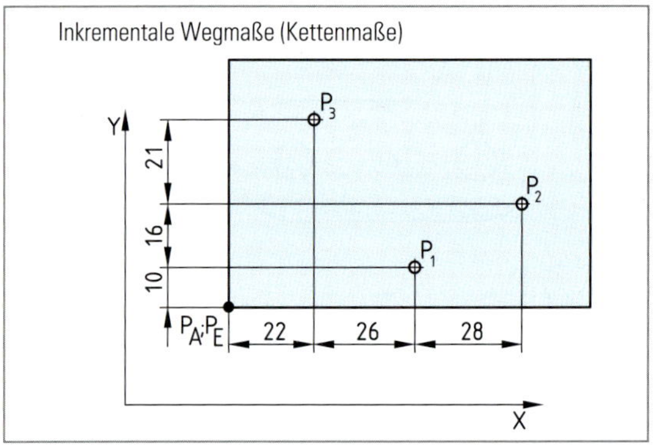

2 *Inkrementale Koordinatenbemaßung*

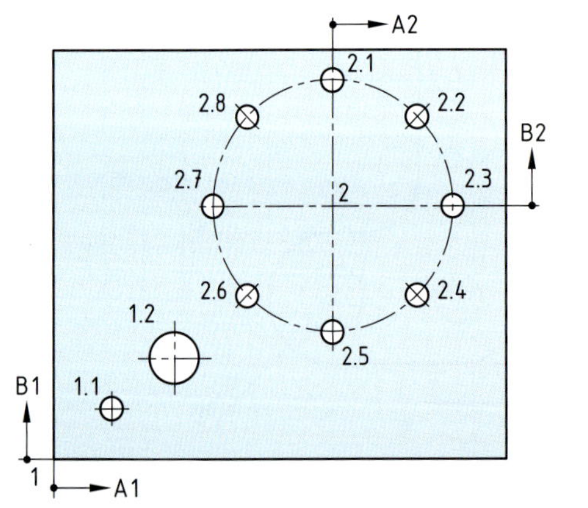

Koordinatenursprung	Pos.	Maße in mm Koordinaten A1 A2	 B1 B2	 d
1	1	0,000	0,000	–
1	1.1	12,000	10,000	⌀5
1	1.2	25,000	20,000	⌀10
1	2	58,000	50,000	⌀50
2	2.1	0,000	25,000	⌀5
2	2.2	17,678	17,678	⌀5
2	2.3	25,000	0,000	⌀5
2	2.4	17,678	-17,678	⌀5
2	2.5	0,000	-25,000	⌀5
2	2.6	-17,678	-17,678	⌀5
2	2.7	-25,000	0,000	⌀5
2	2.8	-17,678	17,678	⌀5

3 *Tabellarische Bemaßung*

2.2.6 Kennzeichnung von Werkstückformen[1]

Kennzeichen	Beispiel	Erläuterung
Ø	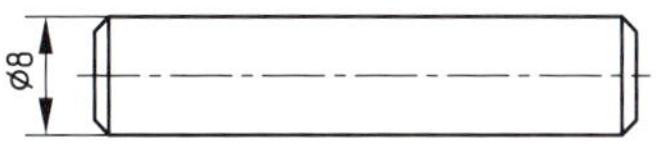	Das **Durchmesserzeichen** *(diameter symbol)* kennzeichnet Bohrungen und Zylinder. Es muss **in jedem Fall** vor die Maßzahl gesetzt werden.
R	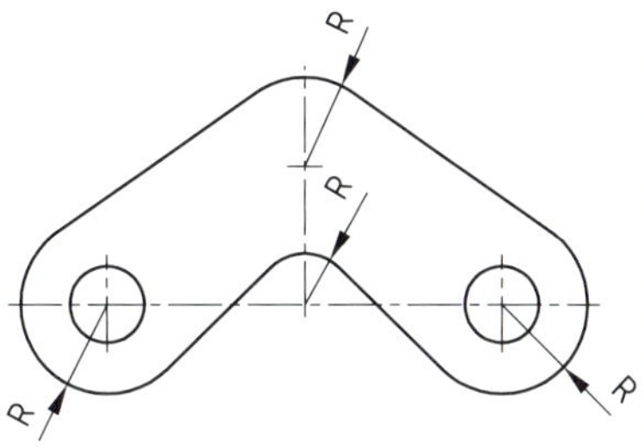	Das R kennzeichnet eine Rundung, einen **Radius** *(radius)*. Das R muss **in jedem Fall** vor die Maßzahl gesetzt werden Die Maßlinie verläuft durch den Mittelpunkt oder zeigt auf ihn. Maßzahl und R werden gleich groß geschrieben.
SØ SR	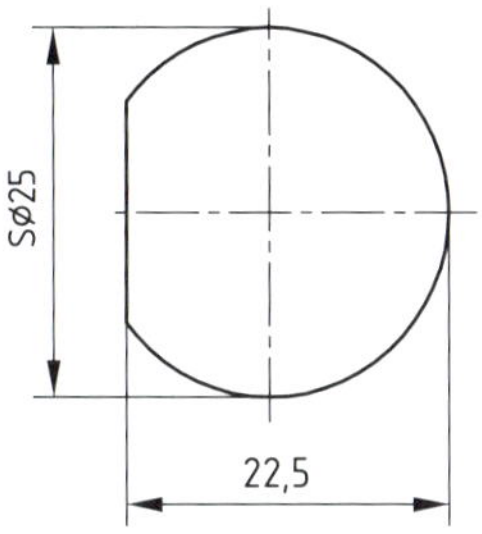	Das S kennzeichnet die **Kugelform** *(spherical shape)*. Das S muss **in jedem Fall** vor die Maßzahl gesetzt werden Maßzahl und S werden gleich groß geschrieben.
□	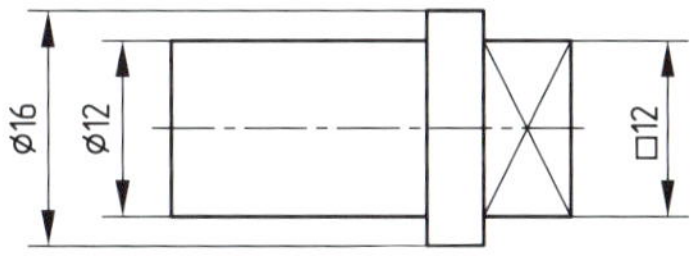	Das **Quadratzeichen** *(square symbol)* kennzeichnet einen **quadratischen Werkstückquerschnitt**. Kennzeichen und Maßzahl werden nur einmal eingetragen.
SW	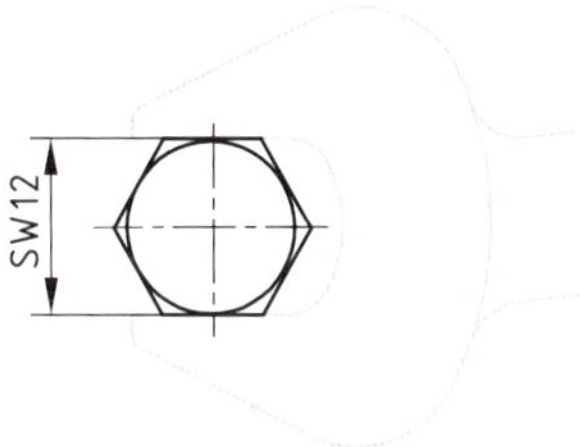	Die Großbuchstaben SW kennzeichnen die **Schlüsselweite** *(wrench size)*.
○→	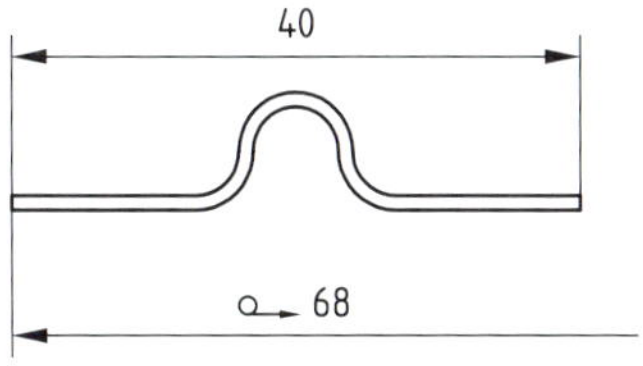	Der Kreis mit einem waagerechten Pfeil kennzeichnet eine **gestreckte Länge** *(stretched length, true length)*.
⌒	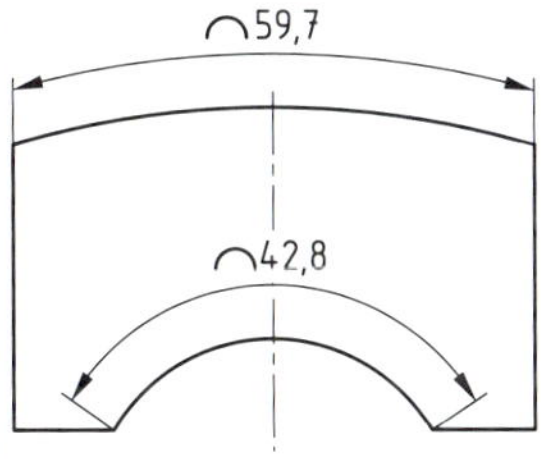	Der Halbkreis vor einer Maßzahl kennzeichnet ein **Bogenmaß** *(circular measure)*. Bei **Handzeichnungen** darf das Bogensymbol auch **über die Maßzahl** geschrieben werden (Beispiel: 130 mit Bogen darüber).

1) DIN EN ISO 129-1: 2022-02 – Technische Produktdokumentation (TPD) – Angabe von Maßen und Toleranzen – Teil 1: Grundlagen

2.2.7 Linienarten und Linienbreiten

Linien[1] *(lines)* in Technischen Zeichnungen haben eine bestimmte Bedeutung. Die folgende Übersicht *(table)* zeigt in einer Auswahl, welchen Anwendungen sie zugeordnet sind.

Die Breite *(thickness of lines)* aller Linienarten auf einer Zeichnung wird durch die Breite der Körperkanten *(visible outlines)* festgelegt.

Linienart *(type of lines)*	**Linienbreite der Körperkanten**			**Benennung** *(description)*	**Anwendung**
———————	**0,35**	**0,5**	**0,7**	Volllinie, breit	Sichtbare Kanten und Umrisse, Gewindeabschlusslinien
———————	0,18	0,25	0,35	Volllinie, schmal	Maßlinien, Maßhilfslinien, Schraffuren, Lichtkanten, Bezugslinien, Umrisse von in die geeignete Ansicht gedrehten Schnitten, Gewindegrund, kurze Mittellinien, Biegelinien, Diagonalkreuze
—·—·—	0,18	0,25	0,35	Strich-Punktlinie, schmal	Mittellinien, Symmetrielinien
—·—·—	0,35	0,5	0,7	Strich-Punktlinie, breit	Kennzeichnung von Schnitten und Behandlungszuständen
— — — —	0,18	0,25	0,35	Strichlinie	Verdeckte Kanten und Umrisse
～～～	0,18	0,25	0,35	Freihandlinie	Bruchlinien an Werkstücken und Ausbrüchen
—··—··—	0,18	0,25	0,35	Strich-Zweipunktlinie	Umrisse benachbarter Teile, Endstellungen beweglicher Teile, Schwerlinien, Umrisse von Fertigteilen in Rohteilen, Umrisse alternativer Ausführungen, Umrahmungen besonderer Bereiche

2.2.8 Normschrift

Die Beschriftung auf einer Zeichnung muss in Normschrift[2] *(standard lettering)* so ausgeführt werden, dass sie einwandfrei zu lesen ist. Dies gilt für Zahlen und Buchstaben. Fehler oder Verzögerungen in der Fertigung aufgrund unleserlicher Angaben dürfen nicht vorkommen. Auch müssen alle Schriftzeichen bei einer Vervielfältigung einwandfrei abgebildet werden.

Von Hand wird mit einer Mine des Härtegrades F oder HB beschriftet. Zahlen und Wortangaben werden z. B. bei der Linienbreite 0,5 mm in einer Höhe von 3,5 mm geschrieben.

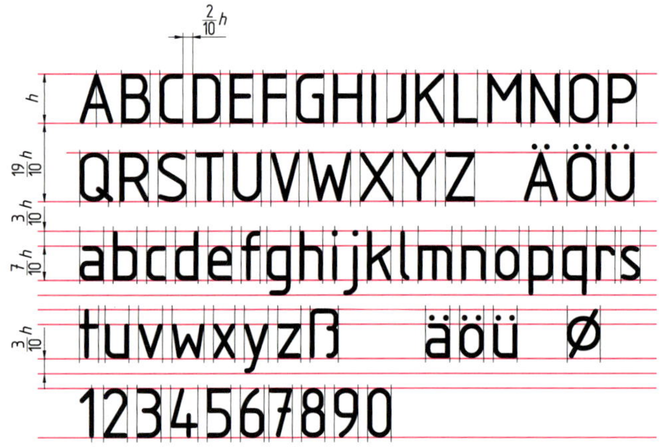

Größenverhältnisse Schriftform B

Große Buchstaben	$\frac{10}{10}h$
Kleine Buchstaben	$\frac{7}{10}h$
Buchstabenabstand	$\frac{2}{10}h$
Linienbreite	$\frac{1}{10}h$
Wortabstand	$\frac{6}{10}h$
Grundlinienabstand	$\frac{13}{10}h \ldots \frac{19}{10}h$

Schrifthöhen und Strichbreiten

Schrifthöhe *h*	2,5	3,5	5	7
Strichbreite	0,25	0,35	0,5	0,7
Breite Volllinie	0,35	0,5	0,7	1

Indizes und Hochzahlen werden eine Liniengruppe kleiner geschrieben

2.2.9 Maßstäbe

Jede Zeichnung ist in einem bestimmten Maßstab[3] *(scale)* erstellt. Die Maßstabsangabe wird entweder über das Schriftfeld geschrieben oder unter die Positionsnummer.

Verkleinerung	**Natürliche Größe**	**Vergößerung**
1 : 2	1 : 1	2 : 1
1 : 5		5 : 1
1 : 10		10 : 1
1 : 20		20 : 1 usw.

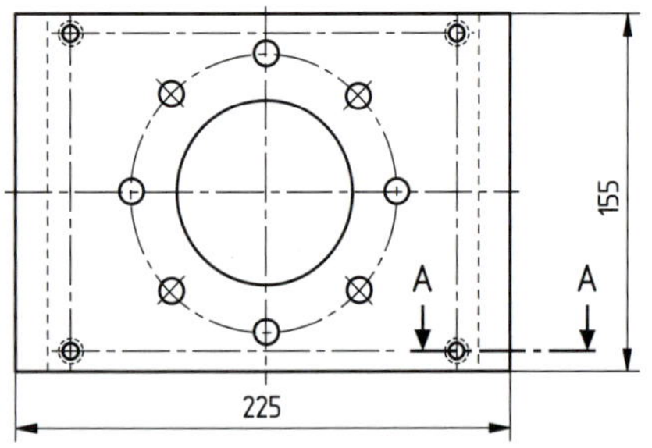

1 : 5

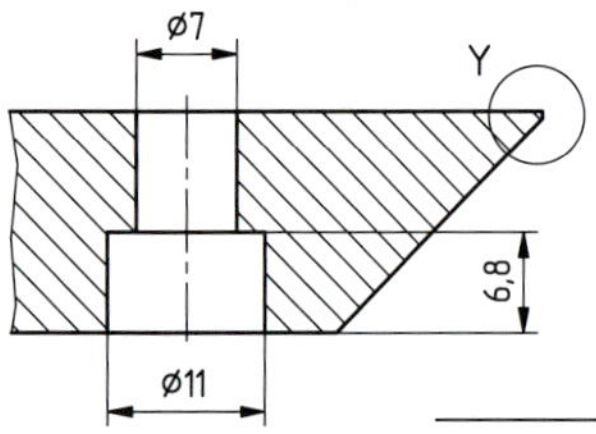

A – A
1 : 1

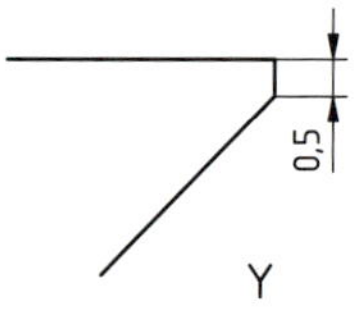

Y
5 : 1

1) DIN EN ISO 128-20: 2022-02 – Technische Zeichnungen – Linien, Grundregeln
2) DIN EN ISO 3098-1: 2015-06 und -2 und -6: 2000-11 – Technische Produktinformation – Schriften
3) DIN ISO 5455: 1979-12 – Technische Zeichnungen – Maßstäbe

2.3 Zeichnen in Ansichten

2.3.1 Geometrische Grundlagen – Projektionsmethoden[1)]

Grundlage für die Herstellung des Prismas (Raststück) ist ein Rohteil *(blank)* (ein Quader) mit den Maßen 45 mm × 40 mm × 60 mm. Das Rohteil ist von einem Halbzeug *(semi-finished product)* mit dem Querschnitt 45 mm × 40 mm abgesägt worden.

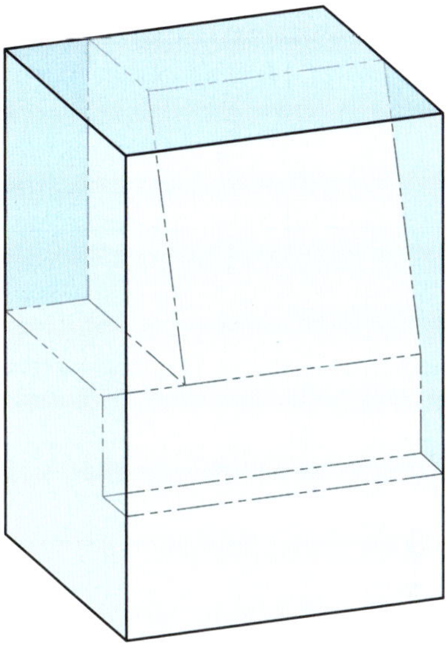

Vom Gegenstand zur Darstellung in drei Ansichten

Die Perspektive des Raststücks ist in einer **Raumecke** *(corner)* schwebend dargestellt. Die Abbildungen auf den Flächen der Raumecke zeigen die jeweiligen Umrisslinien *(contours)* und Körperkanten *(object lines)* der Perspektive. Die Blickrichtungen sind durch Pfeile und die Buchstaben a, b, und c gekennzeichnet. Die Abbildungen sind mit den entsprechenden Buchstaben A, B und C benannt.

Wird die Raumecke aufgeklappt, so liegen die Abbildungen A, B und C in einer Ebene, der Zeichenebene *(plane)*.

- Die **Ansicht** *(view)* **A** ist die **Hauptebene** *(main view)*, die auch **Vorderansicht** *(front view, view from the front)* genannt wird.
- Die **Ansicht B**, die **Draufsicht** *(top view, view from above)*, liegt unterhalb der Ansicht A.
- Die **Ansicht C**, die **Seitenansicht von links** *(left-side view, view from the left)*, liegt rechts neben der Ansicht A.

Die Konstruktionslinien *(construction lines)* zeigen den geometrischen Zusammenhang der Ansichten zueinander.

- Ansicht A und Ansicht C sind gleich hoch
- Ansicht A und Ansicht B sind gleich breit
- Ansicht B und Ansicht C sind gleich tief

Video 3 Ansichten

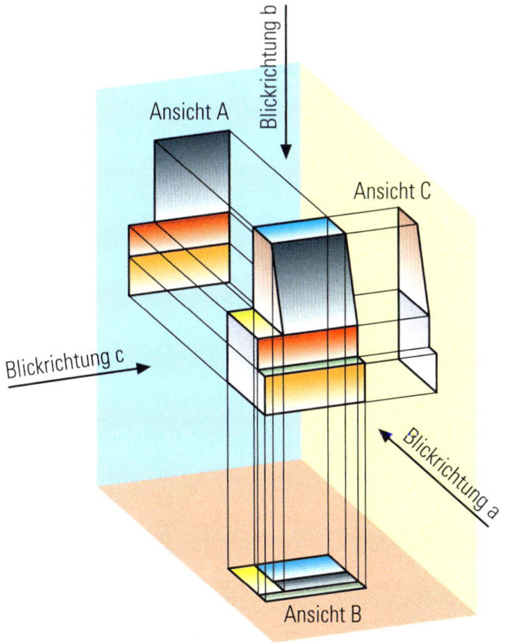

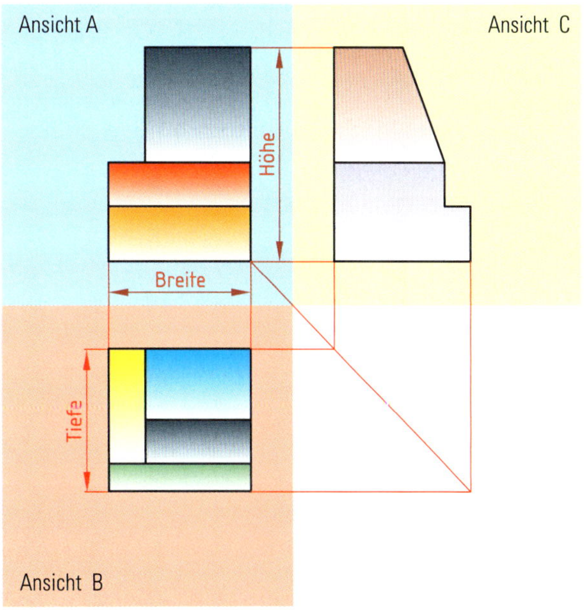

1) DIN ISO 5456-2: 1998-04 – Technische Zeichnungen – Orthogonale Darstellungen

Insgesamt gibt es sechs Ansichten. Die Hauptansicht (Vorderansicht) bestimmt dabei die Anordnung der weiteren Ansichten. Als Hauptansicht wird diejenige ausgewählt, die die Form eines Einzelteils oder einer Baugruppe am besten erkennen lässt.

Ansicht in Richtung	Ansicht von	Bezeichnung der Ansicht
a	vorn	A Vorderansicht, Hauptansicht
b	oben	B Draufsicht
c	links	C Seitenansicht von links
d	rechts	D Seitenansicht von rechts
e	unten	E Untersicht
f	hinten	F Rückansicht

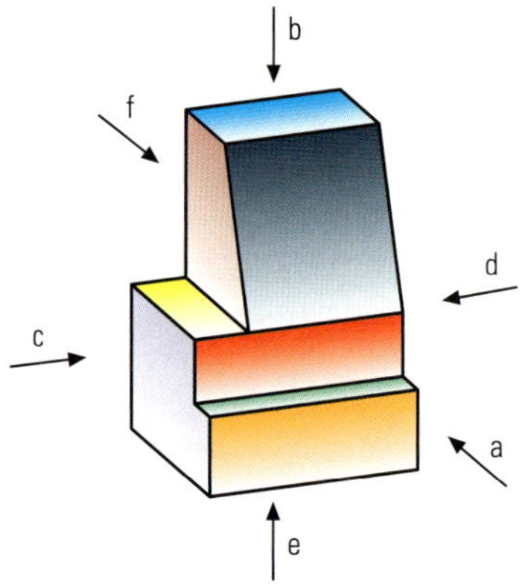

***1** Betrachtungsrichtungen*

In der DIN EN ISO 128-3 sind Projektionsmethoden *(methods of projection)* standardisiert worden. Sie heißen Projektionsmethode 1, Projektionsmethode 3 und Pfeilmethode.
Eine Projektionsmethode 2 gibt es nicht!

Darstellung des Raststücks in der **Projektionsmethode 1** *(first angle projection)*. Diese Art der Anordnung der Ansichten wird in Deutschland und den meisten anderen europäischen Ländern angewendet.

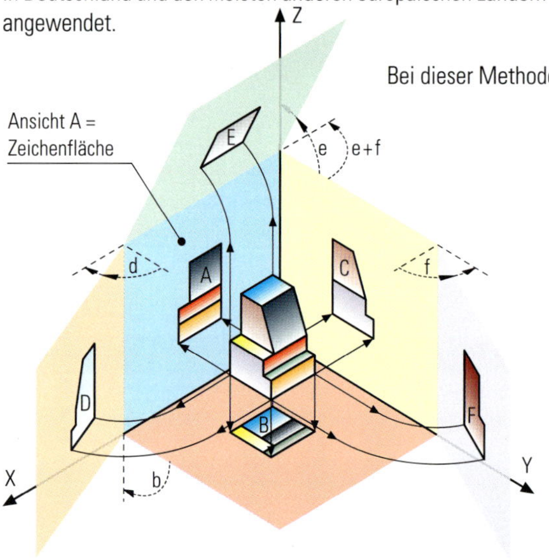

Bei dieser Methode liegt die Darstellungsebene **hinter** dem Werkstück.

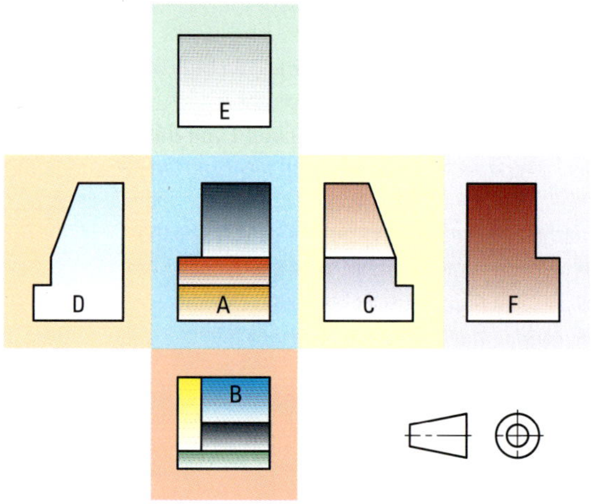

Darstellung des Raststücks in der **Projektionsmethode 3** *(third angle projection)*.
Diese Form der Anordnung der Ansichten wird in englischsprachigen Ländern bevorzugt.

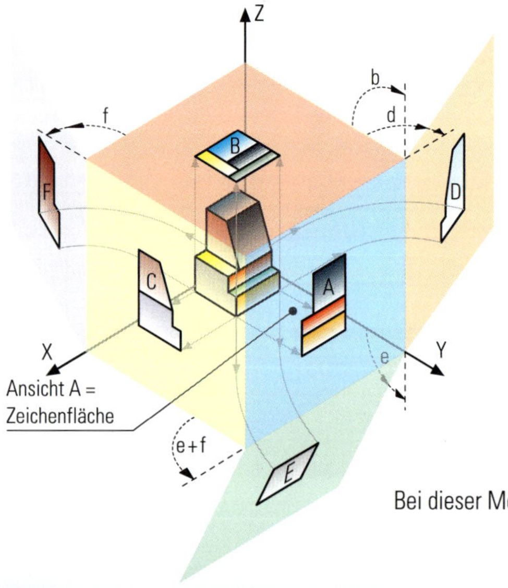

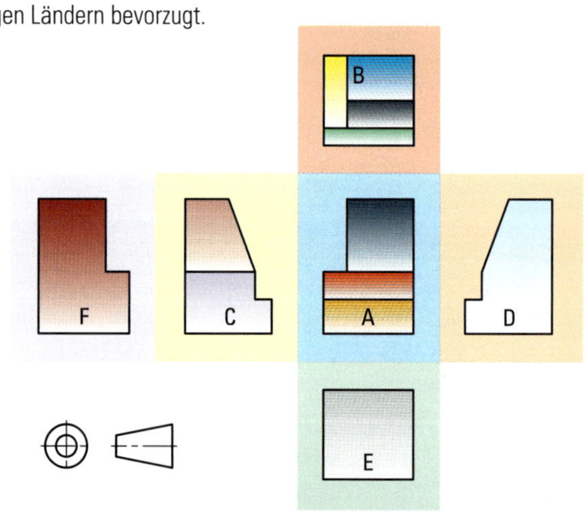

Bei dieser Methode liegt die Darstellungsebene **vor** dem Werkstück.

Darstellung des Raststücks in der **Pfeilmethode** *(view using reference arrows)*. Diese Form der Darstellung von Ansichten ergänzt die Projektionsmethoden 1 und 3.

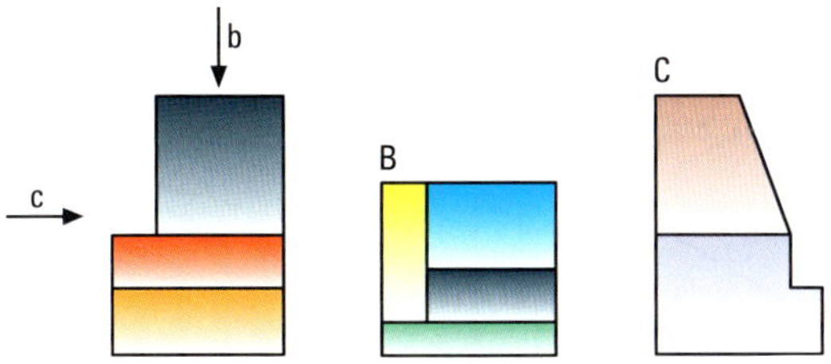

Die Projektionen zeigen, dass schräge Flächen in den jeweiligen Ansichten nicht in ihrer wahren Größe, sondern verkleinert abgebildet werden.

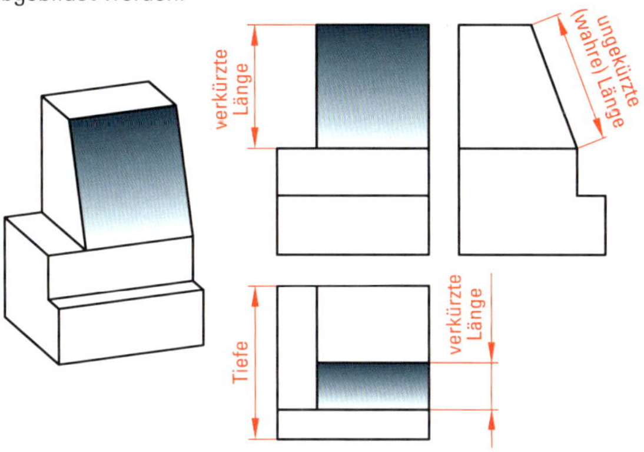

ÜBUNGEN

1. Ordnen Sie den Perspektiven 1 bis 8 die jeweiligen Ansichten zu.

Perspektive	1	2	3	4	5	6	7	8
Ansicht A								
Ansicht C								
Ansicht B								

Perspektive

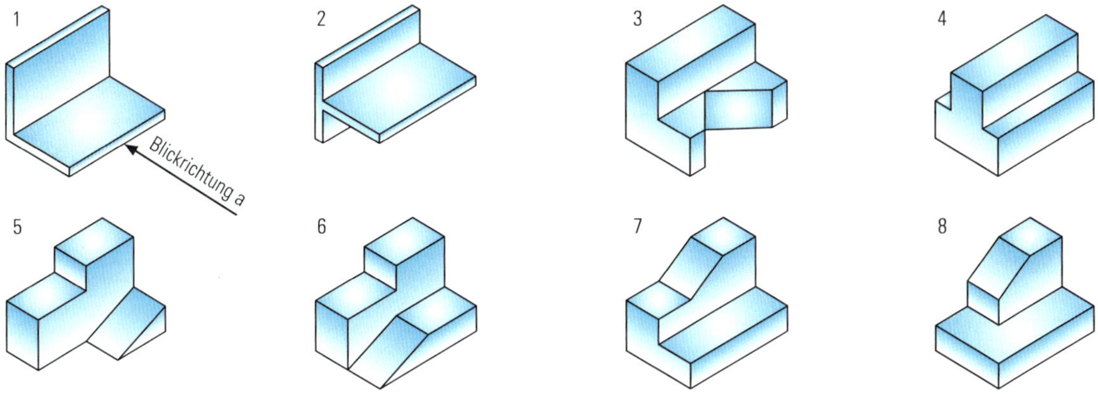

Ansicht A

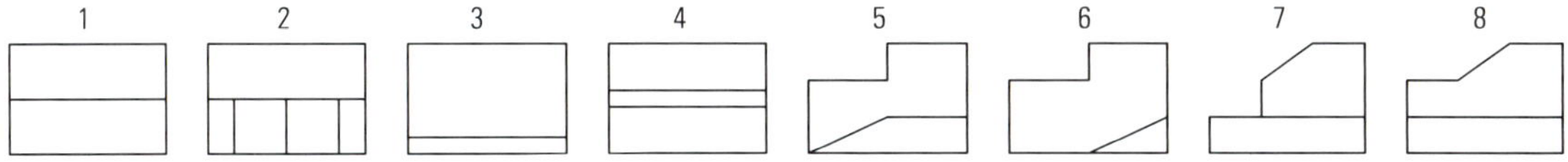

Ansicht C

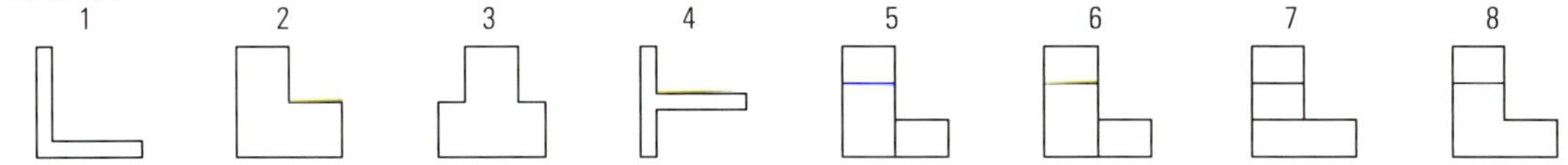

Ansicht B

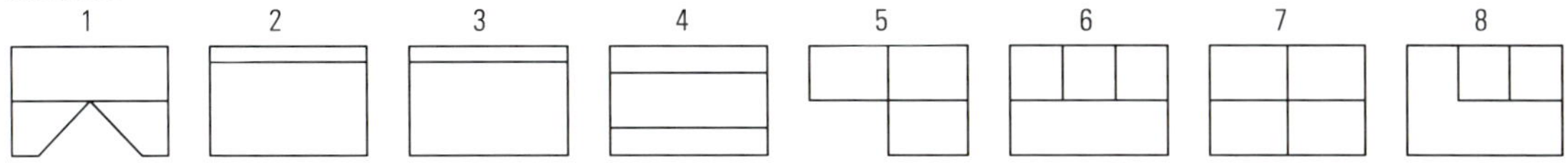

2. Zeichnen und bemaßen Sie eines der drei Werkstücke als Teilzeichnung in den Ansichten A, B und C nach Projektionsmethode 1.

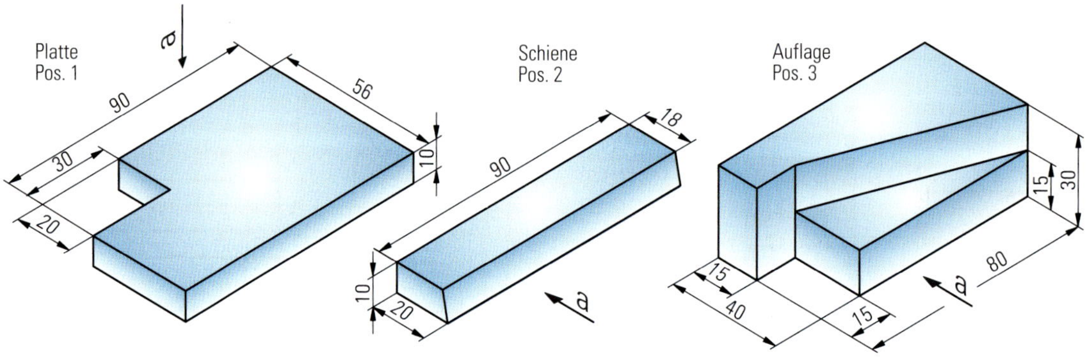

3. Fehleranalyse:

Die folgenden Aufgaben bestehen aus je zwei Zeichnungen A und B, von denen jeweils eine einen Fehler enthält.
Im Vergleich der beiden Zeichnungen sollen Sie den Fehler erkennen.
Notieren Sie in Ihrem Heft die Zeichnungsnummer und beschreiben Sie den Fehler.

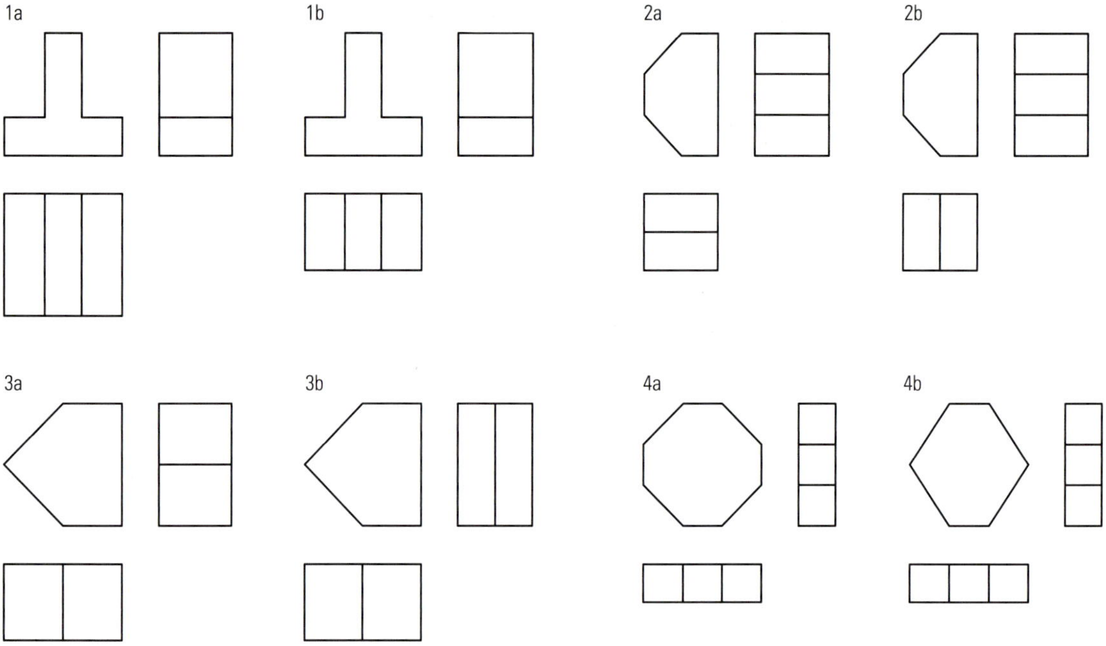

2.3.2 Verdeckte Kanten und Flächen

Beim Zeichnen in Ansichten können nur die Flächen dargestellt werden, die in Blickrichtung vorn liegen. Sie werden von sichtbaren Kanten *(visible edge lines)* begrenzt. Dahinter liegende Flächen werden mithilfe von verdeckten Kanten *(hidden lines)* dargestellt. Diese werden nur dann in eine Zeichnung eingetragen, wenn dies zum Verständnis der Zeichnung erforderlich ist. Verdeckte Kanten werden als **Strichlinie** *(dotted line)* (vgl. Kap. 2.2.7 „Linienarten und Linienbreiten") halb so breit wie sichtbare Kanten gezeichnet.

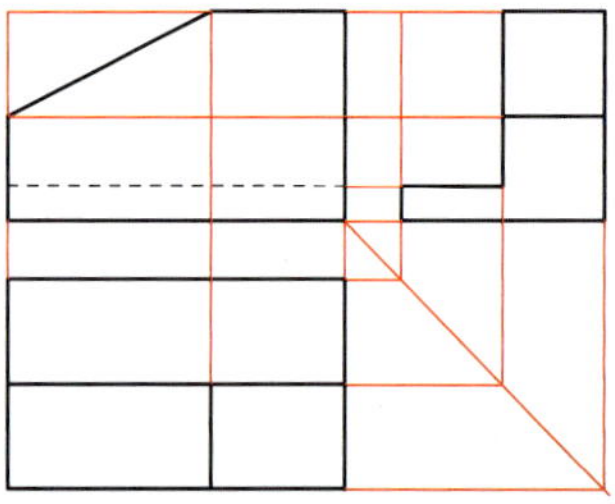

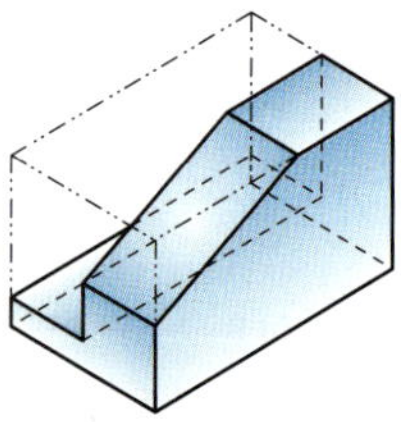

2.3.3 Übungen zur Raumvorstellung

Das Lesen und Anwenden Technischer Zeichnungen erfordert räumliches Vorstellungsvermögen. Beim Betrachten einer Zeichnung müssen die Ansichten gedanklich zu einem Werkstück zusammengefügt werden. Hierbei helfen die Kenntnisse der Zeichenregeln und der geometrischen Grundlagen, nach denen eine Zeichnung hergestellt ist.

ÜBUNGEN

1. a) Welche Ziffern begrenzen in Ansicht B waagerechte Flächen?
b) Welche Ziffern begrenzen in allen Ansichten die schräge Fläche?
c) Welche Eckpunkte (Ziffern) sind in Ansicht A verdeckt?
d) Wie wird die Kante 11 – 12 in Ansicht C abgebildet?
e) In welcher Ansicht liegt die Ecke 15 neben der Ecke 6?

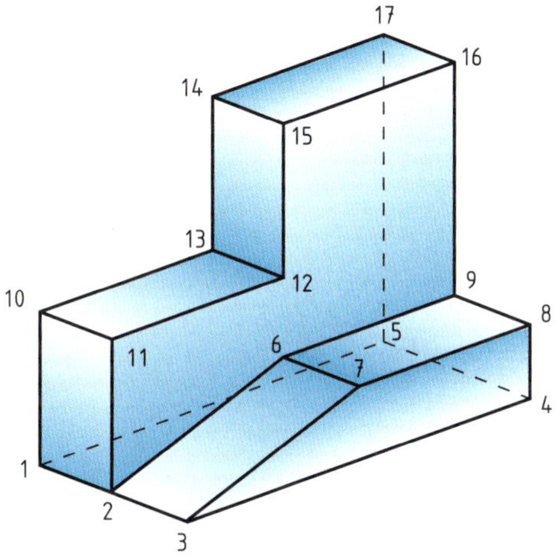

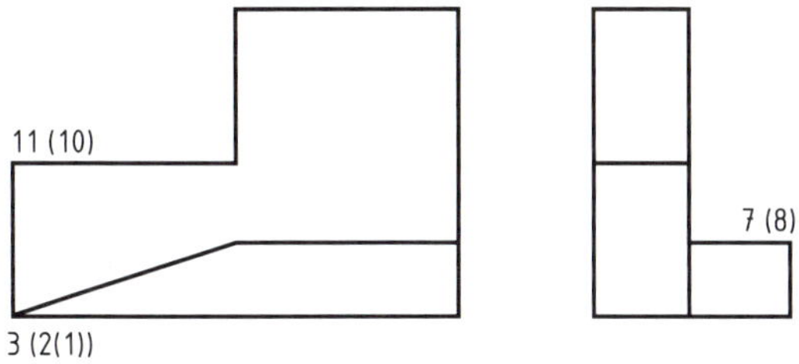

Arbeitshinweise für den Umgang mit den Hilfsblättern, siehe Download:
- Kennzeichnen Sie einen Punkt in einer der drei Ansichten und übertragen Sie diesen in die jeweils anderen Ansichten,
- kennzeichnen Sie eine Linie in einer der drei Ansichten und übertragen Sie diese in die jeweils anderen Ansichten,
- entwickeln Sie mithilfe der Hilfslinien die Darstellung in drei Ansichten.

2. a) Welche Fläche ist in zwei Ansichten zu sehen?
b) Welche Flächen der Ansicht A sind in Ansicht C als Kanten abgebildet?
c) Übertragen Sie die Perspektive in Ihr Heft. Tragen Sie an allen Ecken Kennziffern ein. Skizzieren Sie die drei Ansichten.

Hilfsblätter

3. a) Welche Fläche wird in den Ansichten verkleinert abgebildet? Begründen Sie Ihre Aussage.
b) Übertragen Sie die Ansichten in Ihr Heft. Tragen Sie an allen Ecken Kennziffern ein. Skizzieren Sie die Perspektive und tragen Sie alle Kennziffern ein.

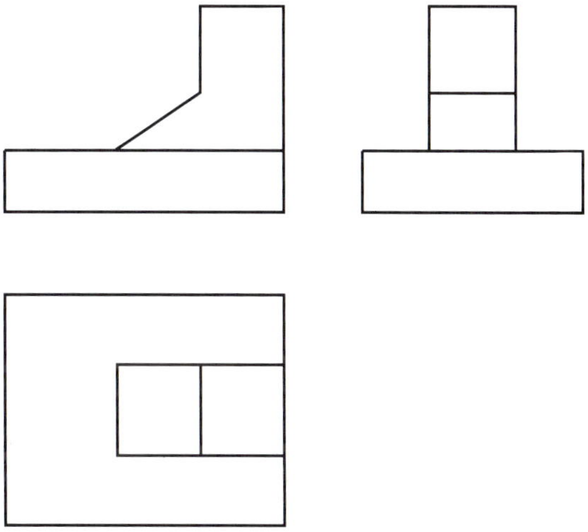

4. Zeichnen Sie eines der Werkstücke mit Bemaßung in drei Ansichten.

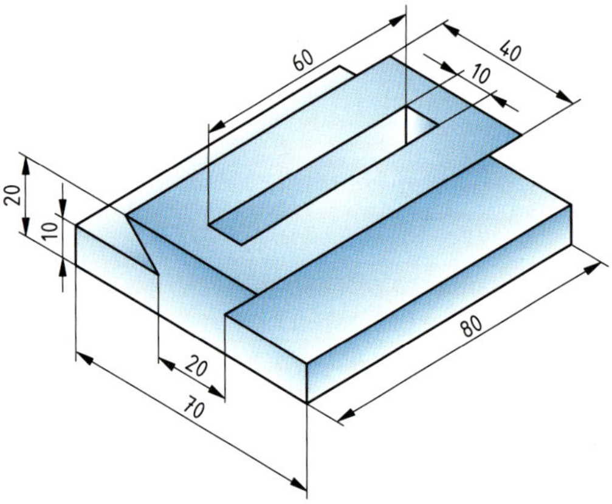

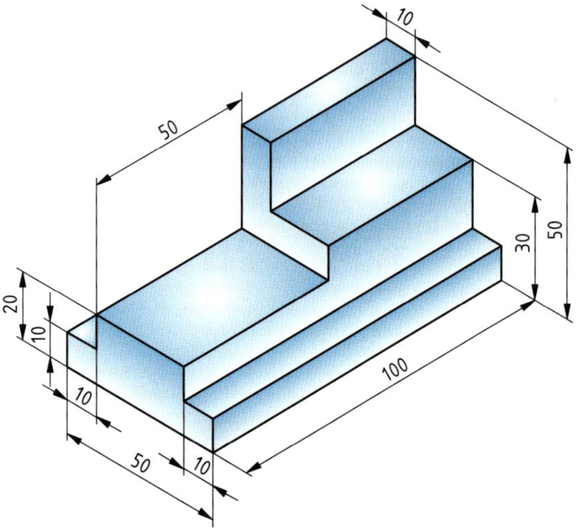

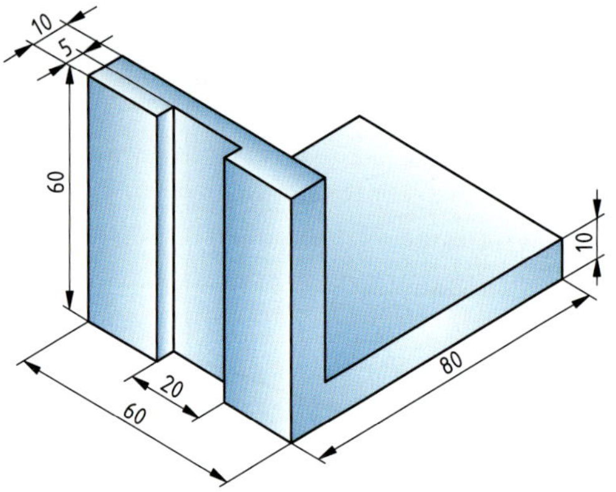

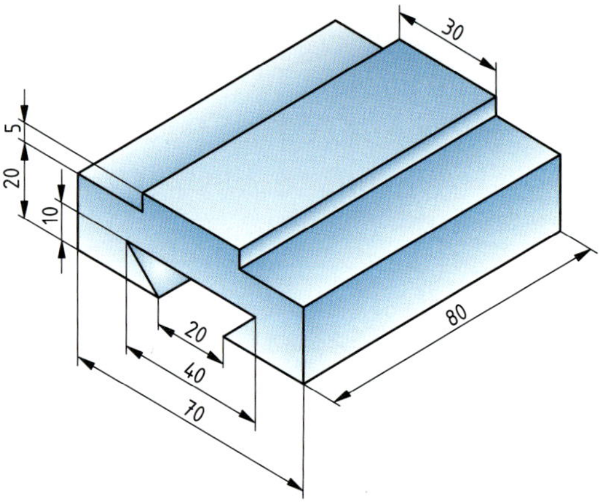

5. Fehleranalyse:

Suchen und beschreiben Sie die Fehler in den folgenden Zeichnungen in drei Ansichten.

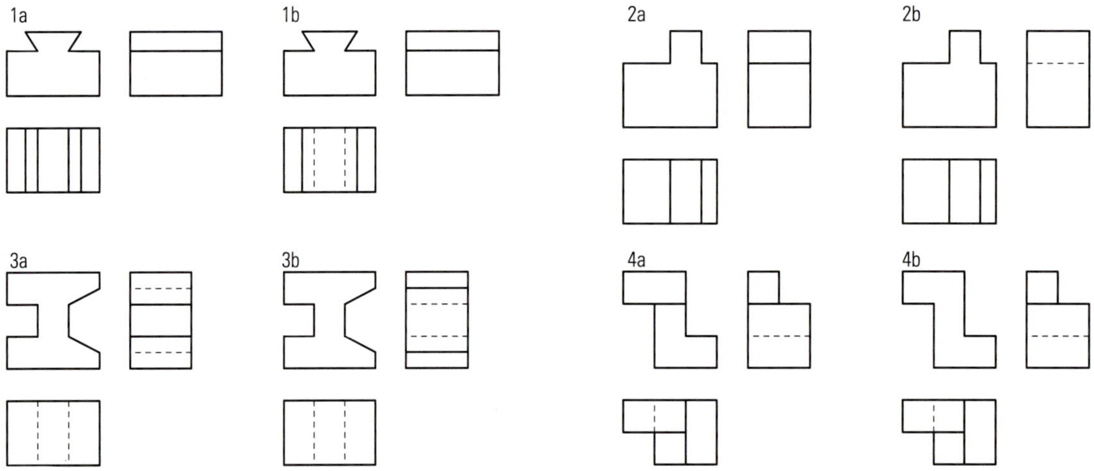

2.3.4 Geometrische Grundkörper und Profile

Werkstücke können als Summe oder Differenz **geometrischer Grundkörper** *(geometrical base plates)* betrachtet werden. Beim Berechnen des Volumens eines Werkstücks wird dieses ebenfalls gedanklich in geometrische Grundkörper zerlegt und aus der Summe bzw. der Differenz der Teilkörper wird das Gesamtvolumen bestimmt.

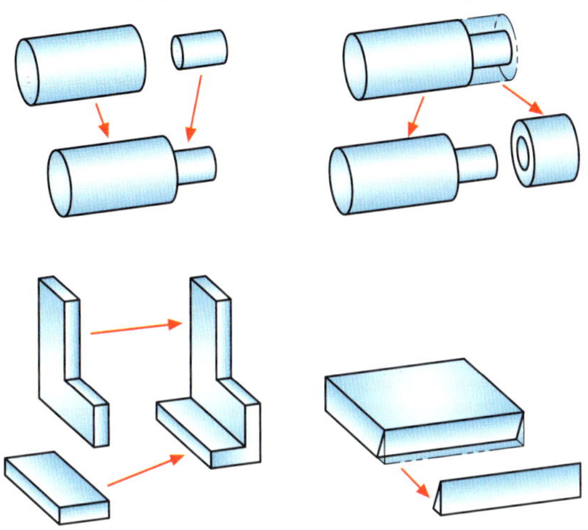

Die Kenntnis dieser Grundkörper und deren Darstellung in drei Ansichten erleichtert das Zeichnungslesen. Das Wiedererkennen einfacher Formen in technischen Zeichnungen hilft beim Erkennen der räumlichen Form in Ansichten gezeichneter Werkstücke.

Benennung	Perspektive	drei Ansichten	Beispiele
Quader *(cuboid)*	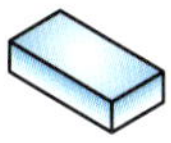	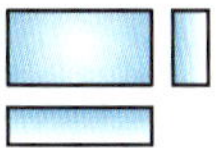	Grundformen von Werkstücken und Profilen
Pyramide *(pyramid)*		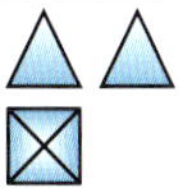	Keile, Führungen
Zylinder *(cylinder)*		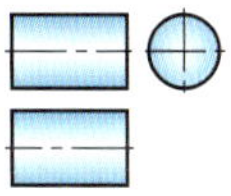	Rundprofile, Achsen, Wellen, Rohre
Kegel *(cone)*		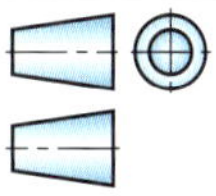	Ventilsitz, Bohreraufnahme

Zu den geometrischen Grundkörpern gehören auch die Formen einfacher Profile und **Halbzeuge** *(semi finished products)*. Die Profilbenennung wie z. B. „Vierkant" bezeichnet die Querschnittsfläche von Stangen, Stäben, Rohren usw.

ÜBUNGEN

1. Nennen Sie Beispiele für geometrische Grundformen aus Ihrer Praxis.

2. Zerlegen Sie die Werkstücke in Kapitel 2.3.3 in geometrische Grundkörper.

3. a) Benennen Sie die Profile.

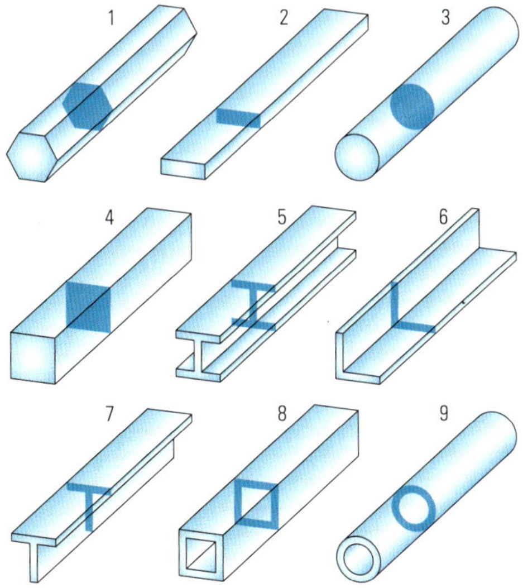

b) Bestimmen Sie die Norm-Kurzbezeichnungen für Metall- und Nichtmetallprofile, soweit dies mit Ihrem Tabellenbuch möglich ist.

c) Bestimmen Sie die geometrischen Grundformen, aus denen die Profile zusammengesetzt werden können. Rundungen und Schrägen können vernachlässigt werden.

d) Skizzieren Sie die Profile in drei Ansichten.

Blick in ein Stahllager

Weitere Informationen insbesondere zur Normung von Profilen und Halbzeugen finden Sie im Teil III „Lernfeld übergreifende Inhalte" im Kapitel 3.4.1 „Halbzeuge".

4. Welche der Profile haben gleiche Ansichten C oder B?

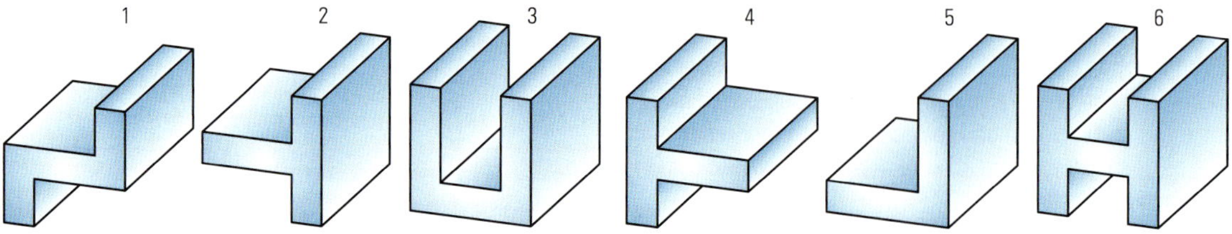

5. Zeichnen *(draw)* oder skizzieren *(sketch)* Sie die Profile von Übung 4 in drei Ansichten (A, B und C) ohne Bemaßung. Die Außenmaße sind 40 mm × 40 mm × 60 mm. Die Wanddicken sind $s = 10$ mm.

6. Zeichnen Sie die Profile a), b) und c) in den drei Ansichten A, B und C ohne Bemaßung. Die Außenmaße sind 40 mm × 40 mm × 60 mm. Die Wanddicken sind $s = 10$ mm. Die Ausnehmungen sind in 5-mm-Schritten frei zu wählen.

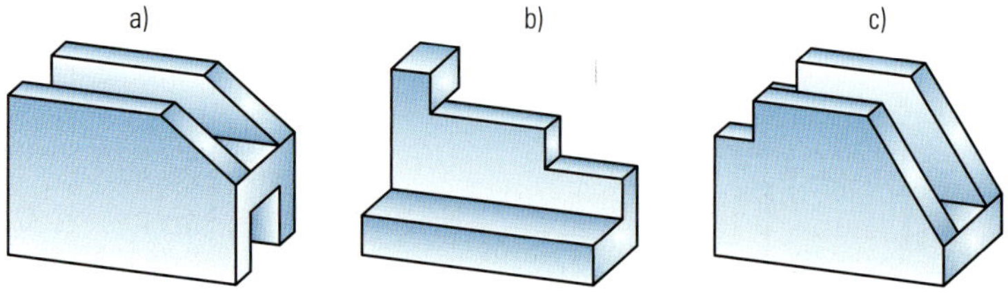

2.3.5 Ausnehmungen an prismatischen Körpern

Es gibt grundsätzlich drei Möglichkeiten für Ausnehmungen an prismatischen Körpern *(prisms)*. Sie können **vor**, **auf** oder **hinter der Mitte liegen**. Art und Lage der Ausnehmungen bestimmen die Formen der Prismen in den Ansichten A, B und C. Die Ausnehmungen haben waagerechte und senkrechte Begrenzungsflächen.

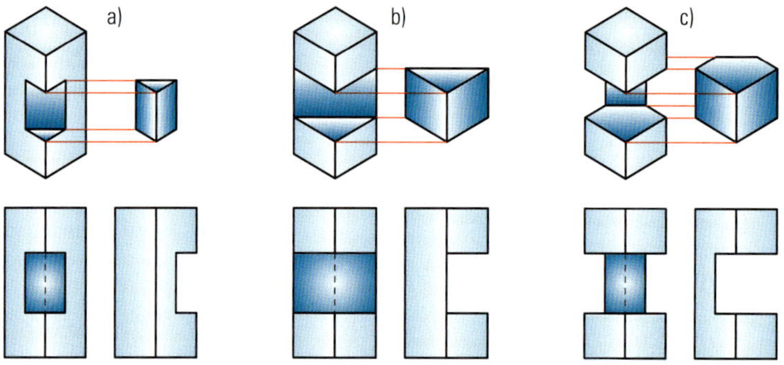

ÜBUNGEN

1. Zeichnen oder skizzieren Sie die folgenden Prismen in drei Ansichten. Die Prismen haben die Außenmaße 40 mm × 40 mm × 100 mm. Die Ausnehmungen sind in 10-mm-Schritten frei zu wählen.

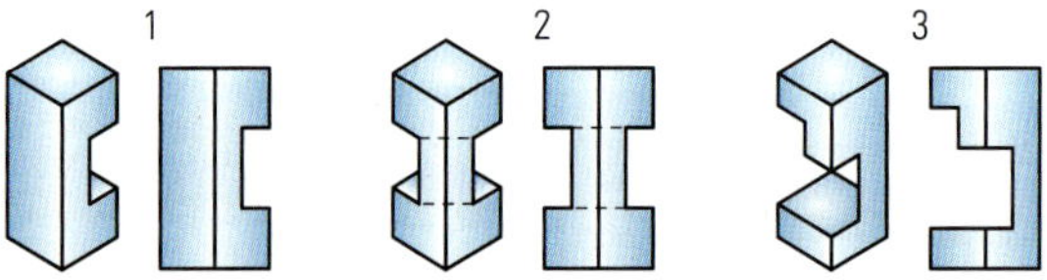

2. a) Warum sind die Ansichten C schmaler als die Ansichten A (Lage der Ansichten siehe Übung 3)?

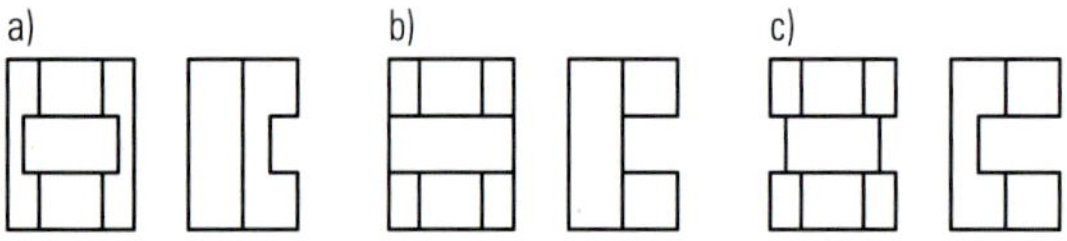

b) Skizzieren Sie die Ansichten B (Lage der Ansichten siehe Übung 2a).

c) In welcher Ansicht ist jeweils die Schlüsselweite zu erkennen (Lage der Ansichten siehe Übung 2a)?

d) Wie heißt die größte Breite in der Ansicht A (Lage der Ansichten siehe Übung 2a)?

3. Bestimmen Sie jeweils die Blickrichtung, aus der die Ansichten gezeichnet sind.

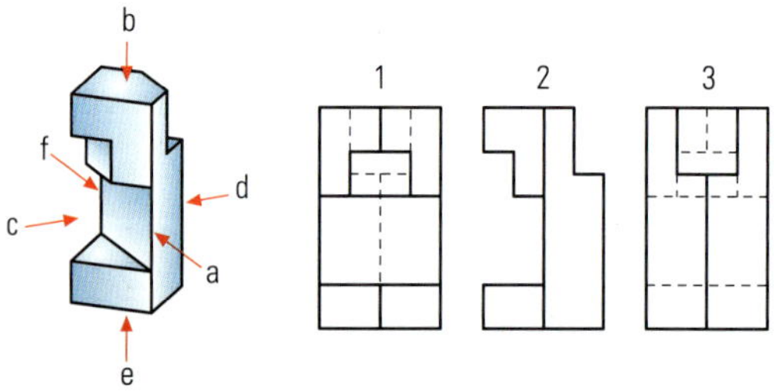

4. a) Welche der Prismen *(prisms)* zeigen in der Ansicht A (Blickrichtung a) die Schlüsselweite *(wrench size)* und welche das Eckenmaß *(width across corners)*?

b) Skizzieren oder zeichnen Sie jeweils ein Prisma mit der Schlüsselweite als Ansicht A und eines mit dem Eckenmaß als Ansicht A in den Ansichten A, B und C.

SW = 36 mm, h = 60 mm, Ausnehmungen im 10-mm-Raster.

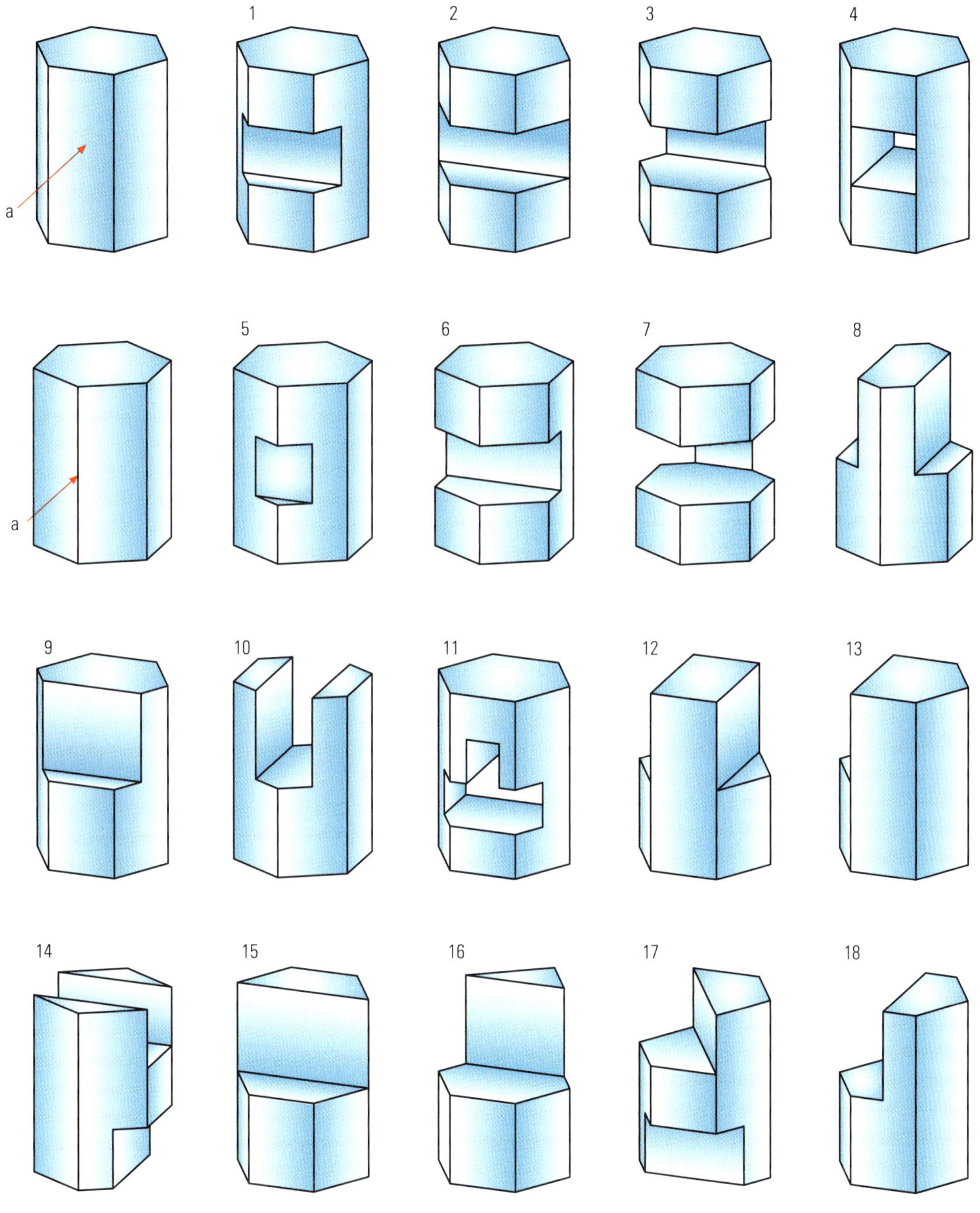

2.3.6 Werkstücke mit zylindrischen Formen

Die Darstellung zylindrischer Werkstücke *(cylindrical workpieces)* wird durch zusätzliche Kennzeichnungen *(characteristics)* wie z. B. Durchmesser *(diameter)* (siehe Kap. 2.4.1 Kennzeichnung von Werkstückformen) und Mittellinie vereinfacht. Hierdurch können Ansichten eingespart werden. Ebenso helfen die Kennzeichnungen beim Zeichnungslesen. Zylindrische Werkstücke und Drehachsen *(axes of rotations)* sind leicht zu erkennen. Zylindrische Werkstücke oder Normteile wie z. B. Stifte, Rohre, Kugeln und Radien erhalten Mittellinien.

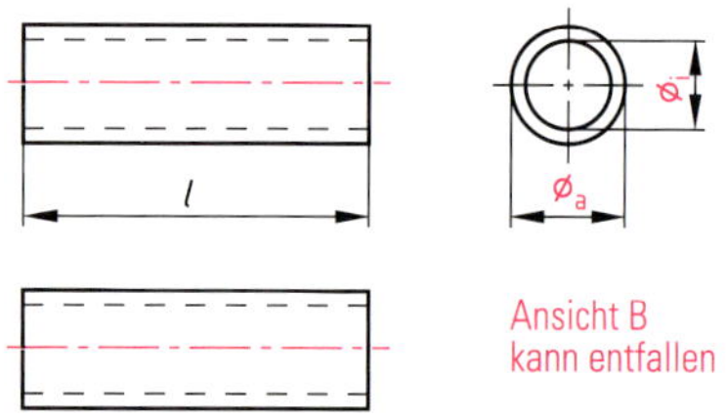

Merke

Drehachsen werden durch Mittellinien gekennzeichnet.

Kreisflächen *(circular areas)* werden **immer** mit einem **Durchmesserzeichen** *(diameter symbol)* vor der Maßzahl gekennzeichnet. Die Angabe eines Durchmesserzeichens erspart oft eine Ansicht. Zylindrische Werkstücke werden als Einzelteile überwiegend in Fertigungslage gezeichnet, d. h. mit waagerechter Mittellinie.

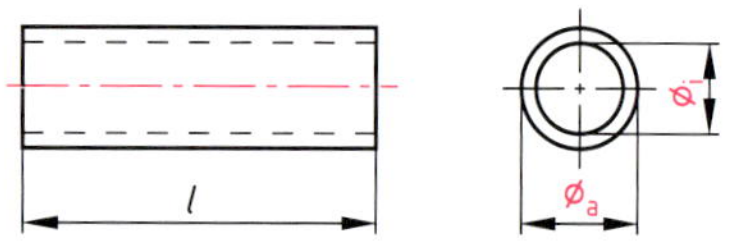

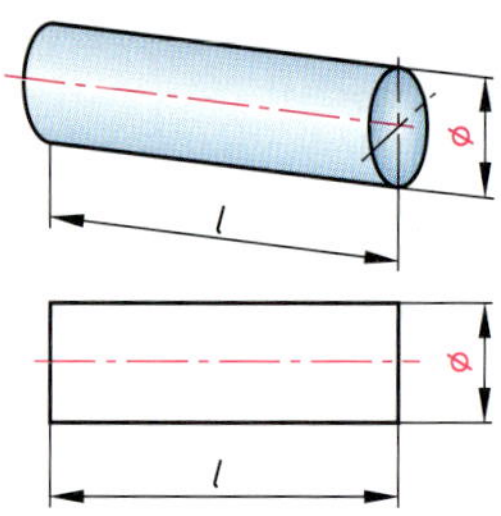

Bolzen (bolt), Stift (pin), Welle (shaft)

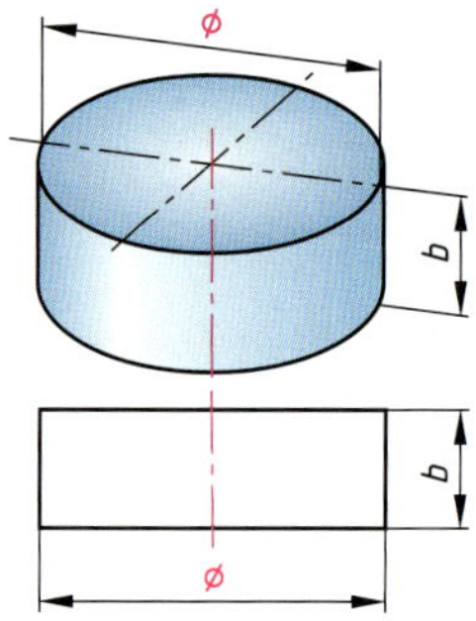

Scheibe (disc)

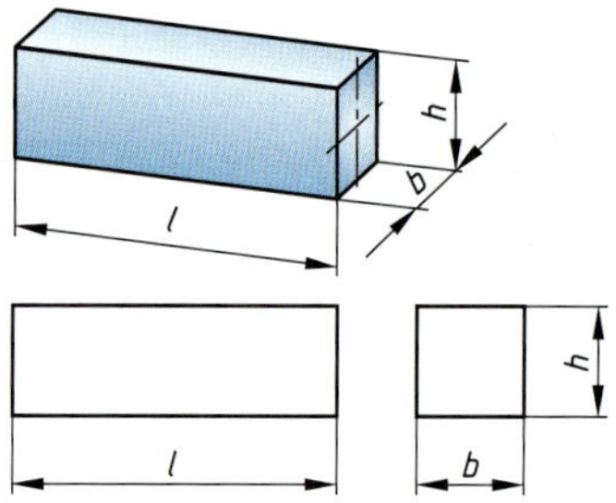

Passfeder (key)

ÜBUNGEN

Die Werkstücke sind in den erforderlichen Ansichten (möglichst in nur einer Ansicht) zu zeichnen und zu bemaßen.

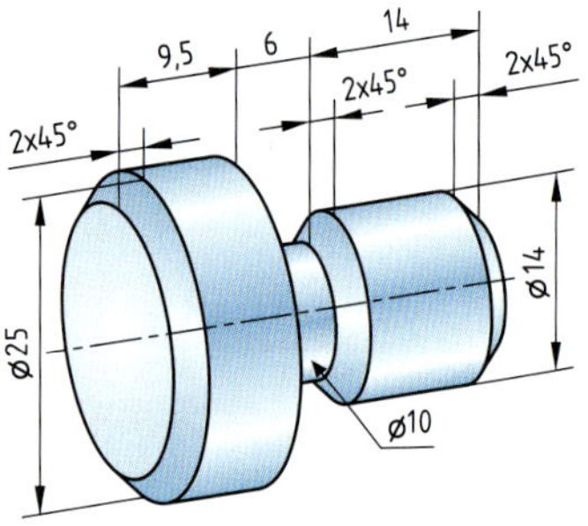

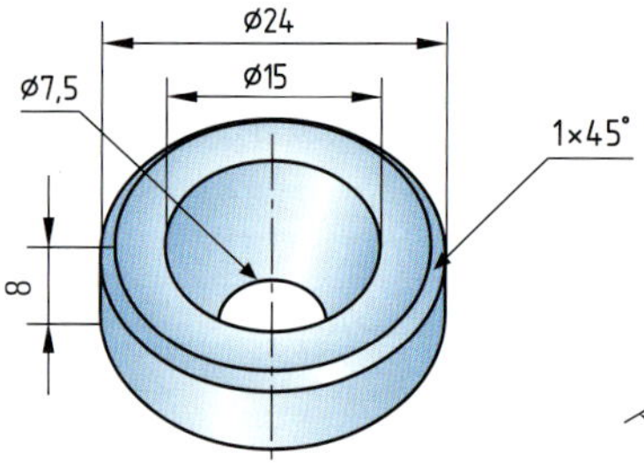

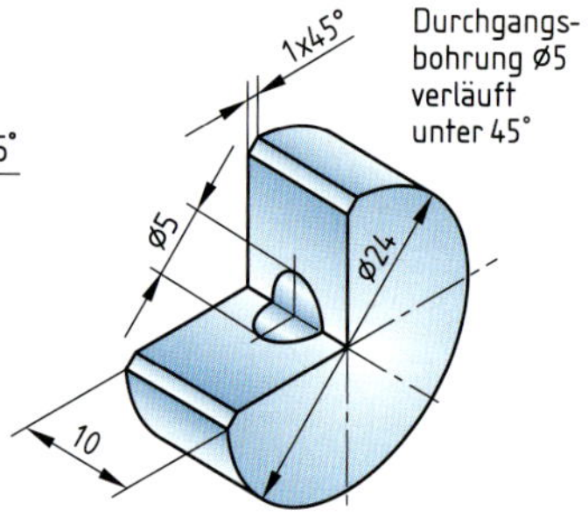

Werden an Werkstücken mit zylindrischen Grundformen ebene Flächen parallel zur Mittellinie angefräst, so kennzeichnet man die ebenen Flächen mit einem **Diagonalkreuz** *(diagonal cross)*. Diagonalkreuze werden als schmale Volllinien gezeichnet.

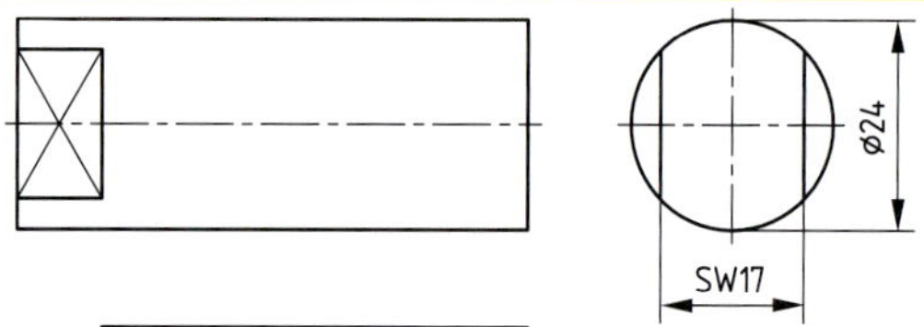

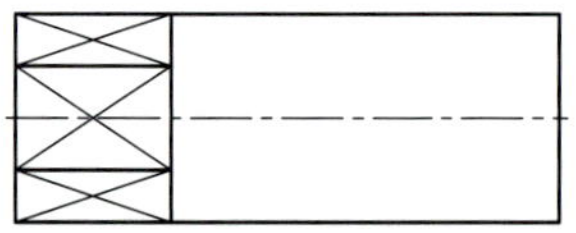

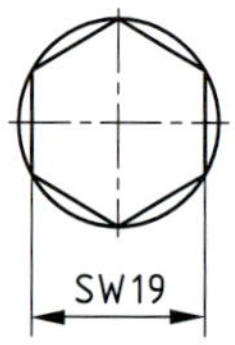

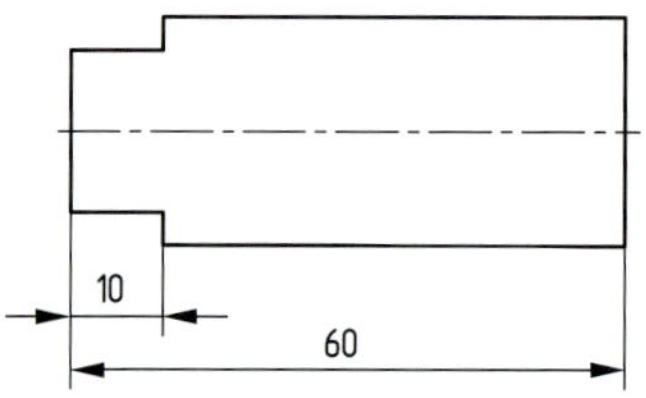

Grundsätzlich gibt es drei Möglichkeiten für achsparallele Ausnehmungen an zylindrischen Körpern:
Sie können a) **vor**, b) **auf** und c) **hinter** der Mittellinie liegen. In Abhängigkeit von ihrer Lage ändert sich die äußere Form des Zylinders.

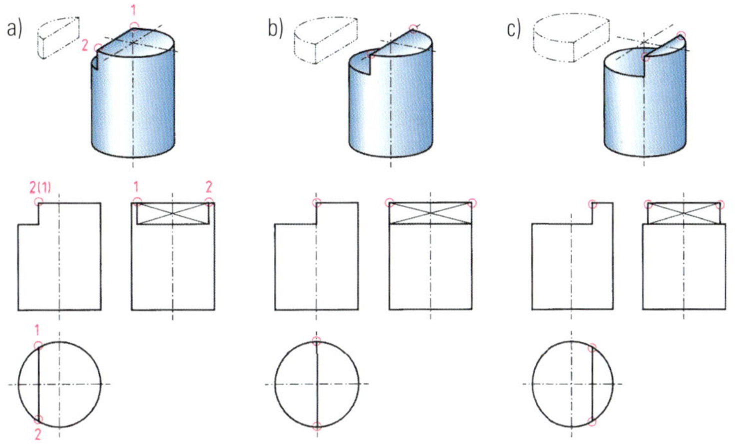

ÜBUNGEN

1. Ordnen Sie den einzelnen Perspektiven von zylindrischen Körpern deren jeweilige Ansicht A zu.
2. Zeichnen Sie eines der Werkstücke in den erforderlichen Ansichten. Die Hauptabmessungen sind: ∅ = 60 mm und h = 100 mm. Alle übrigen Maße sind frei wählbar, sollen aber ganzzahlig durch 5 teilbar sein.

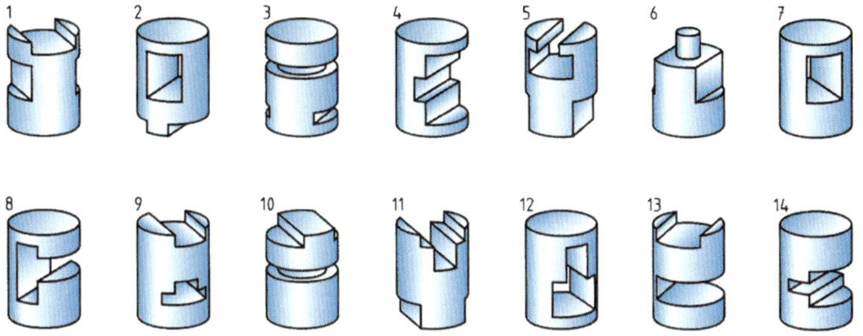

Perspektive	1	2	3	4	5	6	7	8	9	10	11	12	13	14
Ansicht A														

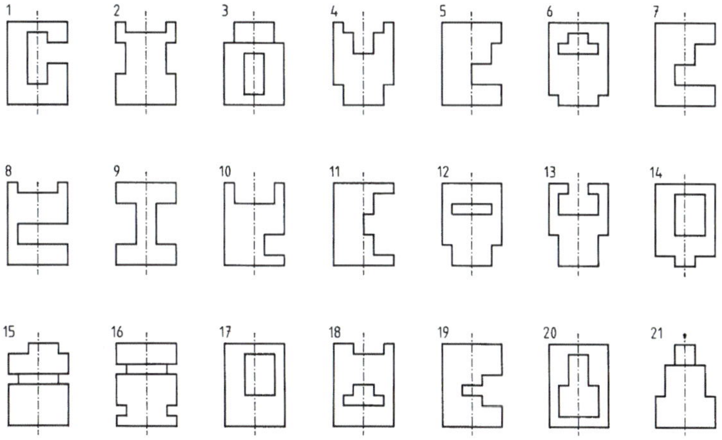

3. Vervollständigen Sie die Mind-Map für die Ausnehmungen an Prismen und Zylindern. Nehmen Sie die Kapitel 2.3.5 und 2.3.6 zu Hilfe.

2.4 Zusätzliche Angaben in Teilzeichnungen

Ergänzend zur Bemaßung werden in Teilzeichnungen zusätzliche Angaben eingetragen. Dies können genauere Maßangaben wie Toleranzen, aber auch Symbole wie z. B. Schweißzeichen und Wortangaben zum Bearbeitungszustand wie z. B. „gesägt" sein.

2.4.1 Werkstücke mit schiefen Flächen und Rundungen

Bei der Fertigung von Werkstücken durch Trennen, Umformen oder Urformen entstehen immer wieder ähnliche Bearbeitungskonturen. Hierbei werden **Kanten** *(edges)* und **Formelemente** *(shaped elements)* unterschieden.

Die Kontur einer Bearbeitung ist häufig nur in mehreren Ansichten zu erkennen. In einer Ansicht ist die Form wie z. B. eine Fase, ein Radius, eine Nut usw. dargestellt. Einer weiteren Ansicht ist dann z. B. die Breite zu entnehmen.

Konturen von unterschiedlichen Kanten und Formelementen können zu ähnlichen Darstellungen führen. Aus diesem Grund ist es wichtig, in umfangreichen Zeichnungen immer in mehreren Ansichten nachzusehen.

Merke

Die Bemaßung ist immer dort einzutragen, wo die Form eindeutig zu erkennen ist.

Kanten

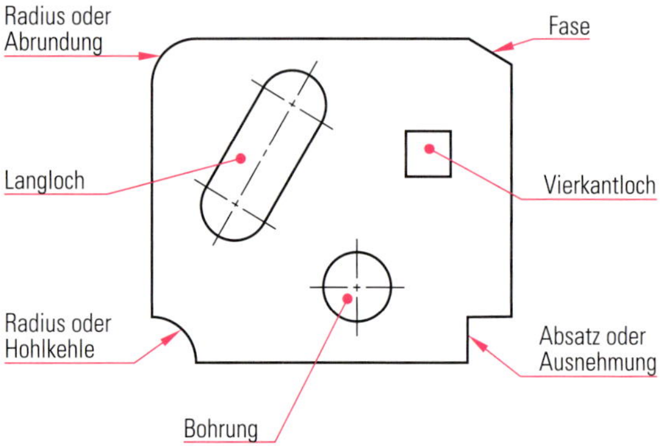

Formelemente

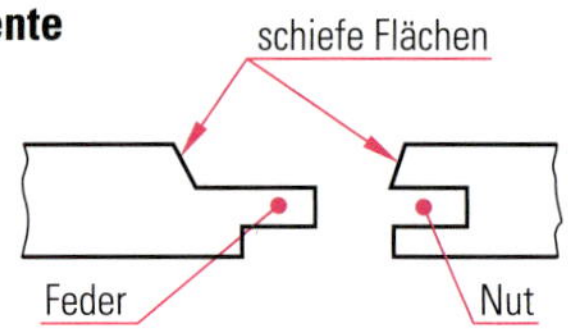

Die folgende Übersicht zeigt die wichtigsten Konturen, ihre Darstellung in drei Ansichten und ihre Bemaßung.

Fase *(chamfer)*

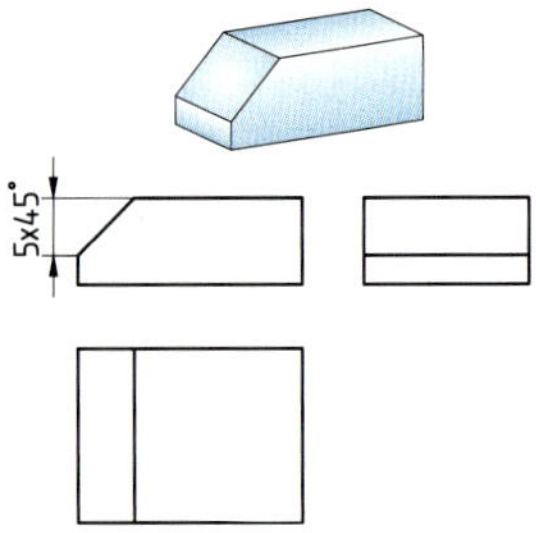

Hohlkehle *(groove)*

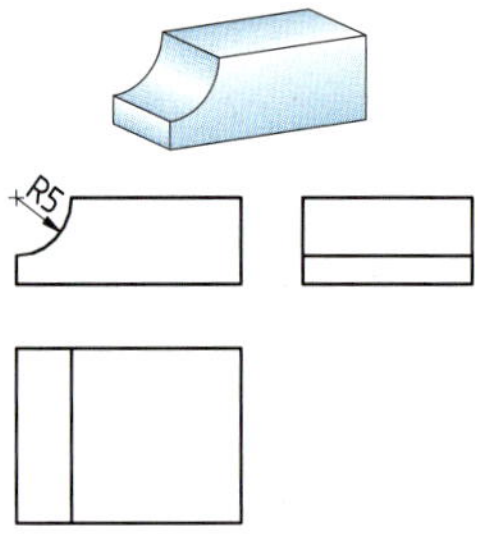

Nut *(notch)*, Einschnitt *(cutting)*, Ausnehmung *(recess)*

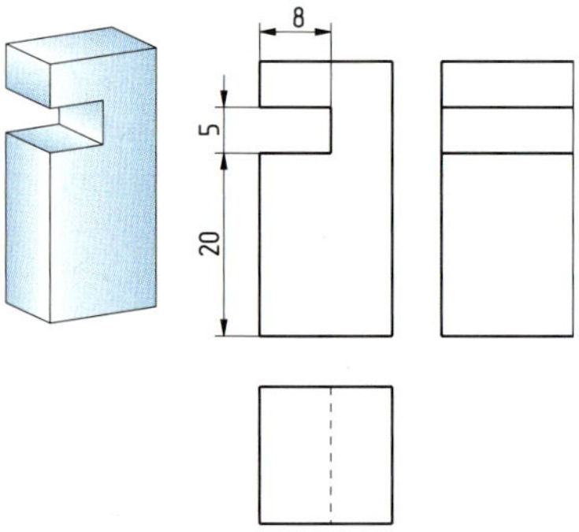

Schräge Fläche *(inclined surface)*

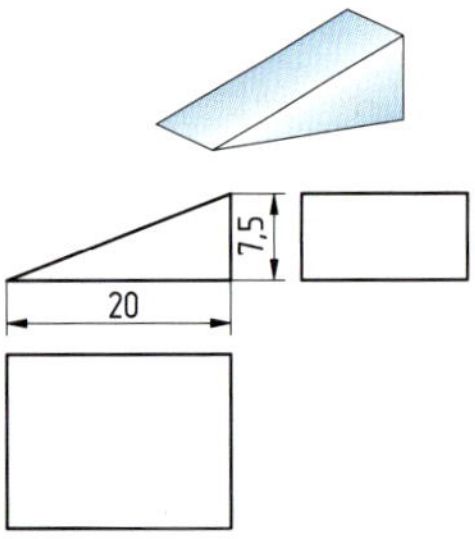

Abrundung *(rounded)*

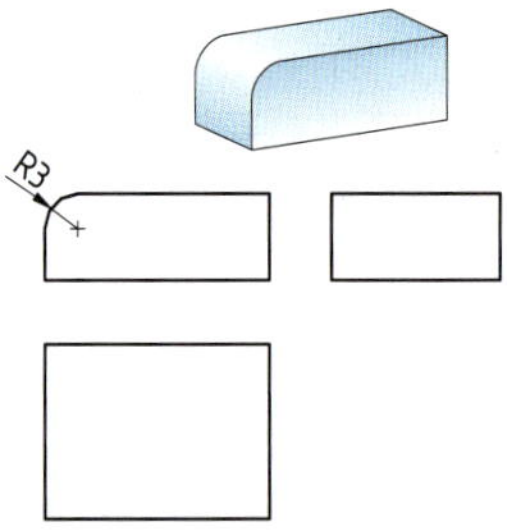

Feder *(tongue)*, Absatz *(shoulder)*

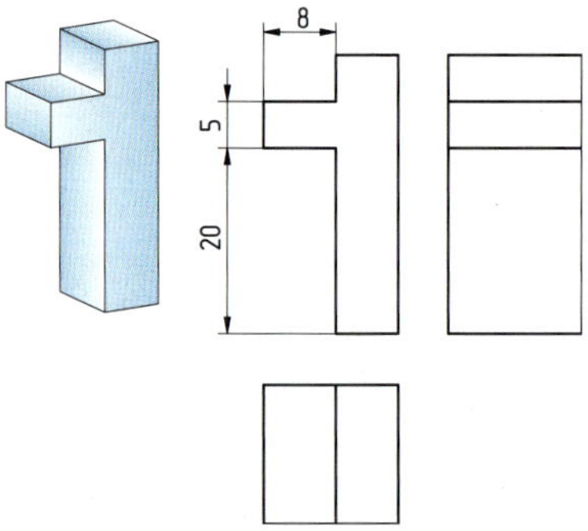

ÜBUNGEN

1. a) Zeichnen Sie den Riegel in den Ansichten A, B, C und D.
b) Erklären Sie die Angabe „Neigung 1 : 10" mithilfe Ihres Tabellenbuches.
c) Berechnen Sie das Hilfsmaß XXX.

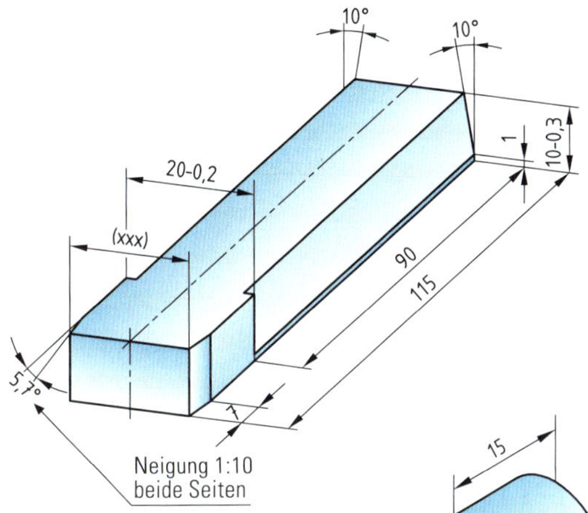

2. Zeichnen und bemaßen Sie die Buchse in den erforderlichen Ansichten.

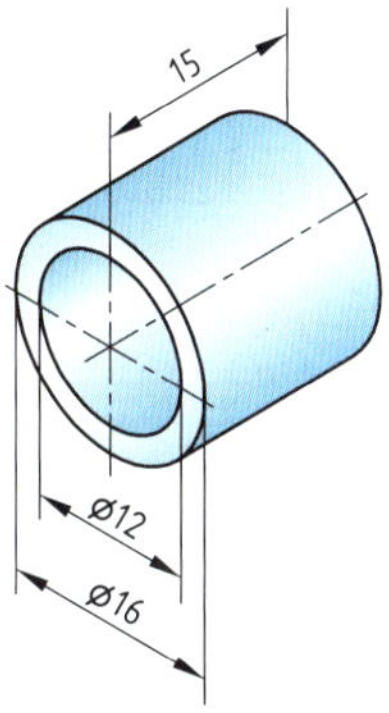

3. Zeichnen und bemaßen Sie den Lagerbock in den Ansichten A, B und C.

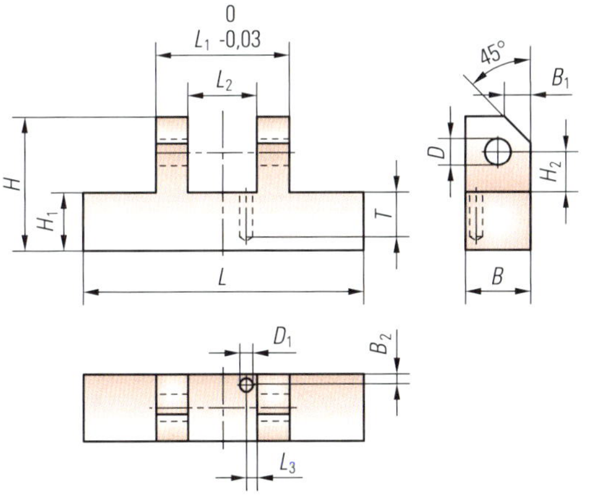

L	L_1 0 − 0,03	L_2	L_3	B	B_1	B_2	H	H_1	H_2	T	D	D_1
50	24	12	2,5	12	4,5	2,5	24	11	7	10	5	3
65	31	16	2,5	15	6	2,5	30	13	9	10	6	3
100	49	20	2,5	20	8	2,5	48	27	11	10	8	3

4. Zeichnen und bemaßen Sie das Spanneisen in den Ansichten A, B, C und D.

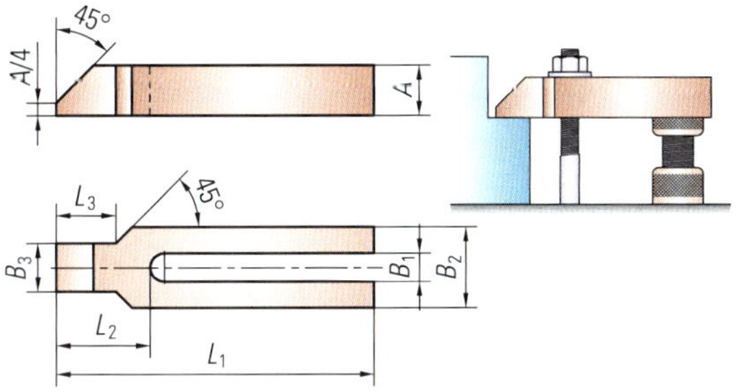

L_1	A	B_1	B_2	B_3	L_2	L_3	für Schrauben mit Gewinde
100	15	9	30	16	32	24	M8
125	20	11	30	20	38	24	M10
160/200	25	14	40	24	47	30	M12/M14
200/250	30	18	50	28	57	36	M16/M18
250/315	40	22	60	35	68	45	M20/M22
250/315	40	26	70	43	83	56	M24
315/400	50	34	80	50	88	56	M30/M32

5. Zeichnen und bemaßen Sie den Auflagewinkel in den Ansichten A, B, C und D.

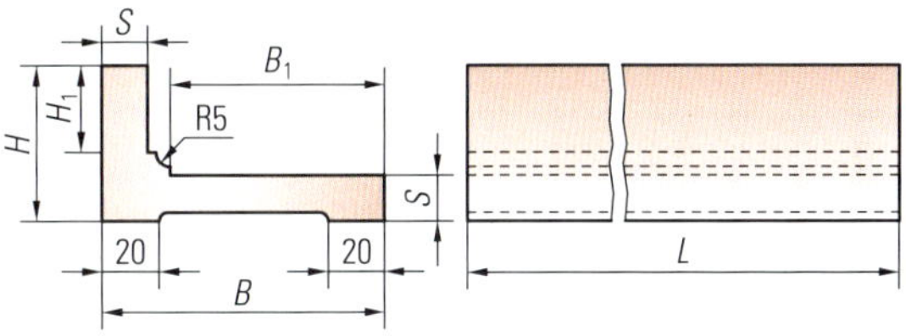

L	B	B_1	H	H_1	S
300	100	76	54	30	16
300	150	122	80	52	20
300	200	167	105	72	25

2.4.2 Toleranzangaben

Ergänzend zu Bemaßung werden in Teilzeichnungen Toleranzen *(tolerances)* eingetragen. Die Größe der Grenzabmaße hängt von der Funktion bzw. von der Qualität eines Geräts ab. Die Toleranzangaben *(tolerance data)* können in unterschiedlichen Formen eingetragen werden:

Freie Toleranzen nach ISO 2768-m[1] *(general tolerances)*
Sie gelten für jedes nicht näher toleriertes Nennmaß einer Zeichnung. Im Maschinenbau gilt die Toleranzklasse m. In Zeichnungen steht der Hinweis für die geltenden Allgemeintoleranzen in der Nähe des Schriftfeldes.

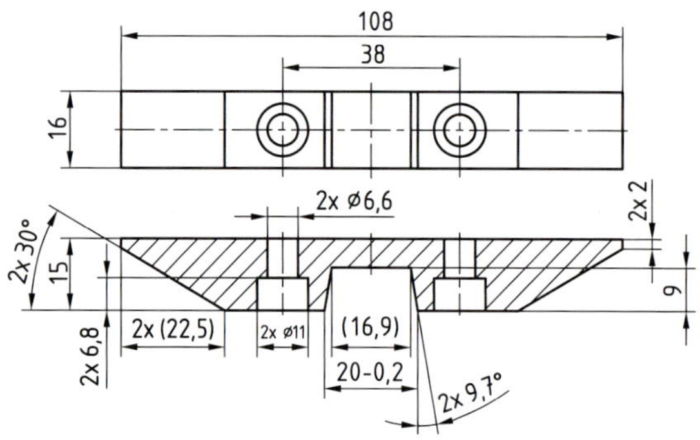

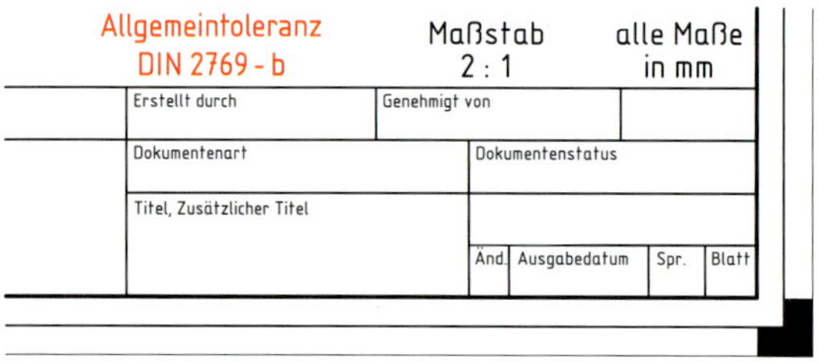

Bestimmte, funktionsbedingte Toleranzen bzw. ISO-Toleranzen *(ISO tolerances)*
Sie werden vom Konstrukteur festgelegt. Toleranzen werden verwendet, wenn die Allgemeintoleranzen nicht ausreichen bzw. zu ungenau sind. Sie gelten immer nur für ein Maß.
Eintragung der frei bestimmten und der ISO-Toleranzen:

- Sie stehen hinter dem Nennmaß (a)
- Sie werden in der gleichen Schriftgröße wie das Nennmaß geschrieben (b)
- Wenn ein Grenzabmaß Null ist, muss die Ziffer „0" geschrieben werden (c)
- Wird nur ein Grenzabmaß geschrieben, ist das zweite Grenzabmaß immer Null (d)
- Wenn das obere und das untere Grenzabmaß gleich sind, wird das Grenzabmaß mit dem Zeichen ± oder +/– nur einmal eingetragen (e)
- Es können auch Grenzmaße angegeben werden (f)

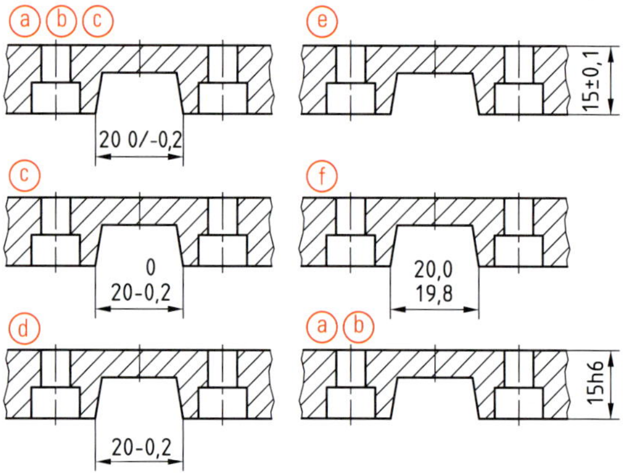

Überlegen Sie

Skizzieren oder zeichnen Sie die Verbindung in den erforderlichen Ansichten und tragen Sie die für die Nut (Pos. 1)-Feder (Pos. 2)-Verbindung erforderlichen Maße ein.

- Nut und Feder haben eine Nennbreite $b = 30$ mm
- Nut und Feder haben eine Nenntiefe $t = 16$ mm
- Nut und Feder sind mit Grenzabmaßen zu versehen, die im $^1/_{10}$-mm-Bereich liegen
- Pos. 2 soll mit Pos. 1 abschließen oder etwas kleiner sein

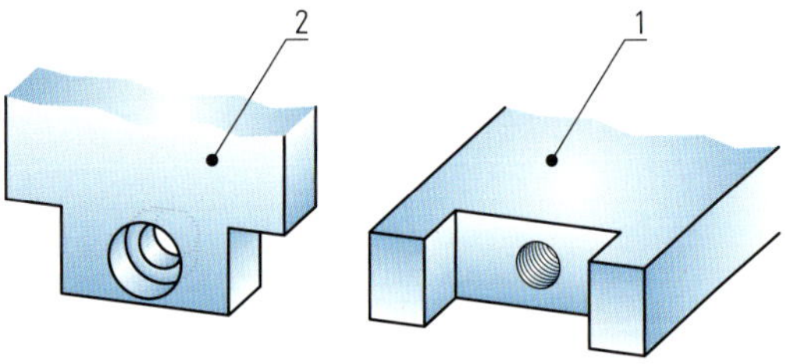

Weiterführende Informationen zum Thema „Toleranzen" finden Sie im Teil „II Lernfeld bezogene Inhalte – Lernfeld 1 und 2: Fertigen von Bauelementen" im Kapitel 4.1.

1) Allgemeintoleranzen sind nach DIN ISO 2768-1 und -2 genormt. Ab Frühjahr 2026 wird in den Prüfungen die DIN ISO 2768-1 abgelöst durch die DIN 2769 (siehe auch Kapitel 4.1.2 in Teil II).

2) ISO-Systeme für Grenzmaße und Passungen sind in DIN ISO 286-1 und -2 genormt.

Schnittdarstellungen siehe Kapitel 2.5

2.4.3 Teilungen

Bei regelmäßig wiederkehrenden Abständen können diese als **Teilungen** *(divisions)* bemaßt werden. Formelemente wie z. B. Bohrungen, die in gleichen Abständen mehrfach vorkommen, können auf diese Weise vereinfacht bemaßt werden.

- Bohrungsdurchmesser werden nur einmal eingetragen. Auf der Hinweislinie wird zusätzlich eingetragen, wie oft diese Bohrung vorkommt.
- Auch die Bohrungsabstände werden nur einmal zwischen zwei Bohrungen bemaßt. Auf einer zweiten Maßlinie wird angegeben, wie oft der Abstand vorkommt. Die Gesamtlänge aller Abstände wird als Hilfsmaß zusätzlich eingetragen.

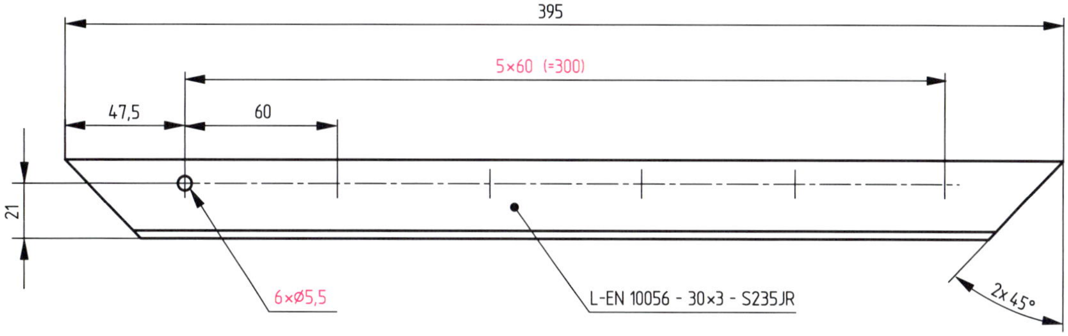

2.4.4 Bemaßungen von Fasen und Senkungen[1]

Verlaufen die Fasen *(chamfers)* oder Senkungen *(counterbores)* unter einem Winkel *(angle)* von 45°, wird wie folgt bemaßt. Senkungen für Schraubenköpfe und Muttern sind in speziellen Normen (siehe Tabellenbuch) genormt. Die Kurzdarstellungen für Senkungen entnehmen Sie ebenfalls Ihrem Tabellenbuch. Achtung, nicht alle werksüblichen Kurzdarstellungen sind genormt.

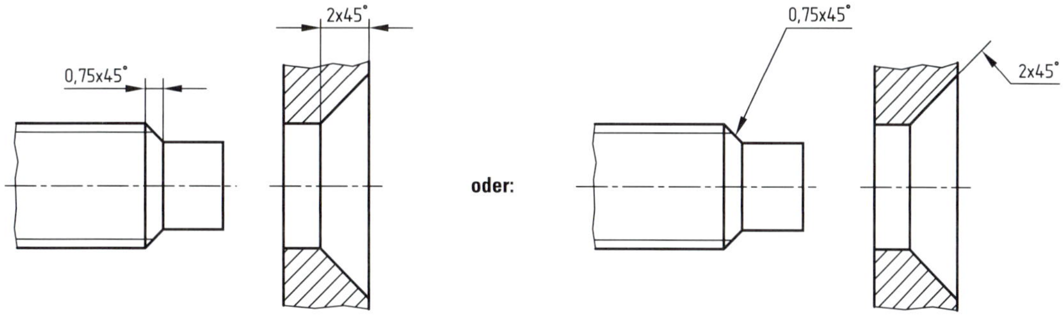

Alle anderen Fasen oder Senkungen müssen zwei Maße erhalten.

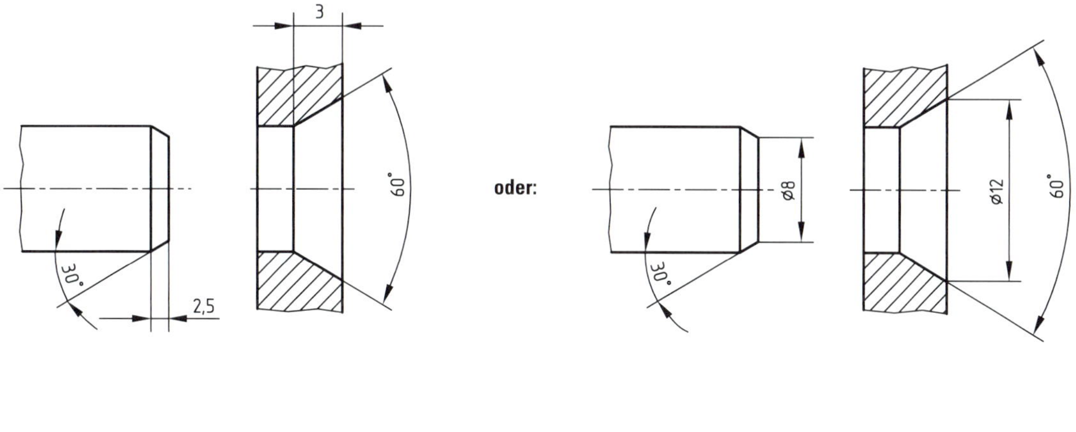

1) DIN EN ISO 129-1: 2022-02 – Technische Produktdokumentation (TPD) – Angabe von Maßen und Toleranzen – Teil 1: Grundlagen

2.4.5 Oberflächenbeschaffenheiten

Die erforderliche Oberflächenbeschaffenheit *(surface finish)* wird durch die Angabe von Rauheitswerten *(surface roughness values)* bemaßt[1].

Grundsymbol	Symbole mit besonderer Bedeutung			
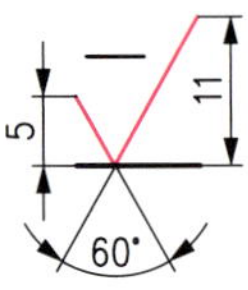		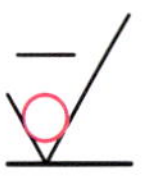	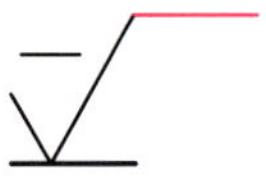	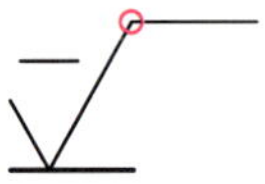
Oberfläche, die behandelt wird	Die Oberfläche wird **material-abtragend bearbeitet**	Materialabtrag ist **unzulässig**	Für zusätzliche Angaben	Gleiche Oberflächenbeschaffenheiten auf **allen Oberflächen** des Werkstücks

Die Oberflächenbeschaffenheit kann als **Mittenrauheit Ra** *(average roughness)* oder als **gemittelte Rautiefe Rz** *(average roughness depth)* angegeben werden. Beide Kennzeichnungen stehen am Symbol an der gleichen Stelle.

- Das Symbol kann immer mit der Spitze an die Körperkante gezeichnet werden.
- Bei der Eintragung der Zahlen und Angaben ist die Leserichtung zu beachten.
- Bei der Verwendung von Hilflinien ist die Leserichtung zu beachten.
- Auf **älteren Zeichnungen** sind die Oberflächenangaben für Ra wie **nebenstehend** eingetragen:

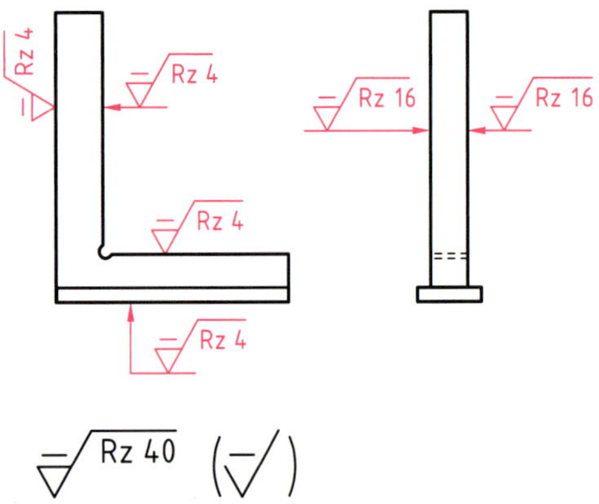

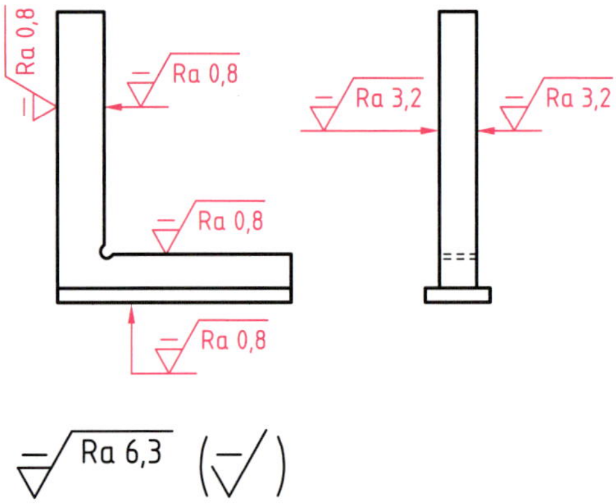

Überlegen Sie

Erläutern Sie die eingetragenen Oberflächenbeschaffenheiten.

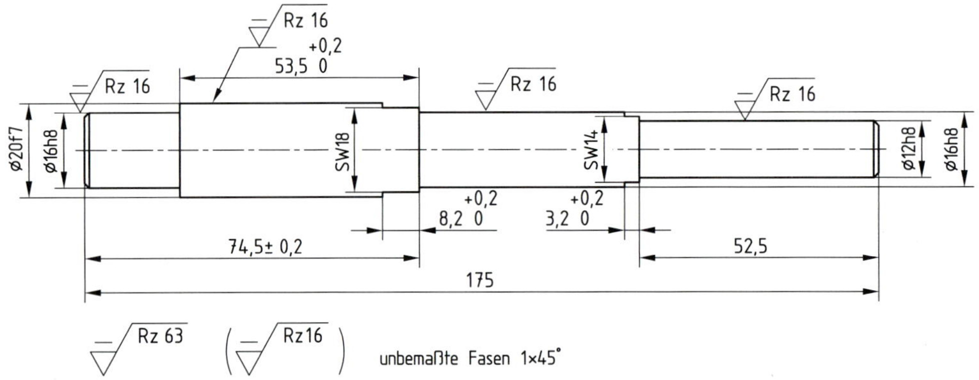

Weitere Informationen zu Rauheitswerten finden Sie in Ihrem Tabellenbuch.

1) DIN EN ISO 1302: 2008-08 – Geometrische Produktspezifikation – Angabe der Oberflächenbeschaffenheit in technischen Produktdokumentationen

2.4.6 Schweißsymbole

Schweißnähte *(weld seams)* werden in Zeichnungen mithilfe von Symbolen[1] *(welding symbols)* gekennzeichnet. Diese enthalten Aussagen über

- die Form
- die Verarbeitung und
- die Ausführung

der jeweiligen Schweißnaht. An das Grundsymbol (rechts) kann eine Gabel angefügt werden, wenn zusätzliche Angaben benötigt werden.

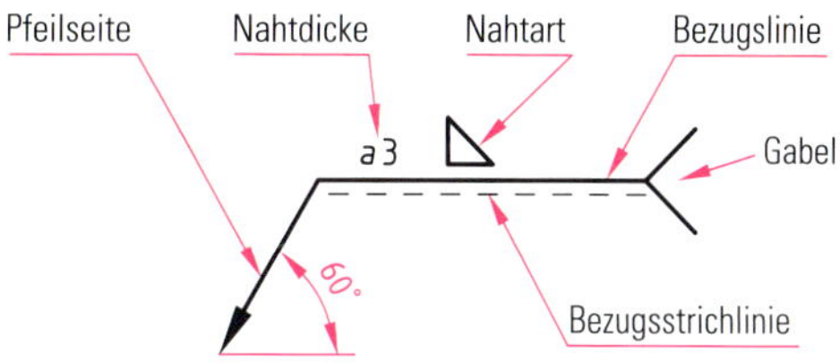

Benennung	Darstellung	Symbol/ Nahtart
V-Naht	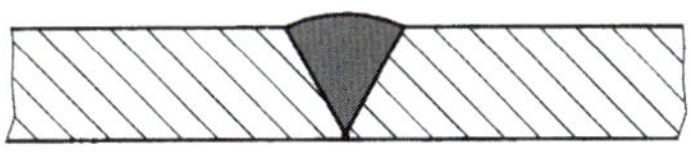	
Y-Naht	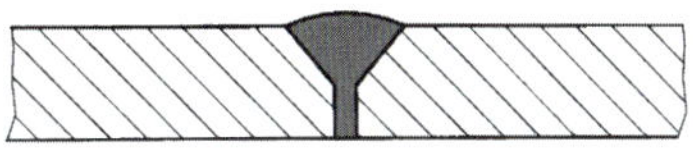	
Kehlnaht	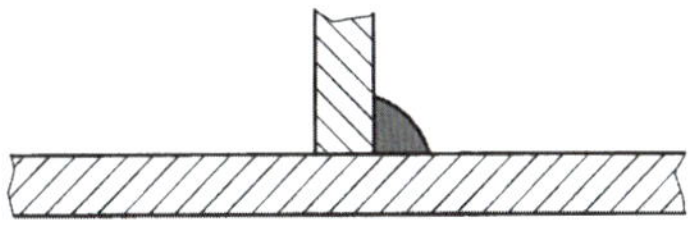	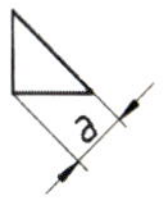

1 *Grafische Symbole für Schweißnähte*

Ergänzende Angaben:

Ringsumnaht

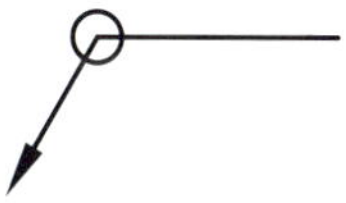

Baustellennaht

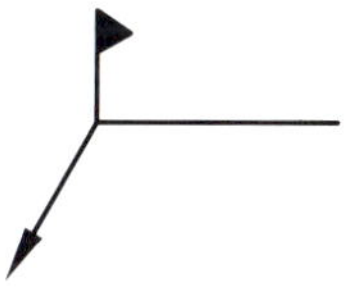

Einseitige Nähte erhalten immer eine Bezugsstrichlinie. Durch sie wird die Lage der Schweißnaht (Pfeilseite oder Gegenseite) festgelegt.

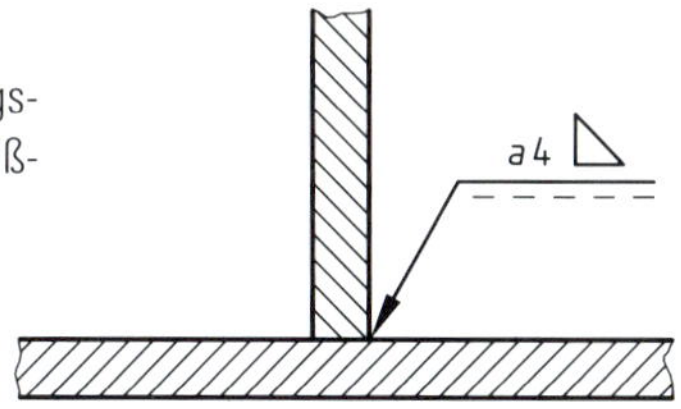

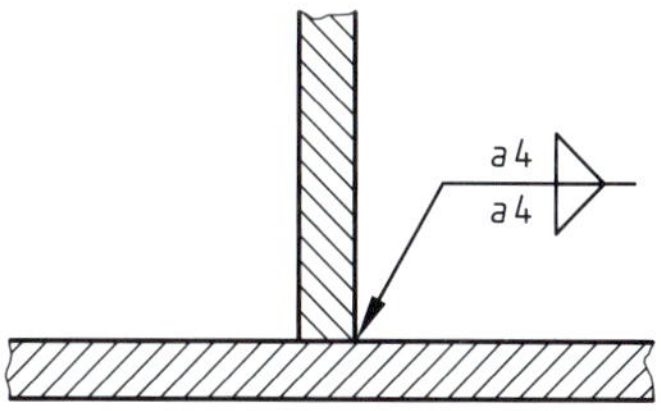

Überlegen Sie

1. Wie viele Schweißnähte müssen am Stützbock gezogen werden?
2. Bestimmen Sie die Form der Schweißnähte des Stützbocks.
3. Skizzieren Sie ein Symbol mit Angabe zur Form, Lage und Dicke (a = 5 mm) einer Schweißnaht am Stützbock.
4. Skizzieren Sie den Lagerbock und tragen Sie die erforderlichen Schweißnähte ein (a = 4 mm).

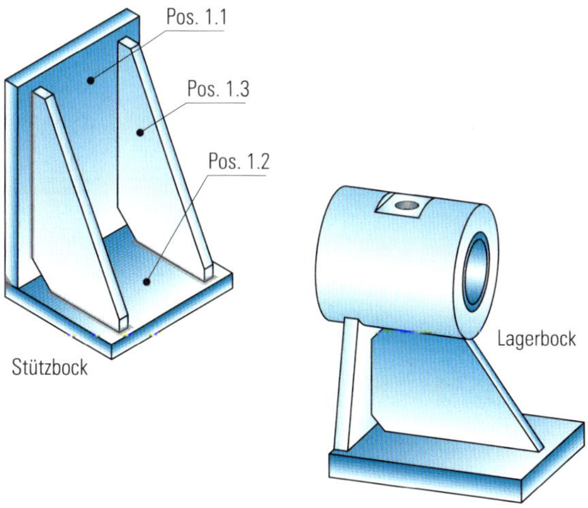

1) DIN EN ISO 2553: 2022-07 Schweißen und verwandte Prozesse – Symbolische Darstellung in Zeichnungen – Schweißverbindungen

2.5 Darstellungen im Schnitt, Halbschnitt und Teilschnitt[1)]

Im Schnitt wird das Werkstück gedanklich „durchgeschnitten“. Nimmt man den abgeschnittenen Teil weg, so werden die inneren Konturen sichtbar. Der Betrachter sieht auf die Schnittebene *(cutting plane)*. Die Schnittebene – als gedachte Fläche – wird schraffiert, damit sie von echten Flächen unterschieden werden kann. Die aufgeschnittenen Bohrungen verlaufen als gekrümmte Flächen hinter der Schnittebene. Sie werden als sichtbare Flächen – wie sichtbare Außenflächen – nicht schraffiert.

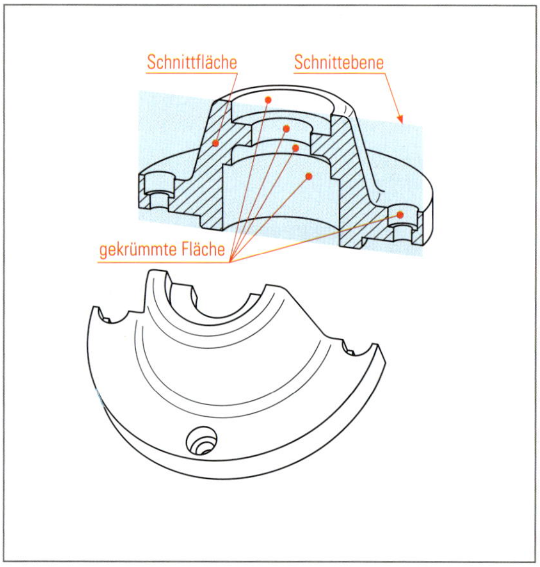

2 Geschnittenes Bauteil

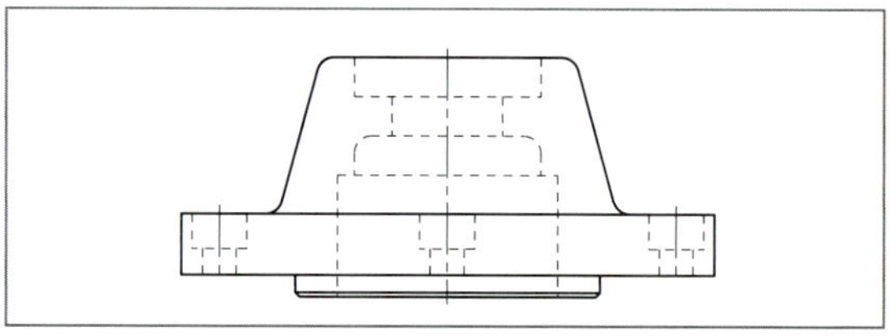

1 Flanschlager in Ansicht A mit verdeckten Kanten

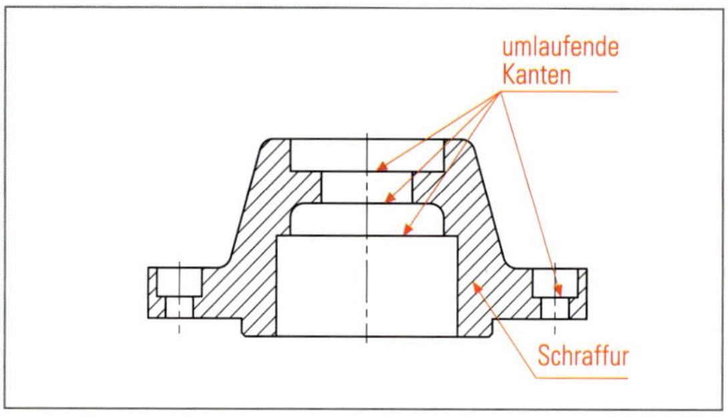

3 Flanschlager im Schnitt

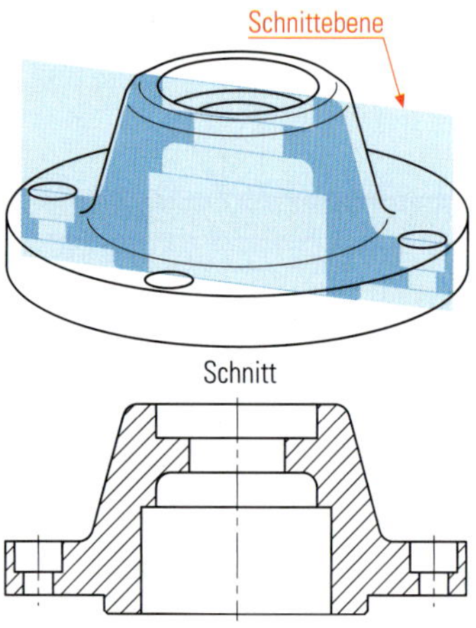

Beim **Schnitt** *(full section)* wird das halbe Werkstück abgeschnitten.

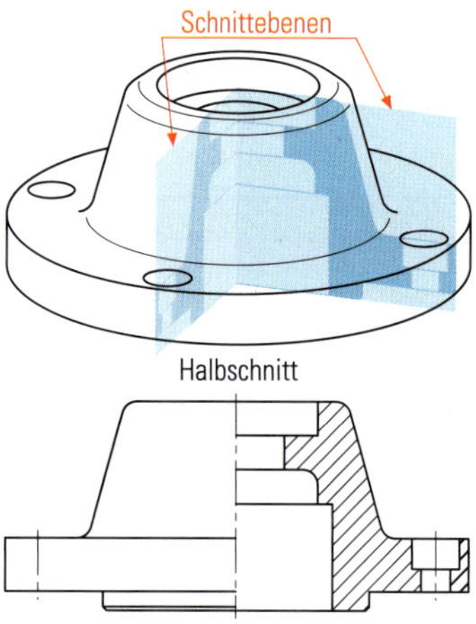

Beim **Halbschnitt** *(half section)* wird ein Viertel des Werkstücks herausgeschnitten. Die vorne in der Mitte entstehende Kante wird nicht gezeichnet. Gezeichnet wird immer die Mittellinie des Werkstücks.

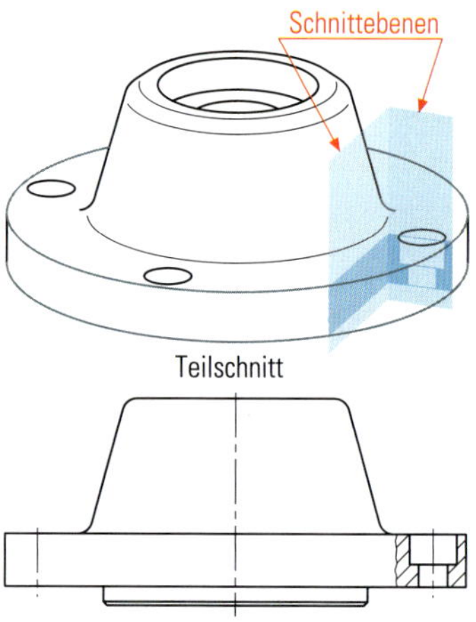

Beim **Teilschnitt** *(local section)* wird das Werkstück nur an einer ausgewählten Stelle geschnitten.

Animation Schnitte

1) DIN ISO 128-40, -44, -50: 2002-05 – Technische Zeichnungen – für Schnittansichten und Schnitte

2.5.1 Darstellungsregeln

- Die Schnittfläche wird durch eine Schraffur *(hatching)* gekennzeichnet.
- Die Schraffur verläuft unter einem Winkel von 45°.
- Die Schraffur ist nach rechts oder links geneigt.
- Die Schraffurlinien werden als dünne Volllinien gezeichnet.
- Schraffuren enden grundsätzlich an breiten Volllinien.
- Die Schraffur wird nur für Maßzahlen unterbrochen und nicht für die Maßlinien.

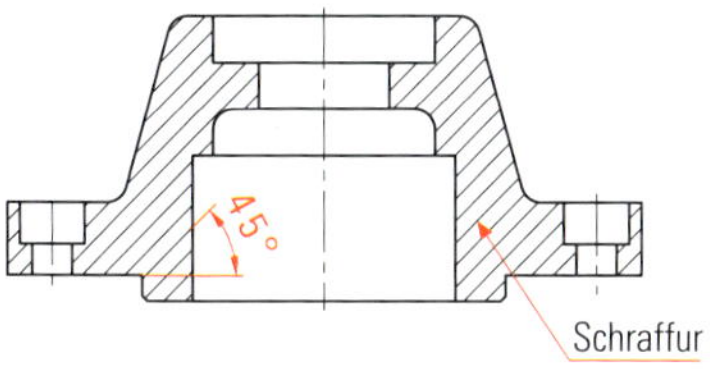

- Große Schnittflächen erhalten einen breiten Abstand der Schraffurlinien.
- Kleine Schnittflächen erhalten einen schmalen Abstand der Schraffurlinien.

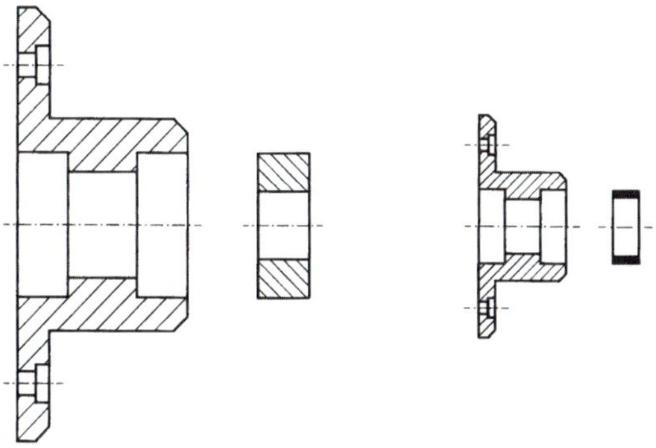

- Sehr schmale Flächen können geschwärzt werden.
- Jedes Einzelteil erhält eine besondere Schraffur. In Baugruppen *(subassemblies)* können die Teile aufgrund ihrer unterschiedlichen Schraffuren unterschieden werden. Die Schraffuren haben unterschiedliche Richtungen und Abstände.

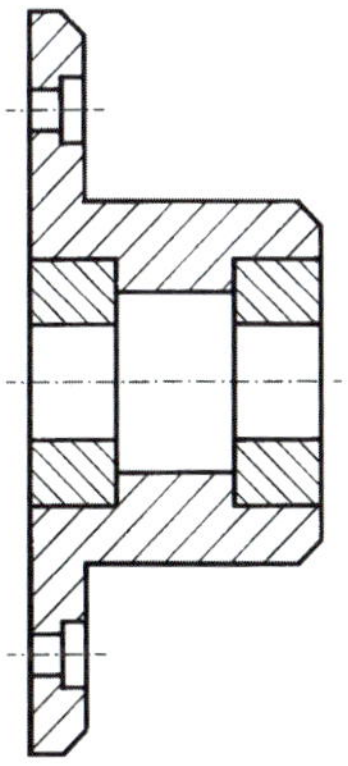

- Ein Einzelteil muss immer die gleiche Schraffur erhalten, egal, wie oft es in verschiedenen Ansichten in einer Fertigungszeichnung *(production drawing)* oder einer Gesamtzeichnung *(assembly drawing)* im Schnitt zu sehen ist.

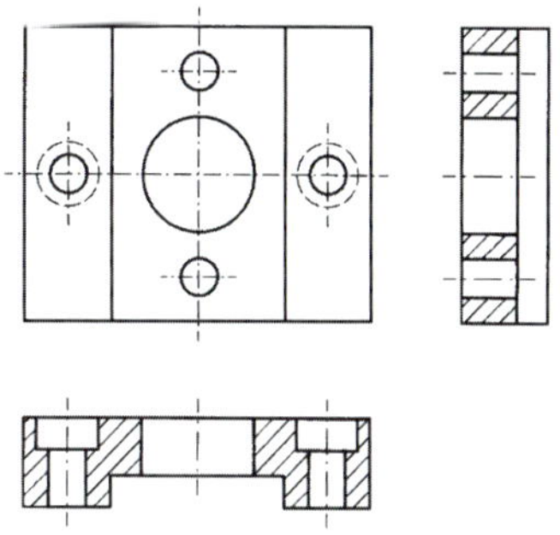

- Normteile, wie Schrauben *(screws)*, Stifte *(pins)* und Scheiben *(washers)* werden in Richtung ihrer Achse (in Längsrichtung) nicht geschnitten. Ihre Form ist in der Ansicht leichter zu erkennen. Ebenso werden Vollkörper, wie Rund- und Flachprofile in Längsrichtung nicht geschnitten, wenn sie keine Bohrungen oder verdeckte Einschnitte enthalten.

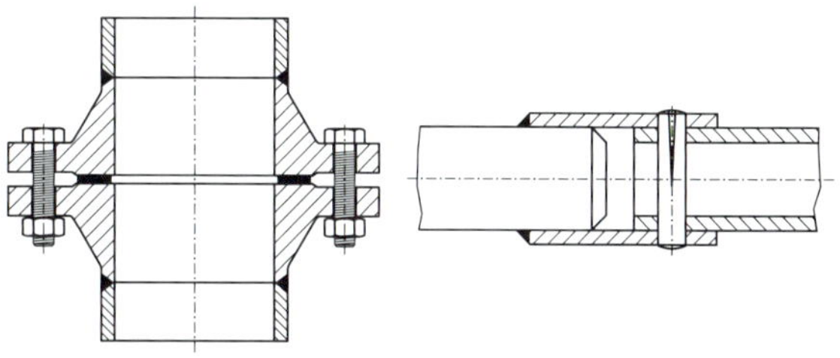

- Rippen *(ribs)* werden in Längsrichtung nicht geschnitten, damit sie von der Grundform leichter unterschieden werden können.

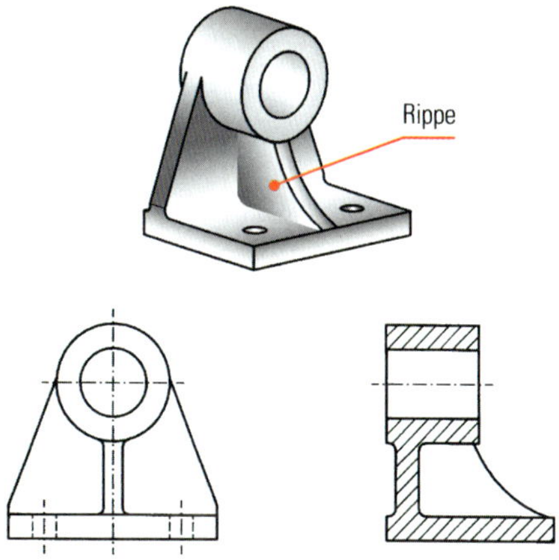

2.5.2 Besondere Schnittverläufe

- Besondere Schnittverläufe *(cutting planes)* werden im Werkstück durch Pfeile *(reference arrows)*, die in die Blickrichtung zeigen, gekennzeichnet. Die Pfeile zeigen auf breite Strich-Punkt-Linien *(thick chain lines)*. Werden in einem Werkstück mehrere Schnittverläufe eingetragen, so erhalten diese an den Pfeilen Kennbuchstaben. Die Pfeile sind 1,5-mal so groß wie die Maßpfeile zu zeichnen. Pfeile und Strich-Punkt-Linien werden als breite Volllinien dargestellt.

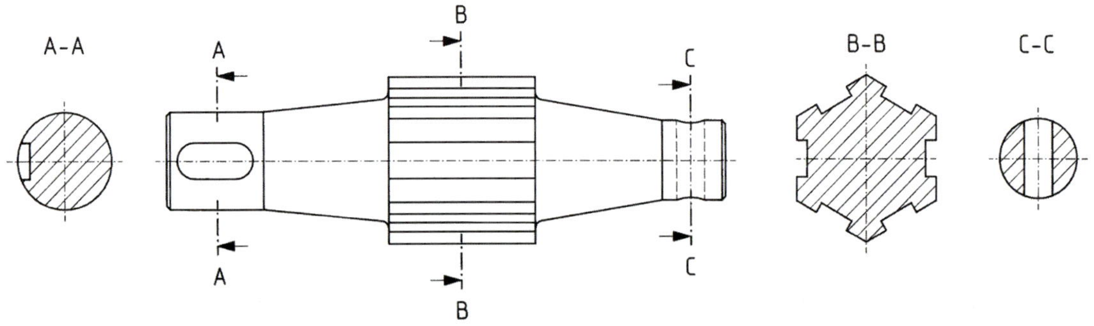

- Abgeknickte Schnittverläufe *(dividing line between the sections)* erhalten an ihren Enden breite Strich-Punkt-Linien und Pfeile, die die Blickrichtung kennzeichnen und an den Knickstellen kurze Winkel. An den Pfeilen werden die Schnittverläufe jeweils mit gleichen Großbuchstaben versehen.

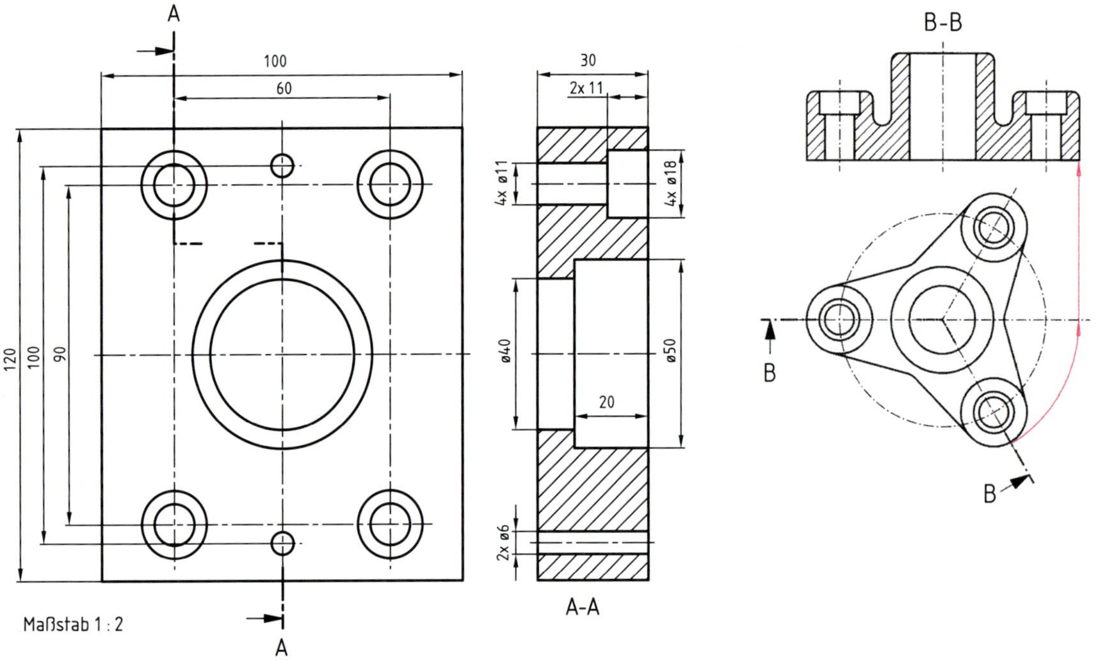

Überlegen Sie

1. Warum erhält die Schnittfläche eine Schraffur?
2. Welche Kanten werden in einem Schnitt als umlaufend bezeichnet?
3. Warum erhält ein Teil immer die gleiche Schraffur?

ÜBUNGEN

1. Fehleranalyse: Suchen und beschreiben Sie die Fehler in den Abbildungen 1 bis 10.

2. Die Zeichnungen A und B zeigen das gleiche Reduzierstück. Welche Darstellung bietet Vorteile? Nennen Sie die Gründe für Ihre Entscheidung.

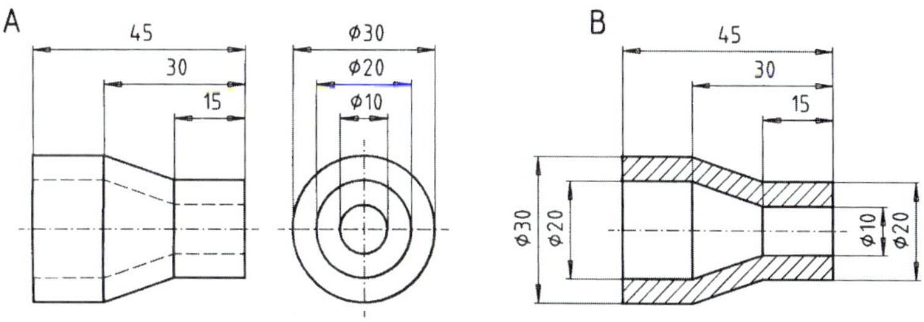

3. Ordnen Sie jedem Werkstück eine geeignete Darstellungsart zu.

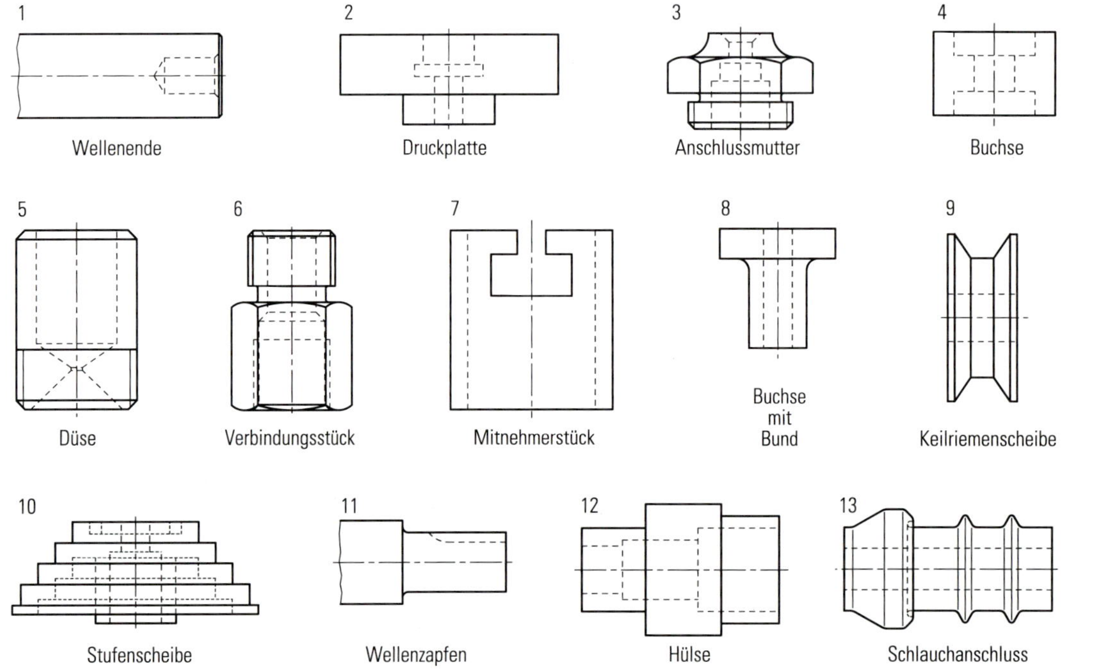

Darstellungsart	**Werkstück**
Ansicht mit verdeckten Kanten	
Schnitt	
Halbschnitt	
Teilschnitt	

4. Zeichnen Sie von den folgenden Drehteilen mindestens zwei im Schnitt mit den erforderlichen Bemaßungen. Die Drehteile sind 70 mm lang und ihr größter Durchmesser bzw. die Kantenlänge des größten Vierkants beträgt 60 mm. Alle anderen Maße können frei gewählt werden. Die gerundeten Kanten (Lichtkanten) sind als dünne Volllinien dargestellt. Sie enden vor den Körperkanten.

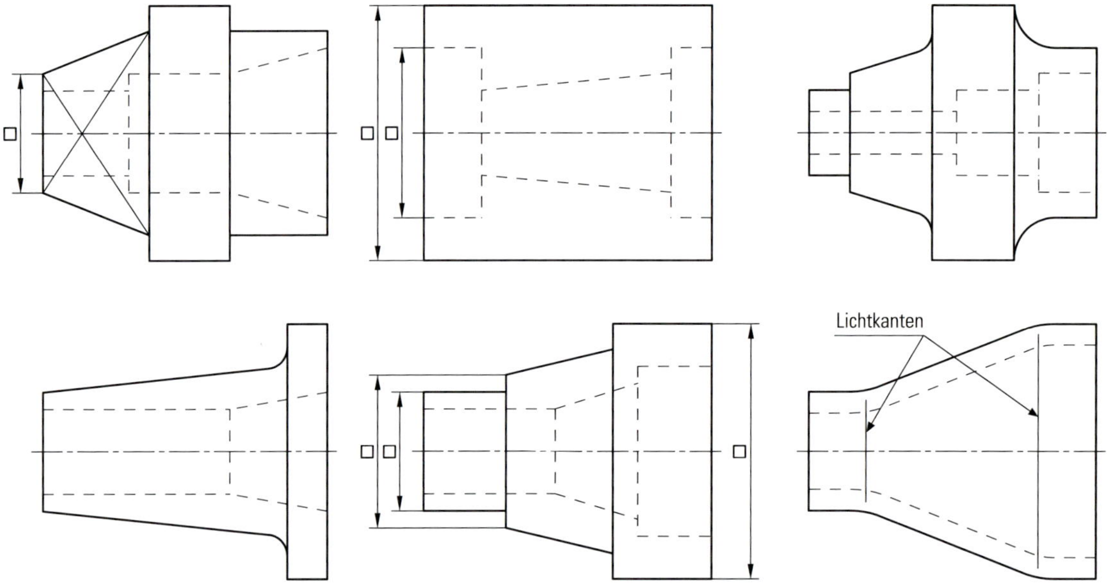

5. Fertigen Sie von einem **Reduzierstück** eine Einzelteilzeichnung an. Entnehmen Sie die erforderlichen Maße der Tabelle. Wenn Sie ein Reduzierstück auswählen, dessen Maß *d* kleiner als 63 mm ist, dann zeichnen Sie es im Maßstab 2:1.

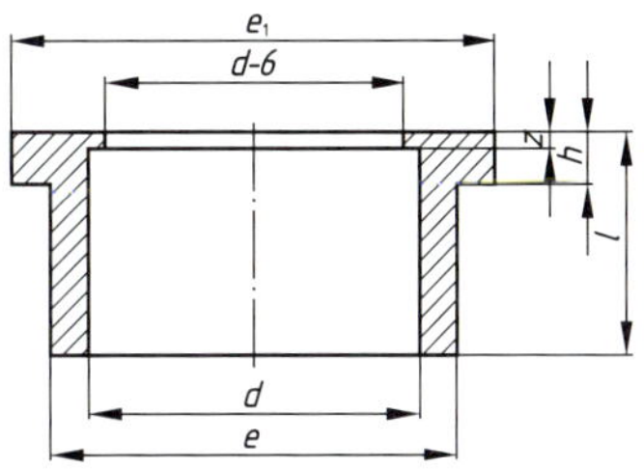

d	DN	*e*	e_1	*h*	*l*	*z*
20	15	27	34	6	19	3
25	20	33	41	7	22	3
32	25	41	50	7	25	3
40	32	50	61	8	29	3
50	40	61	73	8	34	3
63	50	76	90	9	41	3
75	65	90	106	10	47	3
90	80	106	125	11	56	5
110	100	131	150	12	66	5
160	150	188	213	16	91	5

6. Wählen Sie aus der Tabelle die Maße für eine **Bundbuchse** aus. Zeichnen und bemaßen Sie die Bundbuchse auf einem A4-Blatt im optimalen Maßstab.

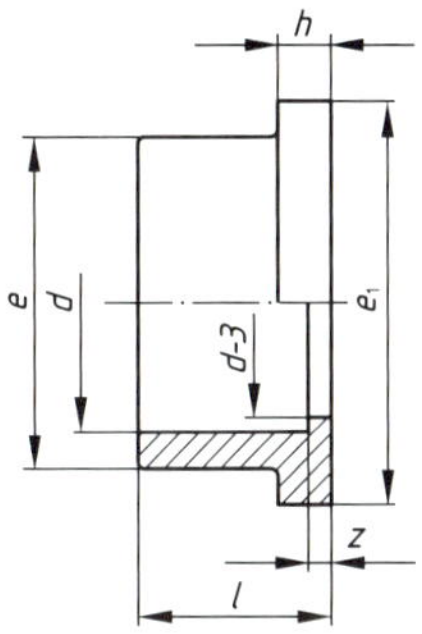

d	DN	*e*	e_1	*h*	*l*	*z*
20	15	27	34	6	19	3
25	20	33	41	7	22	3
32	25	41	50	7	25	3
40	32	50	61	8	29	3
50	40	61	73	8	34	3
63	50	76	90	9	41	3
75	65	90	106	10	47	3
90	80	106	125	11	56	5
110	100	131	150	12	66	5
160	150	188	213	16	91	5

7. Zeichnen Sie aufgrund der Tabellenmaße einen Führungsbolzen mit den Ausbrüchen.

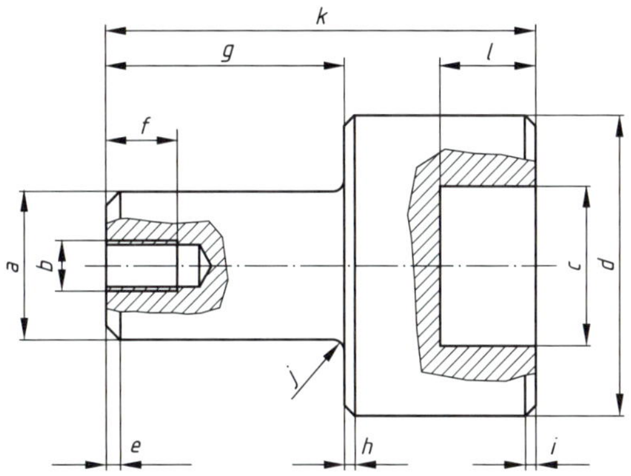

Maßangabe	Bolzen 1	Bolzen 2
a	∅ 30	∅ 40
b	M10	M12
c	∅ 32	∅ 45
d	∅ 60	∅ 80
e	3 × 45°	5 × 45°
f	15	20
g	50	70
h	2 × 45°	3 × 45°
i	2 × 45°	3 × 45°
j	R3	R5
k	90	110
l	20	30

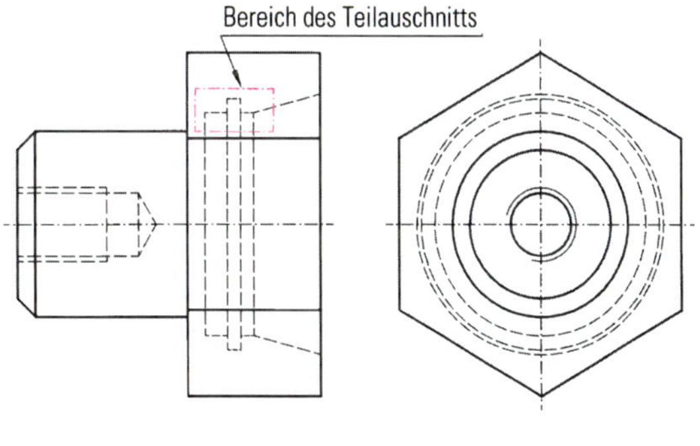

8. Skizzieren Sie die **Sechskantführung** mit selbst gewählten Maßen auf einem karierten Blatt in den Ansichten A und C. Die Ansicht A soll zwei Ausbrüche erhalten. Der markierte Bereich ist als Teilausschnitt im Maßstab 2:1 zu skizzieren. Die Zeichnung soll fertigungsgerecht bemaßt werden.

9. Das **Zapfenlager** ist in den Ansichten A und C zu zeichnen und zu bemaßen. In der Ansicht A sollen die drei markierten Bereiche als Teilschnitte ausgeführt werden.

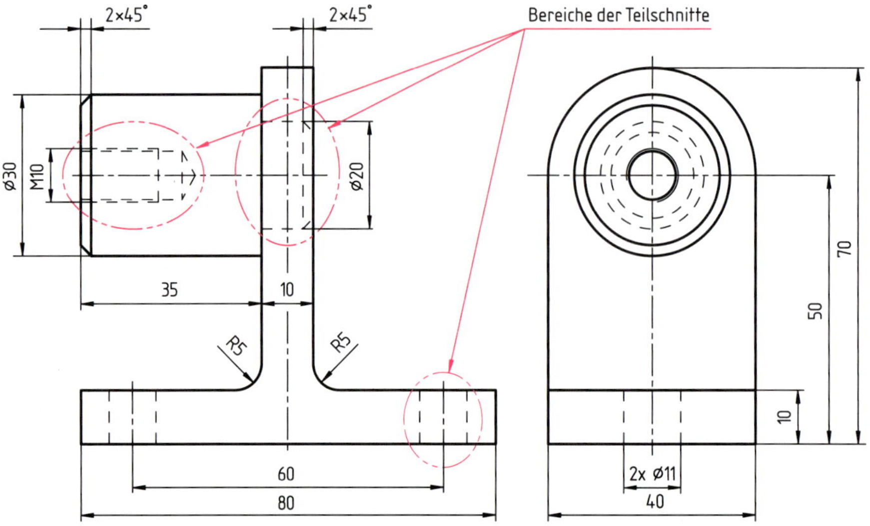

10. Zeichnen und bemaßen Sie das Flanschlager in der Ansicht A im dargestellten Schnittverlauf und in der Ansicht B.

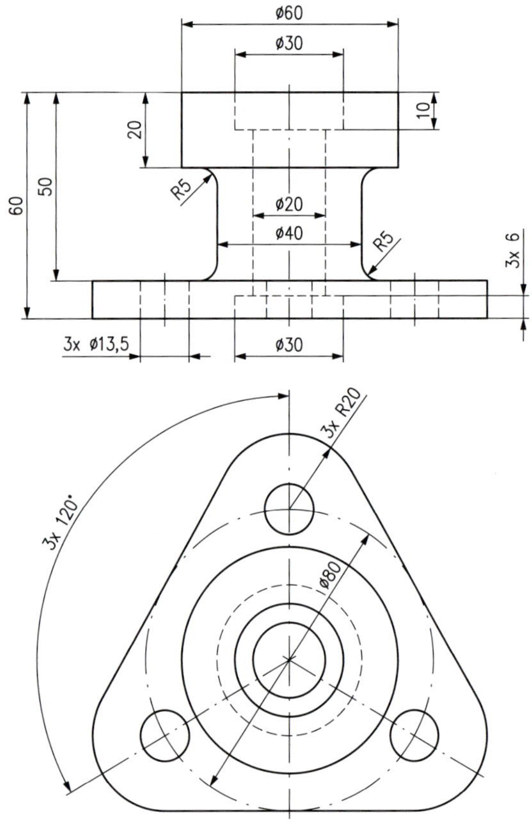

11. Zeichnen und bemaßen Sie die **Kupplungsklaue** im Maßstab 1:1 in den Ansichten A, B und C. Die Ansicht C soll dabei im Halbschnitt gezeichnet werden.

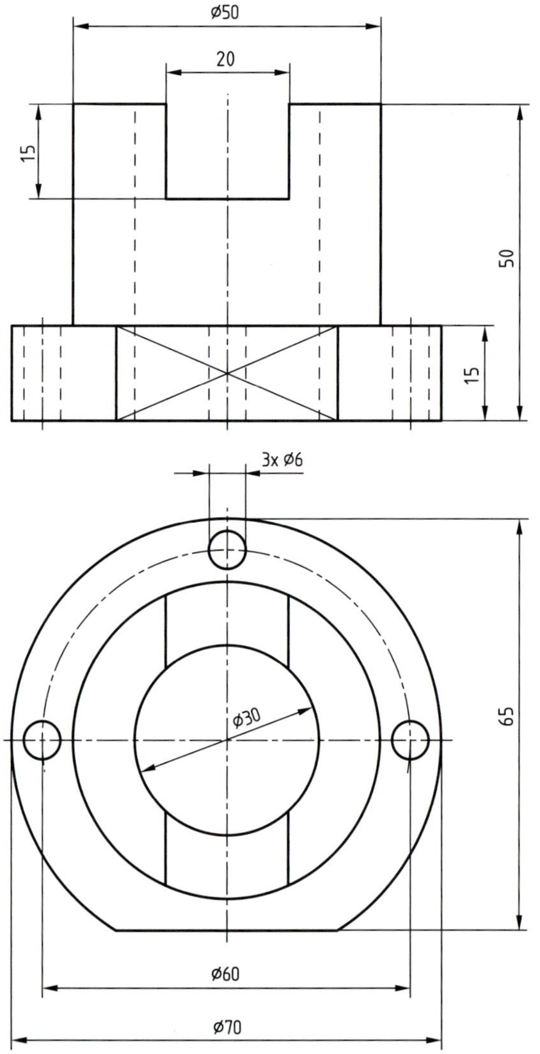

12. Für das Doppellager ist die Ansicht B als Schnitt A – A zu zeichnen.

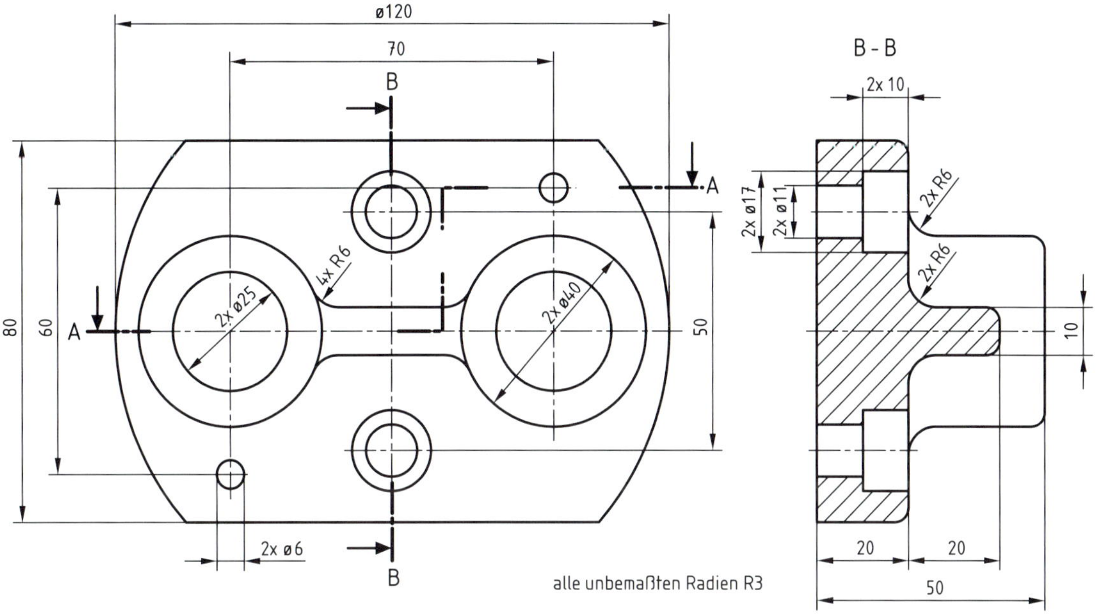

2.5.3 Lochkreise und in die geeignete Ansicht gedrehte Schnitte

Durch **ergänzende Angaben** können Bauteile eindeutig in nur **einer Ansicht** dargestellt werden. Die Ansichten C und D (Bild a) sind nicht erforderlich, wenn stattdessen eingeklappte Lochkreise *(screw-hole circles in a plane)* (Bild b) gezeichnet werden. Die Lage der Bohrungen ist auf den Lochkreisen durch dünne Strichlinien angegeben. Eine Bohrung wird gezeichnet und durch die Angabe von Anzahl und Durchmesser der Bohrungen ergänzt. Die Lochkreise sind als dünne Strich-Punkt-Linien ausgeführt. In den Ansichten C und D ist die Lage der Durchgangsbohrungen zu erkennen. Auch die Bohrungen des Flansches werden in die **Schnittebene** *(section plane)* **geklappt**, damit die Bohrungsformen erkennbar sind und im Schnitt keine Verzerrungen auftreten.

Da die Ansicht B eines Flansches symmetrisch ist, reicht zu ihrer Darstellung auch eine **Teilansicht**.

a)

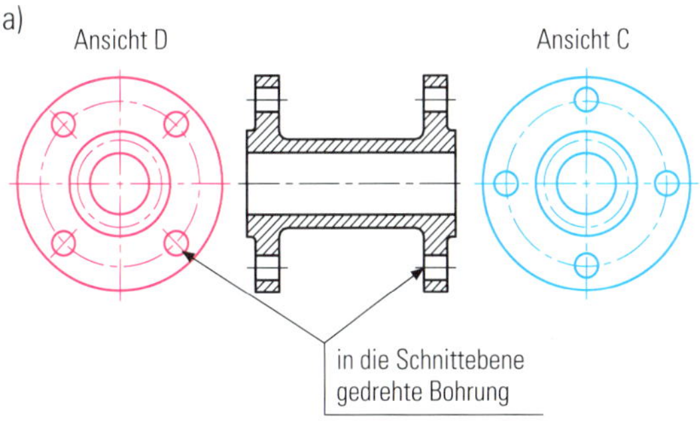

b)

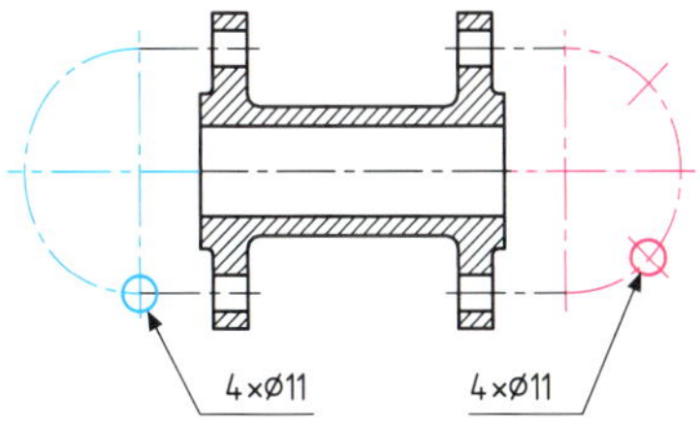

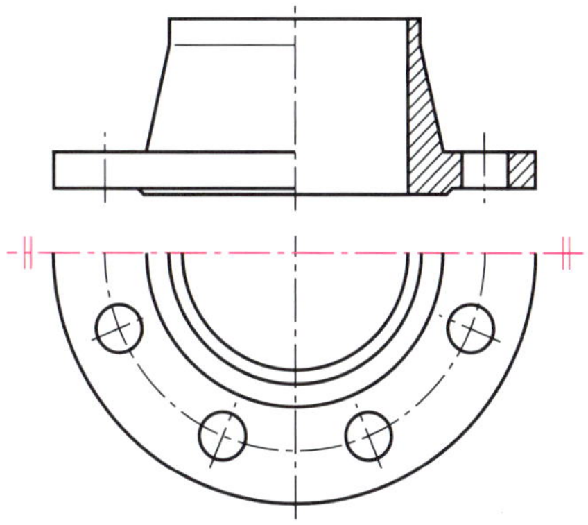

Um eine Ansicht der linken Darstellung a) einzusparen, werden die Querschnitte der verwendeten Profile in eine **geeignete Ansicht gedreht** (rechte Darstellung b). Das Profil wird mit dünnen Volllinien gezeichnet und mit einer Schraffur versehen oder geschwärzt.

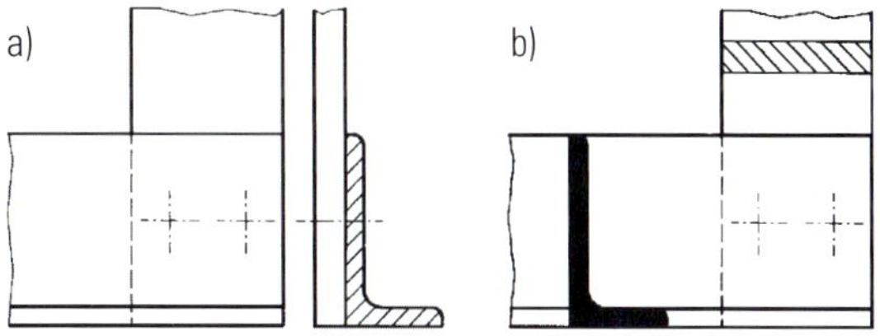

ÜBUNGEN

1. Zeichnen Sie einen **Lagerdeckel** im Schnitt mit eingeklapptem Lochkreis. Bemaßen Sie ihn fertigungsgerecht. Die Verbindung von Kolbenstange (Pos. 3) und Kolben (Pos. 2) erfolgt durch spanloses Umformen des Kolbenstangenabsatzes in die Senkung des Kolbens[1]. Dadurch wird ein Lösen des Kolbens verhindert und gleichzeitig die Verbindung abgedichtet.

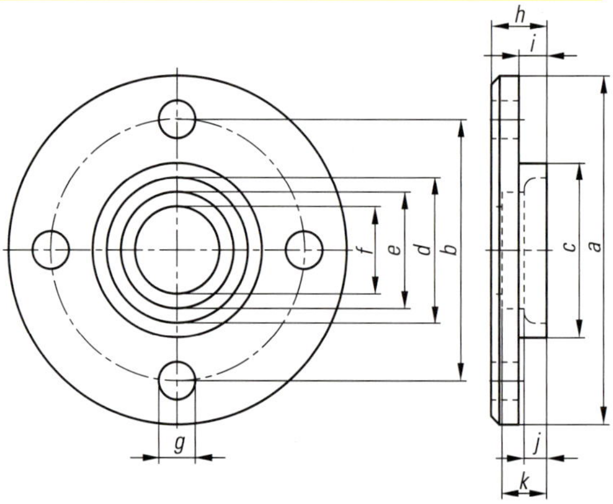

a	b	c	d	e	f	g	h	i	j	k	Anzahl d. Bohrungen	unbemaßte Radien	unbemaßte Fasen
80	60	40	32	25	20	9	15	7	5	12	3	R2	1,5 × 45°
100	75	50	44	36	25	11	16	8	6	13	4	R3	2 × 45°
120	90	60	50	40	30	13	20	10	8	16	6	R4	3 × 45°
160	120	80	70	60	55	17	24	10	6	16	6	R5	3 × 45°

2. Kurzhubzylinder

Die Verbindung von Kolbenstange (Pos. 3) und Kolben (Pos. 2) erfolgt durch spanloses Umformen des Kolbenstangenabsatzes in die Senkung des Kolbens[1]. Dadurch wird ein Lösen des Kolbens verhindert und gleichzeitig die Verbindung abgedichtet.

a) Welche Bauteile werden beim Ausfahren des Kolbens bewegt?

b) Welche Bauteile müssen demontiert werden, wenn die Kolbendichtung (Pos. 9) ausgewechselt werden soll?

c) Warum werden für die Bauteile Pos. 9 und Pos. 10 Elastomere verwendet?

d) Begründen Sie, warum das Bauteil Pos. 6 benötigt wird.

e) Beschreiben Sie die Aufgabe des O-Rings.

f) Aus welchem Grund hat der Zylinderdeckel (Pos. 4) außen einen Bund?

g) Begründen Sie den Einsatz der Dämpfungsscheiben Pos.13 und Pos. 14.

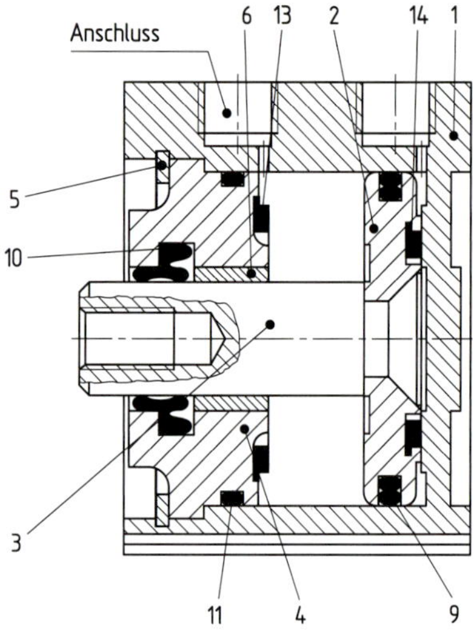

Position	Menge	Benennung	Sach-Nr./Norm-Kurzbezeichnung
1	1	Gehäuse	Gussteil EN AW-5754 [AlMg3]
2	1	Kolben	Rund EN AW-5754 [AlMg3]
3	1	Kolbenstange	Rund EN 10278 – 25 – C60E hartverchromt
4	1	Zylinderdeckel	Rund EN AW-5754 [AlMg3]
5	1	Befestigungsring	Stahl
6	1	Kolbenstangenlager	Lagermetall
9	1	Kolbendichtung	NBR
10	1	Abstreifer	NBR
11	1	O-Ring	NBR
13	1	Dämpfungsscheibe A	PVC
14	1	Dämpfungsscheibe B	PVC

1) siehe Lernfelder 1 und 2 Kap. 2.2 Schmieden

2.6 Gewinde[1)]

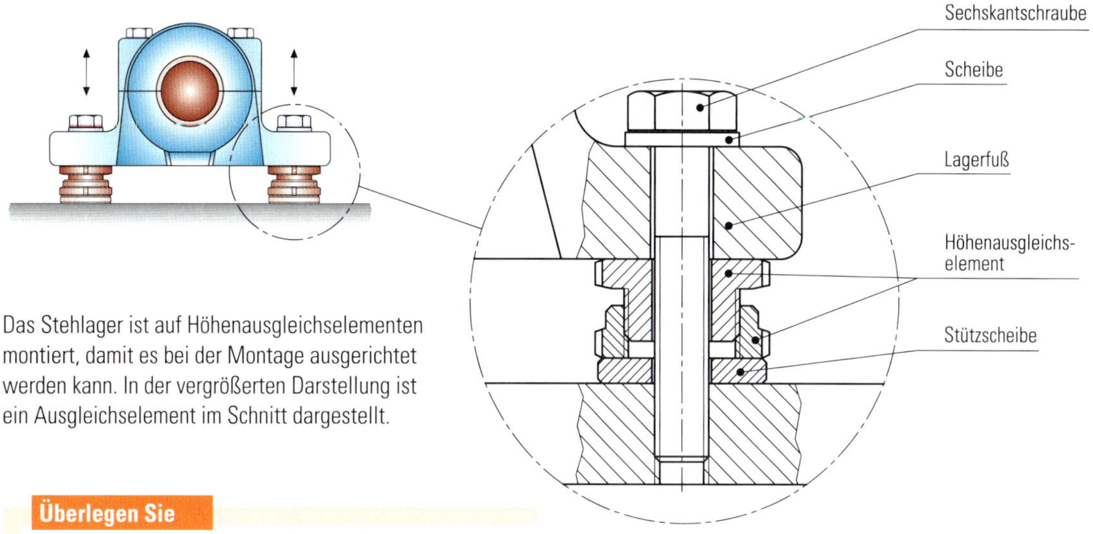

Das Stehlager ist auf Höhenausgleichselementen montiert, damit es bei der Montage ausgerichtet werden kann. In der vergrößerten Darstellung ist ein Ausgleichselement im Schnitt dargestellt.

Überlegen Sie

1. Wie viele Außen- und Innengewinde sind im Schnitt zu erkennen?
2. Benennen Sie die Teile, die ein Außen- bzw. ein Innengewinde haben.
3. Wie viele Durchgangslöcher sind zu erkennen?
4. Benennen Sie die Teile, die ein Durchgangsloch haben. Begründen Sie Ihre Auswahl.
5. Beschreiben Sie die Funktion des Höhenausgleichselements.

2.6.1 Darstellung von Gewinden

Die genaue Darstellung der Gewindespitzen ist zeichnerisch viel zu aufwändig. Sie kommt ausschließlich in englischen oder amerikanischen Zeichnungen vor. Für die vereinfachte Darstellung der Gewinde *(threads)* gibt es Symbole.

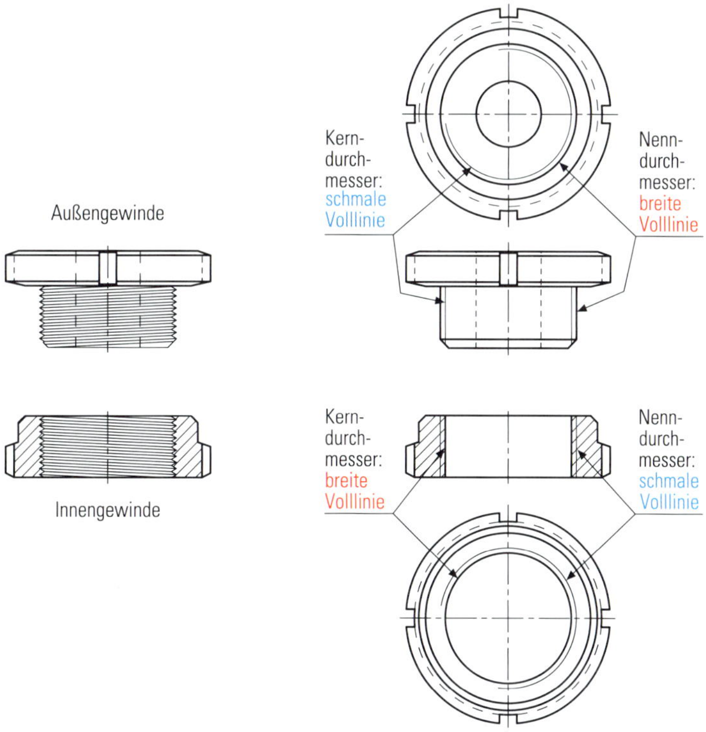

1) DIN ISO 6410-1, -2, -3: 1993-12 – Technische Zeichnungen – Gewinde und Gewindeteile; DIN 202: 1999-11 – Gewinde – Übersicht; DIN EN ISO 129-1: 2022-02 – Maßeintragung

Außengewinde *(external threads)*

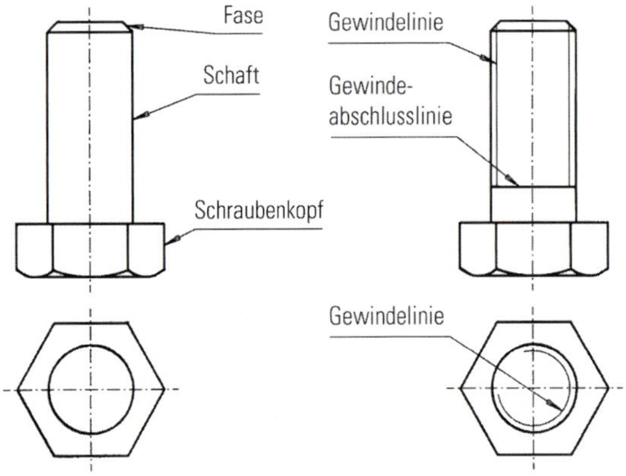

Zuerst wird die **Kontur** der Schraube mit **breiten Volllinien** gezeichnet. Die für die Herstellung erforderliche Fase wird nicht gezeichnet.

Dann wird die **Gewindeabschlusslinie** *(end of full thread)* als **breite Volllinie** gezeichnet. Sie begrenzt die nutzbare Gewindelänge. Die **Gewindelinien** werden als **schmale Volllinien** gezeichnet (Symbol). In der Draufsicht wird die Gewindelinie als **¾-Kreis** gezeichnet. Dieses Symbol hat Vorrang vor der Volllinie der Fase.

Innengewinde *(internal threads)*

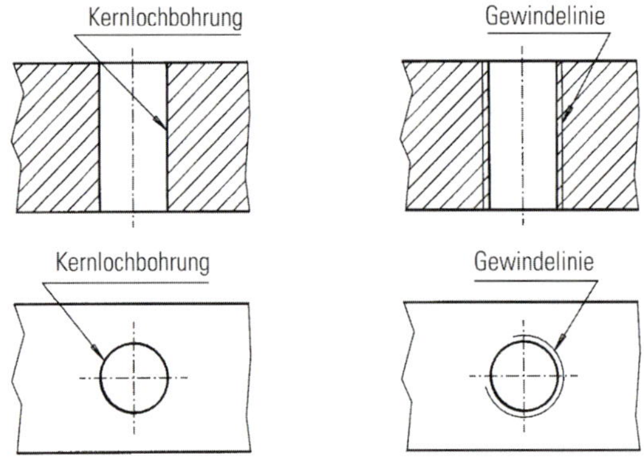

Zuerst wird die **Kernlochbohrung** *(tapping drill hole)* im Schnitt bzw. in der Draufsicht mit **breiten Volllinien** gezeichnet. Die Schraffur endet an der breiten Volllinie.

Dann werden die **Gewindelinien** *(thread thin line)* als **schmale Volllinien** gezeichnet (Symbol). In der Draufsicht wird die Gewindelinie als **¾-Kreis** gezeichnet. Die für die Herstellung erforderliche Fase wird nicht gezeichnet.

2.6.2 Bemaßung von Gewinden

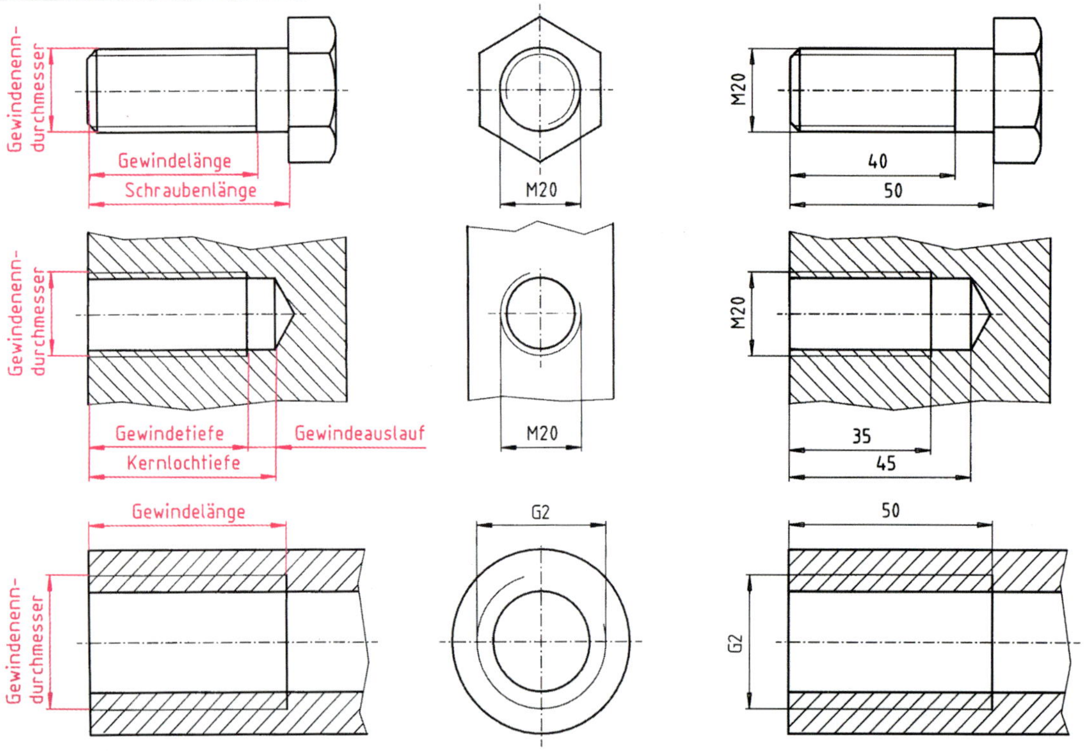

Bemaßungsregeln:

- Es müssen immer das **Kurzzeichen** *(short symbol)* z. B. **M** für metrisches ISO-Gewinde, **Tr** für Trapezgewinde bzw. **G** für Rohrgewinde und der **Nenndurchmesser** *(nominal diameter)* und die **Gewindelänge** *(thread length)* angegeben werden.
- Bei **Feingewinden** *(fine threads)* wird zusätzlich die Steigung z. B. M 20 × 1 angegeben.
- **Linksgewinde** *(left-handed thread)* erhalten den Zusatz LH.
- Im **Gewindegrundloch** *(blind tapped hole)* müssen die Kernlochtiefe *(depth of a tapping drill hole)* und die Gewindelänge angegeben werden. Die Gewindelänge besteht hier aus der erforderlichen Gewindetiefe plus dem Gewindeauslauf.
- Als **Normteile** werden die Schrauben in Längsrichtung **nicht geschnitten**.

2.6.3 Schraubenverbindungen

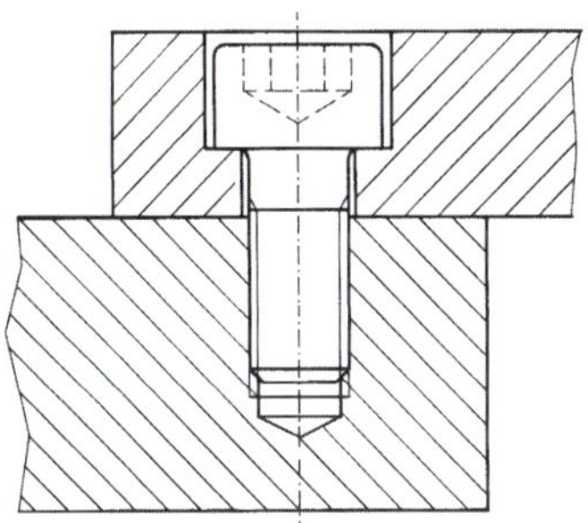

- Die **Schraffur** *(hatching)* endet immer an einer **breiten Volllinie**. Sie reicht bei Schrauben bis an den Außendurchmesser bzw. beim Muttergewinde bis an den Kernlochdurchmesser.

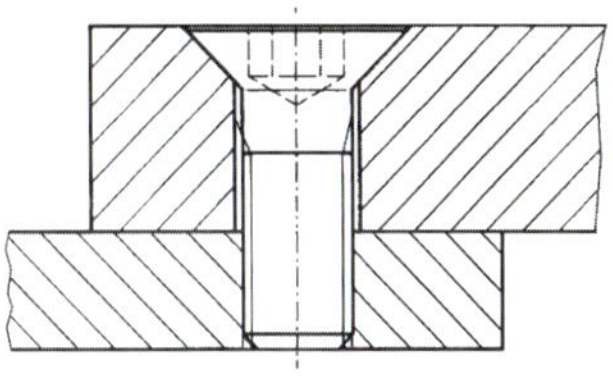

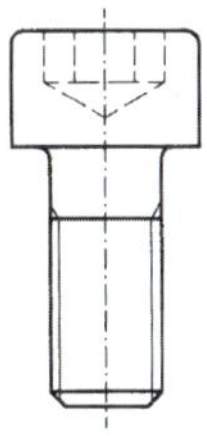

- Bei Zylinderschrauben und Senkkopfschrauben mit Innensechskant kann das Innensechskant mithilfe verdeckter Kanten symbolisiert werden.

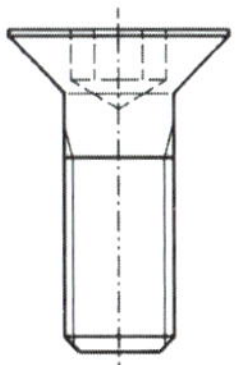

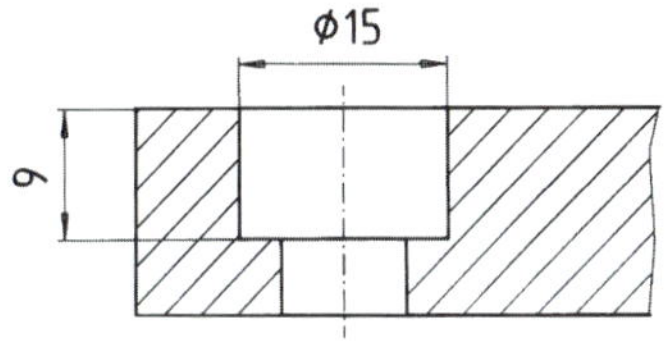

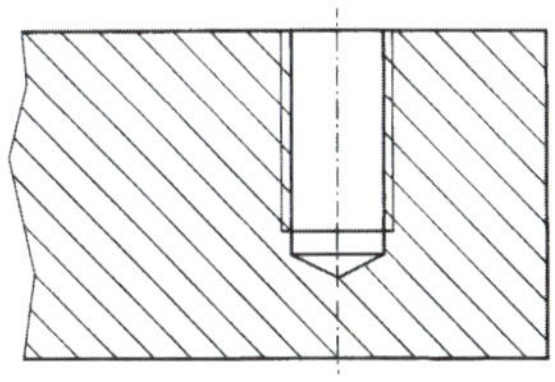

- Senkungen *(counter bores)* und Durchgangsbohrungen *(through holes, through borings)* müssen in ihrer Form und Größe auf die jeweils eingesetzte Schraube abgestimmt sein. Die Abmessungen sind **Tabellenbüchern** *(standards books)* zu entnehmen.
- Zylindrische Senkungen *(cylindrical counter bores)* (siehe Kap. 2.4.4) werden durch die Angabe von Durchmesser und Senktiefe bemaßt.
- Bei kegeligen Senkungen *(conical counter bores)* sind der Winkel und die Tiefe der Senkung anzugeben.

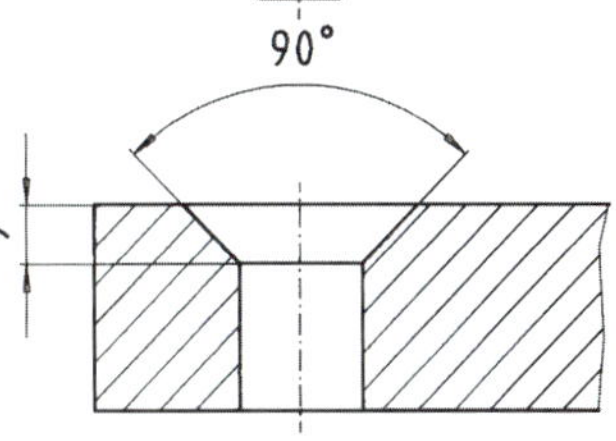

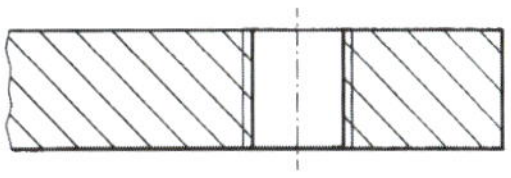

Berechnung von Gewindetiefe und Grundlochtiefe:

Die **Mindesteinschraubtiefe** l_e hängt ab von

- Nenndurchmesser der Schraube
- Festigkeitsklasse der Schraube
- Werkstoff des Innengewindes

Da es Schrauben nur in genormten Längen gibt, kann die tatsächliche Schraubtiefe etwas länger sein als die berechnete Mindesteinschraubtiefe.

Die **Gewindetiefe** l_G hängt ab von

- der tatsächlichen Einschraubtiefe der Schraube und
- der Herstellerzugabe x ($x \cdot 3P$).

Die **Grundlochtiefe** l_B (Bohrungstiefe des Kernlochs) hängt ab von

- der Gewindetiefe
- dem Gewindeauslauf e (vgl. DIN 76-1)

ÜBUNGEN

1. Fehleranalyse: Suchen und beschreiben Sie die Fehler in den Abbildungen 1 bis 9.

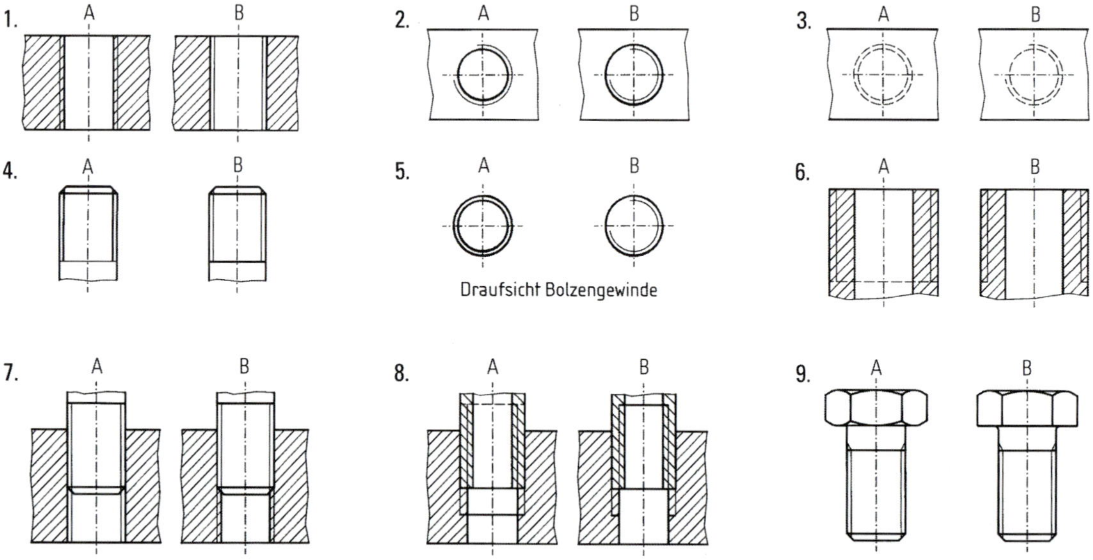

2. Mit dem **Rohrverbinder** können Rohre *(pipes)*, die sich unter 90° kreuzen, kraftschlüssig miteinander verbunden werden. Dazu sind die Zylinderschrauben so fest anzuziehen, dass sich die Rohre in den Bohrungen verklemmen. Der Rohrverbinder besteht aus S235JR.

a) Zeichnen und bemaßen Sie die Ansicht A des Rohrverbinders im Schnitt, die Ansichten B und C mit allen verdeckten Kanten und bemaßen Sie den Rohrverbinder. Die fehlenden Maße sind dem Tabellenbuch zu entnehmen.

b) Planen Sie den Fertigungsablauf für den Rohrverbinder. Geben Sie in einer Tabelle die Fertigungsverfahren, die Werkzeuge und die technologischen Daten wie Schnittgeschwindigkeiten, Umdrehungsfrequenzen und Vorschübe an.

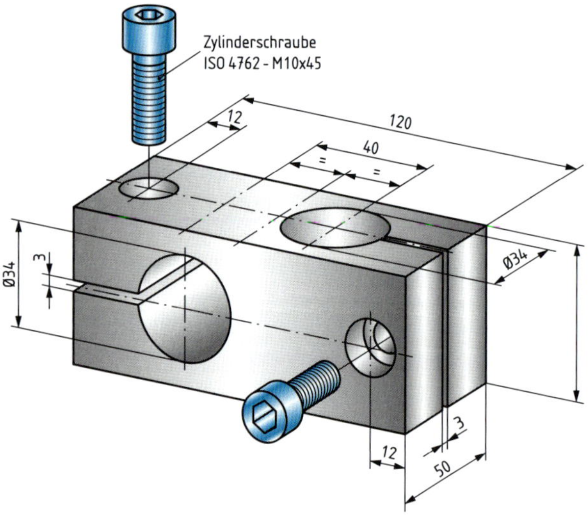

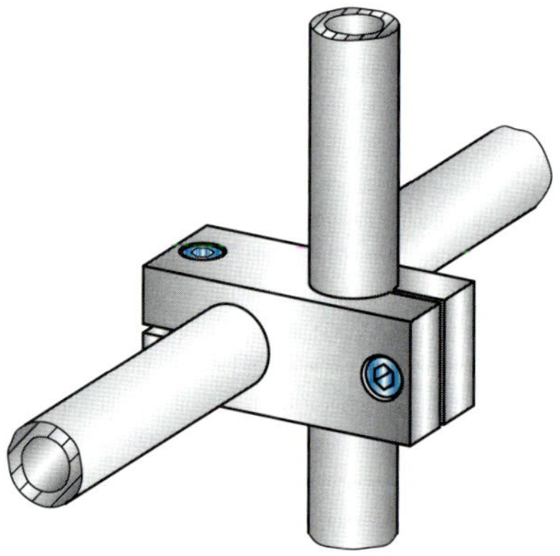

3. Das verstellbare **Klemmstück** aus C45E dient oft als Anschlag für die Positionierung von Werkstücken während der spanenden Bearbeitung.

a) Zeichnen Sie aufgrund der Gesamtzeichnung und der Tabelle für einen Typen die Teile Pos. 1 und Pos. 2 im Schnitt und in den benötigten Ansichten. Berechnen Sie die erforderlichen Maße. Fehlende Maße sind festzulegen bzw. mithilfe des Tabellenbuches zu ermitteln. Bemaßen Sie die Teile fertigungsgerecht.

b) Stellen Sie Arbeitspläne für die Teile Pos. 1 und Pos. 2 auf, geben Sie dabei die Werkzeuge, Schnittgeschwindigkeiten, Umdrehungsfrequenzen und Vorschübe an.

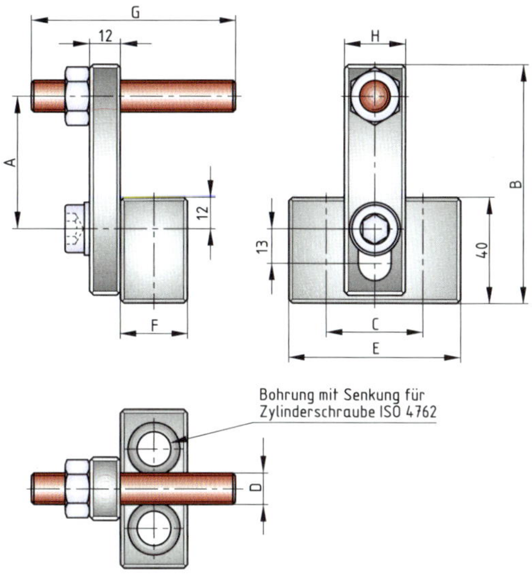

Typ	A	B	C	D	E	F	G	H
1	25	60	30	M10	60	24	60	20
2	32	65	30	M10	60	24	60	20
3	40	75	30	M10	60	24	60	20
4	32	70	38	M12	68	26	80	24
5	50	90	38	M12	68	26	80	24
6	75	115	38	M12	68	26	80	24
7	32	75	45	M16	75	30	100	30
8	50	93	45	M16	75	30	100	30
9	75	115	45	M16	75	30	100	30

4. Dargestellt sind die Einzelteile eines **Spannschlosses**. Spannschlösser dienen zum Spannen von Seilen an Masten bzw. zur Versteifung von Rahmen im Hallenbau.

a) In welcher Reihenfolge müssen die Teile montiert werden?

b) Welche Bedeutung haben die Bezeichnungen M16 RH und M16 LH?

c) Beschreiben Sie die Funktion des Spannschlosses.

d) Fertigen Sie eine Skizze an und tragen Sie die größte und die kleinste Spannweite ein. Die Augenschrauben sollen mindestens 20 mm eingeschraubt sein.

e) Welche Aufgabe erfüllen die Muttern?

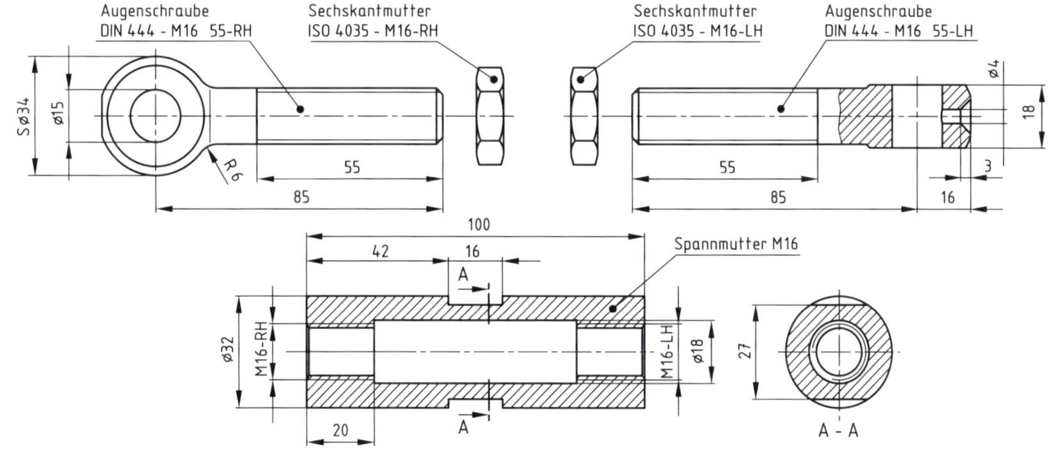

Treten Links- und Rechtsgewinde an einem Bauteil auf, können die Rechtsgewinde den Zusatz RH erhalten.

2.7 Zeichnungslesen

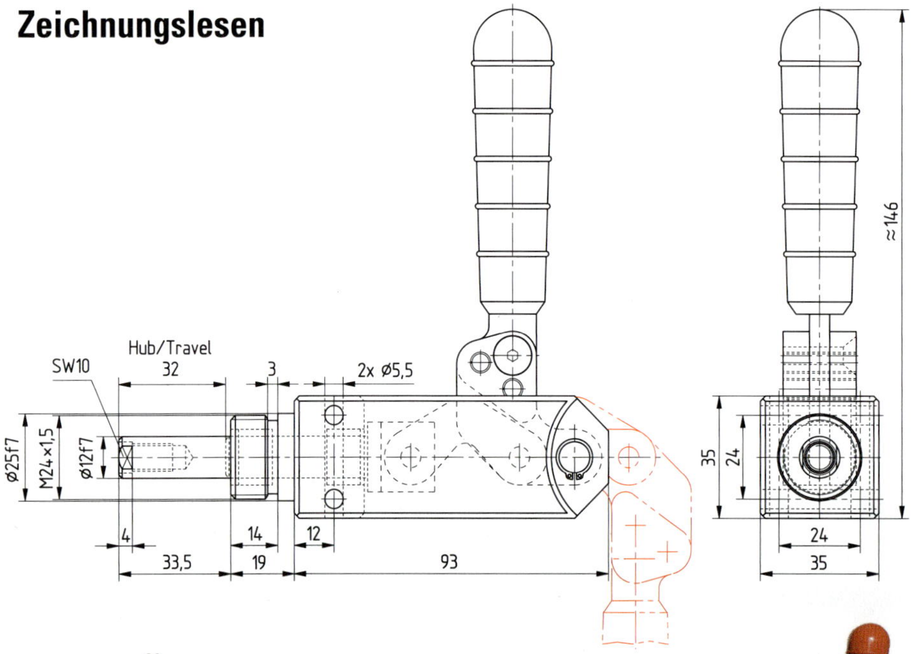

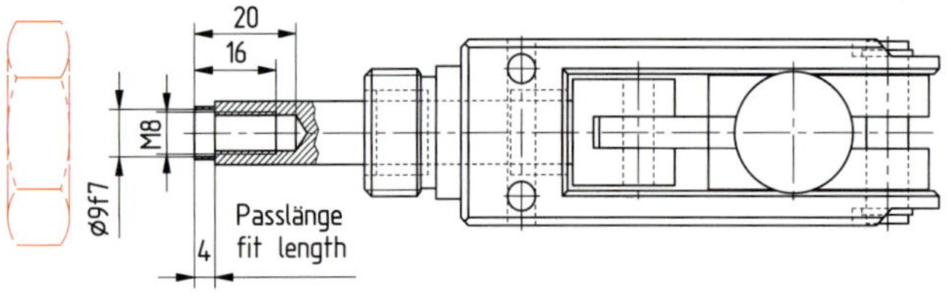

alle Teile brüniert

Position	Menge	Benennung	Sach-Nr./Norm-Kurzbezeichnung
1	1	Gehäuse	Quadrat EN 10278 – 36 × 114 – EN 10025 – S235JR + C
2	1	Handgriff	Flach EN 10278 – 22 × 6 × 120 – EN 10025 – S235JR + C
3	1	Zwischenstück	Flach EN 10278 – 22 × 6 × 48 – EN 10025 – S235JR + C
4	1	Lasche, links	Flach EN 10278 – 45 × 8 × 43 – EN 10025 – S235JR + C
5	1	Lasche, rechts	Flach EN 10278 – 45 × 8 × 43 – EN 10025 – S235JR + C
6	1	Schubstange	Quadrat EN 10278 – 20 × 95 – EN 10025 – S235JR + C
7	2	Buchse	Rund EN 10278 – 16h8 × 10 – EN 10025 – S235JR + C
8	1	Bolzen	Rund EN 10278 – 8h8 × 41 – EN 10025 – S235JR + C
9	2	Sicherungsring	DIN 471 – 8 × 1 – St
10	2	Spannstift	ISO 8752 – 6 × 20 – St
11	1	Senkschraube	ISO 10642 – M5 × 20 – 8.8
12	2	Zylinderstift	ISO 2338 – 6m6 × 20 – St
13	1	Sechskantmutter	ISO 8675 – M24 × 1,5 – 8
14	1	Griffhülse	Kunststoff

Die Gesamtzeichnung *(assembly drawing)* in Ansichten und eine Stückliste *(parts list)* reichen häufig nicht aus, um die Wirkungsweise einer Baugruppe oder eines Geräts vollständig zu erklären. Insbesondere für das Verständnis des Zusammenwirkens der Einzelteile ist es wichtig zu sehen, welche Formen die Einzelteile haben und wie sie zusammengefügt sind. Dafür werden weitere Informationen z. B. aus Schnitten, Explosionsdarstellungen, der Darstellung einzelner Funktionszustände, Fotos usw. benötigt. Die folgenden Informationen stammen aus einem Prospekt des Schubstangenspanners. Mit seiner Hilfe können Werkstücke zur Bearbeitung z. B. auf Bohr- oder Fräsmaschinen schnell und sicher gespannt und in ihrer Lage fixiert werden.

ÜBUNGEN

1. Benennen Sie die abgebildeten Zeichnungen und Listen dieses Kapitels.

2. Skizzieren Sie eine Tabelle nach folgendem Muster und ordnen Sie die Kennbuchstaben der Explosionszeichnung den Positionsnummern der Stückliste zu.

Positionsnummer	1	
Kennbuchstabe	c	

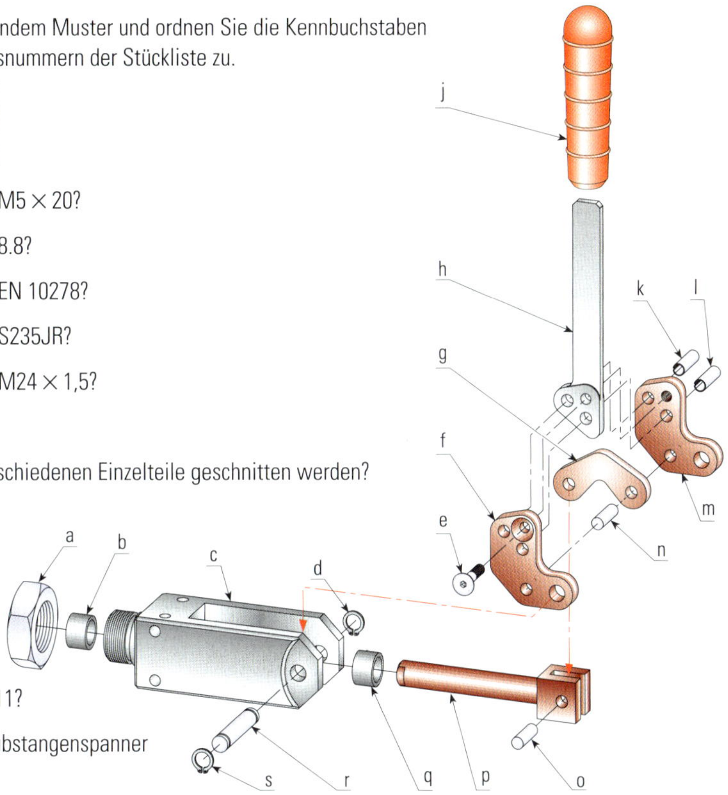

3. Was bedeutet die Stücklistenangabe M5 × 20?

4. Was bedeutet die Stücklistenangabe 8.8?

5. Was bedeutet die Stücklistenangabe EN 10278?

6. Was bedeutet die Stücklistenangabe S235JR?

7. Was bedeutet die Stücklistenangabe M24 × 1,5?

8. Welche Teile haben Gewinde?

9. Wie viele Gewinde müssen in die verschiedenen Einzelteile geschnitten werden?

10. Wie viele Stifte enthält der Schubstangenspanner?

11. Wodurch unterscheiden sich die Positionen 10 und 12?

12. Wodurch unterscheiden sich die Bohrungen für die Positionen 10 und 11?

13. Wie viele Schrauben sind in den Schubstangenspanner eingebaut?

14. Welche Aufgaben haben die Buchsen?

15. Wozu dient die Mutter?

16. Welche Funktion haben die Bohrungen ∅ 5,5 mm?

17. Wozu dienen die Teile DIN 471?

18. Welche Bedeutung hat das Diagonalkreuz an der Schubstange in der Gesamtzeichnung?

19. Wozu wird die bemaßte Zeichnung benötigt?

20. Erklären Sie die Angabe „∅ 25f7“.

21. Erklären Sie die Angabe „SW10“.

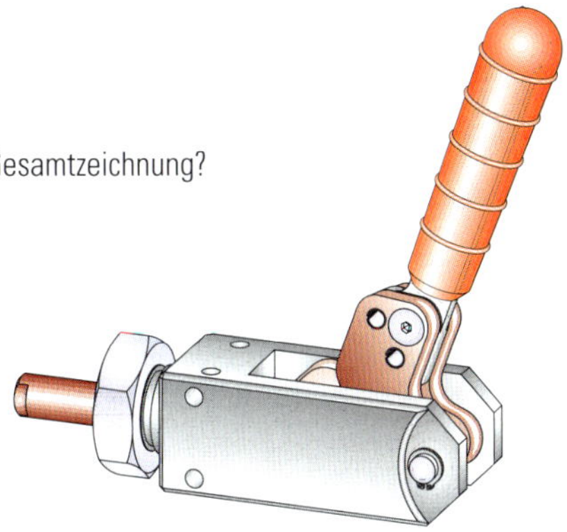

22. Warum ist das Gewindeloch in der Schubstange bemaßt?

23. Warum ist die Breite des Gewindefreistichs am Gehäuse bemaßt?

24. Was bedeutet die Angabe „alle Teile brüniert“?

25. Welches Teil ist in allen Abbildungen nur einmal dargestellt?

26. Welche Teile müssen mindestens demontiert werden, wenn die Schubstange ausgetauscht werden soll?

27. Welche Funktion hat der Schubstangenspanner?

28. Wodurch sind die Laschen mit dem Gehäuse verbunden

Die folgenden Fragen beziehen sich auf die **Funktion** des Schubstangenspanners:

29. Welche Bewegungsrichtung beschreibt das Öffnen des Schubstangenspanners?

30. Was bewirkt die Bewegung des Hebels gegen den Uhrzeigersinn?

31. Für welche Teile ist Punkt III der Drehpunkt?

32. Welche Bewegung führt Punkt II aus, wenn der Hebel nach rechts bewegt wird?

33. Welche Bewegung führt Punkt I aus, wenn der Hebel nach rechts bewegt wird?

34. Welche Teile (ohne die Normteile) bewegen sich, wenn der Hebel nach rechts bewegt wird?

35. Benennen Sie die Bewegungen der Teile Pos. 2, Pos. 3, Pos. 6 und Pos. 8.

36. Welche Länge gibt das Maß „x" an?

37. Erstellen Sie eine Tabelle für den Montagefluss nach folgendem Muster. Tragen Sie die Kennbuchstaben und Positionsnummern der Einzelteile ein.

Montage	Einzelteile im Montagefluss	Pos.
Vormontage	Pos. b, q in c Pos. ...	
Zwischenmontage	Pos. f, m mit e, k, l, an h Pos. ... Pos. ...	
Endmontage	Pos. p in b, q Pos. ... Pos. ...	

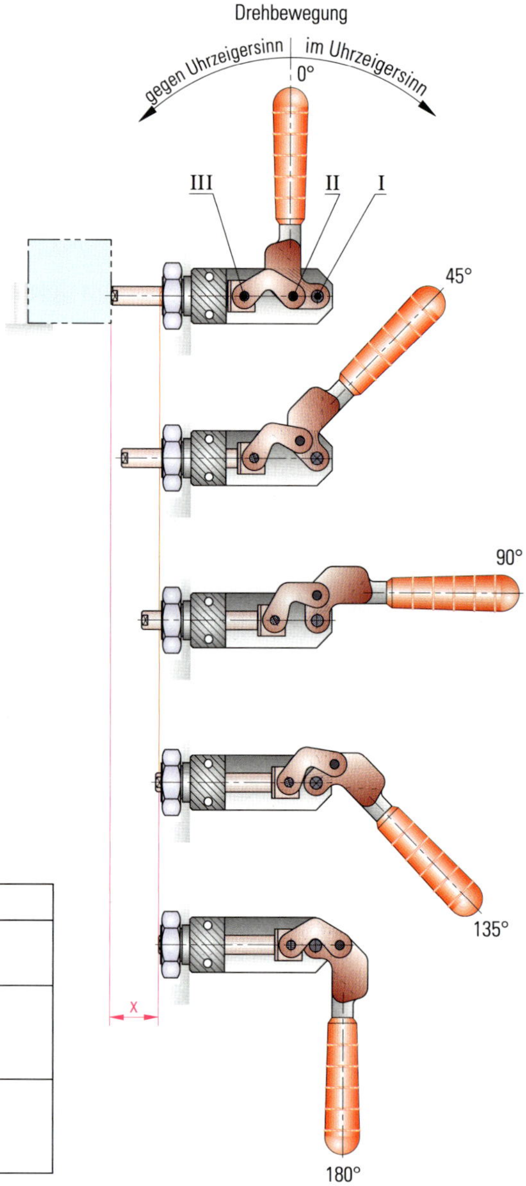

Strukturstufen – vom Halbzeug zum Gerät

Von der ersten Bearbeitung eines Halbzeugs wie z. B. Pos. 15 in der Stufe 4 bis zum fertig montierten Schubstangenspanner E in Stufe 0 durchlaufen alle Teile einen festgelegten Prozess. Der systematische Ablauf der Handlungsschritte ist in den abgebildeten Strukturstufen dargestellt. Die unterste Stufe beginnt mit der höchsten Ziffer. Die Zusammenbaustufe erhält meist die Ziffer Null. Halbzeuge mit ihren Rohteilmaßen zu Beginn der Fertigung erhalten eine eigene Kennung, z. B. Pos. 19, damit sie vom Endprodukt wie z. B. dem Gehäuse Pos. 1 unterschieden werden können. Nur so können in der Datenverarbeitung verschiedene Zustände eines Teils unterschieden werden. Jedes Teil, jeder besondere Arbeitsschritt muss eine eigene Kennung haben, damit der Fertigungsablauf, der Materialfluss, die Montage, die Lagerhaltung, der Versand, das Rechnungswesen, das Bestellwesen usw. mithilfe einer Software sicher gesteuert werden können.

Die Strukturstufen, im Beispiel Stufe 4 bis Stufe 0, zeigen die zeitliche Reihenfolge der Fertigung und der Montage der Einzelteile an. Während der Montage können mehrere Einzelteile zu Gruppen wie z. B. A in Stufe 2 gefügt werden. Diese Gruppe kann mit weiteren Gruppen und Einzelteilen zu einer Gruppe höherer Ordnung wie z. B. D in Stufe 1 zusammengefasst werden. Am Ende der Handlungsschritte in der Stufe 0 steht das fertige Erzeugnis, der Schubstangenspanner.

Der hier beschriebene systematische Aufbau wurde von Softwaresystemen übernommen und dient weltweit als Grundlage für die Struktur von Zeichnungs- und Stücklistensätzen.

Strukturstufen für den Schubstangenspanner

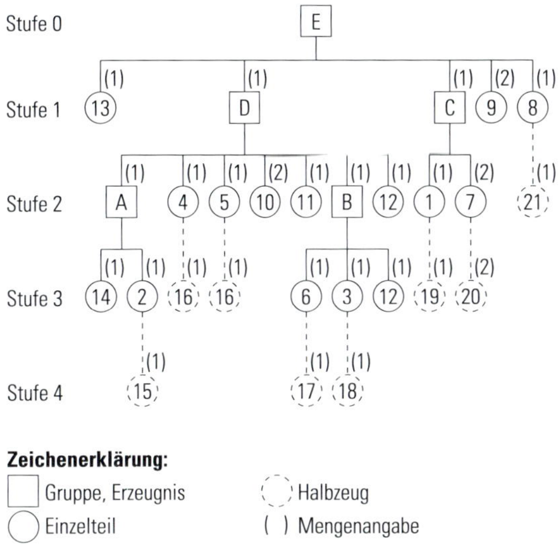

Überlegen Sie

1. Wodurch unterscheidet sich die Stückliste des Herstellers von Seite 300 von der Strukturstückliste auf dieser Seite?
2. In welcher Reihenfolge sind die Strukturstufen eines Gerätes aufgebaut?
3. Welche Informationen können Sie den Strukturstufen des Schubstangenspanners entnehmen?
4. Entwickeln Sie die Strukturstufen für die Rollenblechschere von Seite 250 .
5. Entwickeln Sie die Strukturstückliste für die Rollenblechschere von Seite 253.

Strukturstückliste für den Schubstangenspanner

Pos./Stufe				Menge	Benennung	Sach-Nr./Norm-Kurzbezeichnung
1	2	3	4			
	1			1	Gehäuse	
		2		1	Handgriff	
		3		1	Zwischenstück	
	4			1	Lasche, links	
	5			1	Lasche, rechts	
		6		1	Schubstange	
	7			2	Buchse	
8				1	Bolzen	
9				2	Sicherungsring	DIN 471 – 8 × 1 – St
	10			2	Spannstift	ISO 8752 – 6 × 20 – St
	11			1	Senkschraube	ISO 10642 – M5 × 20 – 8.8
	12	12		2	Zylinderstift	ISO 2338 – 6m6 × 20 – St
13				1	Sechskantmutter	ISO 8675 – M24 × 1,5 – 8
		14		1	Griffhülse	Kunststoff
			15	1	Halbzeug zu Pos. 2	Flach EN 10278 – 22 × 6 × 120 – EN 10025 – S235JR + C
		16		2	Halbzeug zu Pos. 4 und 5	Flach EN 10278 – 45 × 8 × 43 – EN 10025 – S235JR + C
			17	1	Halbzeug zu Pos. 6	Quadrat EN 10278 – 20 × 95 – EN 10025 – S235JR + C
			18	1	Halbzeug zu Pos. 3	Flach EN 10278 – 22 × 6 × 48 – EN 10025 – S235JR + C
		19		1	Halbzeug zu Pos. 1	Quadrat EN 10278 – 36 × 95 – EN 10025 – S235JR + C
		20		2	Halbzeug zu Pos. 7	Rund EN 10278 – 16h8 × 10 – EN 10025 – S235JR + C
	21			1	Halbzeug zu Pos. 8	Rund EN 10278 – 8h8 × 41 – EN 10025 – S235JR + C

2.8 Skizzen

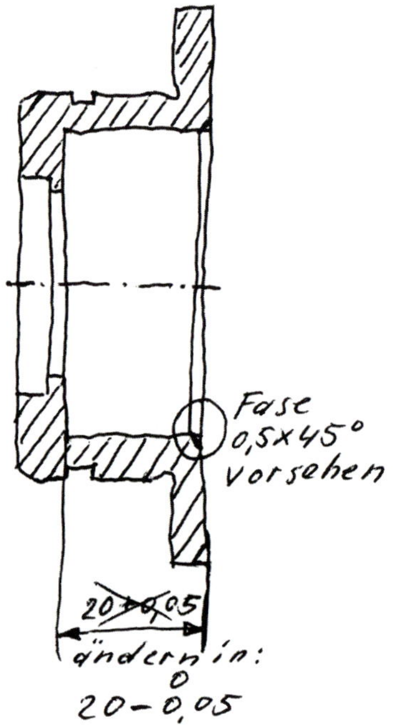

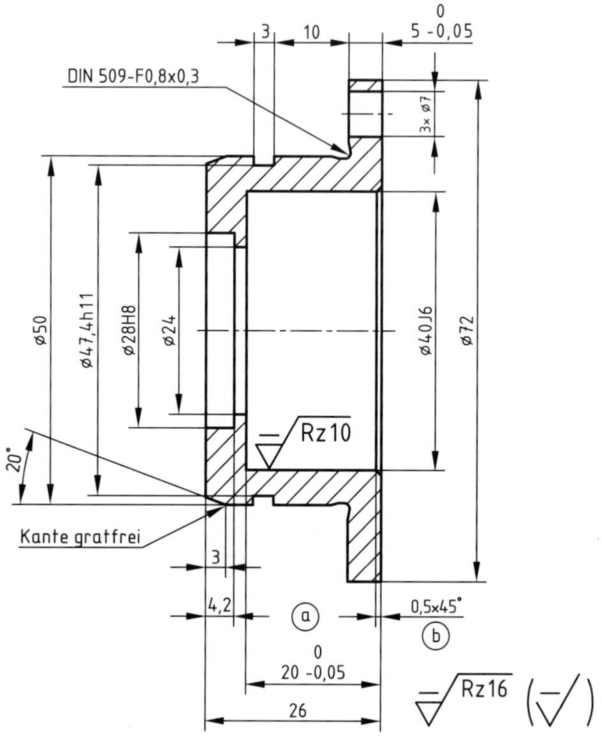

b	1	Neu: Fase 0,5 × 45°	26.04.2024	
a	1	20+0,05 in 20 $^{\ 0}_{-0,05}$	26.04.2024	
lfd. Buchstabe	Anzahl	Änderung	Tag	Name

Die Erstellung einer Skizze *(sketch)* hat für eine Fachkraft in der Praxis eine größere Bedeutung als die Herstellung einer technischen Zeichnung. Fertigungs- sowie Gesamtzeichnungen und Stücklisten werden im Konstruktionsbüro erstellt. Am Arbeitsplatz hilft die Skizze. Mit **Prinzipskizzen** *(principle sketches)* können Wirkzusammenhänge und Funktionen erklärt werden. Auf **Detailskizzen** *(detailed sketches)* werden Änderungen an Einzelteilen festgehalten und von der Werkstatt oder vom Montageort weitergegeben. Skizzen enthalten Informationen, die in Worten nur umständlich beschrieben werden können. Änderungen, die auf Grund von Skizzen übernommen werden, müssen im Zeichnungssatz eingetragen und freigegeben werden. Erst dann dürfen sie am Werkstück ausgeführt werden.

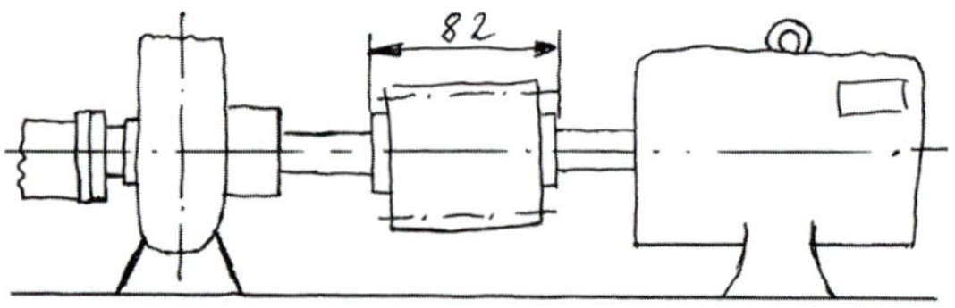

Eine Skizze ist eine nicht unbedingt maßstäbliche, vorwiegend freihändig erstellte Zeichnung. Es gelten also auch für die Erstellung von Skizzen die bekannten Darstellungsregeln für technische Zeichnungen. Anders als auf Zeichnungen können auf Skizzen Details hervorgehoben werden, d. h. sie können größer skizziert werden und andere Elemente können verkleinert oder schematisch dargestellt werden. Beim Anfertigen einer Skizze ist zu beachten:

- für wen die Skizze erstellt wird.
- Skizzen dienen nur der Information.
- Es gelten die Regeln für die Darstellung in Ansichten.
- Es gelten die Bemaßungsregeln.
- Es soll nur Wesentliches skizziert werden.
- Eine Skizze muss übersichtlich sein.
- Erste Mittellinien können mit einem Lineal gezogen werden.
- Die Teile können perspektivisch skizziert werden.

Maßskizzen *(dimensioned sketches)* dienen nur der Maßbestimmung bei Reparatur- und Wartungsarbeiten.

2.8.1 Unterschiedliche Perspektiven – Axonometrische Darstellungen

Die unterschiedlichen Perspektiven *(perspective views, three-dimensional pictorials)* sind als axonometrische Darstellungen[1] *(axonometric representations)* genormt. Sie werden in Montageanweisungen *(assembly instructions)*, in Beschreibungen für Wartungsarbeiten *(maintenance)* und Reparaturen *(repairs)* und in Anwenderinformationen wie z. B. Sicherheitsvorschriften *(safety instructions)* verwendet. Mit ihrer Hilfe werden Aufbau und Funktion von Geräten und Baugruppen anschaulich erläutert (siehe z. B. Kap. 2.1.3 „Explosionsdarstellung – Montage und Demontage" sowie Kap. 2.1.4 „Perspektive – Räumliche Darstellung").

Für das menschliche Auge wie auch auf einem Foto laufen nach hinten führende Linien in einem Fluchtpunkt zusammen. Anders dagegen in technischen Perspektiven. Dort verlaufen nach hinten führende Linien parallel zueinander. Dies erleichtert das Anfertigen der Perspektiven. Außerdem können so die Werkstücke montagegerecht oder herstellungsgerecht dargestellt und bemaßt werden. Zum Anfertigen von Perspektiven gibt es Vordrucke mit entsprechenden Liniennetzen.

Isometrische Projektion *(isometric axonometry)*
Diese Darstellungsart wird hauptsächlich im Bereich der Installations- und Versorgungstechnik zur Darstellung von Rohrleitungen verwendet.

- Die Achsen verlaufen unter den Winkeln von 30° bzw. 90° zur Waagerechten.
- Rechtwinklige Ecken kommen nicht vor.
- Breiten : Höhen : Tiefen = 1 : 1 : 1
- Alle Kanten werden in ihren wahren Längen gezeichnet.

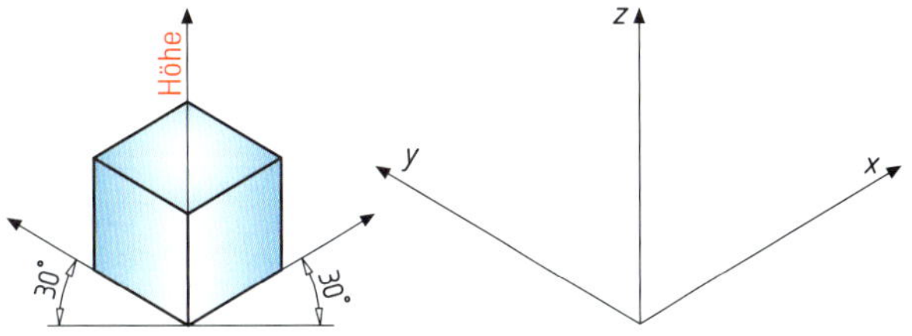

Dimetrische Projektion *(dimetric axonometry)*
Diese Darstellungsart entspricht am ehesten der Abbildung auf Fotos. Sie wird in Explosionsdarstellungen und Montageplänen verwendet.

- Die Achsen verlaufen unter den Winkeln von 7°, 42° und 90° zur Waagerechten.
- Breiten : Höhen = 1 : 1
- Die Tiefen werden verkürzt im Verhältnis 1 : 2 dargestellt.

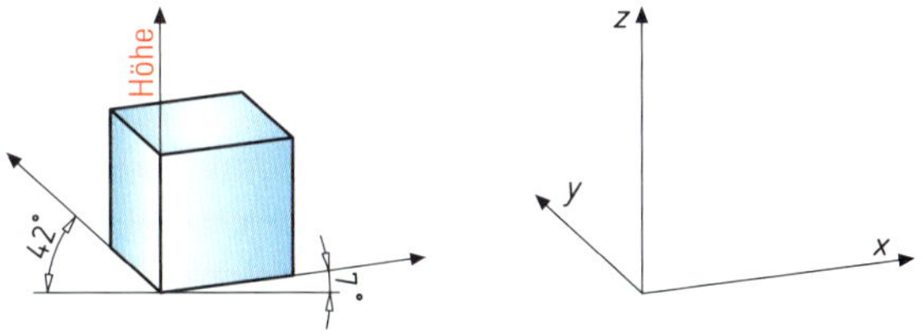

Kabinett-Projektion *(cabinet axonometry)*
Diese Darstellungsart eignet sich für Freihandskizzen.

- Die Achsen verlaufen unter den Winkeln von 45° und 90° zur Waagerechten.
- Breiten : Höhen = 1 : 1
- Die Tiefen werden verkürzt im Verhältnis 1 : 2 dargestellt.

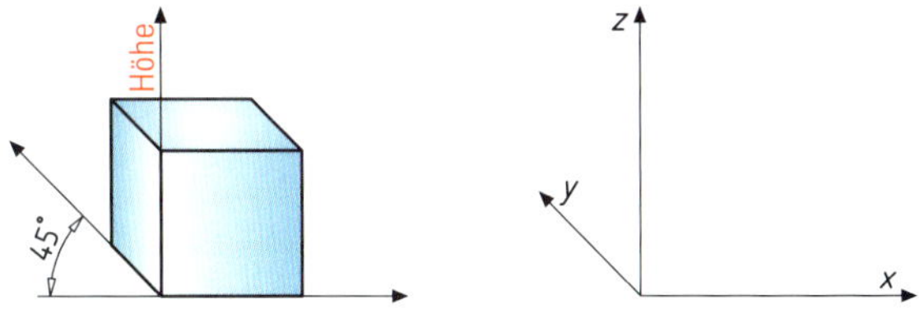

Kavalier-Projektion *(cavalier axonometry)*

- Die Achsen verlaufen unter den Winkeln von 45° und 90° zur Waagerechten.
- Breiten : Höhen : Tiefen = 1 : 1 : 1
- Alle Kanten werden in ihren wahren Längen abgebildet.

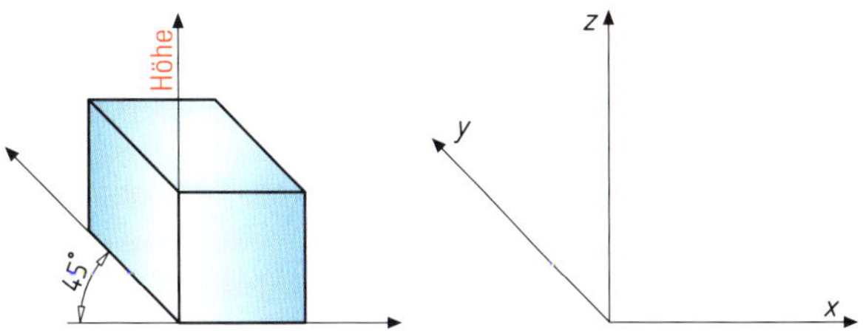

1) DIN ISO 5456-3: 1998-04 – Technische Zeichnungen – Projektionsmethoden – Axonometrische Darstellungen

2.8.2 Anfertigen perspektivischer Skizzen und Zeichnungen

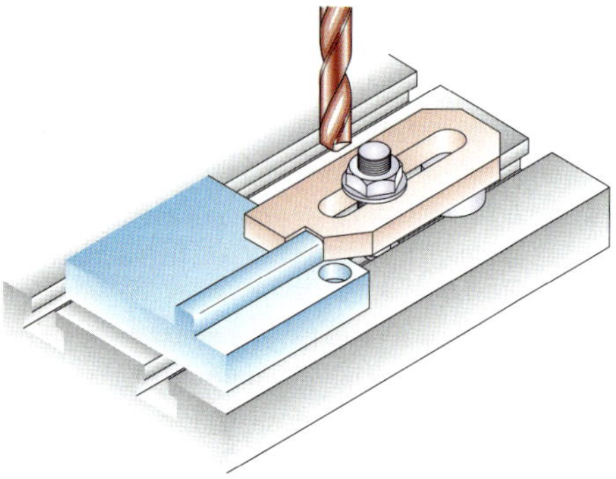

Zum Halten von Gusseisen während der Bearbeitung wird ein Spanneisen benötigt, das der Werkstückform angepasst ist und Platz für den Bohrer lässt. Dafür soll ein vorhandenes Spanneisen umgearbeitet werden. Ein Mitarbeiter hat an der Maschine eine perspektivische Skizze mit den Änderungen angefertigt. Die folgenden Arbeitsschritte sollen seine Vorgehensweise erläutern.

Beim Herstellen einer Perspektive als technische Zeichnung ist es sinnvoll, stets die gleiche Reihenfolge der Arbeitsschritte einzuhalten:

1. Zuerst wird ein **Hüllkörper** gezeichnet, in den das Werkstück (hier das Spanneisen) hineinpasst. Bei der Wahl des Hüllkörpers ist darauf zu achten, dass dieser das Bauteil möglichst eng umschließt. Der Hüllkörper (ein Quader) hat somit
- das größte Maß der **Breite** *(width)* des Spanneisens,
- das größte Maß der **Höhe** *(height)* des Spanneisens und
- das größte Maß der **Tiefe** *(depth)* des Spanneisens.

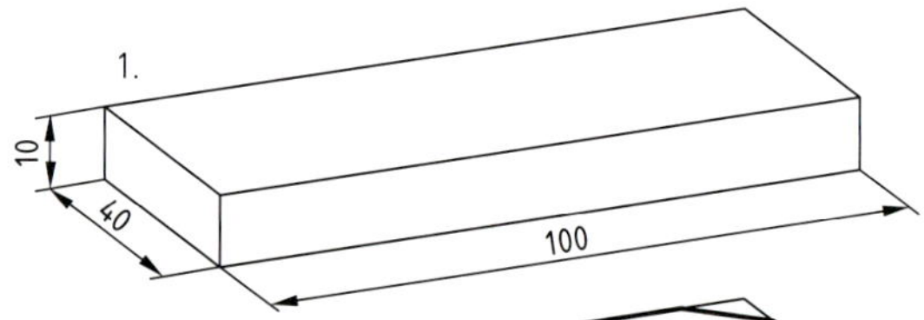

2. In eine der Flächen des Hüllkörpers wird zweidimensional die neue Form des Spanneisens eingezeichnet.

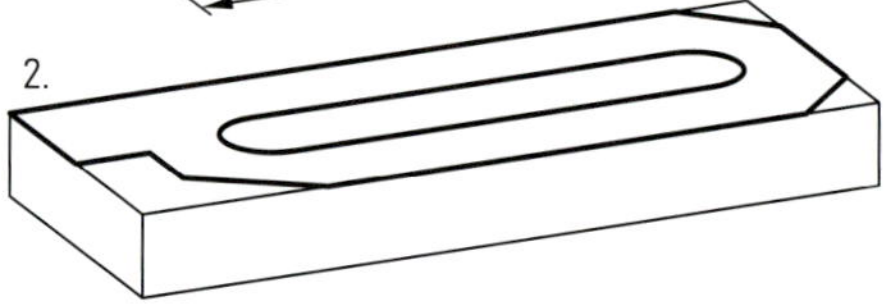

3. Dann werden die senkrechten Höhen eingezeichnet.

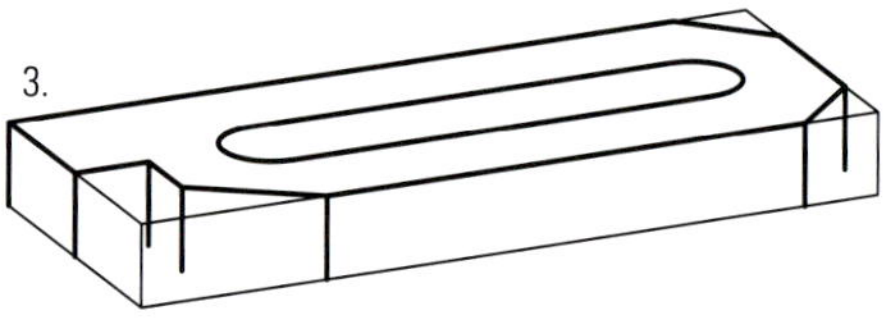

4. Parallel zur bereits eingezeichneten Form werden ihre sichtbaren Kanten zwischen den senkrechten Höhen eingezeichnet.

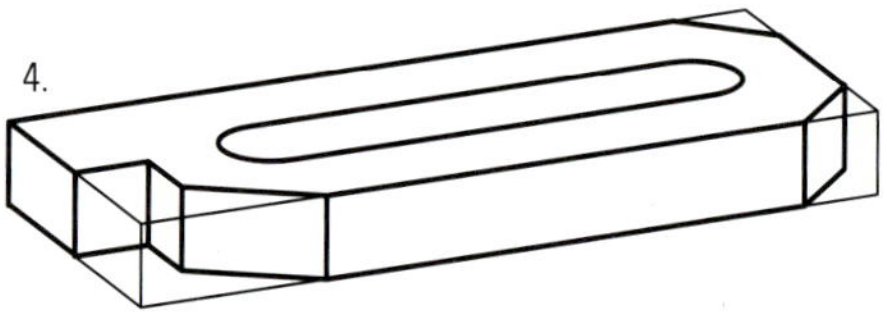

5. Zuletzt werden die erforderlichen Maße eingetragen. In unserem Beispiel sind das nur die Maße, die für die neue Form von Bedeutung sind.

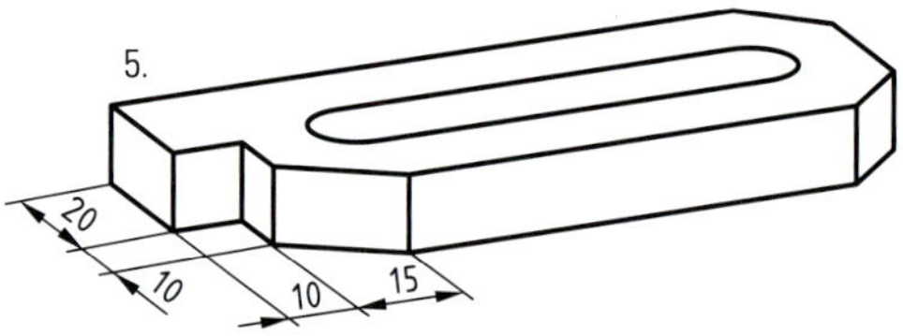

Nehmen Sie für **zylindrische Körper** (abgesetzt Wellen) prismatische Hüllkörper und Diagonalen zu Hilfe.

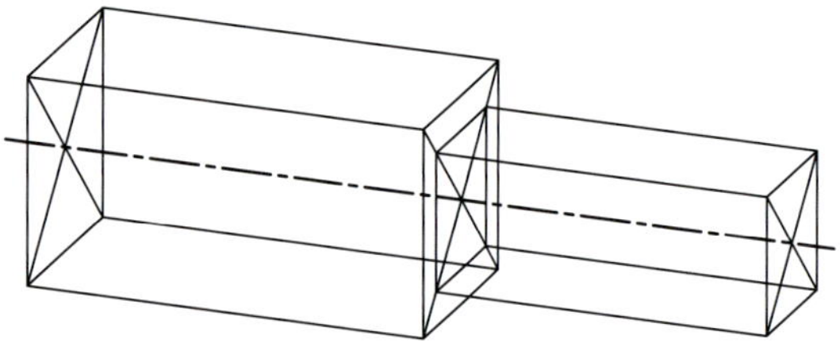

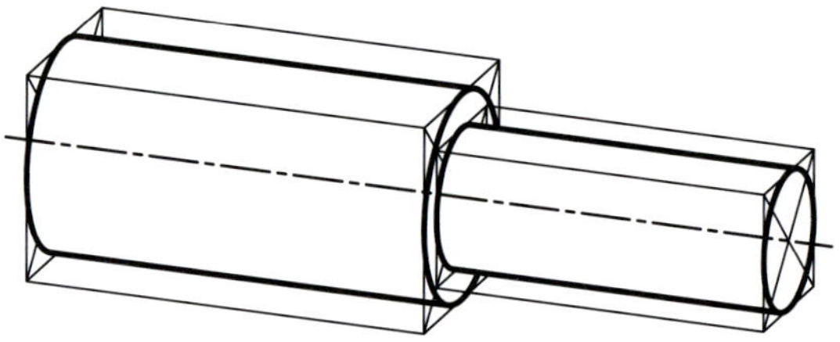

Entwickeln von Perspektiven in Kabinett-Projektion mithilfe von Ansichten

1. Zeichnen Sie die in der Hauptansicht (Ansicht A) auf der Ebene I liegenden Konturen auf Klarpapier nach.
2. Ziehen Sie eine Hilfslinie für die Tiefenmaße. Verschieben Sie die Hauptansicht in die Tiefe um das Maß $t_1/2$ und zeichnen Sie die auf der Ebene II liegenden Konturen nach. Tragen Sie Lichtkanten und seitlich liegende Bohrungen ein
3. Verschieben Sie die Hauptansicht in die Tiefe um das Maß $t_2/2$ und zeichnen Sie die auf der Ebene III liegenden Konturen nach.

original Fertigungszeichnung

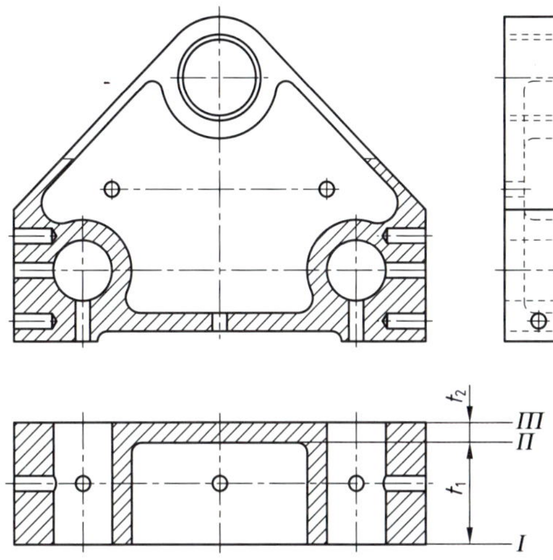

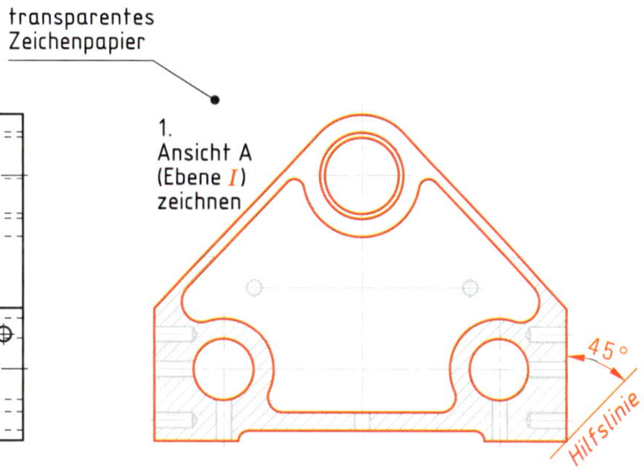

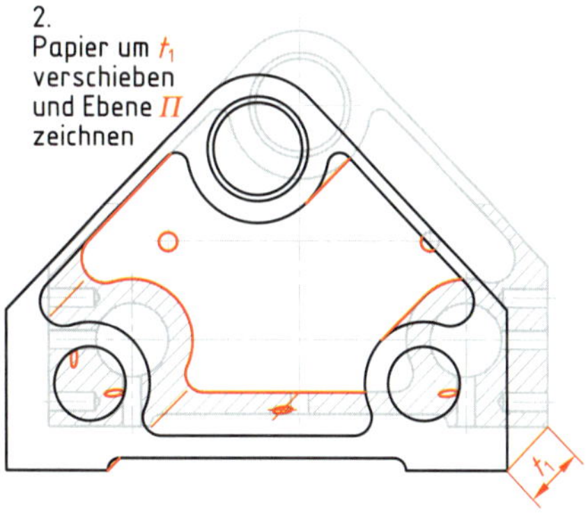

fertige 3-D-Zeichnung

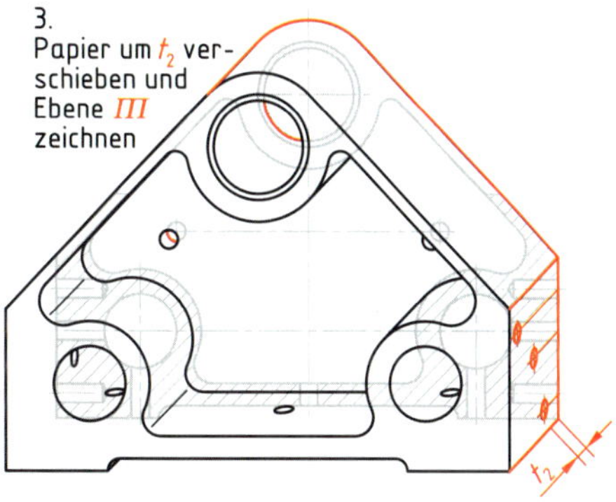

Animation Entwicklung 3D-Ansicht

ÜBUNGEN

1. Skizzieren Sie die Werkstücke als Perspektiven und tragen Sie die Maße ein.

Nutenstein DIN 508 - M12 × 14

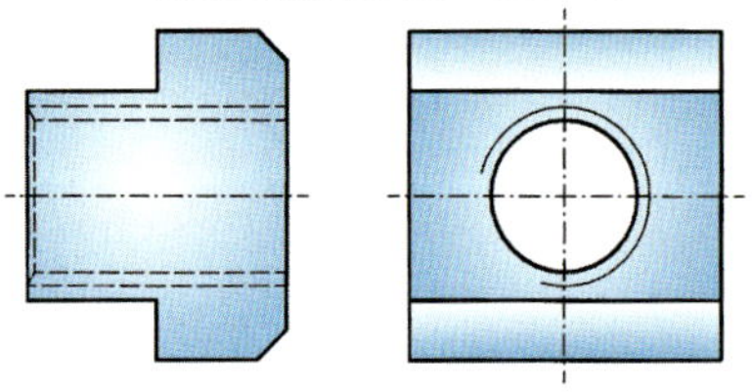

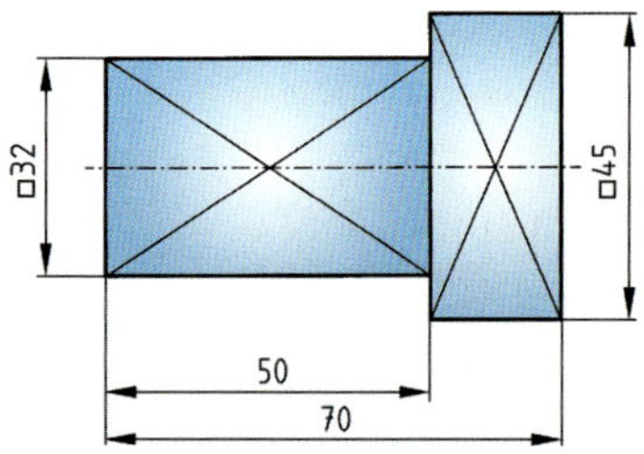

2. Skizzieren und bemaßen Sie die Werkstücke in den erforderlichen Ansichten.

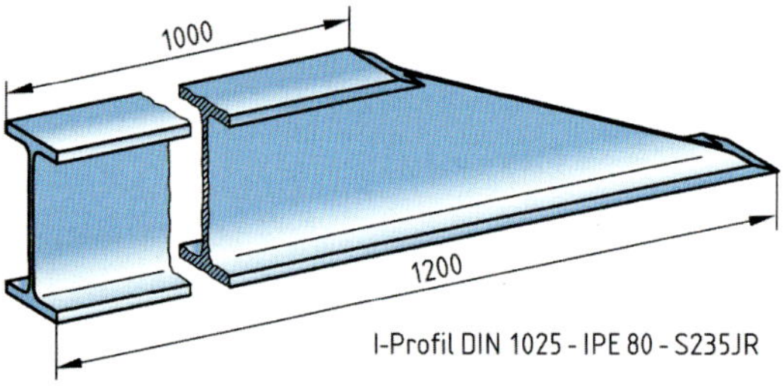

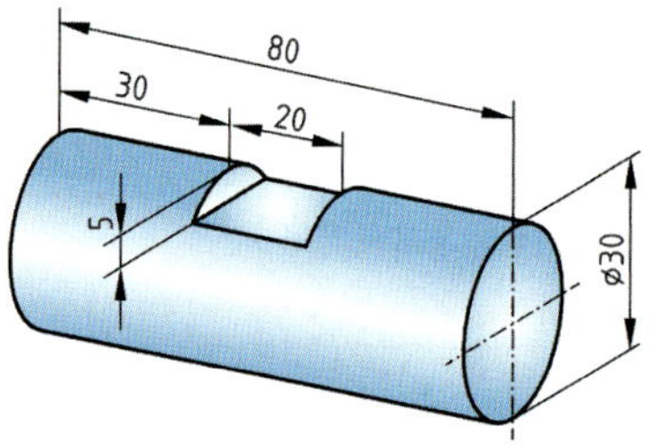

3. Skizzieren Sie den Auflagebolzen als Perspektive. Vergleichen Sie Ihre Lösung mit der Abbildung auf Seite 278.

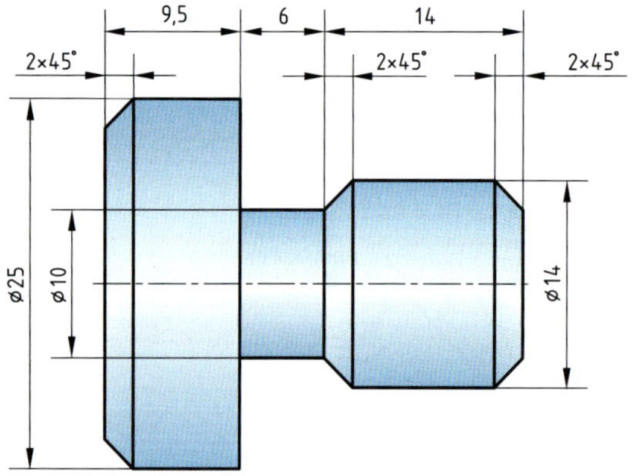

4. Skizzieren Sie das Doppelprisma als Perspektive in Kabinett-Projektion.

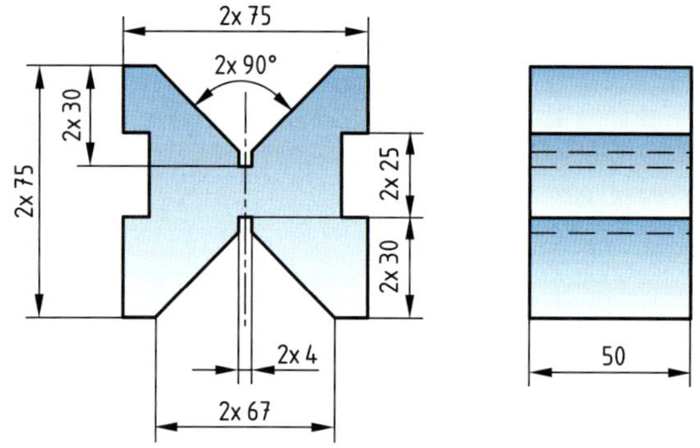

2.9 Sheet Metal Cutter

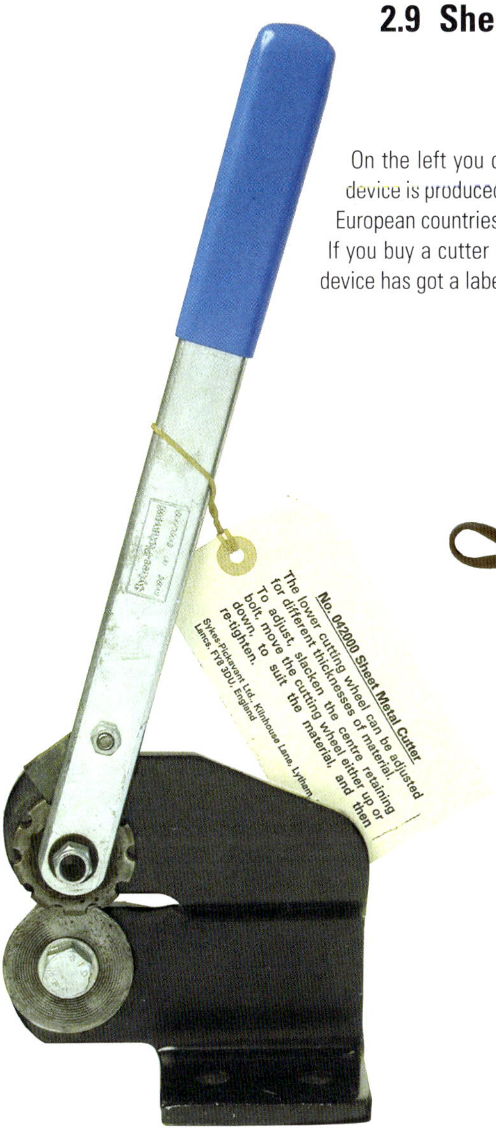

On the left you can see a photograph of the SHEET METAL CUTTER. This device is produced in Great Britain but also is sold in Germany and some other European countries.

If you buy a cutter like this and open the package, you will notice, that each device has got a label on the handle.

This label is an **operating instruction**, which means it tells the user in a few sentences how to handle the cutter. Also you can find the order no. on top.

Below the text the customer can find the address of the company in case he wants to order the product or wants to get some information.

Assignments:

1. Below you can find a vocabulary list of the operating instruction above. Match the German and English terms and write the results into your exercise-book.

vocabulary list

1. *lower cuting wheel*	a) Dicke
2. *to adjust*	b) hier: Mutter und Schraube (allg. Schlüsselbolzen)
3. *thickness*	c) entweder ... oder
4. *material*	d) lösen
5. *to slacken*	e) wieder (fest) anziehen
6. *centre retaining bolt*	f) *hier:* je nach Blechstärke
7. *either ... or*	g) *hier:* Blechstärke (allg. Werkstoff, Material)
8. *to suit the material*	h) Untermesser
9. *to re-tighten*	i) einstellen

2. Write a translation of the operating instruction.

2.10 Work With Words

In future you may have to talk, listen or read technical English. Very often it will happen that you either **do not understand** a word or **do not know the translation**.

In this case here is some help for you!

Below you will find a few possibilities to describe or explain a word you don't know or use synonyms[1] or opposites[2].
Write the results into your exercisebook.

1. Add as many examples to the following terms as you can find for different papers or drawings.

papers:	technical drawings product descriptions	*drawings:*	exploded view perspective view

2. Explain the two terms in the box:
Use the words below to form correct sentences. Be careful the range is mixed!

sketch:	without a lot of details/that is done quickly/mostly you can use/A sketch is a drawing/a pencil and a piece of paper	*scale:*	and the measurements of it as shown in the drawing or plan/is the relationship betwee the measurements of something in the real world/The scale of a drawing or plan

3. Find the opposites[2]**:**

assembly:		*production part:*	
internal thread:		*screw:*	

4. Find synonyms[1]:
You can find one or two synonyms to each term in the box below.

drill:		*bill of material:*	
figure:		*circle:*	
shape/hole/form/bore		ring/disk/items list/parts list	

5. In each group there is a word which is the **odd man**[3]. Which one is it?

lockwasher, circlip, dimension, hexagon bolt, pin	pyramid, standard, cone, cylinder, cuboid

6. Please translate the information below. Use your English-German Vocabulary List if necessary.

A technical drawing shows a part, device or machine in different views or sections but without dimensioning.

1) synonyme: Synonym, ähnliches Wort, Ergänzung
2) opposite: Gegenteil
3) odd man: Außenseiter, überzähliges Wort, fünftes Rad am Wagen

3 Werkstofftechnik

3.1 Werkstoffe und Umwelt

Werkstoffe *(materials)* werden in einem Produktionsprozess zu einem Produkt verarbeitet. Die geforderten Eigenschaften des fertigen Produkts bestimmen in hohem Maße, welche Eigenschaften der Werkstoff besitzen muss. Daneben sind aber auch die Eigenschaften des Werkstoffs von Bedeutung, die die Fertigung und Entsorgung des Produkts betreffen (Bild 1).

Bei einer Entscheidung für oder gegen einen Werkstoff ist z. B. die Umweltverträglichkeit *(environmental compatibility)* ein wichtiger Gesichtspunkt. Werkstoffe können bei der Gewinnung, Verarbeitung und Entsorgung Probleme verursachen. Bei der Werkstoffauswahl sind daher folgende Grundsätze zu berücksichtigen:

- Mit Ressourcen (Rohstoffen und Energie) muss sparsam umgegangen werden. Nach Möglichkeit sind wiederverwendbare Stoffe einzusetzen (Recycling).
- Menschen dürfen durch die verwendeten Stoffe nicht gefährdet werden. Die Umweltverträglichkeit für Luft, Wasser und Boden muss gewährleistet sein.
- Unnötige Abfälle sollen vermieden werden. Verwendung von Mehrwegverpackungen oder wiederverwendbarer bzw. wiederaufbereitbarer Hilfsstoffe ist anzustreben.
- Um die Gesundheit der Fachkräfte zu erhalten, dürfen die zulässigen Belastungen durch Schadstoffe am Arbeitsplatz nicht überschritten werden (vgl. „Einführung in den Beruf“ Kap.1.2 „Gefahren im Betrieb“).

***1** Werkstoffauswahl*

Überlegen Sie

Ordnen Sie die Begriffe rund um die Werkstoffauswahl zu einer Mind-Map. Ergänzen Sie weitere Begriffe, die Ihnen dazu noch einfallen.

3.2 Eigenschaften und Einteilung der Werkstoffe

3.2.1 Anforderungen an Werkstoffe bei der Fertigung

Gießen, Umformen, Trennen, Schweißen usw. bedingen ganz spezielle Werkstoffeigenschaften. Die Eignung für ein bestimmtes Verfahren lässt sich oft durch einfaches Ausprobieren feststellen.[1]

Zerspanbarkeit

Die Zerspanbarkeit *(machinability)* eines Werkstoffs lässt sich verhältnismäßig leicht beurteilen. Mit einer Säge oder Feile werden von dem Stoff einige Späne abgetrennt. Bei schlecht zerspanbaren Stoffen lässt sich nur wenig Spanvolumen abtragen.

Verformbarkeit und Schmiedbarkeit

Das Verhalten des Werkstoffs zeigt sich bei der Biegeprobe. Das vorgesehene Material wird im Schraubstock gebogen (Bild 2). Dabei lässt sich erkennen, ob der Werkstoff an der Biegestelle Risse aufweist oder gar zu Bruch geht. Eine Grenze für die Umformung bildet die maximale **Verformbarkeit** *(deformability)* eines Werkstoffs. Bei weiterer Verformung würde das Material zu Bruch gehen. Bei einer Formgebung durch Pressendruck oder durch Hammerschläge ist die **Schmiedbarkeit** *(malleability)* eine geforderte Eigenschaft. Sie lässt sich durch eine Ausbreitprobe (Bild 3) beurteilen, die mit kaltem oder auch

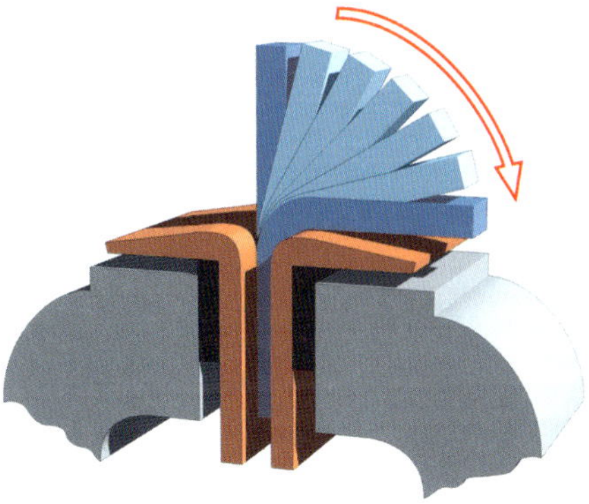

***2** Biegeprüfung*

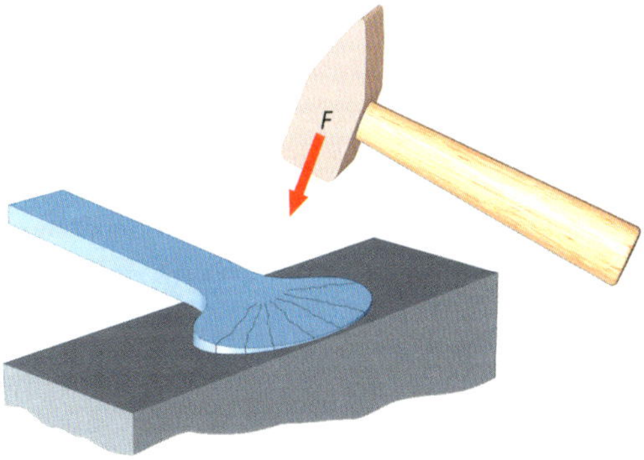

***3** Ausbreitprüfung*

1) Im Teil „Lernfelder 1 und 2: Fertigen von Bauelementen“ finden Sie ausführliche Informationen zu den einzelnen Fertigungsverfahren und zu den jeweiligen Anforderungen an die Werkstoffe.

auf Schmiedetemperatur erwärmtem Material durchgeführt wird. Baustahl ist im Vergleich zu Gusseisen gut schmiedbar. Aluminium und Kupfer sind durch Schmieden meist besser verformbar als Stahl.

Löt- und Schweißbarkeit

Um Bauteile fest und dauerhaft zu verbinden, werden diese z. B. gelötet oder geschweißt. Durch eine Probeverbindung lässt sich die Lötbarkeit *(solderability)* bzw. die Schweißbarkeit *(weldability)* eines Werkstoffs grob beurteilen.

Gießbarkeit *(castability)*

Viele Maschinenteile wie z. B. das Gehäuse für ein Getriebe (Bild 1) sind Gussteile. Sie werden durch spezielle Gießverfahren hergestellt. Gut gießbare Werkstoffe lassen sich im geschmolzenen Zustand gut in Formen gießen und erstarren dort weitgehend gleichmäßig.

Video Zugversuch

AH GK S. 17

1 *Getriebegehäuse*

3.2.2 Werkstoffverhalten bei Belastung durch äußere Kräfte

Das Kraft-Verlängerungs-Diagramm in Bild 2 ist nur aussagefähig für Proben mit gleichen Abmessungen. Ein größerer Querschnitt (z. B. Probe II) würde auch einer größeren Kraft standhalten. Eine längere Probe (z. B. Probe III) würde sich mehr verlängern. Um allgemein gültige Werte für den Werkstoff zu erhalten, versucht man zu Größen zu kommen, die von den Probenabmessungen unabhängig sind. Dies sind die **Spannung** *(stress)* und die **Dehnung** *(strain)*.

Aus dem Spannungs-Dehnungs-Diagramm lassen sich wichtige Werkstoffkenngrößen entnehmen (Seite 313 Bild 1). Alle drei Proben aus Bild 2 ergeben nahezu den gleichen Verlauf im Spannungs-Dehnungs-Diagramm. Also sind sie wahrscheinlich aus dem gleichen Werkstoff.

Zugversuch:

Eine Probe aus Rundstahl, 10 mm Durchmesser und 100 mm lang, wird mit einer **Zugprüfeinrichtung** in die Länge gezogen, bis das Material reißt. Mithilfe einer elektronischen Messeinrichtung kann direkt von der Prüfmaschine ein **Kraft-Verlängerungs-Diagramm** erstellt werden (Probe I). Ist keine direkte Aufzeichnungsmöglichkeit vorhanden, werden die Zahlenpaare von Kraft und jeweilig zugehörender Verlängerung in ein Versuchsprotokoll eingetragen. Aus den ermittelten Zahlenpaaren wird das Schaubild von Hand gezeichnet.

Zugprüfeinrichtung

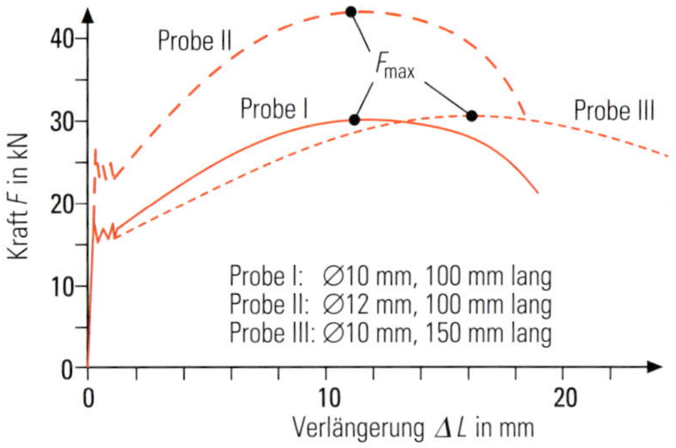

Kraft-Verlängerungs-Diagramm

2 *Zugversuch*

Merke

$$\text{Spannung} = \frac{\text{Versuchskraft}}{\text{Ausgangsquerschnittsfläche}}$$

$$\sigma = \frac{F}{S_0} \text{ (Angabe üblicherweise in } \frac{\text{N}}{\text{mm}^2}\text{)}$$

$$\text{Dehnung} = \frac{\text{Längenänderung}}{\text{Anfangslänge}}$$

$$\varepsilon = \frac{\Delta L}{L_0} \text{ (Angabe üblicherweise in \%)}$$

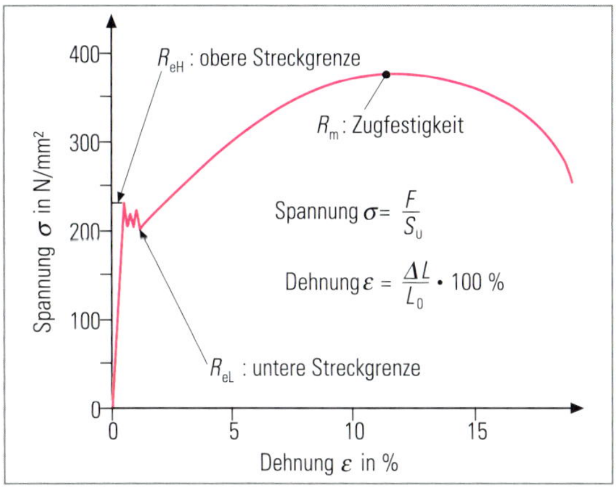

1 Spannungs-Dehnungs-Diagramm

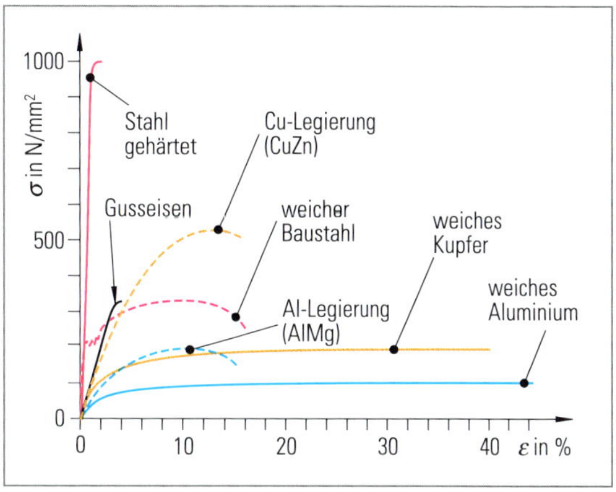

2 Werkstoffe im Vergleich

Elastisch – plastisch *(elastic – plastic)*
Zieht man einen Werkstoff in die Länge, ist die Verlängerung zur Kraft bzw. Dehnung zur Spannung zunächst verhältnisgleich (proportional). Entlastet man den Werkstoff in diesem Bereich wieder, nimmt er auch wieder seine ursprüngliche Länge ein. Dies ist der **elastische Bereich** des Werkstoffs.

Merke
Elastizität *(elasticity)* ist die Fähigkeit eines Körpers, seine ursprüngliche Form wieder anzunehmen, wenn die Beanspruchung nicht mehr wirkt.

Bei höheren Spannungen bzw. größeren Dehnungen ist das Verhältnis nicht mehr proportional; d. h., bei Entlastung bleibt ein Teil der Verlängerung erhalten. Dies ist der **plastische Bereich** (Seite 61 Bild 2). Dennoch federt der Werkstoff etwas elastisch zurück (Bild 3). Vgl. Kapitel 2.1 Biegen in Teil II, S. 61 f.

Merke
Der Übergang vom elastischen zum plastischen Bereich wird als Streckgrenze R_e bezeichnet.

Dies ist beim Umformen zu berücksichtigen. Wenn z. B. ein Flachstahl um 90° abgewinkelt werden soll, muss mehr als 90° gebogen (überbogen) werden, damit er die rechtwinklige Form erhält. (vergl. Seite 62 Bild 4). Unterschiedliches elastisches und plastisches Verhalten bei verschiedenen Werkstoffen zeigt Bild 2.

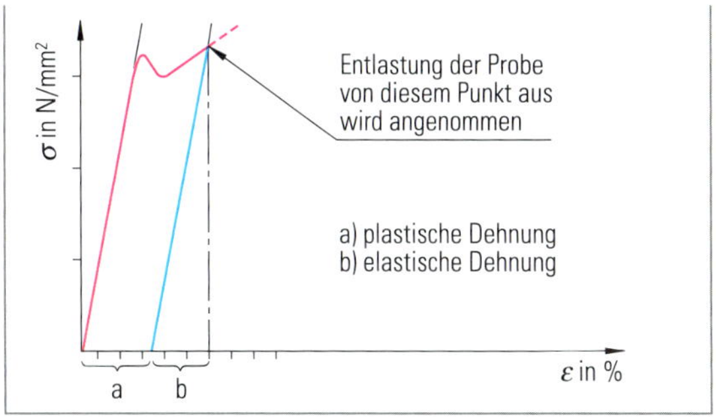

3 Werkstoffverhalten elastisch – plastisch

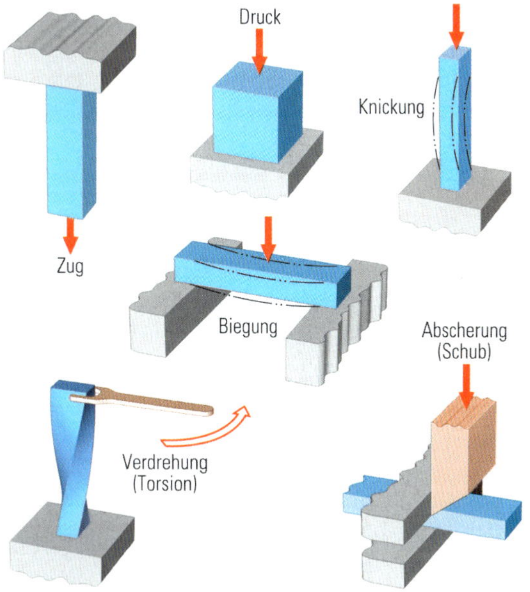

4 Beanspruchungsarten

Video Festigkeit – Verformung

Fest – brüchig *(strong-weak)*
Die Zugprüfmaschine zieht den Probestab in die Länge. Dadurch treten Zugspannungen im Inneren des Probestabes auf. Halten die Werkstoffteilchen nicht fest genug zusammen, reißt bzw. bricht die Probe. Die Spannung, die ein Werkstoff bei einer äußeren Beanspruchung gerade noch aushält, ist die **Festigkeit** (Bild 1).

Merke
Festigkeit *(strength)* ist die Fähigkeit eines Werkstoffs, einer Belastung standzuhalten, ohne zu brechen.

Je nach Beanspruchungsart (Bild 4) gibt es z. B. die Zugfestigkeit, Druckfestigkeit usw. eines Werkstoffs. In der Anwendung dürfen Bauteile jedoch nicht bis zur größtmöglichen Spannung belastet werden, da ab der Streckengrenze bereits eine bleibende Formänderung eintritt. Die einwandfreie Funktion ist dann nicht mehr gewährleistet.

Zäh – spröde *(tough – brittle)*
Manche Werkstoffe wie z. B. Kupferdraht verformen sich zunächst stark plastisch, bevor sie brechen. Andere Werkstoffe wie z. B. Glas oder Gusseisen gehen mit geringer oder nahezu ohne plastische Verformung zu Bruch. Lässt sich ein Stoff nur geringfügig plastisch verformen, ist der Stoff **spröde**. Ein Stoff, der größere bleibende Verformungen zulässt, wird **zäh** genannt (Bild 1, unten zäher, oben spröder Stahl).

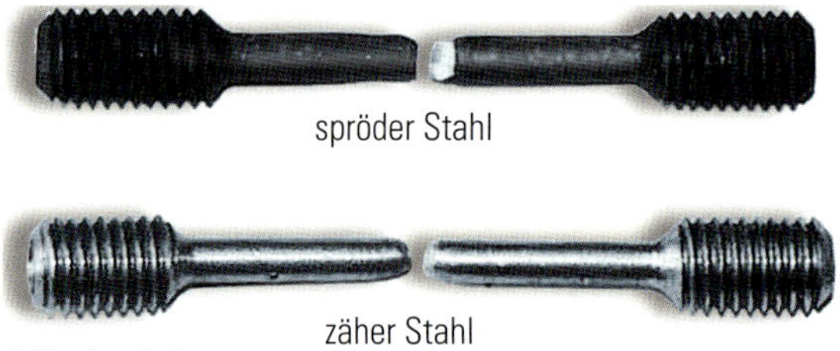

***1** Bruchverhalten*

Merke
Zähigkeit *(toughness)* ist die Fähigkeit eines Werkstoffs, sich unter Belastung bleibend zu verformen.

Hart – weich *(hard – soft)*
Wird eine gehärtete Stahlkugel zwischen eine Aluminiumplatte und eine Stahlplatte in einen Schraubstock gespannt (Bild 2), lässt sich feststellen, welcher von beiden Werkstoffen härter bzw. weicher ist. Die Kugel wird in die weichere Aluminiumplatte tiefer als in die härtere Stahlplatte gedrückt. Bei der härteren Oberfläche des Stahlblechs ist der Eindruck deutlich geringer.

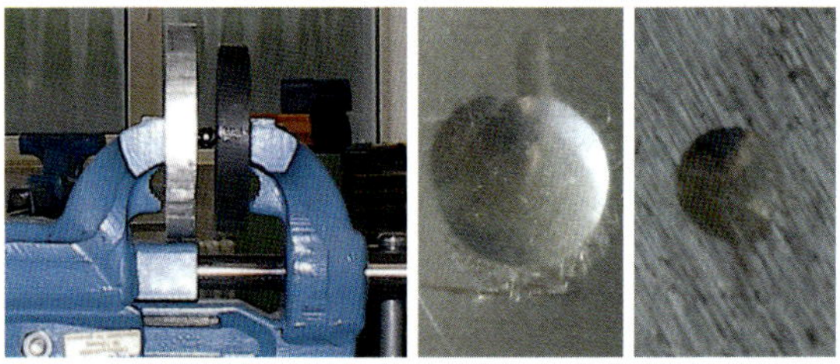

***2** Eindrückversuch* *Aluminium* *Stahl*

Merke
Härte *(hardness)* ist der Widerstand eines Körpers gegen das Eindringen eines anderen Körpers.

3.2.3 Einteilung von Werkstoffeigenschaften

mechanisch-technologisch	**physikalisch**	**chemisch-technologisch**	**fertigungstechnisch**
fest,	Schmelzpunkt,	giftig,	zerspanbar
hart,	Siedepunkt,	korrossions-	gießbar,
dehnbar,	Dichte,	beständig,	formbar,
elastisch,	Leitfähigkeit,	brennbar,	schweißbar,
zäh u. a.	Ausdehnungs-	explosiv,	schmiedbar,
	koeffizient	biologisch	lötbar u. a.
	u. a.	abbaubar u. a.	

***3** Werkstoffeigenschaften*

Werkstoffeigenschaften lassen sich unter verschiedenen Gesichtspunkten in Gruppen zusammenfassen. Eine mögliche Einteilung zeigt Bild 3. Wird ein Werkstück durch von außen einwirkende Kräfte besonders stark beansprucht, dann sind die **mechanisch-technologischen Eigenschaften** *(mechanical-technological features)* des Werkstoffs von besonderer Bedeutung wie z. B. seine Festigkeit.

AH GK S. 18

Zu den **physikalischen Eigenschaften** *(physical features)* gehören z. B. die elektrische Leitfähigkeit, die spezifische Wärmekapazität (Wärmespeicherfähigkeit), die Dichte, der Schmelzpunkt und diverse weitere Stoffkonstanten, die in Tabellenbüchern zu finden sind.
Eine besondere Bedeutung wird den **chemisch-technologischen Eigenschaften** *(chemical-technological features)*, vor allem den chemischen Veränderungen durch Korrosion, beigemessen. Jene Eigenschaften, die zu einer Gefährdung beim Transport und beim direkten Umgang darstellen, gehören ebenfalls dazu. Stoffe, die z. B. **giftig**, **reizend** oder **ätzend**, **leicht entzündlich** oder gar **explosiv** sind, müssen **gekennzeichnet** werden (vgl. „Einführung in den Beruf" Kap. 1.2 „Gefahren im Betrieb"). Die Vorschriften für den Umgang mit Gefahrstoffen sind im eigenen Interesse einzuhalten. Sicherheitsdatenblätter (Seiten 187 und 188) zur Information müssen in den Betrieben für jedermann zugänglich sein.
Die **fertigungstechnischen Eigenschaften** *(machining features)* beschreiben das Verhalten eines Werkstoffs bei der Verarbeitung und seine Eignung für ein bestimmtes Fertigungsverfahren. Die **Umweltverträglichkeit** des Produkts und die Gefahr von umweltbelastenden Vorgängen bei der Fertigung sind zu beachten. Für die Schadstoffkonzentration am Arbeitsplatz gibt es vorgeschriebene Grenzwerte (vgl. „Einführung in den Beruf" Kap. 1.2 „Gefahren im Betrieb"). Zu den möglichen Belastungen zählen auch Lärm, Hitze und Luftverunreinigungen durch Stäube und Abgase.

3.2.4 Einteilung der Stoffe

In der Fertigungstechnik wird eine Grobeinteilung **Metall – Nichtmetall** *(metal – nonmetal)* vorgenommen (Seite 315 Bild 1). Eine Zwischengruppe bilden die **Verbundstoffe** *(composite materials)*. Sie bestehen aus unterschiedlichen Stoffen (meist Metall und Nichtmetall) mit neuen Stoffeigenschaften. Eine Sondergruppe bilden die **Hilfsstoffe** *(supplies)*, die zur Fertigung benötigt werden, aber keine Werkstoffe im üblichen Sinne sind. Weitere Unterteilungen sind z. B. die nach Verwendungszweck, Aussehen, bestimmten Eigenschaften usw. Feste, flüssige und gasförmige Stoffe werden nach ihrem **Aggregatzustand** *(state of matter)* unterschieden. Stoffe können unterschiedliche Aggregatzustände einnehmen, abhängig vom herrschenden Druck und vorhandener Temperatur. Üblich ist die Betrachtung bei Raumtemperatur (20 °C) und Normaldruck (ca. 1 bar).

AH GK S. 19

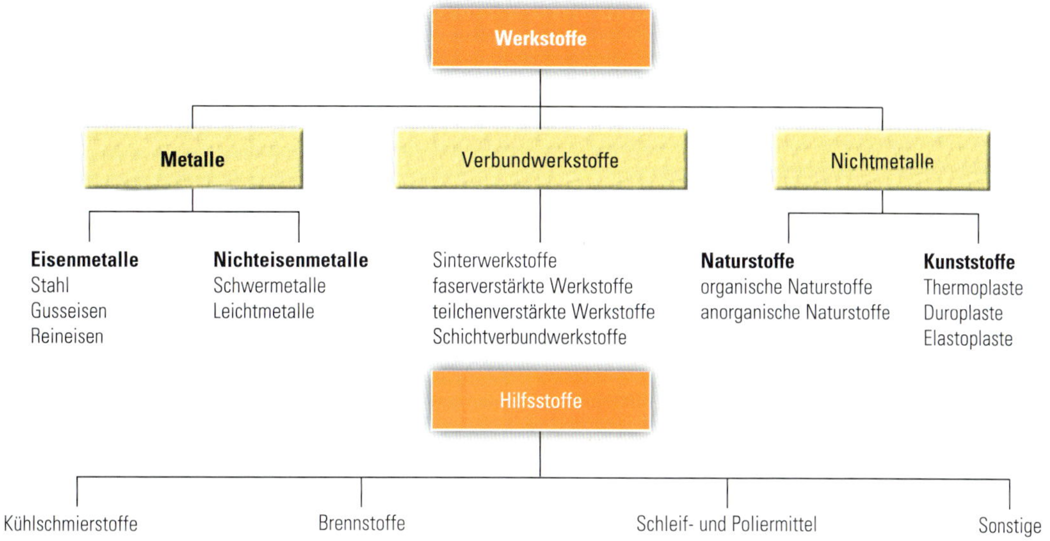

1 Stoffeinteilung

ÜBUNGEN

1. In welcher Weise können Werkstoffe die Umwelt belasten?
2. Mit welchen Gefahrstoffen haben Sie in Ihrem Betrieb zu tun?
3. Wie lässt sich beurteilen, ob ein Werkstoff kalt ode warm umformbar ist?
4. Wie muss sich ein Werkstoff verhalten, damit er eine gute Gießbarkeit aufweist?
5. Beschreiben sie den Ablauf eines Zugversuchs.
6. Unterscheiden Sie plastisches und elastisches Werkstoffverhalten.
7. Welche Beanspruchungsarten für Bauteile gibt es?
8. Beschreiben Sie anhand von Beispielen zähes und sprödes Werkstoffverhalten.
9. Unterscheiden Sie die Eigenschaften „Härte“ und „Festigkeit“.
10. Warum ist es wichtig, eine einheitliche Kennzeichnung von Gefahrstoffen durchzuführen?
11. Was ist ein Verbundwerkstoff?
12. Wie werden Eisenmetalle eingeteilt?
13. Finden Sie Werkstoffbeispiele für die einzelnen Stoffarten von Bild 1 anhand der Getriebeteile Bilder 2 und 3.
14. Welche Eigenschaften sind für die Werkstoffauswahl der oben genannten Beispiele von Bedeutung? Begründen Sie Ihre Zuordnung.

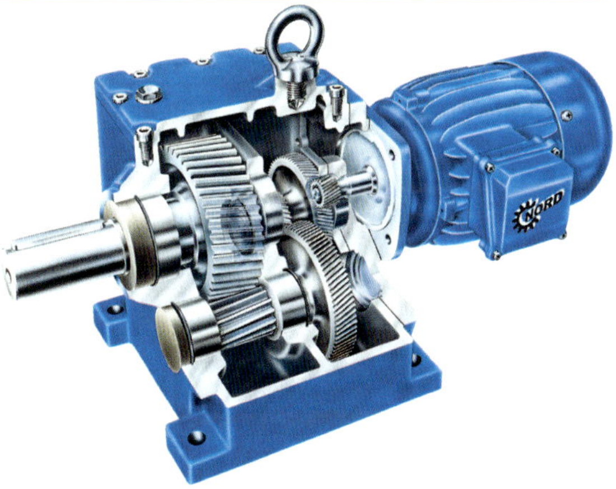

2 Industriegetriebe

3 Getriebeteile

3.3 Gewinnung der Werkstoffe und ihre Verwendung

3.3.1 Metallische Werkstoffe

3.3.1.1 Kristallbildung bei Metallen

Versuch:
Auf einem Projektor wurde in einer Glasschale Benzophenon mithilfe einer Wärmelampe verflüssigt. Bei der anschließenden Abkühlung lässt sich der dabei einsetzende Kristallbildungsvorgang auf der Projektionswand verfolgen. Es bilden sich von außen nach innen Kristalle, die so lange wachsen, bis sie schließlich zusammenstoßen. Der Stoff ist erstarrt.

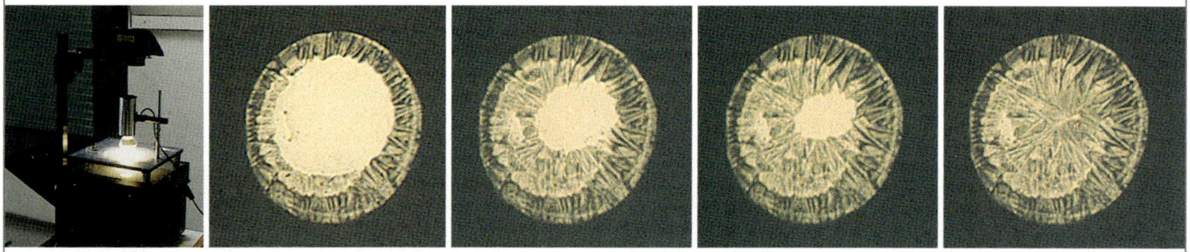

1 Kristallisation von Benzophenon

Bei diesem Versuch ist ein Stoff erstarrt, der zwar kein Metall ist, sich aber beim Erkalten ähnlich verhält. Der innere Aufbau der kleinsten Teilchen (Atome, Moleküle) ist im festen Zustand bei den Metallen regelmäßig geordnet. Eine solche Anordnung nennt man **Kristallgitter**. Bei der Erstarrung einer Schmelze bilden sich Kristallistionskeime wie im Versuch. Jedes Metall hat seine eigene typische Kristallgitterform.
Der regelmäßige Aufbau hat oft einen Würfel als Grundstruktur. Solche Kristallformen nennt man **kubisch** (lat. kubus: der Würfel, Bild 2). Zunächst bilden sich **Kristallkeime**, dann folgt das **Keimwachstum**, bis die Kristalle aneinander stoßen. Der Stoff ist fest geworden. Er besteht aus vielen meist sehr kleinen Kristallen (Körnern). Die Anordnung und Verteilung der Körner nennt man **Gefüge**. Bei sehr großen Kristallen kann man das Gefüge wie im Versuch und in Bild 3 direkt erkennen.

AH GK S. 20

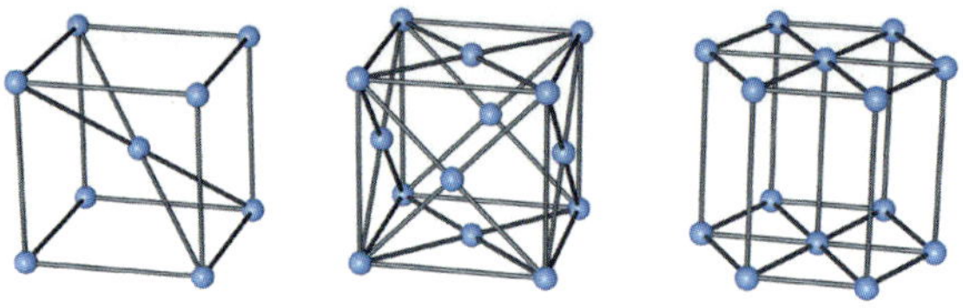

2 Kristallgitterformen

3 Gefüge einer Aluminiumlegierung, geätzt

Merke
Die verschiedenen Kristallgitter haben Einfluss auf die Werkstoffeigenschaften wie z. B. Umformbarkeit, Härte.

Metalllegierungen

Viele metallische Werkstoffe sind aus verschiedenen Metallen gemischt. Man spricht von Legierungen, wenn sie aus einer gemeinsamen Schmelze erstarrt sind. Verschiedene Arten von Kristallbildungen können bei Legierungen auftreten. Ein Kristallgemisch (Bild 4) entsteht, wenn die Bestandteile unterschiedliche Kristallarten bilden. Wird der zulegierte Stoff in den Grundkristall eingebaut, so spricht man von einem Mischkristall (Bild 5).

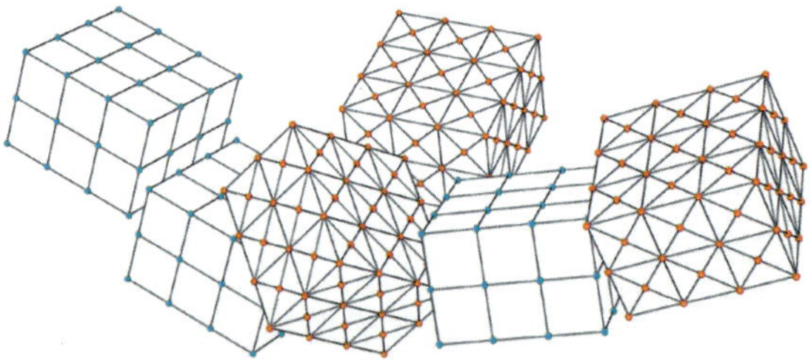

4 Kristallgemisch (Modell)

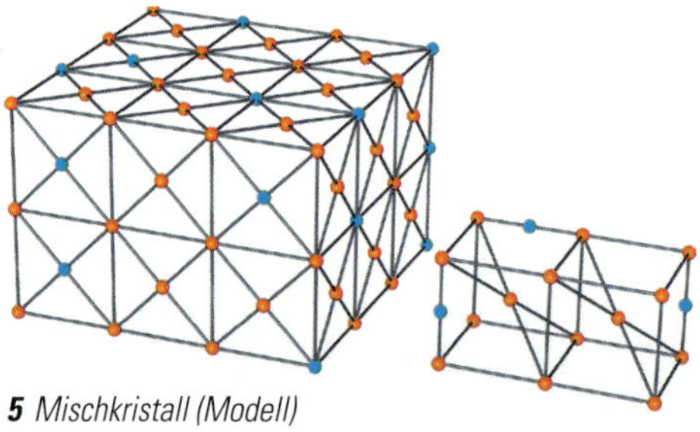

5 Mischkristall (Modell)

Legierungen erstarren häufig nicht wie reine Stoffe plötzlich bei einer bestimmten Temperatur, sondern sie werden innerhalb eines Temperaturbereichs fest. Ihre Schmelzbereiche liegen manchmal tiefer als die Schmelzpunkte der beteiligten Stoffe. Solche Legierungen bilden bei der Erstarrung Körner, die aus zwei Kristallstrukturen nebeneinander bestehen (Bild 1).

3.3.1.2 Eisenmetalle

Eisenwerkstoffe *(ferrous materials)* werden heute zu einem großen Anteil wiederverwendet (Recycling). Für die Stahl- und Gusseisenerzeugung werden ca. **60 % Schrott** verwendet. Der Rest wird aus **Erzen** gewonnen.
Im Hochofen oder in der Direktreduktionsanlage wird Roheisen bzw. Eisenschwamm erzeugt, der dann weiterverarbeitet wird.

Merke

Eisenerze *(iron ores)* sind chemische Verbindungen des Eisens, vor allem mit Sauerstoff. Ihr Eisenanteil beträgt 30 % bis 70 %.

Gusseisen

Getriebegehäuse oder z. B. Untergestelle einer Werkzeugmaschine sind oft aus Gusseisen gefertigt. Dieser Werkstoff ist gut gießbar. Er hat einen niedrigen Schmelzpunkt. Der Energieaufwand zum Schmelzen ist gering. Kohlenstoff senkt die Schmelztemperatur von Eisen und macht die Schmelze dünnflüssig. Der erstarrte Werkstoff ist spröde und druckfest.

Merke

Gusseisen *(cast iron)* ist eine Eisen-Kohlenstoff-Legierung, die im Allgemeinen 2 % bis 5 % Kohlenstoff enthält.

Die Herstellung von Gusseisen erfolgt im **Gießereischachtofen** (Kupolofen). Das Ausgangsmaterial (graues Roheisen, Eisenschwamm, Gussschrott) wird mit Koks aufgeschmolzen. Bessere Gussqualitäten werden im **Elektroofen** erschmolzen. Der Kohlenstoff kann sich beim Erkalten in dünnen Lamellen im Gefüge anordnen, oder es bilden sich kugelförmige (globulare) Kohlenstoffausscheidungen (Bild 2). **Gusseisen mit Lamellengrafit** ist druckfest und schwingungsdämpfend. Die Zugfestigkeit ist allerdings gering im Vergleich zu anderen Eisenwerkstoffen.
Gusseisen mit Kugelgrafit hat eine höhere Zugfestigkeit. Weitere Gusseisensorten sind der weiße und der schwarze **Temperguss**. Diese sind durch Wärmebehandlung zäh gewordene Sondergusseisen, die sich in Grenzen mechanisch verformen lassen. **Stahlguss** gehört nicht zu den Gusseisen, sondern ist in Formen gegossener Stahl.

Stahl

Wegen seiner physikalischen und technologischen Eigenschaften ist Stahl nach wie vor der wichtigste Werkstoff im Maschinenbau. Die Zahnräder und Wellen des Getriebes (Bild 2, Seite 315) bestehen aus Stählen unterschiedlicher Zusammensetzung. Stahl lässt sich, je nach Zusammensetzung

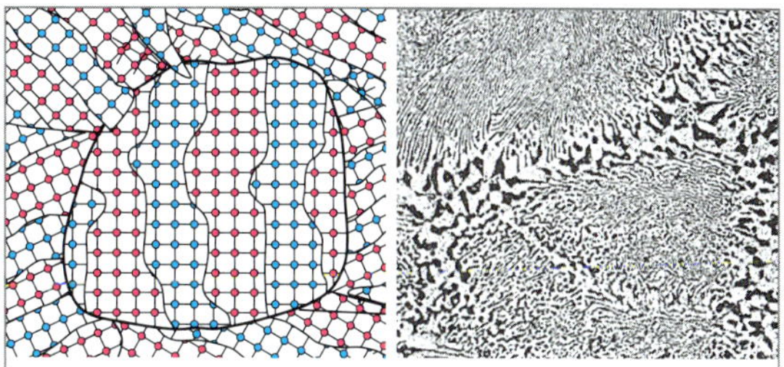

Modell | Schliffbild

1 *Kristallformen in einem Korn nebeneinander*

AH GK S. 21

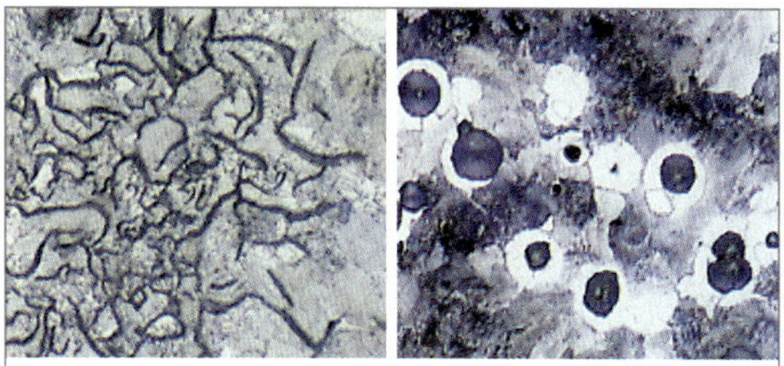

Gusseisen mit **Lamellengrafit** im Gefüge | Gusseisen mit **Kugelgrafit** im Gefüge

2 *Kohlenstoffanordnung im Gusseisen (Schliffbilder)*

- gut umformen,
- gut zerspanen,
- gut schweißen und
- durch Wärmebehandlung in seinen Eigenschaften beeinflussen.

Zur Stahlerzeugung müssen die Ausgangsstoffe (weißes Roheisen, Eisenschwamm, Schrott) von unerwünschten Bestandteilen gereinigt werden. Andere Stoffe, die die gewünschten Eigenschaften bewirken, werden hinzulegiert. Der Kohlenstoffgehalt beträgt dann maximal noch ca. 2 %.

Merke

Stahl *(steel)* ist eine Eisen-Kohlenstoff-Legierung mit bis zu 2 % Kohlenstoff.

Bei diesem Prozess der Stahlerzeugung werden die unerwünschten Stoffe verbrannt **(Frischen).** Reiner Sauerstoff, früher auch Luft, wird in das aufgeschmolzene Metallbad geblasen (Seite 318 Bild 1). Die Verunreinigungen verbrennen mit dem Sauerstoff. Dadurch wird die Schmelze weiter erhitzt.
Wird die Schmelze zu heiß, verbindet sich auch das Eisen mit dem Sauerstoff. Um dies zu verhindern, wird durch Zugabe von Schrott gekühlt.
Die Verbrennungsrückstände sind in der Schlacke gebunden, die sich auf der flüssigen Stahlschmelze absetzt. Die Zusammensetzung des Stahls wird durch Probenentnahme ständig kontrolliert. Sind erwünschte Legierungselemente zu stark ausgebrannt, können sie vor dem Abguss wieder ergänzt werden. Die Eigenschaften des fertigen Stahls hängen stark von den Anteilen der Legierungselemente ab (siehe Tabellenbuch). Hier einige Beispiele:

- Kohlenstoff steigert Festigkeit und Härte, vermindert Schweißbarkeit und Schmiedbarkeit.
- Chrom steigert Härte und vermindert Korrosionsneigung und Dehnung.
- Nickel steigert Härte, Dehnung, Zähigkeit und vermindert Korrosionsneigung, Zerspanbarkeit, Verschleißfestigkeit.
- Wolfram steigert Warmfestigkeit sowie Verschleißfestigkeit und vermindert Zerspanbarkeit.
- Molybdän steigert Härte, Warmfestigkeit, Verschleißfestigkeit und vermindert Zerspanbarkeit.

Eisenwerkstoffe sind
- **Stahl** *(steel)*, wenn sie einen Kohlenstoffgehalt bis ca. 2 % aufweisen,
- **Stahlguss** *(cast steel)*, wenn Stahl in Formen gegossen wird,
- **Gusseisen** *(cast iron)*, wenn sie ca. 2 %...5 % Kohlenstoffgehalt aufweisen und gegossen werden.

Stahlsorten werden unterschieden in

AH GK S. 22

- **unlegierte Stähle** *(unalloyed steel)*, wenn die Beimengungen festgelegte Grenzen (siehe Tabellenbuch) nicht überschreiten,
- **legierte Stähle** *(alloyed steel)*, wenn diese Grenzen überschritten werden,
- **nichtrostende Stähle**, wenn der Kohlenstoffgehalt $\leq$ 1,2 % **und** der Chromgehalt $\geq$ 10,5 % ist.

Edelstähle *(high-grade steel)* sind Stähle, deren Gehalt an Phosphor und Schwefel 0,02 % nicht überschreiten und deren Zusammensetzung in engen Grenzen festgelegt ist. Die übrigen Stähle werden als **Qualitätsstähle** *(quality steel)* bezeichnet. Bei der Herstellung von Edelstählen muss auf eine sehr genaue Zusammensetzung der Legierungselemente geachtet werden. Dies kann nur im Elektro-Lichtbogen-Verfahren (Bild 2) erreicht werden.
Die Stahlschmelze wird zu Stahlblöcken im Blockguss (Kokillen, Bild 3) vergossen oder im Stranggussverfahren (Bild 4) verarbeitet. Dabei wird der Stahl direkt nach dem Erstarren im glühenden Zustand ausgewalzt. Halbzeuge aus preisgünstigen Massenstählen sind meist auf diese Weise erzeugt.

1 *Sauerstoffblasverfahren*

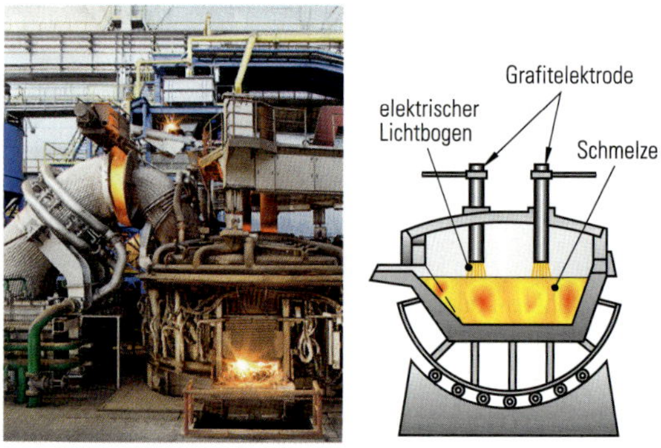

2 *Elektro-Lichtbogen-Verfahren*

3 *Kokillenguss*

Überlegen Sie

1. Beschreiben Sie den Werdegang eines Stahlblocks aus unlegiertem Stahl vom Eisenerz bis zum Blockguss.
2. Unterscheiden Sie Stahl und Gusseisen.
3. Beschreiben Sie den Einfluss verschiedener Legierungselemente auf die Eigenschaften von Stählen.

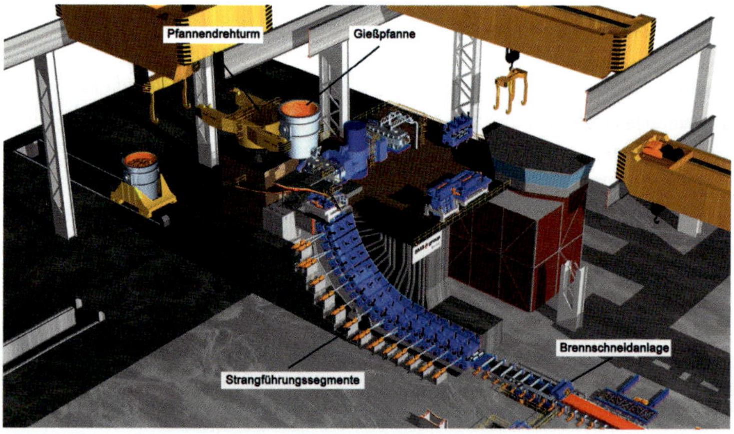

4 *Strangguss*

3.3.1.3 Nichteisenmetalle

Aluminium und Aluminiumlegierungen

Ausgangsstoff für die Aluminiumgewinnung ist das Mineral Bauxit, das im Tagebau gewonnen wird. Es wird zu einem trockenen Pulver aus reinem Aluminiumoxid verarbeitet, der Tonerde. In Elektrolyseöfen (Bild 1) wird die Tonerde in Aluminium und Sauerstoff aufgespalten. Für eine Tonne Aluminium werden ca. 14000 kW · h elektrischer Energie benötigt. Dies entspricht etwa dem durchschnittlichen Stromverbrauch einer beruflichen Schule mit ca. 2000 Schülern in 14 Tagen. Deshalb ist Recycling von Aluminium in der industriellen Anwendung selbstverständlich, da so Rohstoffe und Energie eingespart werden.

Die Festigkeit von Aluminium wird durch Legieren mit anderen Stoffen gesteigert. Die legierten Aluminiumwerkstoffe werden eingeteilt in Knetlegierungen für die Umformung zu gewalzten, gepressten und gezogenen Halbzeugen und Gusslegierungen mit guten Gießeigenschaften.

Eigenschaften von Aluminium (Al) *(aluminium)* bzw. Aluminiumlegierungen *(aluminium alloys)*:

- geringe Dichte *(density)* (ϱ= 2,7 kg/dm³, Leichtmetall)
- Korrosionsbeständigkeit *(corrosion resistance)*, da es eine dichte Oxidschicht bildet
- gute Festigkeit
- gute Formbarkeit *(compactibility)*
- gute Zerspanbarkeit
- gute elektrische Leitfähigkeit *(electric conductivity)*
- hohe Wärmeleitfähigkeit *(thermal conductivity)*

Im Leichtbau für Luft- und Raumfahrt (Bild 2) sowie im Fahrzeugbau (Bild 3) werden zur Gewichtsersparnis viele Teile aus Aluminium und Al-Legierungen gefertigt. Im Fassaden- und Fensterbau wird es wegen seiner Witterungsbeständigkeit eingesetzt. Bei elektrischen Freileitungen hat Aluminium das Kupfer teilweise verdrängt. Kupfer leitet zwar besser, ist aber teurer und hat eine größere Dichte.

Kupfer und Kupferlegierungen

Die Kupfererze haben nur einen relativ geringen Kupfergehalt (höchstens 5 %). Die Rückgewinnung aus kupferhaltigen Abfällen (Recycling) lohnt sich deshalb ganz besonders. Wie beim Aluminium wird zwischen Knet- und Gusslegierungen unterschieden.

Eigenschaften von Kupfer (Cu) *(copper)* und Kupferlegierungen *(copper alloys)* sind z. B.:

- große Dichte (ϱ= 8,9 kg/dm³, Schwermetall)
- korrosionsbeständig, da es eine dichte Oxidschicht bildet
- weich- und hartlötbar
- für Trinkwasser zugelassen
- zäh und gut verformbar
- schlecht zerspanbar

Heizungs- und Brauchwasserleitungen werden häufig aus Kupferrohren und Rohrverbindern (Fittings) gefertigt (Bild 4). In der Elektrotechnik wird Kupfer als Leiterwerkstoff verwendet, da es eine sehr gute elektrische Leitfähigkeit hat, wie sie z. B. bei einer Schweißzange benötigt wird (Seite 320 Bild 1). Mit Kupfer werden Dächer und Fassaden verkleidet, um sie vor der

1 *Elektrolysehalle*

AH GK S. 23

2 *Passagierflugzeug*

Motorblock aus Al-Si-Legierung

Reifenfelge aus Al-Mg-Legierung

3 *Kfz-Teile aus Aluminium-Legierungen*

4 *Kupferrohre in einer industriellen Verteileranlage*

Witterung zu schützen. An der Oberfläche bildet sich, ähnlich wie beim Aluminium, eine dichte Oxidschicht, die weitere Korrosion verhindert. Die Schicht ist bräunlich oder grün (Patina, Bild 2).

Legierungen auf Kupferbasis sind teilweise unter eigenem Namen bekannt. **Messing** *(brass)* ist eine Legierung aus Kupfer und Zink. Es wird z. B. für Armaturen und Beschläge verwendet (Bild 3). Messing ist noch weniger korrosionsanfällig als Kupfer. Noch beständiger ist **Bronze** *(bronze)*, eine Kupfer-Zinn-Legierung. Kupfer-Zinn-Zink-Gusslegierungen nennt man **Rotguss** *(red brass)*. Auch Lagermetalle (Werkstoffe für Gleitführungen und Gleitlager) und Lote sind oft Kupferlegierungen.

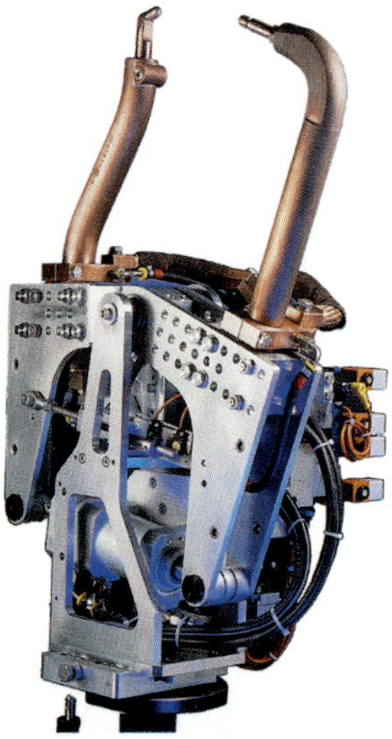

1 *Schweißzange aus Kupfer*

2 *Kupferbedachung, oxidiert*

Gedrehte Gleitlagerbuchsen aus Cu-Sn-Zn-Legierung (Rotguss)

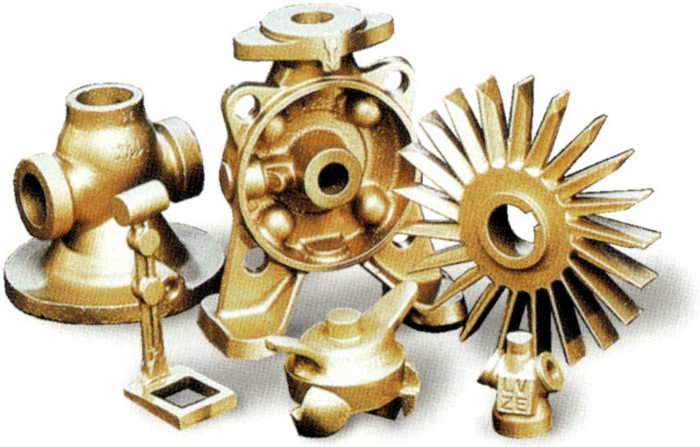

Sandgussteile aus Cu-Sn-Legierungen (Bronze)

Messingrohre und Messingprofilrohre in Bohr- und Drehqualität

Pressteile aus Messing (Cu-Zn)

3 *Anwendungsbeispiele für Kupfer und Kupferlegierungen*

Zink (Zn) *(zinc)* **und Zinklegierungen** *(zinc alloys)*

Verwendung z. B.:
- Überzug zum Korrosionsschutz von Stahlteilen (Bild 1)
- Ablaufbleche an Dächern
- Legierungsmetall in Kupfer- und Aluminiumlegierungen

Eigenschaften sind z. B.:
- Dichte ρ = 7,1 kg/dm^3, Schwermetall
- korrosionsbeständig
- weichlötbar
- zäh und gut umformbar
- giftig
- große Wärmedehnung

1 *Feuerverzinkungsanlage*

Zinn (Sn) *(tin)* **und Zinnlegierungen** *(tin alloys)*

Verwendung z. B.:
- Weichlot (legiert)
- Überzug als Korrosionsschutz von Stahlblech (Weißblech, Bild 2)
- Gusswerkstoff

Eigenschaften sind z. B.:
- Dichte ρ = 7,3 kg/dm^3, Schwermetall
- gut umformbar
- gießbar
- korrosionsbeständig
- Besonderheit: Beim Verformen entsteht ein Geräusch (Zinnschrei)

2 *Konservendosen aus Weißblech*

Blei (Pb) *(lead)* **und Bleilegierungen** *(lead alloys)*

Verwendung z. B.:
- Strahlenschutz (Bild 3)
- Ablaufbleche an Dächern, die vor Ort geformt werden müssen
- Beschweren
- in Akkumulatoren
- Legierungszusatz in Werkstoffen für Gleitlager

Eigenschaften sind z. B.:
- Dichte ρ = 11,4 kg/dm^3, Schwermetall
- korrosionsbeständig
- giftig
- weichlötbar
- weich und zäh
- strahlenabsorbierend (Röntgenstrahlen und radioaktive Strahlen dringen schlecht hindurch)
- leicht schmierend
- deswegen schlecht zerspanbar

3 *Transportbehälter aus Blei (Strahlenschutz)*

Magnesium (Mg) *(magnesium)* **und Magnesiumlegierungen** *(magnesium alloys)*

Verwendung z. B.:
- Gusslegierungen (Bild 4)
- Legierungsbestandteil anderer Metalle
- Feuerwerkskörper

Eigenschaften sind z. B.:
- Leichtmetall
- leicht brennbar
- deswegen **Vorsicht beim Zerspanen!!!** Nicht mit Wasser, sondern mit Löschpulver löschen.

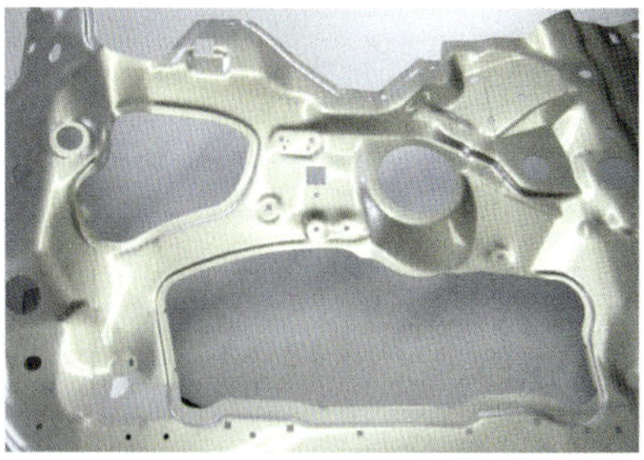

4 *Gussteil aus Magnesiumlegierung*

Titan (Ti) *(titanium)* **und Titanlegierungen** *(titanium alloys)*

Verwendung z. B.:
- Leichtbau
- Luft- und Raumfahrt (Bild 5)
- Legierungsbestandteil anderer Metalle

Eigenschaften sind z. B.:
- schwerstes Leichtmetall ϱ= 4,5 kg/dm^3
- hohe Festigkeit im Vergleich zu anderen Leichtmetallen
- korrosionsbeständig
- zäh

5 *Flugzeugbauteile aus Titanlegierungen*

3.3.2 Nichtmetalle und Verbundstoffe

Nichtmetallische Werkstoffe wie die große Gruppe der **Kunststoffe**, **Verbundwerkstoffe** und **Keramik** werden auch in Metallberufen verwendet. Holz, Papier und Naturfasern spielen eine eher untergeordnete Rolle.

3.3.2.1 Kunststoffe

Kunststoffe *(plastics)* finden immer breitere Verwendung im Maschinen- und Kraftfahrzeugbau. Kunststoffschläuche werden für Gas- und Flüssigkeitsleitungen gebraucht, und Kunststoffformteile sind häufig preisgünstiger als Metallguss. Als Beschichtungsmaterial kommt Kunststoff ebenfalls zum Einsatz. Erdöl, aber auch Kohle und Erdgas sind Ausgangsstoffe für die meisten Kunststoffe. Diese sind aus fadenförmigen Riesenmolekülen (Makromoleküle, z. B. Ethylen – Bild 1) aufgebaut.

AH GK S. 24

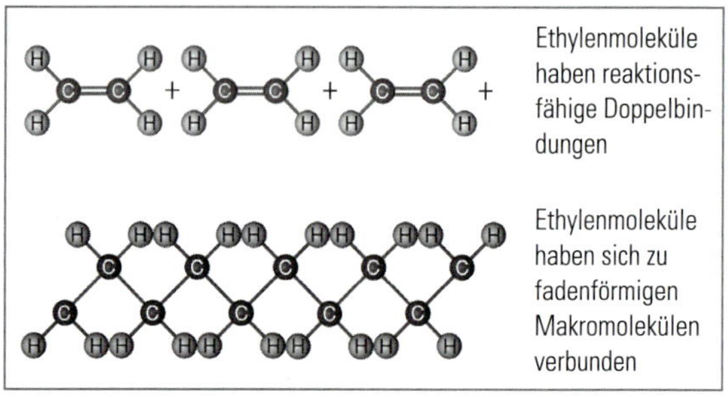

1 *Aus Ethylen wird Propyethylen*

Ihre Struktur ist filz- oder netzartig. Dadurch ergeben sich ihre speziellen Eigenschaften (Bild 2).
Manche Kunststoffe spalten bei der chemischen Reaktion ein Gas ab, das sie vor dem Erhärten aufschäumen lässt. In andere

Diagramme Erwärmung Kunststoffe

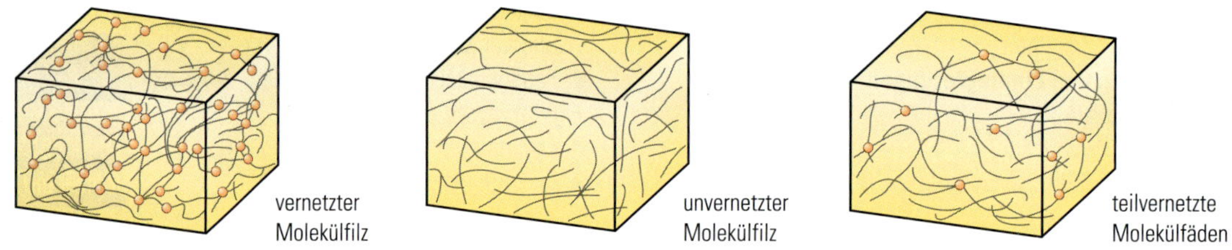

Duroplaste (thermosetting plastics)
Duroplaste (**Duromere**) behalten ihre einmal eingenommene Form auch bei Erwärmung. Bei noch höheren Temperaturen zersetzt sich der Stoff. Diese Eigenschaften hängen vom Vernetzungsgrad der Moleküle ab. Unvernetzt ist der Werkstoff thermoplastisch, stark vernetzt ist er duroplastisch.

Thermoplaste (thermoplastics)
Thermoplaste (**Thermomere**) werden bei Erwärmung immer wieder zähfließend. Bei höherer Temperatur ist ihre Anwendung durch die Erweichungsgefahr begrenzt. Bei tiefen Temperaturen neigen sie zum Verspröden.

Elastoplaste (elastomers)
Gummiartige Elastoplaste (**Elastomere**) entstehen bei einer Teilvernetzung. Sie werden bei hohen Temperaturen schmierig, können aber nicht mehr umgeformt werden.

2 *Strukturen von Kunststoffmolekülen*

Spritzgusswerkstücke aus Duroplast — *Blasformwerkstücke aus Thermoplast* — *Geschäumte Werkstücke aus Thermo-, Duro- und Elastoplast*

3 *Anwendungsbeispiele für Kunststoffe*

können Gase eingeblasen werden. So entstehen **Schaumstoffe** als Dämm- oder Polstermaterial. Fluorchlorkohlenwasserstoffe (FCKWs), die früher als Treibmittel verwendet wurden, sind heute wegen ihrer schädlichen Wirkung auf die Ozonhülle der Erdatmosphäre für diesen Zweck verboten.
Bei sonst sehr unterschiedlichen Eigenschaften ist allen Kunststoffen gemeinsam, dass sie schlechte Leiter für elektrischen Strom und Wärme sind. Sie lassen sich nahezu beliebig einfärben.
Bei Raumtemperatur sind Kunststoffe sehr beständig und werden durch Umwelteinflüsse kaum abgebaut. Hohe Temperatur zerstört ihren chemischen Aufbau. Die Zerfallsprodukte stellen teilweise eine erhebliche Umweltbelastung dar. Trotzdem steigt ihr Einsatz ständig, da ihre positiven Eigenschaften und ihr Preis die Entscheidung für diesen Werkstoff begünstigen.

3.3.2.2 Verbundwerkstoffe

Verbundwerkstoffe *(composite materials)* kombinieren die positiven Eigenschaften unterschiedlicher Werkstoffe.

Verstärkte Verbundwerkstoffe

Kunststoffe werden beispielsweise durch Glasfaser-, Kohlefaser- oder Metalleinlagen verstärkt (Bild 1). Auch Papier oder Textileinlagen werden verwendet. Platinen für die Steuerungselektronik sind aus solchen Stoffen gefertigt. Stahlbeton oder Spanplatten gehören ebenfalls in diese Werkstoffgruppe.

Merke
Ein Verbundwerkstoff ist ein Werkstoff, in dem zwei oder mehrere Materialien so verbunden werden, dass sich ihre Werkstoffeigenschaften positiv ergänzen.

1 *Druckluftschlauch*

Sinterverbundwerkstoffe

Eine weitere Untergruppe der Verbundwerkstoffe bilden Sinterwerkstoffe *(sintered materials)*. Durch Sintern lassen sich zähe metallische Grundstoffe mit harten keramischen Teilchen verbinden. Dabei werden die Ausgangsstoffe pulverisiert und gemischt, dann zu Rohteilen gepresst. Im Sinterofen verbacken die Pulverkörner zu einem mehr oder weniger porösen Werkstoff. Auf diese Weise gefertigte Schneidstoffe wie z. B. Wendeschneidplatten für die Zerspanung, (Bild 2) werden sehr dicht gepresst. Sie sind sehr hart und temperaturbeständig. Filter (Bild 3) stellt man aus groben Pulvern her, die nicht sehr dicht gepresst werden.

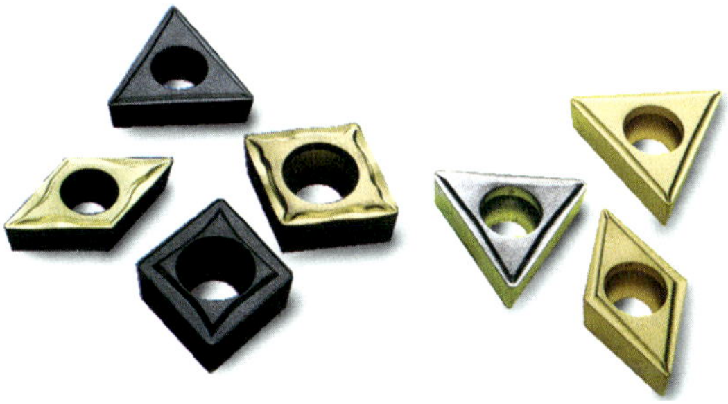

2 *Wendeschneidplatten aus Hartmetall*

3 *Filterformteile*

3.3.2.3 Keramische Werkstoffe

Das Brennen rein keramischer Werkstoffe *(ceramic materials)* ist ebenfalls ein Sintervorgang. Ausgangsmaterialien sind Karbide, Nitride, Oxide, Boride und Silicate. Dies sind Verbindungen mit C, N, O, B, SiO_2. Keramik ist meist sehr hart und spröde. Wegen seiner hohen Verschleißfestigkeit und Temperaturbeständigkeit wird es z. B. im Motoren- und Turbinenbau und als Schneidstoff in der Zerspanung angewendet (Bild 4).

4 *Keramikschneidplatten*

3.3.3 Fertigungshilfsstoffe

Kühl- und Schmierstoffe

Schmierstoffe *(lubricants)* vermindern die Reibung zwischen gleitenden Bauteilen, schützen Oberflächen und leiten Wärme ab. Bei geringen Gleitgeschwindigkeiten werden **Fette** eingesetzt. Ähnliche Aufgaben erfüllen fein verteilte Partikel aus **Grafit** oder **Teflon** in Flüssigkeiten, die man Dispersionen nennt. Bei höheren Geschwindigkeiten kommen niedrigviskose (dünnflüssige) **Öle** zum Einsatz. Gute Schmierstoffe enthalten **oberflächenaktive Zusätze**, die gefährdete Oberflächen gut gegen Verschleiß schützen. Es gibt natürliche und künstliche (synthetische) Schmierstoffe. Sie müssen druckstabil und bei hohen Temperaturen beständig sein. Sie sollen nicht schäumen und dürfen nur wenig Luft und Wasser aufnehmen.[1)]

1) Weitere Informationen zum Thema „Kühlschmierstoffe" finden Sie im Teil „Lernfelder 1 und 2: Fertigen von Bauelementen" im Kapitel 1.3.2 „Kühlschmierstoffe".

Kühlstoffe *(coolants)* leiten die Reibungswärme ab, die z. B. beim Zerspanen entsteht. Dadurch wird ein Schaden durch Überhitzung vermieden. **Wasser** kann große Wärmemengen aufnehmen, deshalb kühlt es gut. Leider fördert es auch die Korrosion.

Emulsionen *(emulsions)* – fein verteilte Gemische aus Wasser und Ölen – werden als Kühlschmierstoffe (Bild 1) eingesetzt. Sie lassen sich durch das Mischungsverhältnis je nach Aufgabe mehr zum Kühlen oder mehr zum Schmieren anpassen.

Andere Fertigungshilfsstoffe

Schleif- und Polierstoffe können in fest gebundener Form als Werkzeuge eingesetzt werden (z. B. als Schleifkörper). Als Pulver gemischt mit Flüssigkeiten oder Druckluft (z. B. Sandstrahlen) werden sie ebenfalls angewendet.

Beim Löten sorgen **Flussmittel** für chemisch reine Oberflächen als Voraussetzung für einwandfreie Verbindungen. **Beizen** reinigen Oberflächen von Oxid- und anderen Schichten vor einer Oberflächenbehandlung. Zum Entfernen von Fettresten und Schmutz werden mehr oder weniger aggressive Reinigungsmittel benutzt wie z. B. schwache Säuren oder Laugen.

1 *Kühlschmierstoffe im Einsatz*

Merke

Schmierstoffe, Kühlemulsionen und viele andere Hilfsstoffe dürfen nicht in die Kanalisation gelangen. Bei der Verwendung sind die Entsorgungsvorschriften zu beachten.

ÜBUNGEN

1. Unterscheiden Sie Gusseisen und Stahl.
2. Welche Gusseisenarten kennen Sie?
3. Erklären Sie die Stahlerzeugung durch Sauerstoffblasverfahren.
4. Durch welche Legierungselemente lässt sich die Korrosionsbeständigkeit von Stahl verbessern?
5. Welche Legierungselemente verschlechtern die Zerspanbarkeit von Stahl?
6. Beschreiben Sie den Herstellungsprozess von Aluminium.
7. Welche wichtigen Eigenschaften für die Umformung haben die Nichteisenmetalle Kupfer, Zink und Blei?
8. Aus welchen Ausgangsstoffen werden Kunststoffe überwiegend hergestellt?
9. Wie entstehen Schaumstoffe?
10. Unterscheiden Sie Duroplaste, Thermoplaste und Elaste.
11. Was sind Verbundwerkstoffe?
12. Nennen Sie wichtige Fertigungshilfsstoffe und ihre Anwendungen.

3.4 Lieferformen von Werkstoffen: Werkstoff- und Halbzeugnormung

Werkstoffe und teilweise Werkstoffabmessungen sind genormt. Dies vereinfacht den Bestellvorgang und die Lagerhaltung. Diese Normen *(standards)* betreffen sowohl die äußere Form des Anlieferprodukts als auch seine chemische und physikalische Beschaffenheit sowie den Gewährleistungsumfang. Das Deutsche Institut für Normung gibt die **DIN-Normen** heraus, die in Zusammenarbeit von Produzenten und Anwendern in Fachnormenausschüssen erarbeitet werden. DIN-Normen gelten nur in Deutschland. Der internationale Handel braucht aber internationale Normen. Im europäischen Bereich sind so die **EN-Normen** entstanden, weltweit die **ISO-Normen** (für Deutschland DIN EN und DIN ISO und DIN EN ISO, vgl. Kapitel 2.1.9 in Teil III, Seite 256).

3.4.1 Halbzeuge

Ausgangsmaterial für die Fertigung von Werkstücken sind meist vorgefertigte Lieferformen von Werkstoffen wie Profilstangen, Drähte, Bleche und Bänder. Man nennt diese Ausgangsformen „Halbzeuge" *(semi-finished products)*. Für das Walz- oder Presswerk sind diese Produkte das Endprodukt, für den Verarbeiter jedoch das Ausgangsmaterial.

Merke

Als Halbzeug wird Vormaterial bezeichnet, also vorgefertigtes Rohmaterial und Werkstücke oder Halbfabrikate der einfachsten Form.

Aus Halbzeugen unterschiedlicher Abmessungen und Formen lassen sich Rohlinge für den Fertigungsvorgang ablängen oder ausschneiden. Lieferformen und Abmessungen sind genormt (vgl. Tabellenbuch), um die Vielfalt einzugrenzen und damit Kosten zu sparen.

Profile *(profiles)* **und Rohre** *(pipes)*

Stangen- oder stabförmige Halbzeuge werden üblicherweise in Längen von ca. 6 m ausgeliefert. Profile werden oft nach Buchstaben benannt, die ihrer Form ähnlich sind wie beispielsweise:

- U-Profile,
- I-Profile in verschiedenen Ausführungen,
- L-Profile,
- T-Profile oder
- Z-Profile.

Dazu kommen Halbrund-, Rund- und Flachprofile (genormte Profile: Bild 2). Diese Querschnittsformen werden in Stahl vorzugsweise im Walzwerk hergestellt (Seite 326 Bild 1). Die Kanten dieser Profile sind meist stark abgerundet.

1 Materiallager

Warmgewalzte I-Träger (IPB-Reihe) DIN 1025-2

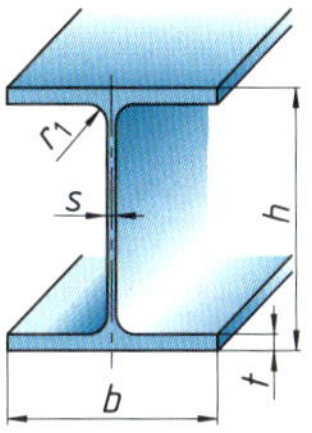

Beispiel:
I-Profil DIN 1025 – S235JR – IPB 360

h:	360 mm
b:	300 mm
t:	22,5 mm
s:	12,5 mm
r_1:	27 mm
Querschnittsfläche *S*:	18100 mm^2
Längenbezogene Masse *m'*:	142 kg/m

Warmgewalzter U-Profilstahl DIN 1026-1

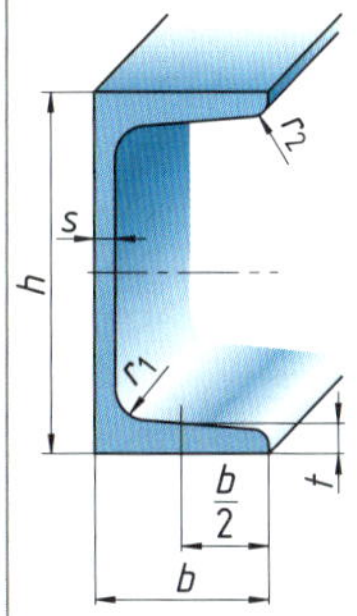

Beispiel:
U-Profil DIN 1026 – U 100 – S235JR

h:	100 mm
b:	300 mm
t:	8,5 mm
s:	6 mm
r_1:	8,5 mm
r_2:	4,5 mm
Querschnittsfläche *S*:	1350 mm^2
Längenbezogene Masse *m'*:	10,6 kg/m

Ungleichschenkliger Winkel aus Stahl DIN EN 10056-1

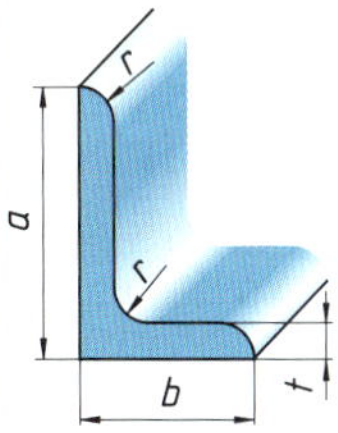

Beispiel:
L EN 10056-1-30 × 20 × 4 – S235JO

a:	30 mm
b:	20 mm
t:	4 mm
s:	6 mm
r:	4 mm

Erzeugnis	Norm
Warmgewalzter gleichschenkliger scharfkantiger Winkelstahl	DIN 1022
Gleichschenklige und ungleich-Winkel aus Stahl	DIN EN 10056-1
Warmgewalzte schmale I-Träger	DIN 1025-1
Warmgewalzte I-Träger (IPB-Reihe)	DIN 1025-2
Warmgewalzte breite I-Träger, leichte Ausführung (IPBI-Reihe)	DIN 1025-3
Warmgewalzte breite I-Träger, verstärkte Ausführung (IPBv-Reihe)	DIN 1025-4
Warmgewalzte mittelbreite I-Träger, (IPE-Reihe)	DIN 1025-5
Warmgewalzter U-Profilstahl mit geneigten Flanschflächen	DIN 1026-1
Warmgewalzter rundkantiger Z-Stahl	DIN 1027
Warmgewalzter scharfkantiger T-Stahl	DIN 59051
Warmgewalzter gleichschenkliger T-Stahl mit gerundeten Kanten und Übergängen	DIN EN 10055
Warmgefertigte Hohlprofile	DIN EN 10210-2
Stahldraht und Drahterzeugnisse	DIN EN 10218
Nahtlose und geschweißte Stahlrohre	DIN EN 10220
Stahldraht für Federn	DIN EN 10270-1, -2
Blankstahlerzeugnisse	DIN EN 10278
Präzisionsstahlrohre	DIN EN 10305

Bei NE-Metallen sind die Halbzeuge innerhalb der Werkstoffnormen genormt, z. B. Aluminium DIN EN 573

Formnormen von Profilen (Beispiele)

Blankstahlerzeugnisse DIN EN 10278

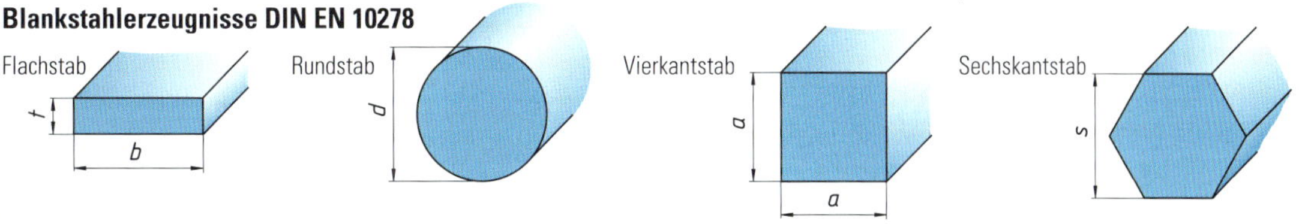

2 Genormte Stahlprofile

NE-Metalle wie z. B. Aluminium, Kupfer oder Messing werden gepresst. Erwärmte Blöcke werden dabei hydraulisch durch eine Pressmatrize gedrückt (Bild 2). Kunststoffe werden in ähnlicher Art und Weise mit einer Schneckenpresse (Extruder) durch ein Formwerkzeug gedrückt (Bild 3).
Besondere Formgenauigkeit und relative Scharfkantigkeit lassen sich für metallische Werkstoffe erreichen, wenn die Querschnitte im letzten Arbeitsgang durch ein Gegenprofil gezogen werden (Bild 4). Das Vorprofil wird dazu angespitzt und durch die Ziehmatrize gesteckt. Eine Schleppzange erfasst die Stange und zieht sie durch die Matrize.
Hohlprofile wie z. B. runde oder vierkantförmige Rohre lassen sich auf unterschiedliche Art und Weise herstellen. Sie können über einen Dorn nahtlos gewalzt oder auch gezogen werden. Dazu wird ein Dorn an einer langen Stange befestigt, der bis in die Ziehmatrize reicht. Zwischen Matrize und Dorn wird das fertige Hohlprofil formgenau hergestellt. Größere Rohre werden auch aus Blechen bzw. Bändern gebogen und anschließend an der Nahtstelle geschweißt. NE-Metalle und Kunststoffe werden auch zu Rohren gepresst. Dabei wird der Dornhalter in der Mitte vom Werkstoff umflossen, ohne dass dies hinterher am Profil sichtbar wäre (Seite 327 Bild 1).

1 *Walzprofile*

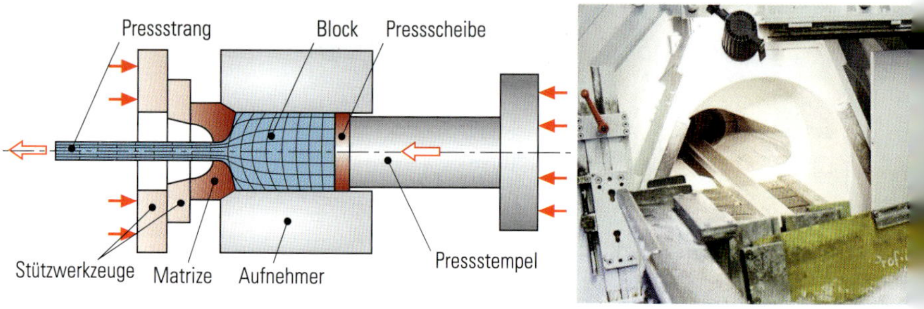

2 *Strangpresse*

Bleche *(sheets)* und Bänder *(stripes)*

Flacherzeugnisse aus Metall werden aus im Stranggussverfahren vorgeformten Brammen gewalzt. Zunächst werden die Produkte zu Blechtafeln in Walzgerüsten auf Maß gebracht (Grobblech). Soll das Halbzeug noch dünner werden, müssen Grobbleche in einer Walzstraße kontinuierlich zu Feinblech (Dicke bis 3,5mm) gewalzt und als Bänder aufgewickelt werden (Seite 327 Bilder 2 und 3). Kunststoffe werden kontinuierlich in Walzstraßen (Kalandern) zu Platten oder Bändern geformt.

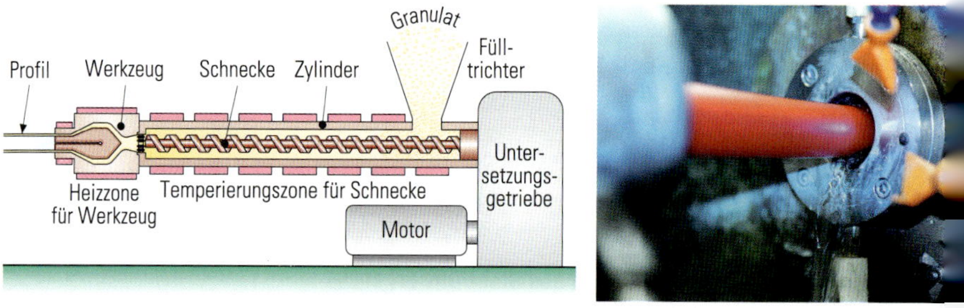

3 *Extruder*

Drähte *(wires)*

Für ganz unterschiedliche Anwendungen lassen sich aus Metallen Drähte in unterschiedlichen Abmessungen fertigen. So werden z. B. für die Herstellung von Stahlmatten für die Bauindustrie Stahldrähte gröberer Abmessungen als Walzdraht gefertigt und auf Haspeln zur Weiterverarbeitung aufgewickelt (Bild 4). Aus solchen Walzdrähten bestehen auch die Halbzeuge, aus denen im Umformverfahren Schrauben oder Drahtstifte (Nägel) gefertigt werden. Für elektrische Leitungen werden

4 *Gezogene Profile*

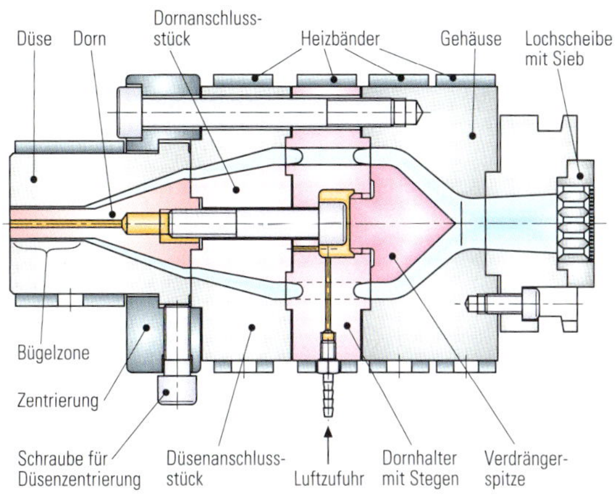

1 Extrusionswerkzeug zur Herstellung von Kunststoffrohren

2 Walzstraße

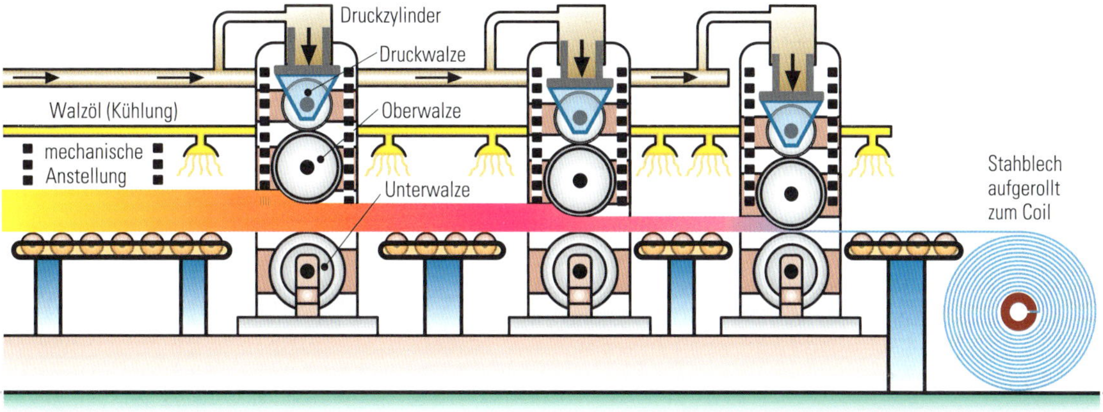

3 Walzstraße schematisch

Aluminium und Kupferdrähte gezogen. So lassen sich Drähte formen, die nur wenige µm im Durchmesser haben. Aus solchen Drähten werden kleine Spulen z. B. in der Uhrenindustrie gewickelt. Als Ziehsteine werden mit Laser gebohrte Rubine oder Diamanten eingesetzt.

3.4.2 Normung von Eisenwerkstoffen

Für eine Bestellung von Halbzeugen aus Stahl sind neben der Benennung der Menge und der normgerechten Profilbezeichnung auch Angaben über die Art und die Beschaffenheit des Werkstoffs notwendig. Die meisten der verwendeten Halbzeuge können in verschiedenen Stahlsorten geliefert werden. Die Normung der Stähle und Gusseisensorten wurde in letzter Zeit auf europäischer Ebene angeglichen. Vielfach gibt es neue DIN EN-Normen, die sich in den Betrieben noch durchsetzen müssen. Die früheren DIN-Normen sind in der Praxis noch gut bekannt und werden oft weiterhin angewendet, auch wenn sie nicht mehr gültig sind.

4 Walzdraht

Bleche *(sheet metals)* **und Bänder** *(stripes)*

Für die Werkstoffnormung von Blechen und Bändern gibt es nach DIN EN 10130 eine Bezeichnung nach der Tiefziehgüte. Das bedeutet, dass diese Materialien einen besonders hohen Grad der Umformung aushalten (Seite 328 Bild 2).

Dabei kennzeichnet der Buchstabe „D" ein Flacherzeugnis zum Kaltumformen, der Buchstabe „C" bedeutet, dass das Material kaltgewalzt wurde. Weiterhin werden die Oberflächenart und die Oberflächenausführung angegeben (Seite 328 Bild 1).

Kennzeichen	Benennung	Kennzeichen	Benennung	Oberflächenausführung	R_a in µm
A	übliche kalt gewalzte Oberfläche	b	besonders glatt	gleichmäßig glatt	< 0,4
		g	glatt	gleichmäßig glatt	< 0,9
B	beste Oberfläche	m	matt	gleichmäßig matt	0,6...1,9
		r	rau	aufgeraut	> 1,6

1 *Oberflächen von Tiefziehblechen*

Überlegen Sie

Was bedeutet die Bezeichnung:
Blech EN 10130 – DC03 – A – r?

Kaltgewalzte Bänder und Bleche mit geringerer Bruchdehnung sind nach DIN 1623-2 genormt (Bild 3).
Walzbreiten ≥ 600 mm sind nur mit der **Oberflächenart A** (Fehler wie Poren, kleine Riefen und Warzen, leichte Kratzer sowie leichte Verfärbungen sind zulässig) lieferbar. Die Oberflächenausführung ist „matt" (m) (vgl. Bild 1). Andere Oberflächenausführungen können vereinbart werden.
Walzbreiten < 600 mm sind mit folgenden **Oberflächenarten** lieferbar: **MA** (blanke, metallisch reine Oberfläche, kleine Fehler und leichte Kratzer sind zulässig), **MB** (blanke, metallisch reine Oberfläche, sichtbare Fehler sind zulässig, wenn sie das einheitliche Aussehen nicht wesentlich beinträchtigen) und **MC** (blanke, metallisch reine Oberfläche, Fehler sind nur in geringem Umfang erlaubt, die das einheitliche glänzende Aussehen nicht beeinträchtigen). Die **Oberflächenausführung** kann rau (RR) mit $R_a \geq 1{,}5$ µm, matt (RM) mit $R_a = 0{,}6$ µm...≤ 1,8 µm, glatt (RL) mit $R_a \leq 1{,}6$ µm oder glänzend (RN) mit $R_a \leq 0{,}2$ µm sein.

Überlegen Sie

Was bedeutet die Bezeichnung:
Blech DIN 1623 – S215G + MA-RL?

Stahl *(steel)* **und Stahlguss** *(cast steel)*
Grundsätzlich gibt es zwei Bezeichnungsweisen:

- Ein **Werkstoffnummernsystem** nach DIN EN 10027-2.
- Ein **Kurznamensystem** mit Buchstaben und Zahlen nach DIN EN 10027-1.

Die fünf- bis siebenstelligen Nummern (Seite 329 Bild 1) werden in drei Abschnitte unterteilt. In der ersten Stelle bedeutet eine 1, dass es sich um Stahl handelt. Nach einem Punkt folgt an den Stellen 2 und 3 eine Stahlgruppennummer (Sortenklasse). Die Stellen 4 bis 7 sind Zählnummern, aus denen sich keine weiteren Rückschlüsse ziehen lassen.
Die Bezeichnungen der Kurznamen nach DIN EN 10027-1 unterscheidet insgesamt 7 Positionen mit Hauptsymbolen und verschiedenen Zusatzsymbolen (Seite 329 Bild 2). Bei Stahlguss wird vor die Bezeichnung ein „G" gesetzt.
Die Systematik des Kurznamensystems lässt sich am besten anhand von Beispielen deutlich machen. Die folgenden Beispiele sind in zwei Gruppen aufgeteilt, wobei sich die zweite Gruppe wiederum in vier Untergruppen gliedert:

Werkstoff-Nummer	Kurzzeichen	Zugfestigkeit R_m in N/mm²	Streckgrenze R_e in N/mm²	Bruchdehnung A_{80} in %	Eigenschaft
1.0330	DC01	270... 410	280	28	Ziehgüte
1.0347	DC03	270... 370	240	34	Tiefziehgüte
1.0338	DC04	270... 350	210	38	Sondertiefziehgüte

2 *Werkstoffe für Tiefziehbleche nach DIN EN 10130*

Werkstoff-Nummer	Kurzzeichen	Oberflächenart	Zugfestigkeit R_m in N/mm²	Streckgrenze R_e in N/mm²	Bruchdehnung A in %
1.0116G	S215G	A, MA, MB, MC	360...510	215	20
1.0144G	S245G	A, MA, MB, MC	430...580	245	18
1.0570G	S325G	A, MA, MB, MC	510...680	325	16

3 *Kaltgewalzte Bänder und Bleche nach DIN 1623*

- Bezeichnung nach **Verwendungszweck** und **mechanischen** oder **physikalischen Eigenschaften**
- Bezeichnung nach **chemischer Zusammensetzung**
  a) Bezeichnung nach Kohlenstoffgehalt (z. B. unlegierte Stähle mit einem Mangan-Gehalt < 1 %)
  b) Bezeichnung durch chem. Kurzzeichen und Kennzahlen für die Anteile mit Multiplikatoren (z. B. unlegierte Stähle mit einem Mangan-Gehalt ≥ 1 % sowie legierte Stähle mit weniger als 5 % Legierungsbestandteilen – früher als niedrig legierter Stahl bezeichnet)
  c) Bezeichnung der Zusammensetzung durch chem. Kurzzeichen und Prozentzahlen (z. B. legierte Stähle mit mehr als 5 % mindestens eines Legierungsbestandteils – früher als hoch legierter Stahl bezeichnet)
  d) Bezeichnung von Schnellarbeitsstahl durch Angabe der Prozentzahlen der Legierungselemente in festliegender Reihenfolge

1. □□□□

Sortennummer (Stellen 2 bis 5)
gebildet aufgrund der chemischen Zusammensetzung bestimmter Erzeugnis- und Verwendungsbedingungen.
2. und 3. Stelle: **Sortenklasse**
4. und 5. Stelle: **Zählnummern**

Sortenklassen:

00 bis 07 und **90 bis 97:** **unlegierte Qualitätsstähle (Grundstähle[1])**; allgemeine Baustähle; sonstige, nicht für eine Wärmebehandlung bestimmte Baustähle

08 bis 09 und **98 bis 99:** **legierte Qualitätsstähle** mit besonderen physikalischen Eigenschaften oder für verschiedene Anwendungsbereiche

10 bis 19: **unlegierte Edelstähle**; Stähle mit besonderen physikalischen Eigenschaften; Bau-, Maschinenbau- und Behälterstähle; Werkzeugstähle

20 bis 29: **legierte Edelstähle**; Werkzeugstähle; Unterteilung nach chem. Zusammensetzung

30 bis 39: **legierte Edelstähle**; verschiedene Stähle; Schnellarbeitsstähle; Wälzlagerstähle; Werkstoffe mit besonderen physikalischen oder magnetischen Eigenschaften

40 bis 49: **legierte Edelstähle**; chem. beständige Stähle; nichtrostende Stähle mit Unterteilung nach chem. Zusammensetzung; hitzebeständige oder hochwarmfeste Werkstoffe

50 bis 84: **legierte Edelstähle**; Bau-, Maschinenbau- und Behälterstähle; Unterteilung nach chem. Zusammensetzung

85: **legierte Edelstähle**; Nitrierstähle

87 bis 89: **legierte Edelstähle**; nicht für eine Wärmebehandlung beim Verbraucher bestimmte Stähle; hochfeste schweißgeeignete Stähle

Beispiele:
1.0038 S235JR
1.0503 C45
1.7131 16MnCr5
1.2363 X100CrMoV5-1

1) Die Grundstähle sind nach DIN EN 10020: 2000-07 entfallen und wurden den Qualitätsstählen zugeordnet.

***1** Bezeichnung von Stählen nach DIN EN 10027-2*

Symbole für Bezeichnung nach Anwendung (Auswahl)

G: Stahlguss
S: Stähle für den allgemeinen Stahlbau
E: Maschinenbaustähle
D: Flacherzeugnisse zum Kaltumformen
H: Kaltgewalzte Flacherzeugnisse aus höherfesten Stählen zum Kaltumformen
P: Stähle für den Druckbehälterbau
HS: Schnellarbeitsstähle
B: Betonstähle
L: Stähle für Leitungsrohre

Symbole für Bezeichnung nach chemischer Zusammensetzung

C: unlegierte Stähle (Kohlenstoffstähle) (mit Ausnahmen)
X: legierte Stähle mit mehr als 5 % Legierungsbestandteilen (mit Ausnahmen)

Flacherzeugnisse zum Kaltumformen:

C: kaltgewalzt
D: warmgewalzt
X: Walzart nicht vorgeschrieben

Pos. 1: Erzeugnisart, Anwendung oder vorangestellter Buchstabe
Pos. 2: Eigenschaften, Zahlenangaben von Kennwerten oder Kohlenstoffkennzahl
Pos. 3: Kennzeichnung der Legierungselemente, chemische Symbole und Zahlenangaben
Pos. 4: Zusatzsymbole Gruppe 1
Pos. 5: Zusatzsymbole Gruppe 2
Pos. 6: Zusatzsymbole ohne Gruppenbezeichnung
Pos. 7: Behandlungszustand oder Überzugsart

Aufbau des Bezeichnungssystems

Stähle für den Stahlbau:

Kerbschlagarbeit[2] in Joule			**Prüftemperatur in °C**
27 J	40 J	60 J	°C
JR	KR	LR	+20
J0	K0	L0	0
J2	K2	L2	−20
J3	K3	L3	−30
J4	K4	L4	−40
J5	K5	L5	−50
J6	K6	L6	−60

Zusatzsymbole Gruppe 1 (Auswahl)

E: eingeschränkter Schwefelgehalt
M: Feinkornstahl, thermomechanisch gewalzt
Q: Feinkornstahl, vergütet
G: andere Merkmale folgen

Zusatzsymbole Gruppe 2 (Auswahl)

C: besondere Kaltumformbarkeit
H: für hohe Temperaturen
L: für tiefe Temperaturen
M: thermomechanisch gewalzt
N: normalgeglüht oder normalisierend gewalzt
Q: vergütet
X: Hoch- und Tieftemperatur

Zusatzsymbole ohne Gruppenbezeichnung (Auswahl)

+C: Grobkornstahl
+F: Feinkornstahl

Zusatzsymbole für Stahlerzeugnisse (Auswahl)

+A: weichgeglüht
+C: kaltverfestigt
+CR: kaltgewalzt
+QT: vergütet
+ZE: elektrolytisch verzinkt

***2** Bezeichnung von Stählen nach DIN EN 10027-1*

2) Die Kerbschlagarbeit ist ein Werkstoffkennwert aus dem Kerbschlagbiegeversuch nach DIN 50115-4 und DIN EN 10045-1.

Nach ihrem Verwendungszweck und ihren mechanischen oder physikalischen Eigenschaften bezeichnete Stähle

S275JR

S	275	JR			

Hauptsymbole:
S: für allgemeinen Stahlbau
275: Streckgrenze 275 N/mm²
Zusatzsymbole Stähle:
JR: Zähigkeitsangabe
Kerbschlagarbeit[1] 27 J bei 20 °C
Zusatzsymbole für Stahlerzeugnisse:
ohne Angabe

S275ML

S	275	ML			

Hauptsymbole:
S: für allgemeinen Stahlbau
275: Streckgrenze 275 N/mm²
Zusatzsymbole Stähle:
M: thermomechanisch gewalzt
L: für tiefe Temperaturen
Zusatzsymbole für Stahlerzeugnisse:
ohne Angabe

E295

E	295				

Hauptsymbole:
E: Maschinenbaustahl (engl. Engineering)
295: Streckgrenze 295 N/mm²
Zusatzsymbole Stähle:
ohne Angabe
Zusatzsymbole für Stahlerzeugnisse:
ohne Angabe

DC01+ZE

D	C01				+ZE

Hauptsymbole:
D: Flacherzeugnis zum Kaltumformen
C: kaltgewalzt
01: Kennzahl
Zusatzsymbole Stähle:
ohne Angabe
Zusatzsymbole für Stahlerzeugnisse:
+ZE: elektrolytisch verzinkt

P295GH

P	295		G	H	

Hauptsymbole:
P: Druckbehälterstahl
295: Streckgrenze 295 N/mm²
Zusatzsymbole Stähle:
G: andere Merkmale folgen
H: für hohe Temperaturen
Zusatzsymbole für Stahlerzeugnisse:
ohne Angabe

GP240GH

GP	240		G	H	

Hauptsymbole:
G: Stahlguss
P: für Druckbehälter
240: Streckgrenze 240 N/mm²
Zusatzsymbole Stähle:
G: andere Merkmale folgen
H: für hohe Temperaturen
Zusatzsymbole für Stahlerzeugnisse:
ohne Angabe

Nach ihrer chemischen Zusammensetzung bezeichnete Stähle

a) Bezeichnung unlegierter Stähle mit einem Mangan-Gehalt < 1 % nach Kohlenstoffgehalt (ausgenommen Automatenstähle)

C45+QT

C	45				+QT

Hauptsymbole:
C: Kennzeichen für Kohlenstoff
45: Kohlenstoffkennzahl (45/100 → 0,45 % C)
Zusatzsymbol für Stahlerzeugnisse:
+QT: vergütet

C60E

C	60		E		

Hauptsymbole:
C: Kennzeichen für Kohlenstoff
60: Kohlenstoffkennzahl (60/100 → 0,60 % C)
Zusatzsymbole Stähle:
E: eingeschränkter Schwefelgehalt

b) Bezeichnung unlegierter Stähle mit einem Mangan-Gehalt ≥ 1 %, unlegierter Automatenstähle sowie legierter Stähle (ausgenommen Schnellarbeitsstähle) mit weniger als 5 % Legierungsbestandteilen mit chemischen Symbolen und Kennzahlen für die Anteile, die mit Faktoren (Bild 1) gebildet werden

16MnCr5+C

	16	MnCr5			+C

Hauptsymbole:
16: Kohlenstoffkennzahl geteilt durch Faktor für Kohlenstoff 16/100 => 0,16 % C
Mn: 1. Legierungselement Mangan
Cr: 2. Legierungselement Chrom (< 1 %)
5: Kennzahl für 1. Legierungselement geteilt durch Faktor für Mangan (5/4 → 1,25 % Mn)
Zusatzsymbol: für Stahlerzeugnisse:
+C: kaltverfestigt

42CrMo4+QT

	42	CrMo4			+QT

Hauptsymbole:
42: Kohlenstoffkennzahl (42/100 → 0,42 % C)
Cr: 1. Legierungselement Chrom
Mo: 2. Legierungselement Molybdän (< 1 %)
4: Kennzahl 1. Legierungselement (4/4 → 1 % Cr)
Zusatzsymbol für Stahlerzeugnisse:
+QT: vergütet

Faktor 4	Faktor 10	Faktor 100
Chrom (Cr)	Aluminium (Al)	Kohlenstoff (C)
Kobalt (Co)	Kupfer (Cu)	Phosphor (P)
Mangan (Mn)	Molybdän (Mo)	Schwefel (S)
Nickel (Ni)	Tantal (Ta)	
Silicium (Si)	Titan (Ti)	
Wolfram (W)	Vanadium (V)	

***Bild 1** Faktoren*

G17CrMoV5-10

G	17	CrMoV5-10			

Hauptsymbole:
G: Stahlguss
17: Kohlenstoffkennzahl (17/100 → 0,17 % C)
Cr: 1. Legierungselement Chrom
Mo: 2. Legierungselement Molybdän
V: 3. Legierungselement (< 1 %)
5: Kennzahl 1. Legierungselement (5/4 → 1,25 % Cr)
-10: Kennzahl 2. Legierungselement (10/10 → 1,0 % Mo)

c) Bezeichnung legierter Stähle (ausgenommen Schnellarbeitsstähle) mit mehr als 5 % mindestens eines Legierungsbestandteils mit chemischen Symbolen und Prozentgehalten (ohne Multiplikatoren)

X100CrMoV5-1

X	100	CrMoV5-1			+QT

Hauptsymbole:
X: Mindestens ein Legierungselement mit Anteil ≥ 5 %
100: Kohlenstoffkennzahl (100/100 → 1,0 % C)
Cr: 1. Legierungselement Chrom
Mo: 2. Legierungselement Molybdän
V: 3. Legierungselement Vanadium (< 1 %)
5: Gehalt 1. Legierungselement (5 % Cr)
-1: Gehalt 2. Legierungselement (1 % Mo)
+QT: vergütet

GX23CrMoV12-1

GX	23	CrMoV12-1			

Hauptsymbole:
G: Stahlguss
X: Mindestens ein Legierungselement mit Anteil ≥ 5 %
23: Kohlenstoffkennz. (23/100 → 0,23 % C)
Cr: 1. Legierungselement Chrom
Mo: 2. Legierungselement Molybdän
V: 3. Legierungselement Vanadium (< 1 %)
12: Gehalt 1. Legierungselement (12 % Cr)
-1: Gehalt 2. Legierungselement (1 % Mo)

d) Bezeichnung von Schnellarbeitsstählen mit Prozentzahlen des Gehalts an Wolfram, Molybdän, Vanadium, Kobalt in dieser Reihenfolge

HS18-1-2-10

HS		18-1-2-10			

Hauptsymbole:
HS: Schnellarbeitsstahl
18: 18 % Wolfram
-1: 1 % Molybdän
-2: 2 % Vanadium
-10: 10 % Kobalt

HS2-9-1-8

HS		2-9-1-8			

Hauptsymbole:
HS: Schnellarbeitsstahl
2: 2 % Wolfram
-9: 9 % Molybdän
-1: 1 % Vanadium
-8: 8 % Kobalt

Gusseisen

Kurzzeichen für Gusseisenwerkstoffe nach DIN EN 1560 bestehen aus maximal 6 Positionen, die aber nicht alle belegt sein müssen (Bild 1). Wie beim Stahl ist auch hier ein Nummernsystem eingeführt, das insgesamt 9 Stellen aufweist.

Ähnlich der Stahlnormung ist bei den Kurzzeichen zwischen Angaben nach mechanischen Eigenschaften und nach chemischer Zusammensetzung zu unterscheiden. Letzere ist mit der Bezeichnung von hochlegierten Stählen vergleichbar, wobei die Angabe des Kohlenstoffgehalts entfallen kann. Auch hier sollen wieder einige Beispiele genannt werden, die mithilfe eines Tabellenbuchs oder des Normblatts nachvollzogen werden können.

Pos. 1:	Vorsilbe **EN** für europäisch genormten Werkstoff
Pos. 2:	Zeichen für Gusseisen **GJ**
Pos. 3:	Zeichen für die Grafitstruktur: L: lamellar, S: kugelig, M: Temperkohle, N: grafitfrei (Hartguss), Y: Sonderstruktur
Pos. 4:	Mikro- oder Makrostruktur: A: Austenit, F: Ferrit, P: Perlit, M: Martensit, L: Ledeburit, Q: abgeschreckt, T. vergütet, B: nicht entkohlend geglüht, W: entkohlend geglüht
Pos. 5:	Zeichen für Klassifizierung durch mechanische Eigenschaften: – Herstellungsmethode: S: getrennt gegossenes Probestück, U: angegossenes Probestück, C: einem Gussstück entnommenes Probestück – Zugfestigkeit: Mindestwert in N/mm² – Dehnung: Mindestwert in % – Härte in HB oder HV oder HR – Prüftemperatur: RL: Raumlufttemperatur; LT: Tieftemperatur oder nach chemischer Zusammensetzung
Pos. 6:	Zeichen für zusätzliche Anforderungen

1 *Aufbau des Bezeichnungssystems für Gusseisen*

Gusseisen mit lamellarer Grafitstruktur

EN-GJL-200

EN-	GJ	L		-200	

EN-GJ: europäisch genormtes Gusseisen
L: Grafitstruktur lamellar
-200: Zugfestigkeit 200 N/mm²

EN-GJL-HB235

EN-	GJ	L		-HB235	

EN-GJ: europäisch genormtes Gusseisen
L: Grafitstruktur lamellar
-HB235: Brinellhärte 235

Gusseisen mit kugelförmiger Grafitstruktur

EN-GJS-600-3

EN-	GJ	S		-600-3	

EN-GJ: europäisch genormtes Gusseisen
S: Grafitstruktur kugelförmig
-600: Zugfestigkeit 600 N/mm²
-3: Bruchdehnung ≥ 3 %

EN-GJS-400-18U-LT

EN-	GJ	S		-400-18U-LT	

EN-GJ: europäisch genormtes Gusseisen
S: Grafitstruktur kugelförmig
-400: Zugfestigkeit 400 N/mm²
-18: Bruchdehnung ≥ 18 %
U: angegossenes Probestück
-LT: für tiefe Temperature

Temperguss

EN-GJN-HV350

EN-	GJ	N		-HV350	

EN-GJ: europäisch genormtes Gusseisen
N: grafitfrei (Temperkohle)
-HV350: Vickershärte 350

EN-GJMW-360-12S

EN-	GJ	M	W	-360-12S	

EN-GJ: europäisch genormtes Gusseisen
M: martensitisch
W: entkohlend geglücht
-360: Zugfestigkeit 360 N/mm²
-12: Bruchdehnung ≥ 12 %
S: getrennt gegossenes Probestück

Legiertes Gusseisen

EN-GJL-XNiMn13-7

EN-	GJ	L		-XNiMn13-7	

EN-GJ: europäisch genormtes Gusseisen
L: Grafitstruktur lamellar
-X: Bezeichnung nach chemischer Zusammensetzung
Ni: 1. Legierungselement Nickel
Mn: 2. Legierungselement Mangan
13: Gehalt 1. Legierungselement (13 % Ni)
-7: Gehalt 2. Legierungselement (7 % Mn)

EN-GJN-X300CrNiSi9-5-2

EN-	GJ	N		-X300CrNiSi9-5-2

EN-GJ: europäisch genormtes Gusseisen
N: grafitfrei (Temperkohle)
-X: Bezeichnung nach chemischer Zusammensetzung
300: Kohlenstoffkennzahl (300/100 % = 3 % C)
Cr: 1. Legierungselement Chrom
Ni: 2. Legierungselement Nickel
Si: 3. Legierungselement Silicium
9: Gehalt 1. Legierungselement (9 % Cr)
-5: Gehalt 2. Legierungselement (5 % Ni)
-2: Gehalt 3. Legierungselement (2 % Si)

3.4.3 Normung von Nichteisenmetallen

Die Bezeichnungen von Nichteisenmetallen sind ebenfalls europäisch genormt; so liegen z. B. für Aluminium, Kupfer oder Magnesium EN-Normen vor. Wie bei den Eisenwerkstoffen gibt es eine Bezeichnung nach Werkstoffnummer und nach Werkstoffkurzzeichen. Bisher war die Bezeichnung von NE-Metallen nach DIN 1700 genormt.

Die neue Bezeichnung beginnt mit EN- (europäische Norm) gefolgt von zwei Buchstaben. Der erste Buchstabe bezeichnet das Basismetall (Bild 1), der zweite Buchstabe bezeichnet die Art der Legierung (Bild 2). Bei der numerischen Bezeichnung folgen drei- bis fünfstellige Zahlenkombinationen und evtl. ein Kennbuchstabe. Beim Kurzzeichen werden nach dem Basismetall die Legierungsmetalle mit ihren jeweiligen Gehalten angegeben.

Aluminium

Knetlegierungen sind nach DIN EN 573 genormt. Die numerische Bezeichnung ist vierstellig. Die erste Stelle gibt den Legierungsstoff an (Bild 3), die drei übrigen Stellen sind Zählstellen zur Unterscheidung. Bei den entsprechenden Kurzzeichen werden nach dem Zeichen Al für das Basismetall der Reinheitsgrad bei Reinaluminium bzw. die chemischen Zeichen für die Legierungselemente in der Folge der höchsten Gehalte angegeben.

A: Aluminium oder Aluminiumlegierung
C: Kupfer oder Kupferlegierung
M: Magnesium oder Magnesiumlegierung

1 *Buchstaben für Basismetalle*

B: Blockmetall
C: Gusslegierung
M: Vorlegierung
W: Knetlegierung

2 *Buchstaben für die Art der Legierung*

1: Reinaluminium
2: Legierung mit Kupfer
3: Legierung mit Mangen
4: Legierung mit Silicium
5: Legierung mit Magnesium
6: Legierung mit Magnesium und Silicium
7: Legierung mit Zink
8: Legierung mit sonstigen Elementen

3 *Legierungsgruppen bei Aluminium*

Bei Gehalten über 1 % wird die Prozentzahl direkt hinter das chemische Kurzzeichen geschrieben.

Bezeichnungsbeispiel für eine Aluminiumlegierung

a) Numerisch

EN-AW 2024

EN-	A	W	2	024	

EN-: Europäische Norm
A: Aluminium oder Aluminiumlegierung
W: Knetlegierung
2: Legierung mit Kupfer
024 Zählnummer

b) Kurzzeichen

EN-AW AlCu4Mg1

EN-	A	W	Al	Cu4	Mg1

EN-: Europäische Norm
A: Aluminium oder Aluminiumlegierung
W: Knetlegierung
Al: Basismetall Aluminium
Cu4: 4 % Kupfer
Mg1: 1 % Magnesium

Gusslegierungen werden nach DIN EN 1706 entsprechend gekennzeichnet. Die numerische Bezeichnung ist in dieser Norm jedoch fünfstellig. Nach der numerischen Angabe oder dem Kurzzeichen können noch Angaben zum Gießverfahren und zum Behandlungszustand folgen (Bild 1).
An die numerische Bezeichnung kann bei Aluminiumlegierungen zur Verdeutlichung das Kurzzeichen in eckigen Klammern angefügt werden wie z. B.: EN-AW 2024 [Al Cu4 Mg 1].

S:	Sandguss
F:	Feinguss
K:	Kokillenguss
D:	Druckguss
F:	Herstellungszustand
Hxxx:	kaltverfestigt (gefolgt von 2 oder 3 Ziffern)
Ox:	weichgeglüht (gefolgt von einer Ziffer)
Txxxx:	wärmebehandelt (gefolgt von bis zu 4 Ziffern)
W:	lösungsgeglüht

1 *Gießverfahren und Behandlungszustände von Al-Legierungen*

	Numerisch	**Kurzzeichen**	**Zugfestigkeit in N/mm²**	**Streckgrenze in N/mm²**	**Bruchdehnung in %**
EN-AW	3103	AlMn1	90...130	≥ 35	≥ 21
EN-AW	2024	AlCu4Mg1	≥ 220	≥ 140	≥ 13
EN-AW	6060	AlMgSi	≥ 120	≥ 60	≥ 14
EN-AW	1200	Al99	65...95	≥ 20	≥ 26
EN-AC	71000	AlZn5Mg	190	120	4
EN-AC	42000	AlSi7Mg	140	80	2

2 *Bezeichnungsbeispiele und Kennwerte von Al-Legierungen*

Kupfer

Bei Kupferlegierungen folgt nach den Buchstaben „EN" zunächst die Nummer der europäischen Norm, nach der dieser Werkstoff genormt ist. Nach dem Bindestrich folgt dann, wie bei Aluminium, entweder eine numerische Angabe oder ein Kurzzeichen. Knetlegierungen sind nach DIN EN 12163 (Stangen), DIN EN 12165 (Vormaterial für Schmiedestücke) und DIN EN 12167 (Profile und Rechteckstangen) genormt, Gusslegierungen und Blockmetalle nach DIN EN 1982.
Bei der numerischen Bezeichnung folgt der Buchstabe C (Kupfer) für den Basiswerkstoff und der Buchstabe für die Art der Legierung. Die dreistellige Zahlenangabe hat nur die Aufgabe der Unterscheidung. Die Legierungsmetalle sind dem an Position 6 folgenden Buchstaben zu entnehmen (Bild 3).
Die Bezeichnung nach Kurzzeichen entspricht der Bezeichnung beim Aluminium, jedoch entfallen die beiden Buchstaben davor. Im Anschluss an Werkstoffnummer oder Kurzzeichen folgen Gießverfahren bzw. Behandlungszustand bei Knetlegierungen.

A oder B:	Reinkupfer
C oder D:	niedriglegiertes Kupfer < 5 % Legierungsbestandteile
E oder F:	Kupfersonderlegierung > 5 % Legierungsbestandteile
G:	Kupfer-Aluminium-Legierungen
H:	Kupfer-Nickel-Legierungen
J:	Kupfer-Nickel-Zink-Legierungen
K:	Kupfer-Zinn-Legierungen
L oder M:	Kupfer-Zink-Legierungen (2-Stoff-Legierungen)
N oder P:	Kupfer-Zink-Blei-Legierungen
R oder S:	Kupfer-Zink-Legierungen (Mehrstofflegierungen)

3 *Legierungsgruppen von Kupferlegierungen*

Bezeichnungsbeispiel für eine Kupferlegierung

a) Numerisch
EN 12165-CW617N

EN	12165	-C	W	617	N

EN: Europäische Norm
12165: Nummer der Norm
-C: Kupfer oder Kupferlegierung
W: Knetlegierung
617: Zählnummer

b) Kurzzeichen
EN 12165-CuZn40Pb2

EN	12165	-Cu	Zn40	Pb2	

EN: Europäische Norm
12165: Nummer der Norm
-Cu: Basismetall Kupfer
Zn40: 40 % Zink
Pb2: 2 % Blei

	Nume-risch	Kurzzeichen	Zug-festig-keit in N/mm²	Streck-grenze in N/mm²	Bruch-deh-nung in %
EN 1982-	CC040A	Cu-C	≥ 150	≥ 40	≥ 25
EN 1982-	CB750S	CuZn33Pb2-B	≥ 180	≥ 70	≥ 12
EN 1982-	CB480K	CuSn10-B	≥ 250	≥ 130	≥ 18
EN 1982-	CC483K	CuSn12-C	≥ 260	≥ 140	≥ 7
EN 1982-	CC484K	CuSn12Ni2-C	≥ 280	≥ 160	≥ 12
EN 1982-	CC491K	CuSn5Zn5Pb5-C	≥ 200	≥ 90	≥ 13
EN 1982-	CC493K	CuSn7Zn4Pb7-C	≥ 230	≥ 120	≥ 15
EN 1982-	CC333G	CuAl10Fe5Ni5	≥ 600	≥ 250	≥ 13

1 *Bezeichnungsbeispiele und Kennwerte von Cu-Gusslegierungen*

	Nume-risch	Kurzzei-chen	Zugfes-tigkeit in N/mm²	Streck-grenze in N/mm²	Bruch-deh-nung in %
EN 12163-	CW023A	Cu-DLP	≥ 250	≈ 220	≥ 8
EN 12163-	CW101C	CuBe2	≥ 420	≥ 140	≥ 25
EN 12163-	CW500L	CuZn5	≥ 240	≈ 60	≥ 20
EN 12163-	CW509L	CuZn40	≥ 340	≈ 260	≥ 18
EN 12163-	CW453K	CuSn8	≥ 390	≈ 260	≥ 35
EN 12165-	CW101C	CuBe2	≈ 450	≈ 200	≈ 20
EN 12165-	CW617N	CuZn40Pb2	≈ 350	≈ 140	≈ 15
EN 12167-	CW101C	CuBe2	≥ 410	≈ 190	≈ 40
EN 12167-	CW509L	CuZn40	≥ 440	≈ 300	≈ 10

2 *Bezeichnungsbeispiele und Kennwerte von Cu-Knetlegierungen*

Kennbuchstaben für die Herstellung und Verwendung
G: Guss (allgemein)
GD: Druckguss
GK: Kokillenguss
GZ: Schleuderguss
GC: Strangguss
GI: Gleitmetall (Lagermetall)
Lg: Lagermetall
Kennzeichen für die Zusammensetzung
Al: Aluminium
Mg: Magnesium
Pb: Blei
Sn: Zinn
Ti: Titan
Cu: Kupfer
Ni: Nickel
Si: Silicium
Zn: Zink
Kurzzeichen für Behandlungszustand, Zugfestigkeit, Oberflächenbeschaffenheit
H: Hüttenwerkstoff
F: Festigkeitszahl
bei Leichtmetallen:
ka: kalt ausgelagert
wa: warm ausgelagert
g: geglüht und abgeschreckt
wh: gewalzt (walzhart)
zh: gezogen (ziehhart)

3 *Werkstoffnormung von Nichteisenmetallen nach DIN 1700 (teilweise zurückgezogen)*

ÜBUNGEN

1. Warum ist die Normung von Halbzeugen wichtig?
2. Welche Normen sind für Deutschland gültig und wie entstehen sie?
3. Nach welchen DIN-Normen ist Winkelprofil aus Stahl genormt?
4. Unterscheiden Sie Stahlträger mit I-, IPE- und IPB-Profil.
5. Unterscheiden Sie Stahl, Stahlguss und Gusseisen.
6. Unterscheiden Sie legierte, unlegierte und nichtrostende Stähle.
7. Was ist ein Edelstahl?
8. Welche Untergruppen gibt es bei der Bezeichnung von Stählen nach DIN EN 10027-1?
9. Warum ist es sinnvoll, in die Stahlbezeichnung die Streckgrenze als Kennwert aufzunehmen?
10. Warum werden Gusseisenwerkstoffe nicht nach der Streckgrenze gekennzeichnet?
11. Erklären Sie nachfolgende Bezeichnungen:
    C35; GX2NiCrMo28-20-2; EN-GJS-700-2
12. Wie werden nachfolgende Eisenwerkstoffe benannt?
    a) Stahl für den allgemeinen Stahlbau mit einer Streckgrenze von 275 N/mm²
    b) niedrig legierter Stahl, der 0,28 % Kohlenstoff und 1,25 % Mangan enthält
    c) Gusseisen mit Lamellengrafit mit einer Zugfestigkeit von 300 N/mm²
13. Vergleichen Sie die Normung von Kupfer und Aluminium.
14. Was bedeuten die folgenden Werkstoffbezeichnungen?
    EN-AW 6060; EN-AB Al99,9; EN-AC 42000; EN 1982-CB480K; EN 12163-CuZn40
15. In der Tabelle für Kupferknetlegierungen (Bild 2) taucht drei mal die Bezeichnung CuBe2 auf.
    Suchen Sie eine Erklärung für die unterschiedlichen Angaben der Eigenschaften beim Zugversuch.

3.5 Work With Words

In future you may have to talk, listen or read technical English. Very often it will happen that you either **do not understand** a word or **do not know the translation**.

In this case here is some help for you!

Below you will find a few possibilities to describe or explain a word you don't know or use synonyms[1] or opposites[2]. Write the results into your exercisebook.

1. Add as many examples to the following terms as you can find for materials and alloys.

material:	steel copper ______	*alloy:*	copper alloy ______ ______

2. Explain the two terms in the box:
Use the words below to form correct sentences. Be careful the range is mixed!

sheet metal:	A/piece of material/of steel or aluminium/sheet metal/for example/ is a large, flat, square or rectangular/ which is made	*wire:*	is a long, thin, round piece of metal/ to fasten things/that is used/A wire

3. Find the opposites[2]**:**

hard:	______	*elastic:*	______
firm:	______	*tough:*	______

4. Find synonyms[1]:
You can find two synonyms to each term in the box below.

strip:	______	*hardness:*	______
elastic:	______	*pipe:*	______
stretchy/band/flexible/bar		tube/solidity/cylinder/resistance	

5. In each group there is a word which is the **odd man**[3]. Which one is it?

steel, lead, bronze, wood, aluminium	copper aloy, zinc alloy, ferrous material, aluminium alloy
thermosetting plastics, tin, thermoplastics, elastomers	mechanical features, brass, physical features, machining features

6. Please translate the information below. Use your English-German Vocabulary List if necessary.

The principal constituent of ferrous material is iron. The distinction of this product is made between steel, cast iron, cast steel and sintered ferrous products.

1) synonyme: Synonym, ähnliches Wort, Ergänzung
2) opposite: Gegenteil
3) odd man: Außenseiter, überzähliges Wort, fünftes Rad am Wagen

4 Mathematische Grundlagen und Anwendungen

4.1 Grundlagen

4.1.1 Umformen von Gleichungen

Oft ist es nötig, Gleichungen nach einer gesuchten Größe umzustellen, weil die gesuchte Größe nicht alleine auf einer Seite des Gleichheitszeichens steht.
Beim Umstellen der Formel nach der gesuchten Größe sind die Regeln für das Addieren, Subtrahieren, Multiplizieren, Dividieren, Potenzieren oder Radizieren (Wurzelziehen) anzuwenden (siehe Tabellenbuch).

Beispielrechnung 1

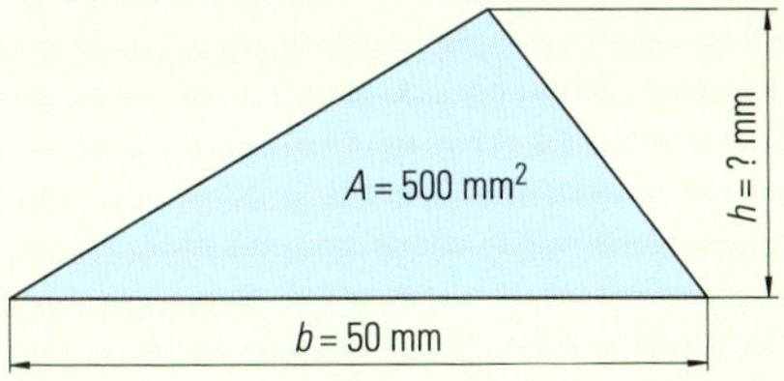

geg.: Fläche des Dreiecks $A = 500\ \text{mm}^2$
Breite des Dreiecks $b = 50\ \text{mm}$

ges.: Höhe des Dreiecks $h = ?\ \text{mm}$

Gleichung: $\text{Fläche} = \dfrac{\text{Breite} \cdot \text{Höhe}}{2}$

$$A = \frac{b \cdot h}{2}$$

Die Gleichung ist so umzustellen, dass die Höhe h auf der linken Seite alleine steht:

$A \cdot 2 = \dfrac{b \cdot h \cdot 2}{2}$	➡ Auf beiden Seiten mit 2 multiplizieren und kürzen
$\dfrac{2 \cdot A}{b} = \dfrac{\cancel{b} \cdot h}{\cancel{b}}$	➡ Auf beiden Seiten durch b dividieren und kürzen
$\dfrac{2 \cdot A}{b} = h$	➡ Die gesuchte Größe steht auf der rechten Seite alleine
$h = \dfrac{2 \cdot A}{b}$	➡ Vertauschen der beiden Seiten der Gleichung
$h = \dfrac{2 \cdot 500\ \text{mm}^2}{50\ \text{mm}}$	➡ Einsetzen der bekannten Größen
$\underline{\underline{h = 20\ \text{mm}}}$	➡ Berechnen der gesuchten Größe

Beispielrechnung 2

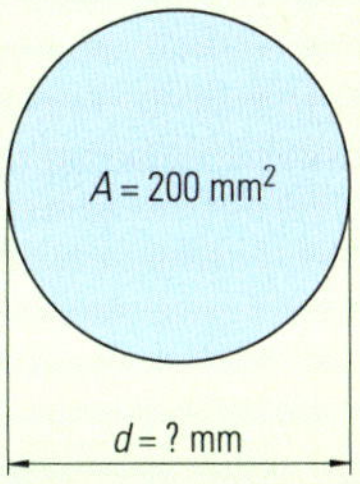

geg.: Fläche des Kreises $A = 200\ \text{mm}^2$

ges.: Durchmesser des Kreises $d = ?\ \text{mm}$

Gleichung: $\text{Fläche} = \dfrac{\text{Durchmesser}^2 \cdot \pi}{4}$

$$A = \frac{d^2 \cdot \pi}{4}$$

Die Gleichung ist so umzustellen, dass der Durchmesser d auf der linken Seite alleine steht:

$A \cdot 4 = \dfrac{d^2 \cdot \pi \cdot \cancel{4}}{\cancel{4}}$	➡ Auf beiden Seiten mit 4 multiplizieren und kürzen
$\dfrac{A \cdot 4}{\pi} = \dfrac{d^2 \cdot \cancel{\pi}}{\cancel{\pi}}$	➡ Auf beiden Seiten durch π dividieren und kürzen
$\dfrac{A \cdot 4}{\pi} = d^2$	➡ Die gesuchte Größe steht in der zweiten Potenz auf der rechten Seite
$d^2 = \dfrac{A \cdot 4}{\pi}$	➡ Vertauschen der beiden Seiten der Gleichung
$\sqrt{d^2} = \sqrt{\dfrac{A \cdot 4}{\pi}}$	➡ Wurzel auf beiden Seiten ziehen
$d = \dfrac{4 \cdot A}{\pi}$	➡ Die gesuchte Größe steht auf der linken Seite alleine
$d = \sqrt{\dfrac{4 \cdot 200\ \text{mm}^2}{\pi}}$	➡ Einsetzen der bekannten Größen
$\underline{\underline{d = 15{,}96\ \text{mm}}}$	➡ Berechnen der gesuchten Größe

ÜBUNGEN

Stellen Sie die folgenden Bestimmungsgleichungen nach den rot gekennzeichneten Größen um.

1. $I = I_1 + I_2$ (rot: I_2)
2. $I = I_1 + I_2 + I_3$ (rot: I_2)
3. $F = F_1 - F_2$ (rot: F_1)
4. $F = F_1 - F_2$ (rot: F_2)
5. $F_G = m \cdot g$ (rot: m)
6. $W = P \cdot t$ (rot: t)
7. $W = U \cdot I \cdot t$ (rot: U)
8. $F_1 \cdot s_1 = F_2 \cdot s_2$ (rot: s_2)
9. $v = \dfrac{s}{t}$ (rot: s)
10. $v = \dfrac{s}{t}$ (rot: t)
11. $n = \dfrac{v}{d \cdot \pi}$ (rot: d)
12. $P = \dfrac{m \cdot g \cdot s}{t}$ (rot: s)
13. $P = \dfrac{m \cdot g \cdot s}{t}$ (rot: t)
14. $l_m = \dfrac{l_1 + l_2}{2}$ (rot: l_1)
15. $l_m = \dfrac{l_1 + l_2}{2}$ (rot: l_2)
16. $A = \dfrac{d^2 \cdot \pi}{4}$ (rot: d)
17. $W = \dfrac{m}{2} \cdot v^2$ (rot: v)
18. $\eta = \dfrac{P_{zu} - P_v}{P_{zu}}$ (rot: P_v)
19. $\dfrac{1}{R} = \dfrac{1}{R_1} + \dfrac{1}{R_2}$ (rot: R)
20. $V = \dfrac{\pi}{4} \cdot \dfrac{h}{2} \cdot d^2$ (rot: h)
21. $l = l_0 + \alpha \cdot l_0 \cdot \Delta\vartheta$ (rot: l_0)
22. $A = \dfrac{\pi}{4} \cdot (D^2 - d^2)$ (rot: d)
23. $A = \pi \cdot (2 \cdot r_1{}^2 + h^2)$ (rot: h)
24. $c^2 = a^2 + b^2$ (rot: b)

4.1.2 Physikalische Größen

Eine **physikalische Größe** ist das Produkt aus **Zahlenwert** und **Einheit**. Vor der Einheit kann zusätzlich noch ein **Vorsatz** stehen.

l = 1000 cm

physikalische Größe = Zahlenwert · Vorsatz · Einheit

Basisgröße	Basiseinheit Name	Zeichen
Länge	Meter	m
Masse	Kilogramm	kg
Zeit	Sekunde	s
elektrische Stromstärke	Ampere	A
thermodynamische Temperatur	Kelvin	K
Stoffmenge	Mol	mol
Lichtstärke	Candela	cd

1 *Basiseinheiten*

Basiseinheiten

Grundlage aller Einheiten sind die 7 Basiseinheiten (Bild 1), von denen fast alle anderen Einheiten abgeleitet werden können. Den Basiseinheiten liegen eindeutige Definitionen zugrunde.

AH GK S. 12

Vorsätze und abgeleitete Einheiten

Um nicht mit zu großen oder zu kleinen Zahlenwerten arbeiten zu müssen, werden Vorsätze (Bild 2) genutzt.

Aus den sieben Basiseinheiten wurden weitere Einheiten abgeleitet, die auf Definitionen zurückgehen. Ein Beispiel dafür ist das Newton N als Einheit für die Kraft:

$$1\ \text{N} = 1\ \frac{\text{kg} \cdot \text{m}}{\text{s}^2}$$

abgeleitete Einheit — Basiseinheiten

Vorsatz	Kurzzeichen	Faktor für die Multiplikation mit der Einheit	Beispiel
Mega	M	1 000 000 $= 10^6$	Megawatt MW
Kilo	k	1 000 $= 10^3$	Kilometer km
Hekto	h	100 $= 10^2$	Hektoliter hl
Deka	da	10 $= 10^1$	Dekagramm dag
Dezi	d	0,1 $= \frac{1}{10} = 10^{-1}$	Dezimeter dm
Zenti	c	0,01 $= \frac{1}{100} = 10^{-2}$	Zentimeter cm
Milli	m	0,001 $= \frac{1}{1\,000} = 10^{-3}$	Milligramm mg
Mikro	µ	0,000 001 $= \frac{1}{1\,000\,000} = 10^{-6}$	Mikrometer µm
Nano	n	0,000 000 001 $= \frac{1}{1\,000\,000\,000} = 10^{-9}$	Nanometer nm

2 *Vielfache oder Teile von Einheiten*

Damit Vorsätze und Einheiten richtig verwendet werden, sind folgende Hinweise unbedingt zu beachten:

- **Das Vorsatzzeichen und die Einheit werden ohne Zwischenraum geschrieben.**
  Vorsatz: m für Milli / Einheit: m für Meter
  zusammengesetzt: mm für Millimeter
- Es ist jeweils nur ein Vorsatz erlaubt:
  100 mm = 100 · 0,001 m = 0,1 m = 10 cm
- Damit die Werte besser lesbar sind, wird grundsätzlich so auf die nächst kleinere oder größere Einheit umgerechnet, dass die Zahlenwerte zwischen 0,1 und 1000 liegen:
  0,02 m = 2 cm   10000 N = 10 kN
  1500 m = 1,5 km   0,0001 m = 0,1 mm
- Das Vorsatzzeichen muss immer vor dem Einheitenzeichen stehen. Bei Zeichen, die sowohl als Vorsatz auch als Einheit benutzt werden, ist die Bedeutung deshalb aus der Position erkennbar:
  kNm: Kilo-Newton · Meter
  mN: Milli-Newton
  mNm: Milli-Newton · Meter
  Nm: Newton · Meter (ohne Vorsatz)
- Um eine Einheit im Nenner zu vermeiden, wird diese mit negativem Exponenten (Hochzahl) im Zähler geschrieben:
  $\frac{1}{\text{min}} = \text{min}^{-1}$

Umrechnung von Längen-, Flächen- und Volumeneinheiten

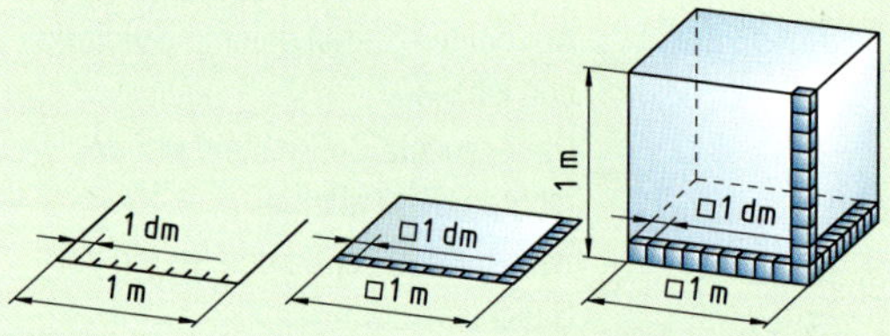

Meter	**Quadratmeter**	**Kubikmeter**
1 m = 10 dm	1 m² = 1 m · 1 m	1 m³ = 1 m · 1 m · 1 m
1 m = 100 cm	1 m² = 10 dm · 10 dm	1 m³ = 10 dm · 10 dm · 10 dm
1 m = 1000 mm	1 m² = 100 dm²	1 m³ = 1000 dm³

Beispiel 1

Eine Maschine hat eine Länge von 3560 mm.
Wie groß ist ihre Länge in m?

l = 3 560 mm ➡ 1 m = 1 000 mm

$l = \frac{3\,560\ \cancel{\text{mm}} \cdot 1\ \text{m}}{1\,000\ \cancel{\text{mm}}}$ ➡ Mit $\frac{1}{1} = \frac{1\ \text{m}}{1\,000\ \text{mm}}$ erweitern und kürzen

$\underline{\underline{l = 3{,}56\ \text{m}}}$

Beispiel 2

Die Fläche eines Bleches beträgt 1,6 m². Wie viele dm² sind das?

$A = 1{,}6\ m^2$ ➡ $1\ m^2 = 100\ dm^2$

$A = \frac{1{,}6\ m^2 \cdot 100\ dm^2}{1\ m^2}$ ➡ Mit $\frac{1}{1} = \frac{100\ dm^2}{1\ m^2}$ erweitern und kürzen

$A = 160\ dm^2$

Beispiel 3

Ein Tank hat ein Volumen von 4,5 m³. Wie viele Liter (1 l = 1 dm³) kann der Tank aufnehmen?

$V = 4{,}5\ m^3$ ➡ $1\ m^3 = 1\,000\ dm^3$

$V = \frac{4{,}5\ m^3 \cdot 1\,000\ dm^3}{1\ m^3}$ ➡ Mit $\frac{1}{1} = \frac{1\,000\ dm^3}{1\ m^3}$ erweitern und kürzen

$V = 4\,500\ dm^3$

Umrechnung von Zeiteinheiten

Es gelten folgende Definitionen:

1 h = 60 min
1 min = 60 s
1 h = 3600 s

Beispiel 1

Wie viele Sekunden haben 1,5 Stunden?

$t = 1{,}5\ h$ ➡ $1\ h = 3600\ s$

$t = \frac{1{,}5\ h \cdot 3600\ s}{1\ h}$ ➡ Mit $\frac{1}{1} = \frac{3600\ s}{1\ h}$ erweitern und kürzen

$t = 5400\ s$

Beispiel 2

1 500 s sollen in Stunden umgewandelt werden.

$t = 1\,500\ s$ ➡ $1\ h = 3600\ s$

$t = \frac{1\,500\ s \cdot 1\ h}{3600\ s}$ ➡ Mit $\frac{1}{1} = \frac{1\ h}{3600\ s}$ erweitern und kürzen

$t \approx 0{,}42\ h$

Umrechnung von Inch (Zoll) in Millimeter

Die Durchmesser von Rohren, Fittings usw. werden häufig in der nicht mehr zugelassenen Einheit Zoll (entspricht der britisch/amerikanischen Einheit „inch" mit dem Einheitenzeichen ″) angegeben.

Es gilt: 1″ = 25,4 mm

Beispiel

Wie groß ist der Durchmesser von ³/₄″ in mm?

$d = \frac{3''}{4}$ ➡ $1'' = 25{,}4\ mm$

$d = \frac{3'' \cdot 25{,}4\ mm}{4 \cdot 1''}$ ➡ Mit $\frac{1}{1} = \frac{25{,}4\ mm}{1''}$ erweitern und kürzen

$d = 19{,}05\ mm$

Umrechnung von Winkelwerten

Es gelten folgende Definitionen:

1° = 60′ (1 Grad = 60 Gradminuten)
1′ = 60″ (1 Gradminute = 60 Gradsekunden)

Die Umrechnung zwischen Grad, Gradminute und Gradsekunde entspricht der Umrechnung für Stunde, Minute und Sekunde.

Beispiel 1

Der Keilwinkel eines Werkzeuges wird mit 87,67° gemessen. Wie viele Grad, Gradminuten und Gradsekunden sind das?

$\beta = 87{,}67°$

$\beta = 87° + 0{,}67°$

$\beta = 87° + \frac{0{,}67° \cdot 60'}{1°}$

$\beta = 87° + 40{,}2'$

$\beta = 87° + 40' + 0{,}2'$

$\beta = 87° + 40' + \frac{0{,}2' \cdot 60''}{1'}$

$\beta = 87° + 40' + 12''$

$\beta = 87°40'12''$

Beispiel 2

Es wurde ein Winkel von 15°40′35″ gemessen. Wie groß ist dieser Winkel in Grad als Dezimalzahl?

$\alpha = 15°40'35''$

$\alpha = 15° + 40' + \frac{35'' \cdot 1'}{60''}$

$\alpha \approx 15° + 40' + 0{,}583'$

$\alpha \approx 15° + 40{,}583'$

$\alpha \approx 15° + \frac{40{,}583' \cdot 1°}{60'}$

$\alpha \approx 15° + 0{,}676°$

$\alpha \approx 15{,}676°$

ÜBUNGEN

Wandeln Sie in die geforderten Einheiten um.

1. l = 570 mm = ? m
   d = 0,4 m = ? mm
   U = 36,5 cm = ? dm
   b = 14 dm = ? mm
   A = 0,1345 dm² = ? mm²
   A = 1,45 m² = ? dm²
   V = 7398 mm³ = ? cm³
2. t = 36 min 15 s = ? h
   t = 1,55 h = ? min ? s
   t = 39 s = ? min
3. α = 14,2528° = ? ° ? ′ ? ″
   α = 275′ = ? ° ? ′
   α = 9,2083° = ? ° ? ′ ? ″
4. Berechnen Sie die folgenden Winkel in °, ′ und ″.
   α = 12°18′20″ + 25°18′13″
   α = 22°27′ – 12°10′
   α = 17°12′20″ + 15°32′55″
   α = 32°20′ – 22°45′
   α = 15°12′14″ – 10°56′50″
5. Geben Sie das Ergebnis in Grad als Dezimalzahl an.
   α = 41° + 10′ + 5′ + 58″
   α = 27° + 10′ + 10″ – 45′
   α = 71° + 20′ – 30″
   α = 5° + 3′ + 10″ + 4° + 30′

4.2 Berechnungen von Mengen, Zeiten und Kosten

4.2.1 Dreisatz, Verhältnis

Gleiche Verhältnisse

Von einer Rolle kalt gewalzten Blechs mit einer Dicke von 0,35 mm werden 4 m² mit einer Masse von 11 kg abgeschnitten. Welche Masse hat ein Blech von 7 m² der gleichen Rolle?

Je größer die Fläche des Blechs, **desto größer** ist seine Masse.

Zwischen der Fläche des Blechs und seiner Masse besteht ein gleiches Verhältnis.

Für gleiche Verhältnisse gilt:

Merke

„Je mehr ..., desto mehr ..."

Das Diagramm in Bild 1 zeigt das Verhältnis der Fläche *A* zur Masse *m* des hier verwendeten Blechs.

Merke

In einem Diagramm ergibt die Darstellung gleicher Verhältnisse immer eine **Gerade**.

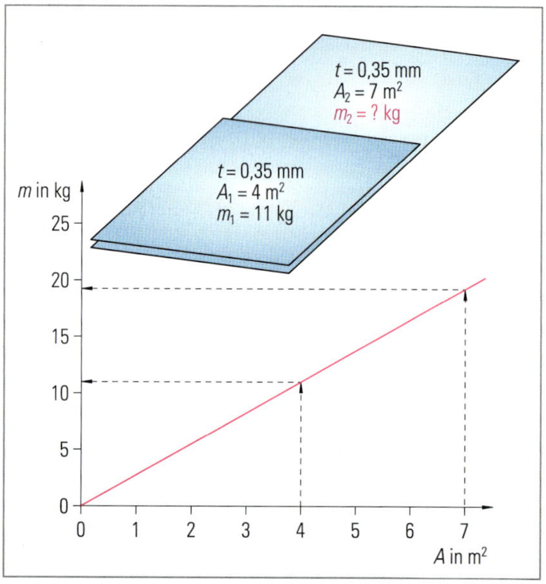

***1** Gleiche Verhältnisse von Masse und Fläche*

Beispielrechnung

geg.: Ein Blech mit 4 m² hat eine Masse von 11 kg.

ges.: Masse m_2 in kg für 7 m² Blech

4 m² haben die Masse 11 kg → Im **1. Satz** das Gegebene notieren

(:4) 1 m² hat die Masse $\frac{11\ \text{kg}}{4}$ (:4) → Im **2. Satz** vom Vielfachen auf das Einfache schließen

(·7) 7 m² haben die Masse $\frac{11\ \text{kg} \cdot 7}{4} = 19{,}25$ kg (·7) → Im **3. Satz** vom Einfachen auf das Vielfache schließen

7 m² haben die Masse $m_2 = 19{,}25$ kg

ÜBUNGEN

1. Ein Stahlblech mit 3 mm Dicke hat bei 1 m² Fläche eine Masse von 23,60 kg. Welche Masse haben 3 Stahlbleche gleicher Dicke, die jeweils eine Fläche von 2,4 m² haben?
2. 4 m Stahlrohr haben eine Gewichtskraft von $F_G = 12$ N. Welche Gewichtskraft haben 24 m Stahlrohr?
3. 250 Schrauben kosten 22,50 €. Was kostet ein Paket mit 50 Schrauben?
4. Eine Kiste mit Schrauben hat eine Masse $m = 25$ kg. Wie viele Schrauben sind in der Kiste, wenn 50 Schrauben 1 kg wiegen und die Kiste eine Masse von 1 kg hat?
5. Kalt gezogener Stahldraht mit ∅ 4 mm hat eine Masse von ca. 100 kg pro 1000 m Länge. Welche Länge hat eine Rolle mit einer Masse von 16 kg?
6. 250 Spiralspannstifte für Zahnräder kosten 96,00 €. Für eine Kundenrechnung ist der Preis für 50 Stifte zu berechnen.
7. 55 m Rohr DN 25 haben eine Masse von 134,2 kg. Welche Masse haben 30 m Rohr?
8. Aus 4 m Bandstahl lassen sich 16 Befestigungsschellen herstellen. Im Lager sind noch 40 m Bandstahl vorrätig. Wie viele Schellen können gefertigt werden?
9. 1 m Winkelstahl L-EN 10056-1 – 50 × 50 × 6 hat eine Gewichtskraft von 44 N. Welche Gewichtskraft haben 12 Winkelstähle mit je 6 m Länge?
10. Der Dieselkraftstoffverbrauch von zwei Lieferwagen wird verglichen. Wagen 1 verbraucht 7,5 l pro 100 km bei einer Geschwindigkeit von 90 km/h. Bei 110 km/h ist mit 18 % Mehrverbrauch zu rechnen. Wagen 2 verbraucht 9,1 l pro 100 km bei 110 km/h. Welcher Wagen verbrauchtt bei 110 km/h weniger?

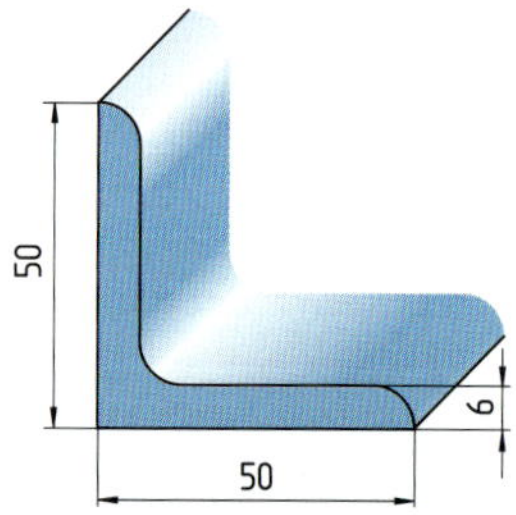

Umgekehrte Verhältnisse

Mit zwei Schweißmaschinen zum Widerstandsrollennahtschweißen (Bild 1) werden in 12 Stunden für eine Lüftungsanlage 240 m Rohrlänge aus Dünnblech geschweißt.

Wie viele Stunden benötigen drei Schweißmaschinen für die gleiche Rohrlänge?

Mit zunehmender Anzahl von Schweißmaschinen nimmt die Produktionszeit für die gleiche Rohrlänge ab, d. h., **je größer** die Anzahl der Schweißmaschinen ist, **desto weniger** Produktionszeit ist zu erwarten.

Für umgekehrte Verhältnisse gilt:

Merke

„Je mehr ..., desto weniger ..."

Das Diagramm in Bild 1 zeigt, dass mit drei Schweißmaschinen ca. 8 Stunden benötigt werden.

Nur für eine ganzzahlige Anzahl (1, 2, 3, ...) von Schweißmaschinen ist eine Betrachtung der Produktionszeit sinnvoll. „Halbe Schweißmaschinen" gibt es nicht.

Wirtschaftliche Überlegungen wie z. B. Maschinen- und Personalkosten begrenzen den sinnvollen Einsatz von Maschinen. Rein rechnerisch würden 100 Schweißmaschinen die Arbeit in wenigen Minuten schaffen, technisch und wirtschaftlich wäre dieser Einsatz unsinnig.

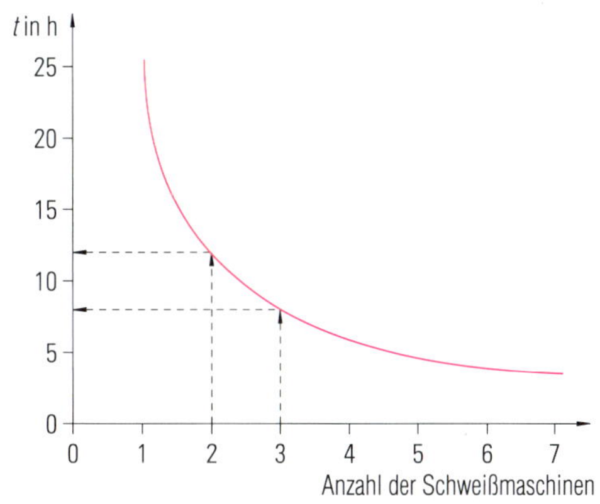

Anzahl der Schweißmaschinen	1	2	3	4	5	6	...
Zeit pro 240 m Rohrlänge	24	12	8	6	4,8	4	...

1 Umgekehrtes Verhältnis

Beispielrechnung

geg.: Produktionszeit $t = 12$ h von zwei Schweißmaschinen für 240 m Rohrlänge

ges.: Produktionszeit t in h von drei Schweißmaschinen für 240 m Rohrlänge

2 Schweißmaschinen benötigen 12 h → Im **1. Satz** das Gegebene notieren

(: 2 / · 2) 1 Schweißmaschine benötigt 2 · 12 h → Im **2. Satz** vom Vielfachen auf das Einfache schließen

(· 3 / : 3) 3 Schweißmaschinen benötigen $\frac{2 \cdot 12\ \text{h}}{3} = 8$ h → Im **3. Satz** vom Einfachen auf das Vielfache schließen

Drei Schweißmaschinen schweißen 240 m Rohrlänge in 8 Stunden.

ÜBUNGEN

1. Mit 4 CNC-Drehmaschinen werden 182 Teile in 12 h gefertigt. Wie viele Stunden benötigen 6 Maschinen für die gleiche Menge?
2. Die vier Lüfter einer Werkshalle tauschen in 4 h insgesamt 194000 m³ Luft aus. In welcher Zeit wird beim Einsatz von zwei zusätzlichen Lüftern gleicher Leistung die gleiche Luftmenge getauscht?
3. In einer Fabrik werden Spulen für Elektromotoren auf Wickelmaschinen hergestellt. In 8 h fertigen drei Wickelmaschinen 264 Spulen. Eine Maschine fällt für 8 h aus. Wie viele Spulen lassen sich fertigen?
4. An einem Werkstück wird eine Bohrung von 280 mm Länge mit einer Schnittgeschwindigkeit von 5,2 m/min ausgedreht. Wie lange dauert das Ausdrehen, wenn die Schnittgeschwindigkeit auf 14,4 m/min erhöht wird?
5. Bei Schweißarbeiten verbrauchen drei Facharbeiter 320 Elektroden in 8 h. Wie lange reichen die Elektroden für sieben Schweißer?
6. Der Vorrat an Schmieröl reicht für 9 Werkzeugmaschinen 19 h. Wie lange reicht das Schmieröl, wenn nur auf zwei Maschinen gefertigt wird?
7. Eine Gruppe von 6 Facharbeitern benötigt 21 Tage zum Aufstellen und Einfahren einer CNC-Fertigungslinie bei einer täglichen Arbeitszeit von 7,5 h. Nun soll die gleiche Aufgabe von 9 Facharbeitern mit einer täglichen Arbeitszeit von 9,5 h durchgeführt werden. In welcher Zeit ist die Montage durchführbar?
8. Duch eine Hydraulikleitung mit einem Querschnitt von 1963 mm² strömen in der Stunde 7,77 m³ Flüssigkeit mit $v = 1{,}1$ m/s. Wie viele m³ strömen durch eine Rohrleitung mit 490 mm² Querschnitt bei einer Strömungsgeschwindigkcit von 1,6 m/s?

4.2.2 Prozentrechnung

Beispielrechnung 1

Für eine Kupfer-Zink-Legierung werden 72 kg Kupfer und 48 kg Zink eingeschmolzen. Wie hoch sind die Prozentsätze für Kupfer und Zink in der Legierung?

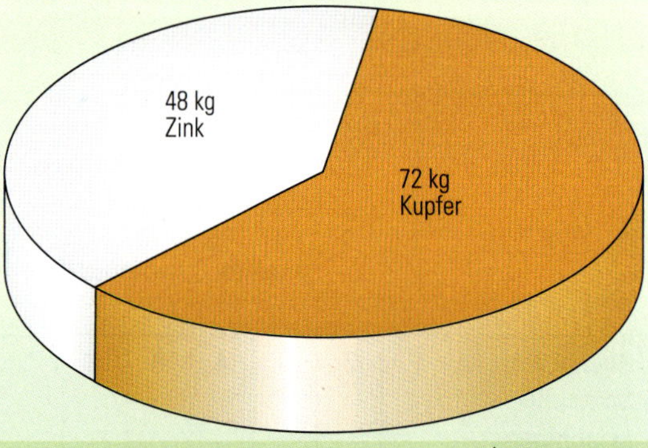

72 kg + 48 kg	= das Ganze bzw. der Grundwert G_W	$\hat{=}$ 100 %
48 kg	= Teilmenge bzw. Prozentwert P_W	$\hat{=}$ x %
x %	= Prozentsatz P_S in Prozent	$\hat{=}$? %

1 Kupfer-Zink-Anteile

geg.: Grundwert $G_W = 120$ kg
Prozentwert $P_W = 48$ kg

ges.: Prozentsatz P_S in %

Die Prozentrechnung kann mithilfe des Dreisatzes oder einer Formel gelöst werden:

Dreisatz:

$$120\text{ kg} \mathrel{\hat{=}} 100\ \%$$
$$(:120)\quad 1\text{ kg} \mathrel{\hat{=}} \frac{100\ \%}{120}$$
$$(\cdot 48)\quad 48\text{ kg} \mathrel{\hat{=}} \frac{100\ \% \cdot 48}{120}$$
$$48\text{ kg} \mathrel{\hat{=}} 40\ \%$$

Formel:

$$P_S = \frac{100\ \% \cdot P_W}{G_W}$$

Beispielrechnung 3

Der Kunde bezahlt für einen PC 499,00 €. Im Preis ist die Mehrwertsteuer von 19 % enthalten.
Wie hoch ist der Nettopreis ohne Mehrwertsteuer?

geg.: Prozentwert $P_W = 499{,}00$ €
Prozentsatz $P_S = 119$ %

ges.: Grundwert G_W in €

Dreisatz:

$$119\ \% \mathrel{\hat{=}} 499{,}00\ €$$
$$(:119)\quad 1\ \% \mathrel{\hat{=}} \frac{499{,}00\ €}{119}$$
$$(\cdot 100)\quad 100\ \% \mathrel{\hat{=}} \frac{499{,}00\ € \cdot 100}{119}$$
$$100\ \% \mathrel{\hat{=}} 419{,}33\ €$$

Formel:

$$G_W = \frac{P_W \cdot 100\ \%}{P_S}$$

Beispielrechnung 2

Eine Fachkraft hat einen Bruttolohn von 2100,00 €. Sie bekommt 62 % davon ausgezahlt. Wie groß ist der Nettolohn?

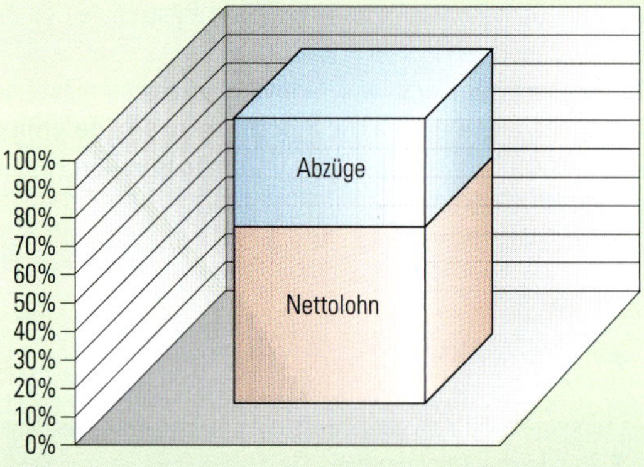

2 Brutto- und Nettolohn

geg.: Grundwert $G_W = 2100{,}00$ €
Prozentsatz $P_S = 62$ %

ges.: Prozentwert P_W in €

Dreisatz:

$$100\ \% \mathrel{\hat{=}} 2100{,}00\ €$$
$$(:100)\quad 1\ \% \mathrel{\hat{=}} \frac{2100{,}00\ €}{100}$$
$$(\cdot 62)\quad 62\ \% \mathrel{\hat{=}} \frac{2100{,}00\ € \cdot 62}{100}$$
$$62\ \% \mathrel{\hat{=}} 1302{,}00\ €$$

Formel:

$$P_W = \frac{G_W \cdot P_S}{100\ \%}$$

ÜBUNGEN

1. Eine elektrische Handbohrmaschine kostet 330,00 €. Das Spannbackenfutter ist mit 8 % in diesem Preis enthalten. Welchen Preis hat das Spannbackenfutter?
2. Die Selbstkosten zur Herstellung eines Werkstücks betragen 360,00 €. Verkauft wird es für 405,00 €. Wie hoch ist der prozentuale Gewinnzuschlag?
3. Bei der Fertigung von Frontplatten für Elektroschaltschränke aus Feinblech entsteht ein Verschnitt (Werkstoffverlust) von 21,4 %. Pro Schaltschrankserie entstehen Kosten von 7223,00 € für die Feinbleche. Wie hoch sind die Kosten in € für den Verschnitt?
4. Wie groß ist die Verfügbarkeit (siehe Lernfeld 4 Kap. 1.1.3 „Grundlegende Begriffe der Instandhaltungstechnik“) eines Bearbeitungszentrums, wenn der Einsatzzeit von 4500 h eine Ausfallzeit von 150 h gegenübersteht?
5. Eine Werkzeugmaschine hat einen Anschaffungspreis von 64.000,00 €. Nach einer Lebensdauer von maximal 8 Jahren wird ihr Wert mit 500,00 € angesetzt. Wie viel Prozent vom Anschaffungswert verliert die Maschine jährlich an Wert? Welchen Wert hat sie nach 1, 4 und 6 Jahren?

4.2.3 Kosten im Betrieb

Selbstkosten bei der Herstellung eines Werkstücks

Materialkosten
Alle Kosten, die für die Beschaffung, Lagerung und Bereitstellung des Rohteils entstehen.

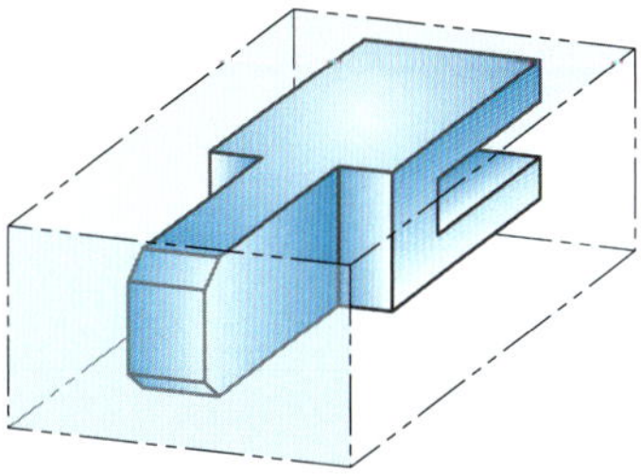

10,00 €

+

Fertigungskosten
Alle Kosten, die bei der Herstellung des Werkstücks entstehen: Maschinen-, Lohn-, Werkzeugkosten sowie Kosten für Vorrichtungen usw.

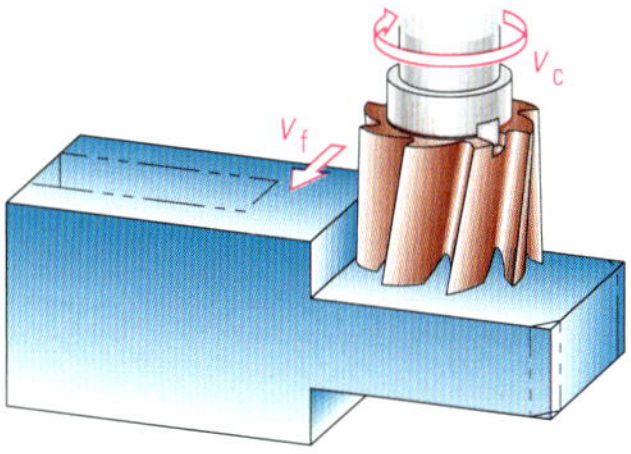

+ **60,00 €**

=

Herstellungskosten = **70,00 €**

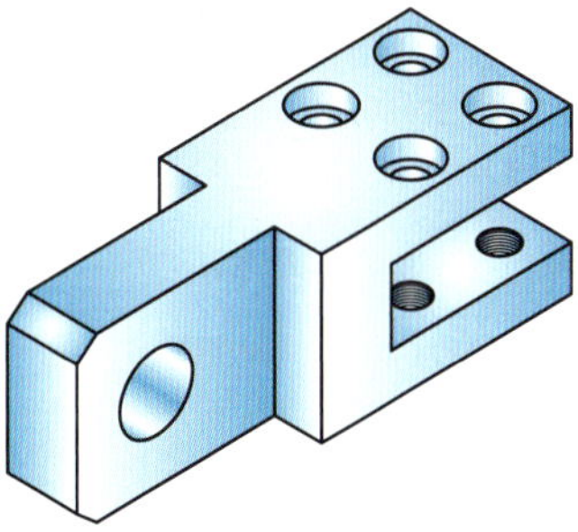

+

Gemeinkosten
Kosten, die dem Werkstück nicht direkt zugeordnet werden können: z. B. Verwaltungskosten

+ **z. B. 20 %**
von 70 €
= 0,2 · 70 €
= 14,00 €

=

Selbstkosten = **84,00 €**

Selbstkosten sind alle Kosten, die im Unternehmen für die Herstellung eines Produktes entstehen.

Barverkaufspreis (netto) für ein Werkstück (Reinerlös)

Selbstkosten = **84,00 €**

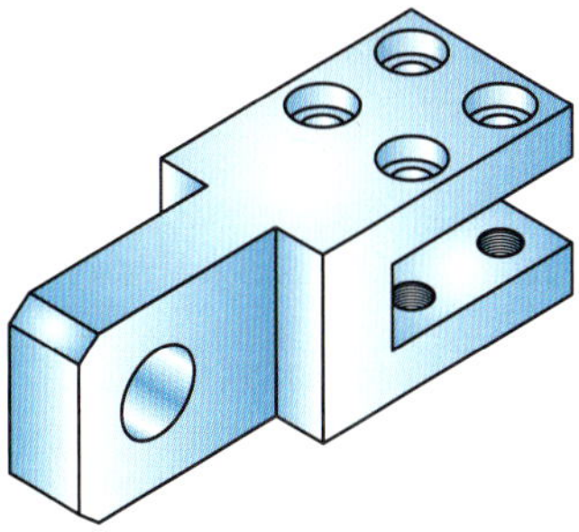

+

Gewinn

+ **z. B. 15 %**
von 84 €
= 0,15 · 84 €
= 12,60 €

=

Barverkaufspreis, netto (Reinerlös) = **96,60 €**

Den **Barverkaufspreis**[1] kann das Unternehmen als Einnahmen für das verkaufte Produkt verbuchen.

Beispiel:

Für die Herstellung der Gelenkgabel (Bild 1) betragen die Materialkosten 5,50 €. Die Fertigung erfolgt auf je einer Dreh- und einer Fräsmaschine. Die Fertigung auf der Drehmaschine dauert 8 Minuten, die auf der Fräsmaschine 12 Minuten. Der Maschinenstundensatz der Drehmaschine beträgt 82,00 €, der der Fräsmaschine 94,00 €.

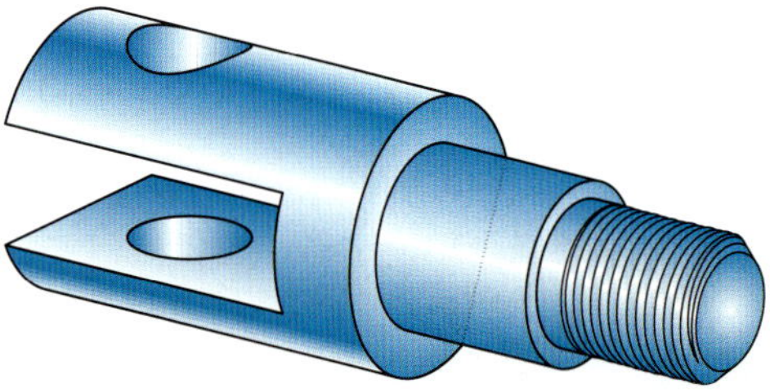

1 Gelenkgabel

a) Wie hoch sind die Selbstkosten bei einem Gemeinkostensatz von 8 %?

b) Welcher Barverkaufspreis kann bei einem Gewinn von 10 % erzielt werden?

a)	Materialkosten		5,50 €
	Drehmaschine:	8/60 h · 82,00 €/h	10,93 €
	Fräsmaschine:	12/60 h · 94,00 €/h	18,80 €
	Summe:		35,23 €
	Gemeinkosten:	8 %	2,82 €
	Selbstkosten		**38,05 €**
b)	Gewinn:	10 %	3,81 €
	Barverkaufspreis, netto		**41,86 €**

ÜBUNGEN

1. Auf einer Drehmaschine werden in einer Stunde 15 Werkstücke hergestellt. Die Materialkosten für ein Werkstück betragen 15,30 €, der Maschinenstundensatz beträgt 84,00 €. Wie groß sind die Herstellungskosten und der Barverkaufspreis für ein Werkstück, wenn die Gemeinkosten 7 % und der Gewinn 12 % betragen?

2. Der Barverkaufspreis für eine Baugruppe beträgt 3000,00 €. Die Selbstkosten betrugen 2500,00 €. Mit wie viel Prozent Gewinn wurde kalkuliert?

3. Die Materialkosten für ein Zahnrad betragen 6,50 €. Die Bearbeitungszeit auf der Drehmaschine dauert 5 Minuten, auf der Fräsmaschine werden 10 Minuten und auf der Schleifmaschine 12 Minuten Bearbeitungszeit benötigt. Die Kosten für das Härten liegen bei 3,50 €. Die Maschinenstundensätze betragen für das Drehen 75,00 €, für das Fräsen 85,00 € und für das Schleifen 82,00 €. Wie hoch sind die Herstellungskosten, die Selbstkosten und der Barverkaufspreis, wenn mit 12 % Gemeinkosten und 15 % Gewinn kalkuliert wird?

4. Beim Montieren einer Baugruppe kann durch das Verwenden einer Montagevorrichtung die Montagezeit von 48 auf 37 Minuten verringert werden. Die Herstellkosten der Montagevorrichtung betragen 250,00 €. Der Lohnkostensatz beträgt 62,00 € pro Stunde.
a) Wie hoch sind die Montagekosten für eine, zehn und hundert Baugruppen, wenn keine Montagevorrichtung genutzt wird?
b) Wie hoch sind die Montagekosten für eine, zehn und hundert Baugruppen, wenn eine Montagevorrichtung genutzt wird?
c) Zeichnen Sie in ein Diagramm den Verlauf des Grafen für die Ergebnisse aus a) und b), und geben Sie an, ab welcher Baugruppenzahl die Montage mit der Montagevorrichtung wirtschaftlich ist.

5. Bei der Serienfertigung von Gussgehäusen auf der Fräsmaschine kann die Bearbeitungszeit um 6 Minuten auf 22 Minuten verkürzt werden, wenn eine Spannvorrichtung zum Einsatz kommt. Die Fertigungskosten für die Spannvorrichtung betragen 275,00 €. Der Maschinenstundensatz beträgt 84,00 €.
a) Wie hoch sind die Fertigungskosten für eine, zehn und hundert Gussgehäuse ohne Verwendung der Spannvorrichtung?
b) Wie hoch sind die Fertigungskosten für eine, zehn und zweihundert Gussgehäuse mit Verwendung der Spannvorrichtung?
c) Zeichnen Sie in ein Diagramm den Verlauf des Grafen für die Ergebnisse aus a) und b) und geben Sie an, ab welcher Gussgehäusezahl die Fertigung mit der Spannvorrichtung wirtschaftlich ist.
d) Wie hoch sind die durchschnittlichen Fertigungskosten für ein Gussgehäuse bei der Fertigung von hundert Stück beim Einsatz einer Spannvorrichtung?

6. Der Barverkaufspreis für eine gedrehte Welle beträgt 32,30 €. Der Gewinn wurde mit 15 % bei einem Gemeinkostensatz von 20 % kalkuliert. Die Materialkosten betrugen 11,48 €. Wie lange dauerte die Bearbeitung auf der Drehmaschine, wenn mit einem Maschinenstundensatz von 72,00 € kalkuliert wurde?

1) Der Barverkaufspreis eines Produkts berücksichtigt noch nicht die anfallenden Provisionen, Skonten, Rabatte, Steuern usw., die in den sog. Listenverkaufspreis, brutto (Rechnungsbetrag) einfließen.

ÜBUNGEN

Gemischte Übungen zu Kapitel 4.2

1. Der Endverkaufspreis eines Heißluftgebläses zum Kunststoffschweißen beträgt 302,90 €.
Wie groß ist der Anteil der 19 % Mehrwertsteuer in €?

2. Ein Automat presst in 1 min 50 Schraubenköpfe.
Wie viele Minuten werden zum Pressen von
a) 25
b) 75
c) 30000
Schraubenköpfen benötigt?

3. Zwei Bandförderanlagen können in $6^1/_2$ h insgesamt 64 Güterwagen mit Eisenerz füllen.
Auf welche Zeit verkürzt sich der Beladevorgang, wenn zusätzlich eine weitere Anlage mit der gleichen Leistung installiert wird?

4. Bei Schweißarbeiten verbrauchen drei Facharbeiter 320 Elektroden in 8 h.
Wie lange reichen die Elektroden für sieben Schweißer?

5. Der Anteil der Montagekosten an einem kompletten Lagergehäuse beträgt 41 %. Das Lagergehäuse kostet 144,00 €.
Wie hoch sind die Montagekosten in €?

6. 2,4 m^2 Stahlblech mit einer Dicke von 3 mm haben eine Masse von 56,54 kg.
Welche Masse haben 1,7 m^2 des gleichen Bleches?

7. Die Selbstkosten zur Herstellung eines Werkstücks betragen 360,00 €. Verkauft wird es für 405,00 €.
Wie hoch ist der prozentuale Gewinnzuschlag?

8. Auf einer Grundplatte werden zwei Platten mit Zurrösen verschweißt. Jede Zurröse ist 350 mm lang und wird beidseitig mit einer Kehlnaht ($a = 4$ mm) verschweißt.
Berechnen Sie mithilfe von Tab. Bild 3 auf Seite 129 die erforderliche Anzahl von Schweißelektroden (∅ 3,25 mm × 450 mm).

9. Auftragsgemäß sind 1104 Rohrschellen zu fertigen. Eine Gruppe von vier Facharbeitern erstellt in 6 h zunächst 600 Rohrschellen. Eine weitere Gruppe mit drei Facharbeitern fertigt die restlichen Rohrschellen in 7 h.
Vergleichen Sie für beide Gruppen die Leistung je Facharbeiter und Stunde.

10. Ein Paket Elektroden (∅ 3,25 mm × 450 mm) kostet 56,00 €. In einem Paket sind 160 Elektroden enthalten.
Für eine Baugruppenmontage sind zwei Bleche (0,4 m lang) beidseitig auf einer Grundplatte zu verschweißen.
Die Nahtdicke soll $a = 5$ mm betragen. Berechnen Sie unter Zuhilfenahme von Tab. Bild 3 auf Seite 129 die Elektrodenkosten für 50 Baugruppen.

11. Eine Baugruppe erfordert 0,65 m lange Schweißnähte (V-Naht 60°). Die 10 mm starken Bleche werden mit einer Wurzelnaht und einer Decknaht verschweißt.
a) Berechnen Sie die erforderliche Elektrodenzahl für eine Baugruppe (siehe Tab. Bild 3 von Seite 129).
b) Wie viele Elektroden sind für 15 Baugruppen erforderlich?
c) Berechnen sie die Elektrodenkosten für 15 Baugruppen. (ein Paket Elektroden á 160 Elektroden ∅ 3,25 mm × 450 mm kostet 56,00 €; ein Paket Elektroden á 80 Elektroden ∅ 4,00 mm × 450 mm kostet 48,00 €)

12. Im Rahmen der Gesamtkosten wird der Anlagenteil eines Hochregallagers mit 72.000,00 € veranschlagt. Hierin sind 11770,00 € für Lohnnebenkosten enthalten.
Um den Übergabetermin einhalten zu können, müssen Überstunden geleistet werden. Diese bewirken einen Zuschlag von 17 % zu den Lohnnebenkosten.
Um welchen Betrag verteuert sich der Aufbau des Hochregallagers?

13. Ein Schweißer wird in einem Betrieb mit 52 €/h kalkuliert. Für das Schweißen von 5 V-Nähten á 0,3 m pro Baugruppe benötigt er 2,5 Minuten inklusive Nebenarbeiten für jede Naht. Der Schweißer stellt 20 Baugruppen her.
Berechnen Sie die erforderlichen Arbeitskosten.

14. Für eine Ausstellung werden 10 Blechwürfel mit einer Seitenlänge von 0,4 m bestellt. Die Blechdicke beträgt 3,5 mm. (Ein Paket Elektroden á 80 Elektroden ∅ 3,25 mm × 450 mm kostet 24,00 €.
a) Berechnen Sie die erforderliche Elektrodenzahl (siehe Tab. Bild 3 Seite 129) für alle Baugruppen (∅ 3,25 mm × 450 mm).
b) Der Materialpreis für das Blech beträgt pro Quadratmeter 27,50 €. Ein Industriemechaniker (37 €/h) benötigt inklusive Nebenarbeiten (zuschneiden, Vormontage usw.) 35 Minuten pro Würfel.
Wie viel kostet der Auftrag dem Unternehmer?

15. Um die Instandhaltungskosten gering zu halten, werden Instandhaltungsmaßnahmen möglichst in den Stillstandszeiten durchgeführt. Für eine notwendige Instandhaltung während der Betriebszeit wird die Maschinenstunde mit 165,00 € abgerechnet. Die Arbeitsstunde für die Instandhaltungsfachkraft liegt bei 38,00 €.
Wie teuer wird die Instandhaltung bei einer Dauer von 2 h 15 min?

4.3 Längenberechnungen

AH GK S. 61

4.3.1 Der Satz des Pythagoras

Zum Abstützen der Masse des Elektromotors auf dem Podest ist eine Diagonalstrebe erforderlich. Dazu muss vom Facharbeiter der Abstand der diagonal gegenüberliegenden Bohrungen bestimmt werden. Dieser lässt sich mithilfe der Bestimmungsgleichung für **rechtwinklige Dreiecke** berechnen, die auch als „Satz des Pythagoras" bezeichnet wird.
Nach diesem Satz gilt:

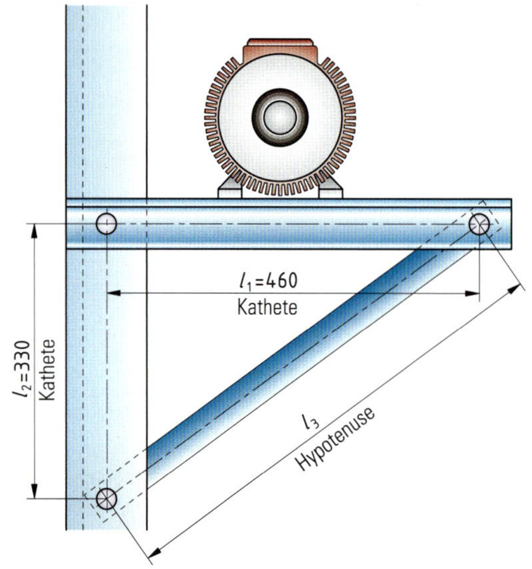

Merke

Die Summe der Quadrate der beiden Katheten ist gleich dem Quadrat der Hypotenuse.

$$a^2 + b^2 = c^2$$

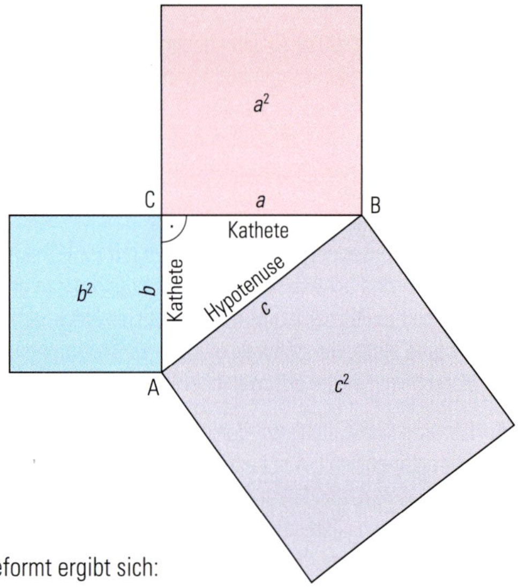

Umgeformt ergibt sich:

$$c = \sqrt{a^2 + b^2}$$

$$b = \sqrt{c^2 - a^2}$$

$$a = \sqrt{c^2 - b^2}$$

Wegen der Beziehungen im rechtwinkligen Dreieck gilt stets:

$c > a$

$c > b$

$c < a + b$

Merke

Die Katheten bilden den rechten Winkel.
Die Hypotenuse liegt dem rechten Winkel gegenüber.

Beispielrechnung

geg.: Kathete $l_1 = 460$ mm
Kathete $l_2 = 330$ mm

ges.: Hypotenuse l_3 in mm

Lösung: $l_1^2 + l_2^2 = l_3^2$

$$l_3 = \sqrt{l_1^2 + l_2^2}$$

$$l_3 = \sqrt{(460\text{ mm})^2 + (330\text{ mm})^2}$$

$$l_3 = \sqrt{211\,600\text{ mm}^2 + 108900\text{ mm}^2}$$

$$l_3 = \sqrt{320\,500\text{ mm}^2}$$

$$\underline{\underline{l_3}} \approx \sqrt{566\text{ mm}}$$

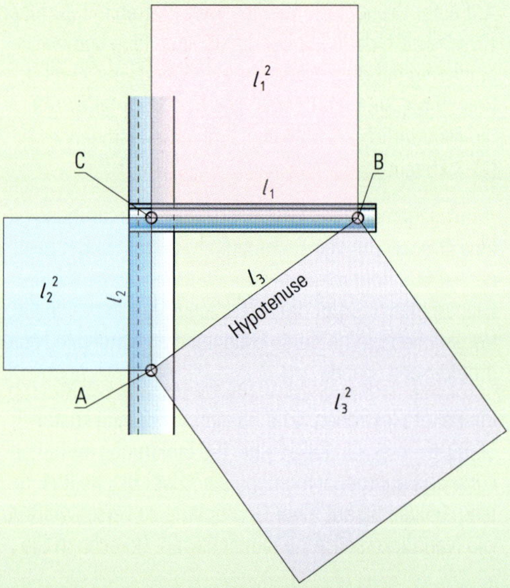

ÜBUNGEN

1. Als Prüfmaß wird der Abstand zweier schräg gegenüber liegenden Bohrungen benötigt.
Berechnen Sie das Maß l_3.

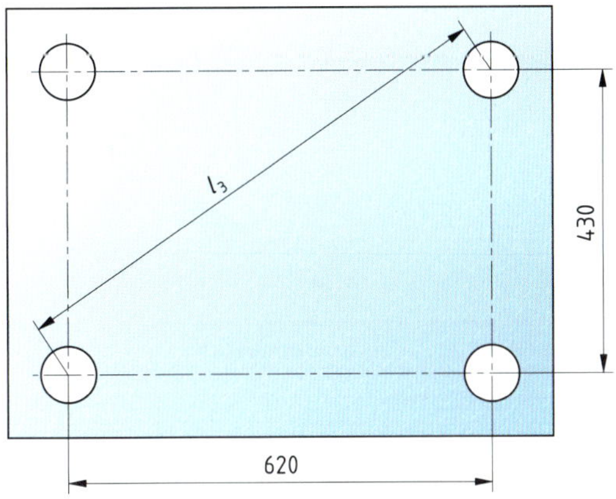

2. Zur Versteifung eines Rahmens ist eine Diagonalstrebe einzubauen.
Wie groß ist die Länge l_3 zu wählen?

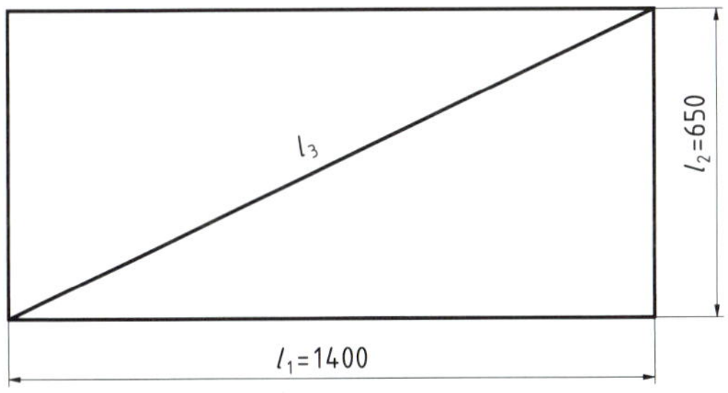

3. Der Ausleger wird durch eine Druckstrebe mit l_3 = 3,30 m gestützt.
Wie groß ist der Abstand l_2 der beiden Lager?

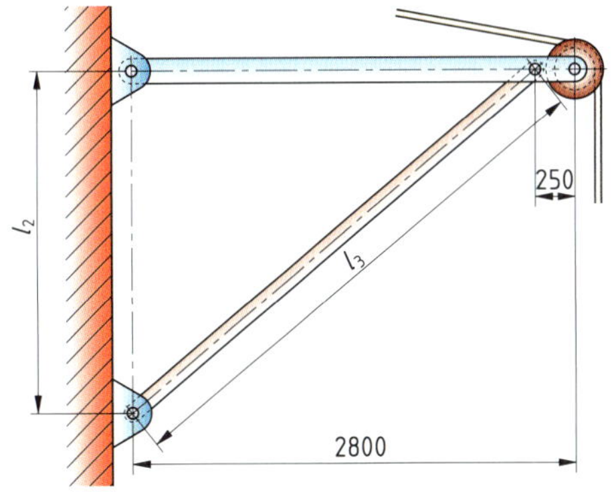

4. Ein Fülltrichter hat die Abmaße nach folgender Skizze.
a) Berechnen Sie die Länge l der Seitenwände.
b) Wie lang ist die Schweißnaht s der Kante?

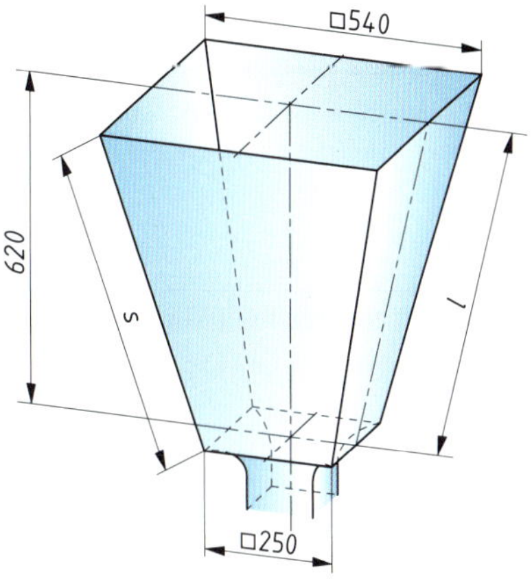

5. Ein Abdeckblech wird durch Brennschneiden ausgeschnitten.
Welche Länge hat der Brennschnitt (Umfang)?

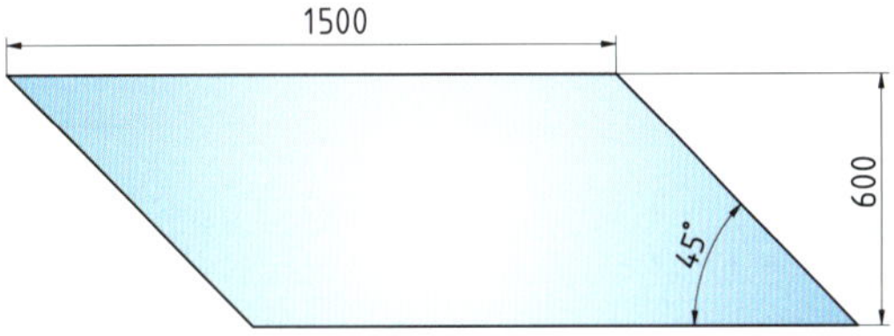

6. Die Platte dient zur Befestigung eines Flanschlagers.
Für Schrauben M12 sind insgesamt vier Bohrungen herzustellen. Wie groß ist der Mittenabstand l_1?

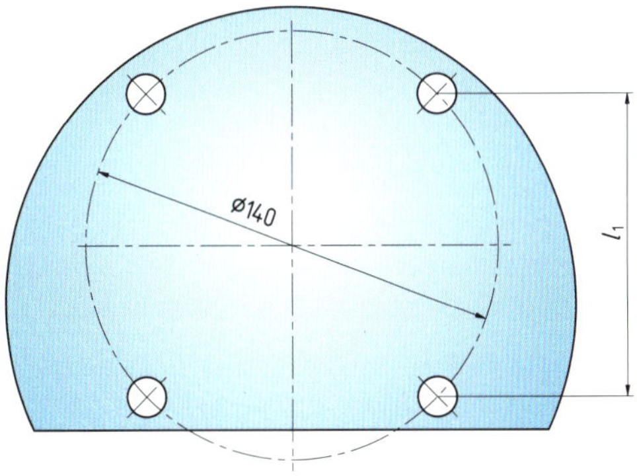

4.3.2 Winkelfunktionen

AH GK S. 62

Das Kontrollmaß s dient der Ermittlung der Fertigungstoleranz der Bohrungsabstände. Hierzu muss die Größe dieses Maßes bei genauer Fertigung der Bohrungen ermittelt werden.
Die Werte für den Radius und den Winkel sind Bild 1 zu entnehmen.
Zur Lösung dieser Aufgabe können die Winkelfunktionen für rechtwinklige Dreiecke genutzt werden.

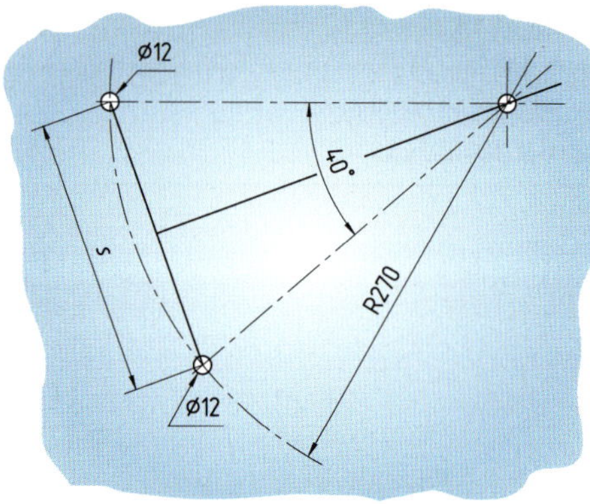

Allgemeine Aussagen zum rechtwinkligen Dreieck

Ähnliche Dreiecke	Seitenabhängigkeit	Bezeichnung	Schreibweise
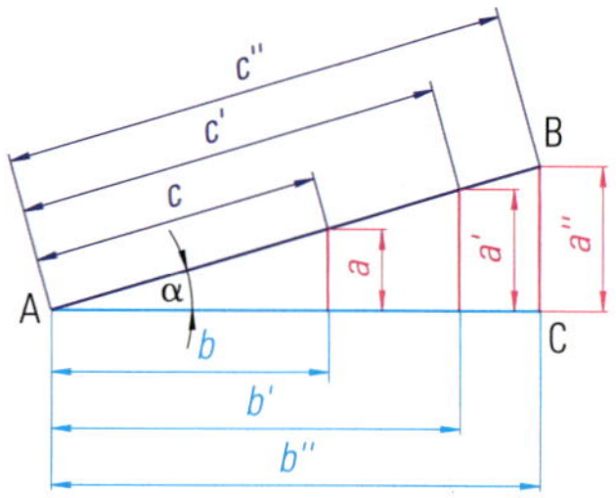	$\frac{\text{Gegenkathete}}{\text{Hypotenuse}}$	Sinusfunktion	$\sin\alpha = \frac{a}{c} = \frac{a'}{c'} = \frac{a''}{c''} = \ldots$
	$\frac{\text{Ankathete}}{\text{Hypotenuse}}$	Cosinusfunktion	$\cos\alpha = \frac{b}{c} = \frac{b'}{c'} = \frac{b''}{c''} = \ldots$
	$\frac{\text{Gegenkathete}}{\text{Ankathete}}$	Tangensfunktion	$\tan\alpha = \frac{a}{b} = \frac{a'}{b'} = \frac{a''}{b''} = \ldots$
	$\frac{\text{Ankathete}}{\text{Gegenkathete}} = \frac{1}{\tan\alpha}$	Cotangensfunktion	$\cot\alpha = \frac{b}{a} = \frac{b'}{a'} = \frac{b''}{a''} = \ldots$

Beispielrechnungen

geg.: Radius $r = 270$ mm / Winkel = 40° ➡ $\alpha = 20°$

ges.: Kontrollmaß s in mm

Lösung:

$$\sin\alpha = \frac{\text{Gegenkathete}}{\text{Hypotenuse}}$$

$$\sin\alpha = \frac{\frac{s}{2}}{r}$$

$$\frac{s}{2} = r \cdot \sin\alpha$$

$$s = 2 \cdot 270\text{ mm} \cdot \sin 20°$$

$$s = 2 \cdot 270\text{ mm} \cdot 0{,}342$$

$$\underline{\underline{s = 184{,}6\text{ mm}}}$$

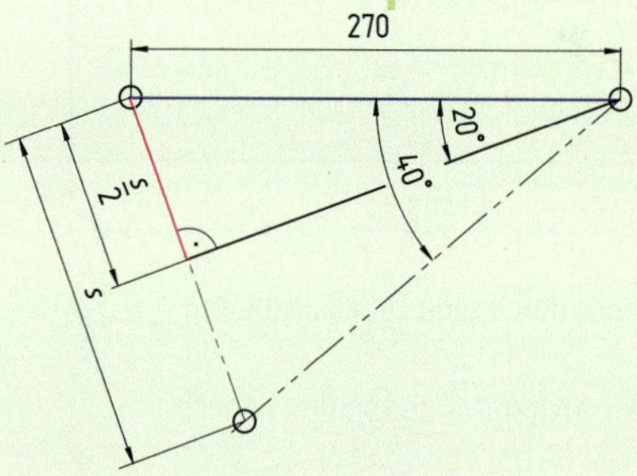

Steigungen oder Gefälle werden meist durch das Verhältnis von **Gegenkathete** zu **Ankathete**, also von h zu l angegeben. Dies ist der Tangens des **Anstiegswinkels** α.

In der Praxis wird eine Steigung oder ein Gefälle auch häufig durch das **Verhältnis** 1 : n angegeben. Die Höhe h wird dabei als 1 gesetzt und n gibt die Länge l als Vielfaches der Höhe h an.

Eine andere Möglichkeit ist, die Höhe h als **Prozentwert** der Länge l anzugeben. Die Länge l wird als 100 % gesetzt. Die Angabe einer Steigung oder eines Gefälles in Prozent besagt dann z. B., um wie viele cm (oder m) eine Neigung auf einer Länge l von 100 cm (oder 100 m) steigt bzw. fällt.

$$h = 25\text{ cm}$$

$$l = 125\text{ cm}$$

$$\tan\alpha = \frac{25\text{ cm}}{125\text{ cm}} = 0{,}2$$

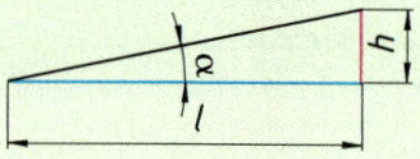

$$\frac{h}{l} = \frac{25\text{ cm}}{125\text{ cm}} = \frac{1}{5} = 1:5$$

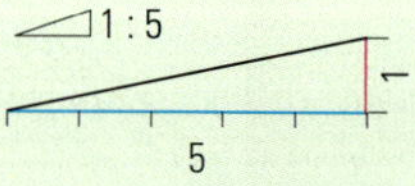

$$125\text{ cm} \mathrel{\hat{=}} 100\ \%$$

$$1\text{ cm} \mathrel{\hat{=}} \frac{100\ \%}{125}$$

$$25\text{ cm} \mathrel{\hat{=}} \frac{100\ \% \cdot 25}{125} = 20\ \%$$

(: 125 / : 125; · 25 / · 25)

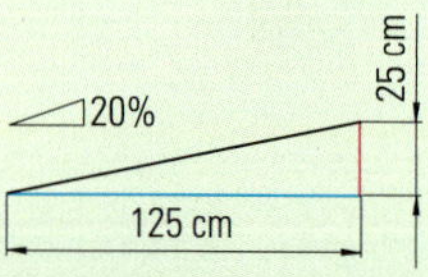

ÜBUNGEN

1. Mit einem Bohrautomaten ist die Bohrung von ∅ 10 mm zu fertigen. Welcher Verfahrweg s ergibt sich, wenn der Bohrer über dem gekennzeichneten Punkt steht?

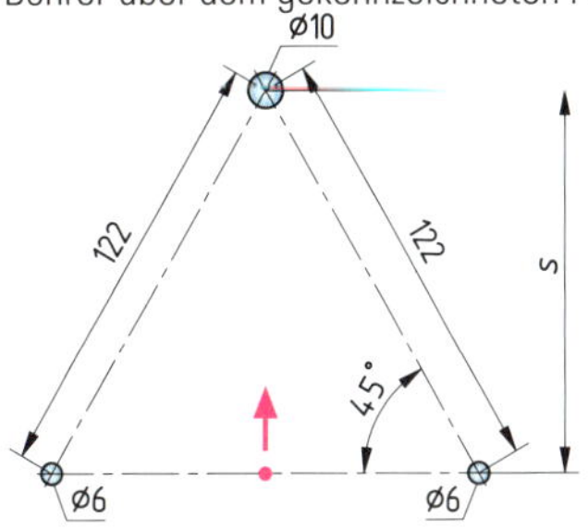

2. Bestimmen Sie die Schnittlänge l_3 bei einem Schnittwinkel von 60°.

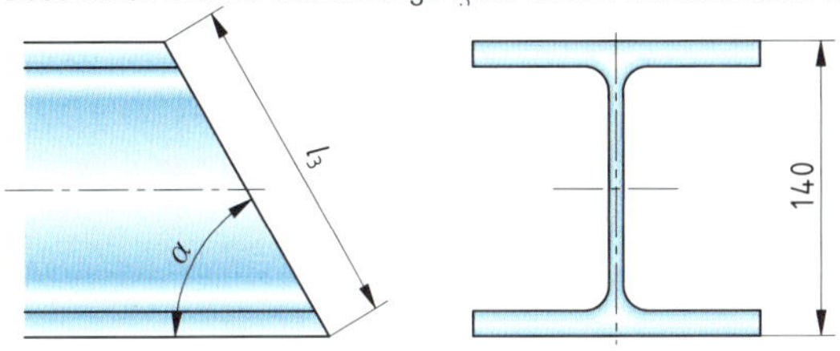

3. Der Durchmesser d_2 der Senkung ist zu berechnen.

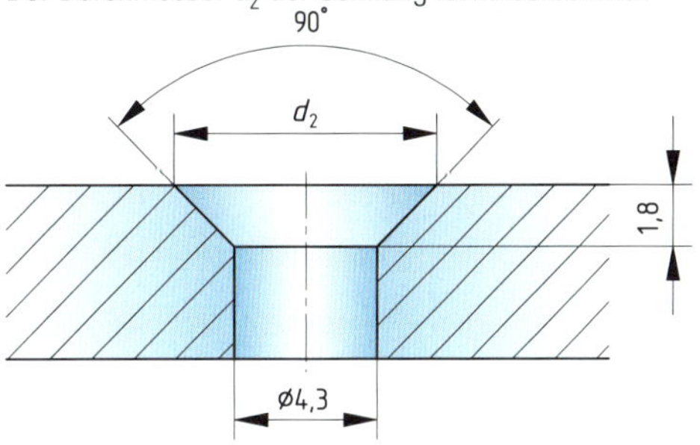

4. Aus einem Rundstahl ∅ 40 mm soll der größtmögliche Sechskant gefräst werden. Welche Schnitttiefe a_p ist einzustellen?

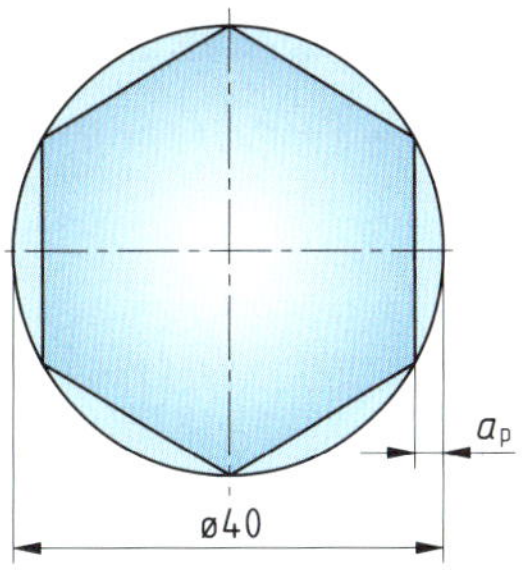

4.3.3 Gestreckte Längen

Herleitung und Beispielrechnung finden Sie im Teil II „Lernfelder 1 und 2" im Kapitel 2.1 „Biegen" auf Seite 65.

ÜBUNGEN

1. Wie groß ist die gestreckte Länge des Hakens?

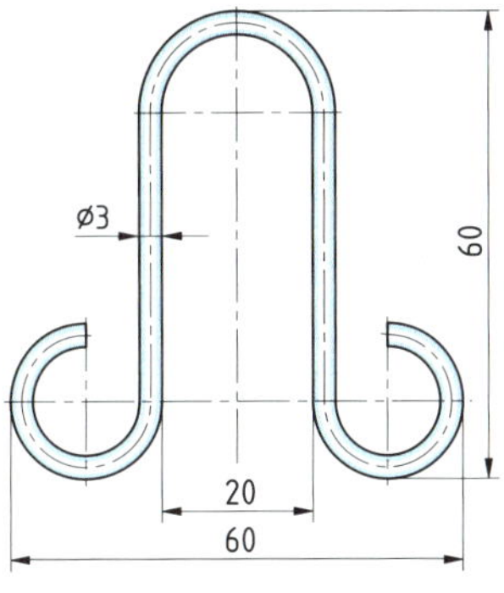

2. Welcher Innendurchmesser wird erreicht, wenn ein Stab von 157 mm Länge zu einem Kreisring gebogen wird?

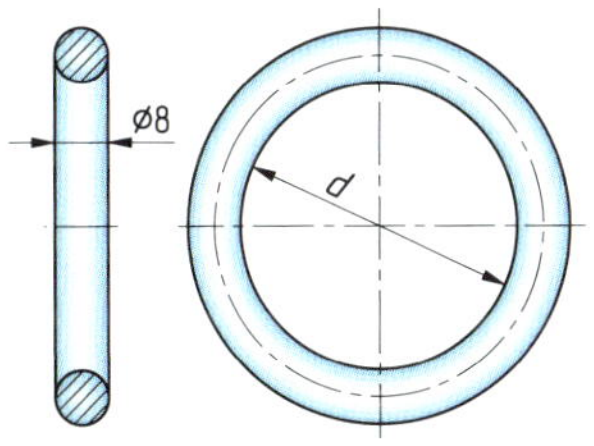

3. Wie groß ist die gestreckte Länge des Bügels?

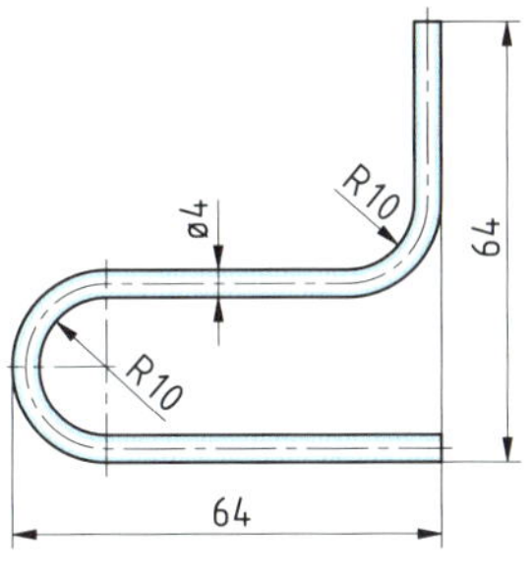

4. Wie groß muss die Ausgangslänge des Profils L EN 10056-1 – 40 × 40 × 5 – S235JR für den Kreisring sein?

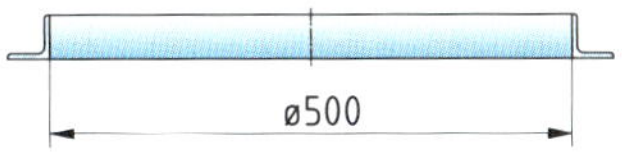

5. Der Kreisbogen wird aus einem Stab von 130,9 mm Länge hergestellt. Wie groß ist der Öffnungswinkel α?

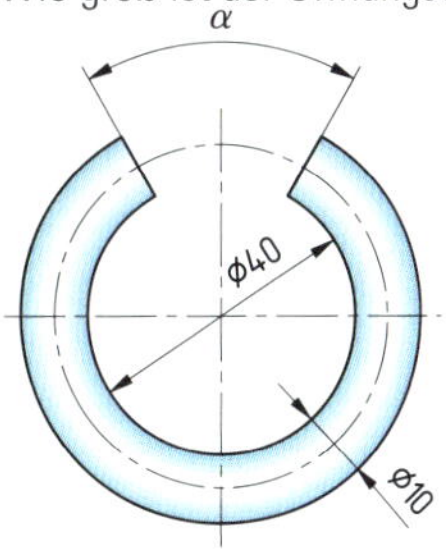

6. Welche gestreckte Länge wird beim Biegen des Blechprofils benötigt?

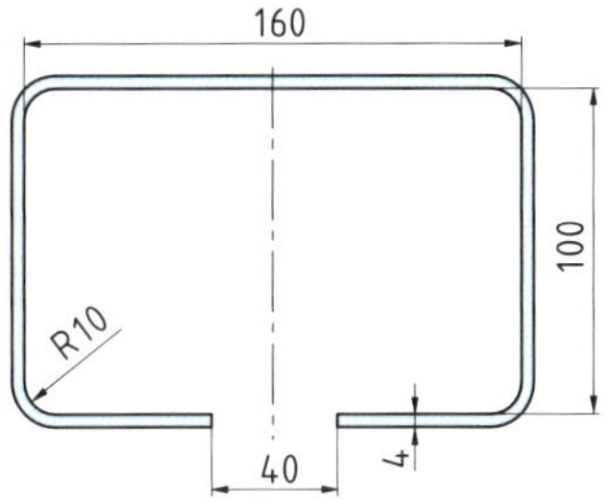

4.3.4 Höchstmaß, Mindestmaß, Toleranz

Die fachlichen Zusammenhänge zu den folgenden Übungen finden Sie im Teil II „Lernfelder 1 und 2" im Kapitel 4.1 „Toleranzen" auf Seite 76.

ÜBUNGEN

1. Eine Zeichnung enthält folgende Maße:

a) $40^{+0,5}_{+0,2}$ b) $30^{+0,05}_{0}$

c) $50^{+0,3}_{-0,2}$ d) $45^{0}_{-0,4}$

e) $60^{-0,1}_{-0,5}$ f) $55^{+0,15}_{+0,10}$

g) $60^{+0,4}_{0}$ h) $90^{-0,10}_{-0,15}$

i) $35^{0}_{-0,2}$ j) $65 \pm 0,2$

Berechnen Sie jeweils Höchstmaß, Mindestmaß und Toleranz

2. a) Ermitteln Sie für die Nennmaße nach den Allgemeintoleranzen DIN 2769 die Grenzabmaße und berechnen Sie jeweils Höchstmaß, Mindestmaß und Toleranz.

Nennmaß	Toleranzklasse
120	b
120	d
1 200	b
1 200	d

b) Welche Erkenntnisse lassen sich aus den Ergebnissen von a) ableiten?

3. Die Bohrungen der Lasche sind nach DIN 2769-b zu fertigen. Zwischen welchen Grenzmaßen muss das Istmaß liegen?

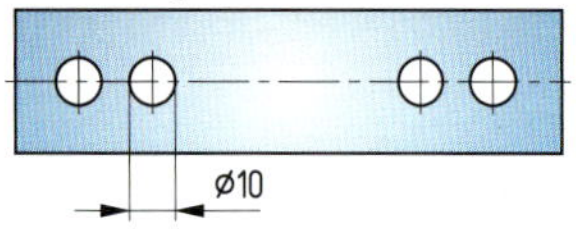

4. Berechnen Sie für das Nennmaß „x" der Schablone das Höchstmaß und das Mindestmaß.

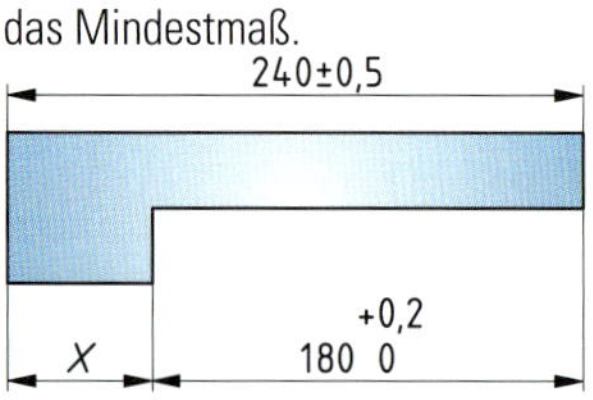

5. a) Ermitteln Sie nach den Allgemeintoleranzen DIN 2769-b für die Nennmaße 25 mm, 50 mm und 40 mm der Blechschablone jeweils das Mindestmaß und das Höchstmaß.

b) Berechnen Sie das Höchstmaß und das Mindestmaß für das Maß „x" mit den unter a) ermittelten Werten.

c) Legen Sie das Höchstmaß und das Mindestmaß für das Nennmaß 115 mm fest.

d) Beurteilen Sie die Ergebnisse aus b) und c).

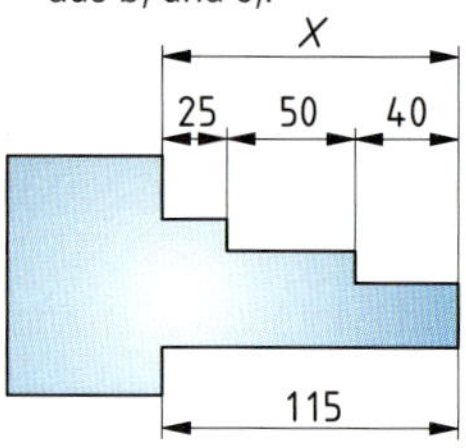

DIN 2769

6. Berechnen Sie G_s und G_i für das Maß „x".

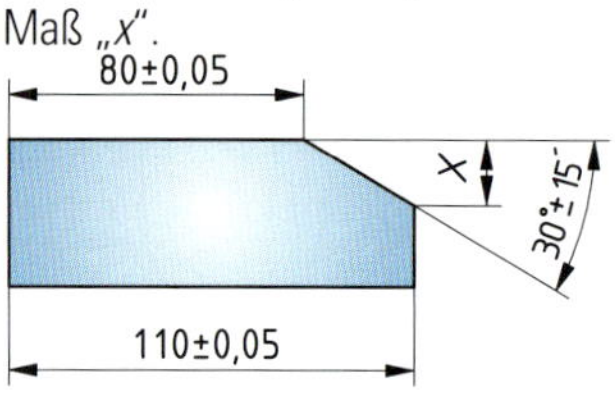

7. Eine Zeichnung enthält folgende Maße:

a) 20h6
b) 20m6
c) 32H7
d) 32H11
e) 160d9
f) 80u8
g) 100G6
h) 200S7

Bestimmen Sie jeweils das Höchst- und Mindestmaß und die Toleranz.

8. Ermitteln Sie für die Maße „x" und „y" der Flachführung jeweils das Höchst- und Mindestmaß sowie die Toleranz.

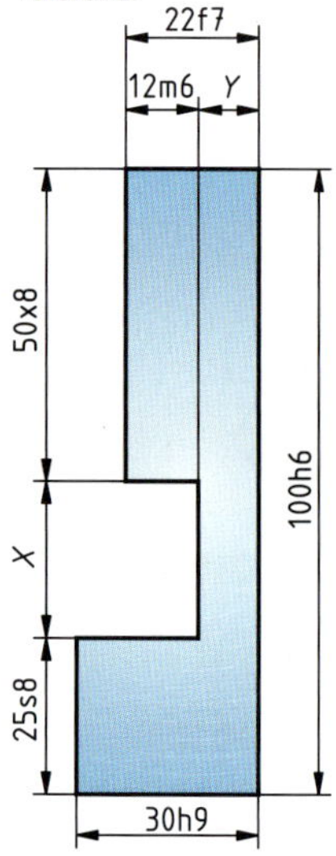

9. Ermitteln Sie für alle angegebenen Maße und das Maß „z" des Bolzens die Höchst- und Mindestmaße sowie die Toleranzen (Allgemeintoleranzen nach DIN 2769-b).

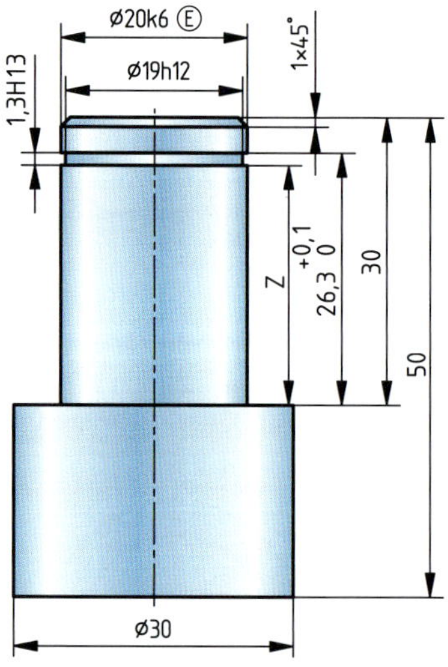

4.4 Flächenberechnungen

Knotenbleche werden z. B. im Stahlbau zum Verbinden von Stahlprofilen verwendet. Aus einer Stahlplatte von 400 mm Breite und 1 250 mm Länge können vier Knotenbleche hergestellt werden. Wie groß ist der Verschnitt? Um den Verschnitt bestimmen zu können, muss zunächst die Fläche eines Knotenbleches berechnet werden. Die hierfür erforderlichen Formeln entnehmen Sie Ihrem Tabellenbuch.

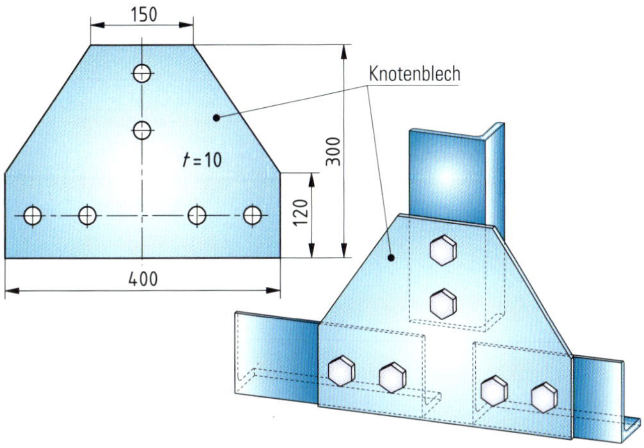

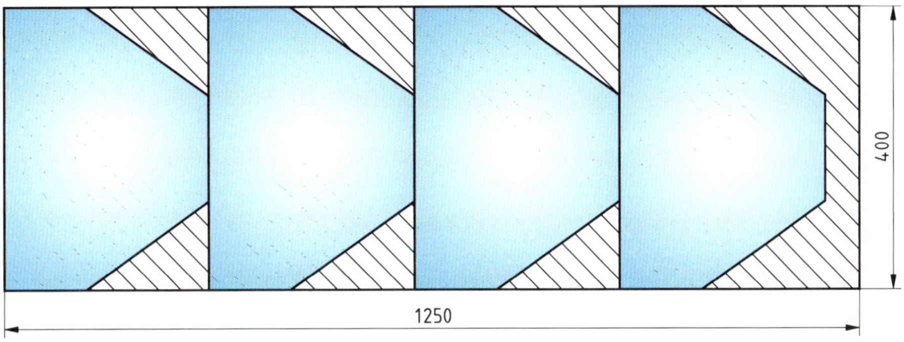

Beispielrechnungen

1. Möglichkeit:
Die Gesamtfläche ist die Summe von Teilflächen

$A = A_1 + A_2$

$A = A_{Rechteck} + A_{Trapez}$

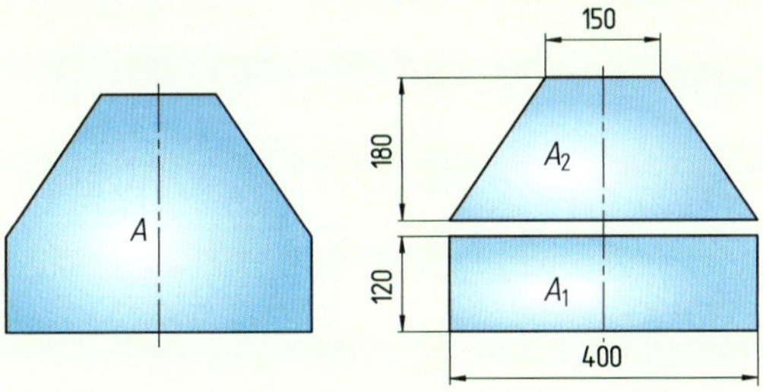

$A_1 = a \cdot b$

$A_1 = 40\text{ cm} \cdot 12\text{ cm}$

$A_1 = 480\text{ cm}^2$

$A_2 = \frac{l_1 + l_2}{2} \cdot h$

$A_2 = \frac{40\text{ cm} + 15\text{ cm}}{2} \cdot 18\text{ cm}$

$A_2 = 495\text{ cm}^2$

$A = 480\text{ cm}^2 + 495\text{ cm}^2$

$A = 975\text{ cm}^2$

2. Möglichkeit:
Die Gesamtfläche ist die Differenz von Teilflächen

$A = A_1 - 2 \cdot A_2$

$A = A_{Rechteck} - 2 \cdot A_{Dreieck}$

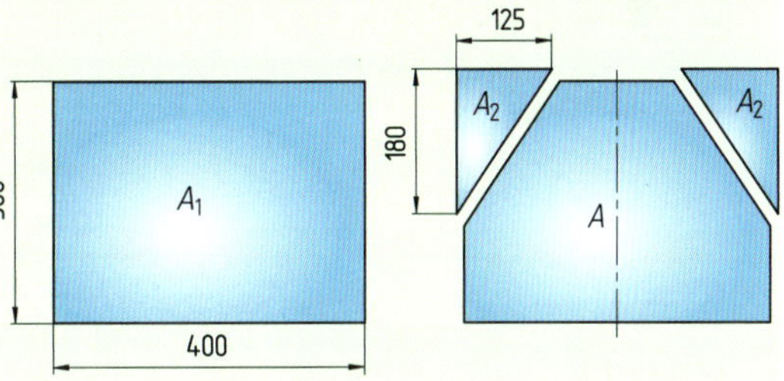

$A_1 = a \cdot b$

$A_1 = 40\text{ cm} \cdot 30\text{ cm}$

$A_1 = 1200\text{ cm}^2$

$A_2 = \frac{l_1 \cdot h}{2}$

$A_2 = \frac{12{,}5\text{ cm} \cdot 18\text{ cm}}{2}$

$A_2 = 112{,}5\text{ cm}^2$

$A = 1200\text{ cm}^2 - 2 \cdot 112{,}5\text{ cm}^2$

$A = 975\text{ cm}^2$

Beispielrechnungen

Berechnung des Verschnitts

Verschnitt A_V = Ausgangsblechfläche A_{Blech} – Werkstückblechfläche A_{ges}

Ausgangsblechfläche A_{Blech}

$A_{Blech} = a \cdot b$
$A_{Blech} = 40\ cm \cdot 125\ cm$
$A_{Blech} = 5000\ cm^2$

Verschnitt A_V

$A_V = A_{Blech} - A_{ges}$
$A_V = 5000\ cm^2 - 3900\ cm^2$
$A_V = 1100\ cm^2$

Werkstückblechfläche A_{ges}

Aus einem Stahlblech können vier Knotenbleche geschnitten werden. Daher gilt in diesem Fall:

$A_{ges} = 4 \cdot A$
$A_{ges} = 4 \cdot 975\ cm^2$
$A_{ges} = 3900\ cm^2$

Prozentualer Verschnitt

Bei der Berechnung des prozentualen Verschnitts kann von zwei Bezugsgrößen ausgegangen werden. Entweder von der Ausgangsblechfläche A_{Blech} oder von der Werkstückfläche A_{ges}:

Bezogen auf die **Ausgangsblechfläche** A_{Blech}

$5000\ cm^2 \triangleq 100\ \%$
(: 5000)
$1\ cm^2 \triangleq \frac{100\ \%}{5000}$
(· 1100)
$1100\ cm^2 \triangleq \frac{100\ \% \cdot 1100}{5000}$

$\underline{\underline{1100\ cm^2 \triangleq 22\ \%}}$

Auf die Ausgangsblechfläche A_{Blech} bezogen beträgt der Verschnitt 22 %.

Bezogen auf die **Werkstückblechfläche** A_{ges}

$3900\ cm^2 \triangleq 100\ \%$
(: 3900)
$1\ cm^2 \triangleq \frac{100\ \%}{3900}$
(· 1100)
$1100\ cm^2 \triangleq \frac{100\ \% \cdot 1100}{3900}$

$\underline{\underline{1100\ cm^2 \triangleq 28{,}2\ \%}}$

Bezogen auf die Werkstückblechfläche A_{ges} beträgt der Verschnitt etwa 28,2 %.

ÜBUNGEN

1. Welche Fläche hat das Knotenblech?

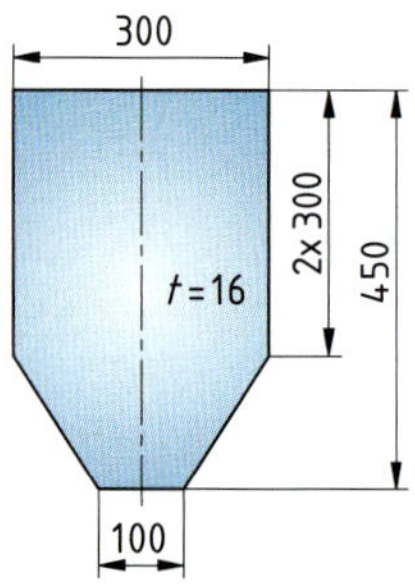

2. Aus einem Stahlblech von 300 mm Breite und 1250 mm Länge sind Knotenbleche herzustellen.

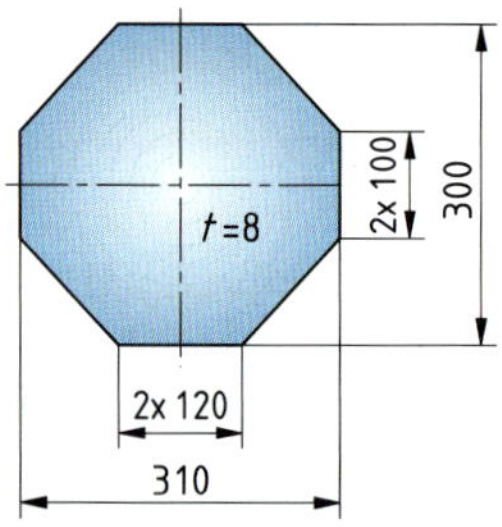

a) Berechnen Sie die Fläche eines Knotenbleches.
b) Wie viele Knotenbleche lassen sich aus dem Stahlblech schneiden?
c) Berechnen Sie den prozentualen Verschnitt
– bezogen auf die Ausgangsfläche.
– bezogen auf die Werkstückfläche.

3. Aus einer 3 mm dicken quadratischen Gummiplatte von 500 mm × 500 mm sollen Dichtungen ausgeschnitten werden. Wie groß ist der prozentuale Verschnitt in Bezug auf die Werkstückfläche?

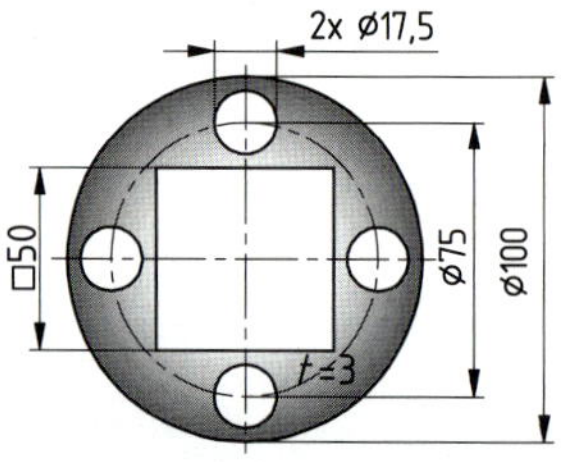

4. Wie groß ist die Fläche des Aluminiumblechs und welche Masse hat es in kg, wenn 1 m^2 eine Masse von 5,4 kg hat?

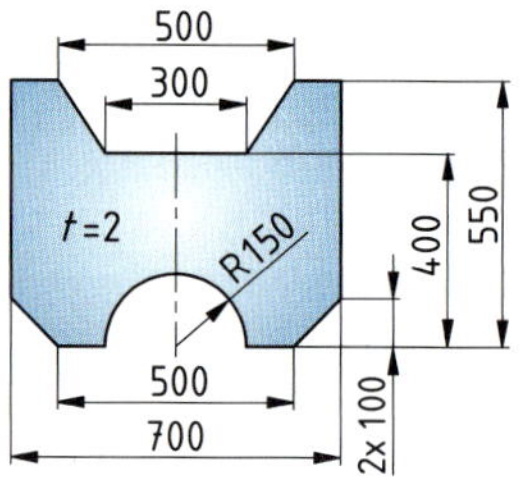

5. Welchen Strömungsquerschnitt hat ein Gewinderohr DN 25 nach EN 10255 mit einem Außendurchmesser d_1 = 33,7 mm und einer Wanddicke s = 3,2 mm?

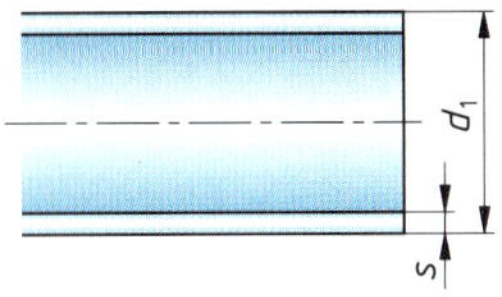

6. Ein Drahtseil besteht aus 144 Einzeldrähten mit je ∅ 1 mm.

a) Wie groß ist die auf Zug beanspruchte Fläche des Seils?

b) Welchen Durchmesser muss der Einzeldraht haben, wenn die tragende Fläche verdoppelt werden soll?

7. Bestimmen Sie die Fläche der Dichtung.

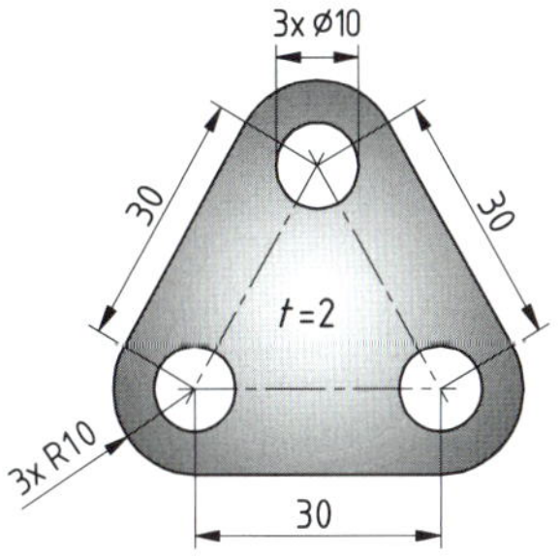

4.5 Schmiederohlängen- und Volumenberechnungen

Herleitung und Beispielrechnung finden Sie im Teil II „Lernfelder 1 und 2" im Kapitel 2.2 „Schmieden" auf Seite 69. Die erforderlichen Formeln zur Berechnung der einzelnen Volumen entnehmen Sie Ihrem Tabellenbuch.

ÜBUNGEN

1. Wie lang muss l_R gewählt werden, wenn an einem Quadratstahl von 32 mm Kantenlänge ein quadratischer Bund geschmiedet wird?

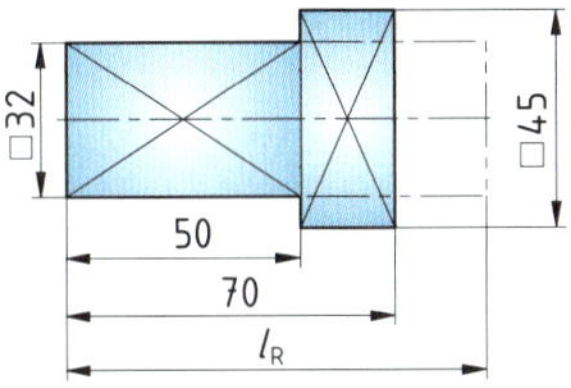

2. An einem Rundstahl ist durch Gesenkformen ein Bund herzustellen. Wie lang sind l_R und l_{ges} zu wählen?

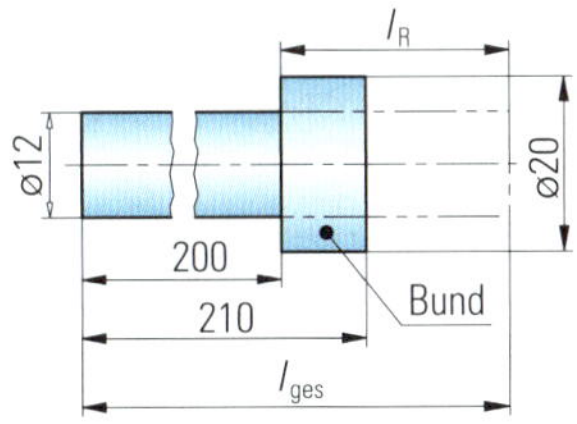

3. Bei einem Schraubenrohling wird der Sechskantkopf durch Formpressen aus Rundstahl ∅ 12 mm geschmiedet. Welche Rohlänge muss der Rundstahl erhalten?

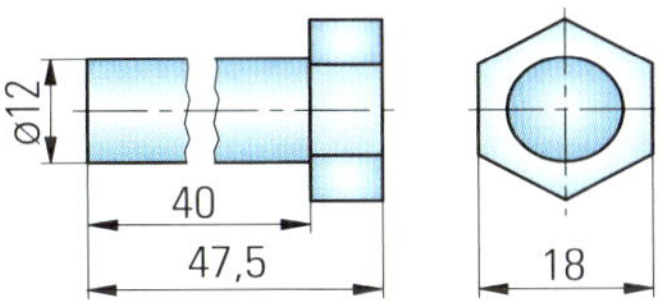

4. An eine Flachstumpffeile wird eine Feilenangel geschmiedet. Wie lang muss für die Angel die Zugabe l_R sein, wenn 6 % ihres Volumens für Abbrand zugegeben werden müssen?

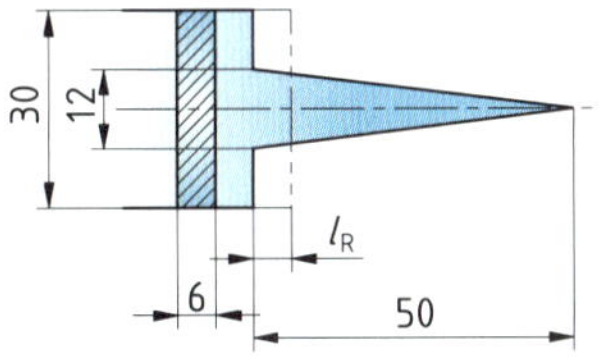

5. Wie lang muss die Rohlänge l_R für die pyramidenförmige Spitze sein, wenn für Abbrand eine Zugabe von 3 mm erforderlich ist?

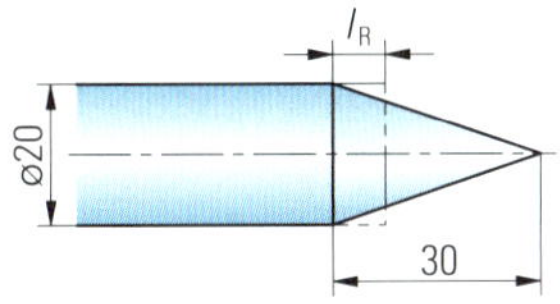

6. Welche Länge muss ein Stahlblock von quadratischem Querschnitt mit 250 mm Kantenlänge haben, wenn daraus 4000 m Stahldraht mit ∅ 5 mm gewalzt werden sollen?

7. Durch Formpressen mit Grat wird aus Rundstahl mit ∅ 70 mm ein Flansch mit kegelstumpfförmigem Ansatz geschmiedet. Welche Rohlänge l_R muss der Rundstahl haben, wenn für Grat und Abbrand 12 % des Schmiedevolumens verloren gehen?

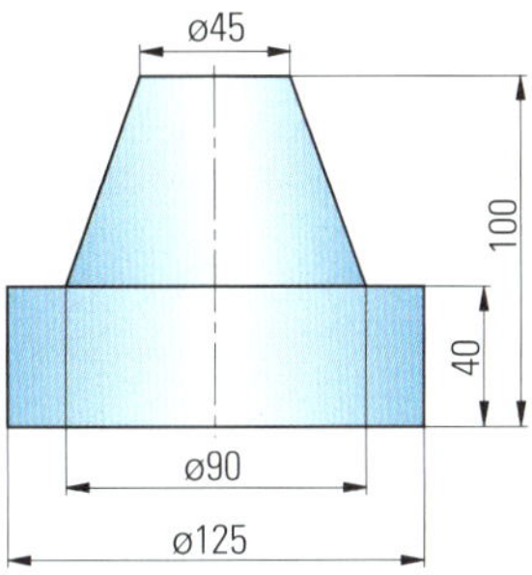

8. Aus einem Stahlblock von 800 mm × 300 mm × 1250 mm wird ein Stahlband mit einer Dicke von 2 mm und einer Breite von 600 mm gewalzt. Wie lang wird das Stahlband?

9. Ein prismatischer Behälter ist mit Öl gefüllt. Nachdem 1200 Liter entnommen wurden, ist der Ölspiegel von 1,60 m auf 0,70 m gefallen. Wie viele Liter Öl sind noch im Behälter?

10. Wie groß ist das Volumen?

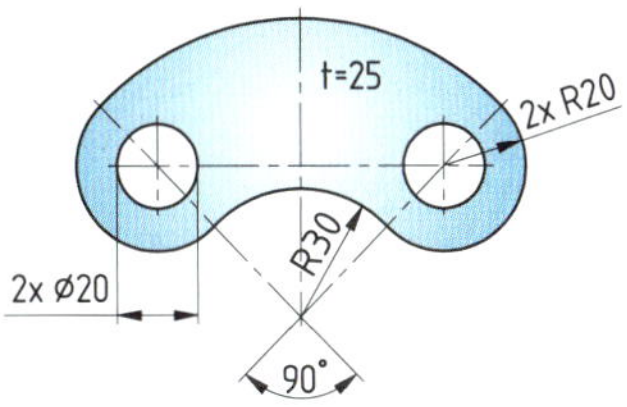

4.6 Massenberechnungen

AH GK S. 63-S. 64

Jeder Körper besitzt eine bestimmte Masse, die sich auf einer Waage durch Vergleich mit einem Gewichtsstück bestimmen lässt.

- Die Einheit der Masse *m* ist das Kilogramm (kg).
  Je nach Anwendungsfall werden auch die folgenden Einheiten verwendet:
- Gramm (g): 1 g
- Kilogramm (kg): 1 kg = 1000 g
- Tonne (t): 1 t = 1000 kg = 1000000 g

Die Masse *m* eines Körpers hängt ab

- von seinem Volumen *V* und
- von seiner Dichte ρ (Rho).

Masse = Volumen · Dichte	$m = V \cdot \rho$

Die **Dichte** ist ein werkstoffspezifischer Wert und kann Tabellenbüchern entnommen werden.

$Dichte = \dfrac{\text{Masse}}{\text{Volumen}}$	$\rho = \dfrac{m}{V}$

Beispielaufgabe 1

Die Masse des Distanzstücks aus Stahl ist zu berechnen.

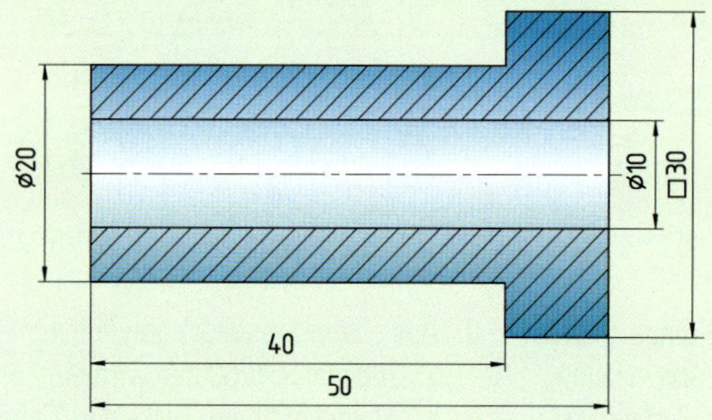

geg.: Werkstückmaße laut Zeichnung

Aus Tabellenbuch: $\rho = 7{,}85\ \dfrac{\text{g}}{\text{cm}^3}$

ges.: Masse in g

Lösung:

$m = V \cdot \rho$

$m = (V_1 + V_2 - V_3) \cdot \rho_{\text{Stahl}}$

$V_1 = \dfrac{d^2 \cdot \pi}{4} \cdot h$

$V_1 = \dfrac{2^2\ \text{cm}^2 \cdot \pi}{4} \cdot 4\ \text{cm}$

$\underline{V_1 = 12{,}57\ \text{cm}^3}$

$V_2 = a^2 \cdot h$

$V_2 = 3^2\ \text{cm}^2 \cdot 1\ \text{cm}$

$\underline{V_2 = 9\ \text{cm}^3}$

$V_3 = \dfrac{d^2 \cdot \pi}{4} \cdot h$

$V_3 = \dfrac{1^2\ \text{cm}^2 \cdot \pi}{4} \cdot 5\ \text{cm}$

$\underline{V_3 = 3{,}93\ \text{cm}^3}$

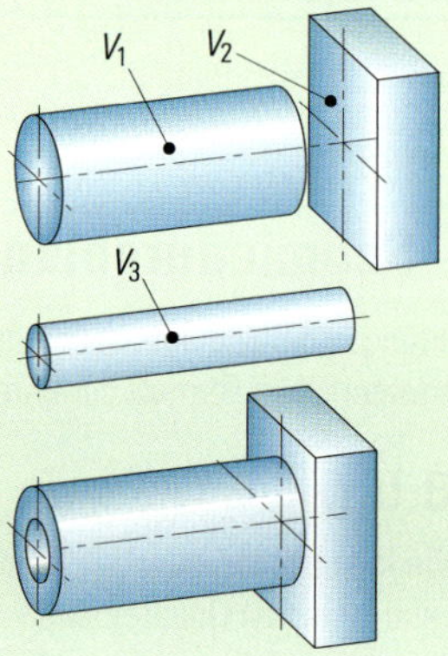

$m = (12{,}57\ \text{cm}^3 + 9\ \text{cm}^3 - 3{,}93\ \text{cm}^3) \cdot 7{,}85\ \dfrac{\text{g}}{\text{cm}^3}$

$m = 17{,}64\ \text{cm}^3 \cdot 7{,}85\ \dfrac{\text{g}}{\text{cm}^3}$

$m = \underline{\underline{138{,}5\ \text{g}}}$

Längen- und flächenbezogene Massenberechnung

Bei **Rohren**, **Profilen** und **Drähten** ist die Querschnittsfläche über der gesamten Länge gleich bleibend. Ein doppelt so langes Profil aus dem gleichen Werkstoff und mit dem gleichen Querschnitt hat auch die doppelte Masse.

In Halbzeugtabellen ist die **längenbezogene Masse** *m'* angegeben. Das ist die auf den jeweiligen Werkstoff und Querschnitt bezogene Masse pro 1 m Länge.

Für die Berechnung der Masse ergibt sich damit:

Masse = längenbezogene Masse · Länge

$m = m' \cdot l$	m' in $\dfrac{\text{kg}}{\text{m}}$

Bei **Blechen** ist die Blechdicke über der gesamten Fläche gleich bleibend. Eine doppelte Fläche ergibt damit eine doppelte Masse. Tabellen für Bleche enthalten Werte für die flächenbezogene Masse *m''*. Das ist die auf den jeweiligen Werkstoff und die Blechdicke bezogene Masse pro 1 m² Fläche.

Für die Berechnung der Masse ergibt sich damit:

Masse = längenbezogene Masse · Länge

$m = m'' \cdot A$	m' in $\dfrac{\text{kg}}{\text{m}^2}$

Beispielaufgabe 2

Ein ungleichschenkliges L-Profil L EN 10056-1 – 30 × 20 × 4 – S235JR hat eine Länge von 2,88 m.
Welche Masse hat das L-Profil?

geg.: $l = 2{,}88$ m; $a = 30$ mm; $b = 20$ mm; $t = 4$ mm

Aus Tabellenbuch: $m' = 1{,}46\ \dfrac{\text{kg}}{\text{m}}$

ges.: Masse in kg

Lösung: $m = m' \cdot l$

$m = 1{,}46\ \dfrac{\text{kg}}{\text{m}} \cdot 2{,}88\ \text{m}$

$\underline{\underline{m = 4{,}2\ \text{kg}}}$

ÜBUNGEN

1. Bestimmen Sie mithilfe Ihres Tabellenbuches die längenbezogene Masse *m'* für jeweils folgende blanke Flachstähle:
a) 10 mm × 6 mm
b) 20 mm × 10 mm
c) 32 mm × 4 mm
d) 40 mm × 20 mm

2. Ermitteln Sie mithilfe Ihres Tabellenbuches jeweils die Masse
a) U-Profil DIN 1026 – U 80 S235JR 500 mm lang
b) L-Profil EN 10056-1 – 50 × 50 × 4 – S235JR 200 mm lang
c) I-Profil DIN 1025 – S235JR – I220 55 mm lang

3. Bestimmen Sie mithilfe Ihres Tabellenbuches die längenbezogene Masse *m'* für folgende Stabstähle bzw. Rohre aus Stahl.

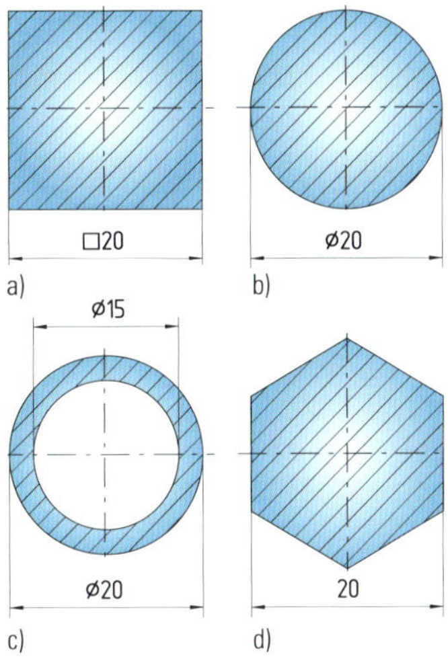

4. Welche Masse hat der Stahlrahmen aus Hohlprofil EN 10210 – S275J0H – 60 × 40 × 5 (m' = 5,67 kg/m)?

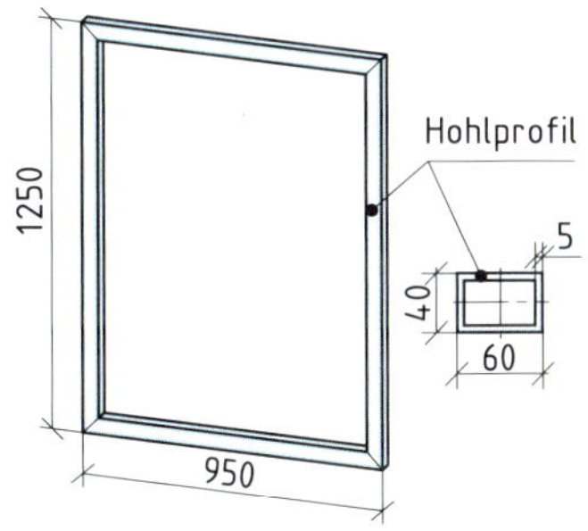

5. Welche Masse haben 20 Aluminiumblechtafeln von 2,5 m Länge, 1,25 m Breite und 1,5 mm Dicke?

6. Die Gleitlagerbuchse besteht aus Kunststoff mit einer Dichte von 2,2 kg/dm³. Welche Masse hat sie?

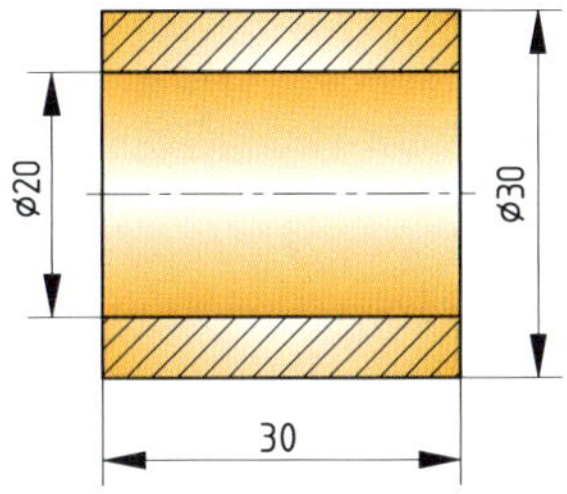

7. Das Gegengewicht mit einer Masse von 50 kg soll aus Gusseisen hergestellt werden. Welche Höhe muss es haben?

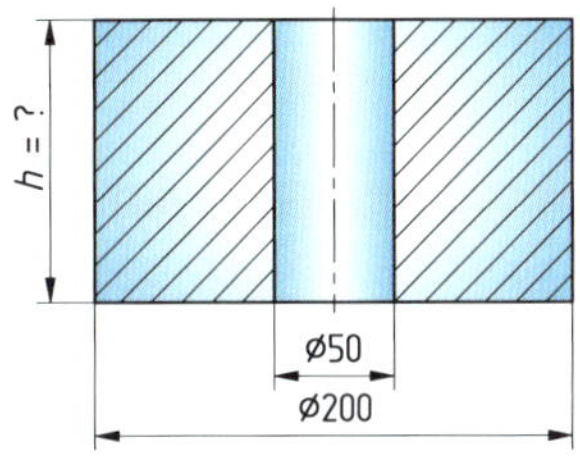

8. In einen zylindrischen Behälter mit 500 mm lichtem Durchmesser werden 100 kg (200 kg, 250 kg) Schmieröl gepumpt. Wie hoch steht das Öl jeweils im Behälter?

9. Welche Höhe muss der zylindrische Teil des Gewichtsstücks aus Gusseisen erhalten, wenn der Griff 500 g wiegt und der Durchmesser des Gewichtsstücks 100 mm beträgt?

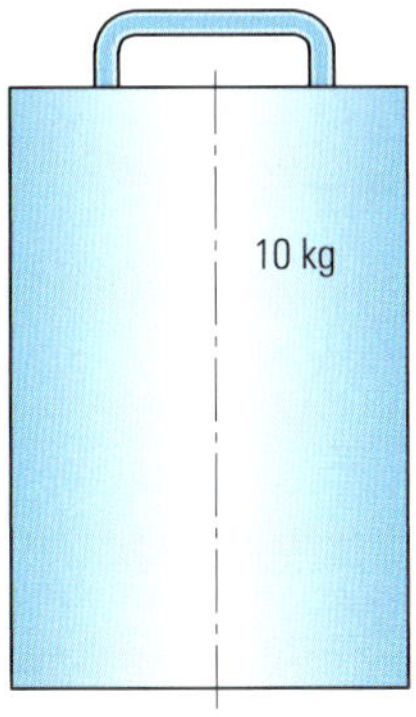

10. Eine Führungsleiste aus Gusseisen mit 250 mm Länge wird aus einem Rohling mit 65 mm × 35 mm × 255 mm gefräst.
a) Welche Masse hat der Rohling?
b) Wie groß ist die Masse der gefrästen Leiste?

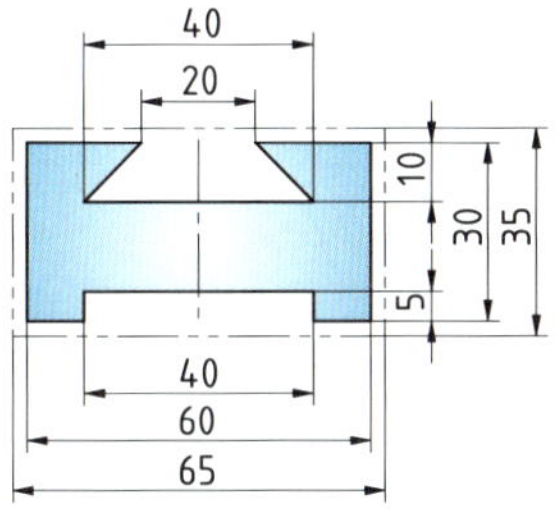

11. Welche Masse hat die Zentrierspitze aus Stahl?

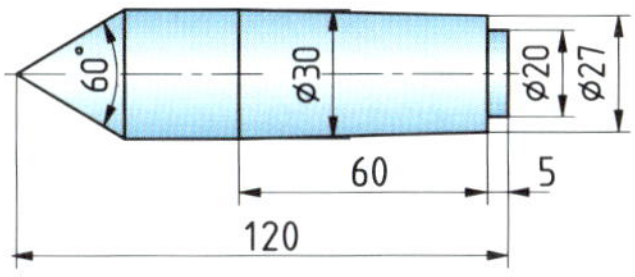

12. Welche Masse hat eine Stahlkette aus 55 Kettengliedern?

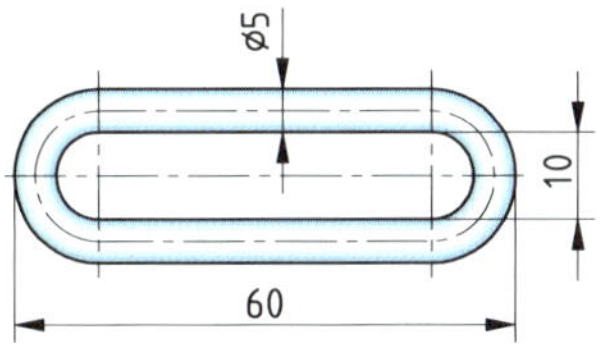

13. a) Welche Masse hat das Frästeil aus Aluminium?
b) Wie groß ist die Spanmasse, wenn das Rohteil 55 mmm × 105 mmm × 125 mm groß war?
c) Wie viel Prozent des Rohteils mussten zerspant werden?

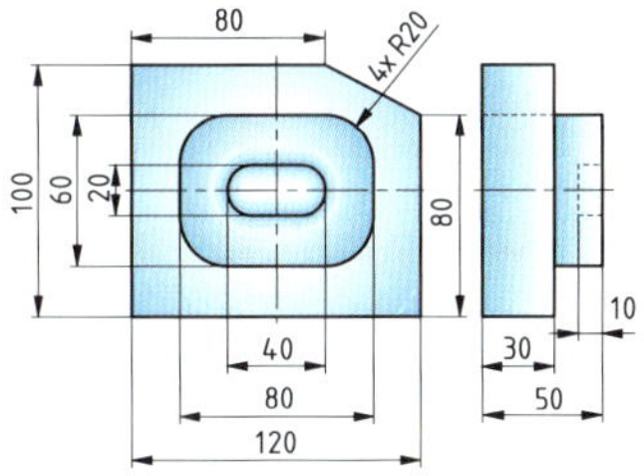

4.7 Bewegungen und Geschwindigkeiten

4.7.1 Geradlinige Bewegungen

Mit einem Transportband sollen Werkstücke einer Bearbeitungsmaschine zugeführt werden. Für einen störungsfreien Ablauf müssen sie die Weglänge von 5 m in 30 s zurücklegen. Die Geschwindigkeit ist einzustellen.

$$Geschwindigkeit = \frac{\text{Weg}}{\text{Zeit}}$$

$$v = \frac{s}{t}$$

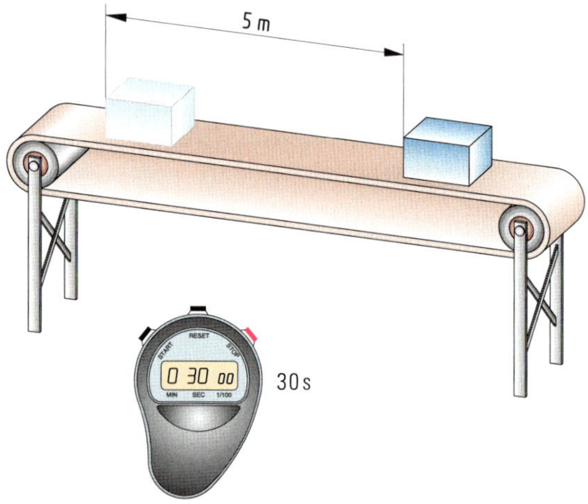

Beispielrechnung

geg.: $s = 5\text{ m}$; $t = 30\text{ s}$

ges.: v in m/s

Lösung: $v = \frac{s}{t}$

$v = \frac{5\text{ m}}{30\text{ s}}$

$v = 0{,}17\ \frac{\text{m}}{\text{s}}$

ÜBUNGEN

1. Ein Laufkran benötigt von einer Hallenseite zur anderen 4 min. Er hat dann einen Weg von 60 m zurückgelegt. Mit welcher Fahrgeschwindigkeit wird die Last bewegt?

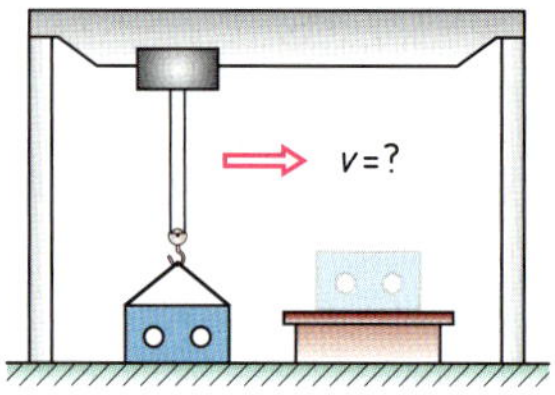

2. Die Kiste auf einem Förderband legt in 0,5 min einen Weg von 12 m zurück. Ihre Geschwindigkeit sollte kleiner als 0,5 m/s sein. Überprüfen Sie diese Forderung!

3. Mit einer hydraulischen Strangpresse werden Rohre hergestellt. Sie arbeitet mit einer Pressgeschwindigkeit von 7,5 m/min. Ein Pressvorgang dauert 180 Sekunden. Welche Rohrlängen sind erzielbar?

4. a) Berechnen Sie den zurückgelegten Weg in der sogenannten Schrecksekunde (Autofahren) bei den in der Tabelle aufgeführten Geschwindigkeiten.
b) Welche Erkenntnis lässt sich aus dem Ergebnis im Hinblick auf den Sicherheitsabstand ableiten?

v_1	v_2	v_3
40 km/h	80 km/h	160 km/h

5. Die Hubgeschwindigkeit der Flasche (Haken) beträgt 450 mm/s. In welcher Zeit kann die Last 9 m hoch gehoben werden?

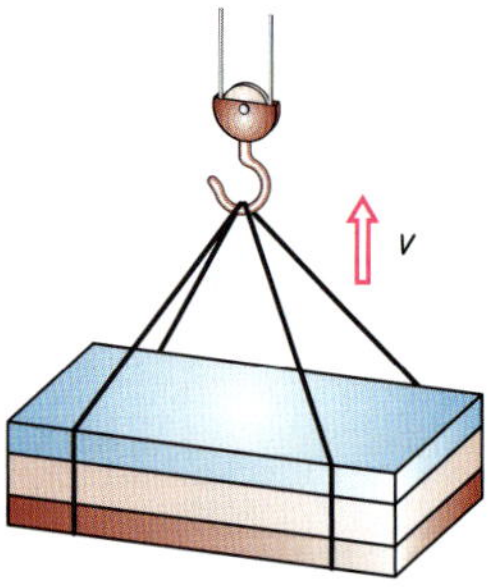

6. Die Brennschneidmaschine arbeitet mit einer Verfahrgeschwindigkeit von $v = 620$ mm/min. Welche Zeit wird benötigt, um das Seitenteil auszuschneiden?

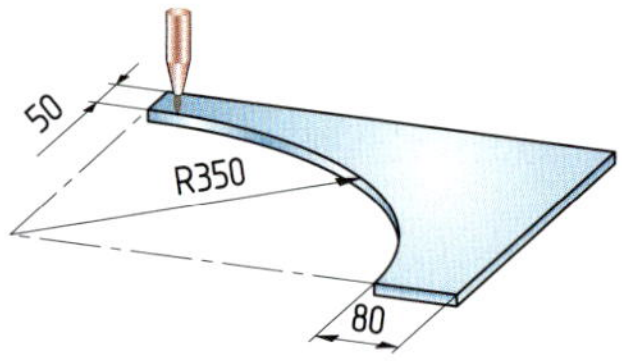

7. Berechnen Sie die fehlenden Werte

v	t	s_3
32 km/h	? h	112 km
? km/h	4 h 10 min	360 km
120 m/min	5 h 48 min	? km
4 m/s	5,2 min	? km
? m/s	42,8 min	54 km
12 m/min	? h	620 m

4.7.2 Bewegungen an Werkzeugmaschinen

Die fachlichen Zusammenhänge von Umfangs- bzw. Schnittgeschwindigkeit und Umdrehungsfrequenz sind in den Lernfeldern 1 und 2: „Fertigen von Bauelementen" im Kapitel 1.3.3 „Bohren, Senken, Reiben und Gewindeschneiden" auf Seite 36 dargestellt und werden beim Drehen auf Seite 42 sowie beim Fräsen auf Seite 50 angewendet.
Das v_c-d-Nomogramm finden Sie auf Seite 37.
Die Berechnung der Vorschubgeschwindigkeit finden Sie in den Lernfeldern 1 und 2 „Fertigen von Bauelementen" im Kapitel 1.3.5 „Fräsen" auf Seite 50.

ÜBUNGEN

1. Es sind 12 Bohrungen in 30 mm dicke Stahlplatten zu bohren.
Die eingestellten Schnittwerte sind: $f = 0{,}1$ mm, $n = 650$/min.
a) Berechnen Sie die Vorschubgeschwindigkeit.
b) Warum sind die vorgegebenen Schnittdaten einzuhalten?

2. Es sind 4 Bohrungen mit ∅ 20 mm in eine Lasche 15 mm tief zu bohren.

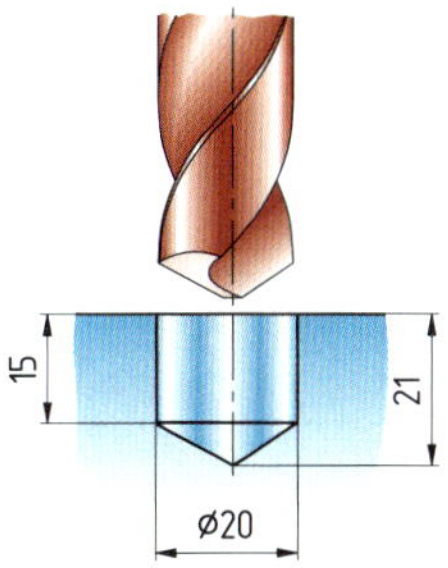

Folgende Daten sind gegeben:
$f = 0{,}1$ mm, $n = 400$/min.
Welche Zeit ist für die Herstellung (Zerspanung) der Bohrungen notwendig?

3. Die Vorschubgeschwindigkeit einer Fräsmaschine beträgt $v_f = 70$ mm/min.
Berechnen Sie die Zeitdauer für das Überfräsen der Platte bei 420 mm Verfahrweg.

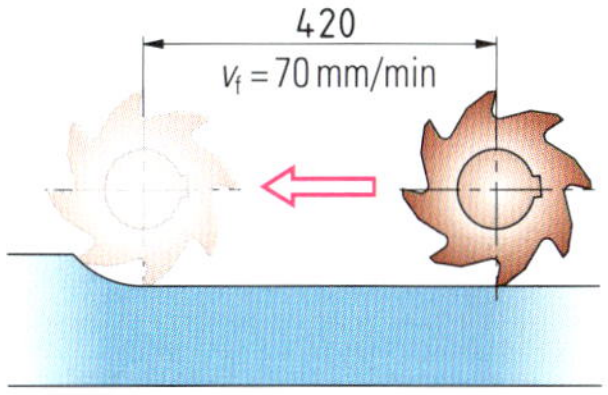

4. An einer Drehmaschine ist ein Vorschub $f = 0{,}2$ mm und eine Umdrehungsfrequenz $n = 540$/min eingestellt. Wie groß ist die Vorschubgeschwindigkeit?

5. Bolzen sollen mit einem Ansatz versehen werden. An der Drehmaschine sind folgende Daten einzustellen:
$n = 500$/min, $f = 0{,}4$ mm, Schnitttiefe jeweils 4 mm.
Welche Zerspanzeit muss für das Bearbeiten eines Bolzens vorgesehen werden?

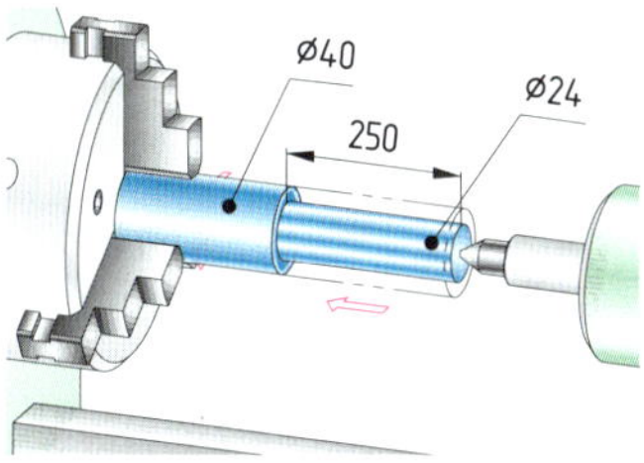

6. Bei einer Tischbohrmaschine lässt sich die Umdrehungsfrequenz von 250/min bis 4 000/min stufenlos einstellen. Die Schnittgeschwindigkeit des Bohrers soll 18 m/min betragen. Bestimmen Sie die einzustellende Umdrehungsfrequenz für eine Bohrung von ∅ 12 mm.

7. Bestimmen Sie die fehlenden Werte der Tabelle.

	a)	b)	c)	d)	e)
n	?	500	200	?	500
d	15	120	?	50	320
v_c	40	?	160	300	?

8. Eine Schleifscheibe von 180 mm Durchmesser soll auf einer Ständerschleifmaschine (Schleifbock) mit einer Umdrehungsfrequenz von max. 2 990/min eingesetzt werden. Die zulässige Umfangsgeschwindigkeit der Scheibe beträgt 63 m/s. Darf diese Scheibe verwendet werden?

9. Eine Bohrmaschine wird für folgende Arbeit vorbereitet:
Werkstoff: S235JR; Bohrer aus HSS
Durchmesser:
a) 5 mm; b) 8 mm; c) 11 mm.
Kühlschmiermittel vorhanden.
a) Ermitteln Sie v_c.
b) Legen Sie die Umdrehungsfrequenz nach dem v_c-d-Nomogramm von Seite 37 fest.

10. An eine Platte aus E295 ist ein Absatz einzufräsen. Welche Umdrehungsfrequenz ist an der Maschine einzustellen, wenn eine Schnittgeschwindigkeit $v_c = 20$ m/min vorgegeben wird?

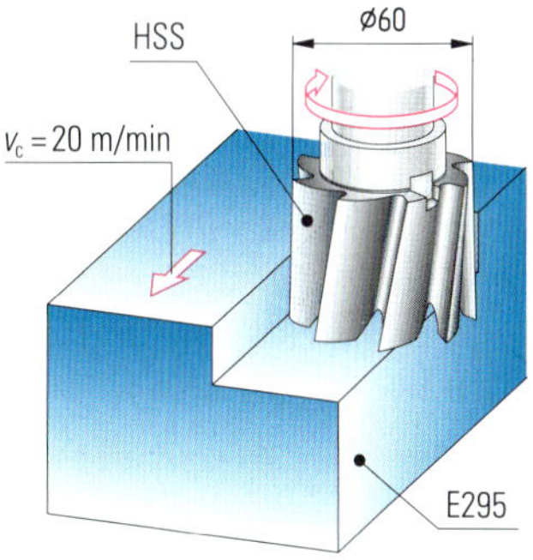

4.8 Kräfte

4.8.1 Beschleunigungs- und Gewichtskräfte

Kräfte können ruhende Körper **verformen**, dies kann man sehr anschaulich z. B. beim Schmieden oder auch bei einer Zug- oder Druckfeder beobachten (Bild 1).

Kräfte selbst sind nicht sichtbar, sondern nur ihre Wirkungen. Wenn z. B. Zug- oder Druckfedern innerhalb ihres elastischen Bereiches beansprucht werden, verhalten sich die einwirkende Kraft *F* und die dadurch entstehende Längenänderung Δl proportional. Federn können deshalb zur **Kraftmessung** verwendet werden (Federwaage Bild 2).

Kräfte sind auch die Ursache für **Bewegungsänderungen** von Körpern. Um z. B. ein Auto anzuschieben, braucht man Kraft. Je größer die Masse des Autos ist, desto mehr Kraft wird benötigt (Bild 3).

Merke

Je größer die zu beschleunigende Masse *m* ist, desto größer muss die einwirkende Kraft *F* sein.

Um ein Auto in der Zeit $t = 10$ s von 0 auf 4 m/s zu beschleunigen, braucht man mehr Kraft, als es in der gleichen Zeit von 0 auf 3 m/s zu beschleunigen.

Merke

Je mehr ein Körper beschleunigt werden soll, desto größer ist die hierzu erforderliche Kraft.

Die **Beschleunigung** *a* ist die Änderung der Geschwindigkeit *v* pro Zeiteinheit *t*.

$$\text{Beschleunigung} = \frac{\text{Geschwindigkeit}}{\text{Zeit}} \qquad a = \frac{v}{t}$$

Die Erkenntnis, dass die erforderliche **Kraft** mit steigender Beschleunigung und größerer Masse zunimmt, wird mit folgender Formel beschrieben:

$$\text{Kraft} = \text{Masse} \cdot \text{Beschleunigung} \qquad F = m \cdot a$$

Dieser Zusammenhang ist von so großer Bedeutung, dass er als **Grundgesetz der Dynamik** bezeichnet wird. Es wurde von Isaak Newton (1643–1727) entdeckt.

Nach ihm wurde das „Newton" (Einheitenzeichen N) als Einheit für die Kraft benannt:

$$1\ \text{N} = 1\ \text{kg} \cdot 1\ \frac{\text{m}}{\text{s}^2} = 1\ \frac{\text{kg} \cdot \text{m}}{\text{s}^2}$$

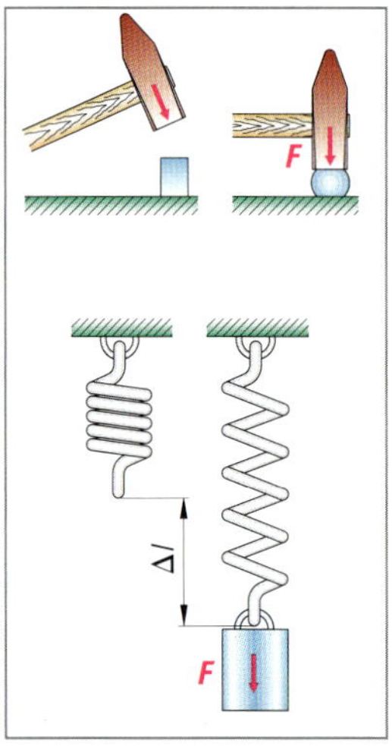

1 Verformung durch Krafteinwirkung

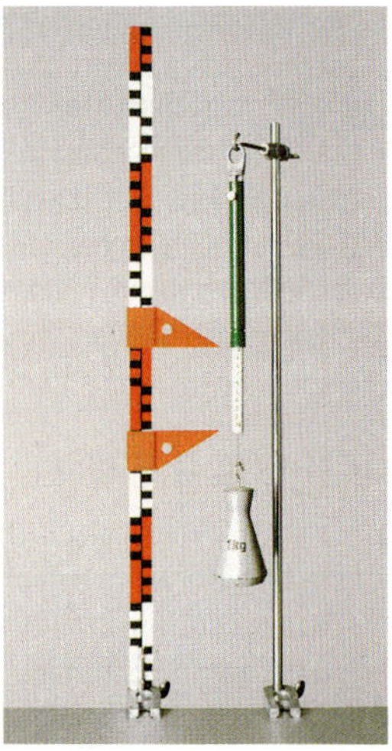

2 Federwaage

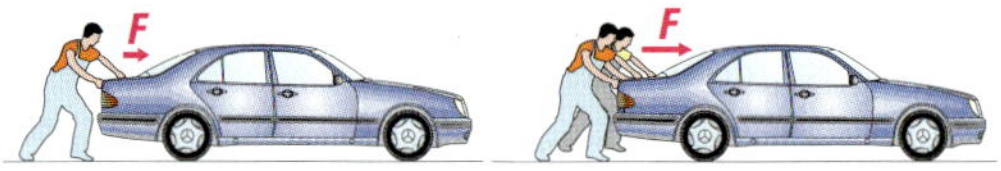

3 Beschleunigung eines Pkw

Beispielaufgabe 1

Welche Kraft ist erforderlich, wenn ein 800 kg schweres Auto mit 0,3 m/s² beschleunigt werden soll (Reibung wird vernachlässigt)?

geg.: $m = 800$ kg; $a = 0{,}3$ m/s²

ges.: *F* in N

Lösung: $F = m \cdot a$

$F = 800\ \text{kg} \cdot 0{,}3\ \frac{\text{m}}{\text{s}^2}$

$F = 240\ \frac{\text{kg} \cdot \text{m}}{\text{s}^2}$

$\underline{\underline{F = 240\ \text{N}}}$

Fällt ein Körper im luftleeren Raum nach unten, so erfährt er in unseren Breitengraden eine Beschleunigung von 9,81 m/s². Diese Größe wird **Erdbeschleunigung** *g* genannt. Nach dem Grundgesetz der Dynamik lässt sich damit die **Gewichtskraft** F_G eines Körpers berechnen:

$$F_G = m \cdot g \qquad g = 9{,}81\ \frac{\text{m}}{\text{s}^2}$$

Die Gewichtskraft eines Körpers ist immer lotrecht nach unten zum Erdmittelpunkt hin gerichtet.

Beispielaufgabe 2

An der Kette eines Krans hängt ein Stahlblock mit einer Masse von 500 kg. Mit welcher Kraft wird die Kette auf Zug beansprucht?

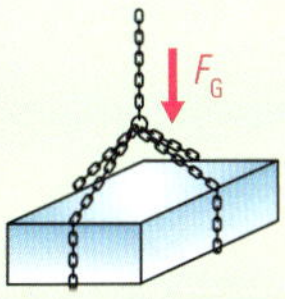

geg.: $m = 500\ \text{kg};\ g = 9{,}81\ \text{m/s}^2$

ges.: F_G in N

Lösung: $F = m \cdot a$

$$F_G = 500\ \text{kg} \cdot 9{,}81\ \frac{\text{m}}{\text{s}^2}$$

$$F_G = 4\,905\ \text{N}$$

$$\underline{\underline{F_G = 4{,}9\ \text{N}}}$$

ÜBUNGEN

1. Welche Gewichtskraft hat eine Masse von 5,4 kg?
2. Ein Werkstück hat eine Gewichtskraft von 100 N. Wie groß ist seine Masse?
3. Ein Stahlträger hat eine Masse von 0,5 t. Welche Gewichtskraft hat er?
4. Ein Stahlträger I-Profil DIN 1025 – S235JR – IPB200 hat eine Gewichtskraft von 3007 N. Ermitteln Sie mithilfe des Tabellenbuches die Länge des Trägers.
5. Welche Kraft wird zum Beschleunigen bzw. Abbremsen eines 15 kg schweren Wagens mit 2,5 m/s² benötigt?
6. Welche Kraft ist erforderlich, um einen Pkw mit 800 kg in 10 s von 0 auf 100 km/h zu beschleunigen (Reibung bleibt unberücksichtigt)?
7. Zum Beschleunigen eines Wagens wird eine Kraft von 500 N wirksam. Wie groß ist die Masse des Körpers, wenn die Beschleunigung 2 m/s² beträgt?
8. Das Werkstück hat eine Gewichtskraft von 2,96 N. Wie groß ist seine Dichte?

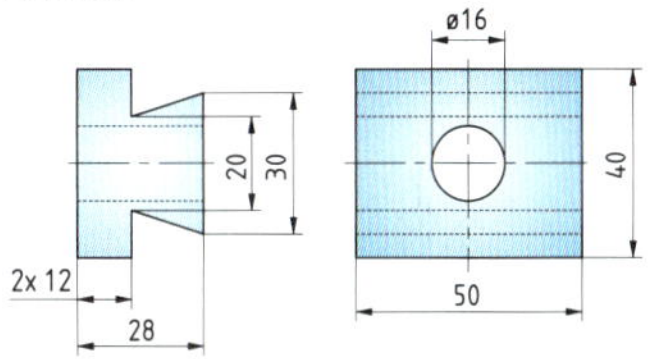

9. Welche Masse hat ein Aluminiumteil mit einer Dichte von 2,7 kg/dm³, das eine Gewichtskraft von 1250 N ausübt?

4.8.2 Kräfte sind gerichtete Größen

Die Wirkungen einer Kraft, die z. B. auf einen Wagen ausgeübt wird, sind von verschiedenen Faktoren abhängig:

- **Größe der Kraft**
  Kräfte werden zeichnerisch als **Pfeile** dargestellt. Die Länge des Kraftpfeils entspricht dabei der Größe der Kraft. Zum Zeichnen eines Kraftpfeils ist ein geeigneter **Kräftemaßstab KM** festzulegen. 5 mm ≙ 1 kN bedeutet, dass z. B. eine Kraft von 3 kN als ein 15 mm langer Kraftpfeil zu zeichnen ist.
- **Richtung der Kraft**
  Die Richtung des Kraftpfeils gibt die Richtung der einwirkenden Kraft an. Nebenstehendes Bild zeigt die unterschiedlichen Auswirkungen von Kräften gleicher Größe, aber unterschiedlicher Richtung. Die Kraft ist eine **gerichtete Größe**. Die Wirkungslinie WL ist die gedachte Gerade, auf der eine Kraft wirkt. Die Kräfte können auf ihrer Wirkungslinie verschoben werden, ohne dass sich dadurch ihre Wirkung ändert.
- **Angriffspunkt der Kraft**
  Trotz gleicher Größe von 750 N und gleicher Richtung lotrecht nach unten ergeben sich unterschiedliche Wirkungen durch die jeweiligen Angriffspunkte der Kräfte.

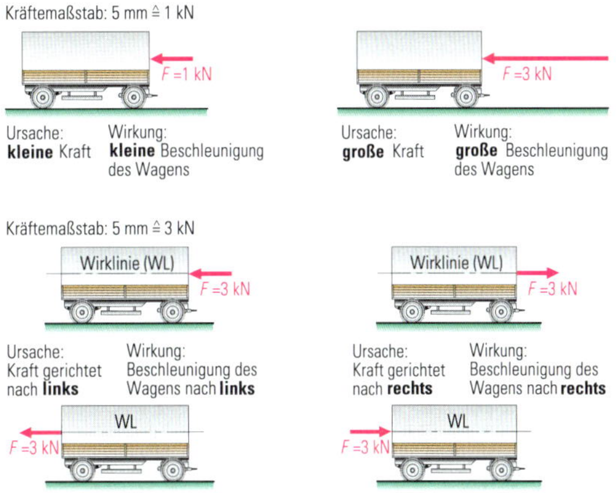

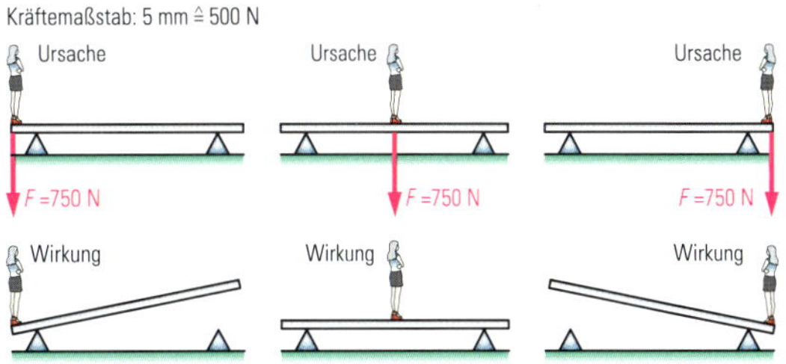

Gleichgewicht der Kräfte

Das Spannschloss wird durch das linke Seil mit der **Kraft** F belastet. Gleichzeitig übt das rechte Seil eine **Gegenkraft** F' auf das Spannschloss aus. Diese liegt auf der gleichen Wirkungslinie und besitzt die gleiche Größe wie die Kraft F, ist ihr jedoch entgegengerichtet.

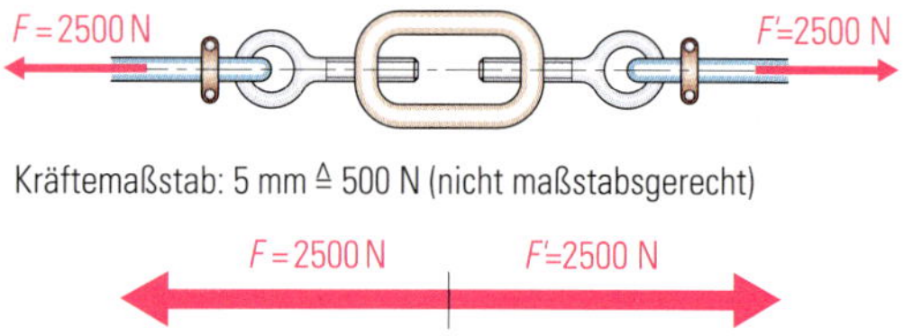

Merke

Wenn Kraft und Gegenkraft gleich groß sind, stehen die Kräfte im Gleichgewicht.
Das betrachtete System bleibt in Ruhe.

ÜBUNGEN

1. Ein Aufzug hat eine Gewichtskraft von 9500 N.
Skizzieren Sie den Aufzug und zeichnen Sie maßstäblich die auf ihn einwirkende Kraft und Gegenkraft ein.

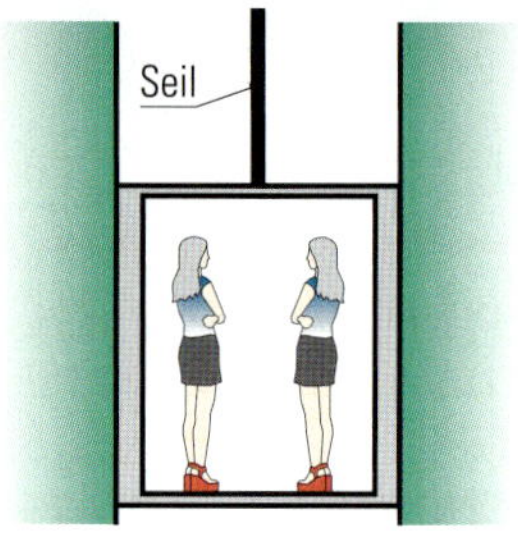

2. Auf die Kolbenstange eines Pneumatikzylinders wirkt eine Spannkraft von 1600 N.
Skizzieren Sie Kolben und Kolbenstange und zeichnen Sie für den ruhenden Zustand die wirkenden Kräfte maßstäblich ein.

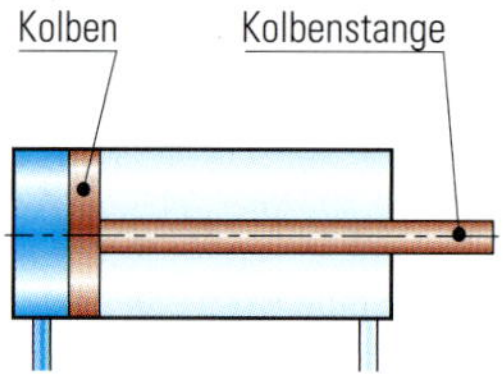

3. Wie verhält sich bei einem Pkw in den folgenden Fällen die Antriebskraft F_A der Räder zur Kraft F_W, die der Pkw durch den Luftwiderstand und den Rollwiderstand erfährt?
   a) Der Pkw fährt mit konstanter Geschwindigkeit von 100 km/h.
   b) Der Pkw vermindert seine Geschwindigkeit von 100 km/h auf 80 km/h.
   c) Der Pkw erhöht seine Geschwindigkeit von 80 km/h auf 100 km/h.

4.8.3 Zusammensetzung von Kräften

Kräfte auf einer Wirkungslinie

Beim Tauziehen wirken z. B. vier Kräfte auf einer Wirkungslinie. Welche der beiden Guppen die stärkere ist, lässt sich zeichnerisch ermitteln, indem die Summe der Einzelkräfte gebildet wird. Dazu sind die Kräfte in beliebiger Reihenfolge aneinanderzureihen, wobei unbedingt die **Richtung der Einzelkräfte** zu beachten ist.

Die **Summe der Einzelkräfte** hat die gleiche Wirkung wie die vier Kräfte zusammen. Sie wird **Ersatzkraft** oder **Resultierende** F_R genannt. In unserem Beispiel beträgt die waagerecht nach links gerichtete Resultierende 100 N. Die linke Gruppe ist also stärker.

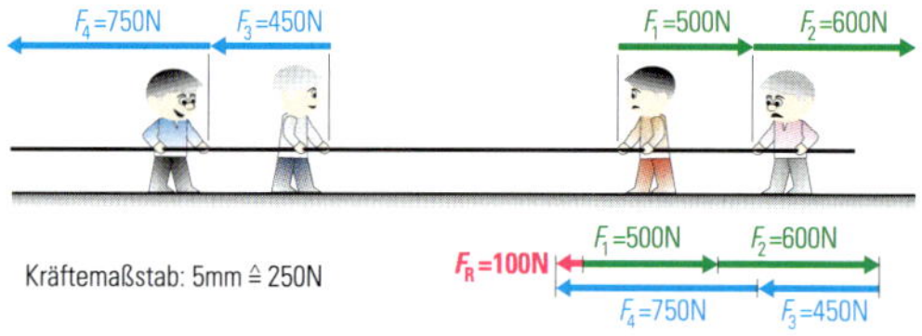

Merke

Bei $F_R = 0$ herrscht Gleichgewicht.

Zwei Kräfte auf sich schneidenden Wirkungslinien

Die Umlenkrolle wird durch die Seilkräfte $F_1 = 40$ kN und $F_2 = 40$ kN belastet. Wie groß ist die resultierende Kraft F_R, die die Achse der Seilrolle aufnehmen muss, und wie ist sie gerichtet?

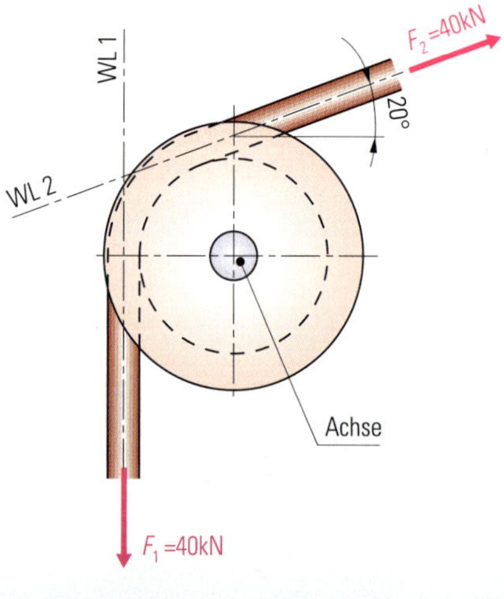

Beispiel

Lösung mit Kräfteparallelogramm:

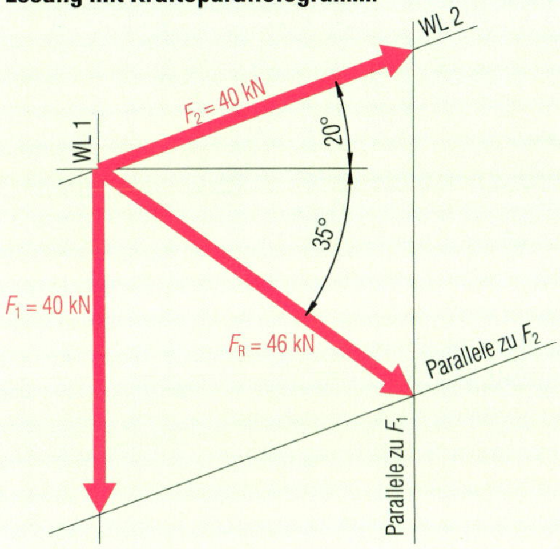

KM: 10 mm ≙ 10 kN

- Kräftemaßstab festlegen.
- Wirkungslinien der beiden Kräfte unter den vorgegebenen Richtungen so einzeichnen, dass sie sich schneiden.
- Kräfte im Schnittpunkt der Wirkungslinien beginnend in Größe und Richtung einzeichnen.
- Parallelen zu den beiden Kräften so durch die Pfeilspitzen zeichnen, dass ein Kräfteparallelogramm entsteht.
- Die resultierende Kraft F_R als Diagonale vom gemeinsamen Angriffspunkt der beiden Kräfte beginnend einzeichnen.
- Resultierende in Größe und Richtung abmessen.

ÜBUNGEN

1. Ermitteln Sie rechnerisch und zeichnerisch die resultierende Kraft, die ein Aufzug auf das Seil ausübt, wenn die Gewichtskraft des Aufzugs 3200 N beträgt und sich fünf Personen mit einer durchschnittlichen Gewichtskraft von 750 N im Aufzug befinden.

2. Bestimmen Sie rechnerisch und zeichnerisch, mit welcher Druckkraft F_D die Kolbenstange des Pneumatikzylinders mit Federrückstellung beansprucht wird. Wählen Sie einen geeigneten Kräftemaßstab.

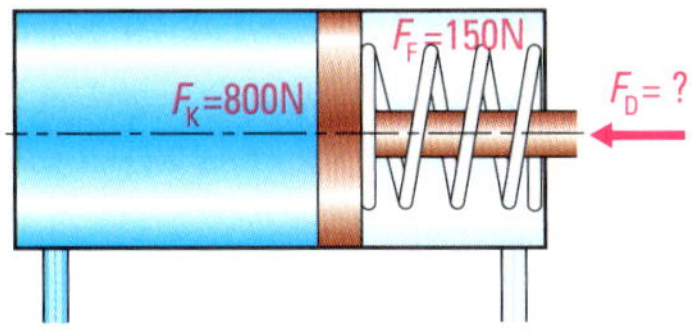

3. Ermitteln Sie die Resultierenden in Größe und Richtung mithilfe des Kräfteparallelogramms.

a)

Kräftemaßstab: 10mm ≙ 4N

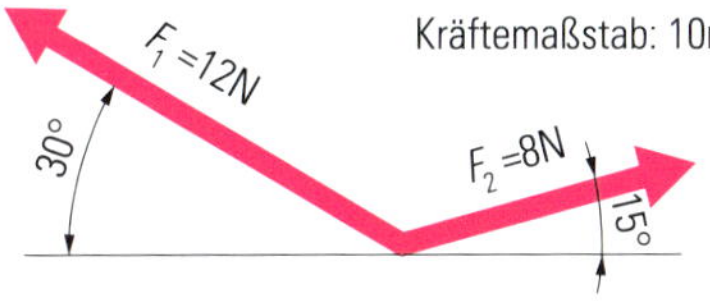

Kräftemaßstab: 10mm ≙ 400kN

b)

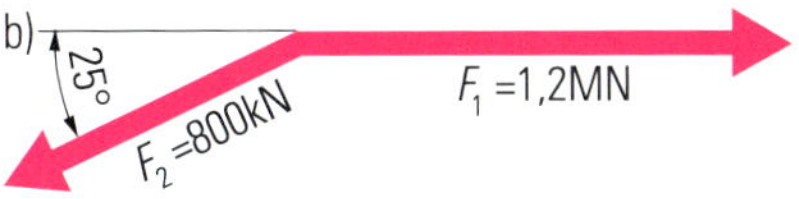

4. An einem Mauerhaken sind zwei Spannseile befestigt. Mit welcher resultierenden Kraft wird der Haken belastet und unter welchem Winkel wirkt die Kraft?

Kräftemaßstab: 10mm ≙ 500N

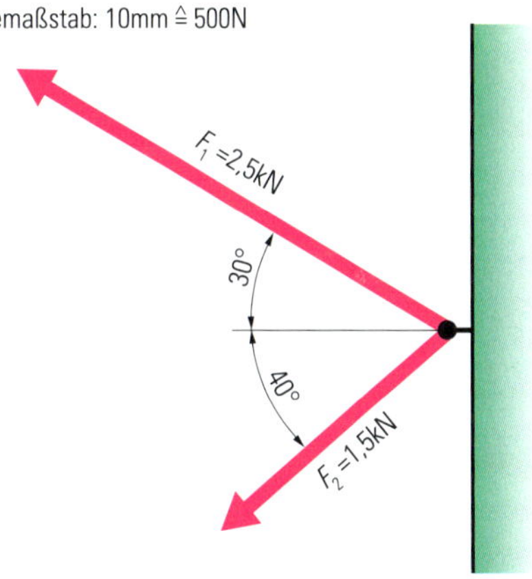

5. In welcher Größe und in welcher Richtung wirkt die Resultierende auf die Lagerung des Winkelhebels, die sich aus den Kräften F_1 und F_2 ergibt?

Kräftemaßstab: 10mm ≙ 500N

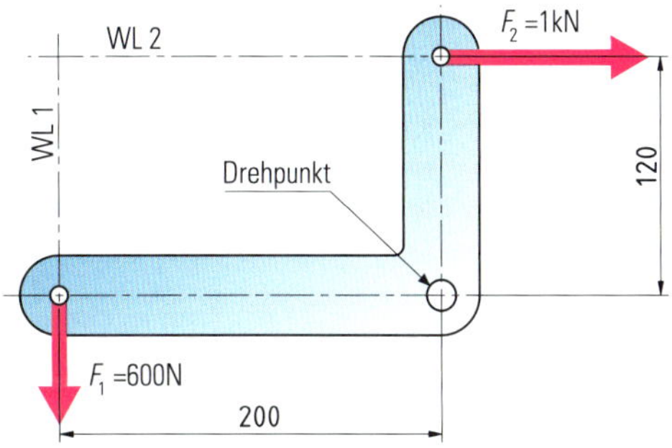

4.8.4 Zerlegung von Kräften

Eine Kiste mit einer Gewichtskraft von 5 kN hängt an einer Krankette. Da im System Gleichgewicht herrscht, muss die in Kette 3 nach oben gerichtete Kraft F so groß sein wie die Gewichtskraft F_G der Kiste. Von Kette 3 wird die Gewichtskraft F in die Ketten 1 und 2 eingeleitet, die einen Winkel von 70° zueinander bilden.
Wie groß sind die Kräfte F_1 und F_2 in den Ketten 1 und 2, die an der Kiste angreifen?
Um dies zu ermitteln, muss die gegebene Kraft $F = 5$ kN in die zwei Teilkräfte (Komponenten) F_1 und F_2 zerlegt werden.

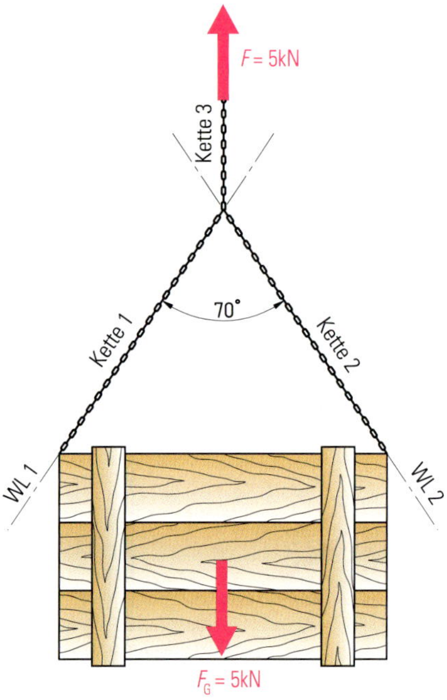

Beispiel

Lösung:

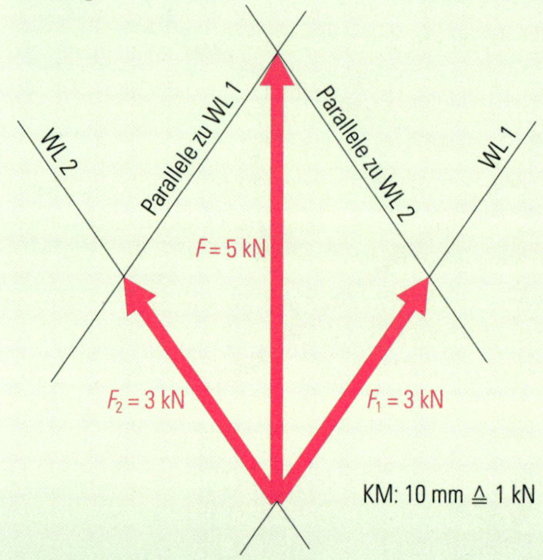

- Kräftemaßstab festlegen.
- Gegebene Kraft F in Größe und Richtung einzeichnen.
- Die Wirkungslinien WL 1 und WL 2 der Teilkräfte durch den Angriffspunkt der gegebenen Kraft F eintragen.
- Parallelen zu den Wirkungslinien durch die Pfeilspitze von F konstruieren.
- Teilkräfte F_1 und F_2 vom gemeinsamen Angriffspunkt der Kräfte zu den Schnittpunkten der Wirkungslinien mit den Parallelen eintragen.
- Größe der Teilkräfte abmessen und mithilfe des Kräftemaßstabs umrechnen.

Merke
Jede Kraft kann mithilfe eines Kräfteparallelogramms in zwei Teilkräfte zerlegt werden, wenn die Wirkungslinien der Teilkräfte bekannt sind.

ÜBUNGEN

1. Wie verändern sich im obigen Beispiel die Kräfte in den Ketten 1 und 2, wenn sie statt 70° einen Winkel von 45° bzw. 130° einschließen?

2. Welche Zugkräfte wirken in den Stangen der Zuggabel?

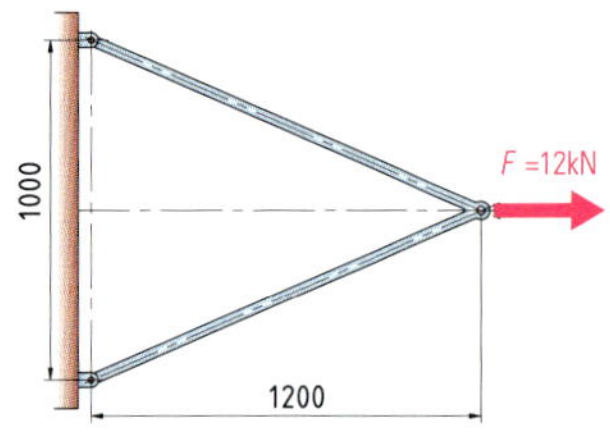

3. Wie groß sind jeweils die Normalkräfte F_N, die beim Trennen mit den beiden Keilwinkeln entstehen?

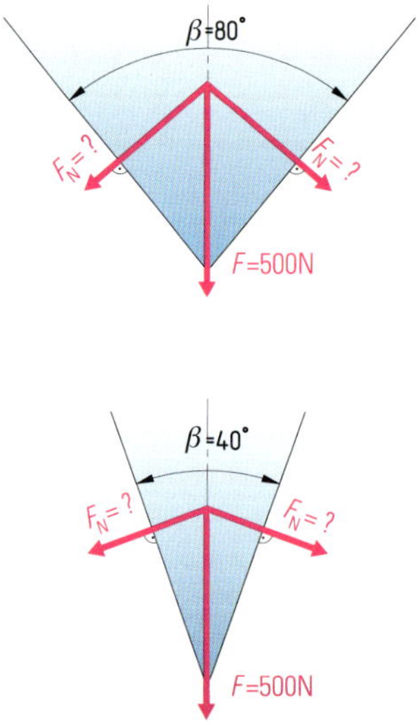

4. Wie groß sind die Normalkräfte F_1 und F_2, die rechtwinkelig auf die Flächen der unsymmetrischen V-Führung wirken?

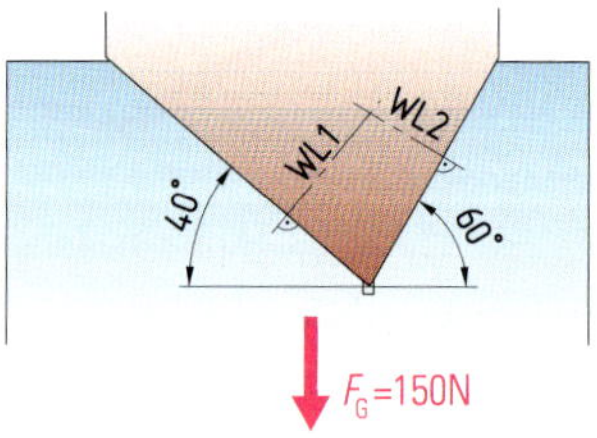

Kräfte an der schiefen Ebene

Bei einem Schrägaufzug wird ein Wagen mit der Gewichtskraft F_G = 20 kN mit einem Seil schräg nach oben gezogen. Wenn sich der Wagen mit konstanter Geschwindigkeit bewegt und die Reibung vernachlässigt wird, muss die Seilkraft F_S so groß sein wie die Hangabtriebskraft F_H.

Die Hangabtriebskraft F_H kann z. B. durch Kräftezerlegung bestimmt werden. Die im Schwerpunkt des Wagens lotrecht nach unten gerichtete **Gewichtskraft** F_G wird in die **Hangabtriebskraft** F_H und die F_N zerlegt.

Die Hangabtriebskraft F_H wirkt parallel zur schiefen Ebene, die Normalkraft F_N greift im rechten Winkel dazu an.

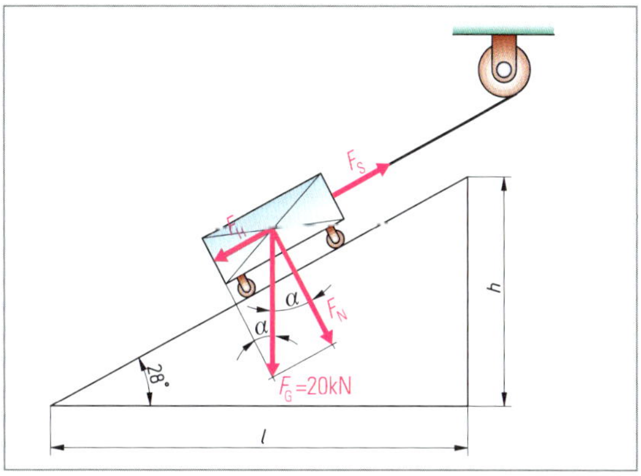

1 Kräfte an der schiefen Ebene

Kräfte am Keil

Bei einer Hubvorrichtung verschiebt eine Schraube einen Keil auf einer schiefen Ebene nach rechts. Dadurch wird die lotrechte Stütze angehoben.

Wie groß muss die Schraubenkraft $F_S = F_1$ sein, damit sie die auf die Stütze lastende Gewichtskraft $F_G = F_2$ = 25 kN anheben kann? Im Gegensatz zur Hangabtriebskraft bei der schiefen Ebene greift die Kraft F_1 nicht parallel zur schiefen Ebene an, sondern waagerecht in Richtung der Schraube.

$$\frac{F_1}{F_2} = \frac{h}{l}$$

Somit gilt: $F_1 = \frac{h \cdot F_2}{l}$

$$F_1 = \frac{20\ \text{mm} \cdot 25\ \text{kN}}{100\ \text{mm}}$$

$$\underline{\underline{F_1 = 5\ \text{kN}}}$$

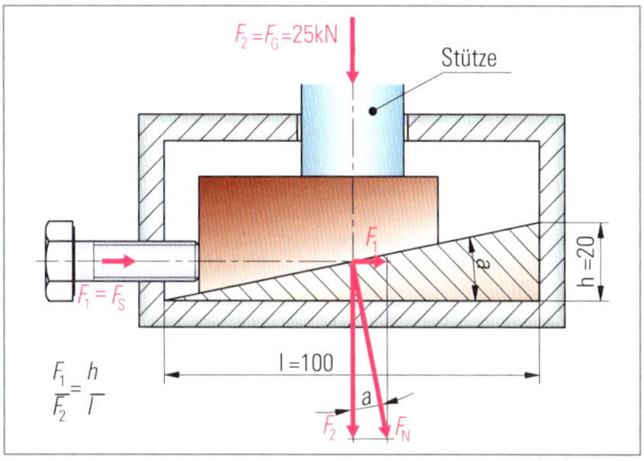

2 Kräfte am Keil

ÜBUNGEN

Schiefe Ebene

1. Bestimmen Sie im Eingangsbeispiel zur schiefen Ebene die Zugkraft des Seiles, wenn die schiefe Ebene mit einem Winkel von 35° geneigt ist und die Gewichtskraft des Schrägaufzugs F_G = 15 kN beträgt.
2. Ein Rohr mit einer Gewichtskraft von 3,75 kN wird von zwei Personen über eine schiefe Ebene nach oben gerollt. Welche Schubkraft F müssen sie aufbringen?

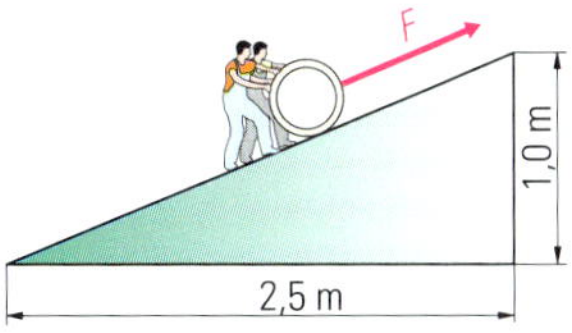

3. Mit einem unter 25° geneigten Förderband wird ein Werkstück nach oben befördert. Welche Gewichtskraft darf das Werkstück höchstens haben, wenn die Zugkraft im Förderband 3 kN nicht überschreiten darf?

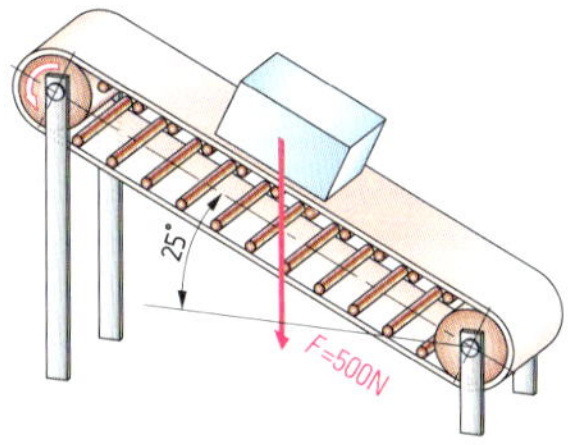

4. Ein Fass mit einer Masse von 250 kg soll über eine schiefe Ebene nach oben gerollt werden. Wie groß darf der Steigungswinkel höchstens sein, wenn die Schubkraft zum Rollen 500 N beträgt?

Keil

5. Welche Kraft kann mit der Hubvorrichtung des Eingangsbeispiels zu den Kräften am Keil gehoben werden, wenn die Schraubenkraft 4 kN beträgt und der Neigungswinkel 8° besitzt?
6. Bestimmen Sie für die Kraftübersetzung die Druckkraft F_2. Die Reibung bleibt unberücksichtigt.

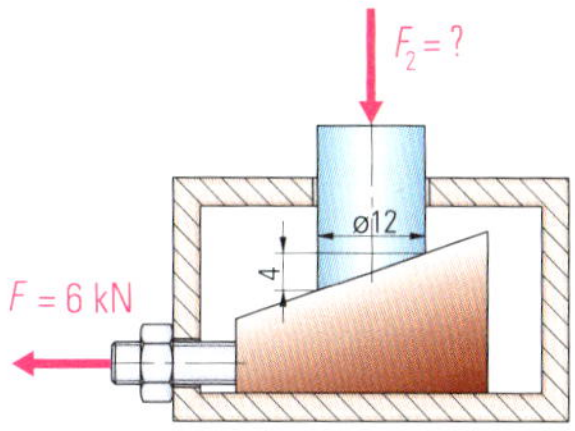

7. Ein Nasenkeil verbindet eine Welle mit einer Nabe. Der Keil hat ein Neigungsverhältnis von 1:100, d. h., auf 100 mm Länge steigt er um 1 mm an. Mit welcher Kraft muss der Keil eingetrieben werden, damit zwischen Welle und Nabe eine Anpresskraft von 15 kN entsteht?

4.9 Drehmoment, Hebelgesetz, Hebelarten

Im Altertum wurden Hebel, Winden, Treträder usw. als Maschinen bezeichnet. Noch heute findet man den Begriff „einfache Maschinen" für den Handhebeleinsatz.

Hebel werden zur **Vergrößerung von Kräften** eingesetzt. Kräfte, die an einem Hebelarm wirken, erzeugen an einem Körper eine Drehwirkung, ein **Drehmoment**.

- Jeder Hebel hat zwei Hebelarme und einen Drehpunkt.
- Der Hebelarm ist der Abstand vom Drehpunkt bis zum Angriffspunkt der Kraft, die senkrecht zum Hebelarm wirkt.

Hebel sind in vielen Baugruppen in Maschinen und Transporteinrichtungen zu entdecken.

Mithilfe einer physikalischen Versuchseinrichtung soll die Beziehung zwischen Kraft und Drehmoment gezeigt werden. In den Messungen 1 bis 6 ist jeweils ein Gleichgewichtszustand hergestellt worden. Das Produkt aus Kraft mal Hebelarm ist bei allen Messungen für den linken und rechten Hebelarm gleich. Dieser Zusammenhang wird als **Hebelgesetz** bezeichnet.

$$F_1 \cdot l_1 = F_2 \cdot l_2$$

F in N
l in m

Merke

Das Produkt aus Kraft *F* mal Hebelarm *l* heißt Moment oder auch Drehmoment *M*.

$$M = F \cdot l$$

M in Nm

Somit lässt sich das Hebelgesetz auch folgendermaßen schreiben:

$$M_1 = M_2$$

Zweiseitiger Hebel

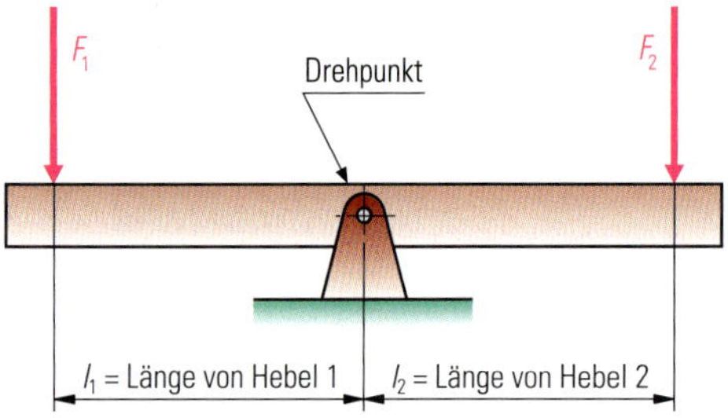

Einseitiger Hebel

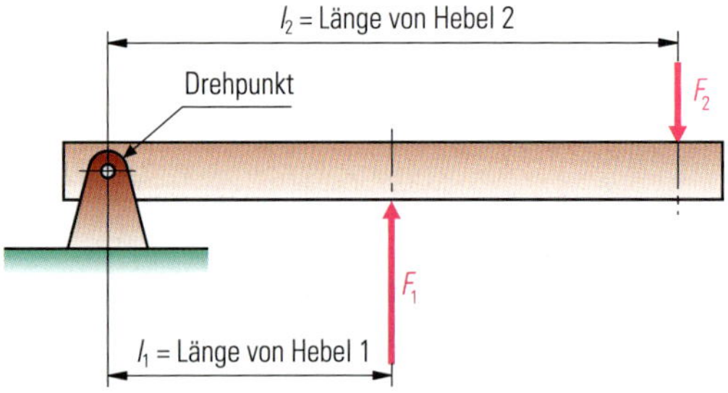

Versuchsaufbau

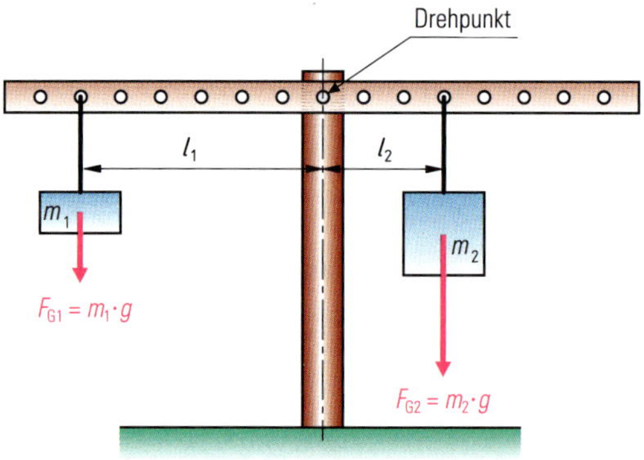

Bedingung: Keine Drehbewegung

Messung	F_{G1} in N	l_1 in m	F_{G2} in N	l_2 in m
1	10	0,3	10	0,3
2	20	0,3	20	0,3
3	10	0,6	20	0,3
4	30	0,2	10	0,6
5	30	0,2	15	0,4
6	25	0,4	20	0,5

Wirken an den Hebelarmen mehrere Kräfte, so gilt allgemein:

Merke

Die Summe der links drehenden Drehmomente (gegen den Uhrzeigersinn) ist gleich der Summe der rechts drehenden Drehmomente (im Uhrzeigersinn).

$$\Sigma \overset{\frown}{M}_{links} = \Sigma \overset{\frown}{M}_{rechts}$$

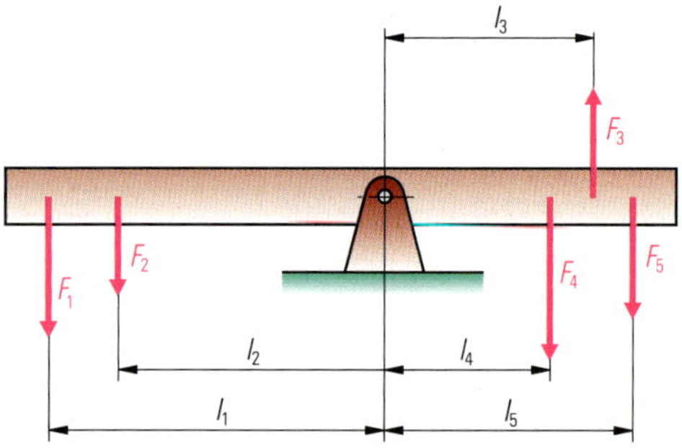

ÜBUNGEN

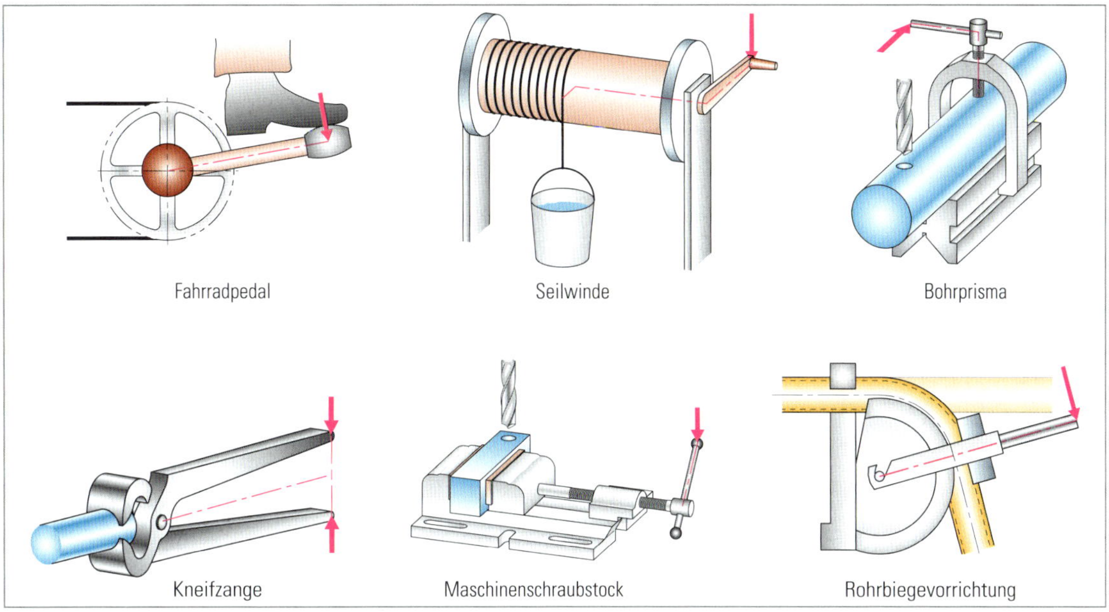

1 Hebel in Baugruppen

1. Skizzieren Sie aus jeder Reihe der Abbildung 1 ein Beispiel in ihr Heft und tragen Sie die Drehpunkte, die Hebelarme und die senkrecht angreifenden Kräfte ein. Nutzen Sie dafür die eingetragenen roten Hilfslinien.

2. Berechnen Sie die Drehmomente für die Messungen 1 bis 6 aus der Messwerttabelle Seite 364.

3. An dem Ringmaulschlüssel wirkt eine Handkraft von 80 N. Die Hand greift in einer Entfernung von ca. 120 mm vom Drehpunkt an.

a) Berechnen Sie das Drehmoment.

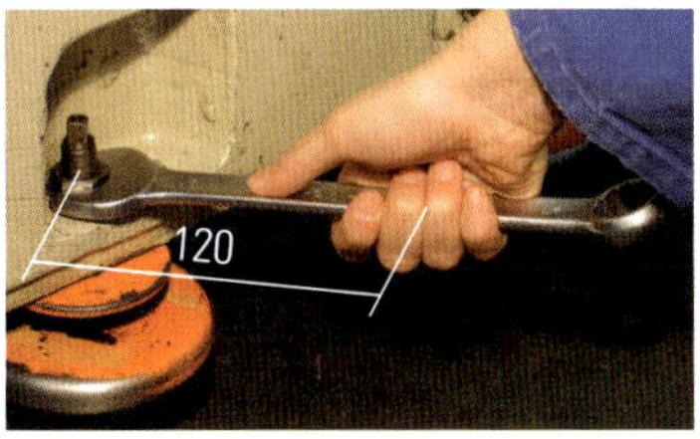

b) Welches Drehmoment würde sich ergeben, wenn die Hand in einer Entfernung von 180 mm zum Drehpunkt angreifen würde?

4. Eine Fachkraft benutzt die Beißzange zum Trennen von Stahldraht. Die größte Handkraft ist auf $F_H = 300$ N begrenzt.

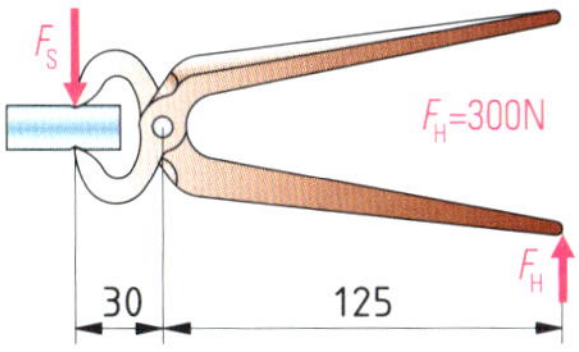

a) Welche Kraft F_S wirkt an den Schneiden auf den Stahldraht?

b) Welcher Drahtquerschnitt kann getrennt werden, wenn pro mm² eine Trennkraft von 500 N erforderlich ist?

c) Welcher maximale Drahtdurchmesser kann noch getrennt werden?

5. Zum Biegen des Rohres ist ein Drehmoment von 120 Nm erforderlich.

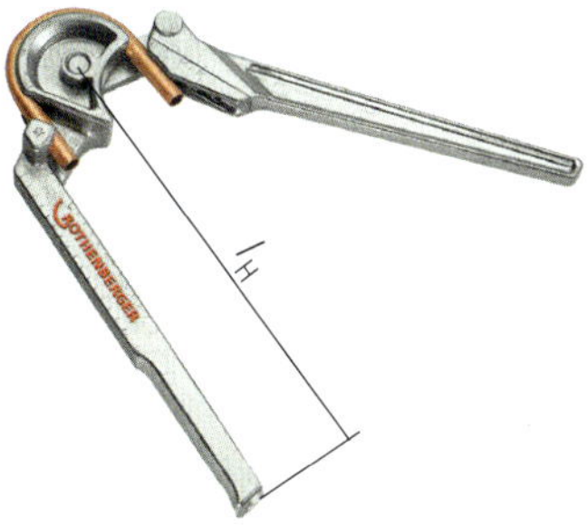

Die maximale Handkraft wird mit 100 N angenommen. Wie lang muss der Hebelarm mindestens sein?

6. Bestimmen Sie die Handkraft F_H für den Hydraulikheber mit $l_1 = 20$ mm, $l_H = 320$ mm und $F_1 = 1260$ N.

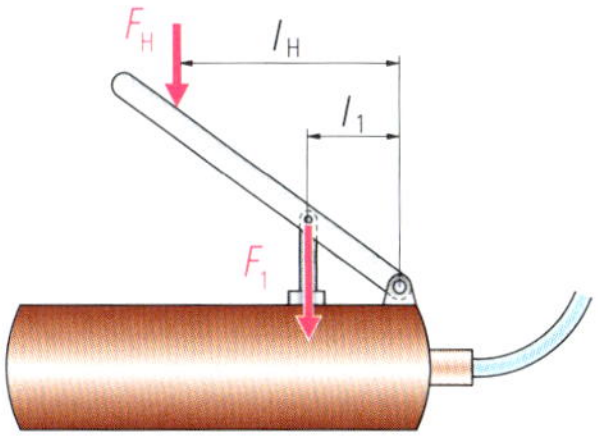

Wie verändert sich die Kraft F_1, wenn der Hebelarm auf $l_H = 240$ mm verkleinert wird?

7. Mit einer Hebelschere soll ein Blech durchtrennt werden. Die erforderliche Scherkraft beträgt 1 kN. Welche Handkraft ist erforderlich?

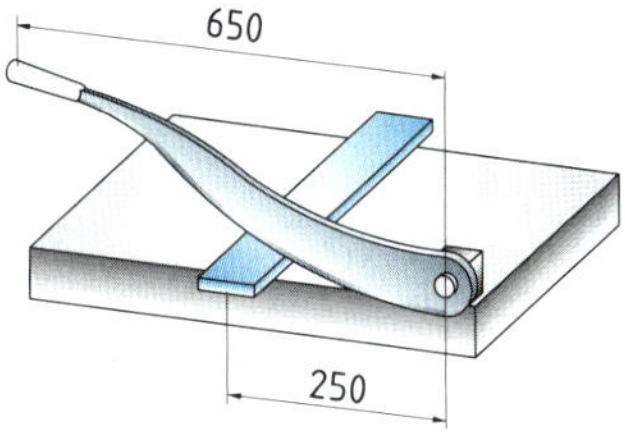

4.10 Reibung und Reibkraft

Die fachlichen Zusammenhänge von Reibung und Reibungskraft sind im Lernfeldern 4: „Warten technischer Systeme" im Kapitel 1.3 „Verschleiß und Reibung" auf Seite 205 dargestellt.

ÜBUNGEN

1. Das Werkstück soll für die Bearbeitung fest eingespannt sein. Wie groß muss die Spannkraft F_N der Spannbacken mindestens sein, wenn die Reibzahl mit $\mu_0 = 0{,}25$ angenommen werden kann?

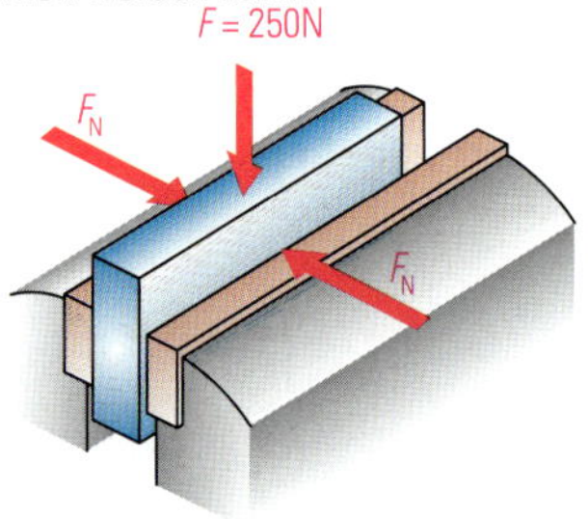

2. Bestimmen Sie die erforderliche Handkraft F_H, damit das Werkstück während der Bearbeitung nicht aus der Schmiedezange gezogen wird (zunächst Hebelgesetz anwenden). Reibzahl für die Werkstoffpaarung Stahl – Stahl anwenden.

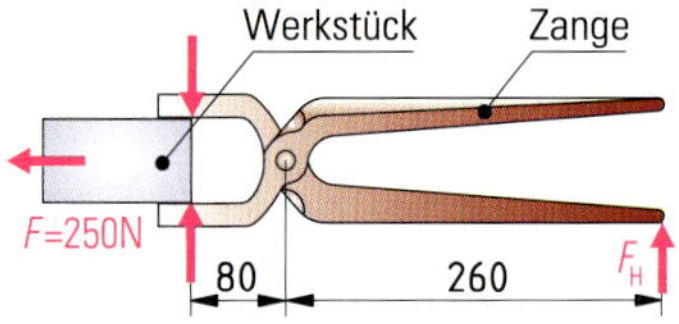

3. Die Laschenverbindung wird durch eine kraftschlüssige Schraubenverbindung gehalten (vgl. Lernfeld 3: „Herstellen einfacher Baugruppen" Kap. 2.1.2 „Kraft-, form- und stoffschlüssige Verbindungen"). Sie verhindert, dass die Schrauben scherend (Querschnitt der Schrauben wird abgeschert) beansprucht werden. Die beiden Flachstähle übertragen eine Zugkraft von $F_Z = 4{,}2$ kN. Durch die Spannkraft der Schraube werden die Flachstähle mit der Normalkraft F_N zusammengepresst. Dadurch kommt es zur Reibkraft zwischen den Flachstählen.

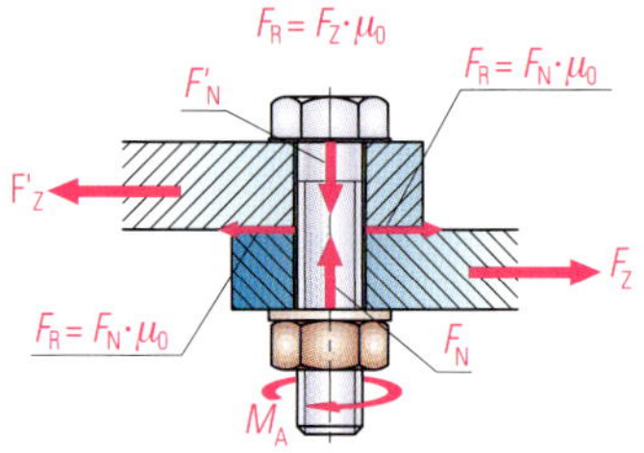

a) Begründen Sie die Zuordnung der Reibkraft und der Normalkraft.

b) Wie groß muss die Spannkraft der Schrauben mindestens sein, damit eine Scherbeanspruchung der Schrauben nicht auftritt? (Materialpaarung Stahl – Stahl)

c) Durch welche Maßnahmen kann die Scherbeanspruchung auch bei auftretenden Stößen verhindert werden?

4. Ein Reitstock mit einer Gewichtskraft $F_G = 300$ N wird auf der Führungsbahn verschoben.

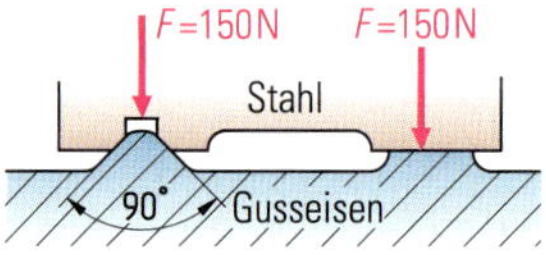

Berechnen Sie die Reibkraft (beachten Sie die Kräftezerlegung)

a) für trockene Reibung

b) für gefettete Reibung

5. Ein Flachkeil DIN 6883 – 10 × 6 × 40 wird mit der Kraft $F = 20$ N eingeschlagen.

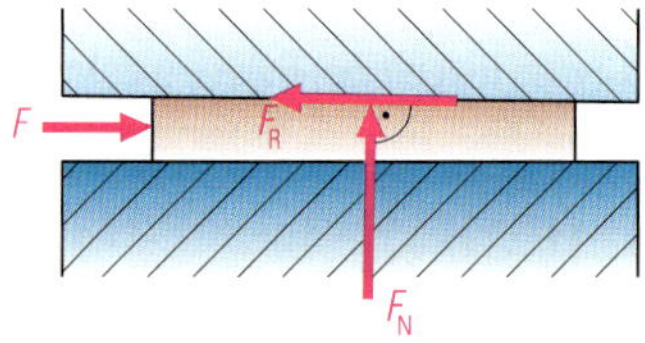

a) Bestimmen Sie den Reibfaktor μ_0 für trockene Haftreibung Stahl – Stahl.

b) Berechnen Sie die Anpresskraft F_N (da die Neigung des Keils relativ gering ist, wird vereinfacht $F = F_R$ gesetzt).

6

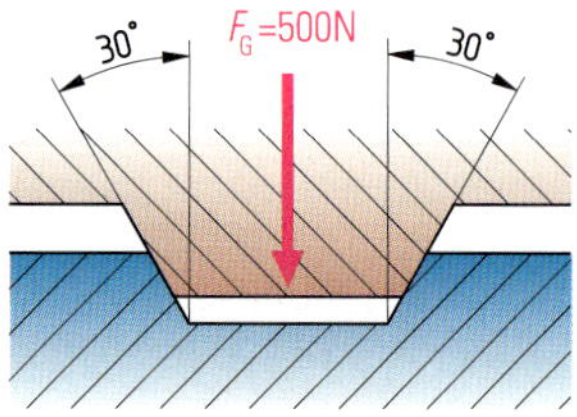

a) Berechnen Sie die Teilreibkräfte $F_{R\,links}$ und $F_{R\,rechts}$ für die gefettete Gleitreibung der Werkstoffe Stahl – Stahl.

b) Berechnen Sie die Gesamtreibkraft F_R.

7. An einem Schleifstein wird ein Stück Flachstahl auf Länge geschliffen. Der Facharbeiter drückt den Flachstahl mit $F_N = 150$ N gegen die Schleifscheibe. Dabei wirkt auf die Auflage eine Kraft von 110 N.

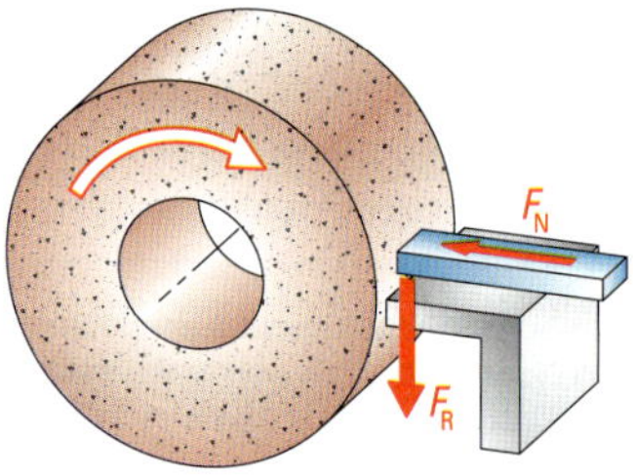

a) Welche Reibungsart besteht zwischen Flachstahl und Schleifscheibe?

b) Wie groß ist die Reibzahl?

4.11 Druck

4.11.1 Flächenpressung

Bei gleicher Belastung durch die Druckkraft entsteht bei einer kleinen Auflagefläche ein großer Druck und bei einer großen Auflagefläche ein kleiner Druck.

$$\text{Druck} = \frac{\text{Normalkraft}}{\text{Fläche}}$$

$$p = \frac{F_N}{A}$$

p z. B. in $= \frac{\text{N}}{\text{cm}^2}$

F_N in N

A in cm^2

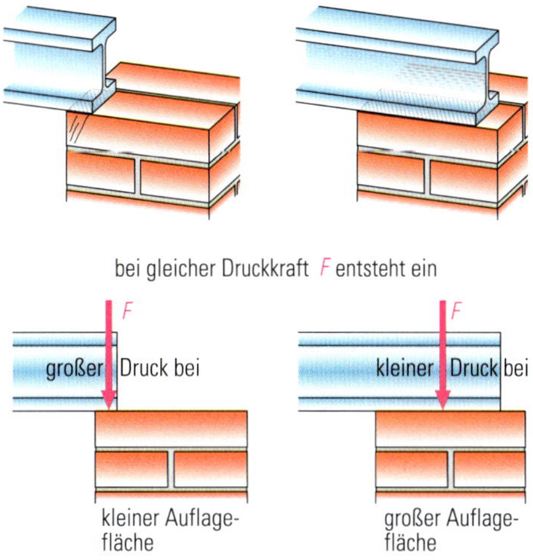

Die **Normalkraft** ist die senkrecht auf die Fläche wirkende Kraft. In der Technik erhält sie häufig die Bezeichnung **Flächenpressung**.

Einheiten:
Die SI-Einheit des Drucks ist das **Pascal**[1)] mit dem Einheitenzeichen Pa.

$$1\ \text{Pa} = 1\ \frac{\text{N}}{\text{m}^2}$$

Diese sehr kleine Druckeinheit wird in der Technik selten angewandt.
Üblich sind die Einheiten N/cm², bar und hPa (Hektopascal). Ausgewählte Druckeinheiten und deren Umrechnung zeigt die nebenstehende Tabelle.

	Pa	hPa	kPa	bar	mbar
1 Pa =	1	$\frac{1}{100}$	$\frac{1}{1\,000}$	$\frac{1}{100\,000}$	$\frac{1}{100}$
1 hPa =	100	1	$\frac{1}{10}$	$\frac{1}{1\,000}$	1
1 kPa =	1 000	10	1	$\frac{1}{100}$	10
1 bar =	100 000	1 000	100	1	1 000
1 mbar =	100	1	$\frac{1}{10}$	$\frac{1}{1\,000}$	1
$1\ \frac{\text{N}}{\text{cm}^2}$ =	10 000	100	10	$\frac{1}{10}$	100

Beispielaufgabe

a) Berechnen Sie die Flächenpressung (Druck) in N/cm² und in bar, wenn eine Kraft von 1200 N auf eine Auflagefläche von 25 cm² wirkt.

b) Welche Flächenpressung ergibt sich, wenn die Auflagefläche auf 100 cm² erhöht wird?

geg.: $F_N = 1\,200$ N
$A_1 = 25\ \text{cm}^2$; $A_2 = 100\ \text{cm}^2$

ges.: p_1 und p_2 in N/cm² und in bar

Lösung:

a) $p_1 = \frac{F_N}{A_1}$

$p_1 = \frac{1\,200\ \text{N}}{25\ \text{cm}^2}$

$p_1 = 48\ \frac{\text{N}}{\text{cm}^2}$

$p_1 = 4{,}8\ \text{bar}$

a) $p_2 = \frac{F_N}{A_2}$

$p_2 = \frac{1\,200\ \text{N}}{100\ \text{cm}^2}$

$p_2 = 12\ \frac{\text{N}}{\text{cm}^2}$

$p_2 = 1{,}2\ \text{bar}$

Eine Vervierfachung der Auflagefläche führt zu einem Viertel der Flächenpressung.

ÜBUNGEN

1. Die Spannbacken eines Maschinenschraubstocks haben als Spannfläche die Maße 180 mm × 60 mm.
Welche Flächenpressung (Druck) wirkt auf das eingespannte Werkstück, wenn die Spannkraft 18000 N beträgt?

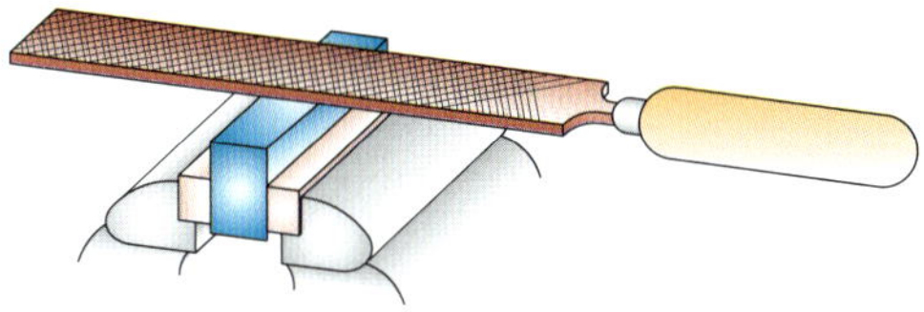

2. Eine Bohrmaschine mit der Masse $m = 460$ kg steht auf vier Aufstellfüßen mit jeweils einer Standfläche von $A = 20\ \text{cm}^2$. Welche Flächenpressung muss der Werkstattboden mindestens aushalten?

1) Benannt nach dem französischen Mathematiker und Physiker BLAISE PASCAL, 1623 – 1662

4.11.2 Druck in Gasen und Flüssigkeiten

4.11.2.1 Luftdruck

Die Lufthülle der Erde bewirkt auf der Erdoberfläche infolge der Luftmasse und der Erdanziehung den **Atmosphärendruck** p_{amb}[1]. Dieser Druck ist abhängig von der Ortshöhe (geographische Höhe, Bild 1). In einer Höhe von z. B. 3000 m (Zugspitze) herrscht ein spürbar geringerer Luftdruck als in Meereshöhe. In Meereshöhe beträgt er ca. 1,013 bar = 1013 mbar[4].

Der **effektive Druck** p_e[2], auch als **Überdruck** bezeichnet, gibt den Unterschied zum Atmospärendruck p_{amb} an. Dieser Druck wird von den meisten Druckmessgeräten wie z. B. von **Manometern** angezeigt.

Der **absolute Druck** p_{abs}[3] bezieht sich auf den luftleeren Raum, das Vakuum. In einem vollständigen Vakuum hat der absolute Druck p_{abs} den Wert Null. Er kann niemals einen negativen Wert annehmen.

$$p_{abs} = p_{amb} + p_e$$

p_e: effektiver Druck, Überdruck
p_{abs}: absoluter Druck
p_{amb}: Atmosphärendruck

Ist p_e größer als p_{amb}, so ist der **effektive Druck positiv** und p_e erhält ein **positives Vorzeichen**. Der effektive Druck wird dann auch als „**Überdruck**" bezeichnet. Überdruck herrscht im Normalfall im Bereich der Pneumatik und Hydraulik.

Ist p_{abs} kleiner als p_{amb}, so ist der effektive Druck negativ und p_e erhält ein **negatives Vorzeichen**. Der effektive Druck wird dann auch als „**negativer Überdruck**" oder „**Unterdruck**" bezeichnet. Unterdruck ist in der Vakuumtechnik anzutreffen.

Beispielaufgabe

In einem Sauggreifer herrscht ein absoluter Druck von 0,6 bar. Berechnen Sie den Überdruck p_e in bar und Pascal.

geg.: $p_{abs} = 0{,}6$ bar

ges.: p_e in bar und Pa

Lösung: $p_e = p_{abs} - p_{amb}$

$p_e = 0{,}6 \text{ bar} - 1{,}013 \text{ bar}$

$\underline{\underline{p_e = -0{,}413 \text{ bar} = -41300 \text{ Pa}}}$

ÜBUNGEN

1. Während des Arbeitsvorgangs schwankt der Druck der Zufuhrleitung zwischen 6,6 bar und 7,1 bar. Berechnen Sie den Druckunterschied in mbar und in Pa.
2. Das Manometer an einem Sauggreifer zeigt einen Unterdruck von 0,3 bar an. Berechnen Sie den absoluten Druck im Greifer in den Einheiten Bar und Pascal.
3. Eine Vakuumpumpe erzeugt einen absoluten Druck von 15 Pa. Berechnen Sie den Unterdruck p_e in N/cm², bar und mbar.

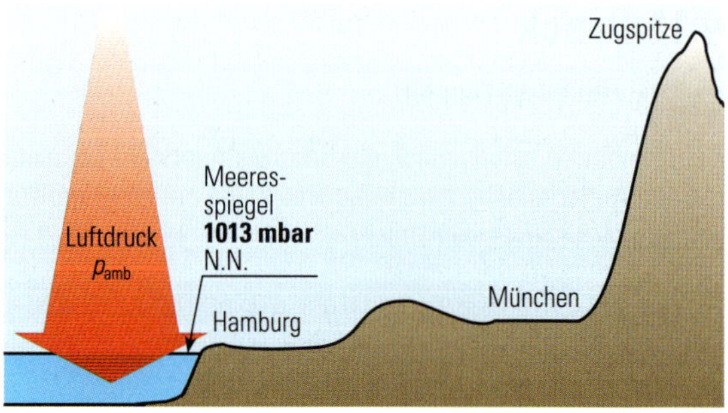

1 Luftdruck

2 Zusammenhang zwischen Luftdruck, effektivem Druck und absolutem Druck

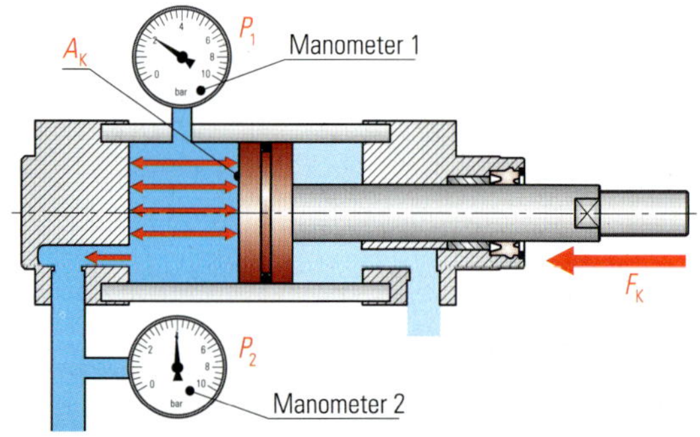

3 Druckausbreitung in Flüssigkeiten und Gasen

1) amb: (lat. *ambiens*) umgebend 2) e: (lat. *excedens*) überschreitend 3) abs: absolut 4) In der Metereologie (Wetterkunde) ist für den Luftdruck die Einheit hPa gebräuchlich (1 mbar = 1 hPa).

4.11.2.2 Druck und Kolbenkraft

Die fachlichen Zusammenhänge von Druck und Kolbenkraft sind im Lernfeld 3: „Herstellen einfacher Baugruppen" im Kapitel 3.2.2.4 „Baugruppen zur Signalausgabe" auf Seite 153 dargestellt.

Zur Vermeidung von Berechnungsfehlern und zur Vereinfachung der Bestimmung von Kolbenkräften, Kolbendurchmessern und Drücken eignen sich Nomogramme:

- Druck auf der waagerechten Achse festlegen
- Senkrechte nach oben bis zum Schnittpunkt mit der Durchmesserlinie ziehen (evtl. mitteln)
- Gerade vom Schnittpunkt waagerecht bis zur Kraftachse ziehen
- Kraft maßstabsgerecht ablesen

Zur Ermittlung von Durchmesser und Druck gilt eine entsprechende Vorgehensweise.

Beispielaufgabe

Der pneumatische Spannzylinder besitzt für das Ausfahren einen wirksamen Kolbendurchmesser von $D = 63$ mm. Mit welcher Kraft wird das Werkstück gespannt, wenn ein Druck $p_e = 8{,}3$ bar eingestellt ist?
Die wirkliche Kraft wird geringer sein, da die Reibung noch nicht berücksichtigt wurde.

Lösung:
Aus obigem Nomogramm ergibt sich bei der beschriebenen Vorgehensweise:
$F < 2590$ N.

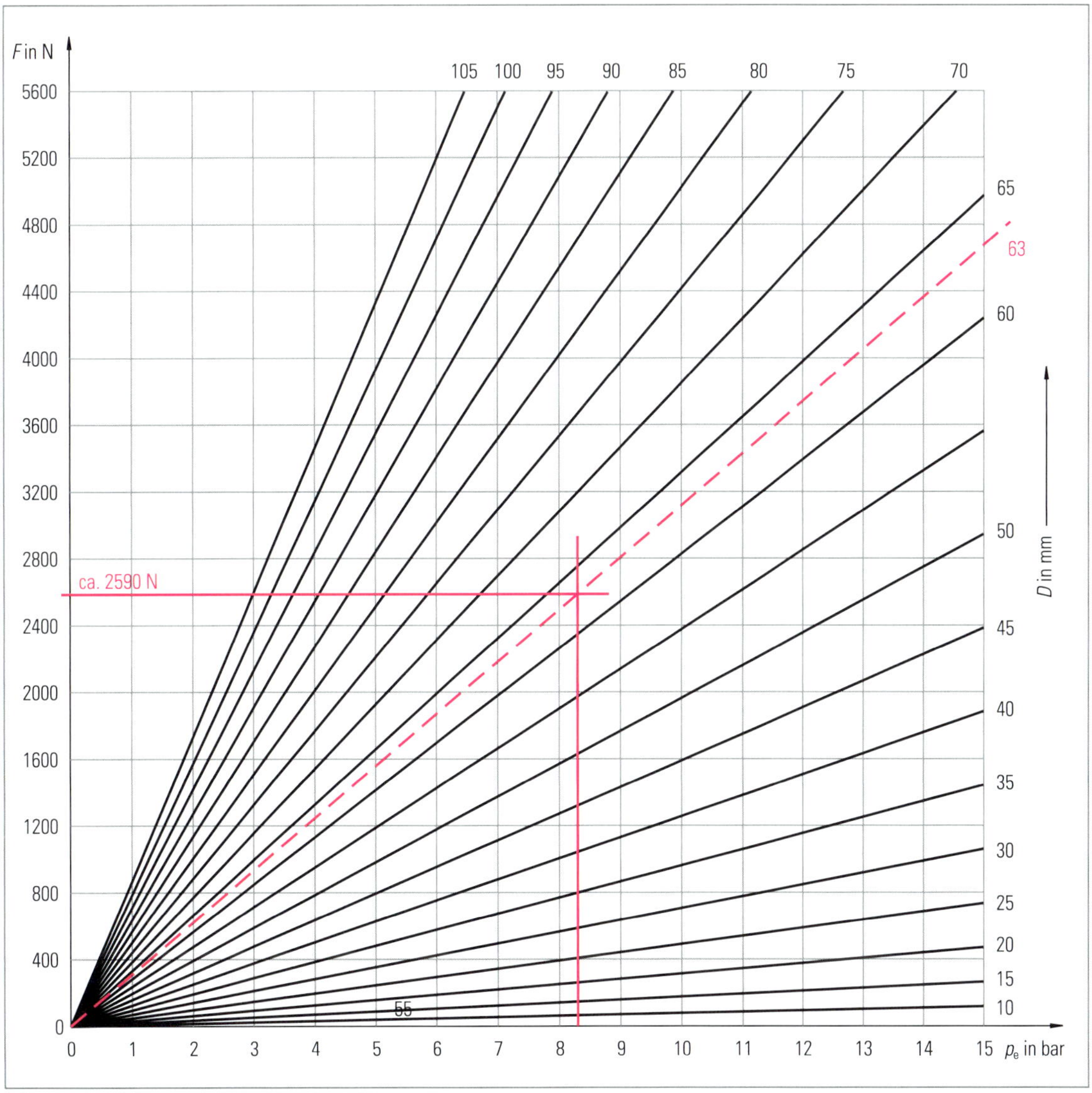

1 Nomogramm zur Bestimmung von Kolbenkraft, Kolbendurchmesser und Druck

Die fachlichen Zusammenhänge zum Lösen der folgenden Aufgaben sind im Lernfeld 3: „Herstellen einfacher Baugruppen" im Kapitel 3.2.2.4 „Baugruppen zur Signalausgabe" auf Seite 153 dargestellt.

ÜBUNGEN

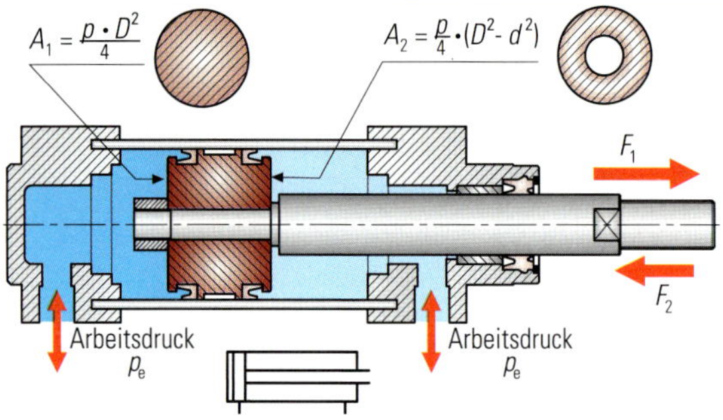

1. Berechnen Sie die Kolbenkräfte beim Aus- und Einfahren der folgenden doppeltwirkenden Zylinder:

   Betriebsdruck $p_e = 6{,}5$ bar,
   Zylinder: $D = 32$ mm, $d = 13$ mm, $\eta = 88$ %.

   Betriebsdruck $p_e = 7{,}8$ bar,
   Zylinder: $D = 80$ mm, $d = 22$ mm, $\eta = 88$ %.

   Betriebsdruck $p_e = 5{,}4$ bar,
   Zylinder: $D = 50$ mm, $d = 20$ mm, $\eta = 85$ %.

2. Ein Pneumatikzylinder ($D = 40$ mm) soll beim Ausfahren eine Kraft von 700 N erzeugen. Berechnen Sie den erforderlichen Druck ohne und unter Berücksichtigung der Reibverluste von 11 %.

3. In einer pneumatischen Presse soll eine Kolbenkraft $F = 9{,}8$ kN beim Ausfahren eines doppelt wirkenden Zylinders erzeugt werden. Der Wirkungsgrad η beträgt 94 % und es liegt ein Druck p_e von 5,9 bar an. Berechnen Sie den erforderlichen Mindestdurchmesser des Pneumatikzylinders.

4. Zwei parallel eingebaute gleiche Pneumatikzylinder ($D = 12$ mm) spannen ein Werkstück in einer Vorrichtung.
   a) Berechnen Sie die theoretische Gesamtspannkraft der Vorrichtung.
   b) Durch eine Änderung sollen beide Zylinder durch einen größeren ersetzt werden. Berechnen Sie den erforderlichen Mindestdurchmesser.

5. Ein Kolben mit durchgehender Kolbenstange ($D = 32$ mm, $d = 15$ mm) wird an einen Druck von 7 bar angeschlossen. Berechnen Sie die Kolbenkräfte der Ein- und Ausfahrbewegung.

4.11.2.3 Hydraulik

Der Hydraulikzylinder spannt ein Werkstück mit einer Kraft $F_1 = 10000$ N. Die Kolbenfläche A_1 des Zylinders beträgt 15 cm². Welcher effektive Druck p_e in N/cm² und bar herrscht im Hydrauliksystem?

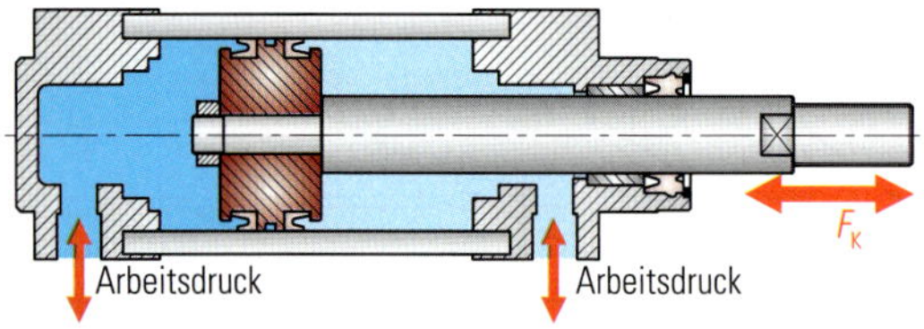

Beispielaufgabe

geg.: $F_1 = 10000$ N; $A_1 = 15$ cm²

ges.: p_e in N/cm² und bar

Lösung:

$$p_e = \frac{F_1}{A_1}$$

$$p_e = \frac{10000\text{ N}}{15\text{ cm}^2}$$

$$p_e = 666{,}7\,\frac{\text{N}}{\text{cm}^2} = 66{,}7\text{ bar}$$

ÜBUNGEN

1. Bestimmen Sie für die Beispielaufgabe den einzustellenden Druck, wenn eine Spannkraft von 14000 N gefordert wird.

2. Eine hydraulisch betriebene Rohrbiegemaschine mit einem Hydraulikkolben $A_1 = 8$ cm² benötigt eine Biegekraft von 42000 N. Welchen Arbeitsdruck muss die Zahnradpumpe mindestens erzeugen?

3. Beschreiben Sie, wie sich die Reibung des ausfahrenden Kolbens und der Kolbenstange auf die Biegekraft von Übung 2 auswirkt. Welchen Einfluss hat die Reibung in der Beispielaufgabe?

4. Für ein Biegewerkzeug ist eine Kraft von 43,5 kN erforderlich.
   a) Welchen Druck muss die Hydraulikpumpe mindestens erzeugen, wenn der Kolbendurchmesser des Hydraulikzylinders 150 mm misst?
   b) Wie verändert sich der erforderliche Druck bei einer Verdoppelung des Kolbendurchmessers?

5. Auf den Kolben eines Hydraulikzylinders mit dem Durchmesser $D = 45$ mm wirkt eine Kraft $F_1 = 225$ N. Wie hoch ist der effektive Druck p_e im Zylinderraum?

4.12 Elektrotechnik

Die fachlichen Zusammenhänge der Elektrotechnik sind im Lernfeld 4: „Warten technischer Systeme" im Kapitel 2 „Elektrotechnik" dargestellt.

ÜBUNGEN

Elektrischer Widerstand

1. Die Stromaufnahme eines Glühofens beträgt laut Typenschild 8 A. Die Versorgungsspannung beträgt 400 V Wechselspannung. Wie groß ist der Widerstandswert der Heizelemente?

2. Eine Heizwendel mit einem Widerstandswert von 20 Ω soll an einem Anschluss mit 230 V Wechselspannung betrieben werden. Dieser Anschluss ist mit einer 10 A-Sicherung abgesichert. Kann die Heizwendel an diesem Anschluss betrieben werden?

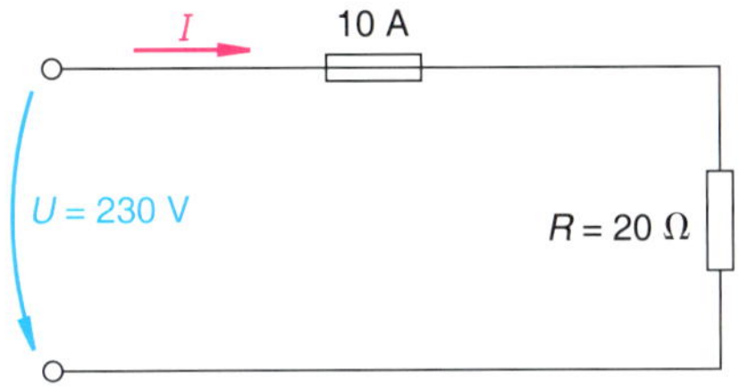

3. Eine Zuleitung besitzt einen Gesamtwiderstandswert von 3 Ω. Welche Spannung fällt über der Leitung ab, wenn durch den Betrieb des Verbrauchers ein Strom von 4 A zum fließen kommt?

4. Ein Magnetventil wird mit 24 V Gleichspannung betrieben. Es besitzt einen Widerstand von 280 Ω. Wie hoch ist der Strom bei Betätigung des Ventils?

5. An einen Steuerstromkreis mit 24 V Gleichspannung werden mehrere Magnetventile betrieben. Eine Strommessung ergibt einen Gesamtstrom von 1,2 A. Wie hoch ist der Gesamtwiderstand der Schaltung?

Parallelschaltung

1. An einer Mehrfachsteckdose mit 230 V Wechselspannung sollen ein Halogenstrahler und ein Heizlüfter betrieben werden. Die Stromaufnahme des Halogenstrahlers beträgt 4,3 A, die des Heizlüfters 8,7 A. Der Stromkreis ist mit einer 16 A-Sicherung abgesichert.

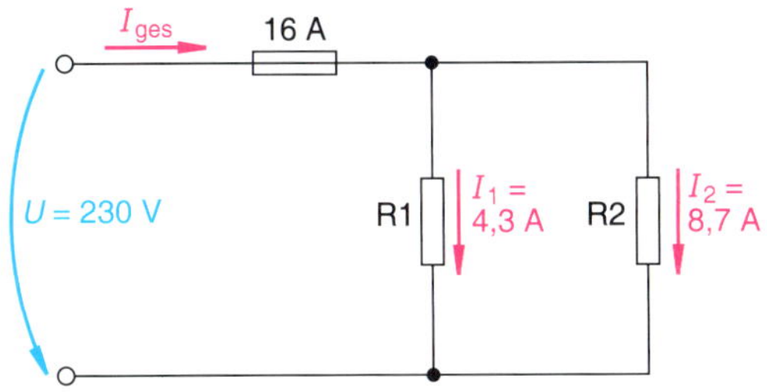

a) Wie groß sind jeweils die Widerstände der beiden Verbraucher?
b) Wie groß ist der Gesamtwiderstand der Schaltung?
c) Wie hoch ist der Gesamtstrom in der Schaltung?
d) Können beide Verbraucher an dem Anschluss betrieben werden?

2. In einem Ofen sind vier Heizelemente mit jeweils 88 Ω parallel geschaltet. Die Versorgungsspannung beträgt 230 V Wechselspannung.
a) Wie groß ist der Gesamtwiderstand der Schaltung?
b) Welcher Zusammenhang besteht zwischen Gesamtwiderstand und Einzelwiderstand?
c) Wie hoch ist die Stromaufnahme des Ofens?

3. Zu zwei parallel geschalteten Magnetventilen mit einem Widerstand von jeweils 240 Ω wird ein drittes mit einem Widerstand von 160 Ω parallel angeschlossen. Die Versorgungsspannung beträgt 24 V Gleichspannung.
a) Schätzen Sie ab, wie sich der Gesamtwiderstand der Schaltung verändert.
b) Berechnen Sie den Gesamtwiderstand der Schaltung vor dem Anschluss des dritten Ventils.
c) Berechnen Sie den Gesamtwiderstand der Schaltung nach dem Anschluss des dritten Ventils.
d) Wie hoch ist die Stromaufnahme jedes einzelnen Magnetventils?
e) Wie hoch ist die Stromaufnahme der Parallelschaltung der drei Ventile?

Reihenschaltung

1. Eine Handbohrmaschine wird über eine lange Zuleitung (Kabeltrommel) an das Versorgungsnetz (230 V Wechselspannung) angeschlossen. Der Widerstand der Leitung beträgt insgesamt 1,4 Ω. Der Widerstand der Bohrmaschine liegt bei 50 Ω.
a) Wie hoch ist der Gesamtwiderstand dieser Schaltung?
b) Wie hoch ist der Gesamtstrom in dieser Schaltung?

2. Eine Arbeitsleuchte für den Anschluss an das 230 V-Netz besitzt folgende Daten:
Die Hin- und Rückleitungen besitzen einen Widerstand von jeweils 400 Ω. Das Leuchtmittel selber besitzt einen Widerstand von 350 Ω (siehe Seite 372).
a) Berechnen Sie den Gesamtwiderstand der Schaltung.
b) Berechnen Sie den Gesamtstrom in der Schaltung.

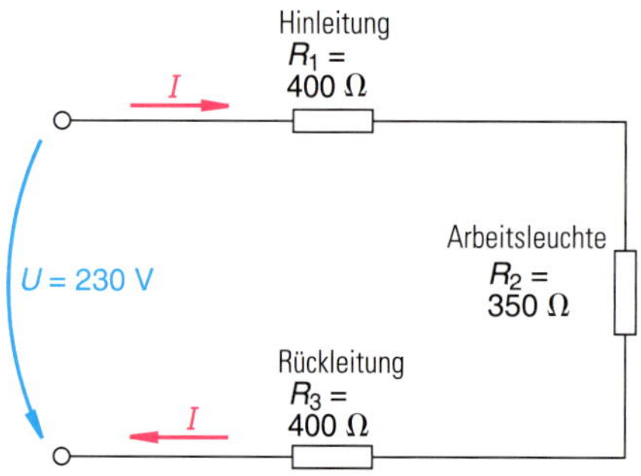

c) Berechnen Sie die Spannungsfälle über der Leitung und den Spannungsfall über dem Leuchtmittel.

3. Durch eine unsachgemäße Reparatur wird die Zuleitung der Arbeitsleuchte (siehe Aufgabe 2) auf die Hälfte gekürzt. Damit besitzen die Einzelleitungen nur noch einen Widerstand von jeweils 200 Ω.
a) Berechnen Sie den neuen Gesamtwiderstand.
b) Wie hoch ist jetzt der Gesamtstrom der Schaltung?
c) Berechnen Sie die einzelnen Spannungsfälle.
d) Welche Folgen wird diese Reparatur haben?

Betrieb von elektrischen Anlagen

Leistung

1. Auf dem Typenschild eines Motors ist die Nennleistung mit 3 kW angegeben. Die Betriebsspannung beträgt 230 V. Wie hoch ist die Stromaufnahme des Motors?

2. Ein Ofen enthält insgesamt drei Heizelemente mit jeweils 6 kW. Jedes einzelne ist an einen Strang mit 230 V Versorgungsspannung angeschlossen.
Wie hoch ist der Betriebsstrom eines Stranges?

3. Der Steuerstromkreis einer elektropneumatischen Anlage ist mit 1,4 A abgesichert. Die Steuerspannung beträgt 24 V Gleichspannung. Ein Magnetventil besitzt einen Widerstand von 220 Ω.
a) Welche Leistung nimmt ein Magnetventil auf?
b) Welche elektrische Leistung darf maximal an dem Steuerstromkreis betrieben werden?
c) Wie viele Magnetventile dürfen maximal an dem Steuerstromkreis betrieben werden?

4. Die Beleuchtung eines Arbeitsplatzes wird mit einer Niedervolt-Halogenbeleuchtung (12 V Wechselspannung) vorgenommen. Der verwendete Transformator kann mit einer Anschlussleistung von 300 W belastet werden.
a) Wie viele Halogenleuchtmittel mit einer Leistung von jeweils 35 W können an dem Transformator angeschlossen werden?
b) Wie viele Halogenleuchtmittel mit einer Leistung von jeweils 20 W können an dem Transformator angeschlossen werden?
c) Wie hoch ist die maximale Stromaufnahme auf der Ausgangsseite des Transformators?

Arbeit

1. An einem Schweißarbeitsplatz laufen zwei Ventilatoren mit einer Leistungsaufnahme von jeweils 4 kW. Die monatliche Betriebsdauer beträgt 110 Stunden. Der Arbeitspreis ist mit 0,19 €/kW · h anzunehmen.
a) Wie hoch ist die monatlich aufgewendete elektrische Arbeit?
b) Wie hoch sind die monatlichen elektrischen Betriebskosten?

2. Eine Produktionsanlage wird im Monat durchschnittlich 120 Stunden beleuchtet. Es werden dafür 10 Glühlampen mit jeweils 75 W verwendet. Diese werden durch Leuchtmittel (Energiesparlampen) mit gleicher Lichtausbeute und einer Leistungsaufnahme von jeweils 20 W ersetzt.
a) Welche elektrische Arbeit wurde im Monat ursprünglich für die Beleuchtung aufgewendet?
b) Welche elektrische Arbeit wird im Monat nach der Umrüstung für die Beleuchtung aufgewendet?
c) Welche Ersparnis ist im Jahr zu erzielen, wenn der Arbeitspreis mit 0,17 €/kW · h angenommen wird.

3. Ein Winkelschleifer nimmt an 230 V eine Stromstärke von 2,6 A auf. Das Gerät ist 45 Minuten eingeschaltet.
a) Wie groß ist die Leistungsaufnahme des Gerätes?
b) Wie groß ist die elektrische Arbeit?

Wirkungsgrad

1. Ein elektrisch betriebene Mühle zur Erzeugung eines Granulats nimmt eine elektrische Leistung von 5 kW auf. Die abgegebene mechanische Leistung beträgt 3700 W. Welchen Wirkungsgrad besitzt die Mühle?

2. Ein Elektromotor nimmt am 230 V-Netz einen Strom von 4,5 A auf. Welche Leistung gibt er ab, wenn er einen Wirkungsgrad von 65 % hat?

3. Wie hoch sind die Kosten für die Betriebsstunde eines Elektromotors, der eine Nennleistung von 2,7 kW und einen Wirkungsgrad von 79 % hat? Der Arbeitspreis beträgt 0,19 €/kW · h.

Englisch-deutsche Vokabelliste

Aussprache der englischen Vokabeln:

- Benutzen Sie die Internetseite der technischen Universität München: *http://dict.leo.org*
- Klicken Sie auf das Lautsprechersymbol der englischen Vokabel. Sie werden dann durch einen Link mit dem Merriam-Webster Online Dictionary verbunden.
- Klicken Sie dort auf das rote Lautsprechersymbol der Vokabel und die Aussprache ertönt.

In dieser Vokabelliste finden Sie fast alle Vokabeln, die im deutschen Text *blau-kursiv* abgedruckt sind. Ferner finden Sie eine Auswahl der wichtigsten englischen Vokabeln aus den englischen Seiten sowie den Seiten Work with Words. Diese Wortliste ersetzt kein Wörterbuch!

A	
abrasion	Verschleiß
accident prevention regulation	Unfallverhütungsvorschrift
accidental drift	zufällige Messabweichung
accumulator	Akkumulator
accuracy	Arbeitsgenauigkeit
active gas	Aktivgas
actual size	Istmaß
actuator	Antriebsglied
additional	zusätzlich
adhere	haften
adhesion	Adhäsion
adhesive	Klebstoff
adhesive joint	Klebeverbindung
adhesive strength	Haftkraft
adjust	justieren
aging	Alterung
air filter	Luftfilter
air vessel	Windkessel
allen key	Innensechskantschlüssel
alloyed steel	legierter Stahl
alphanumeric code	alphanumerischer Schlüssel
alternating current	Wechselstrom
alternating voltage	Wechselspannung
aluminium	Aluminium
aluminium alloy	Aluminiumlegierung
aluminium paste	Aluminiumpaste
ammeter	Strommessgerät
amount of lubricant	Schmierstoffmenge
analog signal	analoges Signal
AND function	UND Funktion
AND valve	UND-Ventil
angle	Winkel
angles at the wedge	Winkel am Schneidkeil
angular end block	Winkelendmaß
annealing colour	Glühfarbe
anticorrosive	Korrosionsschutzmittel
anticorrosive paint	Korrosionsschutzlack
appliance	Gruppe
apprenticed profession	Ausbildungsberuf
apron	Schlosskasten
aqueous	wässrig
assembling	Montieren
assemblings	Montagearbeiten
assembly	Montage
assembly department	Montageabteilung
assembly drawing	Gesamtzeichnung
assembly instruction	Montageanleitung
assembly instruction	Montageplan
assembly tool	Montagewerkzeug
automatic circuit breaker	Sicherungsautomat
automation	Automatisierung
automaton	Automat
auxiliary dimension	Hilfsmaß
availability	Verfügbarkeit
average roughness	Mittenrauheit
average roughness depth	gemittelte Rautiefe
axis	Achse
axis of rotation	Drehachse
B	
back rake angle	Einstellwinkel
bandsaw machine	Bandsägemaschine
basic function	Grundfunktion
basic logic function	logische Grundfunktion
basic shape	Grundform
bed press	Tischpresse
bench grinder	Bankschleifmaschine
bending	Biegen
bending tool	Biegewerkzeug
bill of material	Stückliste
binary signal	binäres/zweiwertiges Signal
blacksmith's chisel	Schrotmeißel
blank	Rohteil
blind rivet	Blindniet
blind tapped hole	Gewindegrundloch
bolt	Bolzen, verschrauben
bolt cutter	Bolzenschneider
bond	verbinden
bore	Bohrung
bottom surface	Unterseite
bought-in part	Fremdteil, Kaufteil
brass	Messing
brass sheet	Messingblech
breakdown	Ausfall
brittle	spröde
bronze	Bronze
brushing	Bürsten
burr	Grat
business process	Geschäftsprozess

C

cable	Kabel
CAD programme	CAD Programm
cap nut	Hutmutter
capacity	Stückleistung
capital letter	Großbuchstabe
carpenter's pincers	Kneifzange
cast iron	Gusseisen
cast steel	Stahlguss
castability	Gießbarkeit
casting	Gießen
castle nut	Kronenmutter
catalogue	Katalog
cause	verursachen
cause of failure	Ausfallursache
center of gravity	Schwerpunkt
centre line	Mittellinie
ceramic material	keramischer Werkstoff
chain line	Strich-Punkt-Linie
chamfer	Fase
change gear wheel	Wechselrad
changeover contact	Wechsler
characteristics	Kenndaten, Kennzeichen
chart	Tabelle
check valve	Rückschlagventil
chemical-technological	chemisch-technologisch
chip	Span
chip container	Spänebehälter
chip removal	Spanabnahme
chip removing operation	spanabhebendes Verfahren
chip screen	Spänesieb
chipping	Spanen
chisel	Meißel
chisel edge angle	Querschneide
circle	Kreis
circlip	Sicherungsring
circuit	elektrischer Stromkreis
circuit breaker	Leitungsschutzschalter
circuit diagram	Schaltplan, Stromlaufplan
circular area	Kreisfläche
circular cutting motion	kreisförmige Schnittbewegung
circular measure	Bogenmaß
circular movement	kreisförmige Bewegung
circular sawing machine	Kreissägemaschine
clamping joint	Klemmverbindung
clean	reinigen
cleaning	Reinigung
cleaning agent	Reinigungsmittel
clearance angle	Freiwinkel
closed loop	Regelkreis
closed loop control	Regelung
closed-die pressure forging	Formpressen mit Grat
CNC machine	CNC-Maschine
CNC milling machine	CNC-Fräsmaschine
cohesion	Kohäsion
cold-setting adhesive	Kaltkleber
collet chuck	Spannzange
collection	Sammlung
combination of signals	Signalverknüpfung
combination wrench	Ringmaulschlüssel
command	Befehl
compactibility	Formbarkeit
company	Firma
complaint	Reklamation
component	Bauelement
component drawing	Teilzeichnung
composing	Zusammensetzen
composite material	Verbundstoff
composition of a solder	Lotzusammensetzung
compressed air	Druckluft
compressed air production plant	Drucklufterzeugungsanlage
compressing	Stauchen
compressive stress	Druckbeanspruchung
compressor	Verdichter
condensate	Kondensat
condensation water	Kondenswasser
condition monitoring	Zustandsüberwachung
conductor	Leitung
cone	Kegel
conflict	Konflikt
conical counterbore	keglige Senkung
construction line	Konstruktionslinie
consumer	Verbraucher
contact control	Kontaktsteuerung
contact surface	Anlage- und Funktionsfläche
container	Behälter
continuous chip	Scherspan
contour	Umrisslinie
control panel	Bedienungstafel
control unit	Steuergerät
coolant	Kühlschmiermittel,-stoff
coolant device	Kühlmitteleinrichtung
cooling	Kühlung
cooling effect	Kühlwirkung
cooling lubricant	Kühlschmierung
cooling refrigerant	Kühlschmiermittel
co-ordinate dimensioning	Koordinatenbemaßung
coordination line	Zuordnungslinie
copper	Kupfer
copper alloy	Kupferlegierung
copper hammer	Kupferhammer
copper paste	Kupferpaste
copper sheet	Kupferblech
cordless screwdriver	Akkuschrauber
corner	Raumecke
corrective maintenance	Instandsetzungsmaßnahme
corrosion	Korrosion
corrosion cause	Korrosionsursache

corrosion damage	Korrosionsschaden
corrosion protection	Korrosionsschutz
corrosion resistance	Korrosionsbeständigkeit
cotter	Splint
counterbore	Senkung, Senker
counterboring	Senken
countersinking	Senken
countersink	Senker
cross slide	Querschlitten
crosshead screwdriver	Kreuzschlitzschraubendreher
crown nut	Kronenmutter
cuboid	Quader
curable plastics	Duroplaste
current	Strom
current intensity	Stromstärke
customer expectation	Kundenerwartung
customer order	Kundenauftrag
customer orientation	Kundenorientierung
customer satisfaction	Kundenzufriedenheit
customer service department	Kundendienst
cut	Hieb, Schnitt
cut-off turning	Stechdrehen
cutting	Einschnitt, Trennen
cutting edge	Schneide
cutting internal threads manually	Innengewindeschneiden von Hand
cutting motion	Schnittbewegung
cutting operation	Scherschneiden, zerteilendes Verfahren
cutting plane	Schnittverlauf, Schnittebene
cutting speed	Schnittgeschwindigkeit
cutting unit	Schneideinheit
cutting wheel	Rollenmesser
cutting with a single blade	Messerschneiden
cutting with two approaching blades	Beißschneiden
cylinder	Zylinder
cylindrical counterbore	zylindrische Senkung
cylindrical pin	Zylinderstift
cylindrical workpiece	zylindrisches Werkstück
D	
data line	Datenleitung
deburr	entgraten
deformability	Verformbarkeit
deforming	Umformen
degrease	entfetten
delivery screw	Ablassschraube
demand from	abhängen von
density	Dichte
department	Abteilung
department for data processing	Datenverarbeitung
depth	Tiefe
depth dimension	Tiefenmaß
depth of a tapping drill hole	Kernlochtiefe
description of function	Funktionsbeschreibung
description, title	Benennung
detachable joining	lösbare Verbindung
detailed sketch	Detailskizze
deviation	Abmaß
device	Gerät
diagonal cross	Diagonalkreuz
dial gauge	Messuhr
diameter	Durchmesser
diameter symbol	Durchmesserzeichen
digital readout	digitale Anzeige
digital signal	digitales Signal
dimension	Maßzahl
dimension line	Maßlinie
dimension line determination	Maßlinienbegrenzung
dimension reference line	Maßbezugslinie
dimensional tolerance	Maßtoleranz
dimensioned sketch	Maßskizze
dimensioning	Bemaßung
dimensioning by coordinates	Koordinatenbemaßung
dimensioning by incremental coordinates	inkrementale Koordinatenbemaßung
dimensioning in a chart	tabellarische Bemaßung
direct current	Gleichstrom
direct length measurement	direkte Längenmessung
direct voltage	Gleichspannung
directional valve	Wegeventil
dirt layers	Schmutzschicht
disadvantage	Nachteil
disassembly	Demontage
disc	Scheibe
discharge air throttling	Abluftdrosselung
dismantle	demontieren
dismountings	Demontageabläufe
disposal, waste diposal	Entsorgung
distance bolt	Endlagendistanz
distinction	Unterscheidung
distortion	Verformung
dividing line between the sections	abgeknickter Schnittverlauf
division	Teilung
division of a company	Firmenbereich
dotted line	Strichlinie
double acting	zweifachwirkend
double acting cylinder	doppelt wirkender Zylinder
double pressure valve	Zweidruckventil
double-action end cutter	Hebelvornschneider
double-ended open-jawed wrench	Doppelmaulschlüssel
double-ended ring spanner	Doppelringschlüssel
dowel screw	Passschraube
downcut milling	Gleichlauffräsen

draining	Ablassen
draw	zeichnen
drawing number	Zeichnungsnummer
drift punch	Durchtreiber
drill	Bohrer, Bohrung
drilling	Bohren
drilling machine	Bohrmaschine
drive	antreiben, Antrieb
drive component	Antriebteil
drive motor	Antriebsmotor
drive unit	Antriebselement
drum	Behälter
dry friction	Trockenreibung
dual system	duales System
ductile	plastisch
durability	Lebensdauer
dynamic load	dynamische Belastung
E	
edge	Kante
effectiveness	Wirkungsweise
efficiency	Wirkungsgrad
elastic	elastisch
elasticity	Elastizität
elastomers	Elastomere
electric circuit	Schaltplan
electric conductivity	elektrische Leitfähigkeit
electric contact	elektrischer Kontakt
electric control system	elektrische Steuerung
electric drill	elektrische Bohrmaschine
electric drive	elektrischer Antrieb
electric motor	Elektromotor
electric screwdriver	Elektroschrauber
electric shock	elektrischer Schlag
electric signal transmitter	elektrischer Signalgeber
electrical engineering	Elektrotechnik
electrode	Elektrode
electronic component	elektronisches Bauteil
electronic power controller	Stellschalter
electronic signal transmitter	elektronischer Signalgeber
electropneumatic contact control	elektropneumatische Kontaktsteuerung
electropneumatic control	elektropneumatische Steuerung
element	Element
embodiment of measure	Maßverkörperung
emergency off key	Not-Aus Taste
emergency stop button	Not-Aus-Schalter
emerying	Schmirgeln
employee	Arbeitnehmer
emulsion	Emulsion
end face	Planfläche
end mill	Schaftfräser
endurance	Standzeit
energy	Energie
energy converter	Energieumwandler
energy source	Energiequelle
energy transmission	Energieübertragung
engine	Maschine, Motor
engineering department	Konstruktionsabteilung
enlargement	Vergrößerung
environmental compatibility	Umweltverträglichkeit
equipment	Betriebsmittel
error of measurement	Messfehler
error of tilt	Kippfehler
establishing	Feststellen
etching	Beizen
exploded pictorial assembly drawing	perspektivische Darstellung
exploded view	Explosionsdarstellung
external gear pump	Außenzahnradpumpe
external limit gauge	Grenzrachenlehre
external thread	Außengewinde
F	
face milling	Stirnfräsen
face-milling cutter with inserted blades	Messerkopf
fasten	Befestigen
fastening	Befestigen
fatigue	Ermüdung
fault	Fehler
feature	Eigenschaft, Merkmal
feed	Vorschub
feed lever	Hebel
feed motion	Vorschubbewegung
feed rod	Zugspindel
feed speed	Vorschubgeschwindigkeit
feed train	Vorschubgetriebe
ferrous material	Eisenwerkstoff
ferrous metal	Eisenmetall
figure	Abbildung
file	Feile
filing	Feilen
filling	Füllen
filling quantity	Füllmenge
filter	Filter
fine thread	Feingewinde
finished size	Fertigmaß
finishing	Schlichten
fire protection	Brandschutz
firm	fest, Firma, Betrieb
first aid	Erste Hilfe
flashless forging	Gesenkformen
flat	flach
flat-blade screwdriver	Schlitzschraubendreher
flexible	beweglich
flexible joining	bewegliche Verbindung
flow control	Stromventil
flow diagram	Stromlaufplan
flowing chip	Fließspan

flute	Spannut
fluxing agents	Flussmittel
folding gate	Falttor
force locking	kraftschlüssig, kraftschlüssige Verbindung
forging	Schmieden
forging hammer	Schmiedehammer
forging press	Gesenkbiegepresse, Schmiedepresse
forming	Umformen
forming operation	umformendes Verfahren
fracture	Bruch
friction	Reibung
friction force	Reibkraft
frictional connection	kraftschlüssige Verbindung
front view	Vorderansicht
fuel gas	Brenngas
full section	Vollschnitt
full size	natürliche Größe
function	Funktion
function table	Funktionstabelle
fuse	Sicherung
G	
gas bottle	Gasflasche
gas fusion welding	Gasschmelzschweißen
gate control	Torsteuerung
gauge	Lehre, messen
gear	Getriebe
general tolerance	Allgemeintoleranz
generator	Generator
glide	gleiten
glideway oil	Gleitbahnöl
glue joint	Klebestoffverbindung
graduation	Ziffernschrittwert
grain flow	Faserverlauf
graphic symbol	Schaltsymbol
graphical symbol	Bildzeichen
grease	Fett
grease gun	Fettpresse
grease layers	Fettschicht
grease of lubrication	Schmierfilm
grinding device	Schleifeinrichtung
grinding machine	Schleifmaschine
groove	Hohlkehle
groove milling	Nutfräsen
grooved pin	Kerbstift
guide	führen
H	
hacksaw	Bogensäge
half section	Halbschnitt
hammer	Hammer
hammer drill	Schlagbohrmaschinen
hammer forging	Freiformen
hammer shaft	Hammerstiel
hand drill	Handbohrmaschine
hand hacksaw	Handbügelsäge
hand shearing	Handschere
hand tool	handgeführtes Werkzeug
handling of measuring screw	Messschraubenhandhabung
handling of vernier calliper	Messschieberhandhabung
handwheel	Handrad
hard	hart
hard soldering	Hartlöten
hardness	Härte
hardy	Abschrot
hatching	Schraffur
headstock	Spindelkasten
heat	Wärme
heating	Erwärmung
heating winding	Heizwicklung
height	Höhe
height dimension	Höhenmaß
height of centers	Spitzenhöhe
hexagon bolt	Sechskantschraube
hexagon head screw	Sechskantschraube
hexagon key	Innensechskantschlüssel
hexagon nut	Sechskantmutter
hexagon socket head cap screw	Zylinderschraube mit Innensechskant
high-grade steel	Edelstahl
hit into	hineinschlagen
hole	Bohrung
horizontal milling machine	Waagrechtfräsmaschine
hours of operation	Betriebsstunden
hub	Nabe
hydraulic circuit diagram	Hydraulikplan
hydraulic control	hydraulische Steuerung
hydraulic drive	hydraulischer Antrieb
hydraulic filter	Hydraulikfilter
hydraulic fluid	Hydraulikflüssigkeit
hydraulic pump	Hydraulikpumpe
hydraulic supply unit	hydraulische Versorgungseinheit
hydraulic system	hydraulisches System
hydrocarbon cleaner	Kohlenwasserstoffreiniger
I	
improvement	Verbesserung
inclined surface	schräge Fläche
increasing nominal size	zunehmendes Nennmaß
indicating fuse	Schmelzsicherung
indicating measuring instrument	anzeigendes Messgerät
indicating torque screwdriver	Drehmomentschrauber
indirect length measurement	indirekte Längenmessung
industrial type vacuum cleaner	Industriestaubsauger
inert gas	Inertgas

infeed — Zustellung
infeed motion — Zustellbewegung
influence — Einfluss
information network — Informationsnetzwerk
input parameter — Eingangsgröße
input signal — Eingangssignal
insert — einschieben, einfügen
inspection — Inspektion, Kontrolle
inspection characteristic — Prüfeigenschaft
inspection equipment — Prüfmittel
inspection location — Prüfort
inspection period — Prüfzeit
inspection result — Prüfergebnis
inspection schedule — Inspektionsplan
inspection sheet — Prüfprotokoll
instruction set — Anweisungsliste
intake air throttling — Zuluftdrosselung
internal strength — innere Festigkeit
internal thread — Innengewinde
iron ore — Eisenerz
iron worker — Konstruktionsmechaniker/in im Stahl und Brückenbau
isolation — Isolation
isometric axonometry — isometrische Projektion
ISO-tolerance — ISO-Toleranzangabe
ISO-tolerance — ISO-Toleranz
item number — Teilenummer
items list — Stückliste

J

jamming — Klemmen
join — verbinden
joining — Fügen
joining process — Fügeverfahren
joint strength — Festigkeit der Lötverbindung

K

key — Passfeder
kind — Art
kinds of lubricant — Schmierstoffart

L

lathe — Drehmaschine
lathe operator — Zerspanungsmechaniker/in
lathe tool — Drehwerkzeug, Drehmeißel
lead — Blei
lead alloy — Bleilegierung
lead screw — Leitspindel
lefthand welding — Nachlinksschweißen
left-handed screw thread — Linksgewinde
left-side view — Seitenansicht von links
length measurement — Längenmessung
lever squaring shear — Hebeltafelschere
limit gauge — Grenzlehre
limit plug — Grenzlehrdorn
limit size — Grenzmaß
line — Linie
line scale — Strichmaßstab
linear movement — geradlinige Bewegung
liquid — Flüssigkeit
liquid lubricant — flüssiger Schmierstoff
local section — Teilschnitt
locking pliers — Gripzange
locknut — Sechskantmutter mit Klemmteil
lockwasher — Federring
logic diagram — Logikplan
logic symbol — Logiksymbol
longitudinal cylinder turning — Längsrunddrehen
longitudinal slide — Längsschlitten
lower deviation — unteres Abmaß
lubricant — Schmierstoff
lubricate — schmieren
lubricated status — geschmierter Zustand
lubricating area — Schmierbereich
lubricating grease — Schmierfett
lubricating nipple — Schmiernippel
lubrication — Schmierung
lubrication chart, table — Schmierplan
lubrication effect — Schmierwirkung
lubrication point — Schmierstelle
lubrication status — Schmierungszustand
lubricator — Öler

M

machinability — Zerspanbarkeit
machine base — Maschinenbett
machine stand — Maschinenständer
machine tool — Arbeitsmaschine, Werkzeugmaschine
machining — fertigungstechnisch
machining center — Bearbeitungszentrum
magnesium — Magnesium
magnesium alloy — Magnesiumlegierung
magnetic valve — Magnetventil
main function — Hauptfunktion
main switch — Hauptschalter
main view — Hauptansicht
maintenance — Instandhalten, Warten
maintenance instruction — Wartungsvorschrift
maintenance schedule — Wartungsplan
maintenance strategy — Instandhaltungsstrategie
maintenance task — Instandhaltungsmaßnahme
maintenance unit — Wartungseinheit
maintenance work — Wartungstätigkeit
malleability — Schmiedbarkeit
manometer — Manometer
manual — Betriebsanleitung
manual arc welding — Lichtbogenhandschweißen
manual power tool — handgeführtes Werkzeug
manual push-button — Handtaster
manufacture of metals — Metallherstellung
manufacturing — Fertigung

mark out	anreißen
material	Material, Werkstoff
material joint	Stoffschluss, stoffschlüssig, stoffschlüssige Verbindung
materials	Werkstofftechnik
mating of material	Werkstoffpaarung
maximum limit of size	Höchstmaß
measure	messen
measuring device	Messgerät
measuring gauge	Maßlehre
measuring instrument	Messgerät
mechanical	mechanisch
mechanical contact	mechanischer Kontakt
mechanical signal transmitter	mechanischer Signalgeber
mechanical stop	Endanschlag
mechanical-technological	mechanisch-technologisch
mechanics	Mechanik
megger	Widerstandsmessgerät
metal	Metall
metal protective gas welding	Metall-Schutzgasschweißen
metal surface	Metalloberfläche
metal worker	Metallbauer/in
metal working	Metallverarbeitung
metal working industry	Metall verarbeitende Industrie
meter	messen (el.)
micrometer	Messschraube
middle fibre	neutrale Zone
mill	Fräser
milling	Fräsen
milling cutter	Fräser, Fräswerkzeug
milling head	Fräskopf, Messerkopf
milling machine	Fräsmaschine
milling spindle	Frässpindel
miniature fuse	Feinsicherung
minimum bend radius	Mindestbiegeradius
minimum limit of size	Mindestmaß
motion status	Bewegungszustand
motor protecting switch	Motorschutzschalter
motor winding	Motorwicklung
mount	montieren
mounting aid	Montagehilfsmittel
mounting device	Montagevorrichtung
mounting feet	Maschinenfuß
mounting plate	Grundplatte
mountings	Montageabläufe
multimeter	Mehrbereichsmessgerät
N	
negative rake angle	negativer Spanwinkel
nibbling machine	Nibbelmaschine
nibbling shear	Nibbelschere
nominal current	Nennstrom
nominal size	Nennmaß
nominal voltage	Nennspannung
nominal wattage	Nennleistung
non-detachable	lösbar
non ferrous metal	Nichteisenmetall
non-ageing	alterungsbeständig
nonmetal	Nichtmetall
normally closed contact	Öffner
normally open contact	Schließer
nose angle	Eckenwinkel
NOT function	NICHT-Funktion
notch	Nut
notch angle	Kerbwinkel
nut	Mutter
nut for keyed end	Nutmutter
O	
obective testing	objektives Prüfen
object line	Körperkante
occupational safety	Arbeitssicherheit
offer	Angebot
off-the-job training	Berufsschulunterricht
Ohm's law	Ohmsches Gesetz
oil bottle with atomizer	Ölflasche mit Zerstäuber
oil change	Ölwechsel
oil filter	Ölfilter
oil sludge	Ölrückstand
oil spray	Ölspray
oil-free	ölfrei
oil-level	Ölstand
oil-level glass	Ölschauglas
oiltight container	öldichter Behälter
open loop control	Steuerung
open-end wrench	Maulschlüssel
operatability	Funktionsfähigkeit
operating information	Betriebsanleitung
operating instruction	Bedienungsanleitung
operating pressure	Betriebsdruck
operating temperature	Gerätetemperatur
operational diagram	Funktionsplan
oppose	entgegenwirken
OR function	ODER-Funktion
OR valve	Oder-Ventil
order number	Bestellnummer
output	Ausgang
output signal	Ausgangssignal
output parameter	Ausgangsgröße
overload	Überlast
oxide layers	Oxidschicht
oxygen	Sauerstoff
P	
packing department	Versandabteilung
pair of pliers	Zange
parallax	Parallaxe
parallel connection	Parallelschaltung
part	Bauteil, Einzelteil
part number, item number	Positionsnummer

part of a joint	Fügeteil
parts list	Stückliste
part-turn valve actuator	Schwenkantrieb
payment transaction	Zahlungsverkehr
peeling stress	Schälung
percussion screwdriver	Drehschlagschrauber
period of training	Ausbildungszeit
personal protective equipment	persönliche Schutzausrüstung
perspective view	Raumbild, Perspektive
phase of realisation	Realisierungsphase
phase of use	Nutzungsphase
photo	Foto
physical	physikalisch
pin	Stift
pin joint	Stiftverbindung
pin punch	Splinttreiber
pipe	Rohr
piping	Verschlauchung
piston power	Kolbenkraft
piston rod	Kolbenstange
pivot	Achszapfen
plane	Zeichenebene
plane milling	Umfangsfräsen
planning assignment	Planungsaufgabe
planning department	Arbeitsvorbereitung
plant	Anlage
plant mechanic	Anlagenmechaniker/in
plastic	Kunststoff
plastic plate	Kunststoffplatte
plate support	Blechauflage
pliers for hand riveting	Handnietzange
plot of instruction	Handlungsanweisung
plug	Stecker
plugging	Stecken
pneumatic circuit diagram	Pneumatikplan
pneumatic cylinder	Pneumatikzylinder
pneumatic part	pneumatisches Kaufteil
pneumatic subassembly	pneumatische Baugruppe
pneumatic system	pneumatisches System
pneumatics	Pneumatik
point angle	Spitzenwinkel
polygon profile	Polygonwellenprofil
port size	Anschlussgröße
positive locking	formschlüssige Verbindung, formschlüssig
positive rake angle	positiver Spanwinkel
power	Leistung, Energie
power tool	angetriebenes Werkzeug
precaution	Schutzmaßnahme
precision machine	Präzisionsmaschine
precision mechanic	Feinwerkmechaniker/in
prepare	vorbereiten
preservation	Konservierung
press fit joint	Pressverbindung

pressing	Pressen
pressure filter	Druckfilter
pressure limiting valve	Druckbegrenzungsventil
pressure reducing valve	Druckreduzierventil
pressure regulator	Druckminderer
preventions of accidents	Maßnahmen zur Unfallverhütung
preventive maintenance	vorbeugende Instandhaltungsmaßnahme
primary forming	Urformen
prime mover	Kraftmaschine
principal constituent	Hauptbestandteil
principle sketch	Prinzipskizze
prism	Prisma
prismatic body	prismatischer Körper
procedure	Vorgang
process chain	Prozesskette
process visualisation	Prozessvisualisierung
processor	Prozessor
product description	Produktbeschreibung
production area	hier: Einzelteilfertigung
production drawing	Fertigungszeichnung
production part	Fertigungsteil
profile	Profil, Profilform
profile gauge	Formlehre
program,programme	Programm
programming	Programmierung
programming language	Programmiersprache
progressive tolerance grade	steigender Toleranzgrad
projection line	Maßhilfslinie
protect	schützen
protective clothing	Schutzkleidung
protective device	Schutzgerät
protective goggles	Schutzbrille
protective layer	Schutzschicht
protractor	Winkelmesser
provide	liefern, bieten
proximity sensor	Näherungssensor
punch	körnen, Körner, Lochwerkzeug
purchased part	Fremdteil
purchasing department	Einkaufsabteilung
purifier	Reiniger
push-button	Taster, Tastschalter
pyramid	Pyramide
Q	
quality	Qualität
quality management	Qualitätsmanagement
quality steel	Qualitätsstahl
quick evacuating valve	Schnellentlüftungsventil
R	
radius	Radius
rake angle	Spanwinkel
ratchet	Knarre, Ratsche
rating plate	Leistungsschild
raw material	Rohstoff

readiness for use	Einsatzbereitschaft
reamer	Reibahle
reaming	Reiben
recess	Ausnehmung
rectifier	Gleichrichter
rectilinear feed motion	geradlinige Vorschub-bewegung
rectilinear infeed motion	geradlinige Zustellbewegung
red brass	Rotguss
reduction	Verkleinerung
reference arrow	Pfeil
reference number	Norm-Kurzbezeichnung
relative movement	Relativbewegung
relay	Relais
relay control	Relaissteuerung
remove	abnehmen, demontieren
removing	Lösen
repair	Reparatur
replacement	Austausch
replacing of oil feeds	Wechseln von Ölleitungen
representation	Darstellung
reprocessing	Aufbereitung
resistance	elektrischer Widerstand
resistor	elektrischer Widerstand
retaining ring	Sicherungsring
retransfer	durch Kontern sichern
return flow filter	Rücklauffilter
rib	Rippe
right-hand welding	Nachrechtsschweißen
right-handed screw thread	Rechtsgewinde
rigid	starr
rigid joining	starre Verbindung
rigid line	Rohrleitung
rivet joint	Nietverbindung
roll	rollen
roll bending	Walzbiegen
rolling	Walzen
rolling bearing	Wälzlager
rotation axis	Rotationsachse
rotational frequency	Umdrehungsfrequenz
rough file	grobhiebige Feile
roughing file	Schruppfeile
roughing, rough-working	Schruppen
rounded	Abrundung
rust	Rost

S

safety data sheet	Sicherheitsdatenblatt
safety instruction	Sicherheitsanweisung
safety sign	Sicherheitsschild
sales department	Verkaufsabteilung
sample	Probe
saw	Säge
saw blade	Sägeblatt
sawing machine	Sägemaschine
scale	Maßstab
scale value of the divisions	Skalenteilungswert
scales	Zunderschicht
scraping	schabend
screw	Schraube, schrauben
screw head	Schraubenkopf
screw joint	Schraubenverbindung
screw locking device	Schraubensicherung
screwdriver	Schraubendreher, Schrauber
screw-hole circle in a plane	Lochkreis
screwing	Verschrauben
scribe	anreißen
section plane	Schnittebene
selection of solders	Lotauswahl
semi finished product	Halbzeug
semiconductor	Halbleiter
sense	Sinn
sensor	Sensor
separating	Zerteilen
sequence	Reihenfolge
series connection	Reihenschaltung
serration profile	Kerbzahnprofil
service and maintenance	Instandhaltung
service life	Lebensdauer
shaft	Welle
shape	Form
shaped element	Formelement
share of the responsibility	Mitverantwortung
shearing	Abscherung, Scheren
shearing machine	Maschinenschere
sheet metal	Blech
sheet metal cutter	Rollenblechschere
sheet metal worker	Konstruktionsmechaniker/in im Anlagen, Geräte- und Behälterbau
sheet thickness	Blechdicke
shell end mill	Walzenstirnfräser
shop press	Werkstattpresse
short symbol	Kurzzeichen
short-circuit	Kurzschluss
shoulder	Absatz
shuttle valve	Wechselventil
sickle spanner	Hakenschlüssel
side milling cutter	Scheibenfräser
signal	Signal
signal transmitter	Signalgeber
simulation	Simulation
single acting cylinder	einfach wirkender Zylinder
single-component adhesive	Einkomponentenkleber
sintered material	Sinterverbundwerkstoff
sketch	Skizze, skizzieren
slideway	Führungsbahn
slip gauge	Parallelendmaß
slotted set screw	Gewindestift
slushing oil	Korrosionsschutzöl
small letter	Kleinbuchstabe

smooth	glatt
smooth file	feinhiebige Feile, Schlichtfeile
smoothing	Schlichten
socket	Steckdose
socket wrench	Steckschlüssel
soft	weich
solderability	Lötbarkeit
soldering gap	Lötspalt
soldering joint	Lötverbindung
soldering method	Lötverfahren
soldering seam	Lötnaht
soldering temperature	Löttemperatur
solid cooling lubricant	Kühlschmierstoff
solid lubricant	Festschmierstoff
spacing	Zahnteilung
spanner	Schraubenschlüssel
specification for standards	Normangabe
spherical shape	Kugelform
spindle	Spindel
spindle gear	Spindelgetriebe
spline	Keilwellenprofil
split pin	Splint
spring dowel pin	Federpassstift
springback	Rückfederung
square symbol	Quadratzeichen
squaring shear	Tafelschere
staff department	Personalabteilung
stainless steel	nichtrostender Stahl
standard	Norm
standard lettering	Normschrift
standard model	Standardmodell
standard part	Normteil
standard reference temperature	Maßbezugstemperatur
standard sheet	Normenblatt
standard stroke	Standardhublänge
standard vernier scale	Noniuswert
standards book	Tabellenbuch
state of matter	Aggregatzustand
steel	Stahl
steel backing	Stahlunterlage
sticking	kleben
stoppage	Stillstand
store	speichern
stored program control	speicherprogrammierte Steuerung
stored programed	speicherprogrammiert
straight pin, spring pin	Spannstift
strain	Dehnung
stretched length	gestreckte Länge
strength	Festigkeit
stress	Beanspruchung, Spannung
stretching	Strecken
strip	Band
stroke sawing machine	Hubsägemaschine
strong	fest
stud	Bolzen
stud joint	Bolzenverbindung
subassembly	Baugruppe
subjective testing	subjektives Prüfen
substance	Stoff
suction filter	Saugfilter
supplies	Hilfsstoffe
supply	liefern
supply voltage	Versorgungsspannung
surface	Oberfläche
surface bonding	Flächenhaftung
surface finish	Oberflächenbeschaffenheit
surface preparation	Oberflächenbehandlung
surface pressure	Flächenpressung
surface quality	Oberflächenqualität
surface roughness value	Rauheitswert
swivel bending machine	Schwenkbiegemaschine
symbol	Symbol
symmetrical axis	Symmetrieachse
systematic drift	systematische Messabweichung

T

table	Maschinentisch, Übersicht
tailstock	Reitstock
tap	Gewindebohrer, Gewindeschneider
tap and die set	Gewindeschneidzeug
taper pin	Kegelstift
tapping drill hole	Kernlochbohrung
tearing chip	Reißspan
technical data	technische Daten
technical drawing	technisches Zeichnen
technical language	Fachsprache
technical papers	technische Unterlagen
technical purpose	technischer Zweck
technical term	Fachbegriff
temperature for bending	Biegetemperatur
term	Ausdruck, Begriff
test department	Versuchsabteilung
test object	Prüfgegenstand
test piece	Probekörper
test report	Prüfprotokoll
testing	Prüfen
testing technique	Prüftechnik
T-handle	Quergriff
thermal conductivity	Wärmeleitfähigkeit
thermoplastics	Thermoplaste
thickness dimension	Dickenmaß
thread	Gewinde
thread cutting	Gewindeschneiden
thread diameter	Gewindegröße
thread length	Gewindelänge
thread turning	Gewindedrehen

threaded spindle	Gewindespindel
three-jaw chuck	Dreibackenfutter
throttle	Drossel
throttle check valve	Drosselrückschlagventil
throttle valve	Drosselventil
through boring	Durchgangsbohrung
through hole	Durchgangsbohrung
throwaway insert	Wendeschneidplatte
tightening insertion	Anpressen/Einpressen
tin	Zinn
tin alloy	Zinnlegierung
Titanium	Titan
Titanium alloy	Titanlegierung
title	Benennung
title block	Schriftfeld
tolerance	Toleranz
tolerance data	Toleranzangabe
tolerance grade	Toleranzgrad
tolerance zone	Toleranzfeld
tongue	Feder
tool	Werkzeug
tool wear	Werkzeugverschleiß
toolbox	Werkzeugkasten
toolmaker	Werkzeugmechaniker/in
top slide	Oberschlitten
top view, view from above	Draufsicht
torque wrench	Drehmomentschlüssel
tough	zäh
toughness	Zähigkeit
trainee	Auszubildender
transistor	Transistor
transmit	leiten, übertragen
transverse facing	Querplandrehen
tripping current	Auslösestrom
true length	gestreckte Länge
tube bender	Rohrbiegevorrichtung
tube	Schlauch
turning	Drehen
turning length	Drehlänge
turning machine	Drehmaschine
two-component adhesive	Zweikomponentenkleber
type of adhesive	Klebstoffart
type of drill	Bohrertyp
type of joint	Stoßart
type of seam	Nahtform
U	
U-bending	Gesenkbiegen
ultrasmooth file	Feinschlichtfeile
unalloyed steel	unlegierter Stahl
unit	Einrichtung
unit of measurement	Maßeinheit
universal milling machine	Universalfräsmaschine
unlubricated status	ungeschmierter Zustand
upcut milling	Gegenlauffräsen
upper deviation	oberes Abmaß
V	
valuable	teuer
valve	Ventil
V-belt	Keilriemen
V-bending	Gesenkbiegen
verbal note	Wortangabe
vernier caliper	Messschieber
vertical face milling	Stirn-Umfangsfräsen
vertical milling machine	Senkrechtfräsmaschine
vice	Schraubstock
view	Ansicht
view from the front	Vorderansicht
view from the left	Seitenansicht von links
viscosity	Viskosität
voltage	elektrische Spannung
voltage meter	Spannungsmessgerät
voltage source	Spannungsquelle
volume of chips	Spanvolumen
W	
washer	Scheibe
waste diposal company	Spezialbetrieb
waste oil	Altöl
weak	brüchig
wearing reason	Abnutzungsursache
wearing stock	Abnutzungsvorrat
wedge	Keil
wedge angle	Keilwinkel
wedge-shaped cutting edge	keilförmige Werkzeugschneide
weld seam	Schweißnaht
weldability	Schweißbarkeit
welding	Schweißen
welding flame	Schweißflamme
welding machine	Schweißanlage
welding symbol	Schweißsymbol
welding torch	Brenner
width	Breite
width across corners	Eckenmaß
width dimension	Breitenmaß
wiping off	Abwischen
wire	Draht
wiring	Verdrahten
wood plate	Holzplatte
work	Arbeit
work area	Arbeitsraum
work spindle	Arbeitsspindel
work surface	Arbeitsfläche
worker	Arbeiter
workshop	Werkstatt
wrench size	Schlüsselweite
Y	
year of training	Ausbildungsjahr
Z	
zinc	Zink
zinc alloy	Zinklegierung

Sachwortverzeichnis

Abkürzungen

AC	Alternating Current (Wechselstrom)
AGW	Arbeitsplatzgrenzwert
BGV	Berufsgenossenschaftliche Vorschrift
DC	Direct Current (Gleichstrom)
DIN	Deutsches Institut für Normung
EDV	Elektronische Datenverarbeitung und -übermittlung
EN	Europäische Norm
FI	Fehler-Strom
GUV	Gesetzliche Unfallversicherung
HTML	Hypertext Markup Language
http	Hypertext Transport Protocol
HVBG	Hauptverband der gewerblichen Berufsgenossenschaften
IP	International Protection
ISO	International Organization for Standardization
LH	Left Hand (Kennzeichnung für Linksgewinde)
MAG	Metall-Aktivgasschweißen
MAK	Maximale Arbeitsplatzkonzentration
MIG	Metall-Inertgasschweißen
MSG	Metall-Schutzgasschweißen
PELV	Protective Extra Low Voltage (Schutzkleinspannung)
RCD	Residual Current Protective Device (Reststromschutzvorrichtung)
SELV	Safety Extra Low Voltage (Sicherheitskleinspannung)
SPS	Speicherprogrammierte Steuerung
URL	Uniform Resource Locator
UVV	Unfallverhütungsvorschrift
VDE	Verband der Elektrotechnik, Elektronik und Informationstechnik
VDI	Verein deutscher Ingenieure
WIG	Wolfram-Inertgasschweißen
WWW	World Wide Web

Kennzeichnung industrieller Objekte gemäß DIN EN 81346-2

Hauptklasse	**Unterklasse**	**Komponente**	
A mehrere Hauptzwecke aus anderen Hauptklassen	Z kombinierte Aufgaben	Wartungseinheit	AZ
B Umwandeln eines Eingangssignals in ein Ausgangssignal zur Weiterverarbeitung.	G Abstand, Position, Länge P Druck T Temperatur	Näherungssensor, rollenbetätigtes Ventil Drucksensor Temperatursensor	BG BP BT
C Speichern von Energie, Informationen oder Material	M im geschlossenen System	Akkumulator, Druckspeicher, Hydrauliktank	CM
E Wärme- und Strahlungsenergie liefern (Heizen, Leuchten, Kühlen)			
F Schützen und Sichern	B vor Fehlerströmen C vor Überströmen L vor zu hohem Druck	Fehlerstromschalter elektrische Sicherungen Sicherheitsventil	FB FC FL
G Erzeugen eines Flusses aus Signalen, Informationen, Stoff oder Energie	A elektrische Energie F Signale P Flüssigkeiten Q Druckluft S mittels Treibmittel	Generator Signalgeber Pumpe Kompressor Druckluftöler	GA GF GP GQ GS
H Produzieren eines neuen / anderen Stoffes / Materials	Q durch Filtern	Filter	HQ
K Signale oder Informationen verarbeiten	F elektrische, elektronisch H fluidtechnisch	Relais, SPS UND-, ODER-Ventil, Zeitventil	KF KH
M Antreiben, Betätigen	A elektromagnetisch B magnetisch M pneumatisch, hydraulisch	Elektromotor Elektromagnet, Ventilspule Pneumatik/Hydraulikzylinder, -motor	MA MB MM
P Darstellen von Informationen	F visuell - Einzelzustände G visuell – Variable	Meldeleuchte Thermometer, Spannungs-, Strommessgerät, Manometer	PF PG
Q Kontrolliertes Schalten/Variieren eines Signal-, Energie- oder Stoffflusses	A elektrischen Strom schalten B elektrische Stromkreise trennen M Druckluft, Hydraulikstrom schalten N Druckluft, Hydraulikstrom variieren	Schütz, Motoranlasser, Hauptschalter Absperrarmatur, Schnellentlüftungsventil Druckventil, Stromregelventil	QA AB QM QN
R Begrenzen oder Stabilisieren von Bewegungen, Energie-, Stoff- oder Informationsfluss	M Rückfluss von Fluiden verhindern N Durchfluss von Fluiden begrenzen Z kombinierte Funktion	Rückschlagventil Drossel, Strom Drosselrückschlagventil	RM RN RZ
S Umwandeln einer manuellen Betätigung in ein anderes Signal	F elektrisches Signal bereitstellen J pneumatisches, hydraulisches Signal bereitstellen.	elektrischer Taster, Schalter Ventil mit manueller Betätigung	SF SJ
T Umwandeln von Energie oder andere physikalische Größen ohne ihre Art zu verändern			
U Halten in definierter Lage			
V Verarbeiten von Produkten			
W Leiten und Führen	N von Fluiden, Gasen in flexibler Umhüllung P von Fluiden, Gasen in starrer Umhüllung	Schlauchleitung Rohrleitung	WN WP
X Verbinden	L von Rohrleitungen M von Schlauchleitungen	Rohrleitungskupplung Schlauchleitungskupplung	XL WM

Hauptgruppe 3: Trennen

Zerteilen
DIN 8588

Scherschneiden
Lernfelder 1 u. 2
Kap. 1.4.1

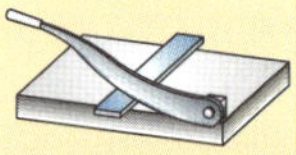

Messerschneiden
Lernfelder 1 u. 2
Kap. 1.4.2

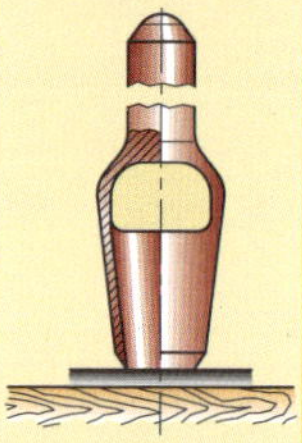

Beißschneiden
Lernfelder 1 u. 2
Kap. 1.4.3

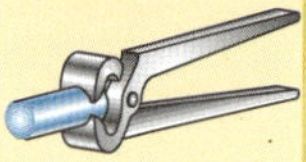

Spanen mit geometrisch bestimmten Schneiden
DIN 8589-0

Meißeln
Lernfelder 1 u. 2
Kap. 1.2.1

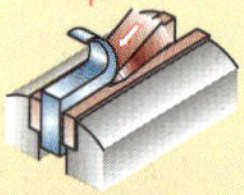

DIN 8589-9

Sägen
Lernfelder 1 u. 2
Kap. 1.2.2

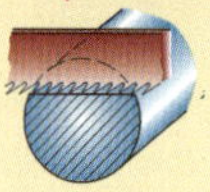

DIN 8589-6

Feilen
Lernfelder 1 u. 2
Kap. 1.2.3

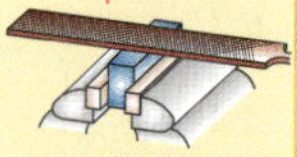

DIN 8589-7

Bohren, Senken, Reiben
Lernfelder 1 u. 2
Kap. 1.3.3

DIN 8589-2

Drehen
Lernfelder 1 u. 2
Kap. 1.3.4

DIN 8589-1

Fräsen
Lernfelder 1 u. 2
Kap. 1.3.5

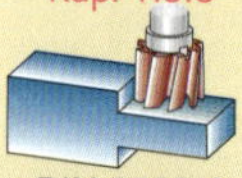

DIN 8589-3

Spanen mit geometrisch unbestimmten Schneiden
DIN 8589-0

Schleifen

DIN 8589-11

Honen

DIN 8589-14

Läppen

DIN 8589-15

Abtragen
DIN 8590

Thermisches Abtragen

z. B. autogenes Brennschneiden

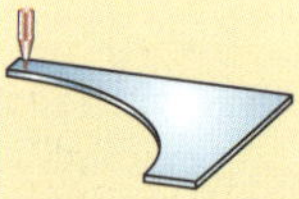

Chemisches Abtragen

Der Werkstoff des Werkstücks wird durch eine chemische Reaktion mit einem Wirkmedium abgetragen

Elektrochemisches Abtragen

z. B. elektrochemisches Senken

Zerlegen
DIN 8591

Auseinandernehmen

Entleeren

Lösen kraftschlüssiger Verbindungen

Zerlegen von durch Urformen gefügten Teilen

Ablöten

Lösen von Klebeverbindungen

Zerlegen textiler Verbindungen

Reinigen
DIN 8592

Reinigungsstrahlen
Lernfeld 4
Kap. 1.2.1.2

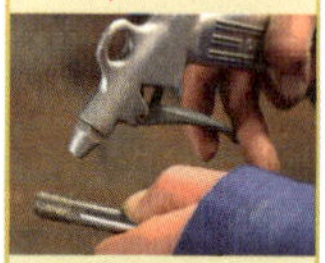

z. B. mit Druckluft

Mechanisches Reinigen
Lernfeld 4
Kap. 1.2.1 2

z. B. Abbürsten

Strömungstechnisches Reinigen
Lernfeld 4
Kap. 1.2.1 2
z. B. Waschen

Lösemittelreinigen
Lernfeld 4
Kap. 1.2.1 2

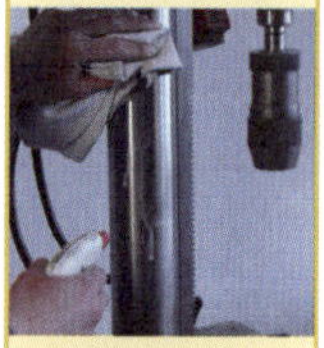

z. B. Ablaugen

Thermisches Reinigen z. B. Abflammen